Klassische Deutsche Dichtung

Band 10

Klassische Deutsche Dichtung in 22 Bänden

herausgegeben von
Fritz Martini,
oö. Professor an der Technischen Hochschule
Stuttgart
und
Walter Müller-Seidel,
ao. Professor an der Universität
München

unter Mitwirkung von
Benno von Wiese,
oö. Professor an der Universität
Bonn

Klassische Deutsche Dichtung

Band 10

Romane und Erzählungen

mit einem Nachwort von Fritz Martini

Erste bis dritte Auflage

Herder

Freiburg · Basel · Wien

Alle Texte sind ungekürzt
unter Benutzung historisch-kritischer Ausgaben
wiedergegeben

Gesetzt in der Borgis Monotype Garamond Antiqua

Herder Druck Freiburg im Breisgau 1965
Bestellnummer 13970

Inhalt

Theodor Storm

Die Regentrude

Erste Veröffentlichung in: Leipziger Illustrirte Zeitung 30. 7. 1864 mit dem Zusatz ‚Ein Mittsommermärchen'. Erste Buchausgabe in: Drei Märchen. Hamburg, W. Mauke Söhne 1866. Mit dem Zusatz ‚Meiner Nichte Lucie Storm und meiner Tochter Lisbeth Storm zum Weihnachten 1865'.

Einen so heißen Sommer, wie nun vor hundert Jahren, hat es seitdem nicht wieder gegeben. Kein Grün fast war zu sehen; zahmes und wildes Getier lag verschmachtet auf den Feldern.

Es war an einem Vormittag. Die Dorfstraßen standen leer; was nur konnte, war ins Innerste der Häuser geflüchtet; selbst die Dorfkläffer hatten sich verkrochen. Nur der dicke Wiesenbauer stand breitspurig in der Torfahrt seines stattlichen Hauses und rauchte im Schweiße seines Angesichts aus seinem großen Meerschaumkopfe. Dabei schaute er schmunzelnd einem mächtigen Fuder Heu entgegen, das eben von seinen Knechten auf die Diele gefahren wurde. – Er hatte vor Jahren eine bedeutende Fläche sumpfigen Wiesenlandes um geringen Preis erworben, und die letzten dürren Jahre, welche auf den Feldern seiner Nachbarn das Gras versengten, hatten ihm die Scheuern mit duftendem Heu und den Kasten mit blanken Krontalern gefüllt.

So stand er auch jetzt und rechnete, was bei den immer steigenden Preisen der Überschuß der Ernte für ihn einbringen könne. „Sie kriegen alle nichts“, murmelte er, indem er die Augen mit der Hand beschattete und zwischen den Nachbarsgehöften hindurch in die flimmernde Ferne schaute; „es gibt gar keinen Regen mehr in der Welt.“ Dann ging er an den Wagen, der eben abgeladen wurde; er zupfte eine Handvoll Heu heraus, führte es an seine breite Nase und lächelte so verschmitzt, als wenn er aus dem kräftigen Duft noch einige Krontaler mehr herausriechen könne.

In demselben Augenblicke war eine etwa fünfzigjährige

Frau ins Haus getreten. Sie sah blaß und leidend aus, und bei dem schwarzseidenen Tuche, das sie um den Hals gesteckt trug, trat der bekümmerte Ausdruck ihres Gesichtes nur noch mehr hervor. „Guten Tag, Nachbar", sagte sie, indem sie dem Wiesenbauer die Hand reichte, „ist das eine Glut; die Haare brennen einem auf dem Kopfe!"

„Laß brennen, Mutter Stine, laß brennen!" erwiderte er, „seht nur das Fuder Heu an! Mir kann's nicht zu schlimm werden!"

„Ja, ja, Wiesenbauer, Ihr könnt schon lachen; aber was soll aus uns andern werden, wenn das so fortgeht!"

Der Bauer drückte mit dem Daumen die Asche in seinen Pfeifenkopf und stieß ein paar mächtige Dampfwolken in die Luft. „Seht Ihr", sagte er, „das kommt von der Überklugheit. Ich hab's ihm immer gesagt; aber Euer Seliger hat's alleweg besser verstehen wollen. Warum mußte er all sein Tiefland vertauschen! Nun sitzt Ihr da mit den hohen Feldern, wo Eure Saat verdorrt und Euer Vieh verschmachtet."

Die Frau seufzte.

Der dicke Mann wurde plötzlich herablassend. „Aber Mutter Stine", sagte er, „ich merke schon, Ihr seid nicht von ungefähr hiehergekommen; schießt nur immer los, was Ihr auf dem Herzen habt!"

Die Witwe blickte zu Boden. „Ihr wißt wohl", sagte sie, „die funfzig Taler, die Ihr mir geliehen, ich soll sie auf Johanni zurückzahlen und der Termin ist vor der Tür."

Der Bauer legte seine fleischige Hand auf ihre Schulter. „Nun macht Euch keine Sorge, Frau! Ich brauche das Geld nicht; ich bin nicht der Mann, der aus der Hand in den Mund lebt. Ihr könnt mir Eure Grundstücke dafür zum Pfande einsetzen; sie sind zwar nicht von den besten, aber mir sollen sie diesmal gut genug sein. Auf den Sonnabend könnt Ihr mit mir zum Gerichtshalter fahren."

Die bekümmerte Frau atmete auf. „Es macht zwar wieder Kosten", sagte sie, „aber ich danke Euch doch dafür."

Der Wiesenbauer hatte seine kleinen klugen Augen nicht von ihr gelassen. „Und", fuhr er fort, „weil wir hier einmal beisammen sind, so will ich Euch auch sagen, der Andrees, Euer Junge, geht nach meiner Tochter!"

„Du lieber Gott, Nachbar, die Kinder sind ja miteinander aufgewachsen!“

„Das mag sein, Frau; wenn aber der Bursche meint, er könne sich hier in die volle Wirtschaft einfreien, so hat er seine Rechnung ohne mich gemacht!“

Die schwache Frau richtete sich ein wenig auf und sah ihn mit fast zürnenden Augen an. „Was habt Ihr denn an meinem Andrees auszusetzen?“ fragte sie.

„Ich an Eurem Andrees, Frau Stine? – Auf der Welt gar nichts! Aber“ – und er strich sich mit der Hand über die silbernen Knöpfe seiner roten Weste – „meine Tochter ist eben meine Tochter und des Wiesenbauers Tochter kann es besser belaufen.“

„Trotzt nicht zu sehr, Wiesenbauer!“ sagte die Frau milde, „ehe die heißen Jahre kamen –!“

„Aber sie sind gekommen und sind noch immer da, und auch für dies Jahr ist keine Aussicht, daß Ihr eine Ernte in die Scheuer bekommt. Und so geht's mit Eurer Wirtschaft immer weiter rückwärts.“

Die Frau war in tiefes Sinnen versunken; sie schien die letzten Worte kaum gehört zu haben. „Ja“, sagte sie, „Ihr mögt leider recht behalten, die Regentrude muß eingeschlafen sein; aber – sie kann geweckt werden!“

„Die Regentrude?“ wiederholte der Bauer hart. „Glaubt Ihr auch an das Gefasel?“

„Kein Gefasel, Nachbar!“ erwiderte sie geheimnisvoll. „Meine Urahne, da sie jung gewesen, hat sie selber einmal aufgeweckt. Sie wußte auch das Sprüchlein noch und hat es mir öfters vorgesagt; aber ich habe es seither längst vergessen.“

Der dicke Mann lachte, daß ihm die silbernen Knöpfe auf seinem Bauche tanzten. „Nun, Mutter Stine, so setzt Euch hin und besinnt Euch auf Euer Sprüchlein. Ich verlasse mich auf mein Wetterglas und das steht seit acht Wochen auf beständig Schön!“

„Das Wetterglas ist ein totes Ding, Nachbar; das kann doch nicht das Wetter machen!“

„Und Eure Regentrude ist ein Spukeding, ein Hirngespinst, ein Garnichts!“

„Nun, Wiesenbauer", sagte die Frau schüchtern, „Ihr seid einmal einer von den Neugläubigen!"

Aber der Mann wurde immer eifriger. „Neu- oder altgläubig!" rief er, „geht hin und sucht Eure Regenfrau und sprecht Euer Sprüchlein, wenn Ihr's noch beisammenkriegt! Und wenn Ihr binnen heut und vierundzwanzig Stunden Regen schafft, dann –!" Er hielt inne und paffte ein paar dicke Rauchwolken vor sich hin.

„Was dann, Nachbar?" fragte die Frau.

„Dann – – dann, – zum Teufel, ja, dann soll Euer Andrees meine Maren freien!"

In diesem Augenblick öffnete sich die Tür des Wohnzimmers und ein schönes schlankes Mädchen mit rehbraunen Augen trat zu ihnen auf die Durchfahrt hinaus. „Topp, Vater!" rief sie, „das soll gelten!" Und zu einem ältlichen Mann gewandt, der eben von der Straße her ins Haus trat, fügte sie hinzu: „Ihr habt's gehört, Vetter Schulze!"

„Nun, nun Maren", sagte der Wiesenbauer, „du brauchst keine Zeugen gegen deinen Vater aufzurufen; von meinem Wort da beißt dir keine Maus auch nur ein Titelchen ab."

Der Schulze schaute indes, auf seinen langen Stock gestützt, eine Weile in den freien Tag hinaus; und hatte nun sein schärferes Auge in der Tiefe des glühenden Himmels ein weißes Pünktchen schwimmen sehen oder wünschte er es nur und glaubte es deshalb gesehen zu haben, aber er lächelte hinterhaltig und sagte: „Mög's Euch bekommen, Vetter Wiesenbauer, der Andrees ist allewege ein tüchtiger Bursch!"

Bald darauf, während der Wiesenbauer und der Schulze in dem Wohnzimmer des ersteren über allerlei Rechnungen beisammensaßen, trat Maren an der anderen Seite der Dorfstraße mit Mutter Stine in deren Stübchen.

„Aber Kind", sagte die Witwe, indem sie ihr Spinnrad aus der Ecke holte, „weißt du denn das Sprüchlein für die Regenfrau?"

„Ich?" fragte das Mädchen, indem sie erstaunt den Kopf zurückwarf.

„Nun, ich dachte nur, weil du so keck dem Vater vor die Füße tratst."

„Nicht doch, Mutter Stine, mir war nur so ums Herz, und ich dachte auch, Ihr selber würdet's wohl noch beisammen bekommen. Räumt nur ein bissel auf in Eurem Kopfe; es muß ja noch irgendwo verkramet liegen!"

Frau Stine schüttelte den Kopf. „Die Urahne ist mir früh gestorben. Das aber weiß ich noch wohl, wenn wir damals große Dürre hatten, wie eben jetzt, und uns dabei mit der Saat oder dem Viehzeug Unheil zuschlug, dann pflegte sie wohl ganz heimlich zu sagen: ‚Das tut der Feuermann uns zum Schabernack, weil ich einmal die Regenfrau geweckt habe!'"

„Der Feuermann?" fragte das Mädchen, „wer ist denn das nun wieder?" Aber ehe sie noch eine Antwort erhalten konnte, war sie schon ans Fenster gesprungen und rief: „Um Gott, Mutter, da kommt der Andrees; seht nur, wie verstürzt er aussieht!"

Die Witwe erhob sich von ihrem Spinnrade: „Freilich Kind", sagte sie niedergeschlagen, „siehst du denn nicht, was er auf dem Rücken trägt? Da ist schon wieder eins von den Schafen verdurstet."

Bald darauf trat der junge Bauer ins Zimmer und legte das tote Tier vor den Frauen auf den Estrich. „Da habt ihr's!" sagte er finster, indem er sich mit der Hand den Schweiß von der heißen Stirn strich.

Die Frauen sahen mehr in sein Gesicht als auf die tote Kreatur. „Nimm dir's nicht so zu Herzen, Andrees!" sagte Maren. „Wir wollen die Regenfrau wecken und dann wird alles wieder gut werden."

„Die Regenfrau!" wiederholte er tonlos. „Ja Maren, wer die wecken könnte! – Es ist aber auch nicht wegen dem allein; es ist mir etwas widerfahren draußen." –

Die Mutter faßte zärtlich seine Hand. „So sag es von dir, mein Sohn", ermahnte sie, „damit es dich nicht siech mache!"

„So hört denn!" erwiderte er. – „Ich wollte nach unsern Schafen sehen und ob das Wasser, das ich gestern abend für sie hinaufgetragen, noch nicht verdunstet sei. Als ich aber auf den Weideplatz kam, sah ich sogleich, daß es dort nicht seine Richtigkeit habe; der Wasserzuber war nicht mehr, wo ich ihn hingestellt, und auch die Schafe waren nicht zu sehen. Um sie zu suchen, ging ich den Rain hinab bis an den Riesenhügel. Als ich auf die andere Seite kam, da sah ich sie alle liegend, keuchend, die Hälse lang auf die Erde gestreckt; die arme Kreatur hier war schon krepiert. Daneben lag der Zuber umgestürzt und schon gänzlich ausgetrocknet. Die Tiere konnten das nicht getan haben; hier mußte eine böswillige Hand im Spiele sein!"

„Kind, Kind!" unterbrach ihn die Mutter, „wer sollte einer armen Witwe Leides zufügen!"

„Hör nur zu, Mutter, es kommt noch weiter. Ich stieg auf den Hügel und sah nach allen Seiten über die Ebene hin; aber kein Mensch war zu sehen, die sengende Glut lag wie alle Tage lautlos über den Feldern. Nur neben mir auf einem der großen Steine, zwischen denen das Zwergenloch in den Hügel hinabgeht, saß ein dicker Molch und sonnte seinen häßlichen Leib. Als ich noch so halb ratlos, halb ingrimmig um mich her starrte, hörte ich auf einmal hinter mir von der andern Seite des Hügels her ein Gemurmel, wie wenn einer eifrig mit sich selber redet, und als ich mich umwende, sehe ich ein knorpsiges Männlein im feuerroten Rock und roter Zipfelmütze unten zwischen dem Heidekraut auf und ab stapfen. – Ich erschrak mich, denn wo war es plötzlich hergekommen! – Auch sah es gar so arg und mißgeschaffen aus. Die großen braunroten Hände hatte es auf dem Rücken gefaltet und dabei spielten die krummen Finger wie Spinnenbeine in der Luft. – Ich war hinter den Dornbusch getreten, der neben den Steinen aus dem Hügel wächst, und konnte von hier aus alles sehen, ohne selbst bemerkt zu werden. Das Unding drunten war noch immer in Bewegung; es bückte sich und riß ein Bündel versengten Grases aus dem Boden, daß ich glaubte, es müsse mit seinem Kürbiskopf vornüber schießen; aber es stand schon wieder auf seinen Spindelbeinen und, indem es das dürre Kraut zwischen seinen großen Fäusten zu Pulver rieb, begann es so entsetzlich zu lachen, daß auf der andern Seite des Hügels die halbtoten Schafe aufsprangen und in wilder Flucht an dem Rain hinunterjagten. Das Männlein aber lachte noch gellender, und dabei begann es von einem Bein aufs andere zu springen, daß ich fürchtete, die dünnen Stäbchen müßten unter seinem klumpigen Leibe zusammenbrechen. Es war grausenvoll anzusehen, denn es funkte ihm dabei ordentlich aus seinen kleinen schwarzen Augen."

Die Witwe hatte leise des Mädchens Hand gefaßt.

„Weißt du nun, wer der Feuermann ist!" sagte sie. Maren nickte.

„Das Allergrausenhafteste aber", fuhr Andrees fort, „war seine Stimme. ‚Wenn sie es wüßten, wenn sie es wüßten!' schrie er, ‚die Flegel, die Bauerntölpel!' Und dann sang er mit seiner schnarrenden, quäkenden Stimme ein seltsames Sprüchlein; immer von vorn nach hinten, als könne er sich gar daran nicht ersättigen. Wartet nur, ich bekomm's wohl noch beisammen!"

Und nach einigen Augenblicken fuhr er fort:

„Dunst ist die Welle,
Staub ist die Quelle!"

Die Mutter ließ plötzlich ihr Spinnrad stehen, das sie während der Erzählung eifrig gedreht hatte, und sah ihren Sohn mit gespannten Augen an. Der aber schwieg wieder und schien sich zu besinnen.

„Weiter!" sagte sie leise.

„Ich weiß nicht weiter, Mutter; es ist fort und ich hab's mir unterwegs doch wohl hundertmal vorgesagt."

Als aber Frau Stine mit unsicherer Stimme selbst fortfuhr:

„Stumm sind die Wälder,
Feuermann tanzet über die Felder!"

da setzte er rasch hinzu:

„Nimm dich in Acht!
Eh du erwacht,
Holt dich die Mutter
Heim in die Nacht!"

„Das ist das Sprüchlein der Regentrude!“ rief Frau Stine; „und nun rasch noch einmal! und da, Maren, merk wohl auf, damit es nicht wiederum verloren geht!“

Und nun sprachen Mutter und Sohn noch einmal zusammen und ohne Anstoß:

„Dunst ist die Welle,
Staub ist die Quelle!

Stumm sind die Wälder,
Feuermann tanzet über die Felder!

Nimm dich in Acht!
Eh du erwacht,
Holt dich die Mutter
Heim in die Nacht!“

„Nun hat alle Not ein Ende!“ rief Maren; „nun wecken wir die Regentrude; morgen sind alle Felder wieder grün, und übermorgen gibt's Hochzeit!“ Und mit fliegenden Worten und glänzenden Augen erzählte sie ihrem Andrees, welches Versprechen sie dem Vater abgewonnen habe.

„Kind“, sagte die Witwe wieder, „weißt du denn auch den Weg zur Regentrude?“

„Nein, Mutter Stine, wißt Ihr denn auch den Weg nicht mehr?“

„Aber, Maren, es war ja die Urahne, die bei der Regentrude war; von dem Wege hat sie mir niemals was erzählt.“

„Nun, Andrees“, sagte Maren und faßte den Arm des jungen Bauern, der währenddes mit gerunzelter Stirn vor sich hingestarrt hatte, „so sprich du! Du weißt ja sonst doch immer Rat!“

„Vielleicht weiß ich auch jetzt wieder einen!“ entgegnete er bedächtig. „Ich muß heute mittag den Schafen noch Wasser hinauftragen. Vielleicht daß ich den Feuermann noch einmal hinter dem Dornbusch belauschen kann! Hat er das Sprüchlein verraten, wird er auch noch den Weg verraten; denn sein dicker Kopf scheint überzulaufen von diesen Dingen.“

Und bei diesem Entschluß blieb es. So viel sie auch hin und wider redeten, sie wußten keinen bessern aufzufinden.

Bald darauf fand sich Andrees mit seiner Wassertracht droben auf dem Weideplatze. Als er in die Nähe des Riesenhügels kam, sah er den Kobold schon von weitem auf einem der Steine am Zwergloch sitzen. Er strählte sich mit seinen fünf ausgespreizten Fingern den roten Bart; und jedesmal wenn er die Hand herauszog, löste sich ein Häufchen feuriger Flocken ab und schwebte in dem grellen Sonnenschein über die Felder dahin.

„Da bist du zu spät gekommen“, dachte Andrees, „heute wirst du nichts erfahren“, und wollte seitwärts, als habe er gar nichts gesehen, nach der Stelle abbiegen, wo noch immer der umgestürzte Zuber lag. Aber er wurde angerufen. „Ich dachte, du hättest mit mir zu reden!“ hörte er die Quäkstimme des Kobolds hinter sich.

Andrees kehrte sich um und trat ein paar Schritte zurück.

„Was hätte ich mit Euch zu reden“, erwiderte er; „ich kenne Euch ja nicht.“

„Aber du möchtest den Weg zur Regentrude wissen?“

„Wer hat Euch denn das gesagt?“

„Mein kleiner Finger, und der ist klüger als mancher große Kerl.“

Andrees nahm all seinen Mut zusammen und trat noch ein paar Schritte näher zu dem Unding an den Hügel hinauf.

„Euer kleiner Finger mag schon klug sein“, sagte er, „aber den Weg zur Regenfrau wird er doch nicht wissen, denn den wissen auch die allerklügsten Menschen nicht.“

Der Kobold blähte sich wie eine Kröte und fuhr ein paarmal mit seiner Klaue durch den Feuerbart, daß Andrees vor der herausströmenden Glut einen Schritt zurücktaumelte. Plötzlich aber, den jungen Bauer mit dem Ausdruck eines überlegenen Hohns aus seinen bösen kleinen Augen anstarrend, schnarrte er ihn an: „Du bist zu einfältig, Andrees; wenn ich dir auch sagte, daß die Regentrude hinter dem großen Walde wohnt, so würdest du doch nicht wissen, daß hinter dem Walde eine hohle Weide steht!“

„Hier gilt’s den Dummen spielen!“ dachte Andrees; denn

obschon er sonst ein ehrlicher Bursche war, so hatte er doch auch seine gute Portion Bauernschlauheit mit auf die Welt bekommen. „Da habt Ihr recht", sagte er, und riß den Mund auf, „das würde ich freilich nicht wissen!"

„Und", fuhr der Kobold fort, „wenn ich dir auch sagte, daß hinter dem Walde die hohle Weide steht, so würdest du doch nicht wissen, daß in dem Baum eine Treppe zum Garten der Regenfrau hinabführt."

„Wie man sich doch verrechnen kann!" rief Andrees. „Ich dachte, man könnte nur so gradeswegs hineinspazieren."

„Und wenn du auch gradeswegs hineinspazieren könntest", sagte der Kobold, „so würdest du immer noch nicht wissen, daß die Regentrude nur von einer reinen Jungfrau geweckt werden kann."

„Nun freilich", meinte Andrees, „da hilft's mir nichts; da will ich mich nur gleich wieder auf den Heimweg machen."

Ein arglistiges Lächeln verzog den breiten Mund des Kobolds. „Willst du nicht erst dein Wasser in den Zuber gießen?" fragte er; „das schöne Viehzeug ist ja schier verschmachtet."

„Da habt Ihr zum vierten Male recht!" erwiderte der Bursche und ging mit seinen Eimern um den Hügel herum. Als er aber das Wasser in den heißen Zuber goß, schlug es zischend empor und verprasselte in weißen Dampfwolken in die Luft. „Auch gut!" dachte er, „meine Schafe treibe ich mit mir heim und morgen mit dem frühesten geleite ich Maren zu der Regentrude. Die soll sie schon erwecken!"

Auf der andern Seite des Hügels aber war der Kobold von seinen Steinen aufgesprungen. Er warf seine rote Mütze in die Luft und kollerte sich mit wieherndem Gelächter den Berg hinab. Dann sprang er wieder auf seine dürren Spindelbeine, tanzte wie toll umher und schrie dabei mit seiner Quäkstimme einmal übers andere: „Der Kindskopf, der Bauerlümmel dachte mich zu übertölpeln und weiß noch nicht, daß die Trude sich nur durch das rechte Sprüchlein wecken läßt. Und das Sprüchlein weiß keiner als Eckeneckepenn, und Eckeneckepenn das bin ich!" –

Der böse Kobold wußte nicht, daß er am Vormittag das Sprüchlein selbst verraten hatte.

Auf die Sonnenblumen, die vor Marens Kammer im Garten standen, fiel eben der erste Morgenstrahl, als sie schon das Fenster aufstieß und ihren Kopf in die frische Luft hinaussteckte. Der Wiesenbauer, welcher nebenan im Alkoven des Wohnzimmers schlief, mußte davon erwacht sein; denn sein Schnarchen, das noch eben durch alle Wände drang, hatte plötzlich aufgehört. „Was treibst du, Maren?" rief er mit schläfriger Stimme. „Fehlt's dir denn wo?"

Das Mädchen fuhr sich mit dem Finger an die Lippen, denn sie wußte wohl, daß der Vater, wenn er ihr Vorhaben erführe, sie nicht aus dem Hause lassen würde. Aber sie faßte sich schnell. „Ich habe nicht schlafen können, Vater", rief sie zurück, „ich will mit den Leuten auf die Wiesen; es ist so hübsch frisch heute morgen."

„Hast das nicht nötig, Maren", erwiderte der Bauer, „meine Tochter ist kein Dienstbot." Und nach einer Weile fügte er hinzu: „Na, wenn's dir Pläsier macht! Aber sei zur rechten Zeit wieder heim, eh die große Hitze kommt. Und vergiß mein Warmbier nicht!" Damit warf er sich auf die andere Seite, daß die Bettstelle krachte, und gleich darauf hörte auch das Mädchen wieder das wohlbekannte abgemessene Schnarchen.

Behutsam drückte sie ihre Kammertür auf. Als sie durch die Torfahrt ins Freie ging, hörte sie eben den Knecht die beiden Mägde wecken. „Es ist doch schnöd", dachte sie, „daß du so hast lügen müssen, aber" – und sie seufzte dabei ein wenig – „was tut man nicht um seinen Schatz!"

Drüben in seinem Sonntagsstaat stand schon Andrees ihrer wartend. „Weißt du dein Sprüchlein noch?" rief er ihr entgegen.

„Ja, Andrees! Und weißt du noch den Weg?" Er nickte nur.

„So laß uns gehen!" – Aber eben kam noch Mutter Stine aus dem Hause und steckte ihrem Sohne ein mit Met gefülltes Fläschchen in die Tasche. „Der ist noch von der

Urahne", sagte sie, „sie tat allezeit sehr geheim und kostbar damit, der wird euch gut tun in der Hitze!"

Dann gingen sie im Morgenschein die stille Dorfstraße hinab und die Witwe stand noch lange und schaute nach der Richtung, wo die jungen kräftigen Gestalten verschwunden waren.

Der Weg der beiden führte hinter der Dorfmark über eine weite Heide. Danach kamen sie in den großen Wald. Aber die Blätter des Waldes lagen meist verdorrt am Boden, so daß die Sonne überall hindurchblitzte, sie wurden fast geblendet von den wechselnden Lichtern. – Als sie eine geraume Zeit zwischen den hohen Stämmen der Eichen und Buchen fortgeschritten waren, faßte das Mädchen die Hand des jungen Mannes.

„Was hast du, Maren?" fragte er.

„Ich hörte unsere Dorfuhr schlagen, Andrees."

„Ja, mir war es auch so."

„Es muß sechs Uhr sein!" sagte sie wieder. „Wer kocht denn dem Vater nur sein Warmbier? Die Mägde sind alle auf dem Felde."

„Ich weiß nicht, Maren; aber das hilft nun doch weiter nicht!"

„Nein", sagte sie, „das hilft nun weiter nicht. Aber weißt du denn auch noch unser Sprüchlein?"

„Freilich, Maren!

Dunst ist die Welle,
Staub ist die Quelle!"

Und als er einen Augenblick zögerte, sagte sie rasch:

„Stumm sind die Wälder,
Feuermann tanzet über die Felder."

„Oh!" rief sie, „wie brannte die Sonne!"

„Ja", sagte Andrees und rieb sich die Wange, „es hat auch mir ordentlich einen Stich gegeben."

Endlich kamen sie aus dem Walde und dort, ein paar Schritte vor ihnen, stand auch schon der alte Weidenbaum.

Der mächtige Stamm war ganz gehöhlt und das Dunkel, das darin herrschte, schien tief in den Abgrund der Erde zu führen. Andrees stieg zuerst allein hinab, während Maren sich auf die Höhlung des Baumes lehnte und ihm nachzublicken suchte. Aber bald sah sie nichts mehr von ihm, nur das Geräusch des Hinabsteigens schlug noch an ihr Ohr. Ihr begann angst zu werden, oben um sie her war es so einsam und von unten hörte sie endlich auch keinen Laut mehr. Sie steckte den Kopf tief in die Höhlung und rief: „Andrees, Andrees!“ Aber es blieb alles still, und noch einmal rief sie: „Andrees!“ – Da nach einiger Zeit war es ihr, als höre sie es von unten wieder heraufkommen, und allmählich erkannte sie auch die Stimme des jungen Mannes, der ihren Namen rief, und faßte seine Hand, die er ihr entgegenstreckte. „Es führt eine Treppe hinab“, sagte er, „aber sie ist steil und ausgebröckelt und wer weiß wie tief nach unten zu der Abgrund ist!“

Maren erschrak. „Fürchte dich nicht“, sagte er, „ich trage dich; ich habe einen sichern Fuß.“ Dann hob er das schlanke Mädchen auf seine breite Schulter; und als sie die Arme fest um seinen Hals gelegt hatte, stieg er behutsam mit ihr in die Tiefe. Dichte Finsternis umgab sie; aber Maren atmete doch auf, während sie so Stufe um Stufe wie in einem gewundenen Schneckengange hinabgetragen wurde; denn es war kühl hier im Innern der Erde. Kein Laut von oben drang zu ihnen herab; nur einmal hörten sie dumpf aus der Ferne die unterirdischen Wasser brausen, die vergeblich zum Lichte emporarbeiteten.

„Was war das?“ flüsterte das Mädchen.

„Ich weiß nicht, Maren.“

„Aber hat's denn noch kein Ende?“

„Es scheint fast nicht.“

„Wenn dich der Kobold nur nicht betrogen hat!“

„Ich denke nicht, Maren.“

So stiegen sie tiefer und tiefer. Endlich spürten sie wieder den Schimmer des Sonnenlichts unter sich, das mit jedem Tritte leuchtender wurde; zugleich aber drang auch eine erstickende Hitze zu ihnen herauf.

Als sie von der untersten Stufe ins Freie traten, sahen sie

eine gänzlich unbekannte Gegend vor sich. Maren sah befremdet umher. „Die Sonne scheint aber doch dieselbe zu sein!“ sagte sie endlich.

„Kälter ist sie wenigstens nicht“, meinte Andrees, indem er das Mädchen zur Erde hob.

Von dem Platze, wo sie sich befanden, auf einem breiten Steindamm, lief eine Allee von alten Weiden in die Ferne hinaus. Sie bedachten sich nicht lange; sondern gingen, als sei ihnen der Weg gewiesen, zwischen den Reihen der Bäume entlang. Wenn sie nach der einen oder andern Seite blickten, so sahen sie in ein ödes unabsehbares Tiefland, das so von aller Art Rinnen und Vertiefungen zerrissen war, als bestehe es nur aus einem endlosen Gewirre verlassener See- und Strombetten. Dies schien auch dadurch bestätigt zu werden, daß ein beklemmender Dunst, wie von vertrocknetem Schilf, die Luft erfüllte. Dabei lagerte zwischen den Schatten der einzelnstehenden Bäume eine solche Glut, daß es den beiden Wanderern war, als sähen sie kleine weiße Flammen über den staubigen Weg dahinfliegen. Andrees mußte an die Flocken aus dem Feuerbarte des Kobolds denken. Einmal war es ihm sogar, als sähe er zwei dunkle Augenringe in dem grellen Sonnenschein; dann wieder glaubte er deutlich neben sich das tolle Springen der kleinen Spindelbeine zu hören. Bald war es links, bald rechts an seiner Seite. Wenn er sich aber wandte, vermochte er nichts zu sehen; nur die glutheiße Luft zitterte flirrend und blendend vor seinen Augen. „Ja“, dachte er, indem er des Mädchens Hand erfaßte und beide mühsam vorwärts schritten, „sauer machst du’s uns; aber recht behältst du heute nicht!“

Weiter und weiter gingen sie, der eine nur auf das immer schwerere Atmen des andern hörend. Der einförmige Weg schien kein Ende zu nehmen; neben ihnen unaufhörlich die grauen, halb entblätterten Weiden, seitwärts hüben und drüben unter ihnen die unheimlich dunstende Niederung.

Plötzlich blieb Maren stehen und lehnte sich mit geschlossenen Augen an den Stamm einer Weide. „Ich kann nicht weiter“, murmelte sie; „die Luft ist lauter Feuer.“

Da gedachte Andrees des Metfläschchens, das sie bis dahin unberührt gelassen hatten. – Als er den Stöpsel abgezogen, verbreitete sich ein Duft, als seien die Tausende von Blumen noch einmal zur Blüte auferstanden, aus deren Kelchen vor vielleicht mehr als hundert Jahren die Bienen den Honig zu diesem Tranke zusammengetragen hatten. Kaum hatten die Lippen des Mädchens den Rand der Flasche berührt, so schlug sie schon die Augen auf. „Oh", rief sie, „auf welcher schönen Wiese sind wir denn?"

„Auf keiner Wiese, Maren; aber trink nur, es wird dich stärken!"

Als sie getrunken hatte, richtete sie sich auf und schaute mit hellen Augen um sich her. „Trink auch einmal, Andrees", sagte sie; „ein Frauenzimmer ist doch nur ein elendiglich Geschöpf!"

„Aber das ist ein echter Tropfen!" rief Andrees, nachdem er auch gekostet hatte. „Mag der Himmel wissen, woraus die Urahne den gebraut hat!"

Dann gingen sie gestärkt und lustig plaudernd weiter. Nach einer Weile aber blieb das Mädchen wieder stehen. „Was hast du, Maren?" fragte Andrees.

„Oh, nichts; ich dachte nur!"

„Was denn, Maren?"

„Siehst du, Andrees! Mein Vater hat noch sein halbes Heu draußen auf den Wiesen; und ich gehe da aus und will Regen machen!"

„Dein Vater ist ein reicher Mann, Maren; aber wir andern haben unser Fetzchen Heu schon längst in der Scheuer und unsere Frucht noch alle auf den dürren Halmen."

„Ja, ja, Andrees, du hast wohl recht; man muß auch an die andern denken!" Im stillen bei sich selber aber setzte sie nach einer Weile hinzu: „Maren, Maren, mach dir keine Flausen vor; du tust ja doch alles nur von wegen deinem Schatz!"

So waren sie wieder eine Zeitlang fortgegangen, als das Mädchen plötzlich rief: „Was ist denn das? Wo sind wir denn? Das ist ja ein großer ungeheuerer Garten!"

Und wirklich waren sie, ohne zu wissen wie, aus der einförmigen Weidenallee in einen großen Park gelangt. Aus der weiten, jetzt freilich versengten Rasenfläche erhoben sich überall Gruppen hoher prachtvoller Bäume. Zwar war ihr Laub zum Teil gefallen oder hing dürr oder schlaff an den Zweigen, aber der kühne Bau ihrer Äste strebte noch in den Himmel und die mächtigen Wurzeln griffen noch weit über die Erde hinaus. Eine Fülle von Blumen, wie die beiden sie nie zuvor gesehen, bedeckte hier und da den Boden; aber alle diese Blumen waren welk und düftelos und schienen mitten in der höchsten Blüte von der tödlichen Glut getroffen zu sein.

„Wir sind am rechten Orte, denk ich!" sagte Andrees.

Maren nickte. „Du mußt nun hier zurückbleiben, bis ich wiederkomme."

„Freilich", erwiderte er, indem er sich in dem Schatten einer großen Eiche ausstreckte. „Das übrige ist nun deine Sach! Halt nur das Sprüchlein fest und verred dich nicht dabei!" – –

So ging sie denn allein über den weiten Rasen und unter den himmelhohen Bäumen dahin, und bald sah der Zurückbleibende nichts mehr von ihr. Sie aber schritt weiter und weiter durch die Einsamkeit. Bald hörten die Baumgruppen auf, und der Boden senkte sich. Sie erkannte wohl, daß sie in dem ausgetrockneten Bette eines Gewässers ging; weißer Sand und Kiesel bedeckten den Boden, dazwischen lagen tote Fische und blinkten mit ihren Silberschuppen in der Sonne. In der Mitte des Beckens sah sie einen grauen fremdartigen Vogel stehen; er schien ihr einem Reiher ähnlich zu sein, doch war er von solcher Größe, daß sein Kopf, wenn er ihn aufrichtete, über den eines Menschen hinwegragen mußte; jetzt hatte er den langen Hals zwischen den Flügeln zurückgelegt und schien zu schlafen. Maren fürchtete sich. Außer dem regungslosen unheimlichen Vogel war kein lebendes Wesen sichtbar, nicht einmal das Schwirren einer Fliege unterbrach hier die Stille; wie ein Entsetzen lag das Schweigen über diesem Orte. Einen Augenblick trieb sie die Angst, nach ihrem Geliebten zu rufen, aber sie wagte es wiederum nicht, denn den Laut ihrer eigenen Stimme in dieser Öde zu hören, dünkte sie noch schauerlicher als alles andere.

So richtete sie denn ihre Augen fest in die Ferne, wo sich wieder dichte Baumgruppen über den Boden zu erheben schienen, und schritt weiter ohne rechts oder links zu sehen.

Der große Vogel rührte sich nicht, als sie mit leisem Tritt an ihm vorüberging, nur für einen Augenblick blitzte es schwarz unter der weißen Augenhaut hervor. – Sie atmete auf. – Nachdem sie noch eine weite Strecke hingeschritten, verengte sich das Seebette zu der Rinne eines mäßigen Baches, der unter einer breiten Lindengruppe durchführte. Das Geäste dieser mächtigen Bäume war so dicht, daß ungeachtet des mangelhaften Laubes kein Sonnenstrahl hindurchdrang. Maren ging in dieser Rinne weiter; die plötzliche Kühle um sie her, das hohe dunkle Gewölbe der Wipfel über ihr; es schien ihr fast, als gehe sie durch eine Kirche. Plötzlich aber wurden ihre Augen von einem blendenden Lichte getroffen; die Bäume hörten auf und vor ihr erhob sich ein graues Gestein, auf das die grellste Sonne niederbrannte.

Maren selbst stand in einem leeren sandigen Becken, in welches sonst ein Wasserfall über die Felsen hinabgestürzt sein mochte, der dann unterhalb durch die Rinne seinen Abfluß in den jetzt verdunsteten See gehabt hatte. Sie suchte mit den Augen, wo wohl der Weg zwischen den Klippen hinaufführe. Plötzlich aber schrak sie zusammen. Denn das dort auf der halben Höhe des Absturzes konnte nicht zum Gestein gehören; wenn es auch ebenso grau und starr wie dieses in der regungslosen Luft lag, so erkannte sie doch bald, daß es ein Gewand sei, welches in Falten eine ruhende Gestalt bedeckte. – Mit verhaltenem Atem stieg sie näher. Da sah sie es deutlich; es war eine schöne mächtige Frauengestalt. Der Kopf lag tief aufs Gestein zurückgesunken; die blonden Haare, die bis zur Hüfte hinabflossen, waren voll Staub und dürren Laubes. Maren betrachtete sie aufmerksam. „Sie muß sehr schön gewesen sein", dachte sie, „ehe diese Wangen so schlaff und diese Augen so eingesunken waren. Ach, und wie bleich ihre Lippen sind! Ob es denn wohl die Regentrude sein mag? – Aber die da schläft nicht; das ist eine Tote! Oh, es ist entsetzlich einsam hier!"

Das kräftige Mädchen hatte sich indessen bald gefaßt. Sie trat ganz dicht herzu, und niederkniend und zu ihr hingebeugt legte sie ihre frischen Lippen an das marmorblasse Ohr der Ruhenden. Dann all ihren Mut zusammennehmend, sprach sie laut und deutlich:

„Dunst ist die Welle,
Staub ist die Quelle;
Stumm sind die Wälder,
Feuermann tanzet über die Felder!“

Da rang sich ein tiefer klagender Laut aus dem bleichen Munde hervor; doch das Mädchen sprach immer stärker und eindringlicher:

„Nimm dich in Acht!
Eh du erwacht,
Holt dich die Mutter
Heim in die Nacht!“

Da rauschte es sanft durch die Wipfel der Bäume und in der Ferne donnerte es leise von einem Gewitter. Zugleich aber, und, wie es schien, von jenseits des Gesteins kommend, durchschnitt ein greller Ton die Luft, wie der Wutschrei eines bösen Tieres. Als Maren emporsah, stand die Gestalt der Trude hoch aufgerichtet vor ihr. „Was willst du?“ fragte sie.

„Ach, Frau Trude“, antwortete das Mädchen noch immer kniend. „Ihr habt so grausam lang geschlafen, daß alles Laub und alle Kreatur verschmachten will!“

Die Trude sah sie mit weit aufgerissenen Augen an, als mühe sie sich aus schweren Träumen zu kommen.

Endlich fragte sie mit tonloser Stimme: „Stürzt denn der Quell nicht mehr?“

„Nein, Frau Trude“, erwiderte Maren.

„Kreist denn mein Vogel nicht mehr über dem See?“

„Er steht in der heißen Sonne und schläft.“

„Weh!“ wimmerte die Regenfrau. „So ist es hohe Zeit. Steh auf und folge mir, aber vergiß nicht den Krug, der dort zu deinen Füßen liegt!“

Maren tat wie ihr geheißen, und beide stiegen nun an der Seite des Gesteins hinauf. – Noch mächtigere Baumgruppen, noch wunderbarere Blumen waren hier der Erde entsprossen, aber auch hier war alles welk und düftelos. – Sie gingen an der Rinne des Baches entlang, der hinter ihnen seinen Abfall vom Gestein gehabt hatte. Langsam und schwankend schritt die Trude dem Mädchen voran, nur dann und wann die Augen traurig umherwendend. Dennoch meinte Maren, es bleibe ein grüner Schimmer auf dem Rasen, den ihr Fuß betreten, und wenn die grauen Gewänder über das dürre Gras schleppten, da rauschte es so eigen, daß sie immer darauf hinhören mußte. „Regnet es denn schon, Frau Trude?" fragte sie.

„Ach nein, Kind, erst mußt du den Brunnen aufschließen!"

„Den Brunnen? Wo ist denn der?"

Sie waren eben aus einer Gruppe von Bäumen herausgetreten. „Dort!" sagte die Trude, und einige tausend Schritte vor ihnen sah Maren einen ungeheueren Bau emporsteigen. Er schien von grauem Gestein zackig und unregelmäßig aufgetürmt; bis in den Himmel, meinte Maren; denn nach oben hinauf war alles wie in Duft und Sonnenglanz zerflossen. Am Boden aber wurde die in riesenhaften Erkern vorspringende Fronte überall von hohen spitzbogigen Tor- und Fensterhöhlen durchbrochen, ohne daß jedoch von Fenstern oder Torflügeln selbst etwas zu sehen gewesen wäre.

Eine Weile schritten sie gerade darauf zu, bis sie durch den Uferabsturz eines Stromes aufgehalten wurden, der den Bau rings zu umgeben schien. Auch hier war jedoch das Wasser bis auf einen schmalen Faden, der noch in der Mitte floß, verdunstet; ein Nachen lag zerborsten auf der trockenen Schlammdecke des Strombettes.

„Schreite hindurch!" sagte die Trude. „Über dich hat er keine Gewalt. Aber vergiß nicht, von dem Wasser zu schöpfen; du wirst es bald gebrauchen!"

Als Maren, dem Befehl gehorchend, von dem Ufer herabtrat, hätte sie fast den Fuß zurückgezogen, denn der Boden war hier so heiß, daß sie die Glut durch ihre Schuhe fühlte. „Ei was, mögen die Schuhe verbrennen!" dachte sie und schritt rüstig mit ihrem Kruge weiter. Plötzlich aber blieb sie stehen; der Ausdruck des tiefsten Entsetzens trat in ihre Augen. Denn neben ihr zerriß die trockene Schlammdecke und eine große braunrote Faust mit krummen Fingern fuhr daraus hervor und griff nach ihr.

„Mut!“ hörte sie die Stimme der Trude hinter sich vom Ufer her.

Da erst stieß sie einen lauten Schrei aus und der Spuk verschwand.

„Schließe die Augen!“ hörte sie wiederum die Trude rufen. – Da ging sie mit geschlossenen Augen weiter; als sie aber das Wasser ihren Fuß berühren fühlte, bückte sie sich und füllte ihren Krug. Dann stieg sie leicht und ungefährdet am andern Ufer wieder hinauf.

Bald hatte sie das Schloß erreicht und trat mit klopfendem Herzen durch eines der großen offenen Tore. Drinnen aber blieb sie staunend an dem Eingange stehen. Das ganze Innere schien nur ein einziger unermeßlicher Raum zu sein. Mächtige Säulen von Tropfstein trugen in beinahe unabsehbarer Höhe eine seltsame Decke; fast meinte Maren, es seien nichts als graue riesenhafte Spinngewebe, die überall in Bauschen und Spitzen zwischen den Knäufen der Säulen herabhingen. Noch immer stand sie wie verloren an derselben Stelle und blickte bald vor sich hin, bald nach einer und der andern Seite, aber diese ungeheueren Räume schienen außer nach der Fronte zu, durch welche Maren eingetreten war, ganz ohne Grenzen zu sein; Säule hinter Säule erhob sich, und wie sehr sie sich auch anstrengte, sie konnte nirgends ein Ende absehen. Da blieb ihr Auge an einer Vertiefung des Bodens haften. Und siehe! Dort, unweit von ihr, war der Brunnen; auch den goldenen Schlüssel sah sie auf der Falltür liegen.

Während sie darauf zuging, bemerkte sie, daß der Fußboden nicht etwa, wie sie es in ihrer Dorfkirche gesehen, mit Steinplatten, sondern überall mit vertrockneten Schilf- und Wiesenpflanzen bedeckt war. Aber es nahm sie jetzt schon nichts mehr wunder.

Nun stand sie am Brunnen und wollte eben den Schlüssel ergreifen; da zog sie rasch die Hand zurück. Denn deutlich hatte sie es erkannt: der Schlüssel, der ihr in dem grellen Lichte eines von außen hereinfallenden Sonnenstrahls entgegenleuchtete, war von Glut und nicht von Golde rot. Ohne Zaudern goß sie ihren Krug darüber aus, daß das Zischen des verdampfenden Wassers in den weiten Räumen widerhallte. Dann schloß sie rasch den Brunnen auf. Ein frischer Duft stieg aus der Tiefe, als sie die Falltür zurückgeschlagen hatte, und erfüllte bald alles mit einem feinen feuchten Staube, der wie ein zartes Gewölk zwischen den Säulen emporstieg.

Sinnend und in der frischen Kühle aufatmend ging Maren umher. Da begann zu ihren Füßen ein neues Wunder. Wie ein Hauch rieselte ein lichtes Grün über die verdorrte Pflanzendecke, die Halme richteten sich auf und bald wandelte das Mädchen durch eine Fülle sprießender Blätter und Blumen. Am Fuße der Säulen wurde es blau von Vergißmeinnicht; dazwischen blühten gelbe und braunviolette Iris auf und verhauchten ihren zarten Duft. An den Spitzen der Blätter klommen Libellen empor, prüften ihre Flügel und schwebten dann schillernd und gaukelnd über den Blumenkelchen, während der frische Duft, der fortwährend aus dem Brunnen stieg, immer mehr die Luft erfüllte und wie Silberfunken in den hereinfallenden Sonnenstrahlen tanzte.

Indessen Maren noch des Entzückens und Bestaunens kein Ende finden konnte, hörte sie hinter sich ein behagliches Stöhnen wie von einer süßen Frauenstimme. Und wirklich, als sie ihre Augen nach der Vertiefung des Brunnens wandte, sah sie auf dem grünen Moosrande, der dort emporgekeimt war, die ruhende Gestalt einer wunderbar schönen blühenden Frau. Sie hatte ihren Kopf auf den nackten glänzenden Arm gestützt, über den das blonde Haar wie in seidenen Wellen herabfiel, und ließ ihre Augen oben zwischen den Säulen an der Decke wandern.

Auch Maren blickte unwillkürlich hinauf. Da sah sie nun wohl, daß das, was sie für große Spinngewebe gehalten, nichts anderes sei als die zarten Florgewebe der Regenwolken, die durch den aus dem Brunnen aufsteigenden Duft gefüllt und schwer und schwerer wurden. Eben hatte sich ein solches Gewölk in der Mitte der Decke abgelöst und sank leise schwebend herab, so daß Maren das Gesicht der schönen Frau am Brunnen nur noch wie durch einen grauen Schleier leuchten sah. Da klatschte diese in die Hände, sogleich schwamm die Wolke der nächsten Fensteröffnung zu und floß durch dieselbe ins Freie hinaus.

„Nun!“ rief die schöne Frau. „Wie gefällt dir das?“ Und dabei lächelte ihr roter Mund und ihre weißen Zähne blitzten.

Dann winkte sie Maren zu sich, und diese mußte sich neben ihr ins Moos setzen; und als eben wieder ein Duftgewebe von der Decke niedersank, sagte sie: „Nun klatsch in deine Hände!“ Und als Maren das getan und auch diese Wolke, wie die erste, ins Freie hinausgezogen war, rief sie: „Siehst du wohl, wie leicht das ist! Du kannst es besser noch als ich!“

Maren betrachtete verwundert die schöne übermütige Frau.

„Aber“, fragte sie, „wer seid Ihr denn so eigentlich?“

„Wer ich bin? Nun, Kind, bist du aber einfältig!“

Das Mädchen sah sie noch einmal mit ungewissen Augen an; endlich sagte sie zögernd: „Ihr seid doch nicht gar die Regentrude?“

„Und wer sollte ich denn anders sein?“

„Aber verzeiht! Ihr seid ja so schön und lustig jetzt!“

Da wurde die Trude plötzlich ganz still. „Ja“, rief sie, „ich muß dir dankbar sein. Wenn du mich nicht geweckt hättest, wäre der Feuermann Meister geworden, und ich hätte wieder hinab müssen zu der Mutter unter die Erde.“ Und indem sie ein wenig wie vor innerem Grauen die weißen Schultern zusammenzog, setzte sie hinzu: „Und es ist ja doch so schön und grün hier oben!“

Dann mußte Maren erzählen, wie sie hierher gekommen und die Trude legte sich ins Moos zurück und hörte zu. Mitunter pflückte sie eine der Blumen, die neben ihr emporsproßten, und steckte sie sich oder dem Mädchen ins Haar. Als Maren von dem mühseligen Gange auf dem Weidendamme berichtete, seufzte die Trude und sagte: „Der Damm ist einst von euch Menschen selbst gebaut worden; aber es ist schon lange, lange her! Solche Gewänder, wie du sie trägst, sah ich nie bei ihren Frauen. Sie kamen damals öfters zu mir, ich gab ihnen Keime und Körner zu neuen Pflanzen und Getreiden, und sie brachten mir zum Dank von ihren Früchten. Wie sie meiner nicht vergaßen, so vergaß ich ihrer nicht, und ihre Felder waren niemals ohne

Regen. Seit lange aber sind die Menschen mir entfremdet, es kommt niemand mehr zu mir. Da bin ich denn vor Hitze und lauter Langerweile eingeschlafen, und der tückische Feuermann hätte fast den Sieg erhalten."

Maren hatte sich währenddessen ebenfalls mit geschlossenen Augen auf das Moos zurückgelegt, es taute so sanft um sie her, und die Stimme der schönen Trude klang so süß und traulich.

„Nur einmal", fuhr diese fort, „aber das ist auch schon lange her, ist noch ein Mädchen gekommen, sie sah fast aus wie du und trug fast ebensolche Gewänder. Ich schenkte ihr von meinem Wiesenhonig, und das war die letzte Gabe, die ein Mensch aus meiner Hand empfangen hat."

„Seht nur", sagte Maren, „das hat sich gut getroffen! Jenes Mädchen muß die Urahne von meinem Schatz gewesen sein, und der Trank, der mich heute so gestärkt hat, war gewiß von Eurem Wiesenhonig!"

Die Regenfrau dachte wohl noch an ihre junge Freundin von damals; denn sie fragte: „Hat sie denn noch so schöne braune Löckchen an der Stirn?"

„Wer denn, Frau Trude?"

„Nun, die Urahne, wie du sie nennst!"

„O nein, Frau Trude", erwiderte Maren, und sie fühlte sich in diesem Augenblick ihrer mächtigen Freundin fast ein wenig überlegen, – „die Urahne ist ja ganz steinalt geworden!"

„Alt?" fragte die schöne Frau. Sie verstand das nicht, denn sie kannte nicht das Alter.

Maren hatte große Mühe, ihr es zu erklären. „Merket nur", sagte sie endlich, „graues Haar und rote Augen und häßlich und verdrießlich sein! Seht, Frau Trude, das nennen wir alt!"

„Freilich", erwiderte diese, „ich entsinne mich nun; es waren auch solche unter den Frauen der Menschen; aber die Urahne soll zu mir kommen, ich mache sie wieder froh und schön."

Maren schüttelte den Kopf. „Das geht ja nicht, Frau Trude", sagte sie, „die Urahne ist ja längst unter der Erde."

Die Trude seufzte. „Arme Urahne."

Hierauf schwiegen beide, während sie noch immer behaglich ausgestreckt im weichen Moose lagen. „Aber Kind!“ rief plötzlich die Trude, „da haben wir über all dem Geplauder ja ganz das Regenmachen vergessen. Schlag doch nur die Augen auf! Wir sind ja unter lauter Wolken ganz begraben; ich sehe dich schon gar nicht mehr!“

„Ei, da wird man ja naß wie eine Katze!“ rief Maren, als sie die Augen aufgeschlagen hatte.

Die Trude lachte. „Klatsch nur ein wenig in die Hände, aber nimm dich in acht, daß du die Wolken nicht zerreißt!“

So begannen beide leise in die Hände zu klopfen; und alsbald entstand ein Gewoge und Geschiebe, die Nebelgebilde drängten sich nach den Öffnungen und schwammen, eins nach dem andern, ins Freie hinaus. Nach kurzer Zeit sah Maren schon wieder den Brunnen vor sich und den grünen Boden mit den gelben und violetten Irisblüten. Dann wurden auch die Fensterhöhlen frei, und sie sah weithin über den Bäumen des Gartens die Wolken den ganzen Himmel überziehen. Allmählich verschwand die Sonne. Noch ein paar Augenblicke, und sie hörte es draußen wie einen Schauer durch die Blätter der Bäume und Gebüsche wehen, und dann rauschte es hernieder, mächtig und unablässig.

Maren saß aufgerichtet mit gefalteten Händen. „Frau Trude, es regnet“, sagte sie leise.

Diese nickte kaum merklich mit ihrem schönen blonden Kopfe; sie saß wie träumend.

Plötzlich aber entstand draußen ein lautes Prasseln und Heulen, und als Maren erschrocken hinausblickte, sah sie aus dem Bette des Umgebungsstromes, den sie kurz vorher überschritten hatte, sich ungeheuere weiße Dampfwolken stoßweise in die Luft erheben. In demselben Augenblicke fühlte sie sich auch von den Armen der schönen Regenfrau umfangen, die sich zitternd an das neben ihr ruhende junge Menschenkind schmiegte. „Nun gießen sie den Feuermann aus“, flüsterte sie, „horch nur, wie er sich wehrt! Aber es hilft ihm doch nichts mehr.“

Eine Weile hielten sie sich so umschlossen; da wurde es stille draußen und es war nun nichts zu hören, als das sanfte

Rauschen des Regens. – Da standen sie auf und die Trude ließ die Falltür des Brunnens herab und verschloß sie.

Maren küßte ihre weiße Hand und sagte: „Ich danke Euch, liebe Frau Trude, für mich und alle Leute in unserm Dorfe! Und“ – setzte sie ein wenig zögernd hinzu – „nun möchte ich wieder heimgehen!“

„Schon gehen?“ fragte die Trude.

„Ihr wißt ja, mein Schatz wartet auf mich; er mag schon wacker naß geworden sein.“

Die Trude erhob den Finger. „Wirst du ihn auch später niemals warten lassen?“

„Gewiß nicht, Frau Trude!“

„So geh, mein Kind; und wenn du heimkommst, so erzähle den andern Menschen von mir, daß sie meiner fürder nicht vergessen. – Und nun komm! Ich werde dich geleiten.“

Draußen unter dem frischen Himmelstau war schon überall das Grün des Rasens und an Baum und Büschen das Laub hervorgesprossen. – Als sie an den Strom kamen, hatte das Wasser sein ganzes Bette wieder ausgefüllt, und als erwarte er sie, ruhte der Kahn, wie von unsichtbarer Hand wiederhergestellt, schaukelnd an dem üppigen Grase des Uferrandes. Sie stiegen ein und leise glitten sie hinüber, während die Tropfen spielend und klingend in die Flut fielen. Da, als sie eben an das andere Ufer traten, schlugen neben ihnen die Nachtigallen ganz laut aus dem Dunkel des Gebüsches. „Oh“, sagte die Trude und atmete so recht aus Herzensgrunde, „es ist noch Nachtigallenzeit, es ist noch nicht zu spät!“

Da gingen sie an dem Bache entlang, der zu dem Wasserfalle führte. Der stürzte sich schon wieder tosend über die Felsen und floß dann strömend in der breiten Rinne unter den dunkeln Linden fort. Sie mußten, als sie hinabgestiegen waren, an der Seite unter den Bäumen hingehen. Als sie wieder ins Freie traten, sah Maren den fremden Vogel in großen Kreisen über einem See schweben, dessen weites Becken sich zu ihren Füßen dehnte. Bald gingen sie unten längs dem Ufer hin, fortwährend die süßesten Düfte atmend und auf das Anrauschen der Wellen horchend, die über glänzende Kiesel an dem Strande hinaufströmten. Tausende von Blumen blühten überall; auch Veilchen und Maililien bemerkte Maren, und andere Blumen, deren Zeit eigentlich längst vorüber war, die aber wegen der bösen Glut nicht hatten zur Entfaltung kommen können. „Die wollen auch nicht zurückbleiben“, sagte die Trude, „das blüht nun alles durcheinander hin.“

Mitunter schüttelte sie ihr blondes Haar, daß die Tropfen wie Funken um sie her sprühten oder sie schränkte ihre Hände zusammen, daß von ihren vollen weißen Armen das Wasser wie in eine Muschel hinabfloß. Dann wieder riß sie die Hände auseinander, und wo die hingesprühten Tropfen die Erde berührten, da stiegen neue Düfte auf und ein Farbenspiel von frischen nie gesehenen Blumen drängte sich leuchtend aus dem Rasen.

Als sie um den See herum waren, blickte Maren noch einmal auf die weite bei dem niederfallenden Regen kaum übersehbare Wasserfläche zurück; es schauerte sie fast bei dem Gedanken, daß sie am Morgen trockenen Fußes durch die Tiefe gegangen sei. Bald mußten sie dem Platze nahe sein, wo sie ihren Andrees zurückgelassen hatte. Und richtig! Dort unter den hohen Bäumen lag er mit aufgestütztem Arm; er schien zu schlafen. Als aber Maren auf die schöne Trude blickte, wie sie mit dem roten lächelnden Munde so stolz neben ihr über den Rasen schritt, erschien sie sich plötzlich in ihren bäuerlichen Kleidern so plump und häßlich, daß sie dachte: „Ei, das tut nicht gut, die braucht Andrees nicht zu sehen!“ Laut aber sprach sie: „Habt Dank für Euer Geleite, Frau Trude, ich finde mich nun schon selber!“

„Aber ich muß doch deinen Schatz noch sehen!“

„Bemüht Euch nicht, Frau Trude“, erwiderte Maren, „es ist eben ein Bursch, wie die andern auch und just gut genug für ein Mädel vom Dorf.“

Die Trude sah sie mit durchdringenden Augen an. „Schön bist du, Närrchen!“ sagte sie und erhob drohend ihren Finger: „Bist du denn aber auch in deinem Dorf die Allerschönste?“

Da stieg dem hübschen Mädchen das Blut ins Gesicht, daß ihr die Augen überliefen. Die Trude aber lächelte schon wieder. „So merk denn auf!" sagte sie; „weil nun doch alle Quellen wieder springen, so könnt ihr einen kürzern Weg haben. Gleich unten links am Weidendamm liegt ein Nachen. Steigt getrost hinein; er wird euch rasch und sicher in eure Heimat bringen! – Und nun leb wohl!" rief sie und legte ihren Arm um den Nacken des Mädchens und küßte sie. „Oh, wie süß frisch schmeckt doch solch ein Menschenmund!"

Dann wandte sie sich und ging unter den fallenden Tropfen über den Rasen dahin. Dabei hub sie an zu singen; das klang süß und eintönig; und als die schöne Gestalt zwischen den Bäumen verschwunden war, da wußte Maren nicht, hörte sie noch immer aus der Ferne den Gesang, oder war es nur das Rauschen des niederfallenden Regens.

Eine Weile noch blieb das Mädchen stehen; dann, wie in plötzlicher Sehnsucht, streckte sie die Arme aus. „Lebt wohl, schöne, liebe Regentrude, lebt wohl!" rief sie. – Aber keine Antwort kam zurück; sie erkannte es nun deutlich, es war nur noch der Regen, der herniederrauschte.

Als sie hierauf langsam dem Eingange des Gartens zuschritt, sah sie den jungen Bauer hoch aufgerichtet unter den Bäumen stehen. „Wonach schaust du denn so?" fragte sie, als sie näher gekommen war.

„Alle Tausend! Maren", rief Andrees, „was war denn das für ein sauber Weibsbild?"

Das Mädchen aber ergriff den Arm des Burschen und drehte ihn mit einem derben Ruck herum. „Guck dir nur nicht die Augen aus!" sagte sie, „das ist keine für dich; das war die Regentrude!"

Andrees lachte. „Nun, Maren", erwiderte er, „daß du sie richtig aufgeweckt hattest, das hab ich hier schon merken können; denn so naß, mein ich, ist der Regen noch nimmer gewesen, und so etwas von Grünwerden hab ich auch all mein Lebtag noch nicht gesehen! – Aber nun komm! Wir wollen heim, und dein Vater soll uns sein Wort einlösen."

Unten am Weidendamm fanden sie den Nachen und stiegen ein. Das ganze weite Tiefland war schon überflutet; auf dem Wasser und in der Luft lebte es von aller Art

Gevögel; die schlanken Seeschwalben schossen schreiend über ihnen hin und tauchten die Spitzen ihrer Flügel in die Flut, während die Silbermöve majestätisch neben ihrem fortschießenden Kahne dahinschwamm; auf den grünen Inselchen, an denen sie hier und dort vorbeikamen, sahen sie die Bruushähne mit den goldenen Kragen ihre Kampfspiele halten.

So glitten sie rasch dahin. Noch immer fiel der Regen, sanft doch unablässig. Jetzt aber verengte sich das Wasser und bald war es nur noch ein mäßig breiter Bach.

Andrees hatte schon eine Zeitlang mit der Hand über den Augen in die Ferne geblickt. „Sieh doch, Maren“, rief er, „ist das nicht meine Roggenkoppel?“

„Freilich, Andrees; und prächtig grün ist sie geworden! Aber siehst du denn nicht, daß es unser Dorfbach ist, auf dem wir fahren?“

„Richtig, Maren; aber was ist denn das dort? Das ist ja alles überflutet!“

„Ach, du lieber Gott!“ rief Maren, „das sind ja meines Vaters Wiesen! Sieh nur, das schöne Heu, es schwimmt ja alles.“

Andrees drückte dem Mädchen die Hand. „Laß nur, Maren!“ sagte er, „der Preis ist, denk ich, nicht zu hoch, und meine Felder tragen ja nun um desto besser.“

Bei der Dorflinde legte der Nachen an. Sie traten ans Ufer, und bald gingen sie Hand in Hand die Straße hinab. Da wurde ihnen von allen Seiten freundlich zugenickt; denn Mutter Stine mochte in ihrer Abwesenheit doch ein wenig geplaudert haben.

„Es regnet!“ riefen die Kinder, die unter den Tropfen durch über die Straße liefen. „Es regnet!“ sagte der Vetter Schulze, der behaglich aus seinem offenen Fenster schaute und den beiden mit kräftigem Drucke die Hand schüttelte. „Ja, ja, es regnet!“ sagte auch der Wiesenbauer, der wieder mit der Meerschaumpfeife in der Torfahrt seines stattlichen Hauses stand. „Und du, Maren, hast mich heute morgen wacker angelogen. Aber kommt nur herein, ihr beiden! Der Andrees, wie der Vetter Schulze sagt, ist allewege ein guter Bursch, seine Ernte wird heuer auch noch gut, und wenn es etwan wieder drei Jahre Regen geben sollte, so ist es am Ende doch so übel nicht, wenn Höhen und Tiefen beieinanderkommen. Drum geht hinüber zu Mutter Stine, da wollen wir die Sache allfort in Richtigkeit bringen!“

Mehrere Wochen waren seitdem vergangen. Der Regen hatte längst wieder aufgehört und die letzten schweren Erntewagen waren mit Kränzen und flatternden Bändern in die Scheuern eingefahren; da schritt im schönsten Sonnenschein ein großer Hochzeitszug der Kirche zu. Maren und Andrees waren die Brautleute; hinter ihnen gingen Hand in Hand Mutter Stine und der Wiesenbauer. Als sie fast bei der Kirchtür angelangt waren, daß sie schon den Choral vernahmen, den drinnen zu ihrem Empfang der alte Kantor auf der Orgel spielte, zog plötzlich ein weißes Wölkchen über ihnen am blauen Himmel auf und ein paar leichte Regentropfen fielen der Braut in ihren Kranz. – „Das bedeutet Glück!“ riefen die Leute, die auf dem Kirchhof standen. „Das war die Regentrude!“ flüsterten Braut und Bräutigam und drückten sich die Hände.

Dann trat der Zug in die Kirche; die Sonne schien wieder, die Orgel aber schwieg und der Priester verrichtete sein Werk.

Theodor Storm

Auf dem Staatshof

Erste Veröffentlichung in: ,Argo, Album für Kunst und Dichtung', hrsg. von Fr. Eggers, Th. Hosemann, B. v. Lepel. Breslau 1859. Erste überarbeitete Buchausgabe in dem Sammelbande ,In der Sommer-Mondnacht', Berlin, Schindler, 1860.

Ich kann nur einzelnes sagen; nur was geschehen, nicht wie es geschehen ist; ich weiß nicht, wie es zu Ende ging und ob es eine Tat war oder nur ein Ereignis, wodurch das Ende herbeigeführt wurde. Aber wie es die Erinnerung mir tropfenweise hergibt, so will ich es erzählen.

Die kleine Stadt, in der meine Eltern wohnten, lag hart an der Grenze der Marschlandschaft, die bis ans Meer mehrere Meilen weit ihre grasreiche Ebene ausdehnt. Aus dem Nordertor führt die Landstraße eine Viertelstunde Wegs zu einem Kirchdorf, das mit seinen Bäumen und Strohdächern weithin auf der ungeheuren Wiesenfläche sichtbar ist. Seitwärts von der Straße, hinter dem weißgetünchten Pastorate, geht quer durchs Land ein Fußsteig über die „Fennen", wie hier die einzelnen, fast nur zur Viehweide benutzten Landflächen genannt werden; von einem Heck zum andern, oder auf schmalem Steg über die Gräben, durch welche überall die Fennen voneinander geschieden sind.

Hier bin ich in meiner Jugend oft gegangen; ich mit einer anderen. Ich sehe noch das Gras im Sonnenschein funkeln und fernab um uns her die zerstreuten Gehöfte mit ihren weißen Gebäuden in der klaren Sommerluft. Die schweren Rinder, welche wiederkäuend neben dem Fußsteige lagen, standen auf, wenn wir vorübergingen, und gaben uns das Geleite bis zum nächsten Heck; mitunter in den Trinkgruben erhob ein Ochse seine breite Stirn und brüllte weit in die Landschaft hinaus.

Zu Ende des Weges, der fast eine halbe Stunde dauert,

unter einer düsteren Baumgruppe von Rüstern und Silberpappeln, wie sie kein anderes Besitztum dieser Gegend aufzuweisen hat, lag der „Staatshof". Das Haus war auf einer mäßig hohen Werfte nach der Weise des Landes gebaut; eine sogenannte „Heuberg", in welcher die Wohnungs- und Wirtschaftsräume unter einem Dache vereinigt sind; aber die „Graft", welche sich ringsumher zog, war besonders breit und tief, und der weitläufige Garten, der innerhalb derselben die Gebäude umgab, war vor Zeiten mit patrizischem Luxus angelegt.

Das Gehöft war einst nebst vielen anderen im Besitz der nun gänzlich ausgestorbenen Familie van der Roden, aus der während der beiden letzten Jahrhunderte eine Reihe von Pfennigmeistern und Ratmännern der Landschaft und von Bürgermeistern meiner Vaterstadt hervorgegangen ist. – Neunzig Höfe, so hieß es, hatten sie gehabt, und sich im Übermut vermessen, das Hundert voll zu machen. Aber die Zeiten waren umgeschlagen; es war unrecht Gut dazwischengekommen, sagten die Leute; der liebe Gott hatte sich ins Mittel gelegt, und ein Hof nach dem andern war in fremde Hände übergegangen. Zur Zeit, wo meine Erinnerung beginnt, war nur der Staatshof noch im Eigentum der Familie; von dieser selbst aber niemand übriggeblieben, als die alternde Besitzerin und ein kaum vierjähriges Kind, die Tochter eines früh verstorbenen Sohnes. Der letzte männliche Sprosse war als fünfzehnjähriger Knabe auf eine gewaltsame Weise ums Leben gekommen; auf der Fenne eines benachbarten Hofbesitzers hatte er ein einjähriges Füllen ohne Zaum oder Halfter bestiegen, war dabei von dem scheuen Tiere in die Trinkgrube gestürzt und ertrunken.

Mein Vater war der geschäftliche Beistand der alten Frau Ratmann van der Roden. – Gehe ich rückwärts mit meinen Gedanken und suche nach den Plätzen, die von der Erinnerung noch ein spärliches Licht empfangen, so sehe ich mich als etwa vierjährigen Knaben mit meinen beiden Eltern auf einem offenen Wagen über den ebenen Marschweg dahinfahren; ich fühle plötzlich den Sonnenschein mit einem kühlen Schatten wechseln, der an der einen Seite von ungeheuren Bäumen auf den Weg hinausfällt; und während ich meinen kleinen Kopf über die Lehne des Wagenstuhls recke, um den breiten Graben zu sehen, der sich neben den Bäumen hinzieht, biegen wir gerade in die Schatten hinein und durch ein offenstehendes Gittertor. Ein großer Hund fährt wie rasend an der Kette aus seinem beweglichen Hause auf uns zu; wir aber kutschieren mit einem Peitschenknall auf den Hof hinauf bis vor die Haustür, und ich sehe eine alte Frau im grauen Kleide, mit einem feinen blassen Gesicht und mit besonders weißer Fräse auf der Schwelle stehen, während Knecht und Magd eine Leiter an den Wagen legen und uns zur Erde helfen. Noch rieche ich auf dem dunklen Hausflur den strengen Duft der Alantwurzel, womit die Marschbewohner zur Abwehr der Mücken allabendlich zu räuchern pflegen; ich sehe auch noch meinen Vater der alten Dame die Hand küssen; dann aber verläßt mich die Erinnerung, und ich finde mich erst nach einigen Stunden wieder, auf Heu gebettet, eine warme sommerliche Dämmerung um mich her. Ich sehe an den aus Heu und Korngarben gebildeten Wänden empor, die um mich her zwischen vier großen Ständern in die Höhe ragen; so hoch, daß der Blick durch ein wüstes Dunkel hindurch muß, bis er aufs neue in eine matte Dämmerung gelangt, die zwischen zahllosen Spinngeweben aus einem Dachfensterchen hereinfällt. Es ist das sogenannte „Vierkant“, worin ich mich befinde. Der zum Bergen des Heues bestimmte Raum im Innern des Hauses, wovon das Hofgebäude in unseren Marschen die eigentümlich hohe Bildung des Daches und seinen Namen „Heuberg“ oder „Hauberg“ erhalten hat. – Es ist volle Sonntagsstille um mich her. Aber ich bin hier nicht allein; in der gedämpften Helligkeit, die durch die offene Seitenwand aus der angrenzenden Loodiele hereinfällt, steht ein Mädchen meines Alters; die blonden Härchen fallen über ein blaues Blusenkleid. Sie streckt ihre kleinen Fäuste über mir aus und bestreut mich mit Heu; sie ist sehr eifrig, sie stöhnt und bückt sich wieder und wieder. „So“, sagt sie endlich und atmet dabei aus Herzensgrunde, „so, nun bist du bald begraben!“ Und wie ich eine Weile regungslos daliege, sehe ich durch die lose mich bedeckenden Halme, wie sie ihr Köpfchen zu mir niederbeugt, und wie sie dann plötzlich kehrt macht und sich zu einer alten Bäuerin hinarbeitet, die mit einem Strickstrumpf in der Hand uns gegenüber sitzt. „Wieb", sagt sie, indem sie der Alten die Hand von der Wange zieht, „Wieb, ist er tot?"

Was die Alte hierauf geantwortet, dessen entsinne ich mich nicht mehr; wohl aber, daß wir bald darauf durch einen dunklen Gang auf den Hausflur und von dort eine breite Treppe hinauf in die oberen Räume des Hauses geführt wurden; in ein großes Zimmer mit goldgeblümten Tapeten, in welchem viele Bilder von alten weiß gepuderten Männern und Frauen an den Wänden hingen. Meine Eltern und die übrigen Gäste sind eben von einer gedeckten Tafel aufgestanden, die sich mitten im Zimmer unter einer großen Kristallkrone befindet. Bald sitze ich in eine Serviette geknüpft der kleinen Anne Lene gegenüber; Wieb steht dabei und serviert uns von den Resten. Ich befinde mich sehr wohl; nur zuweilen stört mich ein Krächzen, das aus der Ferne zu uns herüberdringt. „Höre!" sag ich und hebe meine kleinen Finger auf. Die alte Wieb aber kennt das schon lange. „Das sind die Raben", sagt sie, „sie sitzen im Baumgarten, wir wollen sie nachher besuchen." – Aber ich vergesse die Raben wieder; denn Wieb teilt zum Dessert noch die Zuckertauben von einer Konditortorte zwischen uns; nur scheint es nicht ganz unparteiisch herzugehen, denn Anne Lene erhält immer die Hahnenschwänze und die Kragentauben.

Etwas später sehe ich die Gesellschaft auf den geschlungenen Gartenwegen zwischen den blühenden Büschen promenieren; die alte Dame mit der Fräse, welche am Arme meines Vaters geht, beugt sich zu mir nieder und sagt, indem sie mir den Kopf aufrichtet: „Du mußt dich immer hübsch gerade halten, Kind!" – Ich glaube noch jetzt, daß von dieser kleinen Ermahnung sich der fast scheue Respekt herschreibt, den ich, so lange sie lebte, vor dieser Frau behalten habe. – Doch schon faßt Wieb mich bei der Hand, und führt uns weit umher auf den sonnigen Steigen; zuletzt bis zur Graft hinunter, an der ein gerader Steig entlangführt. So gelangen wir zu einem Gartenpavillon, in welchem die Gesellschaft bei offenen Türen am Kaffeetische sitzt. Wir werden hereingerufen, und da ich zögere, nimmt meine Mutter einen Zuckerkringel aus dem silbernen Kuchenkorb und zeigt mir den. Aber ich fürchte mich; ich habe gesehen, daß das hölzerne Haus auf dünnen Pfählen über dem Wasser steht; bis endlich doch die vorgehaltene Lockspeise und die bunten Schäferbilder, die drinnen auf die Wände gemalt sind, mich bewegen hineinzutreten.

Mir ist, als hätte ich es mit einem besonders angenehmen Gefühl mit angesehen, wie Anne Lene von meiner Mutter auf den Schoß genommen und geküßt wurde. Späterhin mögen die Männer, wie es dort gebräuchlich ist, zur Besichtigung der Rinder auf das Land hinausgegangen sein; denn ich habe die Erinnerung, als sei bald eine Stille um mich gewesen, in der ich nur die sanfte Stimme meiner Mutter und andere Frauenstimmen hörte. Anne Lene und ich spielten unter dem Tische zu ihren Füßen; wir legten den Kopf auf den Fußboden und horchten nach dem Wasser hinunter. Zuweilen hörten wir es plätschern; dann hob Anne Lene ihr Köpfchen und sagte: „Hörst du, das tut der Fisch!" Endlich gingen wir ins Haus zurück; es war kühl und ich sah die Büsche des Gartens alle im Schatten stehen. Dann fuhr der Wagen vor; und in dem Schlummer, der mich schon unterwegs überkam, endete dieser Tag, von dem ich bei ruhigem Nachsinnen nicht außer Zweifel bin, ob er ganz in der erzählten Weise jemals dagewesen, oder ob nur meine Phantasie die zerstreuten Vorfälle verschiedener Tage in diesen einen Rahmen zusammengedrängt hat.

Späterhin, als sich allmählich die Hilfsbedürftigkeit des Alters einstellte, zog die Frau Ratmann van der Roden mit ihrer Enkelin in die Stadt, und ließ den Hof unter der Aufsicht des früheren Bauknechtes Marten und seiner Ehefrau, der alten Wieb. Vor dem Hause, welches sie einige Straßen von dem unseren entfernt bewohnte, standen granitene Pfeilersteine, die durch schwere eiserne Ketten miteinander verbunden waren. Wir Jungen, wenn wir auf unserem Schulwege vorübergingen, unterließen selten uns auf diese Ketten zu setzen und, mit Tafel und Ranzen auf dem Rücken, einige Male hin und her zu schaukeln. Aber ich entsinne mich noch gar wohl, wie wir auseinanderstoben, wenn einer von uns das Gesicht der alten Dame hinter den Geranienbäumen am Fenster gewahrte, oder gar, wenn sie mit einer gemessenen Bewegung den Finger gegen uns erhoben hatte.

Desungeachtet ließ ich mir gern, was öfter geschah, vom Vater eine Bestellung an sie auftragen. Ich weiß nicht mehr, war es das kleine zierliche Mädchen, das mich anzog, oder war es die alte Schatulle, deren Raritäten ich in besonders begünstigter Stunde mit ihr beschauen durfte; die goldenen Schaumünzen, die seidenen bunt bemalten Fächer oder oben auf dem Aufsatz der Schatulle die beiden Pagoden von chinesischem Porzellan, die schon vom Flur aus durch die Fenster der Stubentür meine Augen auf sich zogen. Am Sonnabend nachmittag stellte ich mich regelmäßig ein, um die Frau Ratmann mit der kleinen Anne Lene zum Sonntag auf den Kaffee einzuladen, was bis zur letzten Zeit vor ihrem Absterben ebenso regelmäßig von ihr angenommen wurde. Am Tage darauf präzise um drei Uhr hielt dann die schwere Klosterkutsche vor unserer Haustreppe; unsere Mägde hoben die alte Dame und ihr Enkelchen aus dem Wagen und meine Mutter führte sie in das Festzimmer des Hauses, das schon von dem Dufte des Kaffees und des sonntäglichen Gebäckes erfüllt war. Wenn dann die Enveloppen und Tücher abgelegt waren, und die beiden Damen sich gegenüber an dem sauber servierten Tische Platz genommen hatten, durften auch wir Kinder uns an ein Nebentischchen setzen, und erhielten unseren Anteil an den „Eiermahnen“ und „Bieschen“, oder wie sonst die schönen Sachen heißen mochten. Mir ist indessen, wenn ich dieser Sonntagnachmittage gedenke, als sei ich niemals unglücklicher in den Versuchen gewesen, meinen Kaffee aus der Ober- in die Untertasse umzuschütten; und ich fühle noch die strengen Blicke, die mir die alte Dame von ihrem Sitze aus hinübersandte, während meine Mutter mir meine kleine Gespielin zum Muster aufstellte, von der ich mich nicht entsinne, daß sie jemals beim Trinken die Serviette oder ihr weißes Kleid befleckt hätte.

Ein solcher Sonntagnachmittag, nachdem schon einige Jahre in dieser Weise vorübergegangen waren, ist mir besonders im Gedächtnis geblieben. – Ich hatte mich in dem angenehmen Bewußtsein des Feiertages in unserem Hofe umhergetrieben und war endlich in das Waschhaus gelangt, das am Ende desselben lag. Auch hier hatte sich der Sonntag bemerklich gemacht; die föhrenen Tische waren gescheuert, die holländischen Klinker, womit der Boden gepflastert war, sahen so feucht und frisch gespült aus; dabei war eine so liebliche Kühle, daß ich mich fast gedankenlos an einen Tisch lehnte und auf das träumerische Gackeln der Hühner lauschte, das aus dem anstoßenden Hühnerhof zu mir hereindrang. Nach einer Weile hörte ich drunten im Wohnhause aus der im Erdgeschoß befindlichen Küche das Kaffeegeschirr herauftragen, das Klirren der Tassen und Kaffeelöffel; und endlich vernahm ich auch von der Straße her das Anfahren der Kutsche und bald darauf das Aufschlagen der Haustür. Aber das süße Gefühl, die Nachmittagsfeier so ganz unangebrochen vor mir zu haben, ließ mich immer noch zögern, ins Haus hinabzugehen. Da vernahm ich das Summen des Fliegenschwarms, der in der Sonne an der offenen Tür gesessen. – Anne Lene war unbemerkt herangetreten. Noch sehe ich sie vor mir, die kleine leichte Gestalt, wie sie ruhig auf der Schwelle stand, den Strohhut am Bande in der Hand hin und her schwenkend, während die Sonne auf das goldklare Haar schien, das ihr in kleinen Locken um das Köpfchen ging. Sie nickte mir zu, ohne weiter heranzutreten, und sagte dann: „Du solltest hereinkommen!"

Ich kam noch nicht; meine Augen hafteten noch an dem weißen Sommerkleidchen, an der himmelblauen Schärpe und zuletzt an einem alten Fächer, den sie in der Hand hielt. „Willst du nicht kommen, Marx?" fragte sie endlich, „Großmutter hat gesagt, wir sollten einmal die Menuett wieder miteinander üben."

Ich war das wohl zufrieden. Wir hatten vor einigen Wochen in der Tanzschule diese altfränkischen Künste auf den gemeinsamen Wunsch der Frau Ratmann und meines Vaters mit besonderer Sorgfalt eingeübt. Wir gingen also hinein; ich machte meine Reverenz vor Anne Lenes Großmutter, und trank, um mich schon jetzt meiner zierlichen Partnerin würdig zu zeigen, meinen Kaffee mit besonderer Behutsamkeit. Späterhin, als mein Vater ins Zimmer getreten war und sich mit seiner alten Freundin in geschäftliche Angelegenheiten vertiefte, nahm meine Mutter uns mit in die gegenüberliegende Stube und setzte sich an das aufgeschlagene Klavier. Sie hatte den „Don Juan" aufs Tapet gelegt. Wir traten einander gegenüber und ich machte mein Kompliment, wie der Tanzmeister es mich gelehrt hatte. Meine Dame nahm es huldvoll auf, sie neigte sich höfisch, sie erhob sich wieder und als die Melodie erklang: „Du reizest mich vor allen; Zerlinchen tanz mit mir", da glitten die kleinen Füße in den Corduanstiefelchen über den Boden, als ginge es über eine Spiegelfläche hin. Mit der einen Hand hielt sie den aufgeschlagenen Fächer gegen die Brust gedrückt, während die Fingerspitzen der anderen das Kleid emporhoben. Sie lächelte; das feine Gesichtchen strahlte ganz von Stolz und Anmut. Meine Mutter, während wir hin und her chassierten, uns näherten und verneigten, sah schon lange nicht mehr auf ihre Tasten; auch sie, wie ihr Sohn, schien die Augen nicht abwenden zu können von der kleinen schwebenden Gestalt, die in graziöser Gelassenheit die Touren des alten Tanzes vor ihr ausführte.

Wir mochten auf diese Weise bis zum Trio gelangt sein, als die Stubentür sich langsam öffnete und ein dickköpfiger Nachbarsjunge hereintrat, der Sohn eines Schuhflickers, der mir an Werkeltagen bei meinem Räuber- und Soldatenspiel die vortrefflichsten Dienste leistete. „Was will der?" fragte Anne Lene, als meine Mutter einen Augenblick innehielt. – „Ich wollte mit Marx spielen", sagte der Junge und sah verlegen auf seine groben Nagelschuhe.

„Sctze dich nur, Simon", erwiderte meine Mutter, „bis der Tanz aus ist; dann könnt ihr alle miteinander in den Garten gehn." Damit nickte sie zu uns hinüber, und begann das Trio zu spielen. Ich avancierte; aber Anne Lene kam mir nicht entgegen; sie ließ die Arme herabhängen und musterte mit unverkennbarer Verdrossenheit den struppigen Kopf meines Spielkameraden.

„Nun“, fragte meine Mutter, „soll Simon nicht sehen, was ihr gelernt habt?“

Allein die kleine Patrizierin schien durch die Gegenwart dieser Werkeltags-Erscheinung in ihrer idealen Stimmung auf eine empfindliche Weise gestört zu sein. Sie legte den Fächer auf den Tisch und sagte: „Laß Marx nur mit dem Jungen spielen.“

Ich fühle noch jetzt mit Beschämung, daß ich dem schönen Kinde zu Gefallen, wenn auch nicht ohne ein deutliches Vorgefühl von Reue, meinen plebejischen Günstling fallen ließ. „Geh nur, Simon“, sagte ich mit einiger Beklemmung, „ich habe heute keine Lust zu spielen!“ Und der arme Junge rutschte von seinem Stuhle und schlich sich schweigend wieder von dannen.

Meine Mutter sah mich mit einem durchdringenden Blick an; und sowohl ich wie Anne Lene, als diese späterhin in ein näheres Verhältnis zu unserem Hause trat, haben noch manche kleine Predigt von ihr hören müssen, die aus dieser Geschichte ihren Text genommen hatte. Damals aber hatten die kleinen tanzenden Füße mein ganzes Knabenherz verwirrt. Ich dachte nichts als Anne Lene; und als ich ihr am Montage darauf ein vergessenes Arbeitskörbchen ins Haus brachte, hatte ich es zuvor ganz mit Zuckerplätzchen angefüllt, deren Ankauf mir nur durch Aufopferung meiner ganzen kleinen Barschaft möglich geworden war.

Etwa ein Jahr später kam ich eines Nachmittags auf der Heimkehr von einer Ferienreise an Anne Lenes Wohnung vorüber. Da die Haustür offenstand, so fiel es mir ein hineinzugehen, um eine Kleinigkeit, die ich unterwegs für sie eingehandelt hatte, schon jetzt in ihre Hand zu legen. Ich trat in den Flur und blickte durch die Glasscheiben der Stubentür; aber ich gewahrte niemanden. Es war eine seltsame Einsamkeit im Zimmer; der weiße Sand lag so unberührt auf der Diele, und drüben der Spiegel war mit weißen Damasttüchern zugesteckt. Während ich dies betrachtete und eine unbewußte Scheu mich hinderte hineinzutreten, hörte ich in der Tiefe des Hauses eine Tür gehen, und bald darauf sah ich meinen Vater mit einem schwarz gekleideten

Kinde an der Hand auf mich zukommen. Es war Anne Lene; ihre Augen waren vom Weinen gerötet, und über der schwarzen Florkrause erschien das blasse Gesichtchen und die feinen goldklaren Haare noch um vieles zärtlicher, als sonst. Mein Vater begrüßte mich und sagte dann, indem er seine Hand auf den Kopf des Mädchens legte: „Ihr werdet jetzt Geschwister sein; Anne Lene wird als meine Mündel von nun an in unserem Hause leben, denn ihre Großmutter, deine alte Freundin, ist gestorben."

Ich hörte eigentlich nur den ersten Teil dieser Nachricht, denn die bestimmte Aussicht, nun fortwährend in Gesellschaft des anmutigen Mädchens zu sein, erregte in meiner Phantasie eine Reihe von heiteren Vorstellungen, die mich den Ort, an welchem wir uns befanden, vollständig vergessen machten. Ich merkte es kaum, als Anne Lene ihre Arme um meinen Hals legte und mich küßte, während ihre Tränen mein Gesicht benetzten.

Einige Tage darauf fand das Leichenbegängnis statt, mit aller Feierlichkeit patrizischen Herkommens, so wie die Verstorbene es bei Lebzeiten in allen Punkten selbst verordnet hatte. Ich befand mich mit meiner Mutter und Anne Lene im Sterbehause. Noch sehr wohl erinnere ich mich, wie das Geläute der Glocken, die gedämpfte Redeweise, in der alle die schwarzen Leute miteinander verkehrten und die kolossalen, florbehangenen Wachskerzen, welche brennend vor dem Sarge hinausgetragen wurden, ein unangenehmes Feiertagsgefühl in mir erregten, das dem unwillkürlichen Grauen vor diesem Gepränge vollkommen die Waage hielt.

Am andern Tage begann der werktägige Gang des Lebens wieder. Anne Lene war nun zwar mit mir in einem Hause, aber die Zeit unseres Beisammenseins bestand nicht mehr wie sonst nur in sonntäglichen Spielstunden. Meine Hausarbeiten für das Gymnasium wurden von meinem Vater noch strenger überwacht als sonst, und Anne Lene war außer ihren Schulstunden meist unter der Aufsicht der Mutter beschäftigt. Während meiner Freistunden nahmen die eigentlichen Knabenspiele einen immer größeren Raum ein, und ich habe meine kleine Freundin nie bewegen können unsere Räuberspiele mitzumachen oder auch nur in dem türkischen Zelte Platz zu nehmen, das ich von alten Teppichen in der Spitze eines Birnbaumes aufgeschlagen hatte.

Nur eine Freude blieb uns fast während unserer ganzen Jugend gemeinschaftlich. – Die Ländereien des Staatshofes waren seit dem Tode der alten Frau Ratmann an einen benachbarten Hofbesitzer verpachtet, während man das Wohnhaus mit der Werfte unter der Aufsicht der alten Wieb und ihres Mannes ließ. Da der Hof nur eine halbe Stunde von der Stadt lag, so war uns ein für allemal erlaubt, sonntags nach Tische dort hinauszugehen. Und wie oft sind wir diesen Weg gegangen! Auf der ebenen Marschlandstraße bis zum Dorfe und dann seitwärts über die Fennen von einem Heck zum andern, bis wir die dunkle Baumgruppe des Hofes erreicht hatten, die schon beim Austritt aus der Stadt auf der weiten Ebene sichtbar war. Wie oft beim Gehen wandten wir uns um und maßen die Strecke, die wir schon zurückgelegt hatten, und sahen zurück nach den Türmen der Stadt, die im Sonnendufte hinter uns lagen! Denn mir ist, als habe an jenen Sonntagnachmittagen immer die Sonne geschienen und als sei die Luft über dieser endlosen grünen Wiesenfläche immer voll von Lerchengesang gewesen.

Den alten Eheleuten auf dem Hofe war im untern Stock des Hauses ein früher von der Familie bewohntes Zimmer zur Benutzung angewiesen; allein sie bewohnten nach eigener Wahl nach wie vor das Gesindezimmer, da dieses mit dem Stall und den übrigen Wirtschaftsräumen in Verbindung stand. Gewöhnlich kam uns der alte Marten in sonntäglich weißen Hemdärmeln schon vor dem Tore entgegen und reichte uns in seiner schweigsamen Art die Hand; er konnte es nicht lassen, nach seinen jungen Gästen auszusehen. Hatten wir uns etwas verspätet, so trafen wir ihn wohl schon auf unserem Wege draußen auf den Fennen, seinen unzertrennlichen Begleiter, den Springstock, auf der Schulter; und während Anne Lene auf dem Fußbrett um die Hecken ging, lehrte er mich nach Landesweise über die Gräben zu setzen. Im Zimmer drinnen pflegte dann auf dem langen blankgescheuerten Tische schon der Kaffeekessel seinen Duft zu verbreiten, und die alte Wieb, wenn sie mir die Hand gegeben und ihrem Lieblingskinde die heißen Haare von der Stirn gestrichen hatte, schenkte uns viele Tassen ein, so viele, als wir immer trinken konnten, und dann noch eine „fürs Nötigen“, wie sie sagte. Wenn wir uns auf diese Weise erquickt hatten und das Geschirr wieder abgeräumt war, holte die Alte ihr Rad aus dem Winkel hinter der Tragkiste hervor und begann zu spinnen. Sie ließ dann wohl den Faden durch Anne Lenes Finger gleiten und zeigte uns die Glätte und Feinheit desselben; denn, wie sie mir später einmal vertraute, es sollte aus dem Flachse, den sie sonntags spann, das Brautlinnen für ihre junge Herrschaft gewebt werden. – Aber es duldete uns nicht lange neben ihr; wir ruhten nicht, bis sie uns ihr großes Schlüsselbund eingehändigt hatte, in dessen Besitz wir dann die dunkle Treppe nach dem obern Stockwerk hinaufstiegen und eine nach der andern die Türen zu den verödeten Zimmern aufschlossen, in denen die feuchte Marschluft schon längst an Decken und Wänden ihren Zerstörungsprozeß begonnen hatte. Wir betraten diese Räume mit einer lüsternen Neugierde, obgleich wir wußten, daß nichts darin zu sehen sei, als die halberloschenen Tapeten und etwa in dem einen Seitenzimmer das leere Bettgestell der verstorbenen Besitzer. Wenn wir zu lange blieben, rief die Alte uns wohl herunter und schickte uns in den Garten, der vor dem Hause lag. Aber die Einsamkeit, die oben in den verlassenen Zimmern herrschte, war auch dort. Wohin man sehen mochte, zwischen den hohen Sträuchern hing das Gespinst der Jungfernrebe; über den mit Gras bewachsenen Steigen in den rotblühenden Himbeerbüschen hatten die Wespen ihre pappenen Nester aufgehangen. Obwohl seit Jahren keine pflegende Hand dort gewaltet, so wuchs doch alles in der größten Üppigkeit durcheinander, und mittags in der schwülen Sommerzeit, wenn Jasmin und Kaprifolien blühten, lag die alte Hauberg wie im Duft begraben. – Anne Lene und ich drangen gern aufs Geratewohl in diesen Blütenwald hinein, um uns den Reiz eines gefahrlosen Irregehens zu verschaffen; und nicht selten glückte es, daß wir uns nach der feuchten Laube im Winkel des Gartens hinzuarbeiten meinten, und statt dessen unerwartet vor dem alten

Pavillon standen, welcher jetzt zur zeitweisen Aufbewahrung von Sommerfrüchten diente. Dann sahen wir durch die erblindeten Fensterscheiben nach dem zärtlichen Schäferpaar hinüber, das noch immer, wie vor Jahren, auf der Mitte der Wand im Grase kniete, und rüttelten vergebens an den Türen, welche von der alten Wieb sorgfältig verschlossen gehalten wurden; denn der Fußboden drinnen war unsicher geworden und hier und dort konnte man durch die Ritzen in den Dielen auf das darunterstehende Wasser sehen.

So verging die Zeit. – Anne Lene war, ehe ich mich dessen versehen, ein erwachsenes Mädchen geworden, während ich noch kaum zu den jungen Menschen zählte. Ich bemerkte dies eigentlich erst, als sie eines Tages mit veränderter Frisur ins Zimmer trat. Seitdem sie selbst für ihre Kleidung sorgte, war diese fast noch einfacher als zuvor; besonders liebte sie die weiße Farbe, so daß mir diese in der Erinnerung von der Vorstellung ihrer Persönlichkeit fast unzertrennbar geworden ist. Nur einen Luxus trieb sie; sie trug immer die feinsten englischen Handschuhe, und da sie dessen ungeachtet sich nicht scheute überall damit hinzufassen, so mußte das getragene Paar bald durch ein neues ersetzt werden. Meine bürgerlich sparsame Mutter schüttelte vergebens darüber den Kopf. Aus dem nachgelassenen Schmuckkästchen ihrer Großmutter nahm sie an ihrem Konfirmationstage ein kleines Kreuz von Diamanten, das sie seitdem an einem schwarzen Bande um den Hals trug. Sonst habe ich niemals einen Schmuck an ihr gesehen.

Die Zeit rückte heran, wo ich zum Studium der Arzneiwissenschaft die Universität besuchen sollte. – In Anne Lenes Gesellschaft machte ich meinen Abschiedsbesuch bei unseren alten Freunden auf dem Staatshof. Wir kamen eben von einer Fenne, wo der Pächter, wie es dort gebräuchlich ist, seine Rapssaaternte auf einem großen Segel ausdreschen ließ. Nach der Sitte des Landes, die bei der schweren Arbeit den Leuten in jeder Weise gestattet sich die Brust zu lüften, waren wir mit einem ganzen Schauer von Schimpf- und Neckworten überschüttet worden; weder meine rote Schülermütze, noch meine damals allerdings „ins Kraut geschossene“ Figur war verschont geblieben. Auch Anne Lene hatte ihr Teil bekommen; aber man wußte kaum, waren es Spottreden oder unbewußte Huldigungen; denn alles bezog sich am Ende doch nur auf den Gegensatz ihres zarten Wesens zu der derben und etwas schwerfälligen Art des Landes. Und in der Tat, wenn man sie betrachtete, wie der Sommerwind ihr die kleinen goldklaren Locken von den Schläfen hob und wie ihre Füße so leicht über das Gras dahinschritten, so konnte man kaum glauben, daß sie hier zu Haus gehöre. Das kleine Kreuz, welches an dem schwarzen Bändchen an ihrem Halse funkelte, mochte bei den Arbeitern diesen Eindruck noch vermehren helfen.

Als wir auf die Werfte kamen, fanden wir die alte Wieb in Zank mit einer Bettlerin vor der Haustür stehen, die sie vergeblich abzuweisen suchte. Die leidenschaftlichen Gebärden dieses noch ziemlich jungen Weibes waren mir wohl bekannt; sie ging auch in der Stadt alle Sonnabend von Tür zu Tür und zehrte dabei seit Jahren an dem Gedanken, daß sie von dem alten Ratmann van der Roden, dem in seiner Amtsführung die obervormundschaftlichen Angelegenheiten übertragen waren, um ihr mütterliches Erbteil betrogen sei. Sie war infolge derartiger Äußerungen schon mehrfach zur Strafe gezogen; und jetzt schien sie, nach dem beiderseitigen Betragen zu urteilen, fest entschlossen, auch der alten Dienerin der van der Rodenschen Familie diese verhaßte Geschichte vorzutragen.

Die Streitenden rührten sich bei unsrer Ankunft in ihrem Eifer nicht von der Stelle, und da wir nach dem Flur zwischen beiden hindurch mußten, so nahm Anne Lene ihr Kleid zusammen, um nicht an das der Bettlerin zu streifen.

Aber diese vertrat ihr den Weg. „Ei, schöne Mamsell“, sagte sie, indem sie einen tiefen Knicks vor ihr machte und mit einer abscheulichen Koketterie ihre durchlöcherten Röcke schwenkte, „habe Sie keine Angst, meine Lumpen sind alle gewaschen! Freilich die seidenen Bändchen sind längst davon, und die Strümpfe, die hat dein Großvater selig mir ausgezogen; aber wenn dir die Schuhe noch gefällig sind?“

Und bei diesen Worten zog sie die Schlumpen von den nackten Füßen und schlug sie aneinander, daß es klatschte. „Greif zu, Goldkind“, rief sie, „greif zu! Es sind Bettelmannsschuhe, du kannst sie bald gebrauchen.“

Anne Lene stand ihr völlig regungslos gegenüber; Wieb aber, deren Augen mit großer Ängstlichkeit an ihrer jungen Herrin hingen, griff in die Tasche und drückte der Bettlerin eine Münze in die Hand. „Geh nun, Trin’“, sagte sie, „du kannst zur Nacht wiederkommen; was hast du nun noch hier zu suchen?“

Allein diese ließ sich nicht abweisen. Sie richtete sich hoch auf, indem sie mit einem Ausdruck überlegenen Hohnes auf die Alte herabsah. „Zu suchen?“ rief sie und verzog ihren Mund, daß das blendende Gebiß zwischen den Lippen hervortrat. „Mein Muttergut such ich, womit ihr die Löcher in eurem alten Dach zugestopft habt.“

Wieb machte Miene, Anne Lene ins Haus zu ziehen.

„Bleib Sie nur, Mamsel“, sagte das Weib und ließ die empfangene Münze in die Tasche gleiten, „ich gehe schon; es ist hier doch nichts mehr zu finden. Aber“, fuhr sie fort, mit einer geheimnisvollen Gebärde sich gegen die Alte neigend, „auf deinem Heuboden schlafe ich nicht wieder. Es geht was um in eurem Hause, das pflückt des Nachts den Mörtel aus den Fugen. Wenn nur das alte hoffärtige Weib noch mit darunter säße, damit ihr alle auf einmal euren Lohn bekämet!“

Auf Anne Lenes Antlitz drückte sich ein Erstaunen aus, als sei sie durch diese Worte wie von etwas völlig Unmöglichem betroffen worden. „Wieb“, rief sie, „was sagt sie? Wen meint sie, Wieb?“

Mich übermannte bei dem Anblick meiner jungen hilflosen Freundin der Zorn; und ehe das Weib zu einer Antwort Zeit gewann, packte ich sie am Arm und zerrte sie den Hof hinunter bis hinaus auf den Weg. Aber noch als ich das Gittertor hinter ihr zugeworfen hatte und wieder auf die Werfte hinaufging, hörte ich sie ihre leidenschaftlichen Verwünschungen ausstoßen. „Geh nach Haus, Junge“, schrie sie mir nach, „dein Vater ist ein ehrlicher Mann; was läufst du mit der Dirne in der Welt umher!“

Drinnen im Gesindezimmer fand ich Anne Lene vor ihrer alten Wärterin auf den Knien liegen, den Kopf in ihren Schoß gedrückt. „Wieb“, sprach sie leise, „sag mir die Wahrheit, Wieb!“

Die Alte schien um Worte verlegen. Sie schalt auf die Bettlerin, und redete dies und das von allgemeinen Dingen, indem sie ihre rauhe Hand liebkosend über das Haar ihres Lieblings hingleiten ließ. „Was wird es sein“, sagte sie, „dein Großvater und dein Urgroßvater waren große Leute; die Armen sind immer den Reichen heimlich feind!“

Anne Lene, die bis dahin ruhig zugehört hatte, erhob den Kopf und sah sie zweifelnd an. „Es mag doch wohl anders gewesen sein, Wieb“, sagte sie traurig, „du mußt mich nicht belügen!“

Was weiter zwischen den beiden gesprochen worden, weiß ich nicht; denn ich verließ nach diesen Worten das Zimmer, da ich glaubte, die Alte werde das Gemüt des Mädchens leichter zur Ruhe sprechen, wenn sie allein sich gegenüber wären. – Aber nach einigen Tagen war das Diamantkreuz von Anne Lenes Hals verschwunden, und ich habe dieses Zeichen alten Glanzes niemals wieder von ihr tragen sehen.

Ich mochte etwa ein Jahr lang in der Universitätsstadt gewesen sein, als ich durch einen Brief meines Vaters die Nachricht von Anne Lenes Verlobung mit einem jungen Edelmann erhielt. Er teilte mir die Sache mit, ohne ein Wort der Billigung oder Mißbilligung von seiner Seite hinzuzufügen. – Der Bräutigam war mir wohlbekannt; seine Familie stammte aus unserer Stadt, und er selbst hatte sich kurz vor meiner Abreise wegen einer Erbschaftsangelegenheit dort aufgehalten. Da er sich meines Vaters als Geschäftsbeistand bediente und keine weiteren Bekanntschaften in der Stadt hatte, so war er in unserem Hause ein oft gesehener Gast geworden. – Mir waren die blanken braunen Augen dieses Menschen vom ersten Augenblick an zuwider gewesen; und auch jetzt noch schienen sie mir nichts Gutes zu versprechen. Doch sagte ich mir selbst, daß diese Meinung keine unparteiische sei. Ich war von dem Herrn Kammerjunker als ein junger bürgerlicher Mensch von vornherein mit einer mir sehr empfindlichen Oberflächlichkeit behandelt worden; er hatte in meiner Gegenwart in der Regel getan, als ob ich gar nicht vorhanden sei; was aber das Schlimmste war, ich hatte zu bemerken geglaubt, daß er meiner jungen Freundin nicht in gleichem Grade wie mir mißfallen wollte.

Obgleich die seit meiner Knabenzeit in mir keimende Neigung für Anne Lene, da sie keine Erwiderung gefunden, niemals zur Entfaltung gekommen war, so wurde ich doch jetzt durch die Nachricht ihrer Verbindung mit einem mir so verhaßten Manne auf das heftigste erschüttert und, ich darf wohl sagen, beunruhigt. Meine Phantasie ließ nicht nach, mir die kleinsten Züge seines Wesens wieder und wieder vor Augen zu führen; und besonders mußte ich mich eines übrigens geringfügigen Vorfalles erinnern, der mich gegen die Natur dieses Menschen in völligen Widerspruch setzte.

Es war im Spätsommer; unsere Familie saß in der Ligusterlaube beim Nachmittagskaffee, wozu außer dem alten Syndikus auch der Kammerjunker sich eingefunden hatte. Die Herren mochten, ehe ich hinzukam, geschäftliche Sachen erörtert haben; denn das alte Porzellanschreibzeug meines Vaters stand neben dem übrigen Geschirr auf dem Tische. Anne Lene ging in stiller Geschäftigkeit ab und zu; bald um im Hause die Bunzlauer Kanne aufs neue zu füllen, bald um die Wachskerze für die Tonpfeife des Syndikus anzuzünden, die über dem Plaudern immer wieder ausging. Das Gespräch der beiden älteren Herren hatte sich mittlerweile auf städtische Angelegenheiten gewandt, welche für den Fremden wenig Interesse boten. Er hatte die Arme vor sich auf den Tisch gestreckt und schien seinen eigenen Gedanken nachzugehen; nur wenn draußen zwischen den sonnigen Beeten das Kleid des jungen Mädchens sichtbar wurde, hob er die Augenlider und sah nach ihr hinüber. Es war in diesem lässigen Anschauen etwas, das mich in einen ohnmächtigen Zorn versetzte; zumal als ich sah, wie Anne Lene die Augen niederschlug und sich, wie um Schutz zu suchen, an meiner Mutter Seite auf das äußerste Ende der Bank setzte. Der Kammerjunker, ohne sie weiter zu beachten, haschte eine Mücke, die eben an ihm vorüberflog. Ich sah, wie er sie an den Flügeln sorgsam zwischen seinen Fingern hielt; wie er den Kopf herabneigte und die hilflosen Bewegungen des Geschöpfes mit Aufmerksamkeit zu betrachten schien. Nach einer Weile nahm er die neben ihm liegende Schreibfeder, tauchte sie in das Tintenfaß und begann nun nacheinander Kopf und Brustschild seines kleinen Opfers in langsamen Zügen damit zu bestreichen. Bald aber änderte er sein Verfahren; er zog die Feder zurück und führte sie wie zum Stoße wiederholt gegen die Brust der Kreatur, welche mit den feinen Füßen die auf sie eindringende Spitze vergebens abzuwehren strebte. Seine blanken Augen waren ganz in dies Geschäft vertieft. Endlich aber schien er dessen überdrüssig zu werden; er durchstach das Tier und ließ es vor sich auf den Tisch fallen, indem er zugleich eine Frage meines Vaters beantwortete, die seine Aufmerksamkeit erregt haben mochte. – Ich hatte wie gebannt diesem Vorgange zugesehen, und Anne Lene schien es ebenso ergangen; denn ich hörte sie aufatmen, wie jemand, der von einem auf ihm lastenden Druck mit einem Male befreit wird.

Einige Tage darauf vermißten wir Anne Lene bei der Mittagstafel, was sonst niemals zu geschehen pflegte. – Als ich, um sie zu suchen, in den Garten trat, begegnete mir der Kammerjunker, der wie gewöhnlich mit einem halben Kopfnicken an mir vorbeipassierte. Da ich Anne Lene nicht gewahrte, so ging ich in den unteren Teil des Gartens, in welchem mein Vater eine kleine Baumschule angelegt hatte. Hier stand sie mit dem Rücken an einen jungen Apfelbaum gelehnt. Sie schien ganz einem innern Erlebnis zugewendet; denn ihre Augen starrten unbeweglich vor sich hin, und ihre kleinen Hände lagen fest geschlossen auf der Brust. Ich fragte sie: „Was ist denn dir begegnet, Anne Lene?“ Aber sie sah nicht auf; sie ließ die Arme sinken und sagte: „Nichts, Marx; was sollte mir begegnet sein?“ Zufällig aber hatte ich bemerkt, daß die Krone des kleinen Baumes wie von einem Pulsschlage in gleichmäßigen Pausen erschüttert wurde, und es überkam mich eine Ahnung dessen, was hier geschehen sein könne; zugleich ein Reiz, Anne Lene fühlen zu lassen, daß sie mich nicht zu täuschen vermöge. Ich zeigte mit dem Finger in den Baum und sagte: „Sieh nur, wie dir das Herz klopft!"

Diese Vorfälle, welche damals bei der kurz danach erfolgten Abreise des Kammerjunkers bald von mir vergessen waren, ließen nun nicht ab, mich zu beunruhigen, bis sie endlich von den Leiden und Freuden des Studentenlebens aufs neue in den Hintergrund gedrängt wurden.

Ich habe nicht von mir zu reden.

Etwa zwei Jahre später um Ostern kehrte ich als junger Doctor promotus in die Heimat zurück. Schon vorher hatte man mir geschrieben, daß das fortdauernde Sinken der Landpreise den Verkauf des Staatshofes nötig machen werde, und daß Anne Lene aus einer immerhin noch reichen Erbin wahrscheinlich ein armes Mädchen geworden sei. Nun erfuhr ich noch dazu, daß auch ihre Verlobung sich aufzulösen scheine. Die Briefe des Bräutigams waren allmählich seltener geworden und seit einiger Zeit ganz ausgeblieben. Anne Lene hatte das ohne Klagen ertragen; aber ihre Gesundheit hatte gelitten und sie befand sich gegenwärtig schon seit einigen Wochen zu ihrer Erholung draußen auf dem Staatshof, wo man eins der kleineren Zimmer in dem oberen Stockwerk für sie instand gesetzt hatte.

Obwohl ich seit ihrem Brautstande nicht an sie geschrieben, so konnte ich doch nicht unterlassen, noch am Tage meiner Ankunft zu ihr hinauszugehen. – Es war schon spät nachmittags, als ich den Staatshof erreichte. Die alte Wieb fand ich draußen auf dem Wege an einem Heck stehend, von wo ein Fußsteig über die Fennen nach dem Deiche zu führte. Sie hatte mich nicht kommen sehen, da sie den Rücken gegen den Weg kehrte, und als ich unvermerkt ihre harte Hand erfaßte, vermochte sie mich erst nicht zu erkennen. Bald aber trat ein Ausdruck der Freude in das alte Gesicht, und sie sagte: „Gott sei Dank, daß du da bist, Marx! So eine treue Seele tut uns gerade not!"

„Wo ist Anne Lene?" fragte ich. Die Alte zeigte mit der Hand ins Land hinaus und sagte bekümmert: „Da geht sie wieder in der Abendluft!"

Etwa auf dem halben Wege nach dem Haffdeiche, der hier nördlich von dem Hofe die Landschaft gegen das Meer hin abschließt, sah ich eine weibliche Gestalt über die Fennen gehen. „Setz nur den Kessel ans Feuer, Wieb", sagte ich, „ich will sie holen, wir kommen bald zurück." – Nach einer Weile hatte ich Anne Lene erreicht. Als ich ihren Namen rief, stand sie still und wandte den Kopf nach mir zurück. Ich fühlte plötzlich, wie viel von ihrem Bilde in meiner Erinnerung erloschen sei. So lieblich hatte ich sie mir nicht gedacht; und doch war sie dieselbe noch; nur ihre Augen schienen dunkler geworden und die Linien des zarten Profils waren ein wenig schärfer gezogen als vor Jahren. Ich faßte ihre beiden Hände. „Liebe Anne Lene", sagte ich, „ich bin eben angekommen; ich wollte dich noch heute sehen!"

„Ich danke dir, Marx", erwiderte sie, „ich wußte, daß du dieser Tage kommen würdest." – Aber ihre Gedanken schienen nicht bei diesem Willkommen zu sein; denn sie wandte die Augen sogleich wieder von mir ab und begann auf dem Fußsteige weiterzugehen. „Begleite mich noch ein wenig", fuhr sie fort, „wir gehen dann zusammen nach dem Hof zurück."

„Aber es wird kalt, Anne Lene!"

„O, es ist nicht so kalt", sagte sie, indem sie das große Schaltuch fester um die Schultern zog. – So gingen wir denn weiter. Ich suchte allerlei Gespräch; aber keines wollte gelingen. Es wurde schon abendlich; ein feuchter Nordwest wehte vom Meer über die Landschaft, und vor uns auf dem Haffdeich sah man gegen den braunen Abendhimmel einzelne Fuhrwerke wie Schattenspiele vorbeipassieren. Nach einer Weile bemerkte ich einen Mann an der Seite des Deiches herabsteigen und uns auf dem Fußwege entgegengehen. Es war der Postbote, der zweimal in der Woche für die Hofbesitzer die Briefe aus der Stadt holte. Ich fühlte, wie Anne Lene ihren Schritt beeilte, da er in unsere Nähe kam. „Hast du etwas für mich?" fragte sie und suchte dabei in ihrer Stimme vergebens eine innere Unruhe zu verbergen.

Der Bote blätterte in seiner Ledertasche zwischen den Briefen umher. „Für dieses Mal nicht, liebe Mamsell!" sagte er endlich mit einer verlegenen Freundlichkeit, indem er die aufgehobene Klappe wieder über seine Tasche fallen ließ. Er mochte ihr diese Antwort schon oft gegeben haben. Anne Lene schwieg einen Augenblick. „Es ist gut, Carsten", sagte sie dann, „du kannst erst mit uns gehen und Abendbrot essen." – Sie schien das Ziel ihrer Wanderung erreicht zu haben; denn sie kehrte bei diesen Worten um, und wir gingen mit dem Boten nach dem Hofe zurück. Die Dämmerung war schon stark hereingebrochen. Von dem Ackerstücke, an welchem wir vorüberkamen, vernahm man die kurzen Laute der Brachvögel, die unsichtbar in den Furchen lagen; mitunter flog ein Kiebitz schreiend vor uns auf und auf den Weiden stand das Vieh in dunklen unkenntlichen Massen beisammen. – Wir hatten auf dem Rückwege, als geschehe es im Einverständnis, kein Wort miteinander gewechselt; als wir schon fast im Dunkeln auf der Werfte angelangt waren, ergriff Anne Lene meine Hand. „Gute Nacht, Marx", sagte sie, „verzeihe mir; ich bin müde, ich muß schlafen; nicht wahr, du kommst recht bald einmal wieder zu uns heraus!" Mit diesen Worten trat sie in die Haustür, und bald hörte ich, wie sie die Treppe nach ihrem Zimmer hinaufging.

Ich begab mich zu den alten Hofleuten, die in Gesellschaft des Boten am warmen Ofen bei ihrem Abendtee saßen. Wieb entfernte sich einen Augenblick, um Anne Lene ein Licht hinaufzubringen; dann nötigte sie mich an ihrer Mahlzeit teilzunehmen, und ich mußte erzählen und mir erzählen lassen. Darüber war es spät geworden, so daß ich nicht mehr zur Stadt zurückgehen mochte. Ich bat meine alte Freundin, mir eine Streu in ihrer Stube aufzuschütten, und schlenderte, während dies geschah, in den Garten hinaus. Da ich in das Boskett an der nördlichen Seite kam, bemerkte ich, daß Anne Lene noch Licht in ihrem Zimmer habe. Ich lehnte mich an einen Baum und blickte hinauf. Es schien alles still darinnen. Plötzlich aber entstand hinter den Fenstern eine starke Helligkeit, die eine Zeitlang in die kahlen Büsche des Gartens hinausleuchtete und dann allmählich wieder verschwand. Mich überkam, während ich so im Dunkeln stand, eine unbestimmte Besorgnis, und, ohne mich lange zu bedenken, ging ich durch die Hintertür ins Haus und die Treppe nach Anne Lenes Zimmer hinauf.

Die Türe war nur angelehnt. Anne Lene saß an einem Tischchen mit den Füßen gegen den Ofen, in welchem ein helles Feuer brannte. Unter der Schnur eines Päckchens, das auf ihrem Schoße lag, zog sie einen Brief hervor; sie entfaltete ihn und schien aufmerksam darin zu lesen. Nach einer Weile bewegte sie die Hand ein wenig, so daß das Papier von der Flamme des neben ihr auf dem Tische stehenden Lichtes ergriffen wurde. Ihr Gesicht trug dabei einen solchen Ausdruck von Trostlosigkeit, daß ich unwillkürlich ausrief: „Anne Lene, was treibst du da?"

Sie blieb ruhig sitzen, ohne sich nach mir umzuwenden, und ließ den Brief in ihrer Hand verbrennen.

„Sie sind kalt", sagte sie, „sie sollen heiß werden!"

Ich war mittlerweile ins Zimmer getreten und hatte mich neben ihren Stuhl gestellt. Plötzlich, wie von einem raschen Entschluß getrieben, stand sie auf und legte beide Hände fest um meinen Hals; sie wollte zu mir sprechen, aber ihre Tränen brachen unaufhaltsam hervor, und so drückte sie den Kopf gegen meine Brust und weinte eine lange Zeit, in welcher ich nichts tun konnte, als sie still in meinen Armen halten. „Nein, Marx", sagte sie endlich und mühte sich, ihrer Stimme einen festeren Klang zu geben, „ich verspreche es dir, ich will nicht länger auf ihn warten."

„Hast du ihn denn so sehr geliebt, Anne Lene?"

Sie richtete sich auf und sah mich an, als müsse sie erst nachsinnen über diese Frage. Dann sagte sie langsam: „Ich weiß es nicht – das ist auch einerlei."

Ich blieb noch eine Weile bei ihr, und allmählich wurde sie ruhiger. Sie versprach mir, Mut zu fassen, mir und unserer Mutter zuliebe; sie wollte arbeiten, sie wollte in der kleinen Wirtschaft der alten Wieb die Anfänge des Landhaushaltes lernen, damit sie einmal als Wirtschafterin ihr Brot verdienen könne. Sie sah dabei fast mitleidig auf ihre kleinen Hände, deren Schönheit sie der Not des Lebens opfern wollte. Nur zur Rückkehr nach der Stadt vermochte ich sie nicht zu bewegen. „Nein, nicht unter Menschen!" sagte sie und sah mich bittend an, „laß mich hier, Marx, so lange es mir noch gestattet ist; aber komm oft einmal heraus zu uns!“ .

So verließ ich sie an diesem Abend; aber ich ging von nun an häufig den Weg über die Fennen nach dem Staatshof. – Anne Lene schien ihr Versprechen halten zu wollen; ich fand sie mehrere Male beim Sahnen in der Milchkammer oder am Butterfasse, wo sie abwechselnd mit der alten Wieb den Stempel führte; ja, sie ließ es sich nicht nehmen, die Butter zum Kneten in die Mulde zu tun, ganz wie sie es von ihrer alten Wärterin gesehen hatte; sie schien es auch nicht zu merken, daß diese hinterher ganz im geheimen die letzte Hand an ihre Arbeit legte. Allein man fühlte leicht, daß die Teilnahme an diesen Dingen nur eine äußerliche war; eine Anstrengung, von der sie bald in der Einsamkeit ausruhen mußte.

Es war schon in der heißen Sommerzeit, als einige junge Leute aus unserer Stadt mit ihren Schwestern und Bekannten eine Landpartie nach dem Staatshofe hinaus zu machen wünschten. Man bat mich um meine Vermittlung bei Anne Lene; und mit einiger Mühe erhielt ich ihre Einwilligung. – So waren denn eines Sonntagnachmittags die verwilderten Gänge des Gartens wieder einmal von geputzten Leuten belebt, und man sah zwischen den Büschen die weißen Kleider und die bunten Schärpen der Mädchen. Die alte Wieb mußte den großen Kaffeekessel hervorsuchen; dann wurden die mitgebrachten Körbe ausgepackt und alles vor der Haustür dem Garten gegenüber serviert. Als der Kaffee vorüber war, stiegen die besten Kletterer unter uns in den Gipfel der beiden alten Linden, die zu den Seiten des Hoftors standen, indem jeder das Ende eines ungeheuren Taues mit sich hinaufnahm. Bald war zwischen den höchsten Ästen eine Schaukel festgeknüpft und die Mädchen wurden eingeladen, sich hineinzusetzen. „Komm, Anne Lene“, rief ein junger robust aussehender Mensch, indem er fast mitleidig auf ihre feine Gestalt herabsah, „setz dich hinein; ich will dir einmal eine ordentliche Motion machen!“

Anne Lene bedankte sich, aber ein munteres schwarzäugiges Mädchen ließ sich williger finden; und bald schwenkte Claus Peters die Schaukel, bis die kleine Juliane wie ein Vogel zwischen den Zweigen saß und endlich flehentlich um Gnade schrie. – Claus Peters war der Sohn eines reichen Brauers, und es hieß, sein Vater werde ihm den Staatshof kaufen, sobald er zum Aufstrich komme, und ihm eine glänzende Wirtschaft einrichten. Auch schien er in seinen Gedanken sich schon als den künftigen Besitzer zu betrachten; denn, als wir später in Begleitung des Hofmanns zwischen den Baulichkeiten umhergingen, fand er überall etwas zu tadeln und sprach von den Verbesserungen, die hier vorgenommen werden müßten, während der alte Marten mit einem mißvergnügten Brummen nebenher ging.

Es war allmählich spät geworden. Als wir von unserer Umschau zurückkehrten, fanden wir die Mädchen vor der Haustüre versammelt und Anne Lene unter ihnen.

Zwei derselben hatten ihre Hände gefaßt, als könnte sie nur mit zärtlicher Gewalt hier zurückgehalten werden. „Ja, wenn wir Musik hätten!“ sagte die eine. – „Musik!“ rief Peters, indem er an den dicken Goldberlocks seine Uhr aus der Tasche zog. „Ihr sollt bald Musik haben; in einer halben Stunde bin ich wieder da!“

Er war zu Pferde herausgekommen und rief nun ins Haus nach dem Hofmann. „Bring mir den Braunen, Marten; aber brauch deine Beine!“ Der Alte knurrte etwas vor sich hin, aber er tat doch wie ihm geheißen, und bald ritt Peters im Galopp zum Tore hinaus. Wir andern gingen ins Haus und besichtigten oben den Tanzsaal. Es kam uns eine dumpfe Luft entgegen, als wir die Tür des alten Prunkgemaches geöffnet hatten.

Die goldgeblümten Tapeten waren von der Feuchtigkeit gelöst und hingen teilweise zerrissen an den Wänden; überall stachen noch die Stellen hervor, wo vor Zeiten die Familienportraits gehangen hatten. Wir gingen wieder hinab und trugen einen Tisch und einige Gartenbänke in das leere Zimmer; dann öffneten wir die Fenster, durch welche es von den draußen stehenden Bäumen schon herein zu dunkeln begann, und die Mädchen umfaßten sich und tanzten miteinander. „Wartet!“ rief ich, „wir wollen einen Kronleuchter machen!" Denn oben an der Zimmerdecke gewahrte ich noch die Krampe, an der einst die Kristallkrone über der Festtafel des Hauses gehangen hatte. Bald waren zwei Holzleisten aufgefunden und kreuzweis übereinander genagelt.

Anne Lene ging mit den Mädchen in den Garten hinab; und aus dem Fenster sah ich, wie sie die Blumen von den Jasminbüschen und von den rotblühenden Himbeersträuchern brachen. „Pflückt nur", sagte Anne Lene, als eins der Mädchen fragend zu ihr umschaute, „es blüht hier doch für sich allein." Aber sie selber stand dabei; sie pflückte nichts. – Nach einer Weile kamen alle wieder herauf und machten sich daran, meinen Kronleuchter eins ums andere mit weißen und roten Blüten zu bewinden; dann, nachdem an jedem Ende eine Kerze befestigt und angezündet war, wurde das Kunstwerk aufgehangen. Die wenigen Lichter konnten den weiten Raum nicht erhellen; aber draußen war schon der Mond aufgegangen und schien durch die Fenster; und es war anmutig, wie die Blumenleuchte mitten in dem öden Zimmer schwebte und wie der Duft erregt wurde, wenn die Mädchen untendurch tanzten. Plötzlich hörten wir ein Pferd auftraben und einen lauten Peitschenknall.

„Da kommt die Musik!" hieß es; und alle drängten an die Fenster. – Draußen unter den Bäumen hielt Peters; eine kleine dürre Gestalt klebte hinter ihm auf dem Pferde, Geige und Bogen in der Hand.

Bei näherem Hinschauen erkannte ich wohl, daß es der alte Drees-Schneider war, ein vielgewandtes Männchen, das bald mit der Nadel, bald mit dem Fiedelbogen für seinen Unterhalt sorgte, und den die harte Zeit gelehrt hatte, sich manchen derben Spaß gefallen zu lassen. – „Nun, Drees, spiel eins auf!" rief Peters. „Mach dein Kompliment vor den Damen!" Aber sowie der Alte die Hand vom Sattel ließ und seine Geige unters Kinn stützte, rührte Peters das Pferd mit den Sporen, daß es ausschlug; und der Alte schwankte und griff wieder hastig nach dem Sattel. Anne Lene stand vor mir; ich sah in der schwachen Beleuchtung, wie die Röte ihr in die Schläfen hinaufstieg.

„Drees!“ rief sie, „komm herab, Drees!“ – Der Alte machte Anstalt, hinabzuklimmen; aber der Reiter lachte und gab seinem Pferde die Sporen. „Marten“, sagte Anne Lene zu dem Hofmann, der mit seiner alten Frau vor der Tür stand, „halte das Pferd, Marten!“ – „Oho, Anne Lene!“ rief Peters; allein er machte doch keinen Versuch, seine Späße fortzusetzen und ließ es geschehen, daß Marten dem alten Drees herunterhalf.

Gleich darauf waren alle oben im Saal, und nachdem Peters dem alten Musikanten seine Angst durch einige Gläser Wein vergütet hatte, setzte dieser sich auf ein kleines Faß und begann seine Stücke aufzustreichen. Die Paare traten an, und bald wurde unsere Blumenleuchte vom Wirbel der Tanzenden hin und her bewegt. Ich suchte Anne Lene, aber sie mußte unbemerkt hinausgegangen sein; und da für mich keine Tänzerin übriggeblieben war, so verließ ich ebenfalls den Saal, in der Meinung, sie unten bei den alten Hofleuten anzutreffen.

Als ich in das Gesindezimmer trat, sah ich indessen nur die alte Wieb, welche eifrig an ihrem Strickstrumpf arbeitete. Sie zog eine Nadel aus dem Brustlatz und störte damit in der Lampe, die den ziemlich großen Raum nur spärlich erhellte. Dann sah sie zu mir auf und sagte: „Ihr seid ja gewaltig lustig, Marx! Claus Peters spielt wohl schon den Herrn im Staatshof?“

„Er wird es bald genug sein“, antwortete ich, „das ist nicht mehr zu ändern!“

Die Alte schwieg eine Weile, und ihre Gedanken schienen sich von dem alten Besitztum der Familie zu dem letzten Nachkommen derselben hinzuwenden. „Marx“, sagte sie, indem sie den Strickstrumpf auf den Tisch legte, „warum bist du auch so lange fortgewesen?“

„Was hätte ich denn ändern können, Wieb?“

„Und die zwei langen Jahre! – Wenn nur der Unglücksmensch nicht gekommen wäre!“ fuhr sie fort, wie zu sich selber redend. „Sie war dazumal noch die reiche Erbtochter; heißt das, sie war so in der Leute Mäuler; aber schon als die alte Frau in die Ewigkeit ging, ist nichts übrig gewesen als die schweren Hypotheken. Gott besser's! Nun soll gar der

Hof verkauft werden. – Nicht meinetwegen, Marx, nicht meinetwegen; Marten und ich helfen uns schon durch, die übrigen paar Jahre.“

„Es ist wohl so am besten, Wieb!“ sagte ich, „vielleicht bleibt noch ein Restchen übrig für Anne Lene, so daß sie nicht ganz verarmt ist.“

Die alte Frau wischte sich mit der Schürze über die Augen. „Es ist grausam“, sagte sie kopfschüttelnd, „so eine Familie!“

Von oben schallte das Scharren der Tanzenden; im anstoßenden Stall hörte ich, wie täglich um diese Zeit, den Hofmann den Karren und die übrigen Geräte für die Nacht an ihren Platz bringen.

Als ich aufsah, stand Anne Lene in der Tür. Sie war blaß, aber sie nickte freundlich nach uns hin und sagte: „Willst du nicht tanzen, Marx? Ich bin oben gewesen; die kleine Juliane sucht dich mit ihren braunen Augen schon in allen Ecken!“

„Du scherzest, Anne Lene; was geht mich Juliane an?“

„Nein, nein, Marx! Nimm dich in acht; Claus Peters tanzt schon den zweiten Tanz mit ihr.“

„Aber Anne Lene!“ – Ich trat zu ihr. „Willst du mit mir tanzen?“

„Weshalb denn nicht?“

„Aber eine Menuett, Anne Lene!“

„Eine Menuett, Marx! – Und“, fügte sie lächelnd hinzu, „nicht wahr, Freund Simon darf dabei sein?“

Als wir gehen wollten, faßte die Alte Anne Lenes Hand. „Kind“, sagte sie besorgt, „der Doktor hat's dir ja verboten!“

Aber Anne Lene erwiderte: „O, gute Wieb, es schadet nicht; ich weiß das besser als der Doktor!“ Und mein Verlangen, mit ihr zu tanzen war so groß, daß ich mir diese Versicherung gefallen ließ.

Als wir oben in den Saal getreten waren, ging ich in die Ecke zu dem kleinen Drees und bestellte eine Menuett. Er blätterte in seinen Büchern umher; aber er hatte den alten Tanz nicht mehr darin; wir mußten uns mit einem Walzer begnügen. Claus Peters trat an den Tisch, schenkte ihm das

Glas voll und stieß mit ihm an. „Aufgespielt, Drees!" rief er, „aber kratze nicht so, es kommen feine Leute an den Tanz."

Der Alte setzte sein Glas an den Mund. „Nun, Herr Peters", sagte er, indem er den jungen Menschen mit seinen kleinen scharfen Augen ansah, „auf daß es uns wohl gehe auf unsern alten Tagen!"

„Weshalb sollte es uns nicht wohl gehen, Drees?" erwiderte Peters, indem er der kleinen Juliane die Hand bot und sich mit ihr an die Spitze der Tanzkolonne stellte.

Ich trat mit Anne Lene in die Reihe. Der Alte begann seine Geige zu streichen, und nickte uns freundlich zu, als wir im Tanz an ihm vorüberkamen. – Ich glaube noch jetzt, daß er damals vortrefflich spielte; denn er war nicht ungeschickt in seiner Kunst, und eingedenk mancher kleinen Freundlichkeit, die er von uns empfangen, mochte er nun sein Bestes versuchen.

Wir hatten lange nicht zusammen getanzt, Anne Lene und ich. Aber es war nicht vergessen; ich fühlte bald, sie tanzte noch wie sonst. Es ging so leicht zwischen den übrigen Paaren hin; ihre Augen glänzten; sie lächelte und ihr Mund war geöffnet, so daß die weißen Zähne hinter den feinen roten Lippen sichtbar wurden; ich glaubte es zu fühlen, wie die Lebenswärme durch ihre jungen Glieder strömte. Bald sah ich nichts mehr von allem, was sich um uns her bewegte; ich war allein mit ihr; diese festen klingenden Geigenstreiche hatten uns von der Welt geschieden; sie lag verschollen, unerreichbar weit dahinter.

Dann pausierten wir. An dem offenen Fenster, wo wir standen, floß das Mondenlicht mit dem dürftigen Kerzenschein zu einer unbestimmten Dämmerung zusammen. Anne Lene stand atmend neben mir, sie schien mir ungewöhnlich blaß. „Wollen wir aufhalten?" fragte ich sie.

„Weshalb, Marx? Es tanzt sich heut so schön!"

„Aber du verträgst es nicht!"

„O doch – Was liegt daran!"

Wir tanzten schon wieder, als sie die letzten Worte sprach. Wir tanzten noch lange. Als aber Anne Lene mit der Hand nach dem Herzen griff und zitternd mit dem Atem rang, da bat ich sie, mit mir in den Garten hinabzugehen.

Sie nickte freundlich, und wir gingen aus dem Saal nach ihrem Zimmer, um ein Umschlagetuch für sie zu holen. – Ich fühlte wohl damals schon, daß die Sorge um Anne Lenes Gesundheit mich nicht allein zu jener Bitte veranlaßt hatte; denn als wir die Treppe zu dem dunklen Flur hinabstiegen, war mir, als wenn ich mit einem glücklich geraubten Schatz ins Freie flüchtete.

Mir ist aus jenen Stunden noch jeder kleine Umstand gegenwärtig; ich glaube noch durch die Fensterscheiben der altmodischen Haustür das Mondlicht zu sehen, das draußen wie Schnee auf den Steinfliesen vor dem Hause lag; im Heraustreten hörten wir drinnen in der Gesindestube die alte Wieb den Schrank verschließen, in welchem sie das Brautlinnen ihres Lieblingskindes aufgespeichert hatte. – Es war eine laue Nacht; über unsern Köpfen surrten die Nachtschmetterlinge, die den erleuchteten Fenstern des oberen Stockwerks zuflogen; die Luft war ganz von jenem süßen Duft durchwürzt, den in der warmen Sommerzeit die wolligen Blütenkapseln der roten Himbeere auszuströmen pflegen. Anne Lene knüpfte ihr Schnupftuch um den Kopf; dann gingen wir, wie wir es oft getan, um die Ecke des Hauses und über die Werfte nach dem Baumgarten zu. Wir sprachen nicht, ich wollte Anne Lene bitten, ihre Augen wieder nach der Welt zurückzuwenden und nicht mehr in den Schatten der Vergangenheit zu leben; aber das beunruhigende Bewußtsein einer eigennützigeren Bitte, die ich für günstigere Zeiten im Grunde meines Herzens zurückbehielt, raubte mir den Atem und ließ kein Wort über meine Lippen kommen. Das Herz klopfte mir so laut, daß ich immer fürchtete, es werde auch ohne Worte meine innersten Gedanken kundmachen. Wir gingen durch die kleine Pforte in den Baumgarten hinein, zwischen die schimmernden Stämme der ungeheueren Silberpappeln, deren Laubkronen keinen Lichtstrahl durchließen. Die dürren Zweige, welche überall den Boden bedeckten, knickten unter unsern Füßen; und über uns, von dem Geräusche aufgestört, flogen die Raben von ihren Nestern und rauschten mit den Flügeln in den Blättern. Anne Lene ging schweigend und in sich verschlossen neben mir; ihre Gedanken mochten dort sein, von wo ich sie so sehnlich zurückzurufen wünschte. – So waren wir bis zur Graft hinabgekommen, welche auch hier die Grenze des eigentlichen Hofes bildete.

Zwischen den Bäumen, welche jenseits des Wassers standen, sah man wie durch einen dunklen Rahmen in die weite mondhelle Landschaft hinaus, in welcher hie und da die einzelnen Gehöfte wie Nebelflecken aus der Ebene ragten. Es war so still, daß man nichts hörte, als das Säuseln des Schilfs, das in den Gräben stand. „Sieh, Anne Lene", sagte ich, „die Erde schläft; wie schön sie ist!"

„Ja, Marx!" erwiderte sie leise, „und du bist noch so jung!"

„Bist du denn das nicht mehr?"

Sie schüttelte langsam den Kopf. „Komm", sagte sie, „es ist hier feucht." – Und wir gingen weiter durch eine verfallene Umzäunung in den seitwärts vom Hause liegenden Gemüsegarten und unten an dem Wasser entlang nach den Boskettpartien, die vor dem Hause lagen. Hier waren wir auf unserem alten Spielplatz; es waren noch dieselben Büsche, zwischen denen wir einst als Kinder in die Irre gegangen waren; nur hingen ihre Zweige noch tiefer in den Weg als damals. Wir gingen auf dem breiten Steige neben der Graft, die sich im Schatten der Bäume breit und schwarz an unserer Seite hinzog. Man hörte das leise Rupfen des Viehes, welches jenseits auf der Fenne im Mondschein grasete, und drüben von der Rohrpflanzung her scholl das Zwitschern des Rohrsperlings, des kleinen wachen Nachtgesellen. Bald aber horchte ich nur dem Geräusch der kleinen Füße, die in einiger Entfernung so leicht vor mir dahinschritten.

In diese heimlichen Laute der Nacht drang plötzlich von der Gegend des Deiches her der gellende Ruf eines Seevogels, der hoch durch die Luft dahinfuhr. Da mein Ohr einmal geweckt war, so vernahm ich nun auch aus der Ferne das Branden der Wellen, die in der hellen Nacht sich draußen über der wüsten geheimnisvollen Tiefe wälzten und von der kommenden Flut dem Strande zugeworfen wurden. Ein Gefühl der Öde und Verlorenheit überfiel mich; fast ohne es zu wissen, stieß ich Anne Lenes Namen hervor und streckte beide Arme nach ihr aus.

„Marx, was ist dir?“ rief sie und wandte sich nach mir um; „hier bin ich ja!“

„Nicht, Anne Lene“, sagte ich, „aber gib mir deine Hand; ich hatte das Meer vergessen, da hörte ich es plötzlich!“

Wir standen auf einem freien Platz vor dem alten Gartenpavillon, dessen Türen offen in den zerbrochenen Angeln hingen. Der Mond schien auf Anne Lenes kleine Hand, die ruhig in der meinen lag. Ich hatte nie das Mondlicht auf einer Mädchenhand gesehen, und mich überschlich jener Schauer, der aus dem Verlangen nach Erdenlust und dem schmerzlichen Gefühl ihrer Vergänglichkeit so wunderbar gemischt ist. Unwillkürlich schloß ich die Hand des Mädchens heftig in die meine; doch mit der Scheu, die der Jugend eigen, sah ich in demselben Augenblick zu Boden. Als aber Anne Lene ihre Hand schweigend in der meinen ließ, wagte ich es endlich, zu ihr emporzusehen. Sie hatte ihr Gesicht zu mir gewandt und sah mich traurig an; mitleidig, ich weiß noch jetzt nicht, ob mit mir oder mit sich selbst. Dann entzog sie sich mir sanft und trat auf die Schwelle des Pavillons.

Ich sah durch die Lücken des Fußbodens das vom Mond beleuchtete Wasser glitzern und faßte Anne Lenes Kleid, um sie zurückzuhalten. „Sorge nicht, Marx!“ sagte sie, indem sie hineintrat und ihre leichte Gestalt auf den losen Brettern wiegte, „Holz und Stein bricht nicht mit mir zusammen.“ – Sie ging an das gegenüberliegende Fenster und sah eine Weile in die helle Nacht hinaus, dann hob sie mit der Hand ein Stück der alten Tapete empor, das neben ihr an der Wand herabhing und betrachtete im Mondlicht die halb erloschenen Bilder. „Es hat ausgedient“, sagte sie, „die schönen Schäferpaare wollen sich auch empfehlen. Es mag ihnen doch allmählich aufgefallen sein, daß die saubern, weiß toupierten Herren und Damen so eines nach dem andern ausgeblieben sind, mit denen sie einst zur Sommerzeit so muntere Gesellschaft hielten. – Einmal“, – und sie ließ die Stimme sinken, als rede sie im Traume, „einmal bin ich auch noch mit dabei gewesen; aber ich war noch ein kleines Kind, Wieb hat es mir oft nachher erzählt. – Nun fällt alles zusammen! Ich kann es nicht halten, Marx; sie haben mich ja ganz allein gelassen."

Mir war, als dürfe sie so nicht weiterreden. „Laß uns ins Haus gehen", sagte ich, „die anderen werden bald zur Stadt zurück wollen."

Sie hörte nicht auf mich; sie ließ die Arme an ihrem Kleide herabsinken und sagte langsam: „Er hat so unrecht nicht gehabt; – wer holt sich die Tochter aus einem solchen Hause!"

Ich fühlte, wie mir die Tränen in die Augen schossen. „O Anne Lene", rief ich und trat auf die Stufen, die zu dem Pavillon hinanführten, „ich – ich hole sie! Gib mir die Hand, ich weiß den Weg zur Welt zurück!"

Aber Anne Lene beugte den Leib vor und machte mit den Armen eine hastige abwehrende Bewegung nach mir hin. „Nein", rief sie, und es war eine Todesangst in ihrer Stimme, „du nicht, Marx; bleib! Es trägt uns beide nicht."

Noch auf einen Augenblick sah ich die zarten Umrisse ihres lieben Antlitzes von einem Strahl des milden Lichts beleuchtet; dann aber geschah etwas und ging so schnell vorüber, daß mein Gedächtnis es nicht zu bewahren vermocht hat. Ein Brett des Fußbodens schlug in die Höhe; ich sah den Schein des weißen Gewandes, dann hörte ich es unter mir im Wasser rauschen. Ich riß die Augen auf; der Mond schien durch den leeren Raum. Ich wollte Anne Lene sehen, aber ich sah sie nicht. Mir war, als renne in meinem Kopfe etwas davon, das ich um jeden Preis wieder einholen müßte, wenn ich nicht wahnsinnig werden wollte. Aber während meine Gedanken diesem Unding nachjagten, hörte ich plötzlich vom Hause her die Tanzmusik. Das brachte mich zur Besinnung; ich stieß einen gellenden Schrei aus und sprang neben dem Pavillon hinab ins Wasser. Die Graft war tief; aber ich war kein ungeübter Schwimmer; ich tauchte unter und meine Hände griffen zwischen dem schlüpfrigen Kraut umher, das auf dem Grunde wucherte. Ich öffnete die Augen und versuchte zu sehen; aber ich fühlte nur wie über mir ein trübes Leuchten. Meine Kleider, deren ich keine abgeworfen, zwangen mich auf die Oberfläche zurückzukehren. Hier suchte ich wieder Atem zu gewinnen, und wiederholte dann noch einmal meinen Versuch. – Es war vergebens. Bald stand ich wieder auf dem abschüssigen Uferrande und blickte ratlos über die Graft entlang. Da fühlte ich eine Hand sich schwer auf meine Schulter legen, und eine Stimme rief: „Marx, Marx, was macht ihr da? Wo ist das Kind?“ Ich erkannte, daß es Wieb war. „Dort, dort!“ schrie ich und streckte die Hände nach dem Graben zu. Die Alte faßte mich unter den Arm und zog mich gewaltsam an den Rand der Graft hinunter. Endlich brachte ich es heraus; und wir liefen an dem Wasser entlang, bis an die Laube in der Gartenecke, wo die großen alten Erlen ihre Zweige in die Flut hinabhängen lassen. Wir haben sie dann endlich auch gefunden; die Augen waren zu und die kleine Hand war fest geschlossen.

Ich gab der alten Wieb einige Anordnungen zu dem, was jetzt geschehen mußte, dann zog ich den Braunen aus dem Stall und jagte nach der Stadt, um einen Arzt zu holen; denn ich traute meiner jungen Kunst in diesem Falle nicht. Wir waren bald zurück; aber die Schatten der Vergänglichkeit, die schon so früh in dieses junge Leben gefallen waren, ließen sie nun nicht mehr los.

Als wir einige Stunden später zur Stadt zurückkehrten, war die Marsch so feierlich und schweigend und die Rufe der Vögel, die des Nachts am Meere fliegen, klangen aus so unermeßlicher Ferne, daß mein unerfahrenes Herz verzweifelte, jemals die Spur derjenigen wiederzufinden, die sich nun auch in diesen ungeheuren Raum verloren hatte.

Der jetzige Besitzer des Staatshofes ist Claus Peters. Er hat die alte Hauberg niederreißen lassen und ein modernes Wohnhaus an die Stelle gesetzt. Die Wirtschaftsgebäude liegen getrennt daneben. – Er hat recht gehabt, es geht ihm wohl; er liefert die größten Mastochsen zum Transport nach England, in seinen Zimmern stehen die kostbarsten Möbel, und er und seine Juliane glänzen von Gesundheit und Wohlbehagen. Ich aber bin niemals wieder dort gewesen.

Theodor Storm

Aquis submersus

Erste Veröffentlichung in: Deutsche Rundschau, herausgegeben von Julius Rodenberg, Band 9, Oktober 1876. Erste Buchausgabe: Aquis submersus. Berlin, Gebr. Paetel, 1877.

In unserem zu dem früher herzoglichen Schlosse gehörigen, seit Menschengedenken aber ganz vernachlässigten „Schloßgarten" waren schon in meiner Knabenzeit die einst im altfranzösischen Stile angelegten Hagebuchenhecken zu dünnen, gespenstischen Alleen ausgewachsen; da sie indessen immerhin noch einige Blätter trugen, so wissen wir Hiesigen, durch Laub der Bäume nicht verwöhnt, sie gleichwohl auch in dieser Form zu schätzen; und zumal von uns nachdenklichen Leuten wird immer der eine oder andere dort zu treffen sein. Wir pflegen dann unter dem dürftigen Schatten nach dem sogenannten „Berg" zu wandeln, einer kleinen Anhöhe in der nordwestlichen Ecke des Gartens oberhalb dem ausgetrockneten Bette eines Fischteiches, von wo aus der weitesten Aussicht nichts im Wege steht.

Die meisten mögen wohl nach Westen blicken, um sich an dem lichten Grün der Marschen und darüberhin an der Silberflut des Meeres zu ergötzen, auf welcher das Schattenspiel der langgestreckten Insel schwimmt; meine Augen wenden unwillkürlich sich nach Norden, wo, kaum eine Meile fern, der graue, spitze Kirchturm aus dem höher belegenen, aber öden Küstenlande aufsteigt; denn dort liegt eine von den Stätten meiner Jugend.

Der Pastorensohn aus jenem Dorfe besuchte mit mir die „Gelehrtenschule" meiner Vaterstadt, und unzählige Male sind wir am Sonnabendnachmittag zusammen dahinaus gewandert, um dann am Sonntagabend oder montags früh zu unserem Nepos oder später zu unserem Cicero nach der Stadt zurückzukehren. Es war damals auf der Mitte des Weges noch ein gut Stück ungebrochener Heide übrig, wie sie sich einst nach der einen Seite bis fast zur Stadt, nach der anderen ebenso gegen das Dorf erstreckt hatte. Hier summten auf den Blüten des duftenden Heidekrauts die Immen und weißgrauen Hummeln und rannte unter den dürren Stengeln desselben der schöne, goldgrüne Laufkäfer; hier in den Duftwolken der Eriken und des harzigen Gagelstrauches schwebten Schmetterlinge, die nirgends sonst zu finden waren. Mein ungeduldig dem Elternhause zustrebender Freund hatte oft seine liebe Not, seinen träumerischen Genossen durch all die Herrlichkeiten mit sich fortzubringen; hatten wir jedoch das angebaute Feld erreicht, dann ging es auch um desto munterer vorwärts, und bald, wenn wir nur erst den langen Sandweg hinaufwateten, erblickten wir auch schon über dem dunkeln Grün einer Fliederhecke den Giebel des Pastorhauses, aus dem das Studierzimmer des Hausherrn mit seinen kleinen, blinden Fensterscheiben auf die bekannten Gäste hinabgrüßte.

Bei den Pastorsleuten, deren einziges Kind mein Freund war, hatten wir allezeit, wie wir hier zu sagen pflegen, fünf Quartier auf der Elle, ganz abgesehen von der wunderbaren Naturalverpflegung. Nur die Silberpappel, der einzig hohe und also auch einzig verlockende Baum des Dorfes, welche ihre Zweige ein gut Stück oberhalb des bemoosten Strohdaches rauschen ließ, war gleich dem Apfelbaum des Paradieses uns verboten und wurde daher nur heimlich von uns erklettert; sonst war, soviel ich mich entsinne, alles erlaubt und wurde je nach unserer Altersstufe bestens von uns ausgenutzt.

Der Hauptschauplatz unserer Taten war die große „Priesterkoppel", zu der ein Pförtchen aus dem Garten führte. Hier wußten wir mit dem den Buben angeborenen Instinkte die Nester der Lerchen und der Grauammern aufzuspüren, denen wir dann die wiederholtesten Besuche abstatteten, um nachzusehen, wie weit in den letzten zwei Stunden die Eier oder die Jungen nun gediehen seien; hier auf einer tiefen und, wie ich jetzt meine, nicht weniger als jene Pappel gefährlichen Wassergrube, deren Rand mit alten Weidenstümpfen dicht umstanden war, fingen wir die flinken schwarzen Käfer, die wir „Wasserfranzosen" nannten, oder ließen wir ein andermal unsere auf einer eigens angelegten Werft erbaute Kriegsflotte aus Walnußschalen und Schachteldeckeln schwimmen. Im Spätsommer geschah es dann auch wohl, daß wir aus unserer Koppel einen Raubzug nach des Küsters Garten machten, welcher gegenüber dem des Pastorates an der anderen Seite der Wassergrube lag; denn wir hatten dort von zwei verkrüppelten Apfelbäumen unseren Zehnten einzuheimsen, wofür uns freilich gelegentlich eine freundschaftliche Drohung von dem gutmütigen alten Manne zuteil wurde. – So viele Jugendfreuden wuchsen auf dieser Priesterkoppel, in deren dürrem Sandboden andere Blumen nicht gedeihen wollten; nur den scharfen Duft der goldknopfigen Rainfarren, die hier haufenweis auf allen Wällen standen, spüre ich noch heute in der Erinnerung, wenn jene Zeiten mir lebendig werden.

Doch alles dieses beschäftigte uns nur vorübergehend; meine dauernde Teilnahme dagegen erregte ein anderes, dem wir selbst in der Stadt nichts an die Seite zu setzen hatten. – Ich meine damit nicht etwa die Röhrenbauten der Lehmwespen, die überall aus den Mauerfugen des Stalles hervorragten, obschon es anmutig genug war, in beschaulicher Mittagsstunde das Aus- und Einfliegen der emsigen Tierchen zu beobachten; ich meine den viel größeren Bau der alten und ungewöhnlich stattlichen Dorfkirche. Bis an das Schindeldach des hohen Turmes war sie von Grund auf aus Granitquadern aufgebaut und beherrschte, auf dem höchsten Punkt des Dorfes sich erhebend, die weite Schau über Heide, Strand und Marschen. – Die meiste Anziehungskraft für mich hatte indes das Innere der Kirche; schon der ungeheure Schlüssel, der von dem Apostel Petrus selbst zu stammen schien, erregte meine Phantasie. Und in der Tat erschloß er auch, wenn wir ihn glücklich dem alten Küster abgewonnen hatten, die Pforte zu manchen wunderbaren Dingen, aus denen eine längst vergangene Zeit hier wie mit finstern, dort mit kindlich frommen Augen, aber immer in geheimnisvollem Schweigen zu uns Lebenden aufblickte. Da hing mitten in die Kirche hinab ein schrecklich übermenschlicher Crucifixus, dessen hagere Glieder und verzerrtes Antlitz mit Blute überrieselt waren; dem zur Seite an einem Mauerpfeiler haftete gleich einem Nest die braungeschnitzte Kanzel, an der aus Frucht- und Blattgewinden allerlei Tier- und Teufelsfratzen sich hervorzudrängen schienen. Besondere Anziehung aber übte der große, geschnitzte Altarschrank im Chor der Kirche, auf dem in bemalten Figuren die Leidensgeschichte Christi dargestellt war; so seltsam wilde Gesichter, wie das des Kaiphas oder die der Kriegsknechte, welche in ihren goldenen Harnischen um des Gekreuzigten Mantel würfelten, bekam man draußen im Alltagsleben nicht zu sehen; tröstlich damit kontrastierte nur das holde Antlitz der am Kreuze hingesunkenen Maria; ja, sie hätte leicht mein Knabenherz mit einer phantastischen Neigung bestricken können, wenn nicht ein anderes mit noch stärkerem Reize des Geheimnisvollen mich immer wieder von ihr abgezogen hätte.

Unter all diesen seltsamen oder wohl gar unheimlichen Dingen hing im Schiff der Kirche das unschuldige Bildnis eines toten Kindes, eines schönen, etwa fünfjährigen Knaben, der, auf einem mit Spitzen besetzten Kissen ruhend, eine weiße Wasserlilie in seiner kleinen, bleichen Hand hielt. Aus dem zarten Antlitz sprach neben dem Grauen des Todes, wie hilfeflehend, noch eine letzte holde Spur des Lebens; ein unwiderstehliches Mitleid befiel mich, wenn ich vor diesem Bilde stand.

Aber es hing nicht allein hier; dicht daneben schaute aus dunklem Holzrahmen ein finsterer schwarzbärtiger Mann in Priesterkragen und Sammar. Mein Freund sagte mir, es sei der Vater jenes schönen Knaben; dieser selbst, so gehe noch heute die Sage, solle einst in der Wassergrube unserer Priesterkoppel seinen Tod gefunden haben. Auf dem Rahmen lasen wir die Jahrzahl 1666; das war lange her. Immer wieder zog es mich zu diesen beiden Bildern; ein phantastisches Verlangen ergriff mich, von dem Leben und Sterben des Kindes eine nähere, wenn auch noch so karge Kunde zu erhalten; selbst aus dem düstern Antlitz des Vaters, das trotz des Priesterkragens mich fast an die Kriegsknechte des Altarschranks gemahnen wollte, suchte ich sie herauszulesen.

– – Nach solchen Studien in dem Dämmerlicht der alten Kirche erschien dann das Haus der guten Pastorsleute nur um so gastlicher. Freilich war es gleichfalls hoch zu Jahren, und der Vater meines Freundes hoffte, so lange ich denken konnte, auf einen Neubau; da aber die Küsterei an derselben Altersschwäche litt, so wurde weder hier noch dort gebaut. – Und doch, wie freundlich waren trotzdem die Räume des alten Hauses; im Winter die kleine Stube rechts, im Sommer die größere links vom Hausflur, wo die aus den Reformationsalmanachen herausgeschnittenen Bilder in Mahagonirähmchen an der weißgetünchten Wand hingen, wo man aus dem westlichen Fenster nur eine ferne Windmühle, außerdem aber den ganzen weiten Himmel vor sich hatte, der sich abends in rosenrotem Schein verklärte und dann das ganze Zimmer überglänzte! Die lieben Pastorsleute, die Lehnstühle mit den roten Plüschkissen, das alte tiefe Sofa, auf dem Tisch beim Abendbrot der traulich sausende Teekessel, – es war alles helle, freundliche Gegenwart. Nur eines Abends – wir waren derzeit schon Sekundaner – kam mir der Gedanke, welch eine Vergangenheit an diesen Räumen hafte, ob nicht gar jener tote Knabe einst mit frischen Wangen hier leibhaftig umhergesprungen sei, dessen Bildnis jetzt wie mit einer wehmütig holden Sage den düsteren Kirchenraum erfüllte.

Veranlassung zu solcher Nachdenklichkeit mochte geben, daß ich am Nachmittage, wo wir auf meinen Antrieb wieder einmal die Kirche besucht hatten, unten in einer dunklen Ecke des Bildes vier mit roter Farbe geschriebene Buchstaben entdeckt hatte, die mir bis jetzt entgangen waren.

„Sie lauten C.P.A.S.“, sagte ich zu dem Vater meines Freundes; „aber wir können sie nicht enträtseln.“

„Nun“, erwiderte dieser; „die Inschrift ist mir wohlbekannt; und nimmt man das Gerücht zu Hilfe, so möchten die beiden letzten Buchstaben wohl mit ‚Aquis submersus‘, also mit ‚Ertrunken‘ oder wörtlich ‚Im Wasser versunken‘ zu deuten sein; nur mit dem vorangehenden C.P. wäre man dann noch immer in Verlegenheit! Der junge Adjunktus unseres Küsters, der einmal die Quarta passiert ist, meint zwar, es könne ‚Casu Periculoso‘ ‚Durch gefährlichen Zufall' heißen; aber die alten Herren jener Zeit dachten logischer; wenn der Knabe dabei ertrank, so war der Zufall nicht nur bloß gefährlich."

Ich hatte begierig zugehört. „Casu" sagte ich; „es könnte auch wohl ‚Culpa' heißen?"

„Culpa?" wiederholte der Pastor. „Durch Schuld? – aber durch wessen Schuld?"

Da trat das finstere Bild des alten Predigers mir vor die Seele, und ohne viel Besinnen rief ich: „Warum nicht: Culpa Patris?" Der gute Pastor war fast erschrocken. „Ei, ei, mein junger Freund", sagte er und erhob warnend den Finger gegen mich. „Durch Schuld des Vaters? – So wollen wir trotz seines düsteren Ansehens meinen seligen Amtsbruder doch nicht beschuldigen. Auch würde er dergleichen wohl schwerlich von sich haben schreiben lassen."

Dies letztere wollte auch meinem jugendlichen Verstande einleuchten; und so blieb denn der eigentliche Sinn der Inschrift nach wie vor ein Geheimnis der Vergangenheit.

Daß übrigens jene beiden Bilder sich auch in der Malerei wesentlich vor einigen alten Predigerbildnissen auszeichneten, welche gleich daneben hingen, war mir selbst schon klar geworden; daß aber Sachverständige in dem Maler einen tüchtigen Schüler altholländischer Meister erkennen wollten, erfuhr ich freilich jetzt erst durch den Vater meines Freundes. Wie jedoch ein solcher in dieses arme Dorf verschlagen worden, oder woher er gekommen und wie er geheißen habe, darüber wußte auch er mir nichts zu sagen. Die Bilder selbst enthielten weder einen Namen noch ein Malerzeichen.

Die Jahre gingen hin. Während wir die Universität besuchten, starb der gute Pastor, und die Mutter meines Schulgenossen folgte später ihrem Sohne auf dessen inzwischen anderswo erreichte Pfarrstelle; ich hatte keine Veranlassung mehr, nach jenem Dorfe zu wandern. – Da, als ich selbst schon in meiner Vaterstadt wohnhaft war, geschah es, daß ich für den Sohn eines Verwandten ein Schülerquartier bei guten Bürgersleuten zu besorgen hatte. Der eigenen Jugendzeit gedenkend, schlenderte ich im Nachmittagssonnenscheine durch die Straßen, als mir an der Ecke des Marktes über der Tür eines alten hochgegiebelten Hauses eine plattdeutsche Inschrift in die Augen fiel, die verhochdeutscht etwa lauten würde:

Gleich so wie Rauch und Staub verschwindt,
Also sind auch die Menschenkind.

Die Worte mochten für jugendliche Augen wohl nicht sichtbar sein; denn ich hatte sie nie bemerkt, so oft ich auch in meiner Schulzeit mir einen Heißewecken bei dem dort wohnenden Bäcker geholt hatte. Fast unwillkürlich trat ich in das Haus; und in der Tat, es fand sich hier ein Unterkommen für den jungen Vetter. Die Stube ihrer alten „Möddersch" (Mutterschwester) – so sagte mir der freundliche Meister –, von der sie Haus und Betrieb geerbt hätten, habe seit Jahren leer gestanden; schon lange hätten sie sich einen jungen Gast dafür gewünscht.

Ich wurde eine Treppe hinaufgeführt, und wir betraten dann ein ziemlich niedriges, altertümlich ausgestattetes Zimmer, dessen beide Fenster mit ihren kleinen Scheiben auf den geräumigen Marktplatz hinausgingen. Früher, erzählte der Meister, seien zwei uralte Linden vor der Tür gewesen; aber er habe sie schlagen lassen, da sie allzusehr ins Haus gedunkelt und auch hier die schöne Aussicht ganz verdeckt hätten.

Über die Bedingungen wurden wir bald in allen Teilen einig; während wir dann noch über die jetzt zu treffende Einrichtung des Zimmers sprachen, war mein Blick auf ein im Schatten eines Schrankes hängendes Ölgemälde gefallen, das plötzlich meine ganze Aufmerksamkeit hinwegnahm. Es war noch wohlerhalten und stellte einen älteren, ernst und milde blickenden Mann dar, in einer dunklen Tracht, wie in der Mitte des siebzehnten Jahrhunderts sie diejenigen aus den vornehmeren Ständen zu tragen pflegten, welche sich mehr mit Staatssachen oder gelehrten Dingen als mit dem Kriegshandwerk beschäftigten.

Der Kopf des alten Herrn, so schön und anziehend und so trefflich er immer gemalt sein mochte, hatte indessen nicht diese Erregung in mir hervorgebracht; aber der Maler hatte ihm einen blassen Knaben in den Arm gelegt, der in seiner kleinen schlaff herabhängenden Hand eine weiße Wasserlilie hielt; – und diesen Knaben kannte ich ja längst. Auch hier war es wohl der Tod, der ihm die Augen zugedrückt hatte.

„Woher ist dieses Bild?" fragte ich endlich, da ich plötzlich innewurde, daß der vor mir stehende Meister mit seiner Auseinandersetzung innegehalten hatte.

Er sah mich verwundert an. „Das alte Bild? Das ist von unserer Möddersch", erwiderte er; „es stammt von ihrem Urgroßonkel, der ein Maler gewesen und vor mehr als hundert Jahren hier gewohnt hat. Es sind noch andre Siebensachen von ihm da."

Bei diesen Worten zeigte er nach einer kleinen Lade von Eichenholz, auf welcher allerlei geometrische Figuren recht zierlich eingeschnitten waren.

Als ich sie von dem Schranke, auf dem sie stand, herunternahm, fiel der Deckel zurück, und es zeigten sich mir als Inhalt einige stark vergilbte Papierblätter mit sehr alten Schriftzügen.

„Darf ich die Blätter lesen?" frug ich.

„Wenn's Ihnen Pläsier macht", erwiderte der Meister, „so mögen Sie die ganze Sache mit nach Hause nehmen; es sind so alte Schriften; Wert steckt nicht darin."

Ich aber erbat und erhielt auch die Erlaubnis, diese wertlosen Schriften hier an Ort und Stelle lesen zu dürfen; und während ich mich dem alten Bilde gegenüber in einen mächtigen Ohrenlehnstuhl setzte, verließ der Meister das Zimmer, zwar immer noch erstaunt, doch gleichwohl die freundliche Verheißung zurücklassend, daß seine Frau mich bald mit einer guten Tasse Kaffee regalieren werde.

Ich aber las und hatte im Lesen bald alles um mich her vergessen.

So war ich denn wieder daheim in unserm Holstenlande; am Sonntag Cantate war es Anno 1661! – Mein Malgerät und sonstiges Gepäcke hatte ich in der Stadt zurückgelassen und wanderte nun fröhlich fürbaß, die Straße durch den maiengrünen Buchenwald, der von der See ins Land hinaufsteigt. Vor mir her flogen ein paar Waldvöglein und letzeten ihren Durst an dem Wasser, so in den tiefen Radgeleisen stund; denn ein linder Regen war gefallen über Nacht und noch gar früh am Vormittage, so daß die Sonne den Waldesschatten noch nicht überstiegen hatte.

Der helle Drosselschlag, der von den Lichtungen zu mir scholl, fand seinen Widerhall in meinem Herzen. Durch die Bestellungen, so mein theurer Meister van der Helst im letzten Jahre meines Amsterdamer Aufenthalts mir zugewendet, war ich aller Sorge quitt geworden; einen guten Zehrpfennig und einen Wechsel auf Hamburg trug ich noch itzt in meiner Taschen; dazu war ich stattlich angethan: mein Haar fiel auf ein Mäntelchen mit feinem Grauwerk, und der Lütticher Degen fehlte nicht an meiner Hüfte.

Meine Gedanken aber eilten mir voraus; immer sah ich Herrn Gerhardus, meinen edlen großgünstigen Protector, wie er von der Schwelle seines Zimmers mir die Hände würd' entgegenstrecken, mit seinem milden Gruße: „So segne Gott deinen Eingang, mein Johannes!“

Er hatte einst mit meinem lieben, ach, gar zu früh in die ewige Herrlichkeit genommenen Vater zu Jena die Rechte studiret und war auch nachmals den Künsten und Wissenschaften mit Fleiße obgelegen, so daß er dem Hochseligen Herzog Friedrich bei seinem edlen, wiewohl wegen der Kriegsläufte vergeblichen Bestreben um Errichtung einer Landesuniversität ein einsichtiger und eifriger Berather gewesen. Obschon ein adeliger Mann, war er meinem lieben Vater doch stets in Treuen zugethan blieben, hatte auch nach dessen seligem Hintritt sich meiner verwaiseten Jugend mehr, als zu verhoffen, angenommen und nicht allein meine sparsamen Mittel aufgebessert, sondern auch durch seine fürnehme Bekanntschaft unter dem Holländischen Adel es dahin gebracht, daß mein theurer Meister van der Helst mich zu seinem Schüler angenommen.

Meinte ich doch zu wissen, daß der verehrte Mann unversehrt auf seinem Herrenhofe sitze, wofür dem Allmächtigen nicht genug zu danken; denn, derweilen ich in der Fremde mich der Kunst beflissen, war daheim die Kriegsgreuel über das Land gekommen; so zwar, daß die Truppen, die gegen den kriegswüthigen Schweden dem Könige zum Beistand hergezogen, fast ärger als die Feinde selbst gehauset, ja selbst der Diener Gottes mehrere in jämmerlichen Tod gebracht. Durch den plötzlichen Hintritt des Schwedischen Carolus war nun zwar Friede; aber die grausamen Stapfen des Krieges lagen überall; manch Bauern- oder Käthnerhaus, wo man mich als Knabe mit einem Trunke süßer Milch bewirthet, hatte ich auf meiner Morgenwanderung niedergesenget am Wege liegen sehen und manches Feld in ödem Unkraut, darauf sonst um diese Zeit der Roggen seine grünen Spitzen trieb.

Aber solches beschwerete mich heut nicht allzu sehr; ich hatte nur Verlangen, wie ich dem edlen Herrn durch meine Kunst beweisen möchte, daß er Gab und Gunst an keinen Unwürdigen verschwendet habe; dachte auch nicht an Strolche und verlaufen Gesindel, das vom Kriege her noch in den Wäldern Umtrieb halten sollte. Wohl aber tückete mich ein anderes, und das war der Gedanke an den Junker Wulf. Er war mir nimmer hold gewesen, hatte wohl gar, was sein edler Vater an mir gethan, als einen Diebstahl an ihm selber angesehen; und manches Mal, wenn ich, wie öfters nach meines lieben Vaters Tode, im Sommer die Vacanz auf dem Gute zubrachte, hatte er mir die schönen Tage vergället und versalzen. Ob er anitzt in seines Vaters Hause sei, war mir nicht kund geworden, hatte nur vernommen, daß er noch vor dem Friedensschlusse bei Spiel und Becher mit den Schwedischen Offiziers Verkehr gehalten, was mit rechter Holstentreue nicht zu reimen ist.

Indem ich dieß bei mir erwog, war ich aus dem Buchenwalde in den Richtsteig durch das Tannenhölzchen geschritten, das schon dem Hofe nahe liegt. Wie liebliche Erinnerung umhauchte mich der Würzeduft des Harzes; aber bald trat ich aus dem Schatten in den vollen Sonnenschein hinaus; da lagen zu beiden Seiten die mit Haselbüschen eingehegten Wiesen, und nicht lange, so wanderte ich zwischen den zwo Reihen gewaltiger Eichbäume, die zum Herrensitz hinaufführen.

Ich weiß nicht, was für ein bang Gefühl mich plötzlich

überkam, ohn alle Ursach, wie ich derzeit dachte; denn es war eitel Sonnenschein umher, und vom Himmel herab klang ein gar herzlich und ermunternd Lerchensingen. Und siehe, dort auf der Koppel, wo der Hofmann seinen Immenhof hat, stand ja auch noch der alte Holzbirnenbaum und flüsterte mit seinen jungen Blättern in der blauen Luft.

„Grüß dich Gott!“ sagte ich leis, gedachte dabei aber weniger des Baumes, als vielmehr des holden Gottesgeschöpfes, in dem, wie es sich nachmals fügen mußte, all Glück und Leid und auch all nagende Buße meines Lebens beschlossen sein sollte, für jetzt und alle Zeit. Das war des edlen Herrn Gerhardus Töchterlein, des Junkers Wulfen einzig Geschwister.

Item, es war bald nach meines lieben Vaters Tode, als ich zum erstenmal die ganze Vacanz hier verbrachte; sie war derzeit ein neunjährig Dirnlein, die ihre braunen Zöpfe lustig fliegen ließ; ich zählte um ein paar Jahre weiter. So trat ich eines Morgens aus dem Thorhaus; der alte Hofmann Dieterich, der ober der Einfahrt wohnt und neben dem als einem getreuen Manne mir mein Schlafkämmerlein eingeräumt war, hatte mir einen Eschenbogen zugerichtet, mir auch die Bolzen von tüchtigem Blei dazu gegossen, und ich wollte nun auf die Raubvögel, deren genug bei dem Herrenhaus umherschrien; da kam sie vom Hofe auf mich zugesprungen.

„Weißt du, Johannes“, sagte sie; „ich zeig dir ein Vogelnest; dort in dem hohlen Birnbaum; aber das sind Rotschwänzchen, die darft du ja nicht schießen!“

Damit war sie schon wieder vorausgesprungen; doch eh sie noch dem Baum auf zwanzig Schritte nah gekommen, sah ich sie jählings stillestehn. „Der Buhz, der Buhz!“ schrie sie und schüttelte wie entsetzt ihre beiden Händlein in der Luft.

Es war aber ein großer Waldkauz, der ober dem Loche des hohlen Baumes saß und hinabschaute, ob er ein ausfliegend Vögelein erhaschen möge. „Der Buhz, der Buhz!“ schrie die Kleine wieder. „Schieß, Johannes, schieß!“ – Der Kauz aber, den die Freßgier taub gemacht, saß noch immer und stierete in die Höhlung. Da spannte ich meinen

Eschenbogen und schoß, daß das Raubthier zappelnd auf dem Boden lag; aus dem Baume aber schwang sich ein zwitschernd Vöglein in die Luft.

Seit der Zeit waren Katharina und ich zwei gute Gesellen miteinander; in Wald und Garten, wo das Mägdlein war, da war auch ich. Darob aber mußte mir gar bald ein Feind erstehen; das war Kurt von der Risch, dessen Vater eine Stunde davon auf seinem reichen Hofe saß. In Begleitung seines gelahrten Hofmeisters, mit dem Herr Gerhardus gern der Unterhaltung pflag, kam er oftmals auf Besuch; und da er jünger war als Junker Wulf, so war er wohl auf mich und Katharinen angewiesen; insonders aber schien das braune Herrentöchterlein ihm zu gefallen. Doch war das schier umsonst; sie lachte nur über seine krumme Vogelnase, die ihm, wie bei fast allen des Geschlechtes, unter buschigem Haupthaar zwischen zwo merklich runden Augen saß. Ja, wenn sie seiner nur von fern gewahrte, so reckte sie wohl ihr Köpfchen vor und rief: „Johannes, der Buhz! der Buhz!“ Dann versteckten wir uns hinter den Scheunen oder rannten wohl auch spornstreichs in den Wald hinein, der sich in einem Bogen um die Felder und danach wieder dicht an die Mauern des Gartens hinanzieht.

Darob, als der von der Risch deß inne wurde, kam es oftmals zwischen uns zum Haarraufen, wobei jedoch, da er mehr hitzig denn stark war, der Vortheil meist in meinen Händen blieb.

Als ich, um von Herrn Gerhardus Urlaub zu nehmen, vor meiner Ausfahrt in die Fremde zum letztenmal, jedoch nur kurze Tage, hier verweilte, war Katharina schon fast wie eine Jungfrau; ihr braunes Haar lag itzt in einem goldnen Netz gefangen; in ihren Augen, wenn sie die Wimpern hob, war oft ein spielend Leuchten, das mich schier beklommen machte. Auch war ein alt gebrechlich Fräulein ihr zur Obhut beigegeben, so man im Hause nur „Bas' Ursel“ nannte; sie ließ das Kind nicht aus den Augen und ging überall mit einer langen Tricotage neben ihr.

Als ich so eines Octobernachmittags im Schatten der Gartenhecken mit beiden auf und ab wandelte, kam ein lang aufgeschossener Gesell, mit spitzenbesetztem Lederwams und Federhut ganz alamode gekleidet, den Gang zu uns herauf; und siehe da, es war der Junker Kurt, mein alter Widersacher. Ich merkte allsogleich, daß er noch immer bei seiner schönen Nachbarin zu Hofe ging; auch, daß insonders dem alten Fräulein solches zu gefallen schien. Das war ein „Herr Baron" auf alle Frag' und Antwort; dabei lachte sie höchst obligeant mit einer widrig feinen Stimme und hob die Nase unmäßig in die Luft; mich aber, wenn ich ja ein Wort dazwischen gab, nannte sie stetig „Er" oder kurzweg auch „Johannes", worauf der Junker dann seine runden Augen einkniff und im Gegentheile that, als sähe er auf mich herab, obschon ich ihn um halben Kopfes Länge überragte.

Ich blickte auf Katharinen; die aber kümmerte sich nicht um mich, sondern ging sittig neben dem Junker, ihm manierlich Red und Antwort gebend; den kleinen rothen Mund aber verzog mitunter ein spöttisch stolzes Lächeln, so daß ich dachte: „Getröste dich, Johannes; der Herrensohn schnellt itzo deine Waage in die Luft!" Trotzig blieb ich zurück und ließ die andern dreie vor mir gehen. Als aber diese in das Haus getreten waren und ich davor noch an Herrn Gerhardus' Blumenbeeten stand, darüber brütend, wie ich, gleich wie vormals, mit dem von der Risch ein tüchtig Haarraufen beginnen möchte, kam plötzlich Katharina wieder zurückgelaufen, riß neben mir eine Aster von den Beeten und flüsterte mir zu: „Johannes, weißt du was? Der Buhz sieht einem jungen Adler gleich; Bas' Ursel hat's gesagt!" Und fort war sie wieder, eh ich mich's versah. Mir aber war auf einmal all Trotz und Zorn wie weggeblasen. Was kümmerte mich itzund der von der Risch! Ich lachte hell und fröhlich in den güldnen Tag hinaus; denn bei den übermüthigen Worten war wieder jenes süße Augenspiel gewesen. Aber diesmal hatte es mir gerad ins Herz geleuchtet.

Bald danach ließ mich Herr Gerhardus auf sein Zimmer rufen; er zeigte mir auf einer Karte noch einmal, wie ich die weite Reise nach Amsterdam zu machen habe, übergab mir Briefe an seine Freunde dort und sprach dann lange mit mir, als meines lieben seligen Vaters Freund. Denn noch selbigen

Abends hatte ich zur Stadt zu gehen, von wo ein Bürger mich auf seinem Wagen mit nach Hamburg nehmen wollte.

Als nun der Tag hinabging, nahm ich Abschied. Unten im Zimmer saß Katharina an einem Stickrahmen; ich mußte der Griechischen Helena gedenken, wie ich sie jüngst in einem Kupferwerk gesehen; so schön erschien mir der junge Nacken, den das Mädchen eben über ihre Arbeit neigte. Aber sie war nicht allein; ihr gegenüber saß Bas' Ursel und las laut aus einem französischen Geschichtenbuche. Da ich näher trat, hob sie die Nase nach mir zu: „Nun, Johannes", sagte sie, „Er will mir wohl Ade sagen? So kann er auch dem Fräulein gleich seine Reverenze machen!" – Da war schon Katharina von ihrer Arbeit aufgestanden; aber indem sie mir die Hand reichte, traten die Junker Wulf und Kurt mit großem Geräusch ins Zimmer; und sie sagte nur: „Leb wohl, Johannes!" Und so ging ich fort.

Im Thorhaus drückte ich dem alten Dieterich die Hand, der Stab und Ranzen schon für mich bereit hielt; dann wanderte ich zwischen den Eichbäumen auf die Waldstraße zu. Aber mir war dabei, als könne ich nicht recht fort, als hätt ich einen Abschied noch zu Gute, und stand oft still und schaute hinter mich. Ich war auch nicht den Richtweg durch die Tannen, sondern, wie von selber, den viel weiteren auf der großen Fahrstraße hingewandert. Aber schon kam vor mir das Abendroth überm Wald herauf, und ich mußte eilen, wenn mich die Nacht nicht überfallen sollte. „Ade, Katharina, ade!" sagte ich leise und setzte rüstig meinen Wanderstab in Gang.

Da, an der Stelle, wo der Fußsteig in die Straße mündet – in stürmender Freude stund das Herz mir still – plötzlich aus dem Tannendunkel war sie selber da; mit glühenden Wangen kam sie hergelaufen, sie sprang über den trocknen Weggraben, daß die Fluth des seidenbraunen Haars dem güldnen Netz entstürzete; und so fing ich sie in meinen Armen auf. Mit glänzenden Augen, noch mit dem Odem ringend, schaute sie mich an. „Ich – ich bin ihnen fortgelaufen!" stammelte sie endlich; und dann, ein Päckchen in meine Hand drückend, fügte sie leis hinzu: „Von mir, Johannes! Und du sollst es nicht verachten!" Auf einmal aber wurde ihr Gesichtchen trübe; der kleine schwellende Mund wollte noch was reden, aber da brach ein Thränenquell aus ihren Augen, und wehmüthig ihr Köpfchen schüttelnd, riß sie sich hastig los. Ich sah ihr Kleid im finstern Tannensteig verschwinden; dann in der Ferne hört ich noch die Zweige rauschen, und dann stand ich allein. Es war so still, die Blätter konnte man fallen hören. Als ich das Päckchen auseinander faltete, da war's ihr güldner Pathenpfennig, so sie mir oft gewiesen hatte; ein Zettlein lag dabei, das las ich noch beim Schein des Abendrothes. „Damit du nicht in Noth gerathest", stund darauf geschrieben. – Da streckt ich meine Arme in die leere Luft: „Ade, Katharina, ade, ade!" wohl hundertmal rief ich es in den stillen Wald hinein; – und erst mit sinkender Nacht erreichte ich die Stadt.

– – Seitdem waren fast fünf Jahre dahingegangen. – Wie würd' ich heute alles wiederfinden?

Und schon stund ich am Thorhaus, und sah drunten im Hof die alten Linden, hinter deren lichtgrünem Laub die beiden Zackengiebel des Herrenhauses itzt verborgen lagen. Als ich aber durch den Thorweg gehen wollte, jagten vom Hofe her zwei fahlgraue Bullenbeißer mit Stachelhalsbändern gar wild gegen mich heran; sie erhuben ein erschreckliches Geheul und der eine sprang auf mich und fletschete seine weißen Zähne dicht vor meinem Antlitz. Solch einen Willkommen hatte ich noch niemalen hier empfangen. Da, zu meinem Glücke, rief aus den Kammern ober dem Thore eine rauhe, aber mir gar traute Stimme: „Hallo!" rief sie! „Tartar, Türk!" Die Hunde ließen von mir ab, ich hörte es die Stiege herabkommen, und aus der Thür, so unter dem Thorgang war, trat der alte Dieterich.

Als ich ihn anschaute, sahe ich wohl, daß ich lang in der Fremde gewesen sei; denn sein Haar war schlohweiß geworden und seine sonst so lustigen Augen blickten gar matt und betrübsam auf mich hin. „Herr Johannes!" sagte er endlich und reichte mir seine beiden Hände.

„Grüß Ihn Gott, Dieterich!" entgegnete ich. „Aber seit wann haltet Ihr solche Bluthunde auf dem Hof, die die Gäste anfallen gleich den Wölfen?"

„Ja, Herr Johannes", sagte der Alte, „die hat der Junker hergebracht."

„Ist denn der daheim?"

Der Alte nickte.

„Nun", sagte ich; „die Hunde mögen schon vonnöthen sein; vom Krieg her ist noch viel verlaufen Volk zurückgeblieben."

„Ach, Herr Johannes!" Und der alte Mann stund immer noch, als wolle er mich nicht zum Hof hinauflassen. „Ihr seid in schlimmer Zeit gekommen!"

Ich sah ihn an, sagte aber nur: „Freilich, Dieterich; aus mancher Fensterhöhlung schaut statt des Bauern itzt der Wolf heraus; hab dergleichen auch gesehen; aber es ist ja Frieden worden, und der gute Herr im Schloß wird helfen, seine Hand ist offen."

Mit diesen Worten wollte ich, obschon die Hunde mich wieder anknurreten, auf den Hof hinausgehen; aber der Greis trat mir in den Weg. „Herr Johannes", rief er, „ehe Ihr weiter gehet, höret mich an! Euer Brieflein ist zwar richtig mit der Königlichen Post von Hamburg kommen; aber den rechten Leser hat es nicht mehr finden können."

„Dieterich!" schrie ich. „Dieterich!"

„ – Ja, ja, Herr Johannes! Hier ist die gute Zeit vorbei; denn unser theurer Herr Gerhardus liegt aufgebahret dort in der Kapellen, und die Gueridons brennen an seinem Sarge. Es wird nun anders werden auf dem Hofe; aber – ich bin ein höriger Mann, mir ziemet Schweigen."

Ich wollte fragen: „Ist das Fräulein, ist Katharina noch im Hause?" Aber das Wort wollte nicht über meine Zunge.

Drüben, in einem hinteren Seitenbau des Herrenhauses war eine kleine Kapelle, die aber, wie ich wußte, seit lange nicht benutzt war. Dort also sollte ich Herrn Gerhardus suchen.

Ich fragte den alten Hofmann: „Ist die Kapelle offen?" und als er es bejahete, bat ich ihn, die Hunde anzuhalten; dann ging ich über den Hof, wo niemand mir begegnete; nur einer Grasmücke Singen kam oben aus den Lindenwipfeln.

Die Thür zur Kapellen war nur angelehnt, und leis und gar beklommen trat ich ein. Da stund der offene Sarg, und die rothe Flamme der Kerzen warf ihr flackernd Licht auf das edle Antlitz des geliebten Herrn; die Fremdheit des Todes, so darauf lag, sagte mir, daß er itzt eines andern Lands Genosse sei. Indem ich aber neben dem Leichnam zum Gebete hinknien wollte, erhob sich über den Rand des Sarges mir gegenüber ein junges blasses Antlitz, das aus schwarzen Schleiern fast erschrocken auf mich schaute.

Aber nur, wie ein Hauch verweht, so blickten die braunen Augen herzlich zu mir auf, und es war fast wie ein Freudenruf: „Oh, Johannes, seid Ihr's denn! Ach, Ihr seid zu spät gekommen!“ Und über dem Sarge hatten unsere Hände sich zum Gruß gefaßt; denn es war Katharina, und sie war so schön geworden, daß hier im Angesicht des Todes ein heißer Puls des Lebens mich durchfuhr. Zwar, das spielende Licht der Augen lag itzt zurückgeschrecket in der Tiefe; aber aus dem schwarzen Häubchen drängten sich die braunen Löcklein, und der schwellende Mund war um so röther in dem blassen Antlitz.

Und fast verwirret auf den Todten schauend, sprach ich: „Wohl kam ich in der Hoffnung, an seinem lebenden Bilde ihm mit meiner Kunst zu danken, ihm manche Stunde genüber zu sitzen und sein mild und lehrreich Wort zu hören. Laßt mich denn nun die bald vergehenden Züge festzuhalten suchen.“

Und als sie unter Thränen, die über ihre Wangen strömten, stumm zu mir hinüber nickte, setzte ich mich in ein Gestühlte und begann auf einem von den Blättchen, die ich bei mir führte, des Todten Antlitz nachzubilden. Aber meine Hand zitterte; ich weiß nicht, ob alleine vor der Majestät des Todes.

Während dem vernahm ich draußen vom Hofe her eine Stimme, die ich für die des Junker Wulf erkannte; gleich danach schrie ein Hund wie nach einem Fußtritt oder Peitschenhiebe; und dann ein Lachen und einen Fluch von einer andern Stimme, die mir gleicherweise bekannt deuchte.

Als ich auf Katharinen blickte, sah ich sie mit schier entsetzten Augen nach dem Fenster starren; aber die Stimmen und die Schritte gingen vorüber. Da erhub sie sich, kam an meine Seite und sahe zu, wie des Vaters Antlitz unter meinem Stift entstund. Nicht lange, so kam draußen ein einzelner Schritt zurück; in demselben Augenblick legte Katharina die Hand auf meine Schulter, und ich fühlte, wie ihr junger Körper bebte.

Sogleich auch wurde die Kapellenthür aufgerissen; und ich erkannte den Junker Wulf, obschon sein sonsten bleiches Angesichte itzt roth und aufgedunsen schien.

„Was huckst du allfort an dem Sarge!“ rief er zu der Schwester. „Der Junker von der Risch ist da gewesen, uns seine Condolenze zu bezeigen; du hättest ihm wohl den Trunk kredenzen mögen!“

Zugleich hatte er meiner wahrgenommen und bohrte mich mit seinen kleinen Augen an. – „Wulf“, sagte Katharina, indem sie mit mir zu ihm trat; „es ist Johannes, Wulf.“

Der Junker fand nicht vonnöthen, mir die Hand zu reichen; er musterte nur mein violenfarben Wams und meinte: „Du trägst da einen bunten Federbalg; man wird dich ‚Sieur‘ nun tituliren müssen!“

„Nennt mich, wie's Euch gefällt!“ sagte ich, indem wir auf den Hof hinaustraten. „Obschon mir dorten, von wo ich komme, das ‚Herr‘ vor meinem Namen nicht gefehlet, – Ihr wißt wohl, Eueres Vaters Sohn hat großes Recht an mir.“

Er sah mich was verwundert an, sagte dann aber nur: „Nun wohl, so magst du zeigen, was du für meines Vaters Gold erlernet hast; und soll dazu der Lohn für deine Arbeit dir nicht verhalten sein.“

Ich meinete, was den Lohn anginge, den hätte ich längst voraus bekommen; da aber der Junker entgegnete, er werd es halten, wie sich's für einen Edelmann gezieme, so fragte ich, was für Arbeit er mir aufzutragen hätte.

„Du weißt doch“, sagte er und hielt dann inne, indem er scharf auf seine Schwester blickte – „wenn eine adelige Tochter das Haus verläßt, so muß ihr Bild darin zurückbleiben.“

Ich fühlte, daß bei diesen Worten Katharina, die an meiner Seite ging, gleich einer Taumelnden nach meinem Mantel haschte; aber ich entgegnete ruhig: „Der Brauch ist mir bekannt; doch wie meinet Ihr denn, Junker Wulf?"

„Ich meine", sagte er hart, als ob er einen Gegenspruch erwarte, „daß du das Bildniß der Tochter dieses Hauses malen sollst!"

Mich durchfuhr's fast wie ein Schrecken; weiß nicht, ob mehr über den Ton oder die Deutung dieser Worte; dachte auch, zu solchem Beginnen sei itzt kaum die rechte Zeit.

Da Katharina schwieg, aus ihren Augen aber ein flehentlicher Blick mir zuflog, so antwortete ich: „Wenn Eure edle Schwester es mir vergönnen will, so hoffe ich Eueres Vaters Protection und meines Meisters Lehre keine Schande anzuthun. Räumet mir nur wieder mein Kämmerlein ober dem Thorweg bei dem alten Dieterich, so soll geschehen, was Ihr wünschet."

Der Junker war das zufrieden und sagte auch seiner Schwester, sie möge einen Imbiß für mich richten lassen.

Ich wollte über den Beginn meiner Arbeit noch eine Frage thun; aber ich verstummte wieder, denn über den empfangenen Auftrag war plötzlich eine Entzückung in mir aufgestiegen, daß ich fürchtete, sie könne mit jedem Wort hervorbrechen. So war ich auch der zwo grimmen Köter nicht gewahr worden, die dort am Brunnen sich auf den heißen Steinen sonnten. Da wir aber näher kamen, sprangen sie auf und fuhren mit offenem Rachen gegen mich, daß Katharina einen Schrei that, der Junker aber einen schrillen Pfiff, worauf sie heulend ihm zu Füßen krochen. „Beim Höllenelemente", rief er lachend, „zwo tolle Kerle; gilt ihnen gleich, ein Sauschwanz oder ein Flandrisch Tuch!"

„Nun, Junker Wulf", – ich konnte der Rede mich nicht wohl enthalten – „soll ich noch einmal Gast in Eueres Vaters Hause sein, so möget Ihr Euere Thiere bessere Sitte lehren!"

Er blitzte mich mit seinen kleinen Augen an und riß sich ein paar Mal in seinen Zwickelbart. „Das ist nur so ihr Willkommsgruß, Sieur Johannes", sagte er dann, indem er sich bückte, um die Bestien zu streicheln. „Damit jedweder wisse, daß ein ander Regiment allhier begonnen; denn – wer mir in die Quere kommt, den hetz ich in des Teufels Rachen!"

Bei den letzten Worten, die er heftig ausgestoßen, hatte er sich hoch aufgerichtet; dann pfiff er seinen Hunden und schritt über den Hof dem Thore zu.

Ein Weilchen schaute ich hinterdrein; dann folgte ich Katharinen, die unter dem Lindenschatten stumm und gesenkten Hauptes die Freitreppe zu dem Herrenhaus emporstieg; ebenso schweigend gingen wir mitsammen die breiten Stufen in das Oberhaus hinauf, allwo wir in des seligen Herrn Gerhardus Zimmer traten. – Hier war noch alles, wie ich es vordem gesehen; die goldgeblümten Ledertapeten, die Karten an der Wand, die saubern Pergamentbände auf den Regalen, über dem Arbeitstische der schöne Waldgrund von dem älteren Ruisdael – und dann davor der leere Sessel. Meine Blicke blieben daran haften; gleichwie drunten in der Kapellen der Leib des Entschlafenen, so schien auch dies Gemach mir itzt entseelet und, obschon vom Walde draußen der junge Lenz durchs Fenster leuchtete, doch gleichsam von der Stille des Todes wie erfüllet.

Ich hatte auf Katharinen in diesem Augenblicke fast vergessen. Da ich mich umwandte, stand sie schier regungslos mitten in dem Zimmer, und ich sah, wie unter den kleinen Händen, die sie daraufgepreßt hielt, ihre Brust in ungestümer Arbeit ging. „Nicht wahr", sagte sie leise, „hier ist itzt niemand mehr; niemand als mein Bruder und seine grimmen Hunde?"

„Katharina!" rief ich; „was ist Euch? was ist das hier in Eueres Vaters Haus?"

„Was es ist, Johannes?" und fast wild ergriff sie meine beiden Hände; und ihre jungen Augen sprühten wie in Zorn und Schmerz. „Nein, nein; laß erst den Vater in seiner Gruft zur Ruhe kommen! Aber dann – du sollst mein Bild ja malen, du wirst eine Zeitlang hier verweilen – dann, Johannes, hilf mir; um des Todten willen, hilf mir!"

Auf solche Worte, von Mitleid und von Liebe ganz bezwungen, fiel ich vor der Schönen, Süßen nieder und schwur ihr mich und alle meine Kräfte zu. Da lösete sich ein sanfter Thränenquell aus ihren Augen, und wir saßen nebeneinander und sprachen lange zu des Entschlafenen Gedächtniß.

Als wir sodann wieder in das Unterhaus hinabgingen, fragte ich auch dem alten Fräulein nach.

„Oh", sagte Katharina, „Bas' Ursel! Wollt Ihr sie begrüßen? Ja, die ist auch noch da; sie hat hier unten ihr Gemach, denn die Treppen sind ihr schon längsthin zu beschwerlich."

Wir traten also in ein Stübchen, das gegen den Garten lag, wo auf den Beeten vor den grünen Heckenwänden soeben die Tulpen aus der Erde brachen. Bas' Ursel saß, in der schwarzen Tracht und Krepphaube nur wie ein schwindend Häufchen anzuschauen, in einem hohen Sessel und hatte ein Nonnenspielchen vor sich, das, wie sie nachmals mir erzählte, der Herr Baron – nach seines Vaters Ableben war er solches itzund wirklich – ihr aus Lübeck zur Verehrung mitgebracht.

„So", sagte sie, da Katharina mich genannt hatte, indeß sie behutsam die helfenbeinern Pflöcklein umeinander steckte, „ist Er wieder da, Johannes? – Nein, es geht nicht aus! Oh, c'est un jeu très-compliqué!"

Dann warf sie die Pflöcklein übereinander und schauete mich an. „Ei", meinte sie, „Er ist gar stattlich angethan; aber weiß Er denn nicht, daß Er in ein Trauerhaus getreten ist?"

„Ich weiß es, Fräulein", entgegnete ich; „aber da ich in das Thor trat, wußte ich es nicht."

„Nun", sagte sie und nickte gar begütigend; „so eigentlich gehöret Er ja auch nicht zur Dienerschaft."

Über Katharinens blasses Antlitz flog ein Lächeln, wodurch ich mich jeder Antwort wohl enthoben halten mochte. Vielmehr rühmte ich der alten Dame die Anmuth ihres Wohngemaches; denn auch der Epheu des Türmchens, das draußen an der Mauer aufstieg, hatte sich nach dem Fenster hingesponnen und wiegete seine grünen Ranken vor den Scheiben.

Aber Bas' Ursel meinete, ja, wenn nur nicht die Nachtigallen wären, die itzt schon wieder anhüben mit ihrer

Nachtunruhe; sie könne ohnedem den Schlaf nicht finden; und dann auch sei es schier zu abgelegen; das Gesinde sei von hier aus nicht im Aug zu halten; im Garten draußen aber passire eben nichts, als etwan, wann der Gärtnerbursche an den Hecken oder Buchsrabatten putze.

– Und damit hatte der Besuch seine Endschaft; denn Katharina mahnte, es sei nachgerade an der Zeit, meinen wegemüden Leib zu stärken.

Ich war nun in meinem Kämmerchen ober dem Hofthor einlogiret, dem alten Dieterich zur sondern Freude; denn am Feierabend saßen wir auf seiner Tragkist, und ließ ich mir, gleich wie in der Knabenzeit, von ihm erzählen. Er rauchte dann wohl eine Pfeife Tabak, welche Sitte durch das Kriegsvolk auch hier in Gang gekommen war, und holete allerlei Geschichten aus den Drangsalen, so sie durch die fremden Truppen auf dem Hof und unten in dem Dorf hatten erleiden müssen; einmal aber, da ich seine Rede auf das gute Frölen Katharina gebracht und er erst nicht hatt ein Ende finden können, brach er gleichwohl plötzlich ab und schauete mich an.

„Wisset Ihr, Herr Johannes“, sagte er, „’s ist grausam schad, daß Ihr nicht auch ein Wappen habet gleich dem von der Risch da drüben!“

Und da solche Rede mir das Blut ins Gesicht jagete, klopfte er mit seiner harten Hand mir auf die Schulter, meinend: „Nun, nun, Herr Johannes; ’s war ein dummes Wort von mir; wir müssen freilich bleiben, wo uns der Herrgott hingesetzet.“

Weiß nicht, ob ich derzeit mit solchem einverstanden gewesen, fragete aber nur, was der von der Risch denn itzund für ein Mann geworden.

Der Alte sah mich gar pfiffig an und paffte aus seinem kurzen Pfeiflein, als ob das theure Kraut am Feldrain wüchse. „Wollet Ihr’s wissen, Herr Johannes?“ begann er dann. „Er gehöret zu denen muntern Junkern, die im Kieler Umschlag den Bürgersleuten die Knöpfe von den Häusern schießen; Ihr möget glauben, er hat treffliche Pistolen! Auf der Geigen weiß er nicht so gut zu spielen;

da er aber ein lustig Stücklein liebt, so hat er letzthin den Rathsmusikanten, der überm Holstenthore wohnt, um Mitternacht mit seinem Degen aufgeklopfet, ihm auch nicht Zeit gelassen, sich Wams und Hosen anzuthun. Statt der Sonnen stand aber der Mond am Himmel, es war octavis trium regum und fror Pickelsteine; und hat also der Musikante, den Junker mit dem Degen hinter sich, im blanken Hemde vor ihm durch die Gassen geigen müssen! – – Wollet Ihr mehr noch wissen, Herr Johannes? – Zu Haus bei ihm freuen sich die Bauern, wenn der Herrgott sie nicht mit Töchtern gesegnet; und dennoch – – aber nach seines Vaters Tode hat er Geld, und unser Junker, Ihr wisset's wohl, hat schon vorher von seinem Erbe aufgezehrt."

Ich wußte freilich nun genug; auch hatte der alte Dieterich schon mit seinem Spruche: „Aber ich bin nur ein höriger Mann", seiner Rede Schluß gemacht.

– – Mit meinem Malgeräth war auch meine Kleidung aus der Stadt gekommen, wo ich im Goldenen Löwen Alles abgeleget, so daß ich anitzt, wie es sich ziemete, in dunkler Tracht einherging. Die Tagesstunden aber wandte ich zunächst in meinen Nutzen. Nämlich, es befand sich oben im Herrenhause neben des seligen Herrn Gemach ein Saal, räumlich und hoch, dessen Wände fast völlig von lebensgroßen Bildern verhänget waren, so daß nur noch neben dem Kamin ein Platz zu zweien offen stund. Es waren das die Voreltern des Herrn Gerhardus, meist ernst und sicher blickende Männer und Frauen, mit einem Antlitz, dem man wohl vertrauen konnte; er selbsten in kräftigem Mannesalter und Katharinens früh verstorbene Mutter machten dann den Schluß. Die beiden letzten Bilder waren gar trefflich von unserem Landsmanne, dem Eiderstedter Georg Ovens, in seiner kräftigen Art gemalet; und ich suchte nun mit meinem Pinsel die Züge meines edlen Beschützers nachzuschaffen; zwar in verjüngtem Maßstabe und nur mir selber zum Genügen; doch hat es später zu einem größeren Bildniß mir gedienet, das noch itzt hier in meiner einsamen Kammer die theuerste Gesellschaft meines Alters ist. Das Bildniß seiner Tochter aber lebt mit mir in meinem Innern.

Oft, wenn ich die Palette hingelegt, stand ich noch lange vor den schönen Bildern, Katharinens Antlitz fand ich in dem der beiden Eltern wieder; des Vaters Stirn, der Mutter Liebreiz um die Lippen; wo aber war hier der harte Mundwinkel, das kleine Auge des Junker Wulf? – Das mußte tiefer aus der Vergangenheit heraufgekommen sein! Langsam ging ich die Reih der älteren Bildnisse entlang, bis über hundert Jahre weiter hinab. Und siehe, da hing im schwarzen, von den Würmern schon zerfressenen Holzrahmen ein Bild, vor dem ich schon als Knabe, als ob's mich hielte, stillgestanden war. Es stellte eine Edelfrau von etwa vierzig Jahren vor; die kleinen grauen Augen sahen kalt und stechend aus dem harten Antlitz, das nur zur Hälfte zwischen dem weißen Kinntuch und der Schleierhaube sichtbar wurde. Ein leiser Schauer überfuhr mich vor der so lang schon heimgegangenen Seele; und ich sprach zu mir: „Hier, diese ist's! Wie räthselhafte Wege gehet die Natur! Ein saeculum und drüber rinnt es heimlich wie unter einer Decke im Blute der Geschlechter fort; dann, längst vergessen, taucht es plötzlich wieder auf, den Lebenden zum Unheil. Nicht vor dem Sohn des edlen Gerhardus; vor dieser hier und ihres Blutes nachgeborenem Sprößling soll ich Katharinen schützen." Und wieder trat ich vor die beiden jüngsten Bilder, an denen mein Gemüthe sich erquickte.

So weilte ich derzeit in dem stillen Saale, wo um mich nur die Sonnenstäublein spielten, unter den Schatten der Gewesenen.

Katharinen sah ich nur beim Mittagstische, das alte Fräulein und den Junker Wulf zur Seiten; aber wofern Bas' Ursel nicht in ihren hohen Tönen redete, so war es stets ein stumm und betrübsam Mahl, so daß mir oft der Bissen im Munde quoll. Nicht die Trauer um den Abgeschiedenen war deß Ursach, sondern es lag zwischen Bruder und Schwester, als sei das Tischtuch durchgeschnitten zwischen ihnen. Katharina, nachdem sie fast die Speisen nicht berührt hatte, entfernte sich allzeit bald, mich kaum nur mit den Augen grüßend; der Junker aber, wenn ihm die Laune stund, suchte mich dann beim Trunke festzuhalten; hatte mich also hiegegen und, so ich nicht hinauswollte über mein gestecktes Maß, über dem wider allerart Flosculn zu wehren, welche gegen mich gespitzet wurden.

Inzwischen, nachdem der Sarg schon mehrere Tage geschlossen gewesen, geschahe die Beisetzung des Herrn Gerhardus drunten in der Kirche des Dorfes, allwo das Erbbegräbniß ist und wo itzt seine Gebeine bei denen seiner Voreltern ruhen, mit denen der Höchste ihnen dereinst eine fröhliche Urständ wolle bescheren!

Es waren aber zu solcher Trauerfestlichkeit zwar mancherlei Leute aus der Stadt und den umliegenden Gütern gekommen, von Angehörigen aber fast wenige und auch diese nur entfernte, maßen der Junker Wulf der Letzte seines Stammes war und des Herrn Gerhardus Ehgemahl nicht hiesigen Geschlechts gewesen; darum es auch geschahe, daß in der Kürze alle wieder abgezogen sind.

Der Junker drängte nun selbst, daß ich mein aufgetragen Werk begönne, wozu ich droben in dem Bildersaale an einem nach Norden zu belegenen Fenster mir schon den Platz erwählet hatte. Zwar kam Bas' Ursel, die wegen ihrer Gicht die Treppen nicht hinaufkonnte, und meinete, es möge am besten in ihrer Stuben oder im Gemach daran geschehen, so sei es uns beiderseits zur Unterhaltung; ich aber, solcher Gevatterschaft gar gern entrathend, hatte an der dortigen Westsonne einen rechten Malergrund dagegen, und konnte alles Reden ihr nicht nützen. Vielmehr war ich am andern Morgen schon dabei, die Nebenfenster des Saales zu verhängen und die hohe Staffelei zu stellen, so ich mit Hilfe Dieterichs mir selber in den letzten Tagen angefertigt.

Als ich eben den Blendrahmen mit der Leinwand darauf gelegt, öffnete sich die Thür aus Herrn Gerhardus' Zimmer, und Katharina trat herein. – Aus was für Ursach, wäre schwer zu sagen; aber ich empfand, daß wir uns dießmal fast erschrocken gegenüberstanden; aus der schwarzen Kleidung, die sie nicht abgeleget, schaute das junge Antlitz in gar süßer Verwirrung zu mir auf.

„Katharina", sagte ich, „Ihr wisset, ich soll Euer Bildniß malen; duldet Ihr's auch gern?"

Da zog ein Schleier über ihre braunen Augensterne und sie sagte leise: „Warum doch fragt Ihr so, Johannes?“

Wie ein Thau des Glückes sank es in mein Herz. „Nein, nein, Katharina! Aber sagt, was ist, worin kann ich Euch dienen? – Setzet Euch, damit wir nicht so müßig überrascht werden, und dann sprecht! Oder vielmehr, ich weiß es schon. Ihr braucht mir's nicht zu sagen!“

Aber sie setzte sich nicht, sie trat zu mir heran. „Denket Ihr noch, Johannes, wie Ihr einst den Buhz mit Euerem Bogen niederschosset? Das thut dießmal nicht noth, obschon er wieder ob dem Neste lauert; denn ich bin kein Vöglein, das sich von ihm zerreißen läßt. Aber, Johannes, – ich habe einen Blutsfreund – hilf mir wider den!“

„Ihr meinet Eueren Bruder, Katharina!“

– „Ich habe keinen andern. – – Dem Manne, den ich hasse, will er mich zum Weibe geben! Während unseres Vaters langem Siechbett habe ich den schändlichen Kampf mit ihm gestritten, und erst an seinem Sarg hab ich's ihm abgetrotzt, daß ich in Ruhe um den Vater trauern mag; aber ich weiß, auch das wird er nicht halten.“

Ich gedachte eines Stiftsfräuleins zu Preetz, Herrn Gerhardus' einzigen Geschwisters, und meinete, ob die nicht um Schutz und Zuflucht anzugehen sei.

Katharina nickte. „Wollt Ihr mein Bote sein, Johannes? – Geschrieben habe ich ihr schon, aber in Wulfs Hände kam die Antwort, und auch erfahren habe ich sie nicht, nur die ausbrechende Wuth meines Bruders, die selbst das Ohr des Sterbenden erfüllet hätte, wenn es noch offen gewesen wäre für den Schall der Welt; aber der gnädige Gott hatte das geliebte Haupt schon mit dem letzten Erdenschlummer zugedecket.“

Katharina hatte sich nun doch auf meine Bitte mir genüber gesetzet, und ich begann die Umrisse auf die Leinwand zu zeichnen. So kamen wir zu ruhiger Berathung; und da ich, wenn die Arbeit weiter fortgeschritten, nach Hamburg mußte, um bei dem Holzschnitzer einen Rahmen zu bestellen, so stelleten wir fest, daß ich alsdann den Umweg über Preetz nähme und also meine Botschaft ausrichtete. Zunächst jedoch sei emsig an dem Werk zu fördern.

Es ist gar oft ein seltsam Widerspiel im Menschenherzen. Der Junker mußte es schon wissen, daß ich zu seiner Schwester stand; gleichwohl – hieß nun sein Stolz ihn, mich geringzuschätzen, oder glaubte er mit seiner ersten Drohung mich genug geschrecket – was ich besorget, traf nicht ein; Katharina und ich waren am ersten wie an den andern Tagen von ihm ungestöret. Einmal zwar trat er ein und schalt mit Katharinen wegen ihrer Trauerkleidung, warf aber dann die Thür hinter sich, und wir hörten ihn bald auf dem Hofe ein Reiterstücklein pfeifen. Ein ander Mal noch hatte er den von der Risch an seiner Seite. Da Katharina eine heftige Bewegung machte, bat ich sie, auf ihrem Platz zu bleiben, und malete ruhig weiter. Seit dem Begräbnißtage, wo ich einen fremden Gruß mit ihm getauschet, hatte der Junker Kurt sich auf dem Hofe nicht gezeigt; nun trat er näher und beschauete das Bild und redete gar schöne Worte, meinete aber auch, weshalb das Fräulein sich so sehr vermummet und nicht vielmehr ihr seidig Haar in freien Locken auf den Nacken habe wallen lassen; wie es ein Engelländischer Poet so trefflich ausgedrücket, „rückwärts den Winden leichte Küsse werfend?“ Katharina aber, die bisher geschwiegen, wies auf Herrn Gerhardus' Bild und sagte: „Ihr wisset wohl nicht mehr, daß das mein Vater war!“

Was Junker Kurt hierauf entgegnete, ist mir nicht mehr erinnerlich; meine Person aber schien ihm ganz nicht gegenwärtig oder doch nur gleich einer Maschine, wodurch ein Bild sich auf die Leinewand malete. Von letzterem begann er über meinen Kopf hin dieß und jenes noch zu reden; da aber Katharina nicht mehr Antwort gab, so nahm er alsbald seinen Urlaub, der Dame angenehme Kurzweil wünschend.

Bei diesem Wort jedennoch sah ich aus seinen Augen einen raschen Blick gleich einer Messerspitzen nach mir zücken.

– – Wir hatten nun weitere Störniß nicht zu leiden, und mit der Jahreszeit rückte auch die Arbeit vor. Schon stund auf den Waldkoppeln draußen der Roggen in silbergrauem Blust und unten im Garten brachen schon die Rosen auf; wir beide aber – ich mag es heut wohl niederschreiben –

wir hätten itzund die Zeit gern stillestehen lassen; an meine Botenreise wagten, auch nur mit einem Wörtlein, weder sie noch ich zu rühren. Was wir gesprochen, wüßte ich kaum zu sagen; nur daß ich von meinem Leben in der Fremde ihr erzählte und wie ich immer heimgedacht; auch daß ihr güldner Pfennig mich in Krankheit einst vor Noth bewahrt, wie sie in ihrem Kinderherzen es damals fürgesorget, und wie ich später dann gestrebt und mich geängstet, bis ich das Kleinod aus dem Leihhaus mir zurückgewonnen hatte. Dann lächelte sie glücklich; und dabei blühete aus dem dunkeln Grund des Bildes immer süßer das holde Antlitz auf; mir schien's, als sei es kaum mein eigenes Werk. – Mitunter war's, als schaue mich etwas heiß aus ihren Augen an; doch wollte ich es dann fassen, so floh es scheu zurück; und dennoch floß es durch den Pinsel heimlich auf die Leinewand, so daß mir selber kaum bewußt ein sinnberückend Bild entstand, wie nie zuvor und nie nachher ein solches aus meiner Hand gegangen ist. – – Und endlich war's doch an der Zeit und festgesetzet, am andern Morgen sollte ich meine Reise antreten.

Als Katharina mir den Brief an ihre Base eingehändigt, saß sie noch einmal mir genüber. Es wurde heute mit Worten nicht gespielet; wir sprachen ernst und sorgenvoll mitsammen; indessen setzete ich noch hie und da den Pinsel an, mitunter meine Blicke auf die schweigende Gesellschaft an den Wänden werfend, deren ich in Katharinens Gegenwart sonst kaum gedacht hatte.

Da, unter dem Malen, fiel mein Auge auf jenes alte Frauenbildniß, das mir zur Seite hing und aus den weißen Schleiertüchern die stechend grauen Augen auf mich gerichtet hielt. Mich fröstelte, ich hätte nahezu den Stuhl verrücket.

Aber Katharinens süße Stimme drang mir in das Ohr: „Ihr seid ja fast erbleichet; was flog Euch übers Herz, Johannes?"

Ich zeigte mit dem Pinsel auf das Bild. „Kennet Ihr die, Katharina? Diese Augen haben hier all die Tage auf uns hingesehen."

„Die da? – Vor der hab ich schon als Kind eine Furcht

gehabt, und gar bei Tage bin ich oft wie blind hier durchgelaufen. Es ist die Gemahlin eines früheren Gerhardus; vor weit über hundert Jahren hat sie hier gehauset."

„Sie gleicht nicht Euerer schönen Mutter", entgegnete ich; „dies Antlitz hat wohl vermocht, einer jeden Bitte nein zu sagen."

Katharina sah gar ernst zu mir herüber. „So heißt's auch", sagte sie; „sie soll ihr einzig Kind verfluchet haben; am andern Morgen aber hat man das blasse Fräulein aus einem Gartenteich gezogen, der nachmals zugedämmet ist. Hinter den Hecken, dem Walde zu, soll es gewesen sein."

„Ich weiß, Katharina; es wachsen heut noch Schachtelhalm und Binsen aus dem Boden."

„Wisset Ihr denn auch, Johannes, daß eine unseres Geschlechtes sich noch immer zeigen soll, sobald dem Hause Unheil droht? Man sieht sie erst hier an den Fenstern gleiten, dann draußen in dem Gartensumpf verschwinden."

Ohnwillens wandten meine Augen sich wieder auf die unbeweglichen des Bildes. „Und weshalb", fragte ich, „verfluchete sie ihr Kind?"

„Weshalb?" – Katharina zögerte ein Weilchen und blickte mich fast verwirret an mit allem ihrem Liebreiz. „Ich glaub, sie wollte den Vetter ihrer Mutter nicht zum Ehgemahl."

– „War es denn ein gar so übler Mann?"

Ein Blick fast wie ein Flehen flog zu mir herüber, und tiefes Rosenroth bedeckete ihr Antlitz. „Ich weiß nicht", sagte sie beklommen; und leiser, daß ich's kaum vernehmen mochte, setzte sie hinzu: „Es heißt, sie hab einen andern liebgehabt; der war nicht ihres Standes."

Ich hatte den Pinsel sinken lassen; denn sie saß vor mir mit gesenkten Blicken; wenn nicht die kleine Hand sich leis aus ihrem Schoße auf ihr Herz geleget, so wär sie selber wie ein leblos Bild gewesen.

So hold es war, ich sprach doch endlich: „So kann ich ja nicht malen; wollet Ihr mich nicht ansehen, Katharina?"

Und als sie nun die Wimpern von den braunen Augensternen hob, da war kein Hehlens mehr; heiß und offen ging der Strahl zu meinem Herzen. „Katharina!" Ich war aufgesprungen. „Hätte jene Frau auch dich verflucht?"

Sie athmete tief auf. „Auch mich, Johannes!" – Da lag ihr Haupt an meiner Brust, und fest umschlossen standen wir vor dem Bild der Ahnfrau, die kalt und feindlich auf uns niederschauete.

Aber Katharina zog mich leise fort. „Laß uns nicht trotzen, mein Johannes!" sagte sie. – Mit selbigem hörte ich im Treppenhause ein Geräusch, und war es, als wenn etwas mit dreien Beinen sich mühselig die Stiegen heraufarbeitete. Als Katharina und ich uns deshalb wieder an unsern Platz gesetzet und ich Pinsel und Palette zur Hand genommen hatte, öffnete sich die Thür, und Bas' Ursel, die wir wohl zuletzt erwartet hätten, kam an ihrem Stock hereingehustet. „Ich höre", sagte sie, „Er will nach Hamburg, um den Rahmen zu besorgen: da muß ich mir nachgerade doch Sein Werk besehen!"

Es ist wohl männiglich bekannt, daß alte Jungfrauen in Liebessachen die allerfeinsten Sinne haben und so der jungen Welt gar oft Bedrang und Trübsal bringen. Als Bas' Ursel auf Katharinens Bild, das sie bislang noch nicht gesehen, kaum einen Blick geworfen hatte, zuckte sie gar stolz empor mit ihrem runzeligen Angesicht und frug mich allsogleich: „Hat denn das Fräulein Ihn so angesehen, als wie sie da im Bilde sitzet?"

Ich entgegnete, es sei ja eben die Kunst der edlen Malerei, nicht bloß die Abschrift des Gesichts zu geben. Aber schon mußte an unsern Augen oder Wangen ihr Sonderliches aufgefallen sein, denn ihre Blicke gingen spähend hin und wider: „Die Arbeit ist wohl bald am Ende?" sagte sie dann mit ihrer höchsten Stimme. „Deine Augen haben kranken Glanz, Katharina; das lange Sitzen hat dir nicht wohl gedienet."

Ich entgegnete, das Bild sei bald vollendet, nur an dem Gewande sei noch hie und da zu schaffen.

„Nun, da braucht Er wohl des Fräuleins Gegenwart nicht mehr dazu! – Komm, Katharina, dein Arm ist besser als der dumme Stecken hier!"

Und so mußte ich von der dürren Alten meines Herzens holdselig Kleinod mir entführen sehen, da ich es eben mir gewonnen glaubte; kaum daß die braunen Augen mir noch einen stummen Abschied senden konnten.

Am andern Morgen, am Montage vor Johannis, trat ich meine Reise an. Auf einem Gaule, den Dieterich mir besorget, trabte ich in der Frühe aus dem Thorweg; als ich durch die Tannen ritt, brach einer von des Junkers Hunden herfür und fuhr meinem Thier nach den Flechsen, wannschon selbiges aus ihrem eigenen Stalle war; aber der oben im Sattel saß, schien ihnen allzeit noch verdächtig. Kamen gleichwohl ohne Blessur davon, ich und der Gaul, und langeten abends bei guter Zeit in Hamburg an.

Am andern Vormittage machte ich mich auf und befand auch bald einen Schnitzer, so der Bilderleisten viele fertig hatte, daß man sie nur zusammenstellen und in den Ecken die Zieraten darauf zu thun brauchte. Wurden also handelseinig, und versprach der Meister, mir das alles wohlverpackt nachzusenden.

Nun war zwar in der berühmten Stadt vor einen Neubegierigen gar vieles zu beschauen; so in der Schiffergesellschaft des Seeräubern Störtebeker silberner Becher, welcher das zweite Wahrzeichen der Stadt genennet wird, und ohne den gesehen zu haben, wie es in einem Buche heißt, niemand sagen dürfe, daß er in Hamburg sei gewesen; sodann auch der Wunderfisch mit eines Adlers richtigen Krallen und Fluchten, so eben um diese Zeit in der Elbe war gefangen worden und den die Hamburger, wie ich nachmalen hörete, auf einen Seesieg wider die türkischen Piraten deuteten; allein, obschon ein rechter Reisender solcherlei Seltsamkeiten nicht vorbeigehen soll, so war doch mein Gemüthe, beides, von Sorge und von Herzenssehnen, allzusehr beschweret. Derohalben, nachdem ich bei einem Kaufherrn noch meinen Wechsel umgesetzet und in meiner Nachtherbergen Richtigkeit getroffen hatte, bestieg ich um Mittage wieder meinen Gaul und hatte allsobald allen Lärmen des großen Hamburg hinter mir.

Am Nachmittage danach langete ich in Preetz an, meldete mich im Stifte bei der hochwürdigen Dame und wurde auch alsbald vorgelassen. Ich erkannte in ihrer stattlichen Person allsogleich die Schwester meines theueren seligen Herrn Gerhardus; nur, wie es sich an unverehelichten Frauen oftmals zeiget, waren die Züge des Antlitzes gleichwohl strenger als die des Bruders. Ich hatte, selbst nachdem ich Katharinens Schreiben überreichet, ein lang und hart Examen zu bestehen; dann aber verhieß sie ihren Beistand und setzete sich zu ihrem Schreibgeräthe, indeß die Magd mich in ein ander Zimmer führen mußte, allwo man mich gar wohl bewirthete.

Es war schon spät am Nachmittage, da ich wieder fortritt; doch rechnete ich, obschon mein Gaul die vielen Meilen hinter uns bereits verspürete, noch gegen Mitternacht beim alten Dieterich anzuklopfen. – Das Schreiben, das die alte Dame mir für Katharinen mitgegeben, trug ich wohl verwahret in einem Ledertäschlein unterm Wamse auf der Brust. So ritt ich fürbaß in die aufsteigende Dämmerung hinein; gar bald an sie, die eine, nur gedenkend und immer wieder mein Herz mit neuen lieblichen Gedanken schrekkend.

Es war aber eine lauwarme Juninacht; von den dunkelen Feldern erhub sich der Ruch der Wiesenblumen, aus den Knicken duftete das Geißblatt; in Luft und Laub schwebete ungesehen das kleine Nachtgeziefer oder flog auch wohl surrend meinem schnaubenden Gaule an die Nüstern; droben aber an der blau-schwarzen ungeheueren Himmelsglocke über mir strahlte im Südost das Sternenbild des Schwanes in seiner unberührten Herrlichkeit.

Da ich endlich wieder auf Herrn Gerhardus' Grund und Boden war, resolvirte ich mich sofort, noch nach dem Dorfe hinüberzureiten, welches seitwärts von der Fahrstraßen hinterm Wald belegen ist. Denn ich gedachte, daß der Krüger Hans Ottsen einen paßlichen Handwagen habe; mit dem solle er morgen einen Boten in die Stadt schicken, um die Hamburger Kiste für mich abzuholen; ich aber wollte nur an sein Kammerfenster klopfen, um ihm solches zu bestellen.

Also ritt ich am Waldesrande hin, die Augen fast verwirret von den grünlichen Johannisfünkchen, die mit ihren spielerischen Lichtern mich hier umflogen. Und schon ragete groß und finster die Kirche vor mir auf, in deren Mauern Herr Gerhardus bei den Seinen ruhte; ich hörte, wie im Thurm soeben der Hammer ausholete, und von der Glocken scholl die Mitternacht ins Dorf hinunter. „Aber sie schlafen alle“, sprach ich bei mir selber, „die Todten in der Kirchen oder unter dem hohen Sternenhimmel hieneben auf dem Kirchhof, die Lebenden noch unter den niedern Dächern, die dort stumm und dunkel vor dir liegen.“ So ritt ich weiter. Als ich jedoch an den Teich kam, von wo aus man Hans Ottsens Krug gewahren kann, sahe ich von dorten einen dunstigen Lichtschein auf den Weg hinausbrechen, und Fiedeln und Klarinetten schalleten mir entgegen.

Da ich gleichwohl mit dem Wirthe reden wollte, so ritt ich herzu und brachte meinen Gaul im Stalle unter. Als ich danach auf die Tenne trat, war es gedrang voll von Menschen, Männern und Weibern, und ein Geschrei und wüst Getreibe, wie ich solches, auch beim Tanz, in früheren Jahren nicht vermerket. Der Schein der Unschlittkerzen, so unter einem Balken auf einem Kreuzholz schwebten, hob manch bärtig und verhauen Antlitz aus dem Dunkel, dem man lieber nicht allein im Wald begegnet wäre. – Aber nicht nur Strolche und Bauernbursche schienen hier sich zu vergnügen; bei den Musikanten, die drüben vor der Döns auf ihren Tonnen saßen, stund der Junker von der Risch; er hatte seinen Mantel über dem einen Arm, an dem andern hing ihm eine derbe Dirne. Aber das Stücklein schien ihm nicht zu gefallen; denn er riß dem Fiedler seine Geigen aus den Händen, warf eine Handvoll Münzen auf seine Tonne und verlangte, daß sie ihm den neumodischen Zweitritt aufspielen sollten. Als dann die Musikanten ihm gar rasch gehorchten und wie toll die neue Weise klingen ließen, schrie er nach Platz und schwang sich in den dichten Haufen; und die Bauernburschen glotzten drauf hin, wie ihm die Dirne im Arm lag, gleich einer Tauben vor dem Geier.

Ich aber wandte mich ab und trat hinten in die Stube, um mit dem Wirth zu reden. Da saß der Junker Wulf beim Kruge Wein und hatte den alten Ottsen neben sich, welchen er mit allerhand Späßen in Bedrängniß brachte; so drohete er, ihm seinen Zins zu steigern, und schüttelte sich vor Lachen, wenn der geängstete Mann gar jämmerlich um Gnad und Nachsicht supplicirte. – Da er mich gewahr worden, ließ er nicht ab, bis ich selbdritt mich an den Tisch gesetzet; frug nach meiner Reise und ob ich in Hamburg mich auch wohl vergnüget; ich aber antwortete nur, ich käme eben von dort zurück, und werde der Rahmen in Kürze in der Stadt eintreffen, von wo Hans Ottsen ihn mit seinem Handwäglein leichtlich möge holen lassen.

Indeß ich mit letzterem solches nun verhandelte, kam auch der von der Risch hereingestürmet und schrie dem Wirthe zu, ihm einen kühlen Trunk zu schaffen. Der Junker Wulf aber, dem bereits die Zunge schwer im Munde wühlete, faßte ihn am Arm und riß ihn auf den leeren Stuhl hernieder.

„Nun, Kurt!“ rief er. „Bist du noch nicht satt von deinen Dirnen! Was soll die Katharina dazu sagen? Komm, machen wir alamode ein ehrbar hazard mitsammen!“ Dabei hatte er ein Kartenspiel unterm Wams hervorgezogen. „Allons donc! – Dix et dame! – Dame et valet!“

Ich stand noch und sah dem Spiele zu, so dermalen eben Mode worden; nur wünschend, daß die Nacht vergehen und der Morgen kommen möchte. – Der Trunkene schien aber dieses Mal des Nüchternen Übermann; dem von der Risch schlug nacheinander jede Karte fehl.

„Tröste dich, Kurt!“ sagte der Junker Wulf, indeß er schmunzelnd die Speciesthaler auf einen Haufen scharrte:

„Glück in der Lieb
Und Glück im Spiel,
Bedenk, für einen
Ist's zu viel!

Laß den Maler dir hier von deiner schönen Braut erzählen! Der weiß sie auswendig; da kriegst du's nach der Kunst zu wissen.“

Dem andern, wie mir am besten kund war, mochte aber noch nicht viel von Liebesglück bewußt sein; denn er schlug fluchend auf den Tisch und sah gar grimmig auf mich her.

„Ei, du bist eifersüchtig, Kurt“, sagte der Junker Wulf vergnüglich, als ob er jedes Wort auf seiner schweren Zunge schmeckete; „aber getröste dich, der Rahmen ist schon fertig zu dem Bilde; dein Freund der Maler, kommt eben erst von Hamburg.“

Bei diesem Worte sahe ich den von der Risch aufzucken gleich einem Spürhund bei der Witterung. „Von Hamburg heut? – So muß er Fausti Mantel sich bedienet haben; denn mein Reitknecht sah ihn heut zu Mittag noch in Preetz! Im Stift, bei deiner Base ist er auf Besuch gewesen.“

Meine Hand fuhr unversehens nach der Brust, wo ich das Täschlein mit dem Brief verwahret hatte; denn die trunkenen Augen des Junkers lagen auf mir; und war mir's nicht anders, als sähe er damit mein ganz Geheimniß offen vor sich liegen. Es währete auch nicht lange, so flogen die Karten klatschend auf den Tisch. „Oho!“ schrie er. „Im Stift, bei meiner Base! Du treibst wohl gar doppelt Handwerk, Bursch! Wer hat dich auf den Botengang geschickt?“

„Ihr nicht, Junker Wulf!“ entgegnet ich; „und das muß Euch genug sein!“ – Ich wollt nach meinem Degen greifen, aber er war nicht da; fiel mir auch bei nun, daß ich ihn an den Sattelknopf gehänget, da ich vorhin den Gaul zu Stalle brachte.

Und schon schrie der Junker wieder zu seinem jüngeren Kumpan: „Reiß ihm das Wams auf, Kurt! Es gilt den blanken Haufen hier, du findest eine saubere Briefschaft, die du ungern möchtst bestellet sehen!“

Im selbigen Augenblick fühlte ich auch schon die Hände des von der Risch an meinem Leibe, und ein wüthend Ringen zwischen uns begann. Ich fühlte wohl, daß ich so leicht, wie in der Bubenzeit, ihm nicht mehr über würde; da aber fügete es sich zu meinem Glücke, daß ich ihm beide Handgelenke packte und er also wie gefesselt vor mir stund. Es hatte keiner von uns ein Wort dabei verlauten lassen; als wir uns aber itzund in die Augen sahen, da wußte jeder wohl, daß er's mit seinem Todfeinde vor sich habe.

Solches schien auch der Junker Wulf zu meinen; er strebte von seinem Stuhl empor, als wolle er dem von der Risch zu Hilfe kommen; mochte aber zu viel des Weins genossen haben, denn er taumelte auf seinen Platz zurück. Da schrie er, so laut seine lallende Zung es noch vermochte: „He, Tartar! Türk! Wo steckt ihr! Tartar, Türk!“ Und ich wußte nun, daß die zwo grimmen Köter, so ich vorhin auf der Tenne an dem Ausschank hatte lungern sehen, mir an die nackte Kehle springen sollten. Schon hörete ich sie durch das Getümmel der Tanzenden daher schnaufen, da riß ich mit einem Rucke jählings meinen Feind zu Boden, sprang dann durch eine Seitenthür aus dem Zimmer, die ich schmetternd hinter mir zuwarf, und gewann also das Freie.

Und um mich her war plötzlich wieder die stille Nacht und Mond- und Sternenschimmer. In den Stall zu meinem Gaul wagt ich nicht erst zu gehen, sondern sprang flugs über einen Wall und lief über das Feld dem Walde zu. Da ich ihn bald erreichet, suchte ich die Richtung nach dem Herrenhofe einzuhalten; denn es zieht sich die Holzung bis hart zur Gartenmauer. Zwar war die Helle der Himmelslichter hier durch das Laub der Bäume ausgeschlossen; aber meine Augen wurden der Dunkelheit gar bald gewohnt, und da ich das Täschlein sicher unter meinem Wamse fühlte, so tappte ich rüstig vorwärts; denn ich gedachte den Rest der Nacht noch einmal in meiner Kammer auszuruhen, dann aber mit dem alten Dieterich zu berathen, was allfort geschehen solle; maßen ich wohl sahe, daß meines Bleibens hier nicht fürder sei.

Bisweilen stund ich auch und horchte; aber ich mochte bei meinem Abgang wohl die Thür ins Schloß geworfen und so einen guten Vorsprung mir gewonnen haben: von den Hunden war kein Laut vernehmbar. Wohl aber, da ich eben aus dem Schatten auf eine vom Mond erhellete Lichtung trat, hörete ich nicht gar fern die Nachtigallen schlagen; und von wo ich ihren Schall hörte, dahin richtete ich meine Schritte; denn mir war wohl bewußt, sie hatten hier herum nur in den Hecken des Herrengartens ihre Nester; erkannte nun auch, wo ich mich befand, und daß ich bis zum Hofe nicht gar weit mehr hatte.

Ging also dem lieblichen Schallen nach, das immer heller vor mir aus dem Dunkel drang. Da plötzlich schlug was anderes an mein Ohr, das jählings näher kam und mir das Blut erstarren machte. Nicht zweifeln konnt ich mehr, die Hunde brachen durch das Unterholz; sie hielten fest auf meiner Spur, und schon hörete ich deutlich hinter mir ihr

Schnaufen und ihre gewaltigen Sätze in dem dürren Laub des Waldbodens. Aber Gott gab mir seinen gnädigen Schutz; aus dem Schatten der Bäume stürzte ich gegen die Gartenmauer und an eines Fliederbaums Geäste schwang ich mich hinüber. – Da sangen hier im Garten immer noch die Nachtigallen; die Buchenhecken warfen tiefe Schatten. In solcher Mondnacht war ich einst vor meiner Ausfahrt in die Welt mit Herrn Gerhardus hier gewandelt. „Sieh dir's noch einmal an, Johannes!" hatte dermalen er gesprochen; „es könnt geschehen, daß du bei deiner Heimkehr mich nicht daheim mehr fändest, und daß alsdann ein Willkomm nicht für dich am Thor geschrieben stünde; – ich aber möcht nicht, daß du diese Stätte hier vergäßest."

Das flog mir itzund durch den Sinn, und ich mußte bitter lachen; denn nun war ich hier als ein gehetzet Wild; und schon hörete ich die Hunde des Junker Wulf gar grimmig draußen an der Gartenmauer rennen. Selbige aber war, wie ich noch tags zuvor gesehen, nicht überall so hoch, daß nicht das wüthige Gethier hinüber konnte; und rings im Garten war kein Baum, nichts als die dichten Hecken und drüben gegen das Haus die Blumenbeete des seligen Herrn. Da, als eben das Bellen der Hunde wie ein Triumphgeheul innerhalb der Gartenmauer scholl, ersahe ich in meiner Noth den alten Epheubaum, der sich mit starkem Stamme an dem Thurm hinaufreckt; und da dann die Hunde aus den Hecken auf den mondhellen Platz hinausraseten, war ich schon hoch genug, daß sie mit ihrem Anspringen mich nicht mehr erreichen konnten; nur meinen Mantel, so von der Schulter geglitten, hatten sie mit ihren Zähnen mir herabgerissen.

Ich aber, also angeklammert und fürchtend, es werde das nach oben schwächere Geäste mich auf die Dauer nicht ertragen, blickte suchend um mich, ob ich nicht irgend besseren Halt gewinnen möchte; aber es war nichts zu sehen als die dunklen Epheublätter um mich her. – Da, in solcher Noth, hörete ich ober mir ein Fenster öffnen, und eine Stimme scholl zu mir herab – möcht ich sie wieder hören, wenn du, mein Gott, mich bald nun rufen läßt aus diesem Erdenthal! – „Johannes!" rief sie; leis, doch deutlich hörete ich meinen Namen, und ich kletterte höher an dem immer schwächeren Gezweige, indeß die schlafenden Vögel um mich auffuhren und die Hunde von unten ein Geheul heraufstießen. – „Katharina! Bist du es wirklich, Katharina?"

Aber schon kam ein zitternd Händlein zu mir herab und zog mich gegen das offene Fenster; und ich sah in ihre Augen, die voll Entsetzen in die Tiefe starrten.

„Komm!" sagte sie. „Sie werden dich zerreißen." Da schwang ich mich in ihre Kammer. – Doch als ich drinnen war, ließ mich das Händlein los, und Katharina sank auf einen Sessel, so am Fenster stund, und hatte ihre Augen dicht geschlossen. Die dicken Flechten ihres Haares lagen über dem weißen Nachtgewand bis in den Schoß hinab; der Mond, der draußen die Gartenhecken überstiegen hatte, schien voll herein und zeigete mir alles. Ich stund wie fest gezaubert vor ihr; so lieblich fremde und doch so ganz mein eigen schien sie mir; nur meine Augen tranken sich satt an all der Schönheit. Erst als ein Seufzen ihre Brust erhob, sprach ich zu ihr: „Katharina, liebe Katharina, träumet Ihr denn?"

Da flog ein schmerzlich Lächeln über ihr Gesicht: „Ich glaub wohl fast, Johannes! – Das Leben ist so hart; der Traum ist süß!"

Als aber von unten aus dem Garten das Geheul aufs neu heraufkam, fuhr sie erschreckt empor. „Die Hunde, Johannes!" rief sie. „Was ist das mit den Hunden?"

„Katharina", sagte ich, „wenn ich Euch dienen soll, so glaub ich, es muß bald geschehen; denn es fehlt viel, daß ich noch einmal durch die Thür in dieses Haus gelangen sollte." Dabei hatte ich den Brief aus meinem Täschlein hervorgezogen und erzählete auch, wie ich im Kruge drunten mit den Junkern sei in Streit gerathen.

Sie hielt das Schreiben in den hellen Mondenschein und las; dann schaute sie mich voll und herzlich an, und wir beredeten, wie wir uns morgen in dem Tannenwalde treffen wollten; denn Katharina sollte noch zuvor erkunden, auf welchen Tag des Junker Wulfen Abreise zum Kieler Johannismarkte festgesetzet sei.

„Und nun, Katharina", sprach ich, „habt Ihr nicht etwas, das einer Waffe gleichsieht, ein eisern Ellenmaß oder so dergleichen, damit ich der beiden Thiere drunten mich erwehren könne?“

Sie aber schrak jäh wie aus einem Traum empor: „Was sprichst du, Johannes!“ rief sie; und ihre Hände, so bislang in ihrem Schoß geruhet, griffen nach den meinen. „Nein, nicht fort, nicht fort! Da drunten ist der Tod; und gehst du, so ist auch hier der Tod!“

Da war ich vor ihr hingekniet und lag an ihrer jungen Brust, und wir umfingen uns in großer Herzensnoth. „Ach, Käthe“, sprach ich, „was vermag die arme Liebe denn! Wenn auch dein Bruder Wulf nicht wäre; ich bin kein Edelmann und darf nicht um dich werben.“

Sehr süß und sorglich schauete sie mich an; dann aber kam es wie Schelmerei aus ihrem Munde: „Kein Edelmann, Johannes? – Ich dächte, du seiest auch das! Aber – ach nein! Dein Vater war nur der Freund des meinen – das gilt der Welt wohl nicht!“

„Nein, Käthe; nicht das, und sicherlich nicht hier“, entgegnete ich und umfaßte fester ihren jungfräulichen Leib; „aber drüben in Holland, dort gilt ein tüchtiger Maler wohl einen deutschen Edelmann; die Schwelle von Mynheer van Dycks Palaste zu Amsterdam ist wohl dem Höchsten ehrenvoll zu überschreiten. Man hat mich drüben halten wollen, mein Meister van der Helst und andre! Wenn ich dorthin zurückginge, ein Jahr noch oder zwei; dann – wir kommen dann schon von hier fort; bleib mir nur feste gegen euere wüsten Junker!“

Katharinens weiße Hände strichen über meine Locken; sie herzete mich und sagte leise: „Da ich in meine Kammer dich gelassen, so werd ich doch dein Weib auch werden müssen.“

– – Ihr ahnete wohl nicht, welch einen Feuerstrom dies Wort in meine Adern goß, darin ohnedies das Blut in heißen Pulsen ging. – Von dreien furchtbaren Dämonen, von Zorn und Todesangst und Liebe ein verfolgter Mann, lag nun mein Haupt in des vielgeliebten Weibes Schoß.

Da schrillte ein geller Pfiff; die Hunde drunten wurden jählings stille, und da es noch einmal gellte, hörete ich sie wie toll und wild von dannen rennen.

Vom Hofe her wurden Schritte laut; wir horchten auf, daß uns der Athem stille stund. Bald aber wurde dorten eine Thür erst auf-, dann zugeschlagen und dann ein Riegel vorgeschoben. „Das ist Wulf", sagte Katharina leise; „er hat die beiden Hunde in den Stall gesperrt." – Bald hörten wir auch unter uns die Thür des Hausflurs gehen, den Schlüssel drehen und danach Schritte in dem untern Corridor, die sich verloren, wo der Junker seine Kammer hatte. Dann wurde alles still.

Es war nun endlich sicher, ganz sicher; aber mit unserem Plaudern war es mit einem Male schier zu Ende. Katharina hatte den Kopf zurückgelehnt; nur unser beider Herzen hörete ich klopfen. – „Soll ich nun gehen, Katharina?" sprach ich endlich.

Aber die jungen Arme zogen mich stumm zu ihrem Mund empor, und ich ging nicht.

Kein Laut war mehr als aus des Gartens Tiefe das Schlagen der Nachtigallen und von fern das Rauschen des Wässerleins, das hinten um die Hecken fließt. – –

Wenn, wie es in den Liedern heißt, mitunter noch in Nächten die schöne heidnische Frau Venus aufersteht und umgeht, um die armen Menschenherzen zu verwirren, so war es dazumalen eine solche Nacht. Der Mondschein war am Himmel ausgethan, ein schwüler Ruch von Blumen hauchte durch das Fenster und dorten überm Walde spielete die Nacht in stummen Blitzen. – O Hüter, Hüter, war dein Ruf so fern?

– – Wohl weiß ich noch, daß vom Hofe her plötzlich scharf die Hähne krähten, und daß ich ein blaß und weinend Weib in meinen Armen hielt, die mich nicht lassen wollte, unachtend, daß überm Garten der Morgen dämmerte und rothen Schein in unsre Kammer warf. Dann aber, da sie deß inne wurde, trieb sie, wie von Todesangst geschreckt, mich fort.

Noch einen Kuß, noch hundert; ein flüchtig Wort noch: wann für das Gesind zu Mittage geläutet würde, dann wollten wir im Tannenwald uns treffen; und dann – ich wußte selber kaum, wie mir's geschehen – stund ich im Garten, unten in der kühlen Morgenluft.

Noch einmal, indem ich meinen von den Hunden zerfetzten Mantel aufhob, schaute ich empor und sah ein blasses Händlein mir zum Abschied winken. Nahezu erschrocken aber wurd ich, da meine Augen bei einem Rückblick aus dem Gartensteig von ungefähr die unteren Fenster neben dem Thurme streiften; denn mir war, als sähe hinter einem derselbigen ich gleichfalls eine Hand; aber sie drohete nach mir mit aufgehobenem Finger und schien mir farblos und knöchern gleich der Hand des Todes. Doch war's nur wie im Husch, daß solches über meine Augen ging; dachte zwar erstlich des Märleins von der wiedergehenden Urahne; redete mir dann aber ein, es seien nur meine eigenen aufgestörten Sinne, die solch Spiel mir vorgegaukelt hätten.

So, deß nicht weiter achtend, schritt ich eilends durch den Garten, merkete aber bald, daß in der Hast ich auf den Binsensumpf gerathen; sank auch der eine Fuß bis übers Änkel ein, gleichsam als ob ihn was hinunterziehen wollte. „Ei", dachte ich, „faßt das Hausgespenste doch nach dir!" Machte mich aber auf und sprang über die Mauer in den Wald hinab.

Die Finsterniß der dichten Bäume sagte meinem träumenden Gemüthe zu; hier um mich her war noch die selige Nacht, von welcher meine Sinne sich nicht lösen mochten. – Erst da ich nach geraumer Zeit vom Waldesrande in das offene Feld hinaustrat, wurd ich völlig wach. Ein Häuflein Rehe stund nicht fern im silbergrauen Thau, und über mir vom Himmel scholl das Tageslied der Lerchen. Da schüttelte ich all müßig Träumen von mir ab; im selbigen Augenblick stieg aber auch wie heiße Noth die Frage mir ins Hirn: „Was weiter nun, Johannes? Du hast ein theures Leben an dich rissen; nun wisse, daß dein Leben nichts gilt als nur das ihre!"

Doch was ich sinnen mochte, es deuchte mir allfort das beste, wenn Katharina im Stifte sichern Unterschlupf gefunden, daß ich dann zurück nach Holland ginge, mich dort der Freundeshilf versicherte und alsobald zurückkäm, um sie nachzuholen. Vielleicht, daß sie gar der alten Base Herz erweichet'; und schlimmsten Falles – es mußt auch gehen ohne das!

Schon sahe ich uns auf einem fröhlichen Barkschiff die Wellen des grünen Zuidersees befahren, schon hörete ich das Glockenspiel vom Rathhausthurme Amsterdams und sah am Hafen meine Freunde aus dem Gewühl hervorbrechen und mich und meine schöne Frau mit hellem Zuruf grüßen und im Triumph nach unserem kleinen, aber trauten Heim geleiten. Mein Herz war voll Muth und Hoffnung; und kräftiger und rascher schritt ich aus, als könnte ich bälder so das Glück erreichen.

– Es ist doch anders kommen.

In meinen Gedanken war ich allmählich in das Dorf hinabgelanget und trat hier in Hans Ottsens Krug, von wo ich in der Nacht so jählings hatte flüchten müssen. – „Ei, Meister Johannes“, rief der Alte auf der Tenne mir entgegen; „was hattet Ihr doch gestern mit unseren gestrengen Junkern? Ich war just draußen bei dem Ausschank; aber da ich wieder eintrat, flucheten sie schier grausam gegen Euch; und auch die Hunde raseten an der Thür, die Ihr hinter Euch ins Schloß geworfen hattet.“

Da ich aus solchen Worten abnahm, daß der Alte den Handel nicht wohl begriffen habe, so entgegnete ich nur: „Ihr wisset, der von der Risch und ich, wir haben uns schon als Jungen oft einmal gezauset; da mußt's denn gestern noch so einen Nachschmack geben.“

„Ich weiß, ich weiß!“ meinete der Alte; „aber der Junker sitzt heut auf seines Vaters Hof; Ihr solltet Euch hüten, Herr Johannes; mit solchen Herren ist nicht sauber Kirschen essen.“

Dem zu widersprechen, hatte ich nicht Ursach, sondern ließ mir Brot und Frühtrunk geben und ging dann in den Stall, wo ich mir meinen Degen holete, auch Stift und Skizzenbüchlein aus dem Ranzen nahm.

Aber es war noch lange bis zum Mittagläuten. Also bat ich Hans Ottsen, daß er den Gaul mit seinem Jungen mög zum Hofe bringen lassen, und als er mir solches zugesaget, schritt ich wieder hinaus zum Wald. Ich ging aber bis zu der Stelle auf dem Heidenhügel, von wo man die beiden Giebel des Herrenhauses über die Gartenhecken ragen sieht, wie ich solches schon für den Hintergrund zu Katharinens

Bildniß ausgewählet hatte. Nun gedachte ich, daß, wann in zu verhoffender Zeit sie selber in der Fremde leben und wohl das Vaterhaus nicht mehr betreten würde, sie seines Anblicks doch nicht ganz entrathen solle; zog also meinen Stift herfür und begann zu zeichnen, gar sorgsam jedes Winkelchen, woran ihr Auge einmal mocht gehaftet haben. Als farbig Schilderei sollt es dann in Amsterdam gefertigt werden, damit es ihr sofort entgegengrüße, wann ich sie dort in unsre Kammer führen würde.

Nach ein paar Stunden war die Zeichnung fertig. Ich ließ noch wie zum Gruß ein zwitschernd Vögelein darüber fliegen; dann suchte ich die Lichtung auf, wo wir uns finden wollten, und streckte mich nebenan im Schatten einer dichten Buche; sehnlich verlangend, daß die Zeit vergehe.

Ich mußte gleichwohl darob eingeschlummert sein; denn ich erwachte von einem fernen Schall und wurd deß inne, daß es das Mittagläuten von dem Hofe sei. Die Sonne glühte schon heiß hernieder und verbreitete den Ruch der Himbeeren, womit die Lichtung überdeckt war. Es fiel mir bei, wie einst Katharina und ich uns hier bei unseren Waldgängen süße Wegzehrung geholet hatten; und nun begann ein seltsam Spiel der Phantasie: bald sahe ich drüben zwischen den Sträuchern ihre zarte Kindsgestalt, bald stund sie vor mir, mich anschauend mit den seligen Frauenaugen, wie ich sie letztlich erst gesehen, wie ich sie nun gleich, im nächsten Augenblicke, schon leibhaftig an mein klopfend Herze schließen würde.

Da plötzlich überfiel mich's wie ein Schrecken. Wo blieb sie denn? Es war schon lang, daß es geläutet hatte. Ich war aufgesprungen, ich ging umher, ich stund und spähete scharf nach aller Richtung durch die Bäume; die Angst kroch mir zum Herzen; aber Katharina kam nicht; kein Schritt im Laube raschelte; nur oben in den Buchenwipfeln rauschte ab und zu der Sommerwind.

Böser Ahnung voll ging ich endlich fort und nahm einen Umweg nach dem Hofe zu. Da ich unweit dem Thore zwischen die Eichen kam, begegnete mir Dieterich. „Herr Johannes", sagte er und trat hastig auf mich zu, „Ihr seid die Nacht schon in Hans Ottsens Krug gewesen; sein Junge brachte mir Euren Gaul zurück; – was habet Ihr mit unsern Junkern vorgehabt?“

„Warum fragst du, Dieterich?“

– „Warum, Herr Johannes? – Weil ich Unheil zwischen euch verhüten möcht.“

„Was soll das heißen, Dieterich?“ frug ich wieder; aber mir war beklommen, als sollte das Wort mir in der Kehle sticken.

„Ihr werdet's schon selber wissen, Herr Johannes!“ entgegnete der Alte. „Mir hat der Wind nur so einen Schall davon gebracht; vor einer Stunde mag's gewesen sein; ich wollte den Burschen rufen, der im Garten an den Hecken putzte. Da ich an den Thurm kam, wo droben unser Fräulein ihre Kammer hat, sah ich dorten die alte Bas' Ursel mit unserem Junker dicht beisammenstehen. Er hatte die Arme unterschlagen und sprach kein einzig Wörtlein; die Alte aber redete einen um so größeren Haufen und jammerte ordentlich mit ihrer feinen Stimme. Dabei wies sie bald nieder auf den Boden, bald hinauf in den Epheu, der am Thurm hinaufwächst. – Verstanden, Herr Johannes, hab ich von dem allem nichts; dann aber, und nun merket wohl auf, hielt sie mit ihrer knöchern Hand, als ob sie damit drohete, dem Junker was vor Augen; und da ich näher hinsah, war's ein Fetzen Grauwerk, just wie Ihr's da an Euerem Mantel traget.“

„Weiter, Dieterich!“ sagte ich; denn der Alte hatte die Augen auf meinen zerrissenen Mantel, den ich auf dem Arme trug.

„Es ist nicht viel mehr übrig“, erwiderte er; „denn der Junker wandte sich jählings nach mir zu und frug mich, wo Ihr anzutreffen wäret. Ihr möget mir es glauben, wäre er in Wirklichkeit ein Wolf gewesen, die Augen hätten blutiger nicht funkeln können.“

Da frug ich: „Ist der Junker im Hause, Dieterich?“

– „Im Haus? Ich denke wohl; doch was sinnet Ihr, Herr Johannes?“

„Ich sinne, Dieterich, daß ich allsogleich mit ihm zu reden habe.“

Aber Dieterich hatte bei beiden Händen mich ergriffen. „Gehet nicht, Johannes“, sagte er dringend; „erzählet mir zum wenigsten, was geschehen ist; der Alte hat Euch ja sonst wohl guten Rath gewußt!"

„Hernach, Dieterich, hernach!" entgegnete ich. Und also mit diesen Worten riß ich meine Hände aus den seinen.

Der Alte schüttelte den Kopf. „Hernach, Johannes", sagte er, „das weiß nur unser Herrgott!"

Ich aber schritt nun über den Hof dem Hause zu. – Der Junker sei eben in seinem Zimmer, sagte eine Magd, so ich im Hausflur drum befragte.

Ich hatte dieses Zimmer, das im Unterhause lag, nur einmal erst betreten. Statt wie bei seinem Vater sel. Bücher und Karten, war hier vielerlei Gewaffen, Handröhre und Arkebusen, auch allerart Jagdgeräthe an den Wänden angebracht; sonst war es ohne Zier und zeigete an ihm selber, daß niemand auf die Dauer und mit seinen ganzen Sinnen hier verweile.

Fast wär ich an der Schwelle noch zurückgewichen, da ich auf des Junkers ‚Herein' die Thür geöffnet; denn als er sich vom Fenster zu mir wandte, sahe ich eine Reiterpistole in seiner Hand, an deren Radschloß er hantirete. Er schauete mich an, als ob ich von den Tollen käme. „So!" sagte er gedehnt; „wahrhaftig, Sieur Johannes, wenn's nicht schon sein Gespenste ist!"

„Ihr dachtet, Junker Wulf", entgegnete ich, indem ich näher zu ihm trat, „es möcht der Straßen noch andre für mich geben, als die in Euere Kammer führen!"

– „So dachte ich, Sieur Johannes! Wie Ihr gut rathen könnt! Doch immerhin, Ihr kommt mir eben recht; ich hab Euch suchen lassen!"

In seiner Stimme bebte was, das wie ein lauernd Raubthier auf dem Sprunge lag, so daß die Hand mir unversehens nach dem Degen fuhr. Jedennoch sprach ich: „Höret mich und gönnet mir ein ruhig Wort, Herr Junker!"

Er aber unterbrach meine Rede: „Du wirst gewogen sein, mich erstlich auszuhören! Sieur Johannes", – und seine Worte, die erst langsam waren, wurden allmählich gleichwie ein Gebrüll – „vor ein paar Stunden, da ich mit schwerem Kopf erwachte, da fiel's mir bei und reuete mich gleich einem Narren, daß ich im Rausch die wilden Hunde dir auf die Fersen gehetzet hatte; – seit aber Bas' Ursel mir den Fetzen vorgehalten, den sie dir aus deinem Federbalg gerissen, – beim Höllenelement! mich reut's nur noch, daß mir die Bestien solch Stück Arbeit nachgelassen!"

Noch einmal suchte ich zu Worte zu kommen; und da der Junker schwieg, so dachte ich, daß er auch hören würde. „Junker Wulf", sagte ich, „es ist schon wahr, ich bin kein Edelmann; aber ich bin kein geringer Mann in meiner Kunst und hoffe, es auch wohl noch einmal den Größeren gleich zu thun; so bitte ich Euch geziementlich, gebet Euere Schwester Katharina mir zum Ehgemahl – –"

Da stockte mir das Wort im Munde. Aus seinem bleichen Antlitz starrten mich die Augen des alten Bildes an; ein gellend Lachen schlug mir in das Ohr, ein Schuß – – – dann brach ich zusammen und hörete nur noch, wie mir der Degen, den ich ohn Gedanken fast gezogen hatte, klirrend aus der Hand zu Boden fiel.

Es war manche Woche danach, daß ich in dem schon bleicheren Sonnenschein auf einem Bänkchen vor dem letzten Haus des Dorfes saß; mit matten Blicken nach dem Wald hinüberschauend, an dessen jenseitigem Rande das Herrenhaus belegen war. Meine thörichten Augen suchten stets aufs neue den Punkt, wo, wie ich mir vorstellete, Katharinens Kämmerlein von drüben auf die schon herbstlich gelben Wipfel schaue; denn von ihr selber hatte ich keine Kunde.

Man hatte mich mit meiner Wunde in dies Haus gebracht, das von des Junkers Waldhüter bewohnt wurde; und außer diesem Mann und seinem Weibe und einem mir unbekannten Chirurgus war während meines langen Lagers niemand zu mir kommen. – Von wannen ich den Schuß in meine Brust erhalten, darüber hat mich niemand befragt, und ich habe niemandem Kunde gegeben; des Herzogs Gerichte gegen Herrn Gerhardus' Sohn und Katharinens Bruder anzurufen, konnte nimmer mir zu Sinne kommen. Er mochte sich dessen wohl getrösten; noch glaubhafter jedoch, daß er allen diesen Dingen trotzete.

Nur einmal war mein guter Dieterich dagewesen; er hatte

mir in des Junkers Auftrage zwei Rollen Ungarischer Dukaten überbracht als Lohn für Katharinens Bild, und ich hatte das Geld genommen, in Gedanken, es sei ein Theil von deren Erbe, von dem sie als mein Weib wohl später nicht zu viel empfahen würde. Zu einem traulichen Gespräch mit Dieterich, nach dem mich sehr verlangete, hatte es mir nicht gerathen wollen, maßen das gelbe Fuchsgesicht meines Wirthes allaugenblicks in meine Kammer schaute; doch wurde so viel mir kund, daß der Junker nicht nach Kiel gereiset, und Katharina seither von niemandem weder in Hof noch Garten war gesehen worden; kaum konnte ich noch den Alten bitten, daß er dem Fräulein, wenn sich's treffen möchte, meine Grüße sage, und daß ich bald nach Holland zu reisen, aber bälder noch zurückzukommen dächte, was alles in Treuen auszurichten er mir dann gelobete.

Überfiel mich aber danach die allergrößeste Ungeduld, so daß ich gegen den Willen des Chirurgus und bevor im Walde drüben noch die letzten Blätter von den Bäumen fielen, meine Reise ins Werk setzete; langete auch schon nach kurzer Frist wohlbehalten in der Holländischen Hauptstadt an, allwo ich von meinen Freunden gar liebreich empfangen wurde, und mochte es auch ferner vor ein glücklich Zeichen wohl erkennen, daß zwo Bilder, so ich dort zurückgelassen, durch die hilfsbereite Vermittelung meines theueren Meisters van der Helst beide zu ansehnlichen Preisen verkaufet waren. Ja, es war dessen noch nicht genug: ein mir schon früher wohlgewogener Kaufmann ließ mir sagen, er habe nur auf mich gewartet, daß ich für sein nach dem Haag verheirathetes Töchterlein sein Bildniß malen möge; und wurde mir auch sofort ein reicher Lohn dafür versprochen. Da dachte ich, wenn ich solches noch vollendete, daß dann genug des helfenden Metalles in meinen Händen wäre, um auch ohne andere Mittel Katharinen in ein wohl bestellet Heimwesen einzuführen.

Machte mich also, da mein freundlicher Gönner desselbigen Sinnes war, mit allem Eifer an die Arbeit, so daß ich bald den Tag meiner Abreise gar fröhlich nah und näher rücken sahe, unachtend, mit was vor üblen Anständen ich drüben noch zu kämpfen hätte.

Aber des Menschen Augen sehen das Dunkel nicht, das vor ihm ist. – Als nun das Bild vollendet war und reichlich Lob und Gold um dessen willen mir zu Theil geworden, da konnte ich nicht fort. Ich hatte in der Arbeit meiner Schwäche nicht geachtet, die schlecht geheilte Wunde warf mich wiederum danieder. Eben wurden zum Weihnachtsfeste auf allen Straßenplätzen die Waffelbuden aufgeschlagen, da begann mein Siechthum und hielt mich länger als das erstemal gefesselt. Zwar der besten Arzteskunst und liebreicher Freundespflege war kein Mangel, aber in Ängsten sahe ich Tag um Tag vergehen, und keine Kunde konnte von ihr, keine zu ihr kommen.

Endlich nach harter Winterzeit, da der Zuidersee wieder seine grünen Wellen schlug, geleiteten die Freunde mich zum Hafen; aber statt des frohen Muthes nahm ich itzt schwere Herzensorge mit an Bord. Doch ging die Reise rasch und gut von Statten.

Von Hamburg aus fuhr ich mit der Königlichen Post; dann, wie vor nun fast einem Jahre hiebevor, wanderte ich zu Fuße durch den Wald, an dem noch kaum die ersten Spitzen grüneten. Zwar probten schon die Finken und die Ammern ihren Lenzgesang, doch was kümmerten sie mich heute! – Ich ging aber nicht nach Herrn Gerhardus' Herrengut; sondern, so stark mein Herz auch klopfete, ich bog seitwärts ab und schritt am Waldesrand entlang dem Dorfe zu. Da stund ich bald in Hans Ottsens Krug und ihm gar selber gegenüber.

Der Alte sah mich seltsam an, meinete aber dann, ich lasse ja recht munter. „Nur", fügte er bei, „mit den Schießbüchsen müsset Ihr nicht wieder spielen; die machen ärgere Flecken als so ein Malerpinsel."

Ich ließ ihn gern bei solcher Meinung, so, wie ich wohl merkete, hier allgemein verbreitet war, und that vors erste eine Frage nach dem alten Dieterich.

Da mußte ich vernehmen, daß er noch vor dem ersten Winterschnee, wie es so starken Leuten wohl passiret, eines plötzlichen, wenn auch gelinden Todes verfahren sei. „Der freuet sich", sagte Hans Ottsen, „daß er zu seinem alten Herrn da droben kommen; und ist für ihn auch besser so."

„Amen!“ sagte ich; „mein herzlieber alter Dieterich!“

Indeß aber mein Herz nur, und immer banger, nach einer Kundschaft von Katharinen seufzete, nahm meine furchtsame Zunge einen Umweg und ich sprach beklommen: „Was machet denn Euer Nachbar, der von der Risch?“

„Oho“, lachte der Alte; „der hat ein Weib genommen, und eine, die ihn schon zu Richte setzen wird.“

Nur im ersten Augenblick erschrak ich, denn ich sagte mir sogleich, daß er nicht so von Katharinen reden würde; und da er dann den Namen nannte, so war’s ein ältlich aber reiches Fräulein aus der Nachbarschaft; forschete also muthig weiter, wie’s drüben in Herrn Gerhardus’ Haus bestellet sei, und wie das Fräulein und der Junker miteinander hauseten.

Da warf der Alte mir wieder seine seltsamen Blicke zu. „Ihr meinet wohl“, sagte er, „daß alte Thürm’ und Mauern nicht auch plaudern könnten!“

„Was soll’s der Rede?“ rief ich; aber sie fiel mir centnerschwer aufs Herz.

„Nun, Herr Johannes“, und der Alte sahe mir gar zuversichtlich in die Augen, „wo das Fräulein hinkommen, das werdet doch Ihr am besten wissen! Ihr seid derzeit im Herbst ja nicht zum letzten hier gewesen; nur wundert’s mich, daß Ihr noch einmal wiederkommen; denn Junker Wulf wird, denk ich, nicht eben gute Mien zum bösen Spiel gemachet haben.“

Ich sah den alten Menschen an, als sei ich selber hintersinnig worden; dann aber kam mir plötzlich ein Gedanke. „Unglücksmann!“ schrie ich, „Ihr glaubet doch nicht etwan, das Fräulein Katharina sei mein Eheweib geworden?“

„Nun, lasset mich nur los!“ entgegnete der Alte – denn ich schüttelte ihn an beiden Schultern. – „Was geht’s mich an! Es geht die Rede so! Auf alle Fäll’; seit Neujahr ist das Fräulein im Schloß nicht mehr gesehen worden.“

Ich schwur ihm zu, derzeit sei ich in Holland krank gelegen; ich wisse nichts von alledem.

Ob er’s geglaubet, weiß ich nicht zu sagen; allein er gab mir kund, es solle dermalen ein unbekannter Geistlicher zur Nachtzeit und in großer Heimlichkeit auf den Herrenhof gekommen sein; zwar habe Bas' Ursel das Gesinde schon zeitig in ihre Kammern getrieben; aber der Mägde eine, so durch den Thürspalt gelauschet, wolle auch mich über den Flur nach der Treppe haben gehen sehen; dann später hätten sie deutlich einen Wagen aus dem Thorhaus fahren hören, und seien seit jener Nacht nur noch Bas' Ursel und der Junker in dem Schloß gewesen.

– – Was ich von nun an alles und immer doch vergebens unternommen, um Katharinen oder auch nur eine Spur von ihr zu finden, das soll nicht hier verzeichnet werden. Im Dorfe war nur das thörichte Geschwätz, davon Hans Ottsen mich die Probe schmecken lassen; darum machete ich mich auf nach dem Stifte zu Herrn Gerhardus' Schwester; aber die Dame wollte mich nicht vor sich lassen; wurde im übrigen mir auch berichtet, daß keinerlei junges Frauenzimmer bei ihr gesehen worden. Da reisete ich wieder zurück und demüthigte mich also, daß ich nach dem Hause des von der Risch ging und als ein Bittender vor meinen alten Widersacher hintrat. Der sagte höhnisch, es möge wohl der Buhz das Vöglein sich geholet haben, er habe dem nicht nachgeschaut; auch halte er keinen Aufschlag mehr mit denen von Herrn Gerhardus' Hofe.

Der junge Wulf gar, der davon vernommen haben mochte, ließ nach Hans Ottsens Kruge sagen, so ich mich unterstünde, auch zu ihm zu dringen, er würde mich noch einmal mit den Hunden hetzen lassen. – Da bin ich in den Wald gegangen und hab gleich einem Strauchdieb am Weg auf ihn gelauert; die Eisen sind von der Scheide bloß geworden; wir haben gefochten, bis ich die Hand ihm wund gehauen und sein Degen in die Büsche flog. Aber er sahe mich nur mit seinen bösen Augen an; gesprochen hat er nicht. – Zuletzt bin ich zu längerem Verbleiben nach Hamburg kommen, von wo aus ich ohne Anstand und mit größerer Umsicht meine Nachforschungen zu betreiben dachte. Es ist alles doch umsonst gewesen.

Aber ich will vors erste nun die Feder ruhen lassen. Denn vor mir liegt dein Brief, mein lieber Josias; ich soll dein Töchterlein, meiner Schwester sel. Enkelin, aus der Taufe heben. – Ich werde auf meiner Reise dem Walde vorbeifahren, so hinter Herrn Gerhardus' Hof belegen ist. Aber das alles gehört ja der Vergangenheit.

Hier schließt das erste Heft der Handschrift. – Hoffen wir, daß der Schreiber ein fröhliches Tauffest gefeiert und inmitten seiner Freundschaft an frischer Gegenwart sein Herz erquickt habe.

Meine Augen ruhten auf dem alten Bild mir gegenüber: ich konnte nicht zweifeln, der schöne ernste Mann war Herr Gerhardus. Wer aber war jener tote Knabe, den ihm Meister Johannes hier so sanft in seinen Arm gebettet hatte? – Sinnend nahm ich das zweite und zugleich letzte Heft, dessen Schriftzüge um ein weniges unsicherer erschienen. Es lautete, wie folgt:

Geliek as Rook un Stoof verswindt,
Also sind ock de Minschenkind.

Der Stein, darauf diese Worte eingehauen stehen, saß ob dem Thürsims eines alten Hauses. Wenn ich daran vorbeiging, mußte ich allzeit meine Augen dahin wenden, und auf meinen einsamen Wanderungen ist dann selbiger Spruch oft lange mein Begleiter blieben. Da sie im letzten Herbste das alte Haus abbrachen, habe ich aus den Trümmern diesen Stein erstanden, und ist er heute gleicherweise ob der Thüre meines Hauses eingemauert worden, wo er nach mir noch manchen, der vorübergeht, an die Nichtigkeit des Irdischen erinnern möge. Mir aber soll er eine Mahnung sein, ehbevor auch an meiner Uhr der Weiser stillesteht, mit der Aufzeichnung meines Lebens fortzufahren. Denn du, meiner lieben Schwester Sohn, der du nun bald mein Erbe sein wirst, mögest mit meinem kleinen Erdengute dann auch mein Erdenleid dahin nehmen, so ich bei meiner Lebzeit niemandem, auch, aller Liebe ohnerachtet, dir nicht habe anvertrauen mögen.

Item; anno 1666 kam ich zum ersten Mal in diese Stadt an der Nordsee; maßen von einer reichen Branntweinbrenner-

Witwen mir der Auftrag worden, die Auferweckung Lazari zu malen, welches Bild sie zum schuldigen und freundlichen Gedächtniß ihres Seligen, der hiesigen Kirchen aber zum Zierath zu stiften gedachte, allwo es denn auch noch heute über dem Taufsteine mit den vier Aposteln zu schauen ist. Daneben wünschte auch der Bürgermeister, Herr Titus Axen, so früher in Hamburg Thumherr und mir von dort bekannt war, sein Contrefey von mir gemalet, so daß ich für eine lange Zeit allhier zu schaffen hatte. – Mein Losament aber hatte ich bei meinem einzigen und älteren Bruder, der seit lange schon das Secretariat der Stadt bekleidete; das Haus, darin er als unbeweibter Mann lebte, war hoch und räumlich, und war es dasselbig Haus mit den zwo Linden an der Ecken von Markt und Krämerstraße, worin ich, nachdem es durch meines lieben Bruders Hintritt mir angestorben, anitzt als alter Mann noch lebe und der Wiedervereinigung mit den vorangegangenen Lieben in Demuth entgegenharre.

Meine Werkstätte hatte ich mir in dem großen Pesel der Witwe eingerichtet; es war dorten ein gutes Oberlicht zur Arbeit und bekam alles gemacht und gestellet, wie ich es verlangen mochte. Nur daß die gute Frau selber gar zu gegenwärtig war; denn allaugenblicklich kam sie draußen von ihrem Schenktisch zu mir hergetrottet mit ihren Blechgemäßen in der Hand; drängte mit ihrer Wohlbeleibtheit mir auf den Malstock und roch an meinem Bild herum; gar eines Vormittages, da ich soeben den Kopf des Lazarus untermalet hatte, verlangte sie mit viel überflüssigen Worten, der auferweckte Mann solle das Antlitz ihres Seligen zur Schau stellen, obschon ich diesen Seligen doch niemalen zu Gesicht bekommen, von meinem Bruder auch vernommen hatte, daß selbiger, wie es die Brenner pflegen, das Zeichen seines Gewerbes als eine blaurothe Nasen im Gesicht herumgetragen; da habe ich denn, wie man glauben mag, dem unvernünftigen Weibe gar hart den Daumen gegenhalten müssen. Als dann von der Außendiele her wieder neue Kundschaft nach ihr gerufen und mit den Gemäßen auf den Schank geklopfet, und sie endlich von mir lassen müssen, da sank mir die Hand mit dem Pinsel in den

Schoß, und ich mußte plötzlich des Tages gedenken, da ich eines gar andern Seligen Antlitz mit dem Stifte nachgebildet, und wer da in der kleinen Kapelle so still bei mir gestanden sei. – Und also rückwärts sinnend setzete ich meinen Pinsel wieder an; als aber selbiger eine gute Weile hin und wider gegangen, mußte ich zu eigener Verwunderung gewahren, daß ich die Züge des edlen Herrn Gerhardus in des Lazari Angesicht hineingetragen hatte. Aus seinem Leilach blickte des Todten Antlitz gleichwie in stummer Klage gegen mich, und ich gedachte: So wird er dir einstmals in der Ewigkeit entgegentreten!

Ich konnte heute nicht weitermalen, sondern ging fort und schlich auf meine Kammer ober der Hausthür, allwo ich mich ans Fenster setzte und durch den Ausschnitt der Lindenbäume auf den Markt hinabsah. Es gab aber groß Gewühl dort, und war bis drüben an die Rathswaage und weiter bis zur Kirchen alles voll von Wagen und Menschen; denn es war ein Donnerstag und noch zur Stunde, daß Gast mit Gaste handeln durfte, also daß der Stadtknecht mit dem Griper müßig auf unseres Nachbaren Beischlag saß, maßen es vor der Hand keine Brüchen zu erhaschen gab. Die Ostenfelder Weiber mit ihren rothen Jacken, die Mädchen von den Inseln mit ihren Kopftüchern und feinem Silberschmuck, dazwischen die hochgethürmeten Getreidewagen und darauf die Bauern in ihren gelben Lederhosen – dies alles mochte wohl ein Bild für eines Malers Auge geben, zumal wenn selbiger, wie ich, bei den Holländern in die Schule gegangen war; aber die Schwere meines Gemüthes machte das bunte Bild mir trübe. Doch war es keine Reu, wie ich vorhin an mir erfahren hatte; ein sehnend Leid kam immer gewaltiger über mich; es zerfleischete mich mit wilden Krallen und sah mich gleichwohl mit holden Augen an. Drunten lag der helle Mittag auf dem wimmelnden Markte; vor meinen Augen aber dämmerte silberne Mondnacht, wie Schatten stiegen ein paar Zackengiebel auf, ein Fenster klirrte, und gleich wie aus Träumen schlugen leis und fern die Nachtigallen. O du mein Gott und mein Erlöser, der du die Barmherzigkeit bist, wo war sie in dieser Stunde, wo hatte meine Seele sie zu suchen? – –

Da hörte ich draußen unter dem Fenster von einer harten Stimme meinen Namen nennen, und als ich hinausschaute, ersahe ich einen großen hageren Mann in der üblichen Tracht eines Predigers, obschon sein herrisch und finster Antlitz mit dem schwarzen Haupthaar und dem tiefen Einschnitt ob der Nase wohl eher einem Kriegsmann angestanden wäre. Er wies soeben einem andern, untersetzten Manne von bäuerischem Aussehen, aber gleich ihm in schwarzwollenen Strümpfen und Schnallenschuhen, mit seinem Handstocke nach unserer Hausthür zu, indem er selbst zumal durch das Marktgewühle von dannen schritt.

Da ich dann gleich darauf die Thürglocke schellen hörte, ging ich hinab und lud den Fremden in das Wohngemach, wo er von dem Stuhle, darauf ich ihn genöthigt hatte, mich gar genau und aufmerksam betrachtete.

Also war selbiger der Küster aus dem Dorfe norden der Stadt, und erfuhr ich bald, daß man dort einen Maler brauche, da man des Pastors Bildniß in die Kirche stiften wolle. Ich forschete ein wenig, was für Verdienst um die Gemeine dieser sich erworben hätte, daß sie solche Ehr ihm anzuthun gedächten, da er doch seines Alters halben noch nicht gar lang im Amte stehen könne; der Küster aber meinete, es habe der Pastor freilich wegen eines Stück Ackergrundes einmal einen Proceß gegen die Gemeine angestrenget, sonst wisse er eben nicht, was Sondres könne vorgefallen sein; allein es hingen allbereits die drei Amtsvorweser in der Kirchen, und da sie, wie er sagen müsse, vernommen hätten, ich verstünde das Ding gar wohl zu machen, so sollte der guten Gelegenheit wegen nun auch der vierte Pastor mit hinein; dieser selber freilich kümmere sich nicht eben viel darum.

Ich hörete dem allen zu; und da ich mit meinem Lazarus am liebsten auf eine Zeit pausiren mochte, das Bildniß des Herrn Titus Axen aber wegen eingetretenen Siechtums desselbigen nicht beginnen konnte, so hub ich an, dem Auftrage näher nachzufragen.

Was mir an Preis für solche Arbeit nun geboten wurde, war zwar gering, so daß ich erstlich dachte: sie nehmen dich für einen Pfennigmaler, wie sie im Kriegstrosse mitziehen, um die Soldaten für ihre heimgebliebenen Dirnen abzumalen; aber es muthete mich plötzlich an, auf eine Zeit allmorgendlich in der goldnen Herbstessonne über die Heide nach dem Dorf hinauszuwandern, das nur eine Wegstunde von unserer Stadt belegen ist. Sagete also zu, nur mit dem Beding, daß die Malerei draußen auf dem Dorfe vor sich ginge, da hier in meines Bruders Hause paßliche Gelegenheit nicht befindlich sei.

Deß schien der Küster gar vergnügt, meinend, das sei alles hiebevor schon fürgesorget; der Pastor hab sich solches gleichfalls ausbedungen; item, es sei dazu die Schulstube in seiner Küsterei erwählet; selbige sei das zweite Haus im Dorfe und liege nahe am Pastorate, nur hintenaus durch die Priesterkoppel davon geschieden, so daß also auch der Pastor leicht hinübertreten könne. Die Kinder, die im Sommer doch nichts lernten, würden dann nach Hause geschicket.

Also schüttelten wir uns die Hände, und da der Küster auch die Maße des Bildes fürsorglich mitgebracht, so konnte alles Malgeräth, deß ich bedurfte, schon Nachmittages mit der Priesterfuhr hinausbefördert werden.

Als mein Bruder dann nach Hause kam – erst spät am Nachmittage; denn ein Ehrsamer Rath hatte dermalen viel Bedrängniß von einer Schinderleichen, so die ehrlichen Leute nicht zu Grabe tragen wollten – meinete er, ich bekäme da einen Kopf zu malen, wie er nicht oft auf einem Priesterkragen sitze, und möchte mich mit Schwarz und Braunroth wohl versehen; erzählete mir auch, es sei der Pastor als Feldcapellan mit den Brandenburgern hier ins Land gekommen, als welcher er's fast wilder als die Offiziers getrieben haben solle; sei übrigens itzt ein scharfer Streiter vor dem Herrn, der seine Bauern gar meisterlich zu packen wisse. – Noch merkete mein Bruder an, daß bei desselbigen Amtseintritt in unserer Gegend adelige Fürsprach eingewirket haben soll, wie es heiße, von drüben aus dem Holsteinischen her; der Archidiaconus habe bei der Klosterrechnung ein Wörtlein davon fallen lassen. War jedoch Weiteres meinem Bruder darob nicht kund geworden.

So sahe mich denn die Morgensonne des nächsten Tages rüstig über die Heide schreiten, und war mir nur leid, daß letztere allbereits ihr rothes Kleid und ihren Würzeduft verbrauchet und also diese Landschaft ihren ganzen Sommerschmuck verloren hatte; denn von grünen Bäumen war weithin nichts zu ersehen; nur der spitze Kirchthurm des Dorfes, dem ich zustrebte – wie ich bereits erkennen mochte, ganz von Granitquadern auferbauet – stieg immer höher vor mir in den dunkelblauen Octoberhimmel. Zwischen den schwarzen Strohdächern, die an seinem Fuße lagen, krüppelte nur niedrig Busch- und Baumwerk; denn der Nordwestwind, so hier frisch von der See heraufkommt, will freien Weg zu fahren haben.

Als ich das Dorf erreichet und auch alsbald mich nach der Küsterei gefunden, stürzete mir sofort mit lustigem Geschrei die ganze Schul entgegen; der Küster aber hieß an seiner Hausthür mich willkommen. „Merket Ihr wohl, wie gern sie von der Fibel laufen!“ sagte er. „Der eine Bengel hatte Euch schon durchs Fenster kommen sehen.“

In dem Prediger, der gleich danach ins Haus trat, erkannte ich denselbigen Mann, den ich schon tags zuvor gesehen hatte. Aber auf seine finstere Erscheinung war heute gleichsam ein Licht gesetzet; das war ein schöner blasser Knabe, den er an der Hand mit sich führte; das Kind mochte etwan vier Jahre zählen und sahe fast winzig aus gegen des Mannes hohe knochige Gestalt.

Da ich die Bildnisse der früheren Prediger zu sehen wünschte, so gingen wir mitsammen in die Kirche, welche also hoch belegen ist, daß man nach den andern Seiten über Marschen und Heide, nach Westen aber auf den nicht gar fernen Meeresstrand hinunterschauen kann. Es mußte eben Fluth sein; denn die Watten waren überströmet und das Meer stund wie ein lichtes Silber. Da ich anmerkete, wie oberhalb desselben die Spitze des Festlandes und von der andern Seite diejenige der Insel sich gegeneinander strekketen, wies der Küster auf die Wasserfläche, so dazwischen liegt. „Dort“, sagte er, „hat einst meiner Eltern Haus gestanden; aber anno 34 bei der großen Fluth trieb es gleich hundert anderen in den grimmen Wassern; auf der einen Hälfte des Daches ward ich an diesen Strand geworfen, auf der anderen fuhren Vater und Bruder in die Ewigkeit hinaus."

Ich dachte: „So stehet die Kirche wohl am rechten Ort; auch ohne den Pastor wird hier vernehmentlich Gottes Wort geprediget."

Der Knabe, welchen letzterer auf den Arm genommen hatte, hielt dessen Nacken mit beiden Ärmchen fest umschlungen und drückte die zarte Wange an das schwarze bärtige Gesicht des Mannes, als finde er so den Schutz vor der ihn schreckenden Unendlichkeit, die dort vor unseren Augen ausgebreitet lag.

Als wir in das Schiff der Kirche eingetreten waren, betrachtete ich mir die alten Bildnisse und sahe auch einen Kopf darunter, der wohl eines guten Pinsels werth gewesen wäre; jedennoch war es alles eben Pfennigmalerei, und sollte demnach der Schüler van der Helsts hier in gar sondere Gesellschaft kommen.

Da ich solches eben in meiner Eitelkeit bedachte, sprach die harte Stimme des Pastors neben mir: „Es ist nicht meines Sinnes, daß der Schein des Staubes dauere, wenn der Odem Gottes ihn verlassen; aber ich habe der Gemeine Wunsch nicht widerstreben mögen; nur, Meister, machet es kurz; ich habe besseren Gebrauch für meine Zeit."

Nachdem ich dem finsteren Manne, an dessen Antlitz ich gleichwohl für meine Kunst Gefallen fand, meine beste Bemühung zugesaget, fragete ich einem geschnitzten Bilde der Maria nach, so von meinem Bruder mir war gerühmet worden.

Ein fast verachtend Lächeln ging über des Predigers Angesicht. „Da kommet Ihr zu spät", sagte er, „es ging in Trümmer, da ich's aus der Kirche schaffen ließ."

Ich sah ihn fast erschrocken an. „Und wolltet Ihr des Heilands Mutter nicht in Eurer Kirche dulden?"

„Die Züge von des Heilands Mutter", entgegnete er, „sind nicht überliefert worden."

– „Aber wolltet Ihr's der Kunst mißgönnen, sie in frommem Sinn zu suchen?"

Er sahe eine Weile finster auf mich herab; denn, obschon

ich zu den Kleinen nicht zu zählen, so überragte er mich doch um eines halben Kopfes Höhe; – dann sprach er heftig: „Hat nicht der König die holländischen Papisten dort auf die zerrissene Insel herberufen; nur um durch das Menschenwerk der Deiche des Höchsten Strafgericht zu trotzen? Haben nicht noch letztlich die Kirchenvorsteher drüben in der Stadt sich zwei der Heiligen in ihr Gestühlte schnitzen lassen? Betet und wachet! Denn auch hier geht Satan noch von Haus zu Haus! Diese Marienbilder sind nichts als Säugammen der Sinnenlust und des Papismus; die Kunst hat allzeit mit der Welt gebuhlt!"

Ein dunkles Feuer glühte in seinen Augen, aber seine Hand lag liebkosend auf dem Kopf des blassen Knaben, der sich an seine Knie schmiegte.

Ich vergaß darob des Pastors Worte zu erwidern; mahnete aber danach, daß wir in die Küsterei zurückgingen, wo ich alsdann meine edele Kunst an ihrem Widersacher selber zu erproben anhub.

Also wanderte ich fast einen Morgen um den andern über die Heide nach dem Dorfe, wo ich allzeit den Pastor schon meiner harrend antraf. Geredet wurde wenig zwischen uns; aber das Bild nahm desto rascheren Fortgang. Gemeiniglich saß der Küster neben uns und schnitzete allerlei Geräthe gar säuberlich aus Eichenholz, dergleichen als eine Hauskunst hier überall betrieben wird; auch habe ich das Kästlein, woran er derzeit arbeitete, von ihm erstanden und darin vor Jahren die ersten Blätter dieser Niederschrift hinterleget, alswie denn auch mit Gottes Willen diese letzten darin sollen beschlossen sein. –

In des Predigers Wohnung wurde ich nicht geladen und betrat selbige auch nicht; der Knabe war allzeit mit ihm in der Küsterei; er stand an seinen Knien oder er spielte mit Kieselsteinchen in der Ecke des Zimmers. Da ich selbigen einmal fragte, wie er heiße, antwortete er: „Johannes!" – „Johannes?" entgegnete ich, „so heiße ich ja auch!" – Er sah mich groß an, sagte aber weiter nichts.

Weshalb rühreten diese Augen so an meine Seele? – Einmal gar überraschete mich ein finsterer Blick des Pastors, da ich den Pinsel müßig auf der Leinewand ruhen ließ. Es war etwas in dieses Kindes Antlitz, das nicht aus seinem kurzen Leben kommen konnte; aber es war kein froher Zug. So, dachte ich, sieht ein Kind, das unter einem kummerschweren Herzen ausgewachsen. Ich hätte oft die Arme nach ihm breiten mögen; aber ich scheute mich vor dem harten Manne, der es gleich einem Kleinod zu behüten schien. Wohl dachte ich oft: „Welch eine Frau mag dieses Knaben Mutter sein?" –

Des Küsters alte Magd hatte ich einmal nach des Predigers Frau befraget; aber sie hatte mir kurzen Bescheid gegeben: „Die kennt man nicht; in die Bauernhäuser kommt sie kaum, wenn Kindelbier und Hochzeit ist." – Der Pastor selbst sprach nicht von ihr. Aus dem Garten der Küsterei, welcher in eine dichte Gruppe von Fliederbüschen ausläuft, sahe ich sie einmal langsam über die Priesterkoppel nach ihrem Hause gehen; aber sie hatte mir den Rücken zugewendet, so daß ich nur ihre schlanke jugendliche Gestalt gewahren konnte, und außerdem ein paar gekräuselte Löckchen, in der Art, wie sie sonst nur von den Vornehmeren getragen werden, und die der Wind von ihren Schläfen wehte. Das Bild ihres finsteren Ehgesponsen trat mir vor die Seele, und mir schien, es passe dieses Paar nicht wohl zusammen.

– – An den Tagen, wo ich nicht da draußen war, hatte ich auch die Arbeit an meinem Lazarus wieder aufgenommen, so daß nach einiger Zeit diese Bilder miteinander nahezu vollendet waren.

So saß ich eines Tages nach vollbrachtem Tagewerke mit meinem Bruder unten in unserem Wohngemache. Auf dem Tisch am Ofen war die Kerze fast herabgebrannt, und die holländische Schlaguhr hatte schon auf Elf gewarnt; wir aber saßen am Fenster und hatten der Gegenwart vergessen; denn wir gedachten der kurzen Zeit, die wir zusammen in unserer Eltern Haus verlebet hatten; auch unseres einzigen lieben Schwesterleins gedachten wir, das im ersten Kindbette verstorben und nun seit lange schon mit Vater und Mutter einer fröhlichen Auferstehung entgegenharrete. – Wir hatten die Läden nicht vorgeschlagen; denn es that uns wohl, durch das Dunkel, so draußen auf den Erdenwohnungen der Stadt lag, in das Sternenlicht des ewigen Himmels hinaufzublicken.

Am Ende verstummeten wir beide in uns selber, und wie auf einem dunklen Strome trieben meine Gedanken zu ihr, bei der sie allzeit Rast und Unrast fanden. – – Da, gleich einem Stein aus unsichtbaren Höhen, fiel es mir jählings in die Brust: Die Augen des schönen blassen Knaben, es waren ja ihre Augen! Wo hatte ich meine Sinne denn gehabt! – – Aber dann, wenn sie es war, wenn ich sie selber schon gesehen! – Welch schreckbare Gedanken stürmten auf mich ein!

Indem legte sich die eine Hand meines Bruders mir auf die Schulter, mit der andern wies er auf den dunkeln Markt hinaus, von wannen aber itzt ein heller Schein zu uns herüberschwankte. „Sieh nur!" sagte er. „Wie gut, daß wir das Pflaster mit Sand und Heide ausgestopfet haben! Die kommen von des Glockengießers Hochzeit; aber an ihren Stockleuchten sieht man, daß sie gleichwohl hin und wider stolpern."

Mein Bruder hatte recht. Die tanzenden Leuchten zeugeten deutlich von der Trefflichkeit des Hochzeitschmauses; sie kamen uns so nahe, daß die zwei gemalten Scheiben, so letztlich von meinem Bruder als eines Glasers Meisterstück erstanden waren, in ihren satten Farben wie in Feuer glühten. Als aber dann die Gesellschaft an unserem Hause laut redend in die Krämerstraße einbog, hörete ich einen unter ihnen sagen: „Ei freilich; das hat der Teufel uns verpurret! Hatte mich leblang darauf gespitzet, einmal eine richtige Hex so in der Flammen singen zu hören!"

Die Leuchten und die lustigen Leute gingen weiter, und draußen die Stadt lag wieder still und dunkel.

„O weh!" sprach mein Bruder; „den trübet, was mich tröstet!"

Da fiel es mir wieder bei, daß am nächsten Morgen die Stadt ein grausam Spektakel vor sich habe. Zwar war die junge Person, so wegen einbekannten Bündnisses mit dem Satan zu Asche sollte verbrannt werden, am heutigen Morgen vom Frone todt in ihrem Kerker aufgefunden worden, aber dem todten Leibe mußte gleichwohl sein peinlich Recht geschehen.

Das war nun vielen Leuten gleich einer kalt gestellten Suppen. Hatte doch auch die Buchführer-Witwe Liebernickel, so unter dem Thurm der Kirche den grünen Bücherschranken hat, mir am Mittage, da ich wegen der Zeitung bei ihr eingetreten, aufs heftigste geklaget, daß nun das Lied, so sie im voraus darüber habe anfertigen und drukken lassen, nur kaum noch passen werde, wie die Faust aufs Auge. Ich aber, und mit mir mein viellieber Bruder, hatte so meine eigenen Gedanken von dem Hexenwesen; und freuete mich, daß unser Herrgott – denn der war es doch wohl gewesen – das arme junge Mensch so gnädiglich in seinen Schoß genommen hatte.

Mein Bruder, welcher weichen Herzens war, begann gleichwohl der Pflichten seines Amts sich zu beklagen; denn er hatte drüben von der Rathhaustreppe das Urthel zu verlesen, sobald der Racker den todten Leichnam davor aufgefahren, und hernach auch der Justification selber zu assistiren. „Es schneidet mir schon itzund in das Herz“, sagte er, „das greuelhafte Gejohle, wenn sie mit dem Karren die Straße herabkommen; denn die Schulen werden ihre Buben und die Zunftmeister ihre Lehrburschen loslassen. – An deiner Statt“, fügete er bei, „der du ein freier Vogel bist, würde ich aufs Dorf hinausmachen und an dem Contrefey des schwarzen Pastors weitermalen!“

Nun war zwar festgesetzet worden, daß ich am nächstfolgenden Tage erst wieder hinauskäme; aber mein Bruder redete mir zu, unwissend, wie er die Ungeduld in meinem Herzen schürete; und so geschah es, daß alles sich erfüllen mußte, was ich getreulich in diesen Blättern niederschreiben werde.

Am andern Morgen, als drüben vor meinem Kammerfenster nur kaum der Kirchthurmhahn in rothem Frühlicht blinkte, war ich schon von meinem Lager aufgesprungen; und bald schritt ich über den Markt, allwo die Bäcker, vieler Käufer harrend, ihre Brotschragen schon geöffnet hatten; auch sahe ich, wie an dem Rathhause der Wachtmeister und die Fußknechte in Bewegung waren, und hatte Einer bereits einen schwarzen Teppich über das Geländer der großen Treppe aufgehangen; ich aber ging durch den Schwibbogen, so unter dem Rathhause ist, eilends zur Stadt hinaus.

Als ich hinter dem Schloßgarten auf dem Steige war, sahe ich drüben bei der Lehmkule, wo sie den neuen Galgen hingesetzet, einen mächtigen Holzstoß aufgeschichtet. Ein paar Leute hantirten noch daran herum, und mochten das der Fron und seine Knechte sein, die leichten Brennstoff zwischen die Hölzer thaten; von der Stadt her aber kamen schon die ersten Buben über die Felder ihnen zugelaufen. – Ich achtete deß nicht weiter, sondern wanderte rüstig fürbaß, und da ich hinter den Bäumen hervortrat, sahe ich mir zur Linken das Meer im ersten Sonnenstrahl entbrennen, der im Osten über die Heide emporstieg. Da mußte ich meine Hände falten:

„O Herr, mein Gott und Christ,
Sei gnädig mit uns allen,
Die wir in Sünd gefallen,
Der du die Liebe bist!“ – –

Als ich draußen war, wo die breite Landstraße durch die Heide führt, begegneten mir viele Züge von Bauern, sie hatten ihre kleinen Jungen und Dirnen an den Händen und zogen sie mit sich fort.

„Wohin strebet ihr denn so eifrig?“ fragte ich den einen Haufen; „es ist ja doch kein Markttag heute in der Stadt.“

Nun, wie ich's wohl zum voraus wußte, sie wollten die Hexe, das junge Satansmensch, verbrennen sehen.

– „Aber die Hexe ist ja todt!“

„Freilich, das ist ein Verdruß“, meineten sie; „aber es ist unserer Hebamme, der alten Mutter Siebenzig, ihre Schwestertochter; da können wir nicht außen bleiben und müssen mit dem Reste schon fürliebnehmen.“ –

– – Und immer neue Scharen kamen daher; und itzund taucheten auch schon Wagen aus dem Morgennebel, die statt mit Kornfrucht heut mit Menschen voll geladen waren. – Da ging ich abseits über die Heide, obwohl noch der

Nachtthau von dem Kraute rann; denn mein Gemüth verlangte nach der Einsamkeit; und ich sahe von fern, wie es den Anschein hatte, das ganze Dorf des Weges nach der Stadt ziehen. Als ich auf dem Hünenhügel stund, der hier inmitten der Heide liegt, überfiel es mich, als müsse auch ich zur Stadt zurückkehren oder etwan nach links hinab an die See gehen, oder nach dem kleinen Dorfe, das dort unten hart am Strande liegt; aber vor mir in der Luft schwebete etwas wie ein Glück; wie eine rasende Hoffnung, und es schüttelte mein Gebein, und meine Zähne schlugen aneinander. „Wenn sie es wirklich war, so letztlich mit meinen eigenen Augen ich erblicket, und wenn dann heute –" Ich fühlte mein Herz gleich einem Hammer an den Rippen; ich ging weit um durch die Heide; ich wollte nicht sehen, ob auf der Wagen einem auch der Prediger nach der Stadt fahre. – Aber ich ging dennoch endlich seinem Dorfe zu.

Als ich es erreicht hatte, schritt ich eilends nach der Thür des Küsterhauses. Sie war verschlossen. Eine Weile stund ich unschlüssig; dann hub ich mit der Faust zu klopfen an. Drinnen blieb alles ruhig; als ich aber stärker klopfte, kam des Küsters alte halbblinde Trienke aus einem Nachbarhause.

„Wo ist der Küster?" fragte ich.

– „Der Küster? Mit dem Priester in die Stadt gefahren."

Ich starrte die Alte an; mir war, als sei ein Blitz durch mich dahingeschlagen.

„Fehlet Euch etwas, Herr Maler?" frug sie.

Ich schüttelte den Kopf und sagte nur: „So ist wohl heute keine Schule, Trienke?"

– „Bewahre! Die Hexe wird ja verbrannt!"

Ich ließ mir von der Alten das Haus aufschließen, holte mein Malergeräthe und das fast vollendete Bildniß aus des Küsters Schlafkammer und richtete, wie gewöhnlich, meine Staffelei in dem leeren Schulzimmer. Ich pinselte etwas an der Gewandung; aber ich suchte damit nur mich selber zu belügen: ich hatte keinen Sinn zum Malen; war ja um dessen willen auch nicht hieher gekommen.

Die Alte kam hereingelaufen, stöhnte über die arge Zeit und redete über Bauern- und Dorfsachen, die ich nicht verstund; mich selber drängete es, sie wieder einmal nach des

Predigers Frau zu fragen, ob selbige alt oder jung, und auch, woher sie gekommen sei; allein ich brachte das Wort nicht über meine Zungen. Dagegen begann die Alte ein lang Gespinste von der Hex und ihrer Sippschaft hier im Dorfe und von der Mutter Siebenzig, so mit Vorspuksehen behaftet sei; erzählete auch, wie selbige zur Nacht, da die Gicht dem alten Weibe keine Ruh gelassen, drei Leichlaken über des Pastors Hausdach habe fliegen sehen, es gehe aber solch Gesichte allzeit richtig aus, und Hoffart komme vor dem Falle, denn sei die Frau Pastorin bei aller ihrer Vornehmheit doch nur eine blasse und schwächliche Kreatur.

Ich mochte solch Geschwätz nicht fürder hören; ging daher aus dem Hause und auf dem Wege herum, da wo das Pastorat mit seiner Fronte gegen die Dorfstraße liegt; wandte auch unter bangem Sehnen meine Augen nach den weißen Fenstern, konnte aber hinter den blinden Scheiben nichts gewahren als ein paar Blumenscherben, wie sie überall zu sehen sind. – Ich hätte nun wohl umkehren mögen; aber ich ging dennoch weiter. Als ich auf den Kirchhof kam, trug von der Stadtseite der Wind ein wimmernd Glockenläuten an mein Ohr; ich aber wandte mich und blickte hinab nach Westen, wo wiederum das Meer wie lichtes Silber am Himmelssaume hinfloß, und war doch ein tobend Unheil dort gewesen, worin in einer Nacht des Höchsten Hand viel tausend Menschenleben hingeworfen hatte. Was krümmete denn ich mich so gleich einem Wurme? – Wir sehen nicht, wie seine Wege führen!

Ich weiß nicht mehr, wohin mich damals meine Füße noch getragen haben; ich weiß nur, daß ich in einem Kreis gegangen bin, denn da die Sonne fast zur Mittagshöhe war, langete ich wieder bei der Küsterei an. Ich ging aber nicht in das Schulzimmer an meine Staffelei, sondern durch das Hinterpförtlein wieder zum Hause hinaus. – –

Das ärmliche Gärtlein ist mir unvergessen, obschon seit jenem Tage meine Augen es nicht mehr gesehen. – Gleich dem des Predigerhauses von der anderen Seite, trat es als ein breiter Streifen in die Priesterkoppel; inmitten zwischen beiden aber war eine Gruppe dichter Weidenbüsche, welche zur Einfassung einer Wassergrube dienen mochten; denn ich hatte einmal eine Magd mit vollem Eimer wie aus einer Tiefe daraus hervorsteigen sehen.

Als ich ohne viel Gedanken, nur mein Gemüthe erfüllet von nicht zu zwingender Unrast, an des Küsters abgeheimseten Bohnenbeeten hinging, hörete ich von der Koppel draußen eine Frauenstimme von gar holdem Klang, und wie sie liebreich einem Kinde zusprach.

Unwillens schritt ich solchem Schalle nach; so mochte einst der griechische Heidengott mit seinem Stabe die Todten nach sich gezogen haben. Schon war ich am jenseitigen Rande des Holundergebüsches, das hier ohne Verzäunung in die Koppel ausläuft, da sahe ich den kleinen Johannes mit einem Armchen voll Moos, wie es hier in dem kümmerlichen Grase wächst, gegenüber hinter den Weiden gehen; er mochte sich dort damit nach Kinderart ein Gärtchen angeleget haben. Und wieder kam die holde Stimme an mein Ohr: „Nun heb nur an; nun hast du einen ganzen Haufen! Ja, ja; ich such derweil noch mehr, dort am Holunder wächst genug!"

Und dann trat sie selber hinter den Weiden hervor; ich hatte ja längst schon nicht gezweifelt. – Mit den Augen auf dem Boden suchend, schritt sie zu mir her, so daß ich ungestöret sie betrachten durfte; und mir war, als gliche sie nun gar seltsam dem Kinde wieder, das sie einst gewesen war, für das ich den „Buhz" einst von dem Baum herabgeschossen hatte; aber dieses Kinderantlitz von heute war bleich und weder Glück noch Muth darin zu lesen.

So war sie mählich näher kommen, ohne meiner zu gewahren; dann kniete sie nieder an einem Streifen Moos, der unter den Büschen hinlief; doch ihre Hände pflückten nicht davon; sie ließ das Haupt auf ihre Brust sinken, und es war, als wolle sie nur ungesehen vor dem Kinde in ihrem Leide ausruhen.

Da rief ich leise: „Katharina!"

Sie blickte auf; ich aber ergriff ihre Hand und zog sie gleich einer Willenlosen zu mir unter den Schatten der Büsche. Doch als ich sie endlich also nun gefunden hatte und keines Wortes mächtig vor ihr stund, da sahen ihre Augen weg von mir, und mit fast einer fremden Stimme sagte sie: „Es ist nun einmal so, Johannes! Ich wußte wohl, du seiest der fremde Maler; ich dachte nur nicht, daß du heute kommen würdest."

Ich hörete das, und dann sprach ich es aus: „Katharina, – – so bist du des Predigers Eheweib?"

Sie nickte nicht; sie sah mich starr und schmerzlich an. „Er hat das Amt dafür bekommen", sagte sie, „und dein Kind den ehrlichen Namen."

– „Mein Kind, Katharina?"

„Und fühltest du das nicht? Er hat ja doch auf deinem Schoß gesessen; einmal doch, er selbst hat es mir erzählet."

– – Möge keines Menschen Brust ein solches Weh zerfleischen! – „Und du, und mein Kind, ihr solltet mir verloren sein!"

Sie sah mich an, sie weinte nicht, sie war nur gänzlich todtenbleich.

„Ich will das nicht!" schrie ich; „ich will . . ." Und eine wilde Gedankenjagd rasete mir durchs Hirn.

Aber ihre kleine Hand hatte gleich einem kühlen Blatte sich auf meine Stirn gelegt, und ihre braunen Augensterne auf dem blassen Antlitz sahen mich flehend an. „Du, Johannes", sagte sie, „du wirst es nicht sein, der mich noch elender machen will."

– „Und kannst denn du so leben, Katharina?"

„Leben? – – Es ist ja doch ein Glück dabei; er liebt das Kind; – was ist denn mehr noch zu verlangen?"

– „Und von uns, von dem, was einst gewesen ist, weiß er davon?" – –

„Nein, nein!" rief sie heftig. „Er nahm die Sünderin zum Weibe: mehr nicht. O Gott, ist's denn nicht genug, daß jeder neue Tag ihm angehört!"

In diesem Augenblick tönete ein zarter Gesang zu uns herüber. – „Das Kind", sagte sie. „Ich muß zu dem Kinde; es könnte ihm ein Leids geschehen!"

Aber meine Sinne zieleten nur auf das Weib, das sie begehrten. „Bleib doch", sagte ich, „es spielet ja fröhlich dort mit seinem Moose."

Sie war an den Rand des Gebüsches getreten und horchete hinaus. Die goldene Herbstsonne schien so warm hernieder, nur leichter Hauch kam von der See herauf. Da höreten wir von jenseit durch die Weiden das Stimmlein unseres Kindes singen:

„Zwei Englein, die mich decken,
Zwei Englein, die mich strecken,
Und zweie, so mich weisen
In das himmlische Paradeisen."

Katharina war zurückgetreten, und ihre Augen sahen groß und geisterhaft mich an. „Und nun leb wohl, Johannes", sprach sie leise; „auf Nimmerwiedersehen hier auf Erden!"

Ich wollte sie an mich reißen; ich streckte beide Arme nach ihr aus; doch sie wehrte mich ab und sagte sanft: „Ich bin des anderen Mannes Weib; vergiß das nicht."

Mich aber hatte auf diese Worte ein fast wilder Zorn ergriffen. „Und wessen, Katharina", sprach ich hart, „bist du gewesen, ehe bevor du sein geworden?"

Ein weher Klagelaut brach aus ihrer Brust; sie schlug die Hände vor ihr Angesicht und rief: „Weh mir! O wehe, mein entweihter armer Leib!"

Da wurd ich meiner schier unmächtig; ich riß sie jäh an meine Brust, ich hielt sie wie mit Eisenklammern und hatte sie endlich, endlich wieder! Und ihre Augen sanken in die meinen, und ihre rothen Lippen duldeten die meinen; wir umschlangen uns inbrünstiglich; ich hätte sie tödten mögen, wenn wir also miteinander hätten sterben können. Und als dann meine Blicke voll Seligkeit auf ihrem Antlitz weideten, da sprach sie, fast erstickt von meinen Küssen: „Es ist ein langes, banges Leben! O, Jesu Christ, vergib mir diese Stunde!"

– – Es kam eine Antwort; aber es war die harte Stimme jenes Mannes, aus dessen Munde ich itzt zum ersten Male ihren Namen hörte. Der Ruf kam von drüben aus dem Predigergarten, und noch einmal und härter rief es: „Katharina!"

Da war das Glück vorbei; mit einem Blicke der Verzweiflung sahe sie mich an; dann stille wie ein Schatten war sie fort.

– – Als ich in die Küsterei trat, war auch schon der Küster wieder da. Er begann sofort von der Justification der armen Hexe auf mich einzureden. „Ihr haltet wohl nicht viel davon“, sagte er; „sonst wäret Ihr heute nicht aufs Dorf gegangen, wo der Herr Pastor gar die Bauern und ihre Weiber in die Stadt getrieben.“

Ich hatte nicht die Zeit zur Antwort; ein gellender Schrei durchschnitt die Luft; ich werde ihn leblang in den Ohren haben.

„Was war das, Küster?“ rief ich.

Der Mann riß ein Fenster auf und horchete hinaus; aber es geschah nichts weiter. „So mir Gott“, sagte er, „es war ein Weib, das so geschrien hat; und drüben von der Priesterkoppel kam's.“

Indem war auch die alte Trienke in die Thür gekommen. „Nun, Herr?“ rief sie mir zu. „Die Leichlaken sind auf des Pastors Dach gefallen!“

– „Was soll das heißen, Trienke?“

„Das soll heißen, daß sie des Pastors kleinen Johannes soeben aus dem Wasser ziehen.“

Ich stürzete aus dem Zimmer und durch den Garten auf die Priesterkoppel; aber unter den Weiden fand ich nur das dunkle Wasser und Spuren feuchten Schlammes daneben auf dem Grase. – Ich bedachte mich nicht, es war ganz wie von selber, daß ich durch das weiße Pförtchen in des Pastors Garten ging. Da ich eben ins Haus wollte, trat er selber mir entgegen.

Der große knochige Mann sah gar wüste aus; seine Augen waren geröthet und das schwarze Haar hing wirr ihm ins Gesicht. „Was wollt Ihr?“ sagte er.

Ich starrete ihn an; denn mir fehlete das Wort. Ja, was wollte ich denn eigentlich?

„Ich kenne Euch!“ fuhr er fort. „Das Weib hat endlich alles ausgeredet.“

Das machte mir die Zunge frei. „Wo ist mein Kind?“ rief ich.

Er sagte: „Die beiden Eltern haben es ertrinken lassen.“

– „So laßt mich zu meinem todten Kinde!“

Allein, da ich an ihm vorbei in den Hausflur wollte,

drängete er mich zurück. „Das Weib“, sprach er, „liegt bei dem Leichnam und schreit zu Gott aus ihren Sünden. Ihr sollt nicht hin, um ihrer armen Seelen Seligkeit!“

Was dermalen selber ich gesprochen, ist mir schier vergessen; aber des Predigers Worte gruben sich in mein Gedächtniß. „Höret mich!“ sprach er. „So von Herzen ich Euch hasse, wofür dereinst mich Gott in seiner Gnade wolle büßen lassen, und Ihr vermuthendlich auch mich, – noch ist Eines uns gemeinsam. – Geht itzo heim und bereitet eine Tafel oder Leinewand! Mit solcher kommet morgen in der Frühe wieder und malet darauf des todten Knaben Antlitz. Nicht mir oder meinem Hause; der Kirchen hier, wo er sein kurz unschuldig Leben ausgelebet, möget Ihr das Bildniß stiften. Mög es dort die Menschen mahnen, daß vor der knöchern Hand des Todes alles Staub ist!“

Ich blickte auf den Mann, der kurz vordem die edle Malerkunst ein Buhlweib mit der Welt gescholten; aber ich sagte zu, daß alles so geschehen möge.

– – Daheim indessen wartete meiner eine Kunde, so meines Lebens Schuld und Buße gleich einem Blitze jählings aus dem Dunkel hob, so daß ich Glied um Glied die ganze Kette vor mir leuchten sahe.

Mein Bruder, dessen schwache Constitution von dem abscheulichen Spectacul, dem er heute assistiren müssen, hart ergriffen war, hatte sein Bette aufgesucht. Da ich zu ihm eintrat, richtete er sich auf. „Ich muß noch eine Weile ruhen“, sagte er, indem er ein Blatt der Wochenzeitung in meine Hand gab; „aber lies doch dieses! Da wirst du sehen, daß Herrn Gerhardus’ Hof in fremde Hände kommen, maßen Junker Wulf ohn Weib und Kind durch eines tollen Hundes Biß gar jämmerlichen Todes verfahren ist.“

Ich griff nach dem Blatte, das mein Bruder mir entgegenhielt; aber es fehlte nicht viel, daß ich getaumelt wäre. Mir war’s bei dieser Schreckenspost, als sprängen des Paradieses Pforten vor mir auf; aber schon sahe ich am Eingange den Engel mit dem Feuerschwerte stehen, und aus meinem Herzen schrie es wieder: O Hüter, Hüter, war dein Ruf so fern! – – Dieser Tod hätte uns das Leben werden können; nun war’s nur ein Entsetzen zu den andern.

Ich saß oben auf meiner Kammer. Es wurde Dämmerung, es wurde Nacht; ich schaute in die ewigen Gestirne, und endlich suchte auch ich mein Lager. Aber die Erquickung des Schlafes ward mir nicht zu Theil. In meinen erregten Sinnen war es mir gar seltsamlich, als sei der Kirchthurm drüben meinem Fenster nah gerückt; ich fühlte die Glockenschläge durch das Holz der Bettstatt dröhnen, und ich zählete sie alle die ganze Nacht entlang. Doch endlich dämmerte der Morgen. Die Balken an der Decke hingen noch wie Schatten über mir, da sprang ich auf, und ehbevor die erste Lerche aus den Stoppelfeldern stieg, hatte ich allbereits die Stadt im Rücken.

Aber so frühe ich auch ausgegangen, ich traf den Prediger schon auf der Schwelle seines Hauses stehen. Er geleitete mich auf den Flur und sagte, daß die Holztafel richtig angelanget, auch meine Staffelei und sonstiges Malergeräth aus dem Küsterhause herübergeschaffet sei. Dann legte er seine Hand auf die Klinke einer Stubenthür.

Ich jedoch hielt ihn zurück und sagte: „Wenn es in diesem Zimmer ist, so wollet mir vergönnen, bei meinem schweren Werk allein zu sein!"

„Es wird Euch niemand stören", entgegnete er und zog die Hand zurück. „Was Ihr zur Stärkung Eueres Leibes bedürfet, werdet Ihr drüben in jenem Zimmer finden." Er wies auf eine Thür an der anderen Seite des Flures; dann verließ er mich.

Meine Hand lag itzund statt der des Predigers auf der Klinke. Es war todtenstill im Hause; eine Weile mußte ich mich sammeln, bevor ich öffnete.

Es war ein großes, fast leeres Gemach, wohl für den Confirmandenunterricht bestimmt, mit kahlen weißgetünchten Wänden; die Fenster sahen über öde Felder nach dem fernen Strand hinaus. Inmitten des Zimmers aber stund ein weißes Lager aufgebahret. Auf dem Kissen lag ein bleiches Kinderangesicht; die Augen zu; die kleinen Zähne schimmerten gleich Perlen aus den blassen Lippen.

Ich fiel an meines Kindes Leiche nieder und sprach ein brünstiglich Gebet. Dann rüstete ich alles, wie es zu der Arbeit nöthig war; und dann malte ich; – rasch, wie man die

Todten malen muß, die nicht zum zweiten Mal dasselbig Antlitz zeigen. Mitunter wurd ich wie von der andauernden großen Stille aufgeschrecket; doch wenn ich innehielt und horchte, so wußte ich bald, es sei nichts dagewesen. Einmal auch war es, als drängen leise Odemzüge an mein Ohr. – Ich trat an das Bette des Todten, aber da ich mich zu dem bleichen Mündlein niederbeugete, berührte nur die Todeskälte meine Wangen.

Ich sahe um mich; es war noch eine Thür im Zimmer; sie mochte zu einer Schlafkammer führen, vielleicht daß es von dort gekommen war! Allein so scharf ich lauschte, ich vernahm nichts wieder; meine eigenen Sinne hatten wohl ein Spiel mit mir getrieben.

So setzete ich mich denn wieder, sahe auf den kleinen Leichnam und malete weiter; und da ich die leeren Händchen ansahe, wie sie auf dem Linnen lagen, so dachte ich: „Ein klein Geschenk doch mußt du deinem Kinde geben!" Und ich malete auf seinem Bildniß ihm eine weiße Wasserlilie in die Hand, als sei es spielend damit eingeschlafen. Solcher Art Blumen gab es selten in der Gegend hier, und mocht es also ein erwünschet Angebinde sein.

Endlich trieb mich der Hunger von der Arbeit auf, mein ermüdeter Leib verlangte Stärkung. Legete sonach den Pinsel und die Palette fort und ging über den Flur nach dem Zimmer, so der Prediger mir angewiesen hatte. Indem ich aber eintrat, wäre ich vor Überraschung bald zurückgewichen; denn Katharina stund mir gegenüber, zwar in schwarzen Trauerkleidern, und doch in all dem Zauberschein, so Glück und Liebe in eines Weibes Antlitz wirken mögen.

Ach, ich wußte es nur zu bald; was ich hier sahe; war nur ihr Bildniß, das ich selber einst gemalet. Auch für dieses war also nicht mehr Raum in ihres Vaters Haus gewesen. – Aber wo war sie selber denn? Hatte man sie fortgebracht oder hielt man sie auch hier gefangen? – Lang, gar lange sahe ich das Bildniß an; die alte Zeit stieg auf und quälete mein Herz. Endlich, da ich mußte, brach ich einen Bissen Brot und stürzete ein paar Gläser Wein hinab; dann ging ich zurück zu unserem todten Kinde.

Als ich drüben eingetreten und mich an die Arbeit setzen wollte, zeigete es sich, daß in dem kleinen Angesicht die Augenlider um ein weniges sich gehoben hatten. Da bückte ich mich hinab, im Wahne, ich möchte noch einmal meines Kindes Blick gewinnen; als aber die kalten Augensterne vor mir lagen, überlief mich Grausen; mir war, als sähe ich die Augen jener Ahne des Geschlechtes, als wollten sie noch hier aus unseres Kindes Leichenantlitz künden: „Mein Fluch hat doch euch beide eingeholet!" – Aber zugleich – ich hätte es um alle Welt nicht lassen können – umfing ich mit beiden Armen den kleinen blassen Leichnam und hob ihn auf an meine Brust und herzete unter bitteren Thränen zum ersten Male mein geliebtes Kind. „Nein, nein, mein armer Knabe, deine Seele, die gar den finstern Mann zur Liebe zwang, die blickte nicht aus solchen Augen; was hier herausschaut, ist alleine noch der Tod. Nicht aus der Tiefe schreckbarer Vergangenheit ist es heraufgekommen; nichts anderes ist da als deines Vaters Schuld; sie hat uns alle in die schwarze Fluth hinabgerissen."

Sorgsam legte ich dann wieder mein Kind in seine Kissen und drückte ihm sanft die beiden Augen zu. Dann tauchete ich meinen Pinsel in ein dunkles Roth und schrieb unten in den Schatten des Bildes die Buchstaben: C. P. A. S. Das sollte heißen: Culpa Patris Aquis Submersus, „Durch Vaters Schuld in der Fluth versunken". – Und mit dem Schalle dieser Worte in meinem Ohre, die wie ein schneidend Schwert durch meine Seele fuhren, malete ich das Bild zu Ende.

Während meiner Arbeit hatte wiederum die Stille im Hause fortgedauert, nur in der letzten Stunde war abermalen durch die Thür, hinter welcher ich eine Schlafkammer vermuthet hatte, ein leises Geräusch hereingedrungen. – War Katharina dort, um ungesehen bei meinem schweren Werk mir nah zu sein? – Ich konnte es nicht enträthseln.

Es war schon spät. Mein Bild war fertig, und ich wollte mich zum Gehen wenden; aber mir war, als müsse ich noch einen Abschied nehmen, ohne den ich nicht von hinnen könne. –

So stand ich zögernd und schaute durch das Fenster auf die öden Felder draußen, wo schon die Dämmerung begunnte sich zu breiten; da öffnete sich vom Flure her die Thür, und der Prediger trat zu mir herein.

Er grüßte schweigend; dann mit gefalteten Händen blieb er stehen und betrachtete wechselnd das Antlitz auf dem Bilde und das des kleinen Leichnams vor ihm, als ob er sorgsame Vergleichung halte. Als aber seine Augen auf die Lilie in der gemalten Hand des Kindes fielen, hub er wie im Schmerze seine beiden Hände auf, und ich sahe, wie seinen Augen jählings ein reicher Thränenquell entstürzete.

Da streckte auch ich meine Arme nach dem Todten und rief überlaut: „Leb' wohl, mein Kind! O mein Johannes, lebe wohl!"

Doch in demselben Augenblicke vernahm ich leise Schritte in der Nebenkammer; es tastete wie mit kleinen Händen an der Thür; ich hörte deutlich meinen Namen rufen – oder war es der des todten Kindes? – Dann rauschte es wie von Frauenkleidern hinter der Thüre nieder, und das Geräusch vom Falle eines Körpers wurde hörbar.

„Katharina!" rief ich. Und schon war ich hinzugesprungen und rüttelte an der Klinke der festverschlossenen Thür; da legte die Hand des Pastors sich auf meinen Arm: „Das ist meines Amtes!" sagte er. „Gehet itzo! Aber gehet in Frieden; und möge Gott uns allen gnädig sein!"

– – Ich bin dann wirklich fortgegangen; ehe ich es selbst begriff, wanderte ich schon draußen auf der Heide auf dem Weg zur Stadt.

Noch einmal wandte ich mich um und schaute nach dem Dorf zurück, das nur noch wie Schatten aus dem Abenddunkel ragte. Dort lag mein todtes Kind – Katharina – alles, alles! – Meine alte Wunde brannte mir in meiner Brust; und seltsam, was ich niemals hier vernommen, ich wurde plötzlich mir bewußt, daß ich vom fernen Strand die Brandung tosen hörete. Kein Mensch begegnete mir, keines Vogels Ruf vernahm ich; aber aus dem dumpfen Brausen des Meeres tönete es mir immerfort, gleich einem finsteren Wiegenliede: Aquis submersus – aquis submersus!

Hier endete die Handschrift.

Dessen Herr Johannes sich einstens im Vollgefühle seiner Kraft vermessen, daß er's wohl auch einmal in seiner Kunst den Größeren gleich zu tun verhoffe, das sollten Worte bleiben, in die leere Luft gesprochen.

Sein Name gehört nicht zu denen, die genannt werden, kaum dürfte er in einem Künstlerlexikon zu finden sein; ja selbst in seiner engeren Heimat weiß niemand von einem Maler seines Namens. Des großen Lazarusbildes tut zwar noch die Chronik unserer Stadt Erwähnung, das Bild selbst aber ist zu Anfang dieses Jahrhunderts nach dem Abbruch unserer alten Kirche gleich den anderen Kunstschätzen derselben verschleudert und verschwunden.

Aquis submersus.

Theodor Storm

Der Schimmelreiter

Erste Veröffentlichung in: Deutsche Rundschau, herausgegeben von Julius Rodenberg, Band 55 (April und Mai 1888). Erste Buchausgabe: Der Schimmelreiter. Berlin, Gebr. Paetel, 1888. ‚Meinem Sohn Ernst Storm, Rechtsanwalt und Notar in Husum, zugeeignet‘.

Was ich zu berichten beabsichtige, ist mir vor reichlich einem halben Jahrhundert im Hause meiner Urgroßmutter, der alten Frau Senator Feddersen, kundgeworden, während ich, an ihrem Lehnstuhl sitzend, mich mit dem Lesen eines in blaue Pappe eingebundenen Zeitschriftenheftes beschäftigte; ich vermag mich nicht mehr zu entsinnen, ob von den „Leipziger" oder von „Pappes Hamburger Lesefrüchten". Noch fühl ich es gleich einem Schauer, wie dabei die linde Hand der über Achtzigjährigen mitunter liebkosend über das Haupthaar ihres Urenkels hinglitt. Sie selbst und jene Zeit sind längst begraben; vergebens auch hab ich seitdem jenen Blättern nachgeforscht, und ich kann daher um so weniger weder die Wahrheit der Tatsachen verbürgen, als, wenn jemand sie bestreiten wollte, dafür aufstehen; nur so viel kann ich versichern, daß ich sie seit jener Zeit, obwohl sie durch keinen äußeren Anlaß in mir aufs neue belebt wurden, niemals aus dem Gedächtnis verloren habe.

Es war im dritten Jahrzehnt unseres Jahrhunderts, an einem Oktobernachmittag – so begann der damalige Erzähler –, als ich bei starkem Unwetter auf einem nordfriesischen Deich entlang ritt. Zur Linken hatte ich jetzt schon seit über einer Stunde die öde, bereits von allem Vieh geleerte Marsch, zur Rechten, und zwar in unbehaglichster Nähe, das Wattenmeer der Nordsee; zwar sollte man vom Deiche aus auf Halligen und Inseln sehen können; aber ich sah nichts als die gelbgrauen Wellen, die unaufhörlich wie mit Wutgebrüll an den Deich hinaufschlugen und mitunter mich und das Pferd mit schmutzigem Schaum bespritzten; dahinter wüste Dämmerung, die Himmel und Erde nicht unterscheiden ließ; denn auch der halbe Mond, der jetzt in der Höhe stand, war meist von treibendem Wolkendunkel überzogen. Es war eiskalt; meine verklommenen Hände konnten kaum den Zügel halten, und ich verdachte es nicht den Krähen und Möwen, die sich fortwährend krächzend und gackernd vom Sturm ins Land hineintreiben ließen. Die Nachtdämmerung hatte begonnen, und schon konnte ich nicht mehr mit Sicherheit die Hufen meines Pferdes erkennen; keine Menschenseele war mir begegnet, ich hörte nichts als das Geschrei der Vögel, wenn sie mich oder meine treue Stute fast mit den langen Flügeln streiften, und das Toben von Wind und Wasser. Ich leugne nicht, ich wünschte mich mitunter in sicheres Quartier.

Das Wetter dauerte jetzt in den dritten Tag, und ich hatte mich schon über Gebühr von einem mir besonders lieben Verwandten auf seinem Hofe halten lassen, den er in einer der nördlicheren Harden besaß. Heute aber ging es nicht länger; ich hatte Geschäfte in der Stadt, die auch jetzt wohl noch ein paar Stunden weit nach Süden vor mir lag, und trotz aller Überredungskünste des Vetters und seiner lieben Frau, trotz der schönen selbstgezogenen Perinette- und Grand-Richard-Äpfel, die noch zu probieren waren, am Nachmittag war ich davongeritten. „Wart nur, bis du ans Meer kommst“, hatte er noch an seiner Haustür mir nachgerufen; „du kehrst noch wieder um; dein Zimmer wird dir vorbehalten!“

Und wirklich, einen Augenblick, als eine schwarze Wolkenschicht es pechfinster um mich machte, und gleichzeitig die heulenden Böen mich samt meiner Stute vom Deich herabzudrängen suchten, fuhr es mir wohl durch den Kopf: „Sei kein Narr! Kehr um und setz dich zu deinen Freunden ins warme Nest.“ Dann aber fiel's mir ein, der Weg zurück war wohl noch länger als der nach meinem Reiseziel; und so trabte ich weiter, den Kragen meines Mantels um die Ohren ziehend.

Jetzt aber kam auf dem Deiche etwas gegen mich heran; ich hörte nichts; aber immer deutlicher, wenn der halbe

Mond ein karges Licht herabließ, glaubte ich eine dunkle Gestalt zu erkennen, und bald, da sie näher kam, sah ich es, sie saß auf einem Pferde, einem hochbeinigen hageren Schimmel; ein dunkler Mantel flatterte um ihre Schultern, und im Vorbeifliegen sahen mich zwei brennende Augen aus einem bleichen Antlitz an.

Wer war das? Was wollte der? – Und jetzt fiel mir bei, ich hatte keinen Hufschlag, kein Keuchen des Pferdes vernommen; und Roß und Reiter waren doch hart an mir vorbeigefahren!

In Gedanken darüber ritt ich weiter, aber ich hatte nicht lange Zeit zum Denken, schon fuhr es von rückwärts wieder an mir vorbei; mir war, als streifte mich der fliegende Mantel, und die Erscheinung war, wie das erstemal, lautlos an mir vorübergestoben. Dann sah ich sie fern und ferner vor mir; dann war's, als säh ich plötzlich ihren Schatten an der Binnenseite des Deiches hinuntergehen.

Etwas zögernd ritt ich hinterdrein. Als ich jene Stelle erreicht hatte, sah ich hart am Deich im Kooge unten das Wasser einer großen Wehle blinken – so nennen sie dort die Brüche, welche von den Sturmfluten in das Land gerissen werden, und die dann meist als kleine, aber tiefgründige Teiche stehenbleiben.

Das Wasser war, trotz des schützendes Deiches, auffallend unbewegt; der Reiter konnte es nicht getrübt haben; ich sah nichts weiter von ihm. Aber ein anderes sah ich, das ich mit Freuden jetzt begrüßte: vor mir, von unten aus dem Kooge, schimmerten eine Menge zerstreuter Lichtscheine zu mir herauf; sie schienen aus jenen langgestreckten friesischen Häusern zu kommen, die vereinzelt auf mehr oder minder hohen Werften lagen; dicht vor mir aber auf halber Höhe des Binnendeiches lag ein großes Haus derselben Art; an der Südseite, rechts von der Haustür, sah ich alle Fenster erleuchtet; dahinter gewahrte ich Menschen und glaubte trotz des Sturmes sie zu hören. Mein Pferd war schon von selbst auf den Weg am Deich hinabgeschritten, der mich vor die Tür des Hauses führte. Ich sah wohl, daß es ein Wirtshaus war; denn vor den Fenstern gewahrte ich die sogenannten „Ricks", das heißt auf zwei

Ständern ruhende Balken mit großen eisernen Ringen, zum Anbinden des Viehes und der Pferde, die hier haltmachten.

Ich band das meine an einen derselben und überwies es dann dem Knechte, der mir beim Eintritt in den Flur entgegenkam. „Ist hier Versammlung?“ frug ich ihn, da mir jetzt deutlich ein Geräusch von Menschenstimmen und Gläserklirren aus der Stubentür entgegendrang.

„Is wull so wat“, entgegnete der Knecht auf plattdeutsch – und ich erfuhr nachher, daß dieses neben dem Friesischen hier schon seit über hundert Jahren im Schwange gewesen sei – „Diekgraf und Gevollmächtigten un wecke von de annern Interessenten! Dat is um’t hoge Water!“

Als ich eintrat, sah ich etwa ein Dutzend Männer an einem Tische sitzen, der unter den Fenstern entlanglief; eine Punschbowle stand darauf, und ein besonders stattlicher Mann schien die Herrschaft über sie zu führen.

Ich grüßte und bat, mich zu ihnen setzen zu dürfen, was bereitwillig gestattet wurde. „Sie halten hier die Wacht!“ sagte ich, mich zu jenem Manne wendend; „es ist bös Wetter draußen; die Deiche werden ihre Not haben!“

„Gewiß“, erwiderte er; „wir, hier an der Ostseite, aber glauben jetzt außer Gefahr zu sein; nur drüben an der anderen Seite ist’s nicht sicher; die Deiche sind dort meist noch mehr nach altem Muster; unser Hauptdeich ist schon im vorigen Jahrhundert umgelegt. – Uns ist vorhin da draußen kalt geworden, und Ihnen“, setzte er hinzu, „wird es ebenso gegangen sein; aber wir müssen hier noch ein paar Stunden aushalten; wir haben sichere Leute draußen, die uns Bericht erstatten.“ Und ehe ich meine Bestellung bei dem Wirte machen konnte, war schon ein dampfendes Glas mir hingeschoben.

Ich erfuhr bald, daß mein freundlicher Nachbar der Deichgraf sei; wir waren ins Gespräch gekommen, und ich hatte begonnen, ihm meine seltsame Begegnung auf dem Deiche zu erzählen. Er wurde aufmerksam, und ich bemerkte plötzlich, daß alles Gespräch umher verstummt war. „Der Schimmelreiter!“ rief einer aus der Gesellschaft, und eine Bewegung des Erschreckens ging durch die übrigen.

Der Deichgraf war aufgestanden. „Ihr braucht nicht zu erschrecken", sprach er über den Tisch hin; „das ist nicht bloß für uns; Anno 17 hat es auch denen drüben gegolten; mögen sie auf alles vorgefaßt sein!"

Mich wollte nachträglich ein Grauen überlaufen: „Verzeiht!" sprach ich, „was ist das mit dem Schimmelreiter?"

Abseits hinter dem Ofen, ein wenig gebückt, saß ein kleiner hagerer Mann in einem abgeschabten schwarzen Röcklein; die eine Schulter schien ein wenig ausgewachsen. Er hatte mit keinem Worte an der Unterhaltung der anderen teilgenommen; aber seine bei dem spärlichen grauen Haupthaar noch immer mit dunklen Wimpern besäumten Augen zeigten deutlich, daß er nicht zum Schlaf hier sitze.

Gegen diesen streckte der Deichgraf seine Hand: „Unser Schulmeister", sagte er mit erhobener Stimme, „wird von uns hier Ihnen das am besten erzählen können; freilich nur in seiner Weise und nicht so richtig, wie zu Haus meine alte Wirtschafterin Antje Vollmers es beschaffen würde."

„Ihr scherzet, Deichgraf!" kam die etwas kränkliche Stimme des Schulmeisters hinter dem Ofen hervor, „daß Ihr mir Euern dummen Drachen wollt zur Seite stellen!"

„Ja, ja, Schulmeister!" erwiderte der andere; „aber bei den Drachen sollen derlei Geschichten am besten in Verwahrung sein!"

„Freilich!" sagte der kleine Herr; „wir sind hierin nicht ganz derselben Meinung"; und ein überlegenes Lächeln glitt über das feine Gesicht.

„Sie sehen wohl", raunte der Deichgraf mir ins Ohr; „er ist immer noch ein wenig hochmütig; er hat in seiner Jugend einmal Theologie studiert und ist nur einer verfehlten Brautschaft wegen hier in seiner Heimat als Schulmeister behangengeblieben."

Dieser war inzwischen aus seiner Ofenecke hervorgekommen und hatte sich neben mir an den langen Tisch gesetzt. „Erzählt, erzählt nur, Schulmeister", riefen ein paar der Jüngeren aus der Gesellschaft.

„Nun freilich", sagte der Alte, sich zu mir wendend, „will ich gern zu Willen sein; aber es ist viel Aberglaube dazwischen, und eine Kunst, es ohne diesen zu erzählen."

„Ich muß Euch bitten, den nicht auszulassen“, erwiderte ich; „traut mir nur zu, daß ich schon selbst die Spreu vom Weizen sondern werde!“

Der Alte sah mich mit verständnisvollem Lächeln an: »Nun also!« sagte er. »In der Mitte des vorigen Jahrhunderts, oder vielmehr, um genauer zu bestimmen, vor und nach derselben, gab es hier einen Deichgrafen, der von Deich- und Sielsachen mehr verstand, als Bauern und Hofbesitzer sonst zu verstehen pflegen; aber es reichte doch wohl kaum; denn was die studierten Fachleute darüber niedergeschrieben, davon hatte er wenig gelesen; sein Wissen hatte er sich, wenn auch von Kindesbeinen an, nur selber ausgesonnen. Ihr hörtet wohl schon, Herr, die Friesen rechnen gut, und habet auch wohl schon über unseren Hans Mommsen von Fahretoft reden hören, der ein Bauer war und doch Bussolen und Seeuhren, Teleskopen und Orgeln machen konnte. Nun, ein Stück von solch einem Manne war auch der Vater des nachherigen Deichgrafen gewesen; freilich wohl nur ein kleines. Er hatte ein paar Fennen, wo er Raps und Bohnen baute, auch eine Kuh graste, ging unterweilen im Herbst und Frühjahr auch aufs Landmessen und saß im Winter, wenn der Nordwest von draußen kam und an seinen Läden rüttelte, zu ritzen und zu prickeln, in seiner Stube. Der Junge saß meist dabei und sah über seine Fibel oder Bibel weg dem Vater zu, wie er maß und berechnete, und grub sich mit der Hand in seinen blonden Haaren. Und eines Abends frug er den Alten, warum denn das, was er eben hingeschrieben hatte, gerade so sein müsse und nicht anders sein könne, und stellte dann eine eigene Meinung darüber auf. Aber der Vater, der darauf nicht zu antworten wußte, schüttelte den Kopf und sprach: „Das kann ich dir nicht sagen; genug, es ist so, und du selber irrst dich. Willst du mehr wissen, so suche morgen aus der Kiste, die auf unserem Boden steht, ein Buch; einer, der Euklid hieß, hat's geschrieben; das wird's dir sagen!“

– – Der Junge war tags darauf zum Boden gelaufen und hatte auch bald das Buch gefunden; denn viele Bücher gab es überhaupt nicht in dem Hause; aber der Vater lachte, als er es vor ihm auf den Tisch legte. Es war ein holländischer Euklid, und Holländisch, wenngleich es doch halb Deutsch war, verstanden alle beide nicht. „Ja, ja", sagte er, „das Buch ist noch von meinem Vater, der verstand es; ist denn kein deutscher da?"

Der Junge, der von wenig Worten war, sah den Vater ruhig an und sagte nur: „Darf ich's behalten? Ein deutscher ist nicht da."

Und als der Alte nickte, wies er noch ein zweites, halbzerrissenes Büchlein vor. „Auch das?" frug er wieder.

„Nimm sie alle beide!" sagte Tede Haien; „sie werden dir nicht viel nützen."

Aber das zweite Buch war eine kleine holländische Grammatik, und da der Winter noch lange nicht vorüber war, so hatte es, als endlich die Stachelbeeren in ihrem Garten wieder blühten, dem Jungen schon so weit geholfen, daß er den Euklid, welcher damals stark im Schwange war, fast überall verstand.

Es ist mir nicht unbekannt, Herr«, unterbrach sich der Erzähler, »daß dieser Umstand auch von Hans Mommsen erzählt wird; aber vor dessen Geburt ist hier bei uns schon die Sache von Hauke Haien – so hieß der Knabe – berichtet worden. Ihr wisset auch wohl, es braucht nur einmal ein Größerer zu kommen, so wird ihm alles aufgeladen, was in Ernst oder Schimpf seine Vorgänger einst mögen verübt haben.

Als der Alte sah, daß der Junge weder für Kühe noch Schafe Sinn hatte, und kaum gewahrte, wenn die Bohnen blühten, was doch die Freude von jedem Marschmann ist, und weiterhin bedachte, daß die kleine Stelle wohl mit einem Bauer und einem Jungen, aber nicht mit einem Halbgelehrten und einem Knecht bestehen könne, ingleichen, daß er auch selber nicht auf einen grünen Zweig gekommen sei, so schickte er seinen großen Jungen an den Deich, wo er mit anderen Arbeitern von Ostern bis Martini Erde karren mußte. „Das wird ihn vom Euklid kurieren", sprach er bei sich selber.

Und der Junge karrte; aber den Euklid hatte er allzeit

in der Tasche, und wenn die Arbeiter ihr Frühstück oder Vesper aßen, saß er auf seinem umgestülpten Schubkarren mit dem Buche in der Hand. Und wenn im Herbst die Fluten höher stiegen und manch ein Mal die Arbeit eingestellt werden mußte, dann ging er nicht mit den anderen nach Haus, sondern blieb, die Hände über die Knie gefaltet, an der abfallenden Seeseite des Deiches sitzen und sah stundenlang zu, wie die trüben Nordseewellen immer höher an die Grasnarbe des Deiches hinaufschlugen; erst wenn ihm die Füße überspült waren, und der Schaum ihm ins Gesicht spritzte, rückte er ein paar Fuß höher und blieb dann wieder sitzen. Er hörte weder das Klatschen des Wassers noch das Geschrei der Möwen und Strandvögel, die um oder über ihm flogen und ihn fast mit ihren Flügeln streiften, mit den schwarzen Augen in die seinen blitzend; er sah auch nicht, wie vor ihm über die weite, wilde Wasserwüste sich die Nacht ausbreitete; was er allein hier sah, war der brandende Saum des Wassers, der, als die Flut stand, mit hartem Schlage immer wieder dieselbe Stelle traf und vor seinen Augen die Grasnarbe des steilen Deiches auswusch.

Nach langem Hinstarren nickte er wohl langsam mit dem Kopfe oder zeichnete, ohne aufzusehen, mit der Hand eine weiche Linie in die Luft, als ob er dem Deiche damit einen sanfteren Abfall geben wollte. Wurde es so dunkel, daß alle Erdendinge vor seinen Augen verschwanden und nur die Flut ihm in die Ohren donnerte, dann stand er auf und trabte halbdurchnäßt nach Hause.

Als er so eines Abends zu seinem Vater in die Stube trat, der an seinen Meßgeräten putzte, fuhr dieser auf: „Was treibst du draußen? Du hättest ja versaufen können; die Wasser beißen heute in den Deich."

Hauke sah ihn trotzig an.

– „Hörst du mich nicht? Ich sag, du hättst versaufen können."

„Ja", sagte Hauke; „ich bin doch nicht versoffen!"

„Nein", erwiderte nach einer Weile der Alte und sah ihm wie abwesend ins Gesicht, – „diesmal noch nicht."

„Aber", sagte Hauke wieder, „unsere Deiche sind nichts wert!"

– „Was für was, Junge?“

„Die Deiche, sag ich!“

– „Was sind die Deiche?“

„Sie taugen nichts, Vater!“ erwiderte Hauke.

Der Alte lachte ihm ins Gesicht. „Was denn, Junge? Du bist wohl das Wunderkind aus Lübeck!“

Aber der Junge ließ sich nicht irren. „Die Wasserseite ist zu steil“, sagte er; „wenn es einmal kommt, wie es mehr als einmal schon gekommen ist, so können wir hier auch hinterm Deich ersaufen!“

Der Alte holte seinen Kautabak aus der Tasche, drehte einen Schrot ab und schob ihn hinter die Zähne. „Und wieviel Karren hast du heut geschoben?“ frug er ärgerlich; denn er sah wohl, daß auch die Deicharbeit bei dem Jungen die Denkarbeit nicht hatte vertreiben können.

„Weiß nicht, Vater“, sagte dieser; „so, was die anderen machten; vielleicht ein halbes Dutzend mehr; aber – die Deiche müssen anders werden!“

„Nun“, meinte der Alte und stieß ein Lachen aus; „du kannst es ja vielleicht zum Deichgraf bringen; dann mach sie anders!“

„Ja, Vater!“ erwiderte der Junge.

Der Alte sah ihn an und schluckte ein paarmal; dann ging er aus der Tür; er wußte nicht, was er dem Jungen antworten sollte.

Auch als zu Ende Oktobers die Deicharbeit vorbei war, blieb der Gang nordwärts nach dem Haf hinaus für Hauke Haien die beste Unterhaltung; den Allerheiligentag, um den herum die Äquinoktialstürme zu tosen pflegen, von dem wir sagen, daß Friesland ihn wohl beklagen mag, erwartete er wie heut die Kinder das Christfest. Stand eine Springflut bevor, so konnte man sicher sein, er lag trotz Sturm und Wetter weit draußen am Deiche mutterseelenallein; und wenn die Möwen gackerten, wenn die Wasser gegen den Deich tobten und beim Zurückrollen ganze Fetzen von der Grasdecke mit ins Meer hinabrissen, dann hätte man Haukes zorniges Lachen hören können. „Ihr könnt nichts Rechtes“, schrie er in den Lärm hinaus, „so wie die Menschen auch nichts können!" Und endlich, oft im Finstern, trabte er aus der weiten Öde den Deich entlang nach Hause, bis seine aufgeschossene Gestalt die niedrige Tür unter seines Vaters Rohrdach erreicht hatte und darunter durch in das kleine Zimmer schlüpfte.

Manchmal hatte er eine Faust voll Kleierde mitgebracht; dann setzte er sich neben den Alten, der ihn jetzt gewähren ließ, und knetete bei dem Schein der dünnen Unschlittkerze allerlei Deichmodelle, legte sie in ein flaches Gefäß mit Wasser und suchte darin die Ausspülung der Wellen nachzumachen, oder er nahm seine Schiefertafel und zeichnete darauf das Profil der Deiche nach der Seeseite, wie es nach seiner Meinung sein mußte.

Mit denen zu verkehren, die mit ihm auf der Schulbank gesessen hatten, fiel ihm nicht ein; auch schien es, als ob ihnen an dem Träumer nichts gelegen sei. Als es wieder Winter geworden und der Frost hereingebrochen war, wanderte er noch weiter, wohin er früher nie gekommen, auf den Deich hinaus, bis die unabsehbare eisbedeckte Fläche der Watten vor ihm lag.

Im Februar bei dauerndem Frostwetter wurden angetriebene Leichen aufgefunden; draußen am offenen Haf auf den gefrorenen Watten hatten sie gelegen. Ein junges Weib, die dabeigewesen war, als man sie in das Dorf geholt hatte, stand redselig vor dem alten Haien: „Glaubt nicht, daß sie wie Menschen aussahen", rief sie; „nein, wie die Seeteufel! So große Köpfe", und sie hielt die ausgespreizten Hände von weitem gegeneinander, „gnidderschwarz und blank, wie frischgebacken Brot! Und die Krabben hatten sie angeknabbert; und die Kinder schrien laut, als sie sie sahen!"

Dem alten Haien war so was just nichts Neues: „Sie haben wohl seit November schon in See getrieben!" sagte er gleichmütig.

Hauke stand schweigend daneben; aber sobald er konnte, schlich er sich auf den Deich hinaus; es war nicht zu sagen, wollte er noch nach weiteren Toten suchen, oder zog ihn nur das Grauen, das noch auf den jetzt verlassenen Stellen brüten mußte. Er lief weiter und weiter, bis er einsam in der

Öde stand, wo nur die Winde über den Deich wehten, wo nichts war als die klagenden Stimmen der großen Vögel, die rasch vorüberschossen; zu seiner Linken die leere weite Marsch, zur anderen Seite der unabsehbare Strand mit seiner jetzt vom Eise schimmernden Fläche der Watten; es war, als liege die ganze Welt in weißem Tod.

Hauke blieb oben auf dem Deiche stehen, und seine scharfen Augen schweiften weit umher; aber von Toten war nichts mehr zu sehen; nur wo die unsichtbaren Wattströme sich darunter drängten, hob und senkte die Eisfläche sich in stromartigen Linien.

Er lief nach Hause; aber an einem der nächsten Abende war er wiederum da draußen. Auf jenen Stellen war jetzt das Eis gespalten; wie Rauchwolken stieg es aus den Rissen, und über das ganze Watt spann sich ein Netz von Dampf und Nebel, das sich seltsam mit der Dämmerung des Abends mischte. Hauke sah mit starren Augen darauf hin; denn in dem Nebel schritten dunkle Gestalten auf und ab, sie schienen ihm so groß wie Menschen. Würdevoll, aber mit seltsamen, erschreckenden Gebärden; mit langen Nasen und Hälsen sah er sie fern an den rauchenden Spalten auf und ab spazieren; plötzlich begannen sie wie Narren unheimlich auf und ab zu springen, die großen über die kleinen und die kleinen gegen die großen; dann breiteten sie sich aus und verloren alle Form.

„Was wollen die? Sind es die Geister der Ertrunkenen?“ dachte Hauke. „Hoiho!“ schrie er laut in die Nacht hinaus; aber die draußen kehrten sich nicht an seinen Schrei, sondern trieben ihr wunderliches Wesen fort.

Da kamen ihm die furchtbaren norwegischen Seegespenster in den Sinn, von denen ein alter Kapitän ihm einst erzählt hatte, die statt des Angesichts einen stumpfen Pull von Seegras auf dem Nacken tragen; aber er lief nicht fort, sondern bohrte die Hacken seiner Stiefel fest in den Klei des Deiches und sah starr dem possenhaften Unwesen zu, das in der einfallenden Dämmerung vor seinen Augen fortspielte. „Seid ihr auch hier bei uns?“ sprach er mit harter Stimme; „ihr sollt mich nicht vertreiben!“

Erst als die Finsternis alles bedeckte, schritt er steifen

langsamen Schrittes heimwärts. Aber hinter ihm drein kam es wie Flügelrauschen und hallendes Geschrei. Er sah nicht um; aber er ging auch nicht schneller und kam erst spät nach Hause; doch niemals soll er seinem Vater oder einem anderen davon erzählt haben. Erst viele Jahre später hat er sein blödes Mädchen, womit später der Herrgott ihn belastete, um dieselbe Tages- und Jahreszeit mit sich auf den Deich hinausgenommen, und dasselbe Wesen soll sich derzeit draußen auf den Watten gezeigt haben; aber er hat ihr gesagt, sie solle sich nicht fürchten, das seien nur die Fischreiher und die Krähen, die im Nebel so groß und fürchterlich erschienen; die holten sich die Fische aus den offenen Spalten.

Weiß Gott, Herr!« unterbrach sich der Schulmeister; »es gibt auf Erden allerlei Dinge, die ein ehrlich Christenherz verwirren können; aber der Hauke war weder ein Narr noch ein Dummkopf.«

Da ich nichts erwiderte, wollte er fortfahren; aber unter den übrigen Gästen, die bisher lautlos zugehört hatten, nur mit dichterem Tabaksqualm das niedrige Zimmer füllend, entstand eine plötzliche Bewegung; erst einzelne, dann fast alle wandten sich dem Fenster zu. Draußen – man sah es durch die unverhangenen Fenster – trieb der Sturm die Wolken, und Licht und Dunkel jagten durcheinander; aber auch mir war es, als hätte ich den hageren Reiter auf seinem Schimmel vorbeisausen gesehen.

„Wart Er ein wenig, Schulmeister!“ sagte der Deichgraf leise.

„Ihr braucht Euch nicht zu fürchten, Deichgraf!“ erwiderte der kleine Erzähler, „ich habe ihn nicht geschmäht, und hab auch dessen keine Ursach“; und er sah mit seinen kleinen, klugen Augen zu ihm auf.

„Ja, ja“, meinte der andere; „laß Er Sein Glas nur wieder füllen.“ Und nachdem das geschehen war, und die Zuhörer, meist mit etwas verdutzten Gesichtern, sich wieder zu ihm gewandt hatten, fuhr er in seiner Geschichte fort:

»So für sich, und am liebsten nur mit Wind und Wasser und mit den Bildern der Einsamkeit verkehrend, wuchs Hauke zu einem langen, hageren Burschen auf. Er war schon über ein Jahr lang eingesegnet, da wurde es auf einmal anders mit ihm, und das kam von dem alten weißen Angorakater, welchen der alten Trin' Jans einst ihr später verunglückter Sohn von seiner spanischen Seereise mitgebracht hatte. Trin' wohnte ein gut Stück hinaus auf dem Deiche in einer kleinen Kate, und wenn die Alte in ihrem Hause herumarbeitete, so pflegte diese Unform von einem Kater vor der Haustür zu sitzen und in den Sommertag und nach den vorüberfliegenden Kiebitzen hinauszublinzeln. Ging Hauke vorbei, so mauzte der Kater ihn an, und Hauke nickte ihm zu; die beiden wußten, was sie miteinander hatten.

Nun aber war's einmal im Frühjahr, und Hauke lag nach seiner Gewohnheit oft draußen am Deich, schon weiter unten dem Wasser zu, zwischen Strandnelken und dem duftenden Seewermut, und ließ sich von der schon kräftigen Sonne bescheinen. Er hatte sich tags zuvor droben auf der Geest die Taschen voll von Kieseln gesammelt, und als in der Ebbezeit die Watten bloßgelegt waren und die kleinen grauen Strandläufer schreiend darüber hinhuschten, holte er jählings einen Stein hervor und warf ihn nach den Vögeln. Er hatte das von Kindesbeinen an geübt, und meistens blieb einer auf dem Schlicke liegen; aber ebensooft war er dort auch nicht zu holen; Hauke hatte schon daran gedacht, den Kater mitzunehmen und als apportierenden Jagdhund zu dressieren. Aber es gab auch hier und dort feste Stellen oder Sandlager; solchenfalls lief er hinaus und holte sich seine Beute selbst. Saß der Kater bei seiner Rückkehr noch vor der Haustür, dann schrie das Tier vor nicht zu bergender Raubgier so lange, bis Hauke ihm einen der erbeuteten Vögel zuwarf.

Als er heute, seine Jacke auf der Schulter, heimging, trug er nur einen ihm noch unbekannten, aber wie mit bunter Seide und Metall gefiederten Vogel mit nach Hause, und der Kater mauzte wie gewöhnlich, als er ihn kommen sah. Aber Hauke wollte seine Beute – es mag ein Eisvogel gewesen sein – diesmal nicht hergeben und kehrte sich nicht an die Gier des Tieres. „Umschicht!" rief er ihm zu, „heute mir, morgen dir; das hier ist kein Katerfressen!" Aber der

Kater kam vorsichtigen Schrittes herangeschlichen; Hauke stand und sah ihn an, der Vogel hing an seiner Hand, und der Kater blieb mit erhobener Tatze stehen. Doch der Bursche schien seinen Katzenfreund noch nicht so ganz zu kennen; denn während er ihm seinen Rücken zugewandt hatte und eben fürbaß wollte, fühlte er mit einem Ruck die Jagdbeute sich entrissen, und zugleich schlug eine scharfe Kralle ihm ins Fleisch. Ein Grimm, wie gleichfalls eines Raubtieres, flog dem jungen Menschen ins Blut; er griff wie rasend um sich und hatte den Räuber schon am Genicke gepackt. Mit der Faust hielt er das mächtige Tier empor und würgte es, daß die Augen ihm aus den rauhen Haaren vorquollen, nicht achtend, daß die starken Hintertatzen ihm den Arm zerfleischten. „Hoiho!“ schrie er und packte ihn noch fester; „wollen sehen, wer's von uns beiden am längsten aushält!“

Plötzlich fielen die Hinterbeine der großen Katze schlaff herunter, und Hauke ging ein paar Schritte zurück und warf sie gegen die Kate der Alten. Da sie sich nicht rührte, wandte er sich und setzte seinen Weg nach Hause fort.

Aber der Angorakater war das Kleinod seiner Herrin; er war ihr Geselle und das einzige, was ihr Sohn, der Matrose, ihr hinterlassen hatte, nachdem er hier an der Küste seinen jähen Tod gefunden hatte, da er im Sturm seiner Mutter beim Porrenfangen hatte helfen wollen. Hauke mochte kaum hundert Schritte weiter getan haben, während er mit einem Tuch das Blut aus seinen Wunden auffing, als schon von der Kate her ihm ein Geheul und Zetern in die Ohren gellte. Da wandte er sich und sah davor das alte Weib am Boden liegen; das greise Haar flog ihr im Winde um das rote Kopftuch: „Tot!“ rief sie, „tot!“ und erhob dräuend ihren mageren Arm gegen ihn: „Du sollst verflucht sein! Du hast ihn totgeschlagen, du nichtsnutziger Strandläufer; du warst nicht wert, ihm seinen Schwanz zu bürsten!“ Sie warf sich über das Tier und wischte zärtlich mit ihrer Schürze ihm das Blut fort, das noch aus Nase und Schnauze rann; dann hob sie aufs neue an zu zetern.

„Bist du bald fertig?“ rief Hauke ihr zu, „dann laß dir sagen: ich will dir einen Kater schaffen, der mit Maus- und Rattenblut zufrieden ist!“

Darauf ging er, scheinbar auf nichts mehr achtend, fürbaß. Aber die tote Katze mußte ihm doch im Kopfe Wirrsal machen; denn er ging, als er zu den Häusern gekommen war, dem seines Vaters und auch den übrigen vorbei und eine weite Strecke noch nach Süden auf dem Deich der Stadt zu.

Inmittelst wanderte auch Trin' Jans auf demselben in der gleichen Richtung; sie trug in einem alten blaukarierten Kissenüberzug eine Last in ihren Armen, die sie sorgsam, als wär's ein Kind, umklammerte; ihr greises Haar flatterte in dem leichten Frühlingswind. „Was schleppt Sie da, Trina?" frug ein Bauer, der ihr entgegenkam. „Mehr als dein Haus und Hof", erwiderte die Alte; dann ging sie eifrig weiter. Als sie dem unten liegenden Hause des alten Haien nahe kam, ging sie den Akt, wie man bei uns die Trift- und Fußwege nennt, die schräg an der Seite des Deiches hinab- oder hinaufführen, zu den Häusern hinunter.

Der alte Tede Haien stand eben vor der Tür und sah ins Wetter: „Na, Trin'!" sagte er, als sie pustend vor ihm stand und ihren Krückstock in die Erde bohrte, „was bringt Sie Neues in Ihrem Sack?"

„Erst laß mich in die Stube, Tede Haien! dann soll Er's sehen!" und ihre Augen sahen ihn mit seltsamem Funkeln an.

„So komm Sie!" sagte der Alte. Was gingen ihn die Augen des dummen Weibes an.

Und als beide eingetreten waren, fuhr sie fort: „Bring Er den alten Tabakskasten und das Schreibzeug von dem Tisch – was hat Er denn immer zu schreiben? – – So; und nun wisch Er ihn sauber ab!"

Und der Alte, der fast neugierig wurde, tat alles, was sie sagte; dann nahm sie den blauen Überzug bei beiden Zipfeln und schüttete daraus den großen Katerleichnam auf den Tisch. „Da hat Er ihn!" rief sie; „Sein Hauke hat ihn totgeschlagen." Hierauf aber begann sie ein bitterliches Weinen; sie streichelte das dicke Fell des toten Tieres, legte ihm die Tatzen zusammen, neigte ihre lange Nase über dessen Kopf und raunte ihm unverständliche Zärtlichkeiten in die Ohren.

Tede Haien sah dem zu. „So“, sagte er; „Hauke hat ihn totgeschlagen?“ Er wußte nicht, was er mit dem heulenden Weibe machen sollte.

Die Alte nickte ihn grimmig an: „Ja, ja; so Gott, das hat er getan!“ und sie wischte sich mit ihrer von Gicht verkrümmten Hand das Wasser aus den Augen. „Kein Kind, kein Lebigs mehr!“ klagte sie. „Und Er weiß es ja auch wohl, uns Alten, wenn's nach Allerheiligen kommt, frieren abends im Bett die Beine, und statt zu schlafen, hören wir den Nordwest an unseren Fensterläden rappeln. Ich hör's nicht gern, Tede Haien, er kommt daher, wo mein Junge mir im Schlick versank.“

Tede Haien nickte, und die Alte streichelte das Fell ihres toten Katers: „Der aber“, begann sie wieder, „wenn ich winters am Spinnrad saß, dann saß er bei mir und spann auch und sah mich an mit seinen grünen Augen! Und kroch ich, wenn's mir kalt wurde, in mein Bett – es dauerte nicht lang, so sprang er zu mir und legte sich auf meine frierenden Beine, und wir schliefen so warm mitsammen, als hätte ich noch meinen jungen Schatz im Bett!“ Die Alte, als suche sie bei dieser Erinnerung nach Zustimmung, sah den neben ihr am Tische stehenden Alten mit ihren funkelnden Augen an.

Tede Haien aber sagte bedächtig: „Ich weiß Ihr einen Rat, Trin' Jans“, und er ging nach seiner Schatulle und nahm eine Silbermünze aus der Schublade – „Sie sagt, daß Hauke Ihr das Tier vom Leben gebracht hat, und ich weiß, Sie lügt nicht; aber hier ist ein Krontaler von Christian dem Vierten; damit kauf Sie sich ein gegerbtes Lammfell für Ihre kalten Beine! Und wenn unsere Katze nächstens Junge wirft, so mag Sie sich das größte davon aussuchen; das zusammen tut wohl einen altersschwachen Angorakater! Und nun nehm Sie das Vieh und bring Sie es meinethalb an den Racker in der Stadt, und halt Sie das Maul, daß es hier auf meinem ehrlichen Tisch gelegen hat!“

Während dieser Rede hatte das Weib schon nach dem Taler gegriffen und ihn in einer kleinen Tasche geborgen, die sie unter ihren Röcken trug; dann stopfte sie den Kater wieder in das Bettbühr, wischte mit ihrer Schürze die Blutflecken von dem Tisch und stakte zur Tür hinaus. „Vergiß Er mir nur den jungen Kater nicht!“ rief sie noch zurück.

– – Eine Weile später, als der alte Haien in dem engen Stüblein auf und ab schritt, trat Hauke herein und warf seinen bunten Vogel auf den Tisch; als er aber auf der weißgescheuerten Platte den noch kennbaren Blutfleck sah, frug er, wie beiläufig: „Was ist denn das?“

Der Vater blieb stehen: „Das ist Blut, was du hast fließen machen!“

Dem Jungen schoß es doch heiß ins Gesicht: „Ist denn Trin' Jans mit ihrem Kater hier gewesen?“

Der Alte nickte: „Weshalb hast du ihr den totgeschlagen?“

Hauke entblößte seinen blutigen Arm. „Deshalb“, sagte er; „er hatte mir den Vogel fortgerissen!“

Der Alte sagte nichts hierauf; er begann eine Zeitlang wieder auf und ab zu gehen; dann blieb er vor dem Jungen stehen und sah eine Weile wie abwesend auf ihn hin. „Das mit dem Kater hab ich rein gemacht“, sagte er dann; „aber, siehst du, Hauke, die Kate ist hier zu klein; zwei Herren können darauf nicht sitzen – es ist nun Zeit, du mußt dir einen Dienst besorgen!“

„Ja, Vater“, entgegnete Hauke; „hab dergleichen auch gedacht.“

„Warum?“ frug der Alte.

– „Ja, man wird grimmig in sich, wenn man's nicht an einem ordentlichen Stück Arbeit auslassen kann.“

„So?“ sagte der Alte, „und darum hast du den Angorer totgeschlagen? Das könnte leicht noch schlimmer werden!“

– „Er mag wohl recht haben, Vater; aber der Deichgraf hat seinen Kleinknecht fortgejagt; das könnt ich schon verrichten!“

Der Alte begann wieder auf und ab zu gehen und spritzte dabei die schwarze Tabaksjauche von sich: „Der Deichgraf ist ein Dummkopf, dumm wie 'ne Saatgans! Er ist nur Deichgraf, weil sein Vater und Großvater es gewesen sind, und wegen seiner neunundzwanzig Fennen. Wenn Martini herankommt und hernach die Deich- und Sielrechnungen abgetan werden müssen, dann füttert er den Schulmeister mit Gansbraten und Met und Weizenkringeln und sitzt dabei und nickt, wenn der mit seiner Feder die Zahlenreihen hinunterläuft, und sagt: ‚Ja, ja, Schulmeister, Gott vergönn's Ihm! Was kann Er rechnen!' Wenn aber einmal der Schulmeister nicht kann oder auch nicht will, dann muß er selber dran und sitzt und schreibt und streicht wieder aus, und der große dumme Kopf wird ihm rot und heiß, und die Augen quellen wie Glaskugeln, als wollte das bißchen Verstand da hinaus."

Der Junge stand gerade auf vor dem Vater und wunderte sich, was der reden könne; so hatte er's noch nicht von ihm gehört.

„Ja, Gott tröst!" sagte er, „dumm ist er wohl; aber seine Tochter Elke, die kann rechnen!"

Der Alte sah ihn scharf an. „Ahoi, Hauke", rief er; „was weißt du von Elke Volkerts?"

– „Nichts, Vater; der Schulmeister hat's mir nur erzählt."

Der Alte antwortete nicht darauf; er schob nur bedächtig seinen Tabaksknoten aus einer Backe hinter die andere.

„Und du denkst", sagte er dann, „du wirst dort auch mitrechnen können."

„O ja, Vater, das möcht schon gehen", erwiderte der Sohn, und ein ernstes Zucken lief um seinen Mund.

Der Alte schüttelte den Kopf: „Nun, aber meinethalb; versuch einmal dein Glück!"

„Dank auch, Vater!" sagte Hauke und stieg zu seiner Schlafstatt auf dem Boden; hier setzte er sich auf dic Bettkante und sann, weshalb ihn denn sein Vater um Elke Volkerts angerufen habe. Er kannte sie freilich, das ranke achtzehnjährige Mädchen mit dem bräunlichen schmalen Antlitz und den dunklen Brauen, die über den trotzigen Augen und der schmalen Nase ineinanderliefen; doch hatte er noch kaum ein Wort mit ihr gesprochen; nun, wenn er zu dem alten Tede Volkerts ging, wollte er sie doch besser darauf ansehen, was es mit dem Mädchen auf sich habe. Und gleich jetzt wollte er gehen, damit kein anderer ihm die Stelle abjage; es war ja kaum noch Abend. Und so zog er seine Sonntagsjacke und seine besten Stiefel an und machte sich guten Mutes auf den Weg.

– Das langgestreckte Haus des Deichgrafen war durch seine hohe Werfte, besonders durch den höchsten Baum des Dorfes, eine gewaltige Esche, schon von weitem sichtbar; der Großvater des jetzigen, der erste Deichgraf des Geschlechtes, hatte in seiner Jugend eine solche osten der Haustür hier gesetzt; aber die beiden ersten Anpflanzungen waren vergangen, und so hatte er an seinem Hochzeitsmorgen diesen dritten Baum gepflanzt, der noch jetzt mit seiner immer mächtiger werdenden Blätterkrone in dem hier unablässigen Winde wie von alten Zeiten rauschte.

Als nach einer Weile der lang aufgeschossene Hauke die hohe Werfte hinaufstieg, welche an den Seiten mit Rüben und Kohl bepflanzt war, sah er droben die Tochter des Hauswirts neben der niedrigen Haustür stehen. Ihr einer etwas hagerer Arm hing schlaff herab, die andere Hand schien im Rücken nach dem Eisenring zu greifen, von denen je einer zu beiden Seiten der Tür in der Mauer war, damit, wer vor das Haus ritt, sein Pferd daran befestigen könne. Die Dirne schien von dort ihre Augen über den Deich hinaus nach dem Meer zu haben, wo an dem stillen Abend die Sonne eben in das Wasser hinabsank und zugleich das bräunliche Mädchen mit ihrem letzten Schein vergoldete.

Hauke stieg etwas langsamer an der Werfte hinan und dachte bei sich: „So ist sie nicht so dösig!“ dann war er oben. „Guten Abend auch!“ sagte er zu ihr tretend; „wonach guckst du denn mit deinen großen Augen, Jungfer Elke?“

„Nach dem“, erwiderte sie, „was hier alle Abend vor sich geht; aber hier nicht alle Abend just zu sehen ist.“ Sie ließ den Ring aus der Hand fallen, daß er klingend gegen die Mauer schlug. „Was willst du, Hauke Haien?“ frug sie.

„Was dir hoffentlich nicht zuwider ist“, sagte er. „Dein Vater hat seinen Kleinknecht fortgejagt, da dachte ich bei euch in Dienst.“

Sie ließ ihre Blicke an ihm herunterlaufen: „Du bist noch so was schlanterig, Hauke!“ sagte sie; „aber uns dienen zwei feste Augen besser als zwei feste Arme!“ Sie sah ihn dabei fast düster an; aber Hauke hielt ihr tapfer stand. „So komm", fuhr sie fort; „der Wirt ist in der Stube, laß uns hineingehen!"

Am anderen Tage trat Tede Haien mit seinem Sohne in das geräumige Zimmer des Deichgrafen; die Wände waren mit glasurten Kacheln bekleidet, auf denen hier ein Schiff mit vollen Segeln oder ein Angler an einem Uferplatz, dort ein Rind, das kauend vor einem Bauernhause lag, den Beschauer vergnügen konnte; unterbrochen war diese dauerhafte Tapete durch ein mächtiges Wandbett mit jetzt zugeschobenen Türen und einen Wandschrank, der durch seine beiden Glastüren allerlei Porzellan- und Silbergeschirr erblicken ließ; neben der Tür zum anstoßenden Pesel war hinter einer Glasscheibe eine holländische Schlaguhr in die Wand gelassen.

Der starke, etwas schlagflüssige Hauswirt saß am Ende des blankgescheuerten Tisches im Lehnstuhl auf seinem bunten Wollenpolster. Er hatte seine Hände über dem Bauch gefaltet und starrte aus seinen runden Augen befriedigt auf das Gerippe einer fetten Ente; Gabel und Messer ruhten vor ihm auf dem Teller.

„Guten Tag, Deichgraf!" sagte Haien, und der Angeredete drehte langsam Kopf und Augen zu ihm hin.

„Ihr seid es, Tede?" entgegnete er, und der Stimme war die verzehrte fette Ente anzuhören, „setzt Euch; es ist ein gut Stück von Euch zu mir herüber!"

„Ich komme, Deichgraf", sagte Tede Haien, indem er sich auf die an der Wand entlanglaufende Bank dem anderen im Winkel gegenübersetzte. „Ihr habt Verdruß mit Euerem Kleinknecht gehabt und seid mit meinem Jungen einig geworden, ihn an dessen Stelle zu setzen!"

Der Deichgraf nickte: „Ja, ja, Tede; aber – was meint Ihr mit Verdruß? Wir Marschleute haben, Gott tröst uns, was dagegen einzunehmen!" und er nahm das vor ihm liegende Messer und klopfte wie liebkosend auf das Gerippe der armen Ente. „Das war mein Leibvogel", setzte er behaglich lachend hinzu: „sie fraß mir aus der Hand!"

„Ich dachte", sagte der alte Haien, das letzte überhörend, „der Bengel hätte Euch Unheil im Stall gemacht."

„Unheil? Ja, Tede; freilich Unheil genug! Der dicke Mopsbraten hatte die Kälber nicht gebörmt; aber er lag vollgetrunken auf dem Heuboden, und das Viehzeug schrie die ganze Nacht vor Durst, daß ich bis Mittag nachschlafen mußte; dabei kann die Wirtschaft nicht bestehen!"

„Nein, Deichgraf; aber dafür ist keine Gefahr bei meinem Jungen."

Hauke stand, die Hände in den Seitentaschen, am Türpfosten, hatte den Kopf im Nacken und studierte an den Fensterrähmen ihm gegenüber.

Der Deichgraf hatte die Augen zu ihm gehoben und nickte hinüber: „Nein, nein, Tede"; und er nickte nun auch dem Alten zu; „Euer Hauke wird mir die Nachtruh nicht verstören; der Schulmeister hat's mir schon vordem gesagt, der sitzt lieber vor der Rechentafel, als vor einem Glas mit Branntwein."

Hauke hörte nicht auf diesen Zuspruch, denn Elke war in die Stube getreten und nahm mit ihrer leichten Hand die Reste der Speisen von dem Tisch, ihn mit ihren dunklen Augen flüchtig streifend. Da fielen seine Blicke auch auf sie. „Bei Gott und Jesus", sprach er bei sich selber, „sie sieht auch so nicht dösig aus!"

Das Mädchen war hinausgegangen. „Ihr wisset, Tede", begann der Deichgraf wieder, „unser Herrgott hat mir einen Sohn versagt!"

„Ja, Deichgraf; aber laßt Euch das nicht kränken", entgegnete der andere, „denn im dritten Gliede soll der Familienverstand ja verschleißen; Euer Großvater, das wissen wir noch alle, war einer, der das Land geschützt hat!"

Der Deichgraf, nach einigem Besinnen, sah schier verdutzt aus: „Wie meint Ihr das, Tede Haien?" sagte er, und setzte sich in seinem Lehnstuhl auf; „ich bin ja doch im dritten Gliede!"

„Ja so! Nicht für ungut, Deichgraf; es geht nur so die Rede!" Und der hagere Tede Haien sah den alten Würdenträger mit etwas boshaften Augen an.

Der aber sprach unbekümmert: „Ihr müßt Euch von alten Weibern dergleichen Torheit nicht aufschwatzen lassen, Tede Haien; Ihr kennt nur meine Tochter nicht, die rechnet mich selber dreimal um und um! Ich wollte nur sagen, Euer Hauke wird außer im Felde auch hier in meiner Stube mit Feder oder Rechenstift so manches profitieren können, was ihm nicht schaden wird!"

„Ja, ja, Deichgraf, das wird er; da habt Ihr völlig recht!" sagte der alte Haien und begann dann noch einige Vergünstigungen bei dem Mietkontrakt sich auszubedingen, die abends vorher von seinem Sohne nicht bedacht waren. So sollte dieser außer seinen leinenen Hemden im Herbst auch noch acht Paar wollene Strümpfe als Zugabe seines Lohnes genießen; so wollte er selbst ihn im Frühling acht Tage bei der eigenen Arbeit haben, und was dergleichen mehr war. Aber der Deichgraf war zu allem willig; Hauke Haien schien ihm eben der rechte Kleinknecht.

– – „Nun, Gott tröst dich, Junge", sagte der Alte, da sie eben das Haus verlassen hatten, „wenn der dir die Welt klarmachen soll!"

Aber Hauke erwiderte ruhig: „Laß Er nur, Vater; es wird schon alles werden."

Und Hauke hatte so unrecht nicht gehabt; die Welt, oder was ihm die Welt bedeutete, wurde ihm klarer, je länger sein Aufenthalt in diesem Hause dauerte; vielleicht um so mehr, je weniger ihm eine überlegene Einsicht zu Hilfe kam, und je mehr er auf seine eigene Kraft angewiesen war, mit der er sich von jeher beholfen hatte. Einer freilich war im Hause, für den er nicht der Rechte zu sein schien; das war der Großknecht Ole Peters, ein tüchtiger Arbeiter und ein maulfertiger Geselle. Ihm war der träge, aber dumme und stämmige Kleinknecht von vorhin besser nach seinem Sinn gewesen, dem er ruhig die Tonne Hafer auf den Rücken hatte laden und den er nach Herzenslust hatte herumstoßen können. Dem noch stilleren, aber ihn geistig überragenden Hauke vermochte er in solcher Weise nicht beizukommen; er hatte eine gar zu eigne Art, ihn anzublicken. Trotzdem verstand er es, Arbeiten für ihn auszusuchen, die seinem noch nicht gefesteten Körper hätten gefährlich werden können, und Hauke, wenn der Großknecht sagte: „Da hättest du den dicken Niß nur sehen sollen; dem ging es von der Hand!" faßte nach Kräften an und brachte es, wenn auch mit Mühsal, doch zu Ende. Ein Glück war es für ihn, daß Elke selbst oder durch ihren Vater das meistens abzustellen wußte. Man mag wohl fragen, was mitunter ganz fremde Menschen aneinanderbindet; vielleicht – sie waren beide geborene Rechner, und das Mädchen konnte ihren Kameraden in der groben Arbeit nicht verderben sehen.

Der Zwiespalt zwischen Groß- und Kleinknecht wurde auch im Winter nicht besser, als nach Martini die verschiedenen Deichrechnungen zur Revision eingelaufen waren.

Es war an einem Maiabend; aber es war Novemberwetter; von drinnen im Hause hörte man draußen hinterm Deich die Brandung donnern. „He, Hauke", sagte der Hausherr, „komm herein; nun magst du weisen, ob du rechnen kannst!"

„Uns' Weert", entgegnete dieser; – denn so nennen hier die Leute ihre Herrschaft – „ich soll aber erst das Jungvieh füttern!"

„Elke!" rief der Deichgraf; „wo bist du, Elke! – Geh zu Ole, und sag ihm, er solle das Jungvieh füttern; Hauke soll rechnen!"

Und Elke eilte in den Stall und machte dem Großknecht die Bestellung, der eben damit beschäftigt war, das über Tag gebrauchte Pferdegeschirr wieder an seinen Platz zu hängen.

Ole Peters schlug mit einer Trense gegen den Ständer, neben dem er sich beschäftigte, als wollte er sie kurz und klein haben: „Hol der Teufel den verfluchten Schreiberknecht!"

Sie hörte die Worte noch, bevor sie die Stalltür wieder geschlossen hatte.

„Nun?" frug der Alte, als sie in die Stube trat.

„Ole wollte es schon besorgen", sagte die Tochter, ein wenig sich die Lippen beißend, und setzte sich Hauke gegenüber auf einen grobgeschnitzten Holzstuhl, wie sie noch derzeit hier an Winterabenden im Hause selbst gemacht wurden. Sie hatte aus einem Schubkasten einen weißen Strumpf mit rotem Vogelmuster genommen, an dem sie nun weiterstrickte; die langbeinigen Kreaturen darauf mochten Reiher oder Störche bedeuten sollen. Hauke saß ihr gegenüber in seine Rechnerei vertieft, der Deichgraf selbst ruhte in seinem Lehnstuhl und blinzelte schläfrig nach Haukes Feder; auf dem Tisch brannten, wie immer im Deichgrafenhause, zwei Unschlittkerzen, und vor den beiden in Blei gefaßten Fenstern waren von außen die Läden vorgeschlagen und von innen zugeschoben; mochte der Wind nun poltern, wie er wollte. Mitunter hob Hauke seinen Kopf von der Arbeit und blickte einen Augenblick nach den Vogelstrümpfen oder nach dem schmalen ruhigen Gesicht des Mädchens.

Da tat es aus dem Lehnstuhl plötzlich einen lauten Schnarcher, und ein Blick und ein Lächeln flog zwischen den beiden jungen Menschen hin und wider; dann folgte allmählich ein ruhigeres Atmen; man konnte wohl ein wenig plaudern; Hauke wußte nur nicht, was.

Als sie aber das Strickzeug in die Höhe zog, und die Vögel sich nun in ihrer ganzen Länge zeigten, flüsterte er über den Tisch hinüber: „Wo hast du das gelernt, Elke?“

„Was gelernt?“ frug das Mädchen zurück.

– „Das Vogelstricken“, sagte Hauke.

„Das? Von Trin’ Jans draußen am Deich; sie kann allerlei; sie war vorzeiten einmal bei meinem Großvater hier im Dienst.“

„Da warst du aber wohl noch nicht geboren?“ sagte Hauke.

„Ich denk wohl nicht; aber sie ist noch oft ins Haus gekommen.“

„Hat denn die die Vögel gern?“ frug Hauke; „ich meint, sie hielt es nur mit Katzen!“

Elke schüttelte den Kopf: „Sie zieht ja Enten und verkauft sie; aber im vorigen Frühjahr, als du den Angorer totgeschlagen hattest, sind ihr hinten im Stall die Ratten dazwischengekommen; nun will sie sich vorn am Hause einen anderen bauen.“

„So“, sagte Hauke und zog einen leisen Pfiff durch die Zähne, „dazu hat sie von der Geest sich Lehm und Steine hergeschleppt! Aber dann kommt sie in den Binnenweg; – hat sie denn Konzession?"

„Weiß ich nicht", meinte Elke; aber er hatte das letzte Wort so laut gesprochen, daß der Deichgraf aus seinem Schlummer auffuhr. „Was Konzession?" frug er und sah fast wild von einem zu der anderen. „Was soll die Konzession?"

Als aber Hauke ihm dann die Sache vorgetragen hatte, klopfte er ihm lachend auf die Schulter: „Ei was, der Binnenweg ist breit genug; Gott tröst den Deichgrafen, sollt er sich auch noch um die Entenställe kümmern!"

Hauke fiel es aufs Herz, daß er die Alte mit ihren jungen Enten den Ratten sollte preisgegeben haben, und er ließ sich mit dem Einwand abfinden. „Aber, uns' Weert", begann er wieder, „es tät wohl dem und jenem ein kleiner Zwicker gut, und wollet Ihr ihn nicht selber greifen, so zwicket den Gevollmächtigten, der auf die Deichordnung passen soll!"

„Wie, was sagt der Junge?" und der Deichgraf setzte sich vollends auf, und Elke ließ ihren künstlichen Strumpf sinken und wandte das Ohr hinüber.

„Ja, uns' Weert", fuhr Hauke fort, „Ihr habt doch schon die Frühlingsschau gehalten; aber trotzdem hat Peter Jansen auf seinem Stück das Unkraut auch noch heute nicht gebuscht; im Sommer werden die Stieglitzer da wieder lustig um die roten Distelblumen spielen! Und dicht daneben, ich weiß nicht, wem's gehört, ist an der Außenseite eine ganze Wiege in dem Deich; bei schön Wetter liegt es immer voll von kleinen Kindern, die sich darin wälzen; aber – Gott bewahr uns vor Hochwasser!"

Die Augen des alten Deichgrafen waren immer größer geworden.

„Und dann –" sagte Hauke wieder.

„Was dann noch, Junge?" frug der Deichgraf; „bist du noch nicht fertig?" und es klang, als sei der Rede seines Kleinknechts ihm schon zuviel geworden.

„Ja, dann, uns' Weert", sprach Hauke weiter; „Ihr kennt die dicke Vollina, die Tochter vom Gevollmächtigten Harders, die immer ihres Vaters Pferde aus der Fenne holt, – wenn sie nur eben mit ihren runden Waden auf der alten gelben Stute sitzt, hü hopp! so geht's allemal schräg an der Dossierung den Deich hinan!"

Hauke bemerkte erst jetzt, daß Elke ihre klugen Augen auf ihn gerichtet hatte und leise ihren Kopf schüttelte.

Er schwieg; aber ein Faustschlag, den der Alte auf den Tisch tat, dröhnte ihm in die Ohren, „da soll das Wetter dreinschlagen!" rief er, und Hauke erschrak beinahe über die Bärenstimme, die plötzlich hier hervorbrach: „Zur Brüche! Notier mir das dicke Mensch zur Brüche, Hauke! Die Dirne hat mir im letzten Sommer drei junge Enten weggefangen! Ja, ja, notier nur", wiederholte er, als Hauke zögerte; „ich glaub sogar, es waren vier!"

„Ei, Vater", sagte Elke, „war's nicht die Otter, die die Enten nahm?"

„Eine große Otter!" rief der Alte schnaufend; „werd doch die dicke Vollina und eine Otter auseinanderkennen! Nein, nein, vier Enten, Hauke – aber was du im übrigen schwatzest, der Herr Oberdeichgraf und ich, nachdem wir zusammen in meinem Hause hier gefrühstückt hatten, sind im Frühjahr an deinem Unkraut und an deiner Wiege vorbeigefahren und haben's doch nicht sehen können. Ihr beide aber", und er nickte ein paarmal bedeutsam gegen Hauke und seine Tochter, „danket Gott, daß ihr nicht Deichgraf seid! Zwei Augen hat man nur, und mit hundert soll man sehen. – – Nimm nur die Rechnungen über die Bestickungsarbeiten, Hauke, und sieh sie nach; die Kerls rechnen oft zu liederlich!"

Dann lehnte er sich wieder in seinen Stuhl zurück, ruckte den schweren Körper ein paarmal, und überließ sich bald dem sorgenlosen Schlummer.

Dergleichen wiederholte sich an manchem Abend. Hauke hatte scharfe Augen und unterließ es nicht, wenn sie beisammensaßen, das eine oder andere von schädlichem Tun oder Unterlassen in Deichsachen dem Alten vor die Augen zu rücken, und da dieser sie nicht immer schließen konnte, so kam unversehens ein lebhafterer Geschäftsgang in die Verwaltung, und die, welche früher im alten Schlendrian fortgesündigt hatten und jetzt unerwartet ihre frevlen oder faulen Finger geklopft fühlten, sahen sich unwillig und verwundert um, woher die Schläge denn gekommen seien. Und Ole, der Großknecht, säumte nicht, möglichst weit die Offenbarung zu verbreiten und dadurch gegen Hauke und seinen Vater, der doch die Mitschuld tragen mußte, in diesen Kreisen einen Widerwillen zu erregen; die anderen aber, welche nicht getroffen waren, oder denen es um die Sache selbst zu tun war, lachten und hatten ihre Freude, daß der Junge den Alten doch einmal etwas in Trab gebracht habe. „Schad nur", sagten sie, „daß der Bengel nicht den gehörigen Klei unter den Füßen hat; das gäbe später sonst einmal wieder einen Deichgrafen, wie vordem sie dagewesen sind; aber die paar Demath seines Alten, die täten's denn doch nicht!"

Als im nächsten Herbst der Herr Amtmann und Oberdeichgraf zur Schauung kam, sah er sich den alten Tede Volkerts von oben bis unten an, während dieser ihn zum Frühstück nötigte. „Wahrhaftig, Deichgraf", sagte er, „ich dacht's mir schon, Ihr seid in der Tat um ein Halbstieg Jahre jünger geworden; Ihr habt mir diesmal mit all Euren Vorschlägen warm gemacht; wenn wir mit alledem nur heute fertig werden!"

„Wird schon, wird schon, gestrenger Herr Oberdeichgraf", erwiderte der Alte schmunzelnd; „der Gansbraten da wird schon die Kräfte starken! Ja, Gott sei Dank, ich bin noch allezeit frisch und munter!" Er sah sich in der Stube um, ob auch nicht etwa Hauke um die Wege sei; dann setzte er in würdevoller Ruhe noch hinzu: „So hoffe ich zu Gott, noch meines Amtes ein paar Jahre in Segen warten zu können."

„Und darauf, lieber Deichgraf", erwiderte sein Vorgesetzter sich erhebend, „wollen wir dieses Glas zusammen trinken!"

Elke, die das Frühstück bestellt hatte, ging eben, während die Gläser aneinanderklangen, mit leisem Lachen aus der Stubentür. Dann holte sie eine Schüssel Abfall aus der Küche und ging durch den Stall, um es vor der Außentür dem Federvieh vorzuwerfen. Im Stall stand Hauke Haien und steckte den Kühen, die man der argen Witterung wegen schon jetzt hatte heraufnehmen müssen, mit der Furke Heu in ihre Raufen. Als er aber das Mädchen kommen sah, stieß er die Furke in den Grund. „Nu, Elke!" sagte er.

Sie blieb stehen und nickte ihm zu: „Ja, Hauke; aber eben hättest du drinnen sein müssen!"

„Meinst du? Warum denn, Elke?"

„Der Herr Oberdeichgraf hat den Wirt gelobt!"

„Den Wirt? Was tut das mir?"

„Nein, ich mein, den Deichgrafen hat er gelobt!"

Ein dunkles Rot flog über das Gesicht des jungen Menschen: „Ich weiß wohl", sagte er, „wohin du damit segeln willst!"

„Werd nur nicht rot, Hauke; du warst es ja doch eigentlich, den der Oberdeichgraf lobte!"

Hauke sah sie mit halbem Lächeln an. „Auch du doch, Elke!" sagte er.

Aber sie schüttelte den Kopf: „Nein, Hauke; als ich allein der Helfer war, da wurden wir nicht gelobt. Ich kann ja auch nur rechnen; du aber siehst draußen alles, was der Deichgraf doch wohl selber sehen sollte; du hast mich ausgestochen!"

„Ich hab das nicht gewollt, dich am mindsten", sagte Hauke zaghaft, und er stieß den Kopf einer Kuh zur Seite: „Komm, Rotbunt, friß mir nicht die Furke auf, du sollst ja alles haben!"

„Denk nur nicht, daß mir's leid tut, Hauke", sagte nach kurzem Sinnen das Mädchen; „das ist ja Mannessache!"

Da streckte Hauke ihr den Arm entgegen: „Elke, gib mir die Hand darauf!"

Ein tiefes Rot schoß unter die dunklen Brauen des Mädchens. „Warum? Ich lüg ja nicht!" rief sie.

Hauke wollte antworten; aber sie war schon zum Stall hinaus, und er stand mit seiner Furke in der Hand und hörte nur, wie draußen die Enten und Hühner um sie schnatterten und krähten.

Es war im Januar von Haukes drittem Dienstjahr, als ein Winterfest gehalten werden sollte; „Eisboseln" nennen sie es hier. Ein ständiger Frost hatte beim Ruhen der Küstenwinde alle Gräben zwischen den Fennen mit einer festen ebenen Kristallfläche belegt, so daß die zerschnittenen Landstücke nun eine weite Bahn für das Werfen der kleinen mit Blei ausgegossenen Holzkugeln bildeten, womit das Ziel erreicht werden sollte. Tagaus, tagein wehte ein leichter Nordost: alles war schon in Ordnung; die Geestleute in dem zu Osten über der Marsch belegenen Kirchdorf, die im vorigen Jahre gesiegt hatten, waren zum Wettkampf gefordert und hatten angenommen; von jeder Seite waren neun Werfer aufgestellt; auch der Obmann und die Kretler waren gewählt. Zu letzteren, die bei Streitfällen über einen zweifelhaften Wurf miteinander zu verhandeln hatten, wurden allezeit Leute genommen, die ihre Sache ins beste Licht zu rücken verstanden, am liebsten Burschen, die außer gesundem Menschenverstand auch noch ein lustiges Mundwerk hatten. Dazu gehörte vor allen Ole Peters, der Großknecht des Deichgrafen. „Werft nur wie die Teufel", sagte er; „das Schwatzen tu ich schon umsonst!"

Es war gegen Abend vor dem Festtag; in der Nebenstube des Kirchspielkruges droben auf der Geest war eine Anzahl von den Werfern erschienen, um über die Aufnahme einiger zuletzt noch Angemeldeten zu beschließen. Hauke Haien war auch unter diesen; er hatte erst nicht wollen, obschon er seiner wurfgeübten Arme sich wohl bewußt war; aber er fürchtete durch Ole Peters, der einen Ehrenposten in dem Spiel bekleidete, zurückgewiesen zu werden; die Niederlage wollte er sich sparen. Aber Elke hatte ihm noch in der elften Stunde den Sinn gewandt: „Er wird's nicht wagen, Hauke", hatte sie gesagt; „er ist ein Tagelöhnersohn; dein Vater hat Kuh und Pferd und ist dazu der klügste Mann im Dorf!"

„Aber, wenn er's dennoch fertigbringt?"

Sie sah ihn halb lächelnd aus ihren dunklen Augen an. „Dann", sagte sie, „soll er sich den Mund wischen, wenn er abends mit seines Wirts Tochter zu tanzen denkt!" – Da hatte Hauke ihr mutig zugenickt.

Nun standen die jungen Leute, die noch in das Spiel hineinwollten, frierend und fußtrampelnd vor dem Kirchspielskrug und sahen nach der Spitze des aus Felsblöcken gebauten Kirchturms hinauf, neben dem das Krughaus lag. Des Pastors Tauben, die sich im Sommer auf den Feldern des Dorfes nährten, kamen eben von den Höfen und Scheuern der Bauern zurück, wo sie sich jetzt ihre Körner gesucht hatten, und verschwanden unter den Schindeln des Turmes, hinter welchen sie ihre Nester hatten; im Westen über dem Haf stand ein glühendes Abendrot.

„Wird gut Wetter morgen!" sagte der eine der jungen Burschen und begann heftig auf und ab zu wandern; „aber kalt! kalt!" Ein zweiter, als er keine Taube mehr fliegen sah, ging in das Haus und stellte sich horchend neben die Tür der Stube, aus der jetzt ein lebhaftes Durcheinanderreden herausscholl; auch des Deichgrafen Kleinknecht war neben ihn getreten. „Hör, Hauke", sagte er zu diesem; „nun schreien sie um dich!" und deutlich hörte man von drinnen Ole Peters' knarrende Stimme: „Kleinknechte und Jungens gehören nicht dazu!"

„Komm", flüsterte der andere und suchte Hauke am Rockärmel an die Stubentür zu ziehen, „hier kannst du lernen, wie hoch sie dich taxieren!"

Aber Hauke riß sich los und ging wieder vor das Haus: „Sie haben uns nicht ausgesperrt, damit wir's hören sollen!" rief er zurück.

Vor dem Hause stand der Dritte der Angemeldeten. „Ich fürcht, mit mir hat's einen Haken", rief er ihm entgegen; „ich hab kaum achtzehn Jahre; wenn sie nur den Taufschein nicht verlangen! Dich, Hauke, wird dein Großknecht schon herauskreteln!"

„Ja, heraus!" brummte Hauke und schleuderte mit dem Fuße einen Stein über den Weg; „nur nicht hinein!"

Der Lärm in der Stube wurde stärker; dann allmählich trat eine Stille ein; die draußen hörten wieder den leisen Nordost, der sich oben an der Kirchturmspitze brach. Der Horcher trat wieder zu ihnen. „Wen hatten sie da drinnen?" frug der Achtzehnjährige.

„Den da!" sagte jener und wies auf Hauke; „Ole Peters wollte ihn zum Jungen machen; aber alle schrien dagegen. ‚Und sein Vater hat Vieh und Land', sagte Jeß Hansen.

‚Ja, Land', rief Ole Peters, ‚das man auf dreizehn Karren wegfahren kann!' – Zuletzt kam Ole Hensen: ‚Still da!' schrie er; ‚ich will's euch lehren: sagt nur, wer ist der erste Mann im Dorf?' Da schwiegen sie erst und schienen sich zu besinnen; dann sagte eine Stimme: ‚Das ist doch wohl der Deichgraf!' Und alle anderen riefen: ‚Nun ja, unserthalb der Deichgraf!' – ‚Und wer ist denn der Deichgraf?' rief Ole Hensen wieder; ‚aber nun bedenkt euch recht!' – – Da begann einer leis zu lachen, und dann wieder einer, bis zuletzt nichts in der Stube war als lauter Lachen. ‚Nun, so ruft ihn', sagte Ole Hensen; ‚ihr wollt doch nicht den Deichgrafen von der Tür stoßen!' Ich glaub, sie lachen noch; aber Ole Peters' Stimme war nicht mehr zu hören!" schloß der Bursche seinen Bericht.

Fast in demselben Augenblicke wurde drinnen im Hause die Stubentür aufgerissen, und: „Hauke! Hauke Haien!" rief es laut und fröhlich in die kalte Nacht hinaus.

Da trabte Hauke in das Haus und hörte nicht mehr, wer denn der Deichgraf sei; was in seinem Kopf brütete, hat indessen niemand wohl erfahren.

– – Als er nach einer Weile sich dem Hause seiner Herrschaft nahte, sah er Elke drunten am Heck der Auffahrt stehen; das Mondlicht schimmerte über die unermeßliche weißbereifte Weidefläche. „Stehst du hier, Elke?" frug er.

Sie nickte nur: „Was ist geworden?" sagte sie; „hat er's gewagt?"

– „Was sollt er nicht!"

„Nun, und?"

– „Ja, Elke; ich darf es morgen doch versuchen!"

„Gute Nacht, Hauke!" Und sie lief flüchtig die Werfte hinan und verschwand im Hause.

Langsam folgte er ihr.

Auf der weiten Weidefläche, die sich zu Osten an der Landseite des Deiches entlangzog, sah man am Nachmittag darauf eine dunkle Menschenmasse bald unbeweglich stillestehen, bald, nachdem zweimal eine hölzerne Kugel aus derselben über den durch die Tagessonne jetzt von Reif befreiten Boden hingeflogen war, abwärts von den hinter ihr liegenden langen und niedrigen Häusern allmählich weiterrücken; die Parteien der Eisbosler in der Mitte, umgeben von alt und jung, was mit ihnen, sei es in jenen Häusern oder in denen droben auf der Geest Wohnung oder Verbleib hatte; die älteren Männer in langen Röcken, bedächtig aus kurzen Pfeifen rauchend, die Weiber in Tüchern und Jacken, auch wohl Kinder an den Händen ziehend oder auf den Armen tragend. Aus den gefrorenen Gräben, welche allmählich überschritten wurden, funkelte durch die scharfen Schilfspitzen der bleiche Schein der Nachmittagssonne, es fror mächtig; aber das Spiel ging unablässig vorwärts, und aller Augen verfolgten immer wieder die fliegende Kugel; denn an ihr hing heute für das ganze Dorf die Ehre des Tages. Der Kretler der Parteien trug hier einen weißen, bei den Geestleuten einen schwarzen Stab mit eiserner Spitze; wo die Kugel ihren Lauf geendet hatte, wurde dieser, je nachdem, unter schweigender Anerkennung oder dem Hohngelächter der Gegenpartei in den gefrorenen Boden eingeschlagen, und wessen Kugel zuerst das Ziel erreichte, der hatte für seine Partei das Spiel gewonnen.

Gesprochen wurde von all den Menschen wenig; nur wenn ein Kapitalwurf geschah, hörte man wohl einen Ruf der jungen Männer oder Weiber; oder von den Alten einer nahm seine Pfeife aus dem Mund und klopfte damit unter ein paar guten Worten den Werfer auf die Schulter: „Das war ein Wurf, sagte Zacharies und warf sein Weib aus der Luke!“ oder: „So warf dein Vater auch; Gott tröst ihn in der Ewigkeit!“ oder was sie sonst für Gutes sagten.

Bei seinem ersten Wurfe war das Glück nicht mit Hauke gewesen: als er eben den Arm hinten ausschwang, um die Kugel fortzuschleudern, war eine Wolke von der Sonne fortgezogen, die sie vorhin bedeckt hatte, und diese traf mit ihrem vollen Strahl in seine Augen; der Wurf wurde zu kurz, die Kugel fiel auf einen Graben und blieb im Bummeis stecken.

„Gilt nicht! Gilt nicht! Hauke, noch einmal“, riefen seine Partner.

Aber der Kretler der Geestleute sprang dagegen auf: „Muß wohl gelten; geworfen ist geworfen!“

„Ole! Ole Peters!“ schrie die Marschjugend. „Wo ist Ole? Wo, zum Teufel, steckt er?“

Aber er war schon da: „Schreit nur nicht so! Soll Hauke wo geflickt werden! Ich dacht's mir schon.“

– „Ei was! Hauke muß noch einmal werfen; nun zeig, daß du das Maul am rechten Fleck hast!“

„Das hab ich schon!“ rief Ole und trat dem Geestkretler gegenüber und redete einen Haufen Gallimathias aufeinander. Aber die Spitzen und Schärfen, die sonst aus seinen Worten blitzten, waren diesmal nicht dabei. Ihm zur Seite stand das Mädchen mit den Rätselbrauen und sah scharf aus zornigen Augen auf ihn hin; aber reden durfte sie nicht; denn die Frauen hatten keine Stimme in dem Spiel.

„Du leierst Unsinn“, rief der andere Kretler, „weil dir der Sinn nicht dienen kann! Sonne, Mond und Sterne sind für uns alle gleich und allezeit am Himmel; der Wurf war ungeschickt, und alle ungeschickten Würfe gelten!“

So redeten sie noch eine Weile gegeneinander; aber das Ende war, daß nach Bescheid des Obmanns Hauke seinen Wurf nicht wiederholen durfte.

„Vorwärts!“ riefen die Geestleute, und ihr Kretler zog den schwarzen Stab aus dem Boden, und der Werfer trat auf seinen Nummerruf dort an und schleuderte die Kugel vorwärts. Als der Großknecht des Deichgrafen dem Wurfe zusehen wollte, hatte er an Elke Volkerts vorbeimüssen: „Wem zuliebe ließest du heut deinen Verstand zu Hause?“ raunte sie ihm zu.

Da sah er sie fast grimmig an, und aller Spaß war aus seinem breiten Gesichte verschwunden. „Dir zulieb!“ sagte er; „denn du hast deinen auch vergessen!“

„Geh nur; ich kenne dich, Ole Peters!“ erwiderte das Mädchen sich hoch aufrichtend; er kehrte den Kopf ab und tat, als habe er das nicht gehört.

Und das Spiel und der schwarze und der weiße Stab gingen weiter. Als Hauke wieder am Wurf war, flog seine Kugel schon so weit, daß das Ziel, die große weißgekalkte Tonne, klar in Sicht kam. Er war jetzt ein fester junger Kerl, und Mathematik und Wurfkunst hatte er täglich während seiner Knabenzeit getrieben. „Oho, Hauke!“ rief es aus dem

Haufen; „das war ja, als habe der Erzengel Michael selbst geworfen!“ Eine alte Frau mit Kuchen und Branntwein drängte sich durch den Haufen zu ihm; sie schenkte ein Glas voll und bot es ihm: „Komm“, sagte sie, „wir wollen uns vertragen: das heut ist besser, als da du mir die Katze totschlugst!“ Als er sie ansah, erkannte er, daß es Trin' Jans war. „Ich dank dir, Alte“, sagte er; „aber ich trink das nicht.“ Er griff in seine Tasche und drückte ihr ein frischgeprägtes Markstück in die Hand: „Nimm das und trink selber das Glas aus, Trin'; so haben wir uns vertragen!“

„Hast recht, Hauke!“ erwiderte die Alte, indem sie seiner Anweisung folgte; „hast recht; das ist auch besser für ein altes Weib wie ich!“

„Wie geht's mit deinen Enten?“ rief er ihr noch nach, als sie sich schon mit ihrem Korbe fortmachte; aber sie schüttelte nur den Kopf, ohne sich umzuwenden, und patschte mit ihren alten Händen in die Luft. „Nichts, nichts, Hauke; da sind zu viele Ratten in euren Gräben; Gott tröst mich; man muß sich anders nähren!“ Und somit drängte sie sich in den Menschenhaufen und bot wieder ihren Schnaps und ihre Honigkuchen an.

Die Sonne war endlich schon hinter den Deich hinabgesunken; statt ihrer glimmte ein rotvioletter Schimmer empor; mitunter flogen schwarze Krähen vorüber und waren auf Augenblicke wie vergoldet, es wurde Abend. Auf den Fennen aber rückte der dunkle Menschentrupp noch immer weiter von den schwarzen schon fern liegenden Häusern nach der Tonne zu; ein besonders tüchtiger Wurf mußte sie jetzt erreichen können. Die Marschleute waren an der Reihe; Hauke sollte werfen.

Die kreidige Tonne zeichnete sich weiß in dem breiten Abendschatten, der jetzt von dem Deiche über die Fläche fiel. „Die werdet ihr uns diesmal wohl noch lassen!“ rief einer von den Geestleuten; denn es ging scharf her; sie waren um mindestens ein halb Stieg Fuß im Vorteil.

Die hagere Gestalt des Genannten trat eben aus der Menge; die grauen Augen sahen aus dem langen Friesengesicht vorwärts nach der Tonne; in der herabhängenden Hand lag die Kugel.

„Der Vogel ist dir wohl zu groß", hörte er in diesem Augenblicke Ole Peters' Knarrstimme dicht vor seinen Ohren; „sollen wir ihn um einen grauen Topf vertauschen?"

Hauke wandte sich und blickte ihn mit festen Augen an: „Ich werfe für die Marsch!" sagte er. „Wohin gehörst denn du?"

„Ich denke, auch dahin; du wirfst doch wohl für Elke Volkerts!"

„Beiseit!" schrie Hauke und stellte sich wieder in Positur. Aber Ole drängte mit dem Kopf noch näher auf ihn zu. Da plötzlich, bevor noch Hauke selber etwas dagegen unternehmen konnte, packte den Zudringlichen eine Hand und riß ihn rückwärts, daß der Bursche gegen seine lachenden Kameraden taumelte. Es war keine große Hand gewesen, die das getan hatte; denn als Hauke flüchtig den Kopf wandte, sah er neben sich Elke Volkerts ihren Ärmel zurechtzupfen, und die dunklen Brauen standen ihr wie zornig in dem heißen Antlitz.

Da flog es wie eine Stahlkraft in Haukes Arm; er neigte sich ein wenig, er wiegte die Kugel ein paarmal in der Hand; dann holte er aus, und eine Todesstille war auf beiden Seiten; alle Augen folgten der fliegenden Kugel, man hörte ihr Sausen, wie sie die Luft durchschnitt; plötzlich, schon weit vom Wurfplatz, verdeckten sie die Flügel einer Silbermöwe, die ihren Schrei ausstoßend vom Deich herüberkam; zugleich aber hörte man es in der Ferne an die Tonne klatschen. „Hurra für Hauke!" riefen die Marschleute und lärmend ging es durch die Menge: „Hauke! Hauke Haien hat das Spiel gewonnen!"

Der aber, da ihn alle dicht umdrängten, hatte seitwärts nur nach einer Hand gegriffen; auch da sie wieder riefen: „Was stehst du, Hauke? Die Kugel liegt ja in der Tonne!" nickte er nur und ging nicht von der Stelle; erst als er fühlte, daß sich die kleine Hand fest an die seine schloß, sagte er: „Ihr mögt schon recht haben; ich glaube auch, ich hab gewonnen!"

Dann strömte der ganze Trupp zurück, und Elke und Hauke wurden getrennt und von der Menge auf den Weg zum Kruge fortgerissen, der an des Deichgrafen Werfte nach der Geest hinaufbog. Hier aber entschlüpften beide dem Gedränge, und während Elke auf ihre Kammer ging, stand Hauke hinten vor der Stalltür auf der Werfte und sah, wie der dunkle Menschentrupp allmählich nach dort hinaufwanderte, wo im Kirchspielskrug ein Raum für die Tanzenden bereitstand. Das Dunkel breitete sich allmählich über die weite Gegend; es wurde immer stiller um ihn her, nur hinter ihm im Stalle regte sich das Vieh; oben von der Geest her glaubte er schon das Pfeifen der Klarinetten aus dem Kruge zu vernehmen. Da hörte er um die Ecke des Hauses das Rauschen eines Kleides, und kleine feste Schritte gingen den Fußsteig hinab, der durch die Fennen nach der Geest hinaufführte. Nun sah er auch im Dämmer die Gestalt dahinschreiten und sah, daß es Elke war; sie ging auch zum Tanze nach dem Krug. Das Blut schoß ihm in den Hals hinauf; sollte er ihr nicht nachlaufen und mit ihr gehen? Aber Hauke war kein Held den Frauen gegenüber; mit dieser Frage sich beschäftigend blieb er stehen, bis sie im Dunkel seinem Blick entschwunden war.

Dann, als die Gefahr sie einzuholen vorüber war, ging auch er denselben Weg, bis er droben den Krug bei der Kirche erreicht hatte, und das Schwatzen und Schreien der vor dem Hause und auf dem Flur sich Drängenden und das Schrillen der Geigen und Klarinetten betäubend ihn umrauschte. Unbeachtet drückte er sich in den „Gildesaal"; er war nicht groß und so voll, daß man kaum einen Schritt weit vor sich hinsehen konnte. Schweigend stellte er sich an den Türpfosten und blickte in das unruhige Gewimmel; die Menschen kamen ihm wie Narren vor; er hatte auch nicht zu sorgen, daß jemand noch an den Kampf des Nachmittags dachte, und wer vor einer Stunde erst das Spiel gewonnen hatte; jeder sah nur auf seine Dirne und drehte sich mit ihr im Kreis herum. Seine Augen suchten nur die eine, und endlich – dort! Sie tanzte mit ihrem Vetter, dem jungen Deichgevollmächtigten; aber schon sah er sie nicht mehr; nur andere Dirnen aus Marsch und Geest, die ihn nicht kümmerten. Dann schnappten Violinen und Klarinetten plötzlich ab, und der Tanz war zu Ende; aber gleich begann auch schon ein anderer. Hauke flog es durch den

Kopf, ob denn Elke ihm auch Wort halten, ob sie nicht mit Ole Peters ihm vorbeitanzen werde. Fast hätte er einen Schrei bei dem Gedanken ausgestoßen; dann – – ja, was wollte er dann? Aber sie schien bei diesem Tanze gar nicht mitzuhalten, und endlich ging auch der zu Ende, und ein anderer, ein Zweitritt, der eben erst hier in die Mode gekommen war, folgte. Wie rasend setzte die Musik ein, die jungen Kerle stürzten zu den Dirnen, die Lichter an den Wänden flirrten. Hauke reckte sich fast den Hals aus, um die Tanzenden zu erkennen; und dort, im dritten Paare, das war Ole Peters; aber wer war die Tänzerin? Ein breiter Marschbursche stand vor ihr und deckte ihr Gesicht! Doch der Tanz raste weiter, und Ole mit seiner Partnerin drehte sich heraus. „Vollina! Vollina Harders!" rief Hauke fast laut und seufzte dann gleich wieder erleichtert auf. Aber wo blieb Elke? Hatte sie keinen Tänzer, oder hatte sie alle ausgeschlagen, weil sie nicht mit Ole hatte tanzen wollen? – Und die Musik setzte wieder ab, und ein neuer Tanz begann; aber wieder sah er Elke nicht! Doch dort kam Ole, noch immer die dicke Vollina in den Armen! „Nun, nun", sagte Hauke: „da wird Jeß Harders mit seinen fünfundzwanzig Demath auch wohl bald aufs Altenteil müssen! – Aber wo ist Elke?"

Er verließ seinen Türpfosten und drängte sich weiter in den Saal hinein; da stand er plötzlich vor ihr, die mit einer älteren Freundin in einer Ecke saß. „Hauke!" rief sie, mit ihrem schmalen Antlitz zu ihm aufblickend; „bist du hier? Ich sah dich doch nicht tanzen!"

„Ich tanzte auch nicht", erwiderte er.

– „Weshalb nicht, Hauke?" und sich halb erhebend, setzte sie hinzu: „Willst du mit mir tanzen? Ich hab es Ole Peters nicht gegönnt; der kommt nicht wieder!"

Aber Hauke machte keine Anstalt: „Ich danke, Elke", sagte er; „ich verstehe das nicht gut genug; sie könnten über dich lachen; und dann . . ." Er stockte plötzlich und sah sie nur aus seinen grauen Augen herzlich an, als ob er's ihnen überlassen müsse, das übrige zu sagen.

„Was meinst du, Hauke?" frug sie leise.

– „Ich mein', Elke, es kann ja doch der Tag nicht schöner für mich ausgehn, als er's schon getan hat."

„Ja“, sagte sie, „du hast das Spiel gewonnen.“

„Elke!“ mahnte er kaum hörbar.

Da schlug ihr eine heiße Lohe in das Angesicht: „Geh!“ sagte sie: „was willst du?“ und schlug die Augen nieder.

Als aber die Freundin jetzt von einem Burschen zum Tanze fortgezogen wurde, sagte Hauke lauter: „Ich dachte, Elke, ich hätt was Besseres gewonnen!“

Noch ein paar Augenblicke suchten ihre Augen auf dem Boden; dann hob sie sie langsam, und ein Blick, mit der stillen Kraft ihres Wesens, traf in die seinen, der ihn wie Sommerluft durchströmte. „Tu, wie dir ums Herz ist, Hauke!“ sprach sie; „wir sollten uns wohl kennen!“

Elke tanzte an diesem Abend nicht mehr, und als beide dann nach Hause gingen, hatten sie sich Hand in Hand gefaßt; aus der Himmelshöhe funkelten die Sterne über der schweigenden Marsch; ein leichter Ostwind wehte und brachte strenge Kälte; die beiden aber gingen, ohne viel Tücher und Umhang, dahin, als sei es plötzlich Frühling geworden.

Hauke hatte sich auf ein Ding besonnen, dessen passende Verwendung zwar in ungewisser Zukunft lag, mit dem er sich aber eine stille Feier zu bereiten gedachte. Deshalb ging er am nächsten Sonntag in die Stadt zum alten Goldschmied Andersen und bestellte einen starken Goldring. „Streckt den Finger her, damit wir messen!“ sagte der Alte und faßte ihm nach dem Goldfinger. „Nun“, meinte er, „der ist nicht gar so dick, wie sie bei euch Leuten sonst zu sein pflegen!“ Aber Hauke sagte: „Messet lieber am kleinen Finger!“ und hielt ihm den entgegen.

Der Goldschmied sah ihn etwas verdutzt an; aber was kümmerten ihn die Einfälle der jungen Bauernburschen: „Da werden wir schon so einen unter den Mädchenringen haben!“ sagte er, und Hauke schoß das Blut durch beide Wangen. Aber der kleine Goldring paßte auf seinen kleinen Finger, und er nahm ihn hastig und bezahlte ihn mit blankem Silber; dann steckte er ihn unter lautem Herzklopfen, und als ob er einen feierlichen Akt begehe, in die Westentasche. Dort trug er ihn seitdem an jedem Tage mit Unruhe und doch mit Stolz, als sei die Westentasche nur dazu da, um einen Ring darin zu tragen.

Er trug ihn so über Jahr und Tag, ja der Ring mußte sogar aus dieser noch in eine neue Westentasche wandern; die Gelegenheit zu seiner Befreiung hatte sich noch immer nicht ergeben wollen. Wohl war's ihm durch den Kopf geflogen, nur gradenwegs vor seinen Wirt hinzutreten; sein Vater war ja doch auch ein Eingesessener! Aber wenn er ruhiger wurde, dann wußte er wohl, der alte Deichgraf würde seinen Kleinknecht ausgelacht haben. Und so lebten er und des Deichgrafen Tochter nebeneinander hin; auch sie in mädchenhaftem Schweigen, und beide doch, als ob sie allzeit Hand in Hand gingen.

Ein Jahr nach jenem Winterfesttag hatte Ole Peters seinen Dienst gekündigt und mit Vollina Harders Hochzeit gemacht; Hauke hatte recht gehabt: der Alte war auf Altenteil gegangen, und statt der dicken Tochter ritt nun der muntere Schwiegersohn die gelbe Stute in die Fenne und, wie es hieß, rückwärts allzeit gegen den Deich hinan. Hauke war Großknecht geworden, und ein Jüngerer an seine Stelle getreten; wohl hatte der Deichgraf ihn erst nicht wollen aufrücken lassen: „Kleinknecht ist besser!“ hatte er gebrummt; „ich brauch ihn hier bei meinen Büchern!“ Aber Elke hatte ihm vorgehalten: „Dann geht auch Hauke, Vater!“ Da war dem Alten bange geworden, und Hauke war zum Großknecht aufgerückt, hatte aber trotz dessen nach wie vor auch an der Deichgrafschaft mitgeholfen.

Nach einem anderen Jahr aber begann er gegen Elke davon zu reden, sein Vater werde kümmerlich, und die paar Tage, die der Wirt ihn im Sommer in dessen Wirtschaft lasse, täten's nun nicht mehr; der Alte quäle sich, er dürfe das nicht länger ansehn. – Es war ein Sommerabend; die beiden standen im Dämmerschein unter der großen Esche vor der Haustür. Das Mädchen sah eine Weile stumm in die Zweige des Baumes hinauf; dann entgegnete sie: „Ich hab's nicht sagen wollen, Hauke; ich dachte, du würdest selber wohl das Rechte treffen.“

„Ich muß dann fort aus eurem Hause“, sagte er, „und kann nicht wiederkommen.“

Sie schwiegen eine Weile und sahen in das Abendrot, das drüben hinterm Deiche in das Meer versank. „Du mußt es wissen“, sagte sie; „ich war heut morgen noch bei deinem Vater und fand ihn in seinem Lehnstuhl eingeschlafen; die Reißfeder in der Hand, das Reißbrett mit einer halben Zeichnung lag vor ihm auf dem Tisch; – und da er erwacht war und mühsam ein Viertelstündchen mit mir geplaudert hatte, und ich nun gehen wollte, da hielt er mich so angstvoll an der Hand zurück, als fürchte er, es sei zum letztenmal; aber ...“

„Was aber, Elke?“ frug Hauke, da sie fortzufahren zögerte.

Ein paar Tränen rannen über die Wangen des Mädchens. „Ich dachte nur an meinen Vater“, sagte sie; „glaub mir, es wird ihm schwer ankommen, dich zu missen.“ Und als ob sie zu dem Worte sich ermannen müsse, fügte sie hinzu: „Mir ist es oft, als ob er auf seine Totenkammer rüste.“

Hauke antwortete nicht; ihm war es plötzlich, als rühre sich der Ring in seiner Tasche; aber noch bevor er seinen Unmut über diese unwillkürliche Lebensregung unterdrückt hatte, fuhr Elke fort: „Nein, zürn nicht, Hauke! Ich trau, du wirst auch so uns nicht verlassen!“

Da ergriff er eifrig ihre Hand, und sie entzog sie ihm nicht. Noch eine Weile standen die jungen Menschen in dem sinkenden Dunkel beieinander, bis ihre Hände auseinanderglitten und jedes seine Wege ging. – Ein Windstoß fuhr empor und rauschte durch die Eschenblätter und machte die Läden klappern, die an der Vorderseite des Hauses waren; allmählich aber kam die Nacht, und Stille lag über der ungeheuren Ebene.

Durch Elkes Zutun war Hauke von dem alten Deichgrafen seines Dienstes entlassen worden, obgleich er ihm rechtzeitig nicht gekündigt hatte, und zwei neue Knechte waren jetzt im Hause. – Noch ein paar Monate weiter, dann starb Tede Haien; aber bevor er starb, rief er den Sohn an seine Lagerstatt: „Setz dich zu mir, mein Kind“, sagte der Alte mit matter Stimme, „dicht zu mir! Du brauchst dich nicht zu fürchten; wer bei mir ist, das ist nur der dunkle Engel des Herrn, der mich zu rufen kommt."

Und der erschütterte Sohn setzte sich dicht an das dunkle Wandbett: „Sprecht, Vater, was Ihr noch zu sagen habt!"

„Ja, mein Sohn, noch etwas", sagte der Alte und streckte seine Hände über das Deckbett. „Als du, noch ein halber Junge, zu dem Deichgrafen in Dienst gingst, da lag's in deinem Kopf, das selbst einmal zu werden. Das hatte mich angesteckt, und ich dachte auch allmählich, du seiest der rechte Mann dazu. Aber dein Erbe war für solch ein Amt zu klein – ich habe während deiner Dienstzeit knapp gelebt – ich dacht es zu vermehren."

Hauke faßte heftig seines Vaters Hände, und der Alte suchte sich aufzurichten, daß er ihn sehen könne. „Ja, ja, mein Sohn", sagte er, „dort in der obersten Schublade der Schatulle liegt das Dokument. Du weißt, die alte Antje Wohlers hat eine Fenne von fünf und einem halben Demath; aber sie konnte mit dem Mietgelde allein in ihrem krüppelhaften Alter nicht mehr durchfinden; da habe ich allzeit um Martini eine bestimmte Summe, und auch mehr, wenn ich es hatte, dem armen Mensch gegeben; und dafür hat sie die Fenne mir übertragen; es ist alles gerichtlich fertig. – – Nun liegt auch sie am Tode; die Krankheit unserer Marschen, der Krebs, hat sie befallen; du wirst nicht mehr zu zahlen brauchen!"

Eine Weile schloß er die Augen; dann sagte er noch: „Es ist nicht viel; doch hast du mehr dann, als du bei mir gewohnt warst. Mög es dir zu deinem Erdenleben dienen!"

Unter den Dankesworten des Sohnes schlief der Alte ein. Er hatte nichts mehr zu besorgen; und schon nach einigen Tagen hatte der dunkle Engel des Herrn ihm seine Augen für immer zugedrückt, und Hauke trat sein väterliches Erbe an.

– – Am Tage nach dem Begräbnis kam Elke in dessen Haus. „Dank, daß du einguckst, Elke!" rief Hauke ihr als Gruß entgegen.

Aber sie erwiderte: „Ich guck nicht ein; ich will bei dir ein wenig Ordnung schaffen, damit du ordentlich in deinem Hause wohnen kannst! Dein Vater hat vor seinen Zahlen und Rissen nicht viel um sich gesehen, und auch der Tod schafft Wirrsal; ich will's dir wieder ein wenig lebig machen!"

Er sah aus seinen grauen Augen voll Vertrauen auf sie hin: „So schaff nur Ordnung!" sagte er; „ich hab's auch lieber."

Und dann begann sie aufzuräumen: das Reißbrett, das noch dalag, wurde abgestäubt und auf den Boden getragen; Reißfedern und Bleistift und Kreide sorgfältig in einer Schatullenschublade weggeschlossen; dann wurde die junge Dienstmagd zur Hilfe hereingerufen, und mit ihr das Gerät der ganzen Stube in eine andere und bessere Stellung gebracht, so daß es anschien, als sei dieselbe nun heller und größer geworden. Lächelnd sagte Elke: „Das können nur wir Frauen!" und Hauke, trotz seiner Trauer um den Vater, hatte mit glücklichen Augen zugesehen; auch wohl selber, wo es nötig war, geholfen.

Und als gegen die Dämmerung – es war zu Anfang des Septembers – alles war, wie sie es für ihn wollte, faßte sie seine Hand und nickte ihm mit ihren dunklen Augen zu: „Nun komm und iß bei uns zu Abend; denn meinem Vater hab ich's versprechen müssen, dich mitzubringen; wenn du dann heimgehst, kannst du ruhig in dein Haus treten!"

Als sie dann in die geräumige Wohnstube des Deichgrafen traten, wo bei verschlossenen Läden schon die beiden Lichter auf dem Tische brannten, wollte dieser aus seinem Lehnstuhl in die Höhe, aber mit seinem schweren Körper zurücksinkend, rief er nur seinem früheren Knecht entgegen: „Recht, recht, Hauke, daß du deine alten Freunde aufsuchst! Komm nur näher, immer näher!" Und als Hauke an seinen Stuhl getreten war, faßte er dessen Hand mit seinen beiden runden Händen: „Nun, nun, mein Junge", sagte er, „sei nur ruhig jetzt; denn sterben müssen wir alle, und dein Vater war keiner von den Schlechtesten! – Aber Elke, nun sorg, daß du den Braten auf den Tisch kriegst; wir müssen uns stärken! Es gibt viel Arbeit für uns, Hauke! Die Herbstschau ist in Anmarsch; Deich- und Sielrechnungen haushoch; der neuliche Deichschaden am Westerkoog – ich weiß nicht, wo mir der Kopf steht; aber deiner, gottlob, ist um ein gut Stück jünger; du bist ein braver Junge, Hauke!"

Und nach dieser langen Rede, womit der Alte sein ganzes Herz dargelegt hatte, ließ er sich in seinen Stuhl zurückfallen und blinzelte sehnsüchtig nach der Tür, durch welche Elke eben mit der Bratenschüssel hereintrat. Hauke stand lächelnd neben ihm. „Nun setz dich", sagte der Deichgraf, „damit wir nicht unnötig Zeit verspillen; kalt schmeckt das nicht!"

Und Hauke setzte sich; es schien ihm Selbstverstand, die Arbeit von Elkes Vater mitzutun. Und als die Herbstschau dann gekommen war, und ein paar Monde mehr ins Jahr gingen, da hatte er freilich auch den besten Teil daran getan.«

Der Erzähler hielt inne und blickte um sich. Ein Möwenschrei war gegen das Fenster geschlagen, und draußen vom Hausflur aus wurde ein Trampeln hörbar, als ob einer den Klei von seinen schweren Stiefeln abtrete.

Deichgraf und Gevollmächtigter wandten die Köpfe gegen die Stubentür. „Was ist?" rief der erstere.

Ein starker Mann, den Südwester auf dem Kopf, war eingetreten. „Herr", sagte er, „wir beide haben es gesehen, Hans Nickels und ich: der Schimmelreiter hat sich in den Bruch gestürzt!"

„Wo saht Ihr das?" frug der Deichgraf.

– „Es ist ja nur die eine Wehle; in Jansens Fenne, wo der Hauke-Haien-Koog beginnt."

„Saht Ihr's nur einmal?"

– „Nur einmal; es war auch nur wie Schatten; aber es braucht drum nicht das erstemal gewesen zu sein."

Der Deichgraf war aufgestanden. „Sie wollen entschuldigen", sagte er, sich zu mir wendend, „wir müssen draußen nachsehn, wo das Unheil hin will!" Dann ging er mit dem Boten zur Tür hinaus; aber auch die übrige Gesellschaft brach auf und folgte ihm.

Ich blieb mit dem Schullehrer allein in dem großen öden Zimmer; durch die unverhangenen Fenster, welche nun nicht mehr durch die Rücken der davor sitzenden Gäste verdeckt wurden, sah man frei hinaus, und wie der Sturm die dunklen Wolken über den Himmel jagte.

Der Alte saß noch auf seinem Platze, ein überlegenes, fast mitleidiges Lächeln auf seinen Lippen. „Es ist hier zu leer geworden“, sagte er; „darf ich Sie zu mir auf mein Zimmer laden? Ich wohne hier im Hause; und glauben Sie mir, ich kenne die Wetter hier am Deich; für uns ist nichts zu fürchten.“

Ich nahm das dankend an; denn auch mich wollte hier zu frösteln anfangen, und wir stiegen unter Mitnahme eines Lichtes die Stiegen zu einer Giebelstube hinauf, die zwar gleichfalls gegen Westen hinauslag, deren Fenster aber jetzt mit dunklen Wollteppichen verhangen waren. In einem Bücherregal sah ich eine kleine Bibliothek, daneben die Porträte zweier alter Professoren; vor einem Tische stand ein großer Ohrenlehnstuhl. „Machen Sie sich's bequem!“ sagte mein freundlicher Wirt und warf einige Torf in den noch glimmenden kleinen Ofen, der oben von einem Blechkessel gekrönt war. „Nur noch ein Weilchen! Er wird bald sausen; dann brau ich uns ein Gläschen Grog; das hält Sie munter!“

„Dessen bedarf es nicht“, sagte ich; „ich werd nicht schläfrig, wenn ich Ihren Hauke auf seinem Lebensweg begleite!“

– „Meinen Sie?“ und er nickte mit seinen klugen Augen zu mir herüber, nachdem ich behaglich in seinem Lehnstuhl untergebracht war. »Nun, wo blieben wir denn? – – Ja, ja; ich weiß schon! Also:

Hauke hatte sein väterliches Erbe angetreten, und da die alte Antje Wohlers auch ihrem Leiden erlegen war, so hatte deren Fenne es vermehrt. Aber seit dem Tode, oder, richtiger, seit den letzten Worten seines Vaters war in ihm etwas aufgewachsen, dessen Keim er schon seit seiner Knabenzeit in sich getragen hatte; er wiederholte es sich mehr als zu oft, er sei der rechte Mann, wenn's einen neuen Deichgrafen geben müsse. Das war es; sein Vater, der es verstehen mußte, der ja der klügste Mann im Dorf gewesen war, hatte ihm dieses Wort wie eine letzte Gabe seinem Erbe beigelegt; die Wohlerssche Fenne, die er ihm auch verdankte, sollte den ersten Trittstein zu dieser Höhe bilden! Denn, freilich, auch mit dieser – ein Deichgraf mußte noch einen anderen Grundbesitz aufweisen können! – – Aber sein Vater hatte sich einsame Jahre knapp beholfen, und mit dem, was er sich entzogen hatte, war er des neuen Besitzes Herr geworden; das konnte er auch, er konnte noch mehr; denn seines Vaters Kraft war schon verbraucht gewesen, er aber konnte noch jahrelang die schwerste Arbeit tun! – – Freilich, wenn er es dadurch nach dieser Seite hin erzwang, durch die Schärfen und Spitzen, die er der Verwaltung seines alten Dienstherren zugesetzt hatte, war ihm eben keine Freundschaft im Dorf zuwege gebracht worden, und Ole Peters, sein alter Widersacher, hatte jüngsthin eine Erbschaft getan und begann ein wohlhabender Mann zu werden! Eine Reihe von Gesichtern ging vor seinem inneren Blick vorüber, und sie sahen ihn alle mit bösen Augen an; da faßte ihn ein Groll gegen diese Menschen, er streckte die Arme aus, als griffe er nach ihnen; denn sie wollten ihn vom Amte drängen, zu dem von allen nur er berufen war. – Und die Gedanken ließen ihn nicht; sie waren immer wieder da, und so wuchsen in seinem jungen Herzen neben der Ehrenhaftigkeit und Liebe auch die Ehrsucht und der Haß. Aber diese beiden verschloß er tief in seinem Inneren; selbst Elke ahnte nichts davon.

– Als das neue Jahr gekommen war, gab es eine Hochzeit; die Braut war eine Verwandte von den Haiens, und Hauke und Elke waren beide dort geladene Gäste; ja, bei dem Hochzeitsessen traf es sich durch das Ausbleiben eines näheren Verwandten, daß sie ihre Plätze nebeneinander fanden. Nur ein Lächeln, das über beider Antlitz glitt, verriet die Freude darüber. Aber Elke saß heute teilnahmslos in dem Geräusche des Plauderns und Gläserklirrens.

„Fehlt dir etwas?" frug Hauke.

– „O, eigentlich nichts; es sind mir nur zu viele Menschen hier."

„Aber du siehst so traurig aus!"

Sie schüttelte den Kopf; dann sprachen sie wieder nicht.

Da stieg es über ihr Schweigen wie Eifersucht in ihm auf, und heimlich unter dem überhängenden Tischtuch ergriff er ihre Hand; aber sie zuckte nicht, sie schloß sich wie vertrauensvoll um seine. Hatte ein Gefühl der Verlassenheit sie befallen, da ihre Augen täglich auf der hinfälligen Gestalt des Vaters haften mußten? – Hauke dachte nicht daran, sich so zu fragen; aber ihm stand der Atem still, als er jetzt seinen Goldring aus der Tasche zog. „Läßt du ihn sitzen?" frug er zitternd, während er den Ring auf den Goldfinger der schmalen Hand schob.

Gegenüber am Tische saß die Frau Pastorin; sie legte plötzlich ihre Gabel hin und wandte sich zu ihrem Nachbar: „Mein Gott, das Mädchen!" rief sie; „sie wird ja totenblaß!"

Aber das Blut kehrte schon zurück in Elkes Antlitz. „Kannst du warten, Hauke?" frug sie leise.

Der kluge Friese besann sich doch noch ein paar Augenblicke. „Auf was?" sagte er dann.

– „Du weißt das wohl; ich brauch dir's nicht zu sagen."

„Du hast recht", sagte er; „ja, Elke, ich kann warten – wenn's nur ein menschlich Absehen hat!"

„O Gott, ich fürchte, ein nahes! Sprich nicht so, Hauke; du sprichst von meines Vaters Tod!" Sie legte die andere Hand auf ihre Brust: „Bis dahin", sagte sie, „trag ich den Goldring hier; du sollst nicht fürchten, daß du bei meiner Lebzeit ihn zurückbekommst!"

Da lächelten sie beide, und ihre Hände preßten sich ineinander, daß bei anderer Gelegenheit das Mädchen wohl laut aufgeschrien hätte.

Die Frau Pastorin hatte indessen unablässig nach Elkes Augen hingesehen, die jetzt unter dem Spitzenstrich des goldbrokatenen Käppchens wie in dunklem Feuer brannten. Bei dem zunehmenden Getöse am Tische aber hatte sie nichts verstanden; auch an ihren Nachbar wandte sie sich nicht wieder; denn keimende Ehen – und um eine solche schien es ihr sich denn doch hier zu handeln – schon um des daneben keimenden Traupfennigs für ihren Mann, den Pastor, pflegte sie nicht zu stören.

Elkes Vorahnung war in Erfüllung gegangen; eines Morgens nach Ostern hatte man den Deichgrafen Tede Volkerts tot in seinem Bett gefunden; man sah's an seinem Antlitz, ein ruhiges Ende war darauf geschrieben. Er hatte auch mehrfach in den letzten Monden Lebensüberdruß geäußert; sein Leibgericht, der Ofenbraten, selbst seine Enten hatten ihm nicht mehr schmecken wollen.

Und nun gab es eine große Leiche im Dorf. Droben auf der Geest auf dem Begräbnisplatz um die Kirche war zu Westen eine mit Schmiedegitter umhegte Grabstätte; ein breiter blauer Grabstein stand jetzt aufgehoben gegen eine Traueresche, auf welchem das Bild des Todes mit stark gezahnten Kiefern ausgehauen war; darunter in großen Buchstaben:

Dat is de Dod, de allens fritt,
Nimmt Kunst un Wetenschop di mit;
De kloke Mann is nu vergahn,
Gott gäw' em selig Uperstahn.

Es war die Begräbnisstätte des früheren Deichgrafen Volkert Tedsen; nun war eine frische Grube gegraben, wo hinein dessen Sohn, der jetzt verstorbene Deichgraf Tede Volkerts begraben werden sollte. Und schon kam unten aus der Marsch der Leichenzug heran, eine Menge Wagen aus allen Kirchspieldörfern; auf dem vordersten stand der schwere Sarg, die beiden blanken Rappen des deichgräflichen Stalles zogen ihn schon den sandigen Anberg zur Geest hinauf; Schweife und Mähnen wehten in dem scharfen Frühjahrswind. Der Gottesacker um die Kirche war bis an die Wälle mit Menschen angefüllt; selbst auf dem gemauerten Tore huckten Buben mit kleinen Kindern in den Armen; sie wollten alle das Begraben ansehn.

Im Hause drunten in der Marsch hatte Elke in Pesel und Wohngelaß das Leichenmahl gerüstet; alter Wein wurde bei den Gedecken hingestellt; an den Platz des Oberdeichgrafen – denn auch er war heut nicht ausgeblieben – und an den des Pastors je eine Flasche Langkork. Als alles besorgt war, ging sie durch den Stall vor die Hoftür; sie traf niemanden auf ihrem Wege; die Knechte waren mit zwei Gespannen in der Leichenfuhr. Hier blieb sie stehen und sah, während ihre Trauerkleider im Frühlingswinde flatterten, wie drüben an dem Dorfe jetzt die letzten Wagen zur Kirche hinauffuhren. Nach einer Weile entstand dort ein Gewühl, dem eine Totenstille zu folgen schien. Elke faltete die Hände; sie senkten wohl den Sarg jetzt in die Grube: „Und zur Erde wieder sollst du werden!" Unwillkürlich, leise, als hätte sie von dort es hören können, sprach sie die Worte nach; dann füllten ihre Augen sich mit Tränen, ihre über der Brust gefalteten Hände sanken in den Schoß; „Vater unser, der du bist im Himmel!" betete sie voll Inbrunst. Und als das Gebet des Herrn zu Ende war, stand sie noch lange unbeweglich, sie, die jetzige Herrin dieses großen Marschhofes; und Gedanken des Todes und des Lebens begannen sich in ihr zu streiten.

Ein fernes Rollen weckte sie. Als sie die Augen öffnete, sah sie schon wieder einen Wagen um den anderen in rascher Fahrt von der Marsch herab und gegen ihren Hof herankommen. Sie richtete sich auf, blickte noch einmal scharf hinaus und ging dann, wie sie gekommen war, durch den Stall in die feierlich hergestellten Wohnräume zurück. Auch hier war niemand; nur durch die Mauer hörte sie das Rumoren der Mägde in der Küche. Die Festtafel stand so still und einsam; der Spiegel zwischen den Fenstern war mit weißen Tüchern zugesteckt und ebenso die Messingknöpfe an dem Beilegerofen; es blinkte nichts mehr in der Stube. Elke sah die Türen vor dem Wandbett, in dem ihr Vater seinen letzten Schlaf getan hatte, offenstehen und ging hinzu und schob sie fest zusammen; wie gedankenlos las sie den Sinnspruch, der zwischen Rosen und Nelken mit goldenen Buchstaben darauf geschrieben stand:

Hest du din Dagwerk richtig dan,
Da kummt de Slap von sülvst heran.

Das war noch von dem Großvater! – Einen Blick warf sie auf den Wandschrank; er war fast leer; aber durch die Glastüren sah sie noch den geschliffenen Pokal darin, der ihrem Vater, wie er gern erzählt hatte, einst bei einem Ringreiten in seiner Jugend als Preis zuteil geworden war. Sie nahm ihn heraus und setzte ihn bei dem Gedeck des Oberdeichgrafen. Dann ging sie ans Fenster; denn schon hörte sie die Wagen an der Werfte heraufrollen; einer um den anderen hielt vor dem Hause, und munterer, als sie gekommen waren, sprangen jetzt die Gäste von ihren Sitzen auf den Boden. Händereibend und plaudernd drängte sich alles in die Stube; nicht lange, so setzte man sich an die festliche Tafel, auf der die wohlbereiteten Speisen dampften, im Pesel der Oberdeichgraf mit dem Pastor; und Lärm und lautes Schwatzen lief den Tisch entlang, als ob hier nimmer der Tod seine furchtbare Stille ausgebreitet hätte. Stumm, das Auge auf ihre Gäste, ging Elke mit den Mägden an den Tischen herum, daß an dem Leichenmahle nichts versehen werde. Auch Hauke Haien saß im Wohnzimmer neben Ole Peters und anderen kleineren Besitzern.

Nachdem das Mahl beendet war, wurden die weißen Tonpfeifen aus der Ecke geholt und angebrannt, und Elke war wiederum geschäftig, die gefüllten Kaffeetassen den Gästen anzubieten; denn auch der wurde heute nicht gespart. Im Wohnzimmer an dem Pulte des eben Begrabenen stand der Oberdeichgraf im Gespräche mit dem Pastor und dem weißhaarigen Deichgevollmächtigten Jewe Manners. „Alles gut, ihr Herren", sagte der erste, „den alten Deichgrafen haben wir mit Ehren beigesetzt; aber woher nehmen wir den neuen? Ich denke, Manners, Ihr werdet Euch dieser Würde unterziehen müssen!"

Der alte Manners hob lächelnd das schwarze Sammetkäppchen von seinen weißen Haaren: „Herr Oberdeichgraf", sagte er, „das Spiel würde zu kurz werden; als der verstorbene Tede Volkerts Deichgraf, da wurde ich Gevollmächtigter und bin es nun schon vierzig Jahre!"

„Das ist kein Mangel, Manners; so kennt Ihr die Geschäfte um so besser und werdet nicht Not mit ihnen haben!"

Aber der Alte schüttelte den Kopf: „Nein, nein, Euer Gnaden, lasset mich, wo ich bin, so laufe ich wohl noch ein paar Jahre mit!"

Der Pastor stand ihm bei: „Weshalb", sagte er, „nicht den ins Amt nehmen, der es tatsächlich in den letzten Jahren doch geführt hat?"

Der Oberdeichgraf sah ihn an: „Ich verstehe nicht, Herr Pastor!"

Aber der Pastor wies mit dem Finger in den Pesel, wo Hauke in langsam ernster Weise zwei älteren Leuten etwas zu erklären schien. „Dort steht er“, sagte er, „die lange Friesengestalt mit den klugen grauen Augen neben der hageren Nase und den zwei Schädelwölbungen darüber! Er war des Alten Knecht und sitzt jetzt auf seiner eigenen kleinen Stelle; er ist zwar etwas jung!“

„Er scheint ein Dreißiger“, sagte der Oberdeichgraf, den ihm so Vorgestellten musternd.

„Er ist kaum vierundzwanzig“, bemerkte der Gevollmächtigte Manners; „aber der Pastor hat recht: was in den letzten Jahren Gutes für Deiche und Siele und dergleichen vom Deichgrafenamt in Vorschlag kam, das war von ihm; mit dem Alten war's doch zuletzt nichts mehr.“

„So, so?“ machte der Oberdeichgraf; „und Ihr meinet, er wäre nun auch der Mann, um in das Amt seines alten Herrn einzurücken?“

„Der Mann wäre er schon“, entgegnete Jewe Manners; „aber ihm fehlt das, was man hier ‚Klei unter den Füßen‘ nennt; sein Vater hatte so um fünfzehn, er mag gut zwanzig Demath haben; aber damit ist bis jetzt hier niemand Deichgraf geworden.

Der Pastor tat schon den Mund auf, als wolle er etwas einwenden, da trat Elke Volkerts, die eine Weile schon im Zimmer gewesen, plötzlich zu ihnen: „Wollen Euer Gnaden mir ein Wort erlauben?“ sprach sie zu dem Oberbeamten; „es ist nur, damit aus einem Irrtum nicht ein Unrecht werde!“

„So sprecht, Jungfer Elke!“ entgegnete dieser; „Weisheit von hübschen Mädchenlippen hört sich allzeit gut!“

– „Es ist nicht Weisheit, Euer Gnaden; ich will nur die Wahrheit sagen.“

„Auch die muß man ja hören können, Jungfer Elke!“

Das Mädchen ließ ihre dunklen Augen noch einmal zur Seite gehen, als ob sie wegen überflüssiger Ohren sich versichern wolle: „Euer Gnaden“, begann sie dann, und ihre Brust hob sich in stärkerer Bewegung, „mein Pate, Jewe Manners, sagte Ihnen, daß Hauke Haien nur etwa zwanzig Demath im Besitz habe; das ist im Augenblick auch richtig;

aber sobald es sein muß, wird Hauke noch um so viel mehr sein eigen nennen, als dieser, meines Vaters, jetzt mein Hof, an Demathzahl beträgt; für einen Deichgrafen wird das zusammen denn wohl reichen."

Der alte Manners reckte den weißen Kopf gegen sie, als müsse er erst sehen, wer denn eigentlich da rede: „Was ist das?" sagte er; „Kind, was sprichst du da?"

Aber Elke zog an einem schwarzen Bändchen einen blinkenden Goldring aus ihrem Mieder: „Ich bin verlobt, Pate Manners", sagte sie; „hier ist der Ring, und Hauke Haien ist mein Bräutigam."

– „Und wann – ich darf's wohl fragen, da ich dich aus der Taufe hob, Elke Volkerts – wann ist denn das passiert?"

– „Das war schon vor geraumer Zeit; doch war ich mündig, Pate Manners", sagte sie; „mein Vater war schon hinfällig worden, und da ich ihn kannte, so wollt ich ihn nicht mehr damit beunruhigen; itzt, da er bei Gott ist, wird er einsehen, daß sein Kind bei diesem Manne wohl geborgen ist. Ich hätte es auch das Trauerjahr hindurch schon ausgeschwiegen; jetzt aber, um Haukes und um des Kooges willen, hab ich reden müssen." Und zum Oberdeichgrafen gewandt, setzte sie hinzu: „Euer Gnaden wollen mir das verzeihen!"

Die drei Männer sahen sich an; der Pastor lachte, der alte Gevollmächtigte ließ es bei einem „Hm, hm!" bewenden, während der Oberdeichgraf wie vor einer wichtigen Entscheidung sich die Stirn rieb. „Ja, liebe Jungfer", sagte er endlich, „aber wie steht es denn hier im Kooge mit den ehelichen Güterrechten? Ich muß gestehen, ich bin augenblicklich nicht recht kapitelfest in diesem Wirrsal!"

„Das brauchen Euer Gnaden auch nicht", entgegnete des Deichgrafen Tochter, „ich werde vor der Hochzeit meinem Bräutigam die Güter übertragen. Ich habe auch meinen kleinen Stolz", setzte sie lächelnd hinzu; „ich werde den reichsten Mann im Dorfe heiraten!"

„Nun, Manners", meinte der Pastor, „ich denke, Sie werden auch als Pate nichts dagegen haben, wenn ich den jungen Deichgrafen mit des alten Tochter zusammengebe!"

Der Alte schüttelte leis den Kopf: „Unser Herrgott gebe seinen Segen!“ sagte er andächtig.

Der Oberdeichgraf aber reichte dem Mädchen seine Hand: „Wahr und weise habt Ihr gesprochen, Elke Volkerts; ich danke Euch für so kräftige Erläuterungen und hoffe auch in Zukunft, und bei freundlicheren Gelegenheiten als heute, der Gast Eures Hauses zu sein; aber – daß ein Deichgraf von solch junger Jungfer gemacht wurde, das ist das Wunderbare an der Sache!“

„Euer Gnaden“, erwiderte Elke und sah den gütigen Oberbeamten noch einmal mit ihren ernsten Augen an, „einem rechten Manne wird auch die Frau wohl helfen dürfen!“ Dann ging sie in den anstoßenden Pesel und legte schweigend ihre Hand in Hauke Haiens.

Es war um mehrere Jahre später: in dem kleinen Hause Tede Haiens wohnte jetzt ein rüstiger Arbeiter mit Frau und Kind; der junge Deichgraf Hauke Haien saß mit seinem Weibe Elke Volkerts auf deren väterlicher Hofstelle. Im Sommer rauschte die gewaltige Esche nach wie vor am Hause; aber auf der Bank, die jetzt darunter stand, sah man abends meist nur die junge Frau, einsam mit einer häuslichen Arbeit in den Händen; noch immer fehlte ein Kind in dieser Ehe; der Mann aber hatte anderes zu tun, als Feierabend vor der Tür zu halten; denn trotz seiner früheren Mithilfe lagen aus des Alten Amtsführung eine Menge unerledigter Dinge, an die auch er derzeit zu rühren nicht für gut gefunden hatte; jetzt aber mußte allmählich alles aus dem Wege; er fegte mit einem scharfen Besen. Dazu kam die Bewirtschaftung der durch seinen eigenen Landbesitz vergrößerten Stelle, bei der er gleichwohl den Kleinknecht noch zu sparen suchte; so sahen sich die beiden Eheleute, außer am Sonntag, wo Kirchgang gehalten wurde, meist nur bei dem von Hauke eilig besorgten Mittagessen und beim Auf- und Niedergang des Tages; es war ein Leben fortgesetzter Arbeit, doch gleichwohl ein zufriedenes.

Dann kam ein störendes Wort in Umlauf. – Als von den jüngeren Besitzern der Marsch- und Geestgemeinde eines

Sonntags nach der Kirche ein etwas unruhiger Trupp im Kruge droben am Trunke festgeblieben war, redeten sie beim vierten oder fünften Glase zwar nicht über König und Regierung – so hoch wurde damals noch nicht gegriffen –, wohl aber über Kommunal- und Oberbeamte, vor allem über Gemeindeabgaben und -Lasten, und je länger sie redeten, desto weniger fand davon Gnade vor ihren Augen, insonders nicht die neuen Deichlasten; alle Sielen und Schleusen, die sonst immer gehalten hätten, seien jetzt reparaturbedürftig; am Deiche fänden sich immer neue Stellen, die Hunderte von Karren Erde nötig hätten; der Teufel möchte die Geschichte holen!

„Das kommt von eurem klugen Deichgrafen“, rief einer von den Geestleuten, „der immer grübeln geht und seine Finger dann in alles steckt!“

„Ja, Marten“, sagte Ole Peters, der dem Sprecher gegenübersaß; „recht hast du, er ist hinterspinnig und sucht beim Oberdeichgraf sich 'nen weißen Fuß zu machen; aber wir haben ihn nun einmal!“

„Warum habt ihr ihn euch aufhucken lassen?“ sagte der andere; „nun müßt ihr's bar bezahlen.“

Ole Peters lachte. „Ja, Marten Fedders, das ist nun so bei uns, und davon ist nichts abzukratzen; der alte wurde Deichgraf von seines Vaters, der neue von seines Weibes wegen.“ Das Gelächter, das jetzt um den Tisch lief, zeigte, welchen Beifall das geprägte Wort gefunden hatte.

Aber es war an öffentlicher Wirtstafel gesprochen worden, es blieb nicht da, es lief bald um im Geest- und unten in dem Marschdorf; so kam es auch an Hauke. Und wieder ging vor seinem inneren Auge die Reihe übelwollender Gesichter vorüber, und noch höhnischer, als es gewesen war, hörte er das Gelächter an dem Wirtshaustische. „Hunde!“ schrie er, und seine Augen sahen grimmig zur Seite, als wolle er sie peitschen lassen.

Da legte Elke ihre Hand auf seinen Arm: „Laß sie; die wären alle gern, was du bist!“

– „Das ist es eben!“ entgegnete er grollend.

„Und“, fuhr sie fort, „hat denn Ole Peters sich nicht selber eingefreit?“

„Das hat er, Elke; aber was er mit Vollina freite, das reichte nicht zum Deichgrafen!"

– „Sag lieber: er reichte nicht dazu!" und Elke drehte ihren Mann, so daß er sich im Spiegel sehen mußte; denn sie standen zwischen den Fenstern in ihrem Zimmer. „Da steht der Deichgraf!" sagte sie; „nun sieh ihn an; nur wer ein Amt regieren kann, der hat es!"

„Du hast nicht unrecht", entgegnete er sinnend, „und doch . . . Nun, Elke; ich muß zur Osterschleuse, die Türen schließen wieder nicht!"

Sie drückte ihm die Hand: „Komm, sieh mich erst einmal an! Was hast du, deine Augen sehen so ins Weite?"

„Nichts, Elke; du hast ja recht."

Er ging; aber nicht lange war er gegangen, so war die Schleusenreparatur vergessen. Ein anderer Gedanke, den er halb nur ausgedacht und seit Jahren mit sich umhergetragen hatte, der aber vor den drängenden Amtsgeschäften ganz zurückgetreten war, bemächtigte sich seiner jetzt aufs neue und mächtiger als je zuvor, als seien plötzlich die Flügel ihm gewachsen.

Kaum daß er es selber wußte, befand er sich oben auf dem Hafdeich, schon eine weite Strecke südwärts nach der Stadt zu; das Dorf, das nach dieser Seite hinauslag, war ihm zur Linken längst verschwunden; noch immer schritt er weiter, seine Augen unablässig nach der Seeseite auf das breite Vorland gerichtet; wäre jemand neben ihm gegangen, er hätte es sehen müssen, welche eindringliche Geistesarbeit hinter diesen Augen vorging. Endlich blieb er stehen: das Vorland schwand hier zu einem schmalen Streifen an dem Deich zusammen. „Es muß gehen!" sprach er bei sich selbst. „Sieben Jahre im Amt; sie sollen nicht mehr sagen, daß ich nur Deichgraf bin von meines Weibes wegen!"

Noch immer stand er, und seine Blicke schweiften scharf und bedächtig nach allen Seiten über das grüne Vorland; dann ging er zurück, bis wo auch hier ein schmaler Streifen grünen Weidelands die vor ihm liegende breite Landfläche ablöste. Hart an dem Deiche aber schoß ein starker Meeresstrom durch diese, der fast das ganze Vorland von dem Festlande trennte und zu einer Hallig machte; eine rohe

Holzbrücke führte nach dort hinüber, damit man mit Vieh und Heu- und Getreidewagen hinüber- und wieder zurückgelangen könne. Jetzt war es Ebbzeit, und die goldene Septembersonne glitzerte auf dem etwa hundert Schritte breiten Schlickstreifen und auf dem tiefen Priel in seiner Mitte, durch den auch jetzt das Meer noch seine Wasser trieb. „Das läßt sich dämmen!" sprach Hauke bei sich selber, nachdem er diesem Spiele eine Zeitlang zugesehen; dann blickte er auf, und von dem Deiche, auf dem er stand, über den Priel hinweg, zog er in Gedanken eine Linie längs dem Rande des abgetrennten Landes, nach Süden herum und ostwärts wiederum zurück über die dortige Fortsetzung des Prieles und an den Deich heran. Die Linie aber, welche er unsichtbar gezogen hatte, war ein neuer Deich, neu auch in der Konstruktion seines Profiles, welches bis jetzt nur noch in seinem Kopf vorhanden war.

„Das gäbe einen Koog von zirka tausend Demath", sprach er lächelnd zu sich selber; „nicht groß just; aber . . ."

Eine andere Kalkulation überkam ihn: das Vorland gehörte hier der Gemeinde, ihren einzelnen Mitgliedern eine Zahl von Anteilen, je nach der Größe ihres Besitzes im Gemeindebezirk oder nach sonst zu Recht bestehender Erwerbung; er begann zusammenzuzählen, wieviel Anteile er von seinem, wie viele er von Elkes Vater überkommen, und was an solchen er während seiner Ehe schon selbst gekauft hatte, teils in dem dunklen Gefühle eines künftigen Vorteils, teils bei Vermehrung seiner Schafzucht. Es war schon eine ansehnliche Menge; denn auch von Ole Peters hatte er dessen sämtliche Teile angekauft, da es diesem zum Verdruß geschlagen war, als bei einer teilweisen Überströmung ihm sein bester Schafbock ertrunken war. Aber das war ein seltsamer Unfall gewesen; denn so weit Haukes Gedächtnis reichte, waren selbst bei hohen Fluten dort nur die Ränder überströmt worden. Welch treffliches Weide- und Kornland mußte es geben und von welchem Werte, wenn das alles von seinem neuen Deich umgeben war! Wie ein Rausch stieg es ihm ins Gehirn; aber er preßte die Nägel in seine Handflächen und zwang seine Augen, klar und nüchtern zu sehen, was dort vor ihm lag: eine große deichlose Fläche, wer wußte es, welchen Stürmen und Fluten schon in den nächsten Jahren preisgegeben, an deren äußerstem Rande jetzt ein Trupp von schmutzigen Schafen langsam grasend entlangwanderte; dazu für ihn ein Haufen Arbeit, Kampf und Ärger! Trotz alledem, als er vom Deich hinab- und den Fußsteig über die Fennen auf seine Werfte zuging, ihm war's, als brächte er einen großen Schatz mit sich nach Hause.

Auf dem Flur trat Elke ihm entgegen: „ Wie war es mit der Schleuse?" frug sie.

Er sah mit geheimnisvollem Lächeln auf sie nieder: „Wir werden bald eine andere Schleuse brauchen", sagte er; „und Sielen und einen neuen Deich!"

„Ich versteh dich nicht", entgegnete Elke, während sie in das Zimmer gingen; „was willst du, Hauke?"

„Ich will", sagte er langsam und hielt dann einen Augenblick inne, „ich will, daß das große Vorland, das unserer Hofstatt gegenüber beginnt und dann nach Westen ausgeht, zu einem festen Kooge eingedeicht werde: die hohen Fluten haben fast ein Menschenalter uns in Ruh gelassen; wenn aber eine von den schlimmen wiederkommt und den Anwachs stört, so kann mit einemmal die ganze Herrlichkeit zu Ende sein; nur der alte Schlendrian hat das bis heut so lassen können!"

Sie sah ihn voll Erstaunen an: „So schiltst du dich ja selber!" sagte sie.

– „Das tu ich, Elke; aber es war bisher auch so viel anderes zu beschaffen!"

„Ja, Hauke; gewiß, du hast genug getan!"

Er hatte sich in den Lehnstuhl des alten Deichgrafen gesetzt, und seine Hände griffen fest um beide Lehnen.

„Hast du denn guten Mut dazu?" frug ihn sein Weib.

– „Das hab ich, Elke!" sprach er hastig.

„Sei nicht zu hastig, Hauke; das ist ein Werk auf Tod und Leben; und fast alle werden dir entgegen sein, man wird dir deine Müh und Sorg nicht danken!"

Er nickte: „Ich weiß!" sagte er.

„Und wenn es nun nicht gelänge!" rief sie wieder; „von Kindesbeinen an hab ich gehört, der Priel sei nicht zu stopfen, und darum dürfe nicht daran gerührt werden."

„Das war ein Vorwand für die Faulen!" sagte Hauke; „weshalb denn sollte man den Priel nicht stopfen können?"

– „Das hört ich nicht; vielleicht, weil er gerade durchgeht; die Spülung ist zu stark." – Eine Erinnerung überkam sie, und ein fast schelmisches Lächeln brach aus ihren ernsten Augen: „Als ich Kind war", sprach sie, „hörte ich einmal die Knechte darüber reden; sie meinten, wenn ein Damm dort halten solle, müsse was Lebigs da hineingeworfen und mit verdämmt werden; bei einem Deichbau auf der anderen Seite, vor wohl hundert Jahren, sei ein Zigeunerkind verdämmet worden, das sie um schweres Geld der Mutter abgehandelt hätten; jetzt aber würde wohl keine ihr Kind verkaufen!"

Hauke schüttelte den Kopf: „Da ist es gut, daß wir keins haben; sie würden es sonst noch schier von uns verlangen!"

„Sie sollten's nicht bekommen!" sagte Elke und schlug wie in Angst die Arme über ihren Leib.

Und Hauke lächelte; doch sie frug noch einmal: „Und die ungeheuren Kosten? Hast du das bedacht?"

– „Das hab ich, Elke; was wir dort herausbringen, wird sie bei weitem überholen, auch die Erhaltungskosten des alten Deiches gehen für ein gut Stück in dem neuen unter; wir arbeiten ja selbst und haben über achtzig Gespanne in der Gemeinde, und an jungen Fäusten ist hier auch kein Mangel. Du sollst mich wenigstens nicht umsonst zum Deichgrafen gemacht haben, Elke; ich will ihnen zeigen, daß ich einer bin!"

Sie hatte sich vor ihm niedergehuckt und ihn sorgvoll angeblickt; nun erhob sie sich mit einem Seufzer: „Ich muß weiter zu meinem Tagwerk", sagte sie, und ihre Hand strich langsam über seine Wange; „tu du das deine, Hauke!"

„Amen, Elke!" sprach er mit ernstem Lächeln; „Arbeit ist für uns beide da!"

– – Und es war Arbeit genug für beide, die schwerste Last aber fiel jetzt auf des Mannes Schulter. An Sonntagnachmittagen, oft auch nach Feierabend, saß Hauke mit einem tüchtigen Feldmesser zusammen, vertieft in Rechenaufgaben, Zeichnungen und Rissen; war er allein, dann ging es ebenso und endete oft weit nach Mitternacht. Dann schlich er in die gemeinsame Schlafkammer – denn die dumpfen Wandbetten im Wohngemach wurden in Haukes Wirtschaft nicht mehr gebraucht – und sein Weib, damit er endlich nur zur Ruhe komme, lag wie schlafend mit geschlossenen Augen, obgleich sie mit klopfendem Herzen nur auf ihn gewartet hatte; dann küßte er mitunter ihre Stirn und sprach ein leises Liebeswort dabei, und legte sich selbst zum Schlafe, der ihm oft nur beim ersten Hahnenkraht zu Willen war. Im Wintersturm lief er auf den Deich hinaus, mit Bleistift und Papier in der Hand, und stand und zeichnete und notierte, während ein Windstoß ihm die Mütze vom Kopf riß, und das lange, fahle Haar ihm um sein heißes Antlitz flog; bald fuhr er, solange nur das Eis ihm nicht den Weg versperrte, mit einem Knecht zu Boot ins Wattenmeer hinaus und maß dort mit Lot und Stange die Tiefen der Ströme, über die er noch nicht sicher war. Elke zitterte oft genug für ihn; aber war er wieder da, so hätte er das nur aus ihrem festen Händedruck oder dem leuchtenden Blitz aus ihren sonst so stillen Augen merken können. „Geduld, Elke", sagte er, da ihm einmal war, als ob sein Weib ihn nicht lassen könne; „ich muß erst selbst im reinen sein, bevor ich meinen Antrag stelle!" Da nickte sie und ließ ihn gehen. Der Ritte in die Stadt zum Oberdeichgrafen wurden auch nicht wenige, und allem diesen und den Mühen in Haus- und Landwirtschaft folgten immer wieder die Arbeiten in die Nacht hinein. Sein Verkehr mit anderen Menschen außer in Arbeit und Geschäft verschwand fast ganz; selbst der mit seinem Weibe wurde immer weniger. „Es sind schlimme Zeiten, und sie werden noch lange dauern", sprach Elke bei sich selber, und ging an ihre Arbeit.

Endlich, Sonne und Frühlingswinde hatten schon überall das Eis gebrochen, war auch die letzte Vorarbeit getan; die Eingabe an den Oberdeichgrafen zu Befürwortung an höherem Orte, enthaltend den Vorschlag einer Bedeichung des erwähnten Vorlandes, zur Förderung des öffentlichen Besten, insonders des Kooges, wie nicht weniger der Herrschaftlichen Kasse, da höchstderselben in kurzen Jahren die Abgabe von zirka tausend Demath daraus erwachsen würden, – war sauber abgeschrieben und nebst anliegenden Rissen und Zeichnungen aller Lokalitäten, jetzt und künftig, der Schleusen und Siele und was noch sonst dazu gehörte, in ein festes Konvolut gepackt und mit dem deichgräflichen Amtssiegel versehen worden.

„Da ist es, Elke“, sagte der junge Deichgraf, „nun gib ihm deinen Segen!“

Elke legte ihre Hand in seine: „Wir wollen fest zusammenhalten“, sagte sie.

– „Das wollen wir.“

Dann wurde die Eingabe durch einen reitenden Boten in die Stadt gesandt.

Sie wollen bemerken, lieber Herr«, unterbrach der Schulmeister seine Erzählung, mich freundlich mit seinen feinen Augen fixierend, »daß ich das bisher Berichtete während meiner fast vierzigjährigen Wirksamkeit in diesem Kooge aus den Überlieferungen verständiger Leute, oder aus Erzählungen der Enkel und Urenkel solcher zusammengefunden habe; was ich, damit Sie dieses mit dem endlichen Verlauf in Einklang zu bringen vermögen, Ihnen jetzt vorzutragen habe, das war derzeit und ist auch jetzt noch das Geschwätz des ganzen Marschdorfes, sobald nur um Allerheiligen die Spinnräder an zu schnurren fangen.

Von der Hofstelle des Deichgrafen, etwa fünf- bis sechshundert Schritte weiter nordwärts, sah man derzeit, wenn man auf dem Deiche stand, ein paar tausend Schritt ins Wattenmeer hinaus und etwas weiter von dem gegenüberliegenden Marschufer entfernt eine kleine Hallig, die sie ‚Jeverssand‘, auch ‚Jevershallig‘ nannten. Von den derzeitigen Großvätern war sie noch zur Schafweide benutzt worden, denn Gras war damals noch darauf gewachsen; aber auch das hatte aufgehört, weil die niedrige Hallig ein paarmal, und just im Hochsommer, unter Seewasser gekommen und der Graswuchs dadurch verkümmert und auch zur Schafweide unnutzbar geworden war. So kam es denn, daß außer von Möwen und den anderen Vögeln, die am Strande fliegen, und etwa einmal von einem Fischadler, dort kein Besuch mehr stattfand; und an mondhellen Abenden sah man vom Deiche aus nur die Nebeldünste leichter oder schwerer darüber hinziehen. Ein paar weißgebleichte Knochengerüste ertrunkener Schafe und das Gerippe eines Pferdes, von dem freilich niemand begriff, wie es dort hingekommen sei, wollte man, wenn der Mond von Osten auf die Hallig schien, dort auch erkennen können.

Es war zu Ende März, als an dieser Stelle nach Feierabend der Tagelöhner aus dem Tede Haienschen Hause und Iven Johns, der Knecht des jungen Deichgrafen, nebeneinander standen und unbeweglich nach der im trüben Mondduft kaum erkennbaren Hallig hinüberstarrten; etwas Auffälliges schien sie dort so festzuhalten. Der Tagelöhner steckte die Hände in die Tasche und schüttelte sich: „Komm, Iven", sagte er, „das ist nichts Gutes; laß uns nach Haus gehen!"

Der andere lachte, wenn auch ein Grauen bei ihm hindurchklang: „Ei was! Es ist eine lebige Kreatur, eine große! Wer, zum Teufel, hat sie nach dem Schlickstück hinaufgejagt! Sieh nur, nun reckt's den Hals zu uns hinüber! Nein, es senkt den Kopf; es frißt! Ich dächt, es wär dort nichts zu fressen! Was es nur sein mag?"

„Was geht das uns an!" entgegnete der andere. „Gute Nacht, Iven, wenn du nicht mitwillst; ich gehe nach Haus!"

– „Ja, ja; du hast ein Weib, du kommst ins warme Bett! Bei mir ist auch in meiner Kammer lauter Märzenluft!"

„Gut Nacht denn!" rief der Tagelöhner zurück, während er auf dem Deich nach Hause trabte. Der Knecht sah sich ein paarmal nach dem Fortlaufenden um; aber die Begier, Unheimliches zu schauen, hielt ihn noch fest. Da kam eine untersetzte, dunkle Gestalt auf dem Deich vom Dorf her gegen ihn heran; es war der Dienstjunge des Deichgrafen. „Was willst du, Carsten?" rief ihm der Knecht entgegen.

„Ich? – nichts", sagte der Junge; „aber unser Wirt will dich sprechen, Iven Johns!"

Der Knecht hatte die Augen schon wieder nach der Hallig: „Gleich; ich komme gleich!" sagte er.

„Wonach guckst du denn so?" frug der Junge.

Der Knecht hob den Arm und wies stumm nach der Hallig. „Oha!“ flüsterte der Junge; „da geht ein Pferd – ein Schimmel – das muß der Teufel reiten – wie kommt ein Pferd nach Jevershallig?“

– „Weiß nicht, Carsten; wenn's nur ein richtiges Pferd ist!“

„Ja, ja, Iven; sieh nur, es frißt ganz wie ein Pferd! Aber wer hat's dahin gebracht; wir haben im Dorf so große Boote gar nicht! Vielleicht auch ist es nur ein Schaf; Peter Ohm sagt, im Mondschein wird aus zehn Torfringeln ein ganzes Dorf. Nein, sieh! Nun springt es – es muß doch ein Pferd sein!“

Beide standen eine Weile schweigend, die Augen nur nach dem gerichtet, was sie drüben undeutlich vor sich gehen sahen. Der Mond stand hoch am Himmel und beschien das weite Wattenmeer, das eben in der steigenden Flut seine Wasser über die glitzernden Schlickflächen zu spülen begann; nur das leise Geräusch des Wassers, keine Tierstimme war in der ungeheuren Weite hier zu hören; auch in der Marsch, hinter dem Deiche, war es leer; Kühe und Rinder waren alle noch in den Ställen. Nichts regte sich; nur was sie für ein Pferd, einen Schimmel hielten, schien dort auf Jevershallig noch beweglich. „Es wird heller“, unterbrach der Knecht die Stille; „ich sehe deutlich die weißen Schafgerippe schimmern!“

„Ich auch“, sagte der Junge, und reckte den Hals; dann aber, als komme es ihm plötzlich, zupfte er den Knecht am Ärmel: „Iven“, raunte er, „das Pferdegerippe, das sonst dabeilag, wo ist es? Ich kann's nicht sehen!“

„Ich seh es auch nicht! Seltsam!“ sagte der Knecht.

– „Nicht so seltsam, Iven! Mitunter, ich weiß nicht, in welchen Nächten, sollen die Knochen sich erheben und tun, als ob sie lebig wären!“

„So?“ machte der Knecht; „das ist ja Altweiberglaube!“

„Kann sein, Iven“, meinte der Junge.

„Aber, ich mein, du sollst mich holen; komm, wir müssen nach Haus! Es bleibt hier immer doch dasselbe.“

Der Junge war nicht fortzubringen, bis der Knecht ihn mit Gewalt herumgedreht und auf den Weg gebracht hatte.

„Hör, Carsten", sagte dieser, als die gespensterhafte Hallig ihnen schon ein gut Stück im Rücken lag, „du giltst ja für einen Allerweltsbengel; ich glaub, du möchtest das am liebsten selber untersuchen!"

„Ja", entgegnete Carsten, nachträglich noch ein wenig schaudernd, „ja, das möcht ich, Iven!"

– „Ist das dein Ernst? – dann", sagte der Knecht, nachdem der Junge ihm nachdrücklich darauf die Hand geboten hatte, „lösen wir morgen abend unser Boot; du fährst nach Jeverssand; ich bleib solange auf dem Deiche stehen."

„Ja", erwiderte der Junge, „das geht! Ich nehme meine Peitsche mit!"

„Tu das!"

Schweigend kamen sie in das Haus ihrer Herrschaft, zu dem sie langsam die hohe Werft hinanstiegen.

Um dieselbe Zeit des folgenden Abends saß der Knecht auf dem großen Steine vor der Stalltür, als der Junge mit seiner Peitsche knallend zu ihm kam. „Das pfeift ja wunderlich!" sagte jener.

„Freilich, nimm dich in acht", entgegnete der Junge; „ich hab auch Nägel in die Schnur geflochten."

„So komm!" sagte der andere.

Der Mond stand, wie gestern, am Osthimmel und schien klar aus seiner Höhe. Bald waren beide wieder draußen auf dem Deich und sahen hinüber nach Jevershallig, die wie ein Nebelfleck im Wasser stand. „Da geht es wieder", sagte der Knecht; „nach Mittag war ich hier, da war's nicht da; aber ich sah deutlich das weiße Pferdsgerippe liegen!"

Der Junge reckte den Hals: „Das ist jetzt nicht da, Iven", flüsterte er.

„Nun, Carsten, wie ist's?" sagte der Knecht. „Juckt's dich noch, hinüberzufahren?"

Carsten besann sich einen Augenblick; dann klatschte er mit seiner Peitsche in die Luft: „Mach nur das Boot los, Iven!"

Drüben aber war es, als hebe, was dorten ging, den Hals, und recke gegen das Festland hin den Kopf. Sie sahen es nicht mehr; sie gingen schon den Deich hinab und bis zur

Stelle, wo das Boot gelegen war. „Nun, steig nur ein!" sagte der Knecht, nachdem er es losgebunden hatte. „Ich bleib, bis du zurück bist! Zu Osten mußt du anlegen; da hat man immer landen können!" Und der Junge nickte schweigend und fuhr mit seiner Peitsche in die Mondnacht hinaus; der Knecht wanderte unterm Deich zurück und bestieg ihn wieder an der Stelle, wo sie vorhin gestanden hatten. Bald sah er, wie drüben bei einer schroffen, dunklen Stelle, an die ein breiter Priel hinanführte, das Boot sich beilegte, und eine untersetzte Gestalt daraus ans Land sprang. – War's nicht, als klatschte der Junge mit seiner Peitsche? Aber es konnte auch das Geräusch der steigenden Flut sein. Mehrere hundert Schritte nordwärts sah er, was sie für einen Schimmel angesehen hatten; und jetzt! – ja, die Gestalt des Jungen kam gerade darauf zugegangen. Nun hob es den Kopf, als ob es stutze; und der Junge – es war deutlich jetzt zu hören – klatschte mit der Peitsche. Aber – was fiel ihm ein? er kehrte um, er ging den Weg zurück, den er gekommen war. Das drüben schien unablässig fortzuweiden, kein Wiehern war von dort zu hören gewesen; wie weiße Wasserstreifen schien es mitunter über die Erscheinung hinzuziehen. Der Knecht sah wie gebannt hinüber.

Da hörte er das Anlegen des Bootes am diesseitigen Ufer, und bald sah er aus der Dämmerung den Jungen gegen sich am Deich heraufsteigen. „Nun, Carsten", frug er, „was war es?"

Der Junge schüttelte den Kopf. „Nichts war es!" sagte er. „Noch kurz vom Boot aus hatte ich es gesehen; dann aber, als ich auf der Hallig war – weiß der Henker, wo sich das Tier verkrochen hatte; der Mond schien doch hell genug; aber als ich an die Stelle kam, war nichts da als die bleichen Knochen von einem halben Dutzend Schafen, und etwas weiter lag auch das Pferdegerippe mit seinem weißen, langen Schädel und ließ den Mond in seine leeren Augenhöhlen scheinen!"

„Hm!" meinte der Knecht; „hast auch recht zugesehen?"

„Ja, Iven, ich stand dabei; ein gottvergessener Kiewiet, der hinter dem Gerippe sich zur Nachtruh hingeduckt hatte, flog schreiend auf, daß ich erschrak und ein paarmal mit der Peitsche hintenach klatschte."

„Und das war alles?"

„Ja, Iven; ich weiß nicht mehr."

„Es ist auch genug", sagte der Knecht, zog den Jungen am Arm zu sich heran und wies hinüber nach der Hallig. „Dort, siehst du etwas, Carsten?"

– „Wahrhaftig, da geht's ja wieder!"

„Wieder?" sagte der Knecht; „ich hab die ganze Zeit hinübergeschaut, aber es ist gar nicht fortgewesen; du gingst ja gerade auf das Unwesen los!"

Der Junge starrte ihn an; ein Entsetzen lag plötzlich auf seinem sonst so kecken Angesicht, das auch dem Knechte nicht entging. „Komm!" sagte dieser, „wir wollen nach Haus: von hier aus geht's wie lebig, und drüben liegen nur die Knochen – das ist mehr, als du und ich begreifen können. Schweig aber still davon, man darf dergleichen nicht verreden!"

So wandten sie sich, und der Junge trabte neben ihm; sie sprachen nicht, und die Marsch lag in lautlosem Schweigen an ihrer Seite.

– – Nachdem aber der Mond zurückgegangen, und die Nächte dunkel geworden waren, geschah ein anderes.

Hauke Haien war zur Zeit des Pferdemarktes in die Stadt geritten, ohne jedoch mit diesem dort zu tun zu haben. Gleichwohl, da er gegen Abend heimkam, brachte er ein zweites Pferd mit sich nach Hause; aber es war rauhhaarig und mager, daß man jede Rippe zählen konnte, und die Augen lagen ihm matt und eingefallen in den Schädelhöhlen. Elke war vor die Haustür getreten, um ihren Eheliebsten zu empfangen: „Hilf, Himmel!" rief sie, „was soll uns der alte Schimmel?" Denn da Hauke mit ihm vor das Haus geritten kam und unter der Esche hielt, hatte sie gesehen, daß die arme Kreatur auch lahme.

Der junge Deichgraf aber sprang lachend von seinem braunen Wallach: „Laß nur, Elke; es kostet auch nicht viel!"

Die kluge Frau erwiderte: „Du weißt doch, das Wohlfeilste ist auch meist das Teuerste."

– „Aber nicht immer, Elke; das Tier ist höchstens vier Jahr alt; sieh es dir nur genauer an! Es ist verhungert und mißhandelt; da soll ihm unser Hafer guttun; ich werd es selbst versorgen, damit sie mir's nicht überfüttern."

Das Tier stand indessen mit gesenktem Kopf; die Mähnen hingen lang am Hals herunter. Frau Elke, während ihr Mann nach den Knechten rief, ging betrachtend um dasselbe herum; aber sie schüttelte den Kopf: „So eins ist noch nie in unserem Stall gewesen!"

Als jetzt der Dienstjunge um die Hausecke kam, blieb er plötzlich mit erschrockenen Augen stehen. „Nun, Carsten", rief der Deichgraf, „was fährt dir in die Knochen? Gefällt dir mein Schimmel nicht?"

„Ja – o ja, uns' Weert, warum denn nicht!"

– „So bring die Tiere in den Stall; gib ihnen kein Futter; ich komme gleich selber hin!"

Der Junge faßte mit Vorsicht den Halfter des Schimmels und griff dann hastig, wie zum Schutze, nach dem Zügel des ihm ebenfalls vertrauten Wallachs. Hauke aber ging mit seinem Weibe in das Zimmer; ein Warmbier hatte sie für ihn bereit, und Brot und Butter waren auch zur Stelle.

Er war bald gesättigt; dann stand er auf und ging mit seiner Frau im Zimmer auf und ab. „Laß dir erzählen, Elke", sagte er, während der Abendschein auf den Kacheln an den Wänden spielte, „wie ich zu dem Tier gekommen bin: Ich war wohl eine Stunde beim Oberdeichgrafen gewesen; er hatte gute Kunde für mich – es wird wohl dies und jenes anders werden als in meinen Rissen; aber die Hauptsache, mein Profil ist akzeptiert, und schon in den nächsten Tagen kann der Befehl zum neuen Deichbau dasein!"

Elke seufzte unwillkürlich: „Also doch?" sagte sie sorgenvoll.

„Ja, Frau", entgegnete Hauke; „hart wird's hergehen; aber dazu, denk ich, hat der Herrgott uns zusammengebracht! Unsere Wirtschaft ist jetzt so gut in Ordnung, ein groß Teil kannst du schon auf deine Schultern nehmen; denk nur um zehn Jahr weiter – dann stehen wir vor einem anderen Besitz."

Sie hatte bei seinen ersten Worten die Hand ihres Mannes

versichernd in die ihrigen gepreßt; seine letzten Worte konnten sie nicht erfreuen. „Für wen soll der Besitz?“ sagte sie. „Du müßtest denn ein ander Weib nehmen; ich bring dir keine Kinder.“

Tränen schossen ihr in die Augen; aber er zog sie fest in seine Arme: „Das überlassen wir dem Herrgott“, sagte er; „jetzt aber, und auch dann noch sind wir jung genug, um uns der Früchte unserer Arbeit selbst zu freuen.“

Sie sah ihn lange, während er sie hielt, aus ihren dunklen Augen an. „Verzeih, Hauke“, sprach sie; „ich bin mitunter ein verzagt Weib!“

Er neigte sich zu ihrem Antlitz und küßte sie: „Du bist mein Weib und ich dein Mann, Elke! Und anders wird es nun nicht mehr.“

Da legte sie die Arme fest um seinen Nacken: „Du hast recht, Hauke, und was kommt, kommt für uns beide.“ Dann löste sie sich errötend von ihm. „Du wolltest von dem Schimmel mir erzählen“, sagte sie leise.

„Das wollt ich, Elke. Ich sagte dir schon, mir war Kopf und Herz voll Freude über die gute Nachricht, die der Oberdeichgraf mir gegeben hatte; so ritt ich eben wieder aus der Stadt hinaus, da, auf dem Damm, hinter dem Hafen, begegnet mir ein ruppiger Kerl; ich wußt nicht, war's ein Vagabund, ein Kesselflicker oder was denn sonst. Der Kerl zog den Schimmel am Halfter hinter sich; das Tier aber hob den Kopf und sah mich aus blöden Augen an; mir war's, als ob es mich um etwas bitten wolle; ich war ja auch in diesem Augenblick reich genug. ‚He, Landsmann!‘ rief ich, ‚wo wollt Ihr mit der Kracke hin?‘

Der Kerl blieb stehen und der Schimmel auch. ‚Verkaufen!‘ sagte jener und nickte mir listig zu.

‚Nur nicht an mich!‘ rief ich lustig.

‚Ich denke doch!‘ sagte er; ‚das ist ein wacker Pferd und unter hundert Talern nicht bezahlt.‘

Ich lache ihm ins Gesicht.

‚Nun‘, sagte er, ‚lacht nicht so hart; Ihr sollt's mir ja nicht zahlen! Aber ich kann's nicht brauchen, bei mir verkommt's; es würd bei Euch bald ander Ansehen haben!‘

Da sprang ich von meinem Wallach und sah dem Schimmel ins Maul, und sah wohl, es war noch ein junges Tier. ‚Was soll's denn kosten?' rief ich, da auch das Pferd mich wiederum wie bittend ansah.

‚Herr, nehmt's für dreißig Taler!' sagte der Kerl, ‚und den Halfter geb ich Euch darein!'

Und da, Frau, hab ich dem Burschen in die dargebotene braune Hand, die fast wie eine Klaue aussah, eingeschlagen. So haben wir den Schimmel, und ich denk auch, wohlfeil genug! Wunderlich nur war es, als ich mit den Pferden wegritt, hört ich bald hinter mir ein Lachen, und als ich den Kopf wandte, sah ich den Slowaken; der stand noch sperrbeinig, die Arme auf dem Rücken, und lachte wie ein Teufel hinter mir darein."

„Pfui", rief Elke; „wenn der Schimmel nur nichts von seinem alten Herrn dir zubringt! Mög er dir gedeihen, Hauke!"

„Er selber soll es wenigstens, soweit ich's leisten kann!" Und der Deichgraf ging in den Stall, wie er vorhin dem Jungen es gesagt hatte.

– – Aber nicht allein an jenem Abend fütterte er den Schimmel; er tat es fortan immer selbst und ließ kein Auge von dem Tiere; er wollte zeigen, daß er einen Priesterhandel gemacht habe; jedenfalls sollte nichts versehen werden. – Und schon nach wenig Wochen hob sich die Haltung des Tieres; allmählich verschwanden die rauhen Haare; ein blankes, blaugeapfeltes Fell kam zum Vorschein, und da er es eines Tages auf der Hofstatt umherführte, schritt es schlank auf seinen festen Beinen. Hauke dachte des abenteuerlichen Verkäufers: „Der Kerl war ein Narr oder ein Schuft, der es gestohlen hatte!" murmelte er bei sich selber. – Bald auch, wenn das Pferd im Stall nur seine Schritte hörte, warf es den Kopf herum und wieherte ihm entgegen; nun sah er auch, es hatte, was die Araber verlangen, ein fleischlos Angesicht; draus blitzten ein Paar feurige braune Augen. Dann führte er es aus dem Stall und legte ihm einen leichten Sattel auf; aber kaum saß er droben, so fuhr dem Tier ein Wiehern wie ein Lustschrei aus der Kehle; es flog mit ihm davon, die Werfte hinab auf den Weg und dann dem Deiche zu; doch der Reiter saß fest, und als sie oben waren, ging es ruhiger, leicht, wie tanzend, und warf den Kopf dem Meere zu. Er klopfte und streichelte ihm den blanken Hals; aber es bedurfte dieser Liebkosung schon nicht mehr; das Pferd schien völlig eins mit seinem Reiter; und nachdem er eine Strecke nordwärts den Deich hinausgeritten war, wandte er es leicht und gelangte wieder an die Hofstatt.

Die Knechte standen unten an der Auffahrt und warteten der Rückkunft ihres Wirtes. „So, John", rief dieser, indem er von seinem Pferde sprang, „nun reite du es in die Fenne zu den anderen; es trägt dich wie in einer Wiege!"

Der Schimmel schüttelte den Kopf und wieherte laut in die sonnige Marschlandschaft hinaus, während ihm der Knecht den Sattel abschnallte, und der Junge damit zur Geschirrkammer lief; dann legte er den Kopf auf seines Herrn Schulter und duldete behaglich dessen Liebkosung. Als aber der Knecht sich jetzt auf seinen Rücken schwingen wollte, sprang er mit einem jähen Satz zur Seite und stand dann wieder unbeweglich, die schönen Augen auf seinen Herrn gerichtet. „Hoho, Iven", rief dieser, „hat er dir Leids getan?" und suchte seinem Knecht vom Boden aufzuhelfen.

Der rieb sich eifrig an der Hüfte: „Nein, Herr, es geht noch; aber den Schimmel reit der Teufel!"

„Und ich!" setzte Hauke lachend hinzu. „So bring ihn am Zügel in die Fenne!"

Und als der Knecht etwas beschämt gehorchte, ließ sich der Schimmel ruhig von ihm führen.

– – Einige Abende später standen Knecht und Junge miteinander vor der Stalltür; hinterm Deiche war das Abendrot erloschen, innerhalb desselben war schon der Koog von tiefer Dämmerung überwallt; nur selten kam aus der Ferne das Gebrüll eines aufgestörten Rindes oder der Schrei einer Lerche, deren Leben unter dem Überfall eines Wiesels oder einer Wasserratte endete. Der Knecht lehnte gegen den Türpfosten und rauchte aus einer kurzen Pfeife, deren Rauch er schon nicht mehr sehen konnte; gesprochen hatten er und der Junge noch nicht zusammen. Dem letzteren aber drückte etwas auf die Seele, er wußte nur nicht, wie er dem schweigsamen Knechte ankommen sollte. „Du, Iven!“ sagte er endlich, „weißt du, das Pferdgeripp auf Jeverssand!“

„Was ist damit?“ frug der Knecht.

„Ja, Iven, was ist damit? Es ist gar nicht mehr da; weder Tages noch bei Mondschein; wohl zwanzigmal bin ich auf den Deich hinausgelaufen!“

„Die alten Knochen sind wohl zusammengepoltert?“ sagte Iven und rauchte ruhig weiter.

„Aber ich war auch bei Mondschein draußen; es geht auch drüben nichts auf Jeverssand!“

„Ja“, sagte der Knecht, „sind die Knochen auseinandergefallen, so wird's wohl nicht mehr aufstehen können!“

„Mach keinen Spaß, Iven! Ich weiß jetzt; ich kann dir sagen, wo es ist!“

Der Knecht drehte sich jäh zu ihm: „Nun, wo ist es denn?“

„Wo?“ wiederholte der Junge nachdrücklich. „Es steht in unserem Stall; da steht's, seit es nicht mehr auf der Hallig ist. Es ist auch nicht umsonst, daß der Wirt es allzeit selber füttert; ich weiß Bescheid, Iven!“

Der Knecht paffte eine Weile heftig in die Nacht hinaus. „Du bist nicht klug, Carsten“, sagte er dann; „unser Schimmel? Wenn je ein Pferd ein lebigs war, so ist es der! Wie kann so ein Allerweltsjunge wie du in solch Altemweiberglauben sitzen!“

– – Aber der Junge war nicht zu bekehren: wenn der Teufel in dem Schimmel steckte, warum sollte er dann nicht lebendig sein? Im Gegenteil, um desto schlimmer! – Er fuhr jedesmal erschreckt zusammen, wenn er gegen Abend den Stall betrat, in dem auch sommers das Tier mitunter eingestellt wurde, und es dann den feurigen Kopf so jäh nach ihm herumwarf. „Hol's der Teufel!“ brummte er dann; „wir bleiben auch nicht lange mehr zusammen!“

So tat er sich denn heimlich nach einem neuen Dienste um, kündigte und trat um Allerheiligen als Knecht bei Ole Peters ein. Hier fand er andächtige Zuhörer für seine Geschichte von dem Teufelspferd des Deichgrafen; die dicke Frau Vollina und deren geistesstumpfer Vater, der frühere Deichgevollmächtigte Jeß Harders, hörten in behaglichem Gruseln zu und erzählten sie später allen, die gegen den Deichgrafen einen Groll im Herzen oder die an derart Dingen ihren Gefallen hatten.

Inzwischen war schon Ende März durch die Oberdeichgrafschaft der Befehl zur neuen Eindeichung eingetroffen. Hauke berief zunächst die Deichgevollmächtigten zusammen, und im Kruge oben bei der Kirche waren eines Tages alle erschienen und hörten zu, wie er ihnen die Hauptpunkte aus den bisher erwachsenen Schriftstücken vorlas: aus seinem Antrage, aus dem Bericht des Oberdeichgrafen, zuletzt den schließlichen Bescheid, worin vor allem auch die Annahme des von ihm vorgeschlagenen Profiles enthalten war, und der neue Deich nicht steil wie früher, sondern allmählich verlaufend nach der Seeseite abfallen sollte; aber mit heiteren oder auch nur zufriedenen Gesichtern hörten sie nicht.

„Ja, ja“, sagte ein alter Gevollmächtigter, „da haben wir nun die Bescherung, und Proteste werden nicht helfen, da der Oberdeichgraf unserem Deichgrafen den Daumen hält!“

„Hast wohl recht, Detlev Wiens“, setzte ein Zweiter hinzu; „die Frühlingsarbeit steht vor der Tür, und nun soll auch ein millionenlanger Deich gemacht werden – da muß ja alles liegenbleiben.“

„Das könnt ihr dies Jahr noch zu Ende bringen“, sagte Hauke; „so rasch wird der Stecken nicht vom Zaun gebrochen!“

Das wollten wenige zugeben. „Aber dein Profil!“ sprach ein Dritter, was Neues auf die Bahn bringend; „der Deich wird ja auch an der Außenseite nach dem Wasser so breit, wie Lawrenz sein Kind nicht lang war! Wo soll das Material herkommen? Wann soll die Arbeit fertig werden?“

„Wenn nicht in diesem, so im nächsten Jahre; das wird am meisten von uns selber abhängen!“ sagte Hauke.

Ein ärgerliches Lachen ging durch die Gesellschaft. „Aber wozu die unnütze Arbeit; der Deich soll ja nicht höher werden als der alte“, rief eine neue Stimme; „und ich mein, der steht schon über dreißig Jahre!“

„Da sagt Ihr recht", sprach Hauke, „vor dreißig Jahren ist der alte Deich gebrochen; dann rückwärts vor fünfunddreißig, und wiederum vor fünfundvierzig Jahren; seitdem aber, obgleich er noch immer steil und unvernünftig dasteht, haben die höchsten Fluten uns verschont. Der neue Deich aber soll trotz solcher hundert und aber hundert Jahre stehen; denn er wird nicht durchbrochen werden, weil der milde Abfall nach der Seeseite den Wellen keinen Angriffspunkt entgegenstellt, und so werdet ihr für euch und euere Kinder ein sicheres Land gewinnen, und das ist es, weshalb die Herrschaft und der Oberdeichgraf mir den Daumen halten; das ist es auch, was ihr zu eurem eigenen Vorteil einsehen solltet!"

Als die Versammelten hierauf nicht sogleich zu antworten bereit waren, erhob sich ein alter weißhaariger Mann mühsam von seinem Stuhle; es war Frau Elkes Pate, Jewe Manners, der auf Haukes Bitten noch immer in seinem Gevollmächtigtenamt verblieben war. „Deichgraf Hauke Haien", sprach er, „du machst uns viel Unruhe und Kosten, und ich wollte, du hättest damit gewartet, bis mich der Herrgott hätt zur Ruhe gehen lassen; aber – recht hast du, das kann nur die Unvernunft bestreiten. Wir haben Gott mit jedem Tag zu danken, daß er uns trotz unserer Trägheit das kostbarste Stück Vorland gegen Sturm und Wasserdrang erhalten hat; jetzt aber ist es wohl die elfte Stunde, in der wir selbst die Hand anlegen müssen, es auch nach all unserem Wissen und Können selber uns zu wahren und auf Gottes Langmut weiter nicht zu trotzen. Ich, meine Freunde, bin ein Greis; ich habe Deiche bauen und brechen sehen; aber den Deich, den Hauke Haien nach ihm von Gott verliehener Einsicht projektiert und bei der Herrschaft für euch durchgesetzt hat, den wird niemand von euch Lebenden brechen sehen; und wollet ihr ihm selbst nicht danken, euere Enkel werden ihm den Ehrenkranz doch einstens nicht versagen können!"

Jewe Manners setzte sich wieder; er nahm sein blaues Schnupftuch aus der Tasche und wischte sich ein paar Tropfen von der Stirn. Der Greis war noch immer als ein Mann von Tüchtigkeit und unantastbarer Rechtschaffenheit bekannt, und da die Versammlung eben nicht geneigt war, ihm zuzustimmen, so schwieg sie weiter. Aber Hauke Haien nahm das Wort; doch sahen alle, daß er bleich geworden. „Ich danke Euch, Jewe Manners", sprach er, „daß Ihr noch hier seid, und daß Ihr das Wort gesprochen habt; ihr anderen Herren Gevollmächtigten, wollet den neuen Deichbau, der freilich mir zur Last fällt, zum mindesten ansehen als ein Ding, das nun nicht mehr zu ändern steht, und lasset uns demgemäß beschließen, was nun not ist!"

„Sprechet!" sagte einer der Gevollmächtigten. Und Hauke breitete die Karte des neuen Deiches auf dem Tische aus: „Es hat vorhin einer gefragt", begann er, „woher die viele Erde nehmen? – Ihr seht, soweit das Vorland in die Watten hinausgeht, ist außerhalb der Deichlinie ein Streifen Landes frei gelassen; daher und von dem Vorlande, das nach Nord und Süd von dem neuen Kooge an dem Deiche hinläuft, können wir die Erde nehmen; haben wir an den Wasserseiten nur eine tüchtige Lage Klei, nach innen oder in der Mitte kann auch Sand genommen werden! – Nun aber ist zunächst ein Feldmesser zu berufen, der die Linie des neuen Deiches auf dem Vorland absteckt! Der mir bei Ausarbeitung des Planes behilflich gewesen, wird wohl am besten dazu passen. Ferner werden wir zur Heranholung des Kleis oder sonstigen Materials die Anfertigung einspänniger Sturzkarren mit Gabeldeichsel bei einigen Stellmachern verdingen müssen; wir werden für die Durchdämmung des Priels und nach den Binnenseiten, wo wir etwa mit Sand fürlieb nehmen müssen, ich kann jetzt nicht sagen, wieviel hundert Fuder Stroh zur Bestickung des Deiches gebrauchen, vielleicht mehr, als in der Marsch hier wird entbehrlich sein! – Lasset uns denn beraten, wie zunächst dies alles zu beschaffen und einzurichten ist; auch die neue Schleuse hier an der Westseite gegen das Wasser zu ist später einem tüchtigen Zimmermann zur Herstellung zu übergeben."

Die Versammelten hatten sich um den Tisch gestellt, betrachteten mit halbem Aug die Karte und begannen allgemach zu sprechen; doch war's, als geschähe es, damit nur überhaupt etwas gesprochen werde. Als es sich um Zuziehung des Feldmessers handelte, meinte einer der Jüngeren: „Ihr habt es ausgesonnen, Deichgraf; Ihr müsset selbst am besten wissen, wer dazu taugen mag."

Aber Hauke entgegnete: „Da ihr Geschworene seid, so müsset ihr aus eigener, nicht aus meiner Meinung sprechen, Jakob Meyen; und wenn ihr's dann besser sagt, so werd ich meinen Vorschlag fallen lassen!"

„Nun ja, es wird schon recht sein", sagte Jakob Meyen.

Aber einem der Älteren war es doch nicht völlig recht: er hatte einen Brudersohn; so einer im Feldmessen sollte hier in der Marsch noch nicht gewesen sein; der sollte noch über des Deichgrafen Vater, den seligen Tede Haien, gehen!

So wurde denn über die beiden Feldmesser verhandelt und endlich beschlossen, ihnen gemeinschaftlich das Werk zu übertragen. Ähnlich ging es bei den Sturzkarren, bei der Strohlieferung und allem anderen, und Hauke kam spät und fast erschöpft auf seinem Wallach, den er noch derzeit ritt, zu Hause an. Aber als er in dem alten Lehnstuhl saß, der noch von seinem gewichtigen, aber leichter lebenden Vorgänger stammte, war auch sein Weib ihm schon zur Seite: „Du siehst so müd aus, Hauke", sprach sie und strich mit ihrer schmalen Hand das Haar ihm von der Stirn.

„Ein wenig wohl!" erwiderte er.

– „Und geht es denn?"

„Es geht schon", sagte er mit bitterem Lächeln; „aber ich selber muß die Räder schieben und froh sein, wenn sie nicht zurückgehalten werden!"

– „Aber doch nicht von allen?"

„Nein, Elke; dein Pate, Jewe Manners, ist ein guter Mann; ich wollt, er wär um dreißig Jahre jünger."

Als nach einigen Wochen die Deichlinie abgesteckt und der größte Teil der Sturzkarren geliefert war, waren sämtliche Anteilbesitzer des einzudeichenden Kooges, ingleichen die Besitzer der hinter dem alten Deich belegenen Ländereien durch den Deichgrafen im Kirchspielskrug versammelt worden; es galt, ihnen einen Plan über die Verteilung der Arbeit und Kosten vorzulegen und ihre etwaigen Einwendungen zu vernehmen; denn auch die letzteren hatten, sofern der neue Deich und die neuen Siele die Unterhaltungskosten der älteren Werke verminderten, ihren Teil zu schaffen und zu tragen. Dieser Plan war für Hauke ein schwer Stück Arbeit gewesen, und wenn ihm durch Vermittelung des Oberdeichgrafen neben einem Deichboten nicht auch noch ein Deichschreiber wäre zugeordnet worden, er würde es so bald nicht fertiggebracht haben, obwohl auch jetzt wieder an jedem neuen Tage in die Nacht hinein gearbeitet war. Wenn er dann todmüde sein Lager suchte, so hatte nicht wie vordem sein Weib in nur verstelltem Schlafe seiner gewartet; auch sie hatte so vollgemessen ihre tägliche Arbeit, daß sie nachts wie am Grunde eines tiefen Brunnens in unstörbarem Schlafe lag.

Als Hauke jetzt seinen Plan verlesen und die Papiere, die freilich schon drei Tage hier im Kruge zur Einsicht ausgelegen hatten, wieder auf den Tisch breitete, waren zwar ernste Männer zugegen, die mit Ehrerbietung diesen gewissenhaften Fleiß betrachteten und sich nach ruhiger Überlegung den billigen Ansätzen ihres Deichgrafen unterwarfen; andere aber, deren Anteile an dem neuen Lande von ihnen selbst oder ihren Vätern oder sonstigen Vorbesitzern waren veräußert worden, beschwerten sich, daß sie zu den Kosten des neuen Kooges hinzugezogen seien, dessen Land sie nichts mehr angehe, uneingedenk, daß durch die neuen Arbeiten auch ihre alten Ländereien nach und nach entbürdet würden; und wieder andere, die mit Anteilen in dem neuen Koog gesegnet waren, schrien, man möge ihnen doch dieselben abnehmen, sie sollten um ein Geringes feil sein; denn wegen der unbilligen Leistungen, die ihnen dafür aufgebürdet würden, könnten sie nicht damit bestehen. Ole Peters aber, der mit grimmigem Gesicht am Türpfosten lehnte, rief dazwischen: „Besinnt euch erst, und dann vertrauet unserem Deichgrafen! der versteht zu rechnen; er hatte schon die meisten Anteile, da wußte er auch mir die meinen abzuhandeln, und als er sie hatte, beschloß er, diesen neuen Koog zu deichen!“

Es war nach diesen Worten einen Augenblick totenstill in der Versammlung. Der Deichgraf stand an dem Tisch, auf dem er zuvor seine Papiere gebreitet hatte; er hob seinen

Kopf und sah nach Ole Peters hinüber: „Du weißt wohl, Ole Peters“, sprach er, „daß du mich verleumdest; du tust es dennoch, weil du überdies auch weißt, daß doch ein Teil des Schmutzes, womit du mich bewirfst, an mir wird hängenbleiben! Die Wahrheit ist, daß du deine Anteile los sein wolltest, und daß ich ihrer derzeit für meine Schafzucht bedurfte; und willst du Weiteres wissen, das ungewaschene Wort, das dir im Krug vom Mund gefahren, ich sei nur Deichgraf meines Weibes wegen, das hat mich aufgerüttelt, und ich hab euch zeigen wollen, daß ich wohl um meiner selbst willen Deichgraf sein könne; und somit, Ole Peters, hab ich getan, was schon der Deichgraf vor mir hätte tun sollen. Trägst du mir aber Groll, daß derzeit deine Anteile die meinen geworden sind — du hörst es ja, es sind genug, die jetzt die ihrigen um ein Billiges feilbieten, nur weil die Arbeit ihnen jetzt zuviel ist!“

Von einem kleinen Teil der versammelten Männer ging ein Beifallsmurmeln aus, und der alte Jewe Manners, der dazwischenstand, rief laut: „Bravo, Hauke Haien! Unser Herrgott wird dir dein Werk gelingen lassen!“

Aber man kam doch nicht zu Ende, obgleich Ole Peters schwieg, und die Leute erst zum Abendbrote auseinandergingen; erst in einer zweiten Versammlung wurde alles geordnet; aber auch nur, nachdem Hauke statt der ihm zukommenden drei Gespanne für den nächsten Monat deren vier auf sich genommen hatte.

Endlich, als schon die Pfingstglocken durch das Land läuteten, hatte die Arbeit begonnen: unablässig fuhren die Sturzkarren von dem Vorlande an die Deichlinie, um den geholten Klei dort abzustürzen, und gleicherweise war dieselbe Anzahl schon wieder auf der Rückfahrt, um auf dem Vorland neuen aufzuladen; an der Deichlinie selber standen Männer mit Schaufeln und Spaten, um das Abgeworfene an seinen Platz zu bringen und zu ebnen; ungeheuere Fuder Stroh wurden angefahren und abgeladen; nicht nur zur Bedeckung des leichten Materials, wie Sand und lose Erde, dessen man an den Binnenseiten sich bediente, wurde das Stroh benutzt; allmählich wurden einzelne Strecken des Deiches fertig, und die Grassoden, womit man sie belegt hatte, wurden stellenweis zum Schutz gegen die nagenden Wellen mit fester Strohbestickung überzogen; bestellte Aufseher gingen hin und her und, wenn es stürmte, standen sie mit aufgerissenen Mäulern und schrien ihre Befehle durch Wind und Wetter; dazwischen ritt der Deichgraf auf seinem Schimmel, den er jetzt ausschließlich in Gebrauch hatte, und das Tier flog mit dem Reiter hin und wider, wenn er rasch und trocken seine Anordnungen machte, wenn er die Arbeiter lobte oder, wie es wohl geschah, einen Faulen oder Ungeschickten ohn Erbarmen aus der Arbeit wies. „Das hilft nicht!" rief er dann; „um deine Faulheit darf uns nicht der Deich verderben!" Schon von weitem, wenn er unten aus dem Koog heraufkam, hörten sie das Schnauben seines Rosses, und alle Hände faßten fester in die Arbeit: „Frisch zu! Der Schimmelreiter kommt!"

War es um die Frühstückszeit, wo die Arbeiter mit ihrem Morgenbrot haufenweis beisammen auf der Erde lagen, dann ritt Hauke an den verlassenen Werken entlang, und seine Augen waren scharf, wo liederliche Hände den Spaten geführt hatten. Wenn er aber zu den Leuten ritt und ihnen auseinandersetzte, wie die Arbeit müsse beschafft werden, sahen sie wohl zu ihm auf und kauten geduldig an ihrem Brote weiter; aber eine Zustimmung oder auch nur eine Äußerung hörte er nicht von ihnen. Einmal zu solcher Tageszeit, es war schon spät, da er an einer Deichstelle die Arbeit in besonderer Ordnung gefunden hatte, ritt er zu dem nächsten Haufen der Frühstückenden, sprang von seinem Schimmel und frug heiter, wer dort so sauberes Tagewerk verrichtet hätte; aber sie sahen ihn nur scheu und düster an, und nur langsam und wie widerwillig wurden ein paar Namen genannt. Der Mensch, dem er sein Pferd gegeben hatte, das ruhig wie ein Lamm stand, hielt es mit beiden Händen und blickte wie angstvoll nach den schönen Augen des Tieres, die es, wie gewöhnlich, auf seinen Herrn gerichtet hielt.

„Nun, Marten!" rief Hauke; „was stehst du, als ob dir der Donner in die Beine gefahren sei?"

– „Herr, Euer Pferd, es ist so ruhig, als ob es Böses vorhabe!"

Hauke lachte und nahm das Pferd selbst am Zügel, das sogleich liebkosend den Kopf an seiner Schulter rieb. Von den Arbeitern sahen einige scheu zu Roß und Reiter hinüber, andere, als ob das alles sie nicht kümmere, aßen schweigend ihre Frühkost, dann und wann den Möwen einen Brocken hinaufwerfend, die sich den Futterplatz gemerkt hatten und mit ihren schlanken Flügeln sich fast auf ihre Köpfe senkten. Der Deichgraf blickte eine Weile wie gedankenlos auf die bettelnden Vögel und wie sie die zugeworfenen Bissen mit ihren Schnäbeln haschten; dann sprang er in den Sattel und ritt, ohne sich nach den Leuten umzusehen, davon; einige Worte, die jetzt unter ihnen laut wurden, klangen ihm fast wie Hohn. „Was ist das?" sprach er bei sich selber. „Hatte denn Elke recht, daß sie alle gegen mich sind? Auch diese Knechte und kleinen Leute, von denen vielen durch meinen neuen Deich doch eine Wohlhabenheit ins Haus wächst?"

Er gab seinem Pferde die Sporen, daß es wie toll in den Koog hinabflog. Von dem unheimlichen Glanze freilich, mit dem sein früherer Dienstjunge den Schimmelreiter bekleidet hatte, wußte er selber nichts; aber die Leute hätten ihn jetzt nur sehen sollen, wie aus seinem hageren Gesichte die Augen starrten, wie sein Mantel flog, und wie der Schimmel sprühte!

– – So war der Sommer und der Herbst vergangen; noch bis gegen Ende November war gearbeitet worden; dann geboten Frost und Schnee dem Werke Halt; man war nicht fertig geworden und beschloß, den Koog offen liegenzulassen. Acht Fuß ragte der Deich aus der Fläche hervor; nur wo westwärts gegen das Wasser hin die Schleuse gelegt werden sollte, hatte man eine Lücke gelassen; auch oben vor dem alten Deiche war der Priel noch unberührt. So konnte die Flut, wie in den letzten dreißig Jahren, in den Koog hineindringen, ohne dort oder an dem neuen Deiche großen Schaden anzurichten. Und so überließ man dem großen Gott das Werk der Menschenhände und stellte es in seinen Schutz, bis die Frühlingssonne die Vollendung würde möglich machen.

– – Inzwischen hatte im Hause des Deichgrafen sich ein

frohes Ereignis vorbereitet: im neunten Ehejahre war noch ein Kind geboren worden. Es war rot und hutzelig und wog seine sieben Pfund, wie es für neugeborene Kinder sich gebührt, wenn sie, wie dies, dem weiblichen Geschlechte angehören; nur sein Geschrei war wunderlich verhohlen und hatte der Wehmutter nicht gefallen wollen. Das Schlimmste war, am dritten Tage lag Elke im hellen Kindbettfieber, redete Irrsal und kannte weder ihren Mann noch ihre alte Helferin. Die unbändige Freude, die Hauke beim Anblick seines Kindes ergriffen hatte, war zu Trübsal geworden; der Arzt aus der Stadt war geholt, er saß am Bett und fühlte den Puls und verschrieb und sah ratlos um sich her. Hauke schüttelte den Kopf: „Der hilft nicht; nur Gott kann helfen!" Er hatte sich sein eigen Christentum zurechtgerechnet; aber es war etwas, das sein Gebet zurückhielt. Als der alte Doktor davongefahren war, stand er am Fenster, in den winterlichen Tag hinausstarrend, und während die Kranke aus ihren Phantasien aufschrie, schränkte er die Hände zusammen; er wußte selber nicht, war es aus Andacht oder war es nur, um in der ungeheueren Angst sich selbst nicht zu verlieren.

„Wasser! Das Wasser!" wimmerte die Kranke. „Halt mich!" schrie sie; „halt mich, Hauke!" Dann sank die Stimme; es klang, als ob sie weine: „In See, ins Haf hinaus? O, lieber Gott, ich seh ihn nimmer wieder!"

Da wandte er sich und schob die Wärterin von ihrem Bette; er fiel auf seine Knie, umfaßte sein Weib und riß sie an sich: „Elke! Elke, so kenn mich doch, ich bin ja bei dir!"

Aber sie öffnete nur die fieberglühenden Augen weit und sah wie rettungslos verloren um sich.

Er legte sie zurück auf ihre Kissen; dann krampfte er die Hände ineinander: „Herr, mein Gott", schrie er; „nimm sie mir nicht! Du weißt, ich kann sie nicht entbehren!" Dann war's, als ob er sich besinne, und leiser setzte er hinzu: „Ich weiß ja wohl, du kannst nicht allezeit, wie du willst, auch du nicht; du bist allweise; du mußt nach deiner Weisheit tun – o, Herr, sprich nur durch einen Hauch zu mir!"

Es war, als ob plötzlich eine Stille eingetreten sei; er hörte nur ein leises Atmen; als er sich zum Bette kehrte, lag sein Weib in ruhigem Schlaf; nur die Wärterin sah mit entsetzten Augen auf ihn. Er hörte die Tür gehen. „Wer war das?“ frug er.

„Herr, die Magd Ann Grete ging hinaus; sie hatte den Warmkorb hereingebracht.“

– „Was sieht Sie mich denn so verfahren an, Frau Levke?“

„Ich? Ich hab mich ob Eurem Gebet erschrocken; damit betet Ihr keinen vom Tode los!“

Hauke sah sie mit seinen durchdringenden Augen an: „Besucht Sie denn auch, wie unsere Ann Grete, die Konventikel bei dem holländischen Flickschneider Jantje?“

„Ja, Herr; wir haben beide den lebendigen Glauben!“

Hauke antwortete ihr nicht. Das damals stark im Schwange gehende separatistische Konventikelwesen hatte auch unter den Friesen seine Blüten getrieben; heruntergekommene Handwerker oder wegen Trunkes abgesetzte Schulmeister spielten darin die Hauptrolle, und Dirnen, junge und alte Weiber, Faulenzer und einsame Menschen liefen eilfertig in die heimlichen Versammlungen, in denen jeder den Priester spielen konnte. Aus des Deichgrafen Hause brachten Ann Grete und der in sie verliebte Dienstjunge ihre freien Abende dort zu. Freilich hatte Elke ihre Bedenken darüber gegen Hauke nicht zurückgehalten; aber er hatte gemeint, in Glaubenssachen solle man keinem dreinreden: das schade niemandem, und besser dort doch als im Schnapskrug!

So war es dabei geblieben, und so hatte er auch jetzt geschwiegen. Aber freilich über ihn schwieg man nicht; seine Gebetsworte liefen um von Haus zu Haus: er hatte Gottes Allmacht bestritten; was war ein Gott denn ohne Allmacht? Er war ein Gottesleugner; die Sache mit dem Teufelspferde mochte auch am Ende richtig sein!

Hauke erfuhr nichts davon; er hatte in diesen Tagen nur Ohren und Augen für sein Weib; selbst das Kind war für ihn nicht mehr auf der Welt.

Der alte Arzt kam wieder, kam jeden Tag, mitunter zweimal, blieb dann eine ganze Nacht, schrieb wieder ein Rezept, und der Knecht Iven Johns ritt damit im Flug zur Apotheke. Dann aber wurde sein Gesicht freundlicher, er nickte dem

Deichgrafen vertraulich zu: „Es geht! Es geht! Mit Gottes Hilfe!“ Und eines Tages – hatte nun seine Kunst die Krankheit besiegt, oder hatte auf Haukes Gebet der liebe Gott doch noch einen Ausweg finden können – als der Doktor mit der Kranken allein war, sprach er zu ihr, und seine alten Augen lachten: „Frau, jetzt kann ich's getrost Euch sagen: heut hat der Doktor seinen Festtag; es stand schlimm um Euch; aber nun gehört Ihr wieder zu uns, zu den Lebendigen!“

Da brach es wie ein Strahlenmeer aus ihren dunklen Augen: „Hauke! Hauke, wo bist du?“ rief sie, und als er auf den hellen Ruf ins Zimmer und an ihr Bett stürzte, schlug sie die Arme um seinen Nacken: „Hauke, mein Mann, gerettet! Ich bleibe bei dir!“

Da zog der alte Doktor sein seiden Schnupftuch aus der Tasche, fuhr sich damit über Stirn und Wangen und ging kopfnickend aus dem Zimmer.

– – Am dritten Abend nach diesem Tage sprach ein frommer Redner – es war ein vom Deichgrafen aus der Arbeit gejagter Pantoffelmacher – im Konventikel bei dem holländischen Schneider, da er seinen Zuhörern die Eigenschaften Gottes auseinandersetzte: „Wer aber Gottes Allmacht widerstreitet, wer da sagt: ich weiß, du kannst nicht, was du willst – wir kennen den Unglückseligen ja alle; er lastet gleich einem Stein auf der Gemeinde – der ist von Gott gefallen und suchet den Feind Gottes, den Freund der Sünde zu seinem Tröster; denn nach irgendeinem Stabe muß die Hand des Menschen greifen. Ihr aber, hütet euch vor dem, der also betet; sein Gebet ist Fluch!“

– – Auch das lief um von Haus zu Haus. Was läuft nicht um in einer kleinen Gemeinde? Und auch zu Haukes Ohren kam es. Er sprach kein Wort darüber, nicht einmal zu seinem Weibe; nur mitunter konnte er sie heftig umfassen und an sich ziehen: „Bleib mir treu, Elke! Bleib mir treu!“ – Dann sahen ihre Augen voll Staunen zu ihm auf: „Dir treu? Wem sollte ich denn anders treu sein?“ – Nach einer kurzen Weile aber hatte sie sein Wort verstanden: „Ja, Hauke, wir sind uns treu; nicht nur, weil wir uns brauchen.“ Und dann ging jedes seinen Arbeitsweg.

Das wäre soweit gut gewesen; aber es war doch trotz aller lebendigen Arbeit eine Einsamkeit um ihn, und in seinem Herzen nistete sich ein Trotz und abgeschlossenes Wesen gegen andere Menschen ein; nur gegen sein Weib blieb er allezeit der gleiche, und an der Wiege seines Kindes lag er abends und morgens auf den Knien, als sei dort die Stätte seines ewigen Heils. Gegen Gesinde und Arbeiter aber wurde er strenger; die Ungeschickten und Fahrlässigen, die er früher durch ruhigen Tadel zurechtgewiesen hatte, wurden jetzt durch hartes Anfahren aufgeschreckt, und Elke ging mitunter leise bessern.

Als der Frühling nahte, begannen wieder die Deicharbeiten; mit einem Kajedeich wurde zum Schutz der jetzt aufzubauenden neuen Schleuse die Lücke in der westlichen Deichlinie geschlossen, halbmondförmig nach innen und ebenso nach außen; und gleich der Schleuse wuchs allmählich auch der Hauptdeich zu seiner immer rascher herzustellenden Höhe empor. Leichter wurde dem leitenden Deichgrafen seine Arbeit nicht; denn an Stelle des im Winter verstorbenen Jewe Manners war Ole Peters als Deichgevollmächtigter eingetreten. Hauke hatte nicht versuchen wollen, es zu hindern; aber anstatt der ermutigenden Worte und der dazugehörigen zutunlichen Schläge auf seine linke Schulter, die er so oft von dem alten Paten seines Weibes einkassiert hatte, kamen ihm jetzt von dem Nachfolger ein heimliches Widerhalten und unnötige Einwände und waren mit unnötigen Gründen zu bekämpfen; denn Ole gehörte zwar zu den Wichtigen, aber in Deichsachen nicht zu den Klugen; auch war von früher her der „Schreiberknecht“ ihm immer noch im Wege.

Der glänzendste Himmel breitete sich wieder über Meer und Marsch, und der Koog wurde wieder bunt von starken Rindern, deren Gebrüll von Zeit zu Zeit die weite Stille unterbrach; unablässig sangen in hoher Himmelsluft die Lerchen; aber man hörte es erst, wenn einmal auf eines Atemzuges Länge der Gesang verstummt war. Kein Unwetter störte die Arbeit, und die Schleuse stand schon mit ihrem ungestrichenen Balkengefüge, ohne daß auch nur in einer Nacht sie eines Schutzes von dem Interimsdach bedurft hätte; der Herrgott schien seine Gunst dem neuen Werke zuzuwenden. Auch Frau Elkes Augen lachten ihrem Manne zu, wenn er auf seinem Schimmel draußen von dem Deich nach Hause kam: „Bist doch ein braves Tier geworden!" sagte sie dann und klopfte den blanken Hals des Pferdes. Hauke aber, wenn sie das Kind am Halse hatte, sprang herab und ließ das winzige Dinglein auf seinen Armen tanzen; wenn dann der Schimmel seine braunen Augen auf das Kind gerichtet hielt, dann sprach er wohl: „Komm her; sollst auch die Ehre haben!" und er setzte die kleine Wienke – denn so war sie getauft worden – auf seinen Sattel und führte den Schimmel auf der Werft im Kreise herum. Auch der alte Eschenbaum hatte mitunter die Ehre; er setzte das Kind auf einen schwanken Ast und ließ es schaukeln. Die Mutter stand mit lachenden Augen in der Haustür; das Kind aber lachte nicht, seine Augen, zwischen denen ein feines Näschen stand, schauten ein wenig stumpf ins Weite, und die kleinen Hände griffen nicht nach dem Stöckchen, das der Vater ihr hinhielt. Hauke achtete nicht darauf, er wußte auch nichts von so kleinen Kindern; nur Elke, wenn sie das helläugige Mädchen auf dem Arm ihrer Arbeitsfrau erblickte, die mit ihr zugleich das Wochenbett bestanden hatte, sagte mitunter schmerzlich: „Das meine ist noch nicht so weit wie deines, Stina!" und die Frau, ihren dicken Jungen, den sie an der Hand hatte, mit derber Liebe schüttelnd, rief dann wohl: „Ja, Frau, die Kinder sind verschieden; der da, der stahl mir schon die Äpfel aus der Kammer, bevor er übers zweite Jahr hinaus war!" Und Elke strich dem dicken Buben sein Kraushaar aus den Augen und drückte dann heimlich ihr stilles Kind ans Herz.

– – Als es in den Oktober hineinging, stand an der Westseite die neue Schleuse schon fest in dem von beiden Seiten schließenden Hauptdeich, der bis auf die Lücken bei dem Priele nun mit seinem sanften Profile ringsum nach den Wasserseiten abfiel und um fünfzehn Fuß die ordinäre Flut überragte. Von seiner Nordwestecke sah man an Jevershallig vorbei ungehindert in das Wattenmeer hinaus; aber freilich auch die Winde faßten hier schärfer; die Haare flogen, und wer hier ausschauen wollte, der mußte die Mütze fest auf dem Kopf haben.

Zu Ende November, wo Sturm und Regen eingefallen waren, blieb nur noch hart am alten Deich die Schlucht zu schließen, auf deren Grunde an der Nordseite das Meerwasser durch den Priel in den neuen Koog hineinschoß. Zu beiden Seiten standen die Wände des Deiches; der Abgrund zwischen ihnen mußte jetzt verschwinden. Ein trocken Sommerwetter hätte die Arbeit wohl erleichtert; aber auch so mußte sie getan werden; denn ein aufbrechender Sturm konnte das ganze Werk gefährden. Und Hauke setzte alles daran, um jetzt den Schluß herbeizuführen. Der Regen strömte, der Wind pfiff; aber seine hagere Gestalt auf dem feurigen Schimmel tauchte bald hier, bald dort aus den schwarzen Menschenmassen empor, die oben wie unten an der Nordseite des Deiches neben der Schlucht beschäftigt waren. Jetzt sah man ihn unten bei den Sturzkarren, die schon weither die Kleierde aus dem Vorlande holen mußten, und von denen eben ein gedrängter Haufen bei dem Priele anlangte und seine Last dort abzuwerfen suchte. Durch das Geklatsch des Regens und das Brausen des Windes klangen von Zeit zu Zeit die scharfen Befehlsworte des Deichgrafen, der heute hier allein gebieten wollte; er rief die Karren nach den Nummern vor und wies die Drängenden zurück; ein „Halt!“ scholl von seinem Munde; dann ruhte unten die Arbeit; „Stroh! ein Fuder Stroh hinab!“ rief er denen droben zu, und von einem der oben haltenden Fuder stürzte es auf den nassen Klei hinunter. Unten sprangen Männer dazwischen und zerrten es auseinander und schrien nach oben, sie nur nicht zu begraben. Und wieder kamen neue Karren, und Hauke war schon wieder oben und sah von seinem Schimmel in die Schlucht hinab, und wie sie dort schaufelten und stürzten; dann warf er seine Augen nach dem Haf hinaus. Es wehte scharf, und er sah, wie mehr und mehr der Wassersaum am Deich hinaufklimmte, und wie die Wellen sich noch höher hoben; er sah auch, wie die Leute trieften und kaum atmen konnten in der schweren Arbeit vor dem Winde, der ihnen die Luft am Munde abschnitt, und vor dem kalten Regen, der sie überströmte. „Ausgehalten, Leute! Ausgehalten!“ schrie er zu ihnen herab. „Nur einen Fuß noch höher; dann ist's genug für diese Flut!“ Und durch alles Getöse des Wetters hörte man das Geräusch der Arbeiter: das Klatschen der hineingestürzten Kleimassen, das Rasseln der Karren und das Rauschen des von oben hinabgelassenen Strohes ging unaufhaltsam vorwärts; dazwischen war mitunter das Winseln eines kleinen gelben Hundes laut geworden, der frierend und wie verloren zwischen Menschen und Fuhrwerken herumgestoßen wurde; plötzlich aber scholl ein jammervoller Schrei des kleinen Tieres von unten aus der Schlucht herauf. Hauke blickte hinab; er hatte es von oben hinunterschleudern sehen; eine jähe Zornröte stieg ihm ins Gesicht. „Halt! Haltet ein!“ schrie er zu den Karren hinunter; denn der nasse Klei wurde unaufhaltsam aufgeschüttet.

„Warum?“ schrie eine rauhe Stimme von unten herauf; „doch um die elende Hundekreatur nicht?“

„Halt! sag ich“, schrie Hauke wieder; „bringt mir den Hund! Bei unserem Werke soll kein Frevel sein!“

Aber es rührte sich keine Hand; nur ein paar Spaten zähen Kleis flogen noch neben das schreiende Tier. Da gab er seinem Schimmel die Sporen, daß das Tier einen Schrei ausstieß, und stürmte den Deich hinab, und alles wich vor ihm zurück. „Den Hund!“ schrie er; „ich will den Hund!“

Eine Hand schlug sanft auf seine Schulter, als wäre es die Hand des alten Jewe Manners; doch als er umsah, war es nur ein Freund des Alten. „Nehmt Euch in acht, Deichgraf“, raunte der ihm zu. „Ihr habt nicht Freunde unter diesen Leuten; laßt es mit dem Hunde gehen!“

Der Wind pfiff, der Regen klatschte; die Leute hatten die Spaten in den Grund gesteckt, einige sie fortgeworfen. Hauke neigte sich zu dem Alten: „Wollt Ihr meinen Schimmel halten, Harke Jens?“ frug er; und als jener noch kaum den Zügel in der Hand hatte, war Hauke schon in die Kluft gesprungen und hielt das kleine winselnde Tier in seinem Arm; und fast im selben Augenblicke saß er auch wieder hoch im Sattel und sprengte auf den Deich zurück. Seine Augen flogen über die Männer, die bei den Wagen standen. „Wer war es?“ rief er. „Wer hat die Kreatur hinabgeworfen?“

Einen Augenblick schwieg alles; denn aus dem hageren Gesicht des Deichgrafen sprühte der Zorn, und sie hatten abergläubische Furcht vor ihm. Da trat von einem Fuhrwerk ein stiernackiger Kerl vor ihn hin. „Ich tat es nicht, Deichgraf“, sagte er und biß von einer Rolle Kautabak ein Endchen ab, das er sich erst ruhig in den Mund schob; „aber der es tat, hat recht getan; soll Euer Deich sich halten, so muß was Lebiges hinein!“

– „Was Lebiges? Aus welchem Katechismus hast du das gelernt?“

„Aus keinem, Herr!“ entgegnete der Kerl, und aus seiner Kehle stieß ein freches Lachen; „das haben unsere Großväter schon gewußt, die sich mit Euch im Christentum wohl messen durften! Ein Kind ist besser noch; wenn das nicht da ist, tut’s auch wohl ein Hund!“

„Schweig du mit deinen Heidenlehren“, schrie ihn Hauke an, „es stopfte besser, wenn man dich hineinwürfe.“

„Oho!“ erscholl es; aus einem Dutzend Kehlen war der Laut gekommen, und der Deichgraf gewahrte ringsum grimmige Gesichter und geballte Fäuste; er sah wohl, daß das keine Freunde waren; der Gedanke an seinen Deich überfiel ihn wie ein Schrecken: was sollte werden, wenn jetzt alle ihre Spaten hinwürfen? – Und als er nun den Blick nach unten richtete, sah er wieder den Freund des alten Jewe Manners; der ging dort zwischen den Arbeitern, sprach zu dem und jenem, lachte hier einem zu, klopfte dort mit freundlichem Gesicht einem auf die Schulter, und einer nach dem anderen faßte wieder seinen Spaten; noch einige Augenblicke, und die Arbeit war wieder in vollem Gange. – Was wollte er denn noch? Der Priel mußte geschlossen werden, und den Hund barg er sicher genug in den Falten seines Mantels. Mit plötzlichem Entschluß wandte er seinen Schimmel gegen den nächsten Wagen: „Stroh an die Kante!“ rief er herrisch, und wie mechanisch gehorchte ihm der Fuhrknecht; bald rauschte es hinab in die Tiefe, und von allen Seiten regte es sichs aufs neue und mit allen Armen.

Eine Stunde war noch so gearbeitet; es war nach sechs Uhr, und schon brach tiefe Dämmerung herein; der Regen hatte aufgehört; da rief Hauke die Aufseher an sein Pferd: „Morgen früh vier Uhr“, sagte er, „ist alles wieder auf dem Platz; der Mond wird noch am Himmel sein; da machen wir mit Gott den Schluß! Und dann noch eines!“ rief er, als sie gehen wollten: „Kennt ihr den Hund?“ und er nahm das zitternde Tier aus seinem Mantel.

Sie verneinten das; nur einer sagte: „Der hat sich taglang schon im Dorf herumgebettelt; der gehört gar keinem!“

„Dann ist er mein!“ entgegnete der Deichgraf. „Vergesset nicht: morgen früh vier Uhr!“ und ritt davon.

Als er heimkam, trat Ann Grete aus der Tür: sie hatte saubere Kleidung an, und es fuhr ihm durch den Kopf, sie gehe jetzt zum Konventikelschneider: „Halt die Schürze auf!“ rief er ihr zu, und da sie es unwillkürlich tat, warf er das kleibeschmutzte Hündlein ihr hinein: „Bring ihn der kleinen Wienke; er soll ihr Spielkamerad werden! Aber wasch und wärm ihn zuvor; so tust du auch ein gottgefällig Werk; denn die Kreatur ist schier verklommen.“

Und Ann Grete konnte nicht lassen, ihrem Wirt Gehorsam zu leisten und kam deshalb heute nicht in den Konventikel.

Und am anderen Tage wurde der letzte Spatenstich am neuen Deich getan; der Wind hatte sich gelegt; in anmutigem Fluge schwebten Möwen und Avosetten über Land und Wasser hin und wider; von Jevershallig tönte das tausendstimmige Geknorr der Rottgänse, die sich's noch heute an der Küste der Nordsee wohl sein ließen, und aus den weißen Morgennebeln, welche die weite Marsch bedeckten, stieg allmählich ein goldner Herbsttag und beleuchtete das neue Werk der Menschenhände.

Nach einigen Wochen kamen mit dem Oberdeichgrafen die herrschaftlichen Kommissäre zur Besichtigung desselben; ein großes Festmahl, das erste nach dem Leichenmahl des alten Tede Volkerts, wurde im deichgräflichen Hause gehalten; alle Deichgevollmächtigten und die größten Interessenten waren dazu geladen. Nach Tische wurden sämtliche Wagen der Gäste und des Deichgrafen angespannt; Frau Elke wurde von dem Oberdeichgrafen in die

Karriole gehoben, vor der der braune Wallach mit seinen Hufen stampfte; dann sprang er selber hinten nach und nahm die Zügel in die Hand; er wollte die gescheite Frau seines Deichgrafen selber fahren. So ging es munter von der Werfte und in den Weg hinaus, den Akt zum neuen Deich hinan und auf demselben um den jungen Koog herum. Es war inmittelst ein leichter Nordwestwind aufgekommen, und an der Nord- und Westseite des neuen Deiches wurde die Flut hinaufgetrieben; aber es war unverkennbar, der sanfte Abfall bedingte einen sanfteren Anschlag; aus dem Munde der herrschaftlichen Kommissäre strömte das Lob des Deichgrafen, daß die Bedenken, welche hie und da von den Gevollmächtigten dagegen langsam vorgebracht wurden, gar bald darin erstickten.

– Auch das ging vorüber; aber noch eine Genugtuung empfing der Deichgraf eines Tages, da er in stillem, selbstbewußtem Sinnen auf dem neuen Deich entlang ritt. Es mochte ihm wohl die Frage kommen, weshalb der Koog, der ohne ihn nicht da wäre, in dem sein Schweiß und seine Nachtwachen steckten, nun schließlich nach einer der herrschaftlichen Prinzessinnen „der neue Karolinenkoog" getauft sei; aber es war doch so: auf allen dahin gehörigen Schriftstücken stand der Name, auf einigen sogar in roter Frakturschrift. Da, als er aufblickte, sah er zwei Arbeiter mit ihren Feldgerätschaften, der eine etwa zwanzig Schritte hinter dem anderen, sich entgegenkommen: „So wart doch!" hörte er den Nachfolgenden rufen; der andere aber – er stand eben an einem Akt, der in den Koog hinunterführte – rief ihm entgegen: „Ein andermal, Jens! Es ist schon spät; ich soll hier Klei schlagen!"

– „Wo denn?"

„Nun hier, im Hauke-Haien-Koog!"

Er rief es laut, indem er den Akt hinabtrabte, als solle die ganze Marsch es hören, die darunter lag. Hauke aber war es, als höre er seinen Ruhm verkünden; er hob sich im Sattel, gab seinem Schimmel die Sporen und sah mit festen Augen über die weite Landschaft hin, die zu seiner Linken lag. „Hauke-Haien-Koog!" wiederholte er leis; das klang, als könnt es alle Zeit nicht anders heißen! Mochten sie trotzen, wie sie wollten, um seinen Namen war doch nicht herumzukommen; der Prinzessinnen-Name – würde er nicht bald nur noch in alten Schriften modern? – Der Schimmel ging in stolzem Galopp; vor seinen Ohren aber summte es: „Hauke-Haien-Koog! Hauke-Haien-Koog!“ In seinen Gedanken wuchs fast der neue Deich zu einem achten Weltwunder; in ganz Friesland war nicht seinesgleichen! Und er ließ den Schimmel tanzen; ihm war, er stünde inmitten aller Friesen; er überragte sie um Kopfeshöhe, und seine Blicke flogen scharf und mitleidig über sie hin.

– – Allmählich waren drei Jahre seit der Eindeichung hingegangen; das neue Werk hatte sich bewährt, die Reparaturkosten waren nur gering gewesen; im Kooge aber blühte jetzt fast überall der weiße Klee, und ging man über die geschützten Weiden, so trug der Sommerwind einem ganze Wolken süßen Dufts entgegen. Da war die Zeit gekommen, die bisher nur idealen Anteile in wirkliche zu verwandeln und allen Teilnehmern ihre bestimmten Stücke für immer eigentümlich zuzusetzen. Hauke war nicht müßig gewesen, vorher noch einige neue zu erwerben; Ole Peters hatte sich verbissen zurückgehalten; ihm gehörte nichts im neuen Kooge. Ohne Verdruß und Streit hatte auch so die Teilung nicht abgehen können; aber fertig war er gleichwohl geworden; auch dieser Tag lag hinter dem Deichgrafen.

Fortan lebte er einsam seinen Pflichten als Hofwirt wie als Deichgraf und denen, die ihm am nächsten angehörten; die alten Freunde waren nicht mehr in der Zeitlichkeit, neue zu erwerben war er nicht geeignet. Aber unter seinem Dach war Frieden, den auch das stille Kind nicht störte; es sprach wenig, das stete Fragen, was den aufgeweckten Kindern eigen ist, kam selten und meist so, daß dem Gefragten die Antwort darauf schwer wurde; aber ihr liebes, einfältiges Gesichtlein trug fast immer den Ausdruck der Zufriedenheit. Zwei Spielkameraden hatte sie, die waren ihr genug: wenn sie über die Werfte wanderte, sprang das gerettete gelbe Hündlein stets um sie herum, und wenn der Hund sich zeigte, war auch klein Wienke nicht mehr fern. Der zweite Kamerad war eine Lachmöwe, und wie der Hund „Perle“, so hieß die Möwe „Claus“.

Claus war durch ein greises Menschenkind auf dem Hofe installiert worden; die achtzigjährige Trin’ Jans hatte in ihrer Kate auf dem Außendeich sich nicht mehr durchbringen können; da hatte Frau Elke gemeint, die verlebte Dienstmagd ihres Großvaters könnte bei ihnen noch ein paar stille Abendstunden und eine gute Sterbekammer finden, und so, halb mit Gewalt, war sie von ihr und Hauke nach dem Hofe geholt und in dem Nordwest-Stübchen der neuen Scheuer untergebracht worden, die der Deichgraf vor einigen Jahren neben dem Haupthause bei der Vergrößerung seiner Wirtschaft hatte bauen müssen; ein paar der Mägde hatten daneben ihre Kammer erhalten und konnten der Greisin nachts zur Hand gehen. Rings an den Wänden hatte sie ihr altes Hausgerät: eine Schatulle von Zuckerkistenholz, darüber zwei bunte Bilder vom verlorenen Sohn, ein längst zur Ruhe gestelltes Spinnrad und ein sehr sauberes Gardinenbett, vor dem ein ungefüger, mit dem weißen Fell des weiland Angorakaters überzogener Schemel stand. Aber auch was Lebiges hatte sie noch um sich gehabt und mit hieher gebracht: das war die Möwe Claus, die sich schon jahrelang zu ihr gehalten hatte und von ihr gefüttert worden war; freilich, wenn es Winter wurde, flog sie mit den anderen Möwen südwärts und kam erst wieder, wenn am Strand der Wermut duftete.

Die Scheuer lag etwas tiefer an der Werfte; die Alte konnte von ihrem Fenster aus nicht über den Deich auf die See hinausblicken. „Du hast mich hier als wie gefangen, Deichgraf!“ murrte sie eines Tages, als Hauke zu ihr eintrat, und wies mit ihrem verkrümmten Finger nach den Fennen hinaus, die sich dort unten breiteten. „Wo ist denn Jeverssand? Da über den roten oder über den schwarzen Ochsen hinaus?“

„Was will Sie denn mit Jeverssand?“ frug Hauke.

– „Ach was, Jeverssand!“ brummte die Alte. „Aber ich will doch sehen, wo mein Jung mir derzeit ist zu Gott gegangen!“

– „Wenn Sie das sehen will“, entgegnete Hauke, „so

muß Sie sich oben unter den Eschenbaum setzen, da sieht Sie das ganze Haf!"

„Ja", sagte die Alte; „ja, wenn ich deine jungen Beine hätte, Deichgraf!"

Dergleichen blieb lange der Dank für die Hilfe, die ihr die Deichgrafsleute angedeihen ließen; dann aber wurde es auf einmal anders. Der kleine Kindskopf Wienkes guckte eines Morgens durch die halbgeöffnete Tür zu ihr herein. „Na", rief die Alte, welche mit den Händen ineinander auf ihrem Holzstuhl saß, „was hast du denn zu bestellen?"

Aber das Kind kam schweigend näher und sah sie mit ihren gleichgültigen Augen unablässig an.

„Bist du das Deichgrafskind?" frug sie Trin' Jans, und da das Kind wie nickend das Köpfchen senkte, fuhr sie fort: „So setz dich hier auf meinen Schemel! Ein Angorakater ist's gewesen – so groß! Aber dein Vater hat ihn totgeschlagen. Wenn er noch lebig wäre, so könntst du auf ihm reiten."

Wienke richtete stumm ihre Augen auf das weiße Fell; dann kniete sie nieder und begann es mit ihren kleinen Händen zu streicheln, wie Kinder es bei einer lebenden Katze oder einem Hunde zu machen pflegen. „Armer Kater!" sagte sie dann und fuhr wieder in ihren Liebkosungen fort.

„So!" rief nach einer Weile die Alte, „jetzt ist es genug; und sitzen kannst du auch noch heut auf ihm; vielleicht hat dein Vater ihn auch nur deshalb totgeschlagen!" Dann hob sie das Kind an beiden Armen in die Höhe und setzte es derb auf den Schemel nieder. Da es aber stumm und unbeweglich sitzenblieb und sie nur immer ansah, begann sie mit dem Kopfe zu schütteln: „Du strafst ihn, Gott der Herr! Ja, ja, du strafst ihn!" murmelte sie; aber ein Erbarmen mit dem Kinde schien sie doch zu überkommen; ihre knöcherne Hand strich über das dürftige Haar desselben, und aus den Augen der Kleinen kam es, als ob ihr damit wohlgeschehe.

Von nun an kam Wienke täglich zu der Alten in die Kammer; sie setzte sich bald von selbst auf den Angoraschemel, und Trin' Jans gab ihr kleine Fleisch- und Brotstückchen in ihre Händchen, welche sie allezeit in Vorrat hatte, und ließ sie diese auf den Fußboden werfen; dann kam mit Gekreisch und ausgespreizten Flügeln die Möwe aus irgendeinem Winkel hervorgeschossen und machte sich darüber her. Erst erschrak das Kind und schrie auf vor dem großen, stürmenden Vogel; bald aber war es wie ein eingelerntes Spiel, und wenn sie nur ihr Köpfchen durch den Türspalt steckte, schoß schon der Vogel auf sie zu und setzte sich ihr auf Kopf oder Schulter, bis die Alte ihr zu Hilfe kam und die Fütterung beginnen konnte. Trin' Jans, die es sonst nicht hatte leiden können, daß einer auch nur die Hand nach ihrem „Claus" ausstreckte, sah jetzt geduldig zu, wie das Kind allmählich ihr den Vogel völlig abgewann. Er ließ sich willig von ihr haschen; sie trug ihn umher und wickelte ihn in ihre Schürze, und wenn dann auf der Werfte etwa das gelbe Hündlein um sie herum- und eifersüchtig gegen den Vogel aufsprang, dann rief sie wohl: „Nicht du, nicht du, Perle!" und hob mit ihren Ärmchen die Möwe so hoch, daß diese, sich selbst befreiend, schreiend über die Werfte hinflog, und statt ihrer nun der Hund durch Schmeicheln und Springen den Platz auf ihren Armen zu erobern suchte.

Fielen zufällig Haukes oder Elkes Augen auf dies wunderliche Vierblatt, das nur durch einen gleichen Mangel am selben Stengel festgehalten wurde, dann flog wohl ein zärtlicher Blick auf ihr Kind; hatten sie sich gewandt, so blieb nur noch ein Schmerz auf ihrem Antlitz, den jedes einsam mit sich von dannen trug; denn das erlösende Wort war zwischen ihnen noch nicht gesprochen worden. Da eines Sommervormittages, als Wienke mit der Alten und den beiden Tieren auf den großen Steinen vor der Scheuntür saß, gingen ihre beiden Eltern, der Deichgraf seinen Schimmel hinter sich, die Zügel über dem Arme, hier vorüber; er wollte auf den Deich hinaus und hatte das Pferd sich selber von der Fenne heraufgeholt; sein Weib hatte auf der Werfte sich an seinen Arm gehängt. Die Sonne schien warm hernieder; es war fast schwül, und mitunter kam ein Windstoß aus Südsüdost. Dem Kinde mochte es auf dem Platze unbehaglich werden: „Wienke will mit!" rief sie, schüttelte die Möwe von ihrem Schoß und griff nach der Hand ihres Vaters.

„So komm!" sagte dieser.

– Frau Elke aber rief: „In dem Wind? Sie fliegt dir weg!"
„Ich halt sie schon; und heut haben wir warme Luft und lustig Wasser; da kann sie's tanzen sehen."

Und Elke lief ins Haus und holte noch ein Tüchlein und ein Käppchen für ihr Kind. „Aber es gibt ein Wetter", sagte sie; „macht, daß ihr fortkommt, und seid bald wieder hier!"

Hauke lachte: „Das soll uns nicht zu fassen kriegen!" und hob das Kind zu sich auf den Sattel. Frau Elke blieb noch eine Weile auf der Werfte, und sah, mit der Hand ihre Augen beschattend, die beiden auf den Weg und nach dem Deich hinübertraben; Trin' Jans saß auf dem Stein und murmelte Unverständliches mit ihren welken Lippen.

Das Kind lag regungslos im Arm des Vaters; es war, als atme es beklommen unter dem Druck der Gewitterluft; er neigte den Kopf zu ihr: „Nun, Wienke?" frug er.

Das Kind sah ihn eine Weile an: „Vater", sagte es, „du kannst das doch! Kannst du nicht alles?"

„Was soll ich können, Wienke?"

Aber sie schwieg; sie schien die eigene Frage nicht verstanden zu haben.

Es war Hochflut; als sie auf den Deich hinaufkamen, schlug der Widerschein der Sonne von dem weiten Wasser ihr in die Augen, ein Wirbelwind trieb die Wellen strudelnd in die Höhe, und neue kamen heran und schlugen klatschend gegen den Strand, da klammerte sie ihre Händchen angstvoll um die Faust ihres Vaters, die den Zügel führte, daß der Schimmel mit einem Satz zur Seite fuhr. Die blaßblauen Augen sahen in wirrem Schreck zu Hauke auf: „Das Wasser, Vater! das Wasser!" rief sie.

Aber er löste sich sanft und sagte: „Still, Kind, du bist bei deinem Vater; das Wasser tut dir nichts!"

Sie strich sich das fahlblonde Haar aus der Stirn und wagte es wieder, auf die See hinauszusehen. „Es tut mir nichts", sagte sie zitternd; „nein, sag, daß es uns nichts tun soll; du kannst das, und dann tut es uns auch nichts!"

„Nicht ich kann das, Kind", entgegnete Hauke ernst; „aber der Deich, auf dem wir reiten, der schützt uns, und den hat dein Vater ausgedacht und bauen lassen."

Ihre Augen gingen wider ihn, als ob sie das nicht ganz verstünde; dann barg sie ihr auffallend kleines Köpfchen in dem weiten Rocke ihres Vaters.

„Warum versteckst du dich, Wienke?“ raunte der ihr zu; „ist dir noch immer bange?“ Und ein zitterndes Stimmchen kam aus den Falten des Rockes: „Wienke will lieber nicht sehen; aber du kannst doch alles, Vater?“

Ein ferner Donner rollte gegen den Wind herauf. „Hoho?“ rief Hauke, „da kommt es!“ und wandte sein Pferd zur Rückkehr. „Nun wollen wir heim zur Mutter!“

Das Kind tat einen tiefen Atemzug; aber erst, als sie die Werfte und das Haus erreicht hatten, hob es das Köpfchen von seines Vaters Brust. Als dann Frau Elke ihr im Zimmer das Tüchelchen und die Kapuze abgenommen hatte, blieb sie wie ein kleiner stummer Kegel vor der Mutter stehen. „Nun, Wienke“, sagte diese und schüttelte sie leise, „magst du das große Wasser leiden?“

Aber das Kind riß die Augen auf: „Es spricht“, sagte sie; „Wienke ist bange!“

– „Es spricht nicht; es rauscht und toset nur!“

Das Kind sah ins Weite: „Hat es Beine?“ frug es wieder; „kann es über den Deich kommen?“

– „Nein, Wienke; dafür paßt dein Vater auf, er ist der Deichgraf.“

„Ja“, sagte das Kind und klatschte mit blödem Lächeln in seine Händchen; „Vater kann alles – alles!“ Dann plötzlich, sich von der Mutter abwendend, rief sie: „Laß Wienke zu Trin' Jans, die hat rote Äpfel!“

Und Elke öffnete die Tür und ließ das Kind hinaus. Als sie dieselbe wieder geschlossen hatte, schlug sie mit einem Ausdruck des tiefsten Grams die Augen zu ihrem Manne auf, aus denen ihm sonst nur Trost und Mut zu Hilfe gekommen war.

Er reichte ihr die Hand und drückte sie, als ob es zwischen ihnen keines weiteren Wortes bedürfe; sie aber sagte leis: „Nein, Hauke, laß mich sprechen: das Kind, das ich nach Jahren dir geboren habe, es wird für immer ein Kind bleiben. O, lieber Gott! es ist schwachsinnig; ich muß es einmal vor dir sagen.“

„Ich wußte es längst“, sagte Hauke und hielt die Hand seines Weibes fest, die sie ihm entziehen wollte.

„So sind wir denn doch allein geblieben“, sprach sie wieder.

Aber Hauke schüttelte den Kopf: „Ich hab sie lieb, und sie schlägt ihre Ärmchen um mich und drückt sich fest an meine Brust; um alle Schätze wollt ich das nicht missen!“

Die Frau sah finster vor sich hin: „Aber warum?“ sprach sie; „was hab ich arme Mutter denn verschuldet?“

– „Ja, Elke, das hab ich freilich auch gefragt; den, der allein es wissen kann; aber du weißt ja auch, der Allmächtige gibt den Menschen keine Antwort – vielleicht, weil wir sie nicht begreifen würden.“

Er hatte auch die andere Hand seines Weibes gefaßt und zog sie sanft zu sich heran: „Laß dich nicht irren, dein Kind, wie du es tust, zu lieben; sei sicher, das versteht es!“

Da warf sich Elke an ihres Mannes Brust und weinte sich satt und war mit ihrem Leid nicht mehr allein. Dann plötzlich lächelte sie ihn an; nach einem heftigen Händedruck lief sie hinaus und holte sich ihr Kind aus der Kammer der alten Trin' Jans, und nahm es auf ihren Schoß und hätschelte und küßte es, bis es stammelnd sagte: „Mutter, meine liebe Mutter!“

So lebten die Menschen auf dem Deichgrafshofe still beisammen; wäre das Kind nicht dagewesen, es hätte viel gefehlt.

Allmählich verfloß der Sommer; die Zugvögel waren durchgezogen, die Luft wurde leer vom Gesang der Lerchen; nur vor den Scheunen, wo sie beim Dreschen Körner pickten, hörte man hie und da einige kreischend davonfliegen; schon war alles hart gefroren. In der Küche des Haupthauses saß eines Nachmittags die alte Trin' Jans auf der Holzstufe einer Treppe, die neben dem Feuerherd nach dem Boden lief. Es war in den letzten Wochen, als sei sie aufgelebt; sie kam jetzt gern einmal in die Küche und sah Frau Elke hier hantieren; es war keine Rede mehr davon, daß ihre Beine sie nicht hätten dahin tragen können, seit eines Tages klein Wienke sie an der Schürze hier heraufgezogen hatte. Jetzt kniete das Kind an ihrer Seite und sah mit seinen stillen Augen in die Flammen, die aus dem Herdloch aufflackerten; ihr eines Händchen klammerte sich an den Ärmel der Alten, das andere lag in ihrem eigenen fahlblonden Haar. Trin' Jans erzählte: „Du weißt", sagte sie, „ich stand in Dienst bei deinem Urgroßvater, als Hausmagd, und dann mußte ich die Schweine füttern; der war klüger als sie alle – da war es, es ist grausam lange her; aber eines Abends, der Mond schien, da ließen sie die Hafschleuse schließen, und sie konnte nicht wieder zurück in See. O, wie sie schrie und mit ihren Fischhänden sich in ihre harten struppigen Haare griff! Ja, Kind, ich sah es und hörte sie selber schreien! Die Gräben zwischen den Fennen waren alle voll Wasser, und der Mond schien darauf, daß sie wie Silber glänzten, und sie schwamm aus einem Graben in den anderen und hob die Arme und schlug, was ihre Hände waren, aneinander, daß man es weither klatschen hörte, als wenn sie beten wollte; aber, Kind, beten können diese Kreaturen nicht. Ich saß vor der Haustür auf ein paar Balken, die zum Bauen angefahren waren, und sah weithin über die Fennen; und das Wasserweib schwamm noch immer in den Gräben, und wenn sie die Arme aufhob, so glitzerten auch die wie Silber und Demanten. Zuletzt sah ich sie nicht mehr, und die Wildgänse und Möwen, die ich all die Zeit nicht gehört hatte, zogen wieder mit Pfeifen und Schnattern durch die Luft."

Die Alte schwieg; das Kind hatte ein Wort sich aufgefangen: „Konnte nicht beten?" frug sie. „Was sagst du? Wer war es?"

„Kind", sagte die Alte; „die Wasserfrau war es; das sind Undinger, die nicht selig werden können."

„Nicht selig!" wiederholte das Kind, und ein tiefer Seufzer, als habe sie das verstanden, hob die kleine Brust.

– „Trin' Jans!" kam eine tiefe Stimme von der Küchentür, und die Alte zuckte leicht zusammen. Es war der Deichgraf Hauke Haien, der dort am Ständer lehnte: „Was redet Sie dem Kinde vor? Hab ich Ihr nicht geboten, Ihre Mären für sich zu behalten, oder sie den Gäns' und Hühnern zu erzählen?"

Die Alte sah ihn mit einem bösen Blick an und schob die Kleine von sich fort: „Das sind keine Mären“, murmelte sie in sich hinein, „das hat mein Großohm mir erzählt.“

– „Ihr Großohm, Trin’? Sie wollte es ja eben selbst erlebt haben.“

„Das ist egal“, sagte die Alte; „aber Ihr glaubt nicht, Hauke Haien; Ihr wollt wohl meinen Großohm noch zum Lügner machen!“ Dann rückte sie näher an den Herd und streckte die Hände über die Flammen des Feuerlochs.

Der Deichgraf warf einen Blick gegen das Fenster; draußen dämmerte es noch kaum. „Komm, Wienke!“ sagte er und zog sein schwachsinniges Kind zu sich heran; „komm mit mir, ich will dir draußen vom Deich aus etwas zeigen! Nur müssen wir zu Fuß gehen; der Schimmel ist beim Schmied.“ Dann ging er mit ihr in die Stube, und Elke band dem Kinde dicke wollene Tücher um Hals und Schultern; und bald danach ging der Vater mit ihr auf dem alten Deiche nach Nordwest hinauf, Jeverssand vorbei, bis wo die Watten breit, fast unübersehbar wurden.

Bald hatte er sie getragen, bald ging sie an seiner Hand; die Dämmerung wuchs allmählich; in der Ferne verschwand alles in Dunst und Duft. Aber dort, wohin noch das Auge reichte, hatten die unsichtbar schwellenden Wattströme das Eis zerrissen, und, wie Hauke Haien es in seiner Jugend einst gesehen hatte, aus den Spalten stiegen wie damals die rauchenden Nebel, und daran entlang waren wiederum die unheimlichen närrischen Gestalten und hüpften gegeneinander und dienerten und dehnten sich plötzlich schreckhaft in die Breite.

Das Kind klammerte sich angstvoll an seinen Vater und deckte dessen Hand über sein Gesichtlein: „Die Seeteufel!“ raunte es zitternd zwischen seine Finger; „die Seeteufel!“

Er schüttelte den Kopf: „Nein, Wienke, weder Wasserweiber noch Seeteufel; so etwas gibt es nicht; wer hat dir davon gesagt?“

Sie sah mit stumpfem Blicke zu ihm herauf; aber sie antwortete nicht. Er strich ihr zärtlich über die Wangen: „Sieh nur wieder hin!“ sagte er, „das sind nur arme hungrige Vögel! Sieh nur, wie jetzt der große seine Flügel breitet;

die holen sich die Fische, die in die rauchenden Spalten kommen."

„Fische", wiederholte Wienke.

„Ja, Kind, das alles ist lebig, so wie wir; es gibt nichts anderes; aber der liebe Gott ist überall!"

Klein Wienke hatte ihre Augen fest auf den Boden gerichtet und hielt den Atem an; es war, als sähe sie erschrokken in einen Abgrund. Es war vielleicht nur so; der Vater blickte lange auf sie hin, er bückte sich und sah in ihr Gesichtlein; aber keine Regung der verschlossenen Seele wurde darin kund. Er hob sie auf den Arm und steckte ihre verklommenen Händchen in einen seiner dicken Wollhandschuhe: „So, mein Wienke" – und das Kind vernahm wohl nicht den Ton von heftiger Innigkeit in seinen Worten –, „so, wärm dich bei mir! Du bist doch unser Kind, unser einziges. Du hast uns lieb . . .!" Die Stimme brach dem Manne; aber die Kleine drückte zärtlich ihr Köpfchen in seinen rauhen Bart.

So gingen sie friedlich heimwärts.

Nach Neujahr war wieder einmal die Sorge in das Haus getreten; ein Marschfieber hatte den Deichgrafen ergriffen; auch mit ihm ging es nah am Rand der Grube her, und als er unter Frau Elkes Pfleg und Sorge wieder erstanden war, schien er kaum derselbe Mann. Die Mattigkeit des Körpers lag auch auf seinem Geiste, und Elke sah mit Besorgnis, wie er allzeit leicht zufrieden war. Dennoch, gegen Ende des März, drängte es ihn, seinen Schimmel zu besteigen und zum ersten Male wieder auf seinem Deiche entlang zu reiten; es war an einem Nachmittage, und die Sonne, die zuvor geschienen hatte, lag längst schon wieder hinter trübem Duft.

Im Winter hatte es ein paarmal Hochwasser gegeben; aber es war nicht von Belang gewesen; nur drüben am anderen Ufer war auf einer Hallig eine Herde Schafe ertrunken und ein Stück vom Vorland abgerissen worden; hier an dieser Seite und am neuen Kooge war ein nennenswerter Schaden nicht geschehen. Aber in der letzten Nacht hatte ein stärkerer Sturm getobt; jetzt mußte der Deichgraf selbst hinaus und alles mit eigenem Aug besichtigen. Schon war er unten von der Südostecke aus auf dem neuen Deich herumgeritten, und es war alles wohl erhalten; als er aber an die Nordostecke gekommen war, dort wo der neue Deich auf den alten stößt, war zwar der erstere unversehrt, aber wo früher der Priel den alten erreicht hatte und an ihm entlanggeflossen war, sah er in großer Breite die Grasnarbe zerstört und fortgerissen und in dem Körper des Deiches eine von der Flut gewühlte Höhlung, durch welche überdies ein Gewirr von Mäusegängen bloßgelegt war. Hauke stieg vom Pferde und besichtigte den Schaden in der Nähe: das Mäuseunheil schien unverkennbar noch unsichtbar weiter fortzulaufen.

Er erschrak heftig; gegen alles dieses hätte schon beim Bau des neuen Deiches Obacht genommen werden müssen; da es damals übersehen worden, so mußte es jetzt geschehen! – Das Vieh war noch nicht auf den Fennen, das Gras war ungewohnt zurückgeblieben, wohin er blickte, es sah ihn leer und öde an. Er bestieg wieder sein Pferd und ritt am Ufer hin und her: es war Ebbe, und er gewahrte wohl, wie der Strom von außen her sich wieder ein neues Bett im Schlick gewühlt hatte und jetzt von Nordwesten auf den alten Deich gestoßen war; der neue aber, soweit es ihn traf, hatte mit seinem sanfteren Profile dem Anprall widerstehen können.

Ein Haufen neuer Plag und Arbeit erhob sich vor der Seele des Deichgrafen: nicht nur der alte Deich mußte hier verstärkt, auch dessen Profil dem des neuen angenähert werden; vor allem aber mußte der als gefährlich wieder aufgetretene Priel durch neuzulegende Dämme oder Lahnungen abgeleitet werden. Noch einmal ritt er auf dem neuen Deich bis an die äußerste Nordwestecke, dann wieder rückwärts, die Augen unablässig auf das neugewühlte Bett des Priels heftend, der ihm zur Seite sich deutlich genug in dem bloßgelegten Schlickgrund abzeichnete. Der Schimmel drängte vorwärts und schnob und schlug mit den Vorderhufen; aber der Reiter drückte ihn zurück, er wollte langsam reiten, er wollte auch die innere Unruhe bändigen, die immer wilder in ihm aufgor.

Wenn eine Sturmflut wiederkäme – eine, wie 1665 dagewesen, wo Gut und Menschen ungezählt verschlungen wurden – wenn sie wiederkäme, wie sie schon mehrmals einst gekommen war! – Ein heißer Schauer überrieselte den Reiter – der alte Deich, er würde den Stoß nicht aushalten, der gegen ihn heraufschösse! Was dann, was sollte dann geschehen? – Nur eines, ein einzig Mittel würde es geben, um vielleicht den alten Koog und Gut und Leben darin zu retten. Hauke fühlte sein Herz stillstehen, sein sonst so fester Kopf schwindelte; er sprach es nicht aus, aber in ihm sprach es stark genug: Dein Koog, der Hauke-Haien-Koog müßte preisgegeben und der neue Deich durchstochen werden!

Schon sah er im Geist die stürzende Hochflut hereinbrechen und Gras und Klee mit ihrem salzen schäumenden Gischt bedecken. Ein Sporenstreich fuhr in die Weichen des Schimmels, und einen Schrei ausstoßend, flog er auf dem Deich entlang und dann den Akt hinab, der deichgräflichen Werfte zu.

Den Kopf voll von innerem Schrecknis und ungeordneten Plänen kam er nach Hause. Er warf sich in seinen Lehnstuhl, und als Elke mit der Tochter in das Zimmer trat, stand er wieder auf und hob das Kind zu sich empor und küßte es; dann jagte er das gelbe Hündlein mit ein paar leichten Schlägen von sich. „Ich muß noch einmal droben nach dem Krug!" sagte er und nahm seine Mütze vom Türhaken, wohin er sie eben erst gehängt hatte.

Seine Frau sah ihn sorgenvoll an: „Was willst du dort? Es wird schon Abend, Hauke!"

„Deichgeschichten!" murmelte er vor sich hin, „ich treffe von den Gevollmächtigten dort."

Sie ging ihm nach und drückte ihm die Hand, denn er war mit diesen Worten schon zur Tür hinaus. Hauke Haien, der sonst alles bei sich selber abgeschlossen hatte, drängte es jetzt, ein Wort von jenen zu erhalten, die er sonst kaum eines Anteils wertgehalten hatte. Im Gastzimmer traf er Ole Peters mit zweien der Gevollmächtigten und einem Koogseinwohner am Kartentisch.

„Du kommst wohl von draußen, Deichgraf?" sagte der

erstere, nahm die halb ausgeteilten Karten und warf sie wieder hin.

„Ja, Ole", erwiderte Hauke; „ich war dort; es sieht übel aus."

„Übel? – Nun, ein paar hundert Soden und eine Bestickung wird's wohl kosten; ich war dort auch am Nachmittag."

„So wohlfeil wird's nicht abgehen, Ole", erwiderte der Deichgraf, „der Priel ist wieder da, und wenn er jetzt auch nicht von Norden auf den alten Deich stößt, so tut er's doch von Nordwesten!"

„Du hättest ihn lassen sollen, wo du ihn fandest!" sagte Ole trocken.

„Das heißt", entgegnete Hauke, „der neue Koog geht dich nichts an; und darum sollte er nicht existieren. Das ist deine eigne Schuld! Aber wenn wir Lahnungen legen müssen, um den alten Deich zu schützen, der grüne Klee hinter dem neuen bringt das übermäßig ein!"

„Was sagt Ihr, Deichgraf?" riefen die Gevollmächtigten; „Lahnungen? Wie viele denn? Ihr liebt es, alles beim teuersten Ende anzufassen!"

Die Karten lagen unberührt auf dem Tisch. „Ich will's dir sagen, Deichgraf", sagte Ole Peters und stemmte beide Arme auf, „dein neuer Koog ist ein fressend Werk, was du uns gestiftet hast! Noch laboriert alles an den schweren Kosten deiner breiten Deiche; nun frißt er uns auch den alten Deich, und wir sollen ihn verneuen! – Zum Glück ist's nicht so schlimm; er hat diesmal gehalten und wird es auch noch ferner tun! Steig nur morgen wieder auf deinen Schimmel und sieh es dir noch einmal an!"

Hauke war aus dem Frieden seines Hauses hieher gekommen; hinter den immerhin noch gemäßigten Worten, die er eben hörte, lag – er konnte es nicht verkennen – ein zäher Widerstand, ihm war, als fehle ihm dagegen noch die alte Kraft. „Ich will tun, wie du es rätst, Ole", sprach er; „nur fürcht ich, ich werd es finden, wie ich es heut gesehen habe."

– Eine unruhige Nacht folgte diesem Tage; Hauke wälzte sich schlaflos in seinen Kissen. „Was ist dir?" frug ihn Elke, welche die Sorge um ihren Mann wachhielt; „drückt dich etwas, so sprich es von dir; wir haben's ja immer so gehalten!"

„Es hat nichts auf sich, Elke!" erwiderte er, „am Deiche, an den Schleusen ist was zu reparieren; du weißt, daß ich das allzeit nachts in mir zu verarbeiten habe." Weiter sagte er nichts; er wollte sich die Freiheit seines Handelns vorbehalten; ihm unbewußt war die klare Einsicht und der kräftige Geist seines Weibes ihm in seiner augenblicklichen Schwäche ein Hindernis, dem er unwillkürlich auswich.

– – Am folgenden Vormittag, als er wieder auf den Deich hinauskam, war die Welt eine andere, als wie er sie tags zuvor gefunden hatte; zwar war wieder hohl Ebbe, aber der Tag war noch im Steigen, und eine lichte Frühlingssonne ließ ihre Strahlen fast senkrecht auf die unabsehbaren Watten fallen; die weißen Möwen schwebten ruhig hin und wider, und unsichtbar über ihnen, hoch unter dem azurblauen Himmel, sangen die Lerchen ihre ewige Melodie. Hauke, der nicht wußte, wie uns die Natur mit ihrem Reiz betrügen kann, stand auf der Nordwestecke des Deiches und suchte nach dem neuen Bett des Prieles, das ihn gestern so erschreckt hatte; aber bei dem vom Zenit herabschießenden Sonnenlichte fand er es anfänglich nicht einmal; erst da er gegen die blendenden Strahlen seine Augen mit der Hand beschattete, konnte er es nicht verkennen; aber dennoch, die Schatten in der gestrigen Dämmerung mußten ihn getäuscht haben; es kennzeichnete sich jetzt nur schwach; die bloßgelegte Mäusewirtschaft mußte mehr als die Flut den Schaden in dem Deich veranlaßt haben. Freilich, Wandel mußte hier geschafft werden; aber durch sorgfältiges Aufgraben, und wie Ole Peters gesagt hatte, durch frische Soden und einige Ruten Strohbestickung war der Schaden auszuheilen.

„Es war so schlimm nicht", sprach er erleichtert zu sich selber, „du bist gestern doch dein eigener Narr gewesen!" – Er berief die Gevollmächtigten, und die Arbeiten wurden ohne Widerspruch beschlossen, was bisher noch nie geschehen war. Der Deichgraf meinte eine stärkende Ruhe in seinem noch geschwächten Körper sich verbreiten zu fühlen; und nach einigen Wochen war alles sauber ausgeführt.

Das Jahr ging weiter, aber je weiter es ging und je ungestörter die neugelegten Rasen durch die Strohdecke grünten, um so unruhiger ging oder ritt Hauke an dieser Stelle vorüber, er wandte die Augen ab, er ritt hart an der Binnenseite des Deiches; ein paarmal, wo er dort hätte vorübermüssen, ließ er sein schon gesatteltes Pferd wieder in den Stall zurückführen; dann wieder, wo er nichts dort zu tun hatte, wanderte er, um nur rasch und ungesehen von seiner Werfte fortzukommen, plötzlich und zu Fuß dahin; manchmal auch war er umgekehrt, er hatte es sich nicht zumuten können, die unheimliche Stelle aufs neue zu betrachten; und endlich, mit den Händen hätte er alles wieder aufreißen mögen; denn wie ein Gewissensbiß, der außer ihm Gestalt gewonnen hatte, lag dies Stück des Deiches ihm vor Augen. Und doch, seine Hand konnte nicht mehr daran rühren; und niemandem, selbst nicht seinem Weibe, durfte er davon reden. So war der September gekommen; nachts hatte ein mäßiger Sturm getobt und war zuletzt nach Nordwest umgesprungen. An trübem Vormittag danach, zur Ebbezeit, ritt Hauke auf den Deich hinaus, und es durchfuhr ihn, als er seine Augen über die Watten schweifen ließ; dort, von Nordwest herauf, sah er plötzlich wieder, und schärfer und tiefer ausgewühlt, das gespenstische neue Bett des Prieles; so sehr er seine Augen anstrengte, es wollte nicht mehr weichen.

Als er nach Haus kam, ergriff Elke seine Hand: „Was hast du, Hauke?“ sprach sie, als sie in sein düsteres Antlitz sah; „es ist doch kein neues Unheil? Wir sind jetzt so glücklich; mir ist, du hast nun Frieden mit ihnen allen!“

Diesen Worten gegenüber vermochte er seine verworrene Furcht nicht in Worten kundzugeben.

„Nein, Elke“, sagte er, „mich feindet niemand an; es ist nur ein verantwortlich Amt, die Gemeinde vor unseres Herrgotts Meer zu schützen.“

Er machte sich los, um weiteren Fragen des geliebten Weibes auszuweichen. Er ging in Stall und Scheuer, als ob er alles revidieren müsse; aber er sah nichts um sich her; er war nur beflissen, seinen Gewissensbiß zur Ruhe, ihn sich selber als eine krankhaft übertriebene Angst zur Überzeugung zu bringen.

-- Das Jahr, von dem ich Ihnen erzähle«, sagte nach einer Weile mein Gastfreund, der Schulmeister, »war das Jahr 1756, das in dieser Gegend nie vergessen wird; im Hause Hauke Haiens brachte es eine Tote. Zu Ende des Septembers war in der Kammer, welche ihr in der Scheune eingeräumt war, die fast neunzigjährige Trin' Jans am Sterben. Man hatte sie nach ihrem Wunsche in den Kissen aufgerichtet, und ihre Augen gingen durch die kleinen bleigefaßten Scheiben in die Ferne; es mußte dort am Himmel eine dünnere Luftschicht über einer dichteren liegen; denn es war hohe Kimmung, und die Spiegelung hob in diesem Augenblick das Meer wie einen flimmernden Silberstreifen über den Rand des Deiches, so daß es blendend in die Kammer schimmerte; auch die Südspitze von Jeverssand war sichtbar.

Am Fußende des Bettes kauerte die kleine Wienke und hielt mit der einen Hand sich fest an der ihres Vaters, der daneben stand. In das Antlitz der Sterbenden grub eben der Tod das hippokratische Gesicht, und das Kind starrte atemlos auf die unheimliche, ihr unverständliche Verwandlung des unschönen, aber ihr vertrauten Angesichts.

„Was macht sie? Was ist das, Vater?" flüsterte sie angstvoll und grub die Fingernägel in ihres Vaters Hand.

„Sie stirbt!" sagte der Deichgraf.

„Stirbt!" wiederholte das Kind und schien in verworrenes Sinnen zu verfallen.

Aber die Alte rührte noch einmal ihre Lippen: „Jins! Jins!" und kreischend, wie ein Notschrei, brach es hervor, und ihre knöchernen Arme streckten sich gegen die draußen flimmernde Meeresspiegelung: „Hölp mi! Hölp mi! Du bist ja bawen Water . . . Gott gnad de annern!"

Ihre Arme sanken, ein leises Krachen der Bettstatt wurde hörbar; sie hatte aufgehört zu leben.

Das Kind tat einen tiefen Seufzer und warf die blassen Augen zu ihrem Vater auf: „Stirbt sie noch immer?" frug es.

„Sie hat es vollbracht!" sagte der Deichgraf und nahm

das Kind auf seinen Arm: „Sie ist nun weit von uns, beim lieben Gott."

„Beim lieben Gott!" wiederholte das Kind und schwieg eine Weile, als müsse es den Worten nachsinnen. „Ist das gut, beim lieben Gott?"

„Ja, das ist das Beste." – In Haukes Innerem aber klang schwer die letzte Rede der Sterbenden. „Gott gnad de annern!" sprach es leise in ihm. „Was wollte die alte Hexe? Sind denn die Sterbenden Propheten – –?"

– – Bald, nachdem Trin' Jans oben bei der Kirche eingegraben war, begann man immer lauter von allerlei Unheil und seltsamem Geschmeiß zu reden, das die Menschen in Nordfriesland erschreckt haben sollte; und sicher war es, am Sonntag Lätare war droben von der Turmspitze der goldne Hahn durch einen Wirbelwind herabgeworfen worden; auch das war richtig, im Hochsommer fiel, wie ein Schnee, ein groß Geschmeiß vom Himmel, daß man die Augen davor nicht auftun konnte und es hernach fast handhoch auf den Fennen lag, und hatte niemand je so was gesehen; als aber nach Ende September der Großknecht mit Korn und die Magd Ann Grete mit Butter in die Stadt zu Markt gefahren waren, kletterten sie bei ihrer Rückkunft mit schreckensbleichen Gesichtern von ihrem Wagen. „Was ist? Was habt ihr?" riefen die anderen Dirnen, die hinausgelaufen waren, da sie den Wagen rollen hörten.

Ann Grete in ihrem Reiseanzug trat atemlos in die geräumige Küche. „Nun, so erzähl doch!" riefen die Dirnen wieder, „wo ist das Unglück los?"

„Ach, unser lieber Jesus wolle uns behüten!" rief Ann Grete. „Ihr wißt, von drüben, überm Wasser, das alt' Mariken vom Ziegelhof, wir stehen mit unserer Butter ja allzeit zusammen an der Apothekerecke, die hat es mir erzählt, und Iven Johns sagte auch, ‚das gibt ein Unglück!' sagte er; ‚ein Unglück über ganz Nordfriesland; glaub mir's, Ann Gret!' Und" – sie dämpfte ihre Stimme – „mit des Deichgrafs Schimmel ist's am Ende auch nicht richtig!"

„Scht! scht!" machten die anderen Dirnen.

– „Ja, ja; was kümmert's mich! Aber drüben, an der anderen Seite, geht's noch schlimmer als bei uns! Nicht bloß Fliegen und Geschmeiß, auch Blut ist wie Regen vom Himmel gefallen; und da am Sonntagmorgen danach der Pastor sein Waschbecken vorgenommen hat, sind fünf Totenköpfe, wie Erbsen groß, darin gewesen, und alle sind gekommen, um das zu sehen; im Monat Augusti sind grausige rotköpfige Raupenwürmer über das Land gezogen und haben Korn und Mehl und Brot und was sie fanden, weggefressen, und hat kein Feuer sie vertilgen können!"

Die Erzählerin verstummte plötzlich; keine der Mägde hatte bemerkt, daß die Hausfrau in die Küche getreten war. „Was redet ihr da?" sprach diese. „Laßt das den Wirt nicht hören!" Und da sie alle jetzt erzählen wollten: „Es tut nicht not; ich habe genug davon vernommen; geht an euere Arbeit, das bringt euch besseren Segen!" Dann nahm sie Ann Gret mit sich in die Stube und hielt mit dieser Abrechnung über ihre Marktgeschäfte.

So fand im Hause des Deichgrafen das abergläubische Geschwätz bei der Herrschaft keinen Anhalt; aber in die übrigen Häuser, und je länger die Abende wurden, um desto leichter drang es mehr und mehr hinein. Wie schwere Luft lag es auf allen; und heimlich sagte man es sich, ein Unheil, ein schweres, würde über Nordfriesland kommen.

Es war vor Allerheiligen, im Oktober. Tagüber hatte es stark aus Südwest gestürmt; abends stand ein halber Mond am Himmel, dunkelbraune Wolken jagten überhin, und Schatten und trübes Licht flogen auf der Erde durcheinander; der Sturm war im Wachsen. Im Zimmer des Deichgrafen stand noch der geleerte Abendtisch; die Knechte waren in den Stall gewiesen, um dort des Viehs zu achten; die Mägde mußten im Hause und auf den Böden nachsehen, ob Türen und Luken wohlverschlossen seien, daß nicht der Sturm hineinfasse und Unheil anrichte. Drinnen stand Hauke neben seiner Frau am Fenster; er hatte eben sein Abendbrot hinabgeschlungen; er war draußen auf dem Deich gewesen. Zu Fuße war er hinausgetrabt, schon früh am Nachmittag; spitze Pfähle und Säcke voll Klei oder Erde hatte er hie und dort, wo der Deich eine Schwäche zu verraten schien, zusammentragen lassen; überall hatte er Leute angestellt, um die Pfähle einzurammen und mit den Säcken vorzudämmen, sobald die Flut den Deich zu schädigen beginne; an dem Winkel zu Nordwesten, wo der alte und der neue Deich zusammenstießen, hatte er die meisten Menschen hingestellt; nur im Notfall durften sie von den angewiesenen Plätzen weichen. Das hatte er zurückgelassen; dann, vor kaum einer Viertelstunde, naß, zerzaust, war er in seinem Hause angekommen, und jetzt, das Ohr nach den Windböen, welche die in Blei gefaßten Scheiben rasseln machten, blickte er wie gedankenlos in die wüste Nacht hinaus; die Wanduhr hinter ihrer Glasscheibe schlug eben acht. Das Kind, das neben der Mutter stand, fuhr zusammen und barg den Kopf in deren Kleider. „Claus!" rief sie weinend; „wo ist mein Claus?"

Sie konnte wohl so fragen; denn die Möwe hatte, wie schon im vorigen Jahr, so auch jetzt ihre Winterreise nicht mehr angetreten. Der Vater überhörte die Frage; die Mutter aber nahm das Kind auf ihren Arm. „Dein Claus ist in der Scheune", sagte sie; „da sitzt er warm."

„Warum?" fragte Wienke, „ist das gut?"

– „Ja, das ist gut."

Der Hausherr stand noch am Fenster: „Es geht nicht länger, Elke!" sagte er; „ruf eine von den Dirnen; der Sturm drückt uns die Scheiben ein; die Luken müssen angeschroben werden!"

Auf das Wort der Hausfrau war die Magd hinausgelaufen; man sah vom Zimmer aus, wic ihr die Röcke flogen; aber als sie die Klammern gelöst hatte, riß ihr der Sturm den Laden aus der Hand und warf ihn gegen die Fenster, daß ein paar Scheiben zersplittert in die Stube flogen und eins der Lichter qualmend auslosch. Hauke mußte selbst hinaus, zu helfen, und nur mit Not kamen allmählich die Luken vor die Fenster. Als sie beim Wiedereintritt in das Haus die Tür aufrissen, fuhr eine Böe hinterdrein, daß Glas und Silber im Wandschrank durcheinanderklirrten; oben im Hause über ihren Köpfen zitterten und krachten die Balken, als wolle der Sturm das Dach von den Mauern reißen. Aber Hauke kam nicht wieder in das Zimmer; Elke hörte, wie er durch die Tenne nach dem Stalle schritt. „Den Schimmel!

Den Schimmel, John! Rasch!" So hörte sie ihn rufen; dann kam er wieder in die Stube, das Haar zerzaust, aber die grauen Augen leuchtend. „Der Wind ist umgesprungen!" – rief er –, „nach Nordwest, auf halber Springflut! Kein Wind; – wir haben solchen Sturm noch nicht erlebt!"

Elke war totenblaß geworden: „Und du mußt noch einmal hinaus?"

Er ergriff ihre beiden Hände und drückte sie wie im Krampfe in die seinen: „Das muß ich, Elke."

Sie erhob langsam ihre dunklen Augen zu ihm, und ein paar Sekunden lang sahen sie sich an; doch war's wie eine Ewigkeit. „Ja, Hauke", sagte das Weib; „ich weiß es wohl, du mußt!"

Da trabte es draußen vor der Haustür. Sie fiel ihm um den Hals, und einen Augenblick war's, als könne sie ihn nicht lassen; aber auch das war nur ein Augenblick. „Das ist unser Kampf!" sprach Hauke; „ihr seid hier sicher; an dies Haus ist noch keine Flut gestiegen. Und bete zu Gott, daß er auch mit mir sei!"

Hauke hüllte sich in seinen Mantel, und Elke nahm ein Tuch und wickelte es ihm sorgsam um den Hals; sie wollte ein Wort sprechen, aber die zitternden Lippen versagten es ihr.

Draußen wieherte der Schimmel, daß es wie Trompetenschall in das Heulen des Sturmes hineinklang. Elke war mit ihrem Mann hinausgegangen; die alte Esche knarrte, als ob sie auseinanderstürzen solle. „Steigt auf, Herr!" rief der Knecht, „der Schimmel ist wie toll; die Zügel könnten reißen." Hauke schlug die Arme um sein Weib: „Bei Sonnenaufgang bin ich wieder da!"

Schon war er auf sein Pferd gesprungen; das Tier stieg mit den Vorderhufen in die Höhe; dann gleich einem Streithengst, der sich in die Schlacht stürzt, jagte es mit seinem Reiter die Werfte hinunter, in Nacht und Sturmgeheul hinaus. „Vater, mein Vater!" schrie eine klägliche Kinderstimme hinter ihm darein; „mein lieber Vater!"

Wienke war im Dunkeln hinter dem Fortjagenden hergelaufen; aber schon nach hundert Schritten strauchelte sie über einen Erdhaufen und fiel zu Boden.

Der Knecht Iven Johns brachte das weinende Kind der Mutter zurück; die lehnte am Stamme der Esche, deren Zweige über ihr die Luft peitschten, und starrte wie abwesend in die Nacht hinaus, in der ihr Mann verschwunden war; wenn das Brüllen des Sturmes und das ferne Klatschen des Meeres einen Augenblick aussetzten, fuhr sie wie in Schreck zusammen; ihr war jetzt, als suche alles nur ihn zu verderben, und werde jäh verstummen, wenn es ihn gefaßt habe. Ihre Knie zitterten, ihre Haare hatte der Sturm gelöst und trieb damit sein Spiel. „Hier ist das Kind, Frau!" schrie John ihr zu; „haltet es fest!" und drückte die Kleine der Mutter in den Arm.

„Das Kind? – Ich hatte dich vergessen, Wienke!" rief sie; „Gott verzeih mir's." Dann hob sie es an ihre Brust, so fest nur Liebe fassen kann, und stürzte mit ihr in die Knie: „Herr Gott und du mein Jesus, laß uns nicht Witwe und nicht Waise werden! Schütz ihn, o lieber Gott; nur du und ich, wir kennen ihn allein!" Und der Sturm setzte nicht mehr aus; es tönte und donnerte, als solle die ganze Welt in ungeheuerem Hall und Schall zugrunde gehen.

„Geht in das Haus, Frau!" sagte John; „kommt!" und er half ihnen auf und leitete die beiden in das Haus und in die Stube.

– – Der Deichgraf Hauke Haien jagte auf seinem Schimmel dem Deiche zu. Der schmale Weg war grundlos; denn die Tage vorher war unermeßlicher Regen gefallen; aber der nasse, saugende Klei schien gleichwohl die Hufen des Tieres nicht zu halten, es war, als hätte es festen Sommerboden unter sich. Wie eine wilde Jagd trieben die Wolken am Himmel; unten lag die weite Marsch wie eine unerkennbare, von unruhigen Schatten erfüllte Wüste; von dem Wasser hinter dem Deiche, immer ungeheurer, kam ein dumpfes Tosen, als müsse es alles andere verschlingen. „Vorwärts, Schimmel!" rief Hauke; „wir reiten unseren schlimmsten Ritt!"

Da klang es wie ein Todesschrei unter den Hufen seines Rosses. Er riß den Zügel zurück; er sah sich um: ihm zur Seite dicht über dem Boden, halb fliegend, halb vom Sturme geschleudert, zog eine Schar von weißen Möwen, ein höhnisches Gegacker ausstoßend; sie suchten Schutz im Lande. Eine von ihnen – der Mond schien flüchtig durch die Wolken – lag am Weg zertreten: dem Reiter war's, als flattere ein rotes Band an ihrem Halse. „Claus!" rief er. „Armer Claus!"

War es der Vogel seines Kindes? Hatte er Roß und Reiter erkannt und sich bei ihnen bergen wollen? – Der Reiter wußte es nicht. „Vorwärts!" rief er wieder, und schon hob der Schimmel zu neuem Rennen seine Hufe, da setzte der Sturm plötzlich aus, eine Totenstille trat an seine Stelle; nur eine Sekunde lang, dann kam er mit erneuter Wut zurück; aber Menschenstimmen und verlorenes Hundegebell waren inzwischen an des Reiters Ohr geschlagen, und als er rückwärts nach seinem Dorf den Kopf wandte, erkannte er in dem Mondlicht, das hervorbrach, auf den Werften und vor den Häusern Menschen an hochbeladenen Wagen umher hantierend; er sah, wie im Fluge, noch andere Wagen eilend nach der Geest hinauffahren; Gebrüll von Rindern traf sein Ohr, die aus den warmen Ställen nach dort hinaufgetrieben wurden. „Gott sei Dank! sie sind dabei, sich und ihr Vieh zu retten!" rief es in ihm; und dann mit einem Angstschrei: „Mein Weib! Mein Kind! – Nein, nein; auf unsere Werfte steigt das Wasser nicht!"

Aber nur einen Augenblick war es; nur wie eine Vision flog alles an ihm vorbei.

Eine furchtbare Böe kam brüllend vom Meer herüber, und ihr entgegen stürmten Roß und Reiter den schmalen Akt zum Deich hinan. Als sie oben waren, stoppte Hauke mit Gewalt sein Pferd. Aber wo war das Meer? Wo Jeverssand? Wo blieb das Ufer drüben? – – Nur Berge von Wasser sah er vor sich, die dräuend gegen den nächtlichen Himmel stiegen, die in der furchtbaren Dämmerung sich übereinanderzutürmen suchten und übereinander gegen das feste Land schlugen. Mit weißen Kronen kamen sie daher, heulend, als sei in ihnen der Schrei alles furchtbaren Raubgetiers der Wildnis. Der Schimmel schlug mit den Vorderhufen und schnob mit seinen Nüstern in den Lärm hinaus; den Reiter aber wollte es überfallen, als sei hier alle Menschenmacht zu Ende; als müsse jetzt die Nacht, der Tod, das Nichts hereinbrechen.

Doch er besann sich: es war ja Sturmflut; nur hatte er sie selbst noch nimmer so gesehen; sein Weib, sein Kind, sie saßen sicher auf der hohen Werfte, in dem festen Hause; sein Deich aber – und wie ein Stolz flog es ihm durch die Brust – der Hauke-Haien-Deich, wie ihn die Leute nannten, der mochte jetzt beweisen, wie man Deiche bauen müsse!

Aber – was war das? – Er hielt an dem Winkel zwischen beiden Deichen; wo waren die Leute, die er hieher gestellt, die hier die Wacht zu halten hatten? – Er blickte nach Norden den alten Deich hinan; denn auch dorthin hatte er einzelne beordert. Weder hier noch dort vermochte er einen Menschen zu erblicken; er ritt ein Stück hinaus, aber er blieb allein; nur das Wehen des Sturmes und das Brausen des Meeres bis aus unermessener Ferne schlug betäubend an sein Ohr. Er wandte das Pferd zurück: er kam wieder zu der verlassenen Ecke und ließ seine Augen längs der Linie des neuen Deiches gleiten; er erkannte deutlich: langsamer, weniger gewaltig rollten hier die Wellen heran; fast schien's, als wäre dort ein ander Wasser. „Der soll schon stehen!" murmelte er, und wie ein Lachen stieg es in ihm herauf.

Aber das Lachen verging ihm, als seine Blicke weiter an der Linie seines Deiches entlangglitten: an der Nordwestecke – was war das dort? Ein dunkler Haufen wimmelte durcheinander; er sah, wie es sich emsig rührte und drängte – kein Zweifel, es waren Menschen! Was wollten, was arbeiteten die jetzt an seinem Deich? – Und schon saßen seine Sporen dem Schimmel in den Weichen, und das Tier flog mit ihm dahin; der Sturm kam von der Breitseite; mitunter drängten die Böen so gewaltig, daß sie fast vom Deiche in den neuen Koog hinabgeschleudert wären; aber Roß und Reiter wußten, wo sie ritten. Schon gewahrte Hauke, daß wohl ein paar Dutzend Menschen in eifriger Arbeit dort beisammen seien, und schon sah er deutlich, daß eine Rinne quer durch den neuen Deich gegraben war. Gewaltsam stoppte er sein Pferd: „Halt!" schrie er; „halt! Was treibt ihr hier für Teufelsunfug?"

Sie hatten in Schreck die Spaten ruhen lassen, als sie auf einmal den Deichgraf unter sich gewahrten; seine Worte hatte der Sturm ihnen zugetragen, und er sah wohl, daß mehrere ihm zu antworten strebten; aber er gewahrte nur ihre heftigen Gebärden; denn sie standen alle ihm zur Linken, und was sie sprachen, nahm der Sturm hinweg, der hier draußen jetzt die Menschen mitunter wie im Taumel gegeneinanderwarf, so daß sie sich dicht zusammenscharten. Hauke maß mit seinen raschen Augen die gegrabene Rinne und den Stand des Wassers, das, trotz des neuen Profiles, fast an die Höhe des Deichs hinaufklatschte und Roß und Reiter überspritzte. Nur noch zehn Minuten Arbeit – er sah es wohl – dann brach die Hochflut durch die Rinne und der Hauke-Haien-Koog wurde vom Meer begraben!

Der Deichgraf winkte einem der Arbeiter an die andere Seite seines Pferdes. „Nun, so sprich!" schrie er, „was treibt ihr hier, was soll das heißen?"

Und der Mensch schrie dagegen: „Wir sollen den neuen Deich durchstechen, Herr, damit der alte Deich nicht bricht!"

„Was sollt ihr?"

– „Den neuen Deich durchstechen!"

„Und den Koog verschütten? – Welcher Teufel hat euch das befohlen?"

„Nein, Herr, kein Teufel; der Gevollmächtigte Ole Peters ist hier gewesen; der hat's befohlen!"

Der Zorn stieg dem Reiter in die Augen: „Kennt ihr mich?" schrie er. „Wo ich bin, hat Ole Peters nichts zu ordinieren! Fort mit euch! An eure Plätze, wo ich euch hingestellt!"

Und da sie zögerten, sprengte er mit seinem Schimmel zwischen sie: „Fort, zu euerer oder des Teufels Großmutter!"

„Herr, hütet Euch!" rief einer aus dem Haufen und stieß mit seinem Spaten gegen das wie rasend sich gebärdende Tier; aber ein Hufschlag schleuderte ihm den Spaten aus der Hand, ein anderer stürzte zu Boden. Da plötzlich erhob sich ein Schrei aus dem übrigen Haufen, ein Schrei, wie ihn nur die Todesangst einer Menschenkehle zu entreißen pflegt; einen Augenblick war alles, auch der Deichgraf und der Schimmel, wie gelähmt; nur ein Arbeiter hatte gleich einem Wegweiser seinen Arm gestreckt; der wies nach der Nordwestecke der beiden Deiche, dort wo der neue auf den alten stieß. Nur das Tosen des Sturmes und das Rauschen des Wassers war zu hören. Hauke drehte sich im Sattel: was gab das dort? Seine Augen wurden groß: „Herr Gott! Ein Bruch! Ein Bruch im alten Deich!"

„Euere Schuld, Deichgraf!" schrie eine Stimme aus dem Haufen: „Euere Schuld! Nehmt's mit vor Gottes Thron!"

Haukes zornrotes Antlitz war totenbleich geworden; der Mond, der es beschien, konnte es nicht bleicher machen; seine Arme hingen schlaff, er wußte kaum, daß er den Zügel hielt. Aber auch das war nur ein Augenblick; schon richtete er sich auf, ein hartes Stöhnen brach aus seinem Munde; dann wandte er stumm sein Pferd, und der Schimmel schnob und raste ostwärts auf dem Deich mit ihm dahin. Des Reiters Augen flogen scharf nach allen Seiten; in seinem Kopfe wühlten die Gedanken: Was hatte er für Schuld vor Gottes Thron zu tragen? – Der Durchstich des neuen Deiches – vielleicht, sie hätten's fertiggebracht, wenn er sein Halt nicht gerufen hätte; aber – es war noch eins, und es schoß ihm heiß zu Herzen, er wußte es nur zu gut – im vorigen Sommer, hätte damals Ole Peters' böses Maul ihn nicht zurückgehalten – da lag's! Er allein hatte die Schwäche des alten Deichs erkannt; er hätte trotz alledem das neue Werk betreiben müssen: „Herr Gott, ja ich bekenn es", rief er plötzlich laut in den Sturm hinaus, „ich habe meines Amtes schlecht gewartet!"

Zu seiner Linken, dicht an des Pferdes Hufen, tobte das Meer; vor ihm, und jetzt in voller Finsternis, lag der alte Koog mit seinen Werften und heimatlichen Häusern; das bleiche Himmelslicht war völlig ausgetan; nur von einer Stelle brach ein Lichtschein durch das Dunkel. Und wie ein Trost kam es an des Mannes Herz; es mußte von seinem Haus herüberscheinen, es war ihm wie ein Gruß von Weib und Kind. Gottlob, sie saßen sicher auf der hohen Werfte! Die anderen, gewiß, sie waren schon im Geestdorf droben; von dorther schimmerte so viel Lichtschein, wie er niemals noch gesehen hatte; ja selbst hoch oben aus der Luft, es mochte wohl vom Kirchturm sein, brach solcher in die

Nacht hinaus. „Sie werden alle fort sein, alle!“ sprach Hauke bei sich selber; „freilich auf mancher Werfte wird ein Haus in Trümmern liegen, schlechte Jahre werden für die überschwemmten Fennen kommen; Siele und Schleusen zu reparieren sein! Wir müssen's tragen, und ich will helfen, auch denen, die mir Leid's getan; nur, Herr, mein Gott, sei gnädig mit uns Menschen!“

Da warf er seine Augen seitwärts nach dem neuen Koog; um ihn schäumte das Meer; aber in ihm lag es wie nächtlicher Friede. Ein unwillkürliches Jauchzen brach aus des Reiters Brust: „Der Hauke-Haien-Deich, er soll schon halten; er wird es noch nach hundert Jahren tun!“

Ein donnerartiges Rauschen zu seinen Füßen weckte ihn aus diesen Träumen; der Schimmel wollte nicht mehr vorwärts. Was war das? – Das Pferd sprang zurück, und er fühlte es, ein Deichstück stürzte vor ihm in die Tiefe. Er riß die Augen auf und schüttelte alles Sinnen von sich: er hielt am alten Deich, der Schimmel hatte mit den Vorderhufen schon darauf gestanden. Unwillkürlich riß er das Pferd zurück; da flog der letzte Wolkenmantel von dem Mond, und das milde Gestirn beleuchtete den Graus, der schäumend, zischend vor ihm in die Tiefe stürzte, in den alten Koog hinab.

Wie sinnlos starrte Hauke darauf hin; eine Sündflut war's, um Tier und Menschen zu verschlingen. Da blinkte wieder ihm der Lichtschein in die Augen; es war derselbe, den er vorhin gewahrt hatte; noch immer brannte der auf seiner Werfte; und als er jetzt ermutigt in den Koog hinabsah, gewahrte er wohl, daß hinter dem sinnverwirrenden Strudel, der tosend vor ihm hinabstürzte, nur noch eine Breite von etwa hundert Schritten überflutet war; dahinter konnte er deutlich den Weg erkennen, der vom Koog heranführte. Er sah noch mehr: ein Wagen, nein, eine zweiräderige Karriole kam wie toll gegen den Deich herangefahren; ein Weib, ja auch ein Kind saßen darin. Und jetzt – war das nicht das kreischende Gebell eines kleinen Hundes, das im Sturm vorüberflog? Allmächtiger Gott! Sein Weib, sein Kind waren es; schon kamen sie dicht heran, und die schäumende Wassermenge drängte auf sie zu. Ein Schrei, ein Verzweiflungsschrei brach aus der Brust des Reiters: „Elke!“ schrie er; „Elke! Zurück! Zurück!“

Aber Sturm und Meer waren nicht barmherzig, ihr Toben zerwehte seine Worte; nur seinen Mantel hatte der Sturm erfaßt, es hätte ihn bald vom Pferd herabgerissen; und das Fuhrwerk flog ohne Aufenthalt der stürzenden Flut entgegen. Da sah er, daß das Weib wie gegen ihn hinauf die Arme streckte: Hatte sie ihn erkannt? Hatte die Sehnsucht, die Todesangst um ihn sie aus dem sicheren Haus getrieben? Und jetzt – rief sie ein letztes Wort ihm zu? – Die Fragen fuhren durch sein Hirn; sie blieben ohne Antwort: von ihr zu ihm, von ihm zu ihr waren die Worte all verloren; nur ein Brausen wie vom Weltenuntergang füllte ihre Ohren und ließ keinen anderen Laut hinein.

„Mein Kind! O Elke, o getreue Elke!“ schrie Hauke in den Sturm hinaus. Da sank aufs neue ein großes Stück des Deiches vor ihm in die Tiefe, und donnernd stürzte das Meer sich hinterdrein; noch einmal sah er drunten den Kopf des Pferdes, die Räder des Gefährtes aus dem wüsten Greuel emportauchen und dann quirlend darin untergehen. Die starren Augen des Reiters, der so einsam auf dem Deiche hielt, sahen weiter nichts. „Das Ende!“ sprach er leise vor sich hin; dann ritt er an den Abgrund, wo unter ihm die Wasser, unheimlich rauschend, sein Heimatsdorf zu überfluten begannen; noch immer sah er das Licht von seinem Hause schimmern; es war ihm wie entseelt. Er richtete sich hoch auf und stieß dem Schimmel die Sporen in die Weichen; das Tier bäumte sich, es hätte sich fast überschlagen; aber die Kraft des Mannes drückte es herunter. „Vorwärts!“ rief er noch einmal, wie er es so oft zum festen Ritt gerufen hatte: „Herr Gott, nimm mich; verschon die anderen!“

Noch ein Sporenstreich, ein Schrei des Schimmels, der Sturm und Wellenbrausen überschrie; dann unten aus dem hinabstürzenden Strom ein dumpfer Schall, ein kurzer Kampf.

Der Mond sah leuchtend aus der Höhe; aber unten auf dem Deiche war kein Leben mehr, als nur die wilden Wasser, die bald den alten Koog fast völlig überflutet hatten. Noch immer aber ragte die Werfte von Hauke Haiens Hofstatt aus dem Schwall hervor, noch schimmerte von dort der Lichtschein, und von der Geest her, wo die Häuser allmählich dunkel wurden, warf noch die einsame Leuchte aus dem Kirchturm ihre zitternden Lichtfunken über die schäumenden Wellen.«

Der Erzähler schwieg; ich griff nach dem gefüllten Glase, das seit lange vor mir stand; aber ich führte es nicht zum Munde; meine Hand blieb auf dem Tische ruhen.

„Das ist die Geschichte von Hauke Haien", begann mein Wirt noch einmal, „wie ich sie nach bestem Wissen nur berichten konnte. Freilich die Wirtschafterin unseres Deichgrafen würde sie Ihnen anders erzählt haben; denn auch das weiß man zu berichten: jenes weiße Pferdsgerippe ist nach der Flut wiederum, wie vormals, im Mondschein auf Jevershallig zu sehen gewesen; das ganze Dorf will es gesehen haben. – So viel ist sicher: Hauke Haien mit Weib und Kind ging unter in dieser Flut; nicht einmal ihre Grabstätte hab ich droben auf dem Kirchhof finden können; die toten Körper werden von dem abströmenden Wasser durch den Bruch ins Meer hinausgetrieben und auf dessen Grunde allmählich in ihre Urbestandteile aufgelöst sein – so haben sie Ruhe vor den Menschen gehabt. Aber der Hauke-Haien-Deich steht noch jetzt nach hundert Jahren, und wenn Sie morgen nach der Stadt reiten und die halbe Stunde Umweg nicht scheuen wollen, so werden Sie ihn unter den Hufen Ihres Pferdes haben.

Der Dank, den einstmals Jewe Manners bei den Enkeln seinem Erbauer versprochen hatte, ist, wie Sie gesehen haben, ausgeblieben; denn so ist es, Herr: dem Sokrates gaben sie ein Gift zu trinken und unseren Herrn Christus schlugen sie an das Kreuz! Das geht in den letzten Zeiten nicht mehr so leicht; aber – einen Gewaltsmenschen oder einen bösen stiernackigen Pfaffen zum Heiligen, oder einen tüchtigen Kerl, nur weil er uns um Kopfeslänge überwachsen war, zum Spuk und Nachtgespenst zu machen – das geht noch alle Tage."

Als das ernsthafte Männlein das gesagt hatte, stand es auf

und horchte nach draußen. „Es ist dort etwas anders worden", sagte er und zog die Wolldecke vom Fenster; es war heller Mondschein. „Seht nur", fuhr er fort, „dort kommen die Gevollmächtigten zurück; aber sie zerstreuen sich, sie gehen nach Hause; – drüben am anderen Ufer muß ein Bruch geschehen sein; das Wasser ist gefallen."

Ich blickte neben ihm hinaus; die Fenster hier oben lagen über dem Rand des Deiches; es war, wie er gesagt hatte. Ich nahm mein Glas und trank den Rest: „Haben Sie Dank für diesen Abend!" sagte ich; „ich denk, wir können ruhig schlafen!"

„Das können wir", entgegnete der kleine Herr; „ich wünsche von Herzen eine wohlschlafende Nacht!"

– – Beim Hinabgehen traf ich unten auf dem Flur den Deichgrafen; er wollte noch eine Karte, die er in der Schenkstube gelassen hatte, mit nach Hause nehmen. „Alles vorüber!" sagte er. „Aber unser Schulmeister hat Ihnen wohl schön was weisgemacht; er gehört zu den Aufklärern!"

– „Er scheint ein verständiger Mann!"

„Ja, ja, gewiß; aber Sie können Ihren eigenen Augen doch nicht mißtrauen; und drüben an der anderen Seite, ich sagte es ja voraus, ist der Deich gebrochen!"

Ich zuckte die Achseln: „Das muß beschlafen werden! Gute Nacht, Herr Deichgraf!"

Er lachte: „Gute Nacht!"

– – Am anderen Morgen, beim goldensten Sonnenlichte, das über einer weiten Verwüstung aufgegangen war, ritt ich über den Hauke-Haien-Deich zur Stadt hinunter.

Theodor Fontane

Schach von Wuthenow

Erzählung
aus der Zeit des Regiments Gendarmes

Erste Veröffentlichung: Vossische Zeitung, Berlin 29. Juli bis 20. August 1882.
Erste Buchveröffentlichung im Verlag W. Friedrichs, Leipzig 1883.

Erstes Kapitel

Im Salon der Frau von Carayon

In dem Salon der in der Behrenstraße wohnenden Frau von Carayon und ihrer Tochter Victoire waren an ihrem gewöhnlichen Empfangsabend einige Freunde versammelt, aber freilich wenige nur, da die große Hitze des Tages auch die treuesten Anhänger des Zirkels ins Freie gelockt hatte. Von den Offizieren des Regiments Gendarmes, die selten an einem dieser Abende fehlten, war nur einer erschienen, ein Herr von Alvensleben, und hatte neben der schönen Frau vom Hause Platz genommen unter gleichzeitigem scherzhaftem Bedauern darüber, daß gerade *der* fehle, dem dieser Platz in Wahrheit gebühre.

Beiden gegenüber, an der der Mitte des Zimmers zugekehrten Tischseite saßen zwei Herren in Zivil, die, seit wenigen Wochen erst heimisch in diesem Kreise, sich nichtsdestoweniger bereits eine dominierende Stellung innerhalb desselben errungen hatten. Am entschiedensten der um einige Jahre jüngere von beiden, ein ehemaliger Stabskapitän, der, nach einem abenteuernden Leben in England und den Unionsstaaten in die Heimat zurückgekehrt, allgemein als das Haupt jener militärischen Frondeurs angesehen wurde, die damals die politische Meinung der Hauptstadt machten beziehungsweise terrorisierten. Sein Name war von Bülow. Nonchalance gehörte mit zur Genialität, und so focht er denn, beide Füße weit vorgestreckt und die linke Hand in der Hosentasche, mit seiner rechten in der Luft umher, um durch lebhafte Gestikulationen seinem Kathedervortrage Nachdruck zu geben. Er konnte, wie seine Freunde sagten, nur sprechen, um Vortrag zu halten, und – er sprach eigentlich immer. Der starke Herr neben ihm war der Verleger seiner Schriften, Herr Daniel Sander, im übrigen aber sein vollkommener Widerpart, wenigstens in allem, was Erscheinung anging. Ein schwarzer Vollbart umrahmte sein Gesicht, das ebensoviel Behagen wie Sarkasmus ausdrückte, während ihm der in der Taille knapp anschließende Rock von niederländischem Tuche sein Embonpoint zusammenschnürte. Was den Gegensatz vollendete, war die feinste weiße Wäsche, worin Bülow keineswegs exzellierte.

Das Gespräch, das eben geführt wurde, schien sich um die kurz vorher beendete Haugwitzsche Mission zu drehen, die nach Bülows Ansicht nicht nur ein wünschenswertes Einvernehmen zwischen Preußen und Frankreich wiederhergestellt, sondern uns auch den Besitz von Hannover noch als „Morgengabe" mit eingetragen habe. Frau von Carayon aber bemängelte diese „Morgengabe", weil man nicht gut geben oder verschenken könne, was man nicht habe, bei welchem Worte die bis dahin unbemerkt am Teetisch beschäftigt gewesene Tochter Victoire der Mutter einen zärtlichen Blick zuwarf, während Alvensleben der schönen Frau die Hand küßte.

„Ihrer Zustimmung, lieber Alvensleben", nahm Frau von Carayon das Wort, „war ich sicher. Aber sehen Sie, wie minos- und rhadamantusartig unser Freund Bülow dasitzt. Er brütet mal wieder Sturm; Victoire, reiche Herrn von Bülow von den Karlsbader Oblaten. Es ist, glaub ich, das einzige, was er von Österreich gelten läßt. Inzwischen unterhält uns Herr Sander von unseren Fortschritten in der neuen Provinz. Ich fürchte, daß sie nicht groß sind."

„Oder sagen wir lieber, gar nicht existieren", erwiderte Sander. „Alles, was zum welfischen Löwen oder zum springenden Roß hält, will sich nicht preußisch regieren lassen. Und ich verdenk es keinem. Für die Polen reichten wir allenfalls aus. Aber die Hannoveraner sind feine Leute."

„Ja, das sind sie", bestätigte Frau von Carayon, während

sie gleich danach hinzufügte: „Vielleicht auch etwas hochmütig."

„Etwas!" lachte Bülow. „O, meine Gnädigste, wer doch allzeit einer ähnlichen Milde begegnete. Glauben Sie mir, ich kenne die Hannoveraner seit lange, hab ihnen in meiner Altmärkereigenschaft sozusagen von Jugend auf über den Zaun gekuckt und darf Ihnen danach versichern, daß alles das, was mir England so zuwider macht, in diesem welfischen Stammlande doppelt anzutreffen ist. Ich gönn ihnen deshalb die Zuchtrute, die wir ihnen bringen. Unsere preußische Wirtschaft ist erbärmlich, und Mirabeau hatte recht, den gepriesenen Staat Friedrichs des Großen mit einer Frucht zu vergleichen, die schon faul sei, bevor sie noch reif geworden, aber faul oder nicht, *eines* haben wir wenigstens: ein Gefühl davon, daß die Welt in diesen letzten fünfzehn Jahren einen Schritt vorwärts gemacht hat und daß sich die großen Geschicke derselben nicht notwendig zwischen Nutte und Notte vollziehen müssen. In Hannover aber glaubt man immer noch an eine Spezialaufgabe Kalenbergs und der Lüneburger Heide. Nomen et omen. Es ist der Sitz der Stagnation, eine Brutstätte der Vorurteile. Wir wissen wenigstens, daß wir nichts taugen, und in dieser Erkenntnis ist die Möglichkeit der Besserung gegeben. Im einzelnen bleiben wir hinter ihnen zurück, zugegeben, aber im ganzen sind wir ihnen voraus, und darin steckt ein Anspruch und ein Recht, die wir geltend machen müssen. Daß wir, trotz Sander, in Polen eigentlich gescheitert sind, beweist nichts: der Staat strengte sich nicht an und hielt seine Steuereinnehmer gerade für gut genug, um die Kultur nach Osten zu tragen. Insoweit mit Recht, als selbst ein Steuereinnehmer die Ordnung vertritt, wenn auch freilich von der unangenehmen Seite."

Victoire, die von dem Augenblick an, wo Polen mit ins Gespräch gezogen worden war, ihren Platz am Teetisch aufgegeben hatte, drohte jetzt zu dem Sprecher hinüber und sagte: „Sie müssen wissen, Herr von Bülow, daß ich die Polen liebe, sogar de tout mon cœur." Und dabei beugte sie sich aus dem Schatten in den Lichtschein der Lampe vor, in dessen Helle man jetzt deutlich erkennen konnte, daß ihr feines Profil, das einst dem der Mutter geglichen haben mochte, durch zahlreiche Blatternarben aber um seine frühere Schönheit gekommen war.

Jeder mußte es sehen, und der einzige, der es *nicht* sah oder, wenn er es sah, als absolut gleichgültig betrachtete, war Bülow. Er wiederholte nur: „O ja, die Polen. Es sind die besten Mazurkatänzer, und darum lieben Sie sie."

„Nicht doch. Ich liebe sie, weil sie ritterlich und unglücklich sind."

„Auch das. Es läßt sich dergleichen sagen. Und um dies ihr Unglück könnte man sie beinah beneiden, denn es trägt ihnen die Sympathien aller Damenherzen ein. In Fraueneroberungen haben sie, von alter Zeit her, die glänzendste Kriegsgeschichte."

„Und wer rettete . . ."

„Sie kennen meine ketzerischen Ansichten über Rettungen. Und nun gar Wien! Es wurde gerettet. Allerdings. Aber wozu? Meine Phantasie schwelgt ordentlich in der Vorstellung, eine Favoritsultanin in der Krypta der Kapuziner stehen zu sehen. Vielleicht da, wo jetzt Maria Theresia steht. Etwas vom Islam ist bei diesen Hahndel- und Fasandelmännern immer zu Hause gewesen, und Europa hätt ein bißchen mehr von Serail- oder Haremwirtschaft ohne großen Schaden ertragen . . ."

Ein eintretender Diener meldete den Rittmeister von Schach, und ein Schimmer freudiger Überraschung überflog beide Damen, als der Angemeldete gleich danach eintrat. Er küßte der Frau von Carayon die Hand, verneigte sich gegen Victoire und begrüßte dann Alvensleben mit Herzlichkeit, Bülow und Sander aber mit Zurückhaltung.

„Ich fürchte, Herrn von Bülow unterbrochen zu haben . . ."

„Ein allerdings unvermeidlicher Fall", antwortete Sander und rückte seinen Stuhl zur Seite. Man lachte. Bülow selbst stimmte mit ein, und nur an Schachs mehr als gewöhnlicher Zurückhaltung ließ sich erkennen, daß er entweder unter dem Eindruck eines ihm persönlich unangenehmen Ereignisses oder aber einer politisch unerfreulichen Nachricht in den Salon eingetreten sein müsse.

„Was bringen Sie, lieber Schach? Sie sind präokkupiert. Sind neue Stürme ...“

„Nicht *das,* gnädigste Frau, nicht das. Ich komme von der Gräfin Haugwitz, bei der ich um so häufiger verweile, je mehr ich mich von dem Grafen und seiner Politik zurückziehe. Die Gräfin weiß es und billigt mein Benehmen. Eben begannen wir ein Gespräch, als sich draußen vor dem Palais eine Volksmasse zu sammeln begann, erst Hunderte, dann Tausende. Dabei wuchs der Lärm, und zuletzt ward ein Stein geworfen und flog an dem Tisch vorbei, daran wir saßen. Ein Haar breit, und die Gräfin wurde getroffen. Wovon sie aber *wirklich* getroffen wurde, das waren die Worte, die Verwünschungen, die heraufklangen. Endlich erschien der Graf selbst. Er war vollkommen gefaßt und verleugnete keinen Augenblick den Kavalier. Es währte jedoch lang, eh die Straße gesäubert werden konnte. Sind wir bereits dahin gekommen? Emeute, Krawall. Und das im Lande Preußen, unter den Augen Seiner Majestät.“

„Und speziell *uns* wird man für diese Geschehnisse verantwortlich machen“, unterbrach Alvensleben, „speziell *uns* von den Gendarmes. Man weiß, daß wir diese Liebedienerei gegen Frankreich mißbilligen, von der wir schließlich nichts haben als gestohlene Provinzen. Alle Welt weiß, wie wir dazu stehen, auch bei Hofe weiß mans, und man wird nicht säumen, *uns* diese Zusammenrottung in die Schuh zu schieben.“

„Ein Anblick für Götter“, sagte Sander. „Das Regiment Gendarmes unter Anklage von Hochverrat und Krawall.“

„Und nicht mit Unrecht“, fuhr Bülow in jetzt wirklicher Erregung dazwischen. „Nicht mit Unrecht, sag ich. Und das witzeln Sie nicht fort, Sander. Warum führen die Herren, die jeden Tag klüger sein wollen als der König und seine Minister, warum führen sie diese Sprache? Warum politisieren sie? Ob eine Truppe politisieren darf, stehe dahin, aber *wenn* sie politisiert, so politisiere sie wenigstens richtig. Endlich sind wir jetzt auf dem rechten Weg, endlich stehen wir da, wo wir von Anfang an hätten stehen sollen, endlich hat Seine Majestät den Vorstellungen der Vernunft Gehör gegeben, und was geschieht? Unsere Herren Offiziere, deren drittes Wort der König und ihre Loyalität ist und denen doch immer nur wohl wird, wenn es nach Rußland und Juchten und recht wenig nach Freiheit riecht, unsere Herren Offiziere, sag ich, gefallen sich plötzlich in einer ebenso naiven wie gefährlichen Oppositionslust und fordern durch ihr keckes Tun und ihre noch keckeren Worte den Zorn des kaum besänftigten Imperators heraus. Dergleichen verpflanzt sich dann leicht auf die Gasse. Die Herren vom Regiment Gendarmes werden freilich den Stein nicht selber heben, der schließlich bis an den Teetisch der Gräfin fliegt, aber sie sind doch die moralischen Urheber dieses Krawalles, *sie* haben die Stimmung dazu gemacht."

„Nein, diese Stimmung war da."

„Gut. Vielleicht war sie da. Aber, *wenn* sie da war, so galt es, sie zu bekämpfen, nicht aber, sie zu nähren. Nähren wir sie, so beschleunigen wir unsern Untergang. Der Kaiser wartet nur auf eine Gelegenheit, wir sind mit vielen Posten in sein Schuldbuch eingetragen, und zählt er erst die Summe, so sind wir verloren."

„Glaubs nicht", antwortete Schach. „Ich vermag Ihnen nicht zu folgen, Herr von Bülow."

„Was ich beklage."

„Ich destoweniger. Es trifft sich bequem für Sie, daß Sie mich und meine Kameraden über Landes- und Königstreue belehren und aufklären dürfen, denn die Grundsätze, zu denen Sie sich bekennen, sind momentan obenauf. Wir stehen jetzt nach Ihrem Wunsch und allerhöchstem Willen am Tische Frankreichs und lesen die Brosamen auf, die von des Kaisers Tische fallen. Aber auf wie lange? Der Staat Friedrichs des Großen muß sich wieder auf sich selbst besinnen."

„So ers nur täte", replizierte Bülow. „Aber das versäumt er eben. Ist dies Schwanken, dies immer noch halbe Stehen zu Rußland und Österreich, das uns dem Empereur entfremdet, ist *das* Friderizianische Politik? Ich frage Sie?"

„Sie mißverstehen mich."

„So bitt ich, mich aus dem Mißverständnis zu reißen."

„Was ich wenigstens versuchen will . . . Übrigens *wollen* Sie mich mißverstehen, Herr von Bülow. Ich bekämpfe nicht das französische Bündnis, weil es ein Bündnis ist, auch nicht *deshalb*, weil es nach Art aller Bündnisse darauf aus ist, unsere Kraft zu diesem oder jenem Zweck zu doublieren. O nein, wie könnt ich? Allianzen sind Mittel, deren *jede* Politik bedarf; auch der große König hat sich dieser Mittel bedient und innerhalb dieser Mittel beständig *gewechselt*. Aber *nicht* gewechselt hat er in seinem Endzweck. Dieser war unverrückt: ein starkes und selbständiges Preußen. Und nun frag ich Sie, Herr von Bülow, ist *das*, was uns Graf Haugwitz heimgebracht hat und was sich Ihrer Zustimmung so sehr erfreut, ist *das* ein starkes und selbständiges Preußen? Sie haben *mich* gefragt, nun frag ich *Sie*."

Zweites Kapitel

„Die Weihe der Kraft"

Bülow, dessen Züge den Ausdruck einer äußersten Überheblichkeit anzunehmen begannen, wollte replizieren, aber Frau von Carayon unterbrach und sagte: „Lernen wir etwas aus der Politik unserer Tage: wo nicht Friede sein kann, da sei wenigstens Waffenstillstand. Auch hier . . . Und nun raten Sie, lieber Alvensleben, wer heute hier war, uns seinen Besuch zu machen? Eine Berühmtheit. Und von der Rahel Lewin uns zugewiesen."

„Also der Prinz", sagte Alvensleben.

„O nein, berühmter oder doch wenigstens tagesberühmter. Der Prinz ist eine etablierte Zelebrität, und Zelebritäten, die zehn Jahre gedauert haben, sind keine mehr . . . Ich will Ihnen übrigens zu Hilfe kommen, es geht ins Literarische hinüber, und so möcht ich denn auch annehmen, daß uns Herr Sander das Rätsel lösen wird."

„Ich will es wenigstens versuchen, gnädigste Frau, wobei mir ihr Zutrauen vielleicht eine gewisse Weihekraft, oder sagen wirs lieber rund heraus, eine gewisse ‚Weihe der Kraft' verleihen wird."

„O, vorzüglich. Ja, Zacharias Werner war hier. Leider waren wir aus, und so sind wir denn um den uns zugedachten Besuch gekommen. Ich hab es sehr bedauert.“

„Sie sollten sich umgekehrt beglückwünschen, einer Enttäuschung entgangen zu sein“, nahm Bülow das Wort. „Es ist selten, daß die Dichter der Vorstellung entsprechen, die wir uns von ihnen machen. Wir erwarten einen Olympier, einen Nektar- und Ambrosiamann, und sehen statt dessen einen Gourmand einen Putenbraten verzehren; wir erwarten Mitteilungen aus seiner geheimsten Zwiesprache mit den Göttern und hören ihn von seinem letzten Orden erzählen oder wohl gar die allergnädigsten Worte zitieren, die Serenissimus über das jüngste Kind seiner Muse geäußert hat. Vielleicht auch Serenissima, was immer das denkbar Albernste bedeutet.“

„Aber doch schließlich nichts Alberneres als das Urteil solcher, die den Vorzug haben, in einem Stall oder einer Scheune geboren zu sein“, sagte Schach spitz.

„Ich muß Ihnen zu meinem Bedauern, mein sehr verehrter Herr von Schach, auch auf *diesem* Gebiete widersprechen. Der Unterschied, den Sie bezweifeln, ist wenigstens nach *meinen* Erfahrungen tatsächlich vorhanden, und zwar, wie Sie mir zu wiederholen gestatten wollen, zu *Nicht*gunsten von Serenissimus. In der Welt der kleinen Leute steht das Urteil an und für sich nicht höher, aber die verlegene Bescheidenheit, darin sichs kleidet, und das stotternde schlechte Gewissen, womit es zutage tritt, haben allemal etwas Versöhnendes. Und nun spricht der Fürst! Er ist der Gesetzgeber seines Landes in all und jedem, in großem und kleinem, also natürlich auch in aestheticis. Wer über Leben und Tod entscheidet, sollte der nicht auch über ein Gedichtchen entscheiden können? Ah, bah! Er mag sprechen, was er will, es sind immer Tafeln direkt vom Sinai. Ich habe solche zehn Gebote mehr als einmal verkünden hören und weiß seitdem, was es heißt: regarder dans le néant.“

„Und doch stimm ich der Mama bei“, bemerkte Victoire, der daran lag, das Gespräch auf seinen Anfang, auf das Stück und seinen Dichter also, zurückzuführen. „Es wäre mir wirklich eine Freude gewesen, den ‚tagesberühmten

Herrn', wie Mama ihn einschränkend genannt hat, kennenzulernen. Sie vergessen, Herr von Bülow, daß wir *Frauen* sind und daß wir als solche ein Recht haben, neugierig zu sein. An einer Berühmtheit wenig Gefallen zu finden, ist schließlich immer noch besser, als sie gar nicht gesehen zu haben."

„Und wir werden ihn in der Tat nicht mehr sehen, in aller Bestimmtheit nicht", fügte Frau von Carayon hinzu. „Er verläßt Berlin in den nächsten Tagen schon und war überhaupt nur hier, um den ersten Proben seines Stückes beizuwohnen."

„Was also heißt", warf Alvensleben ein, „daß an der Aufführung selbst nicht länger mehr zu zweifeln ist."

„Ich glaube, nein. Man hat den Hof dafür zu gewinnen oder wenigstens alle beigebrachten Bedenken niederzuschlagen gewußt."

„Was ich unbegreiflich finde", fuhr Alvensleben fort. „Ich habe das Stück gelesen. Er will Luther verherrlichen, und der Pferdefuß des Jesuitismus guckt überall unter dem schwarzen Doktormantel hervor. Am rätselhaftesten aber ist es mir, daß sich Iffland dafür interessiert, Iffland, ein Freimaurer."

„Woraus ich einfach schließen möchte, daß er die Hauptrolle hat", erwiderte Sander. „Unsere Prinzipien dauern gerade so lange, bis sie mit unseren Leidenschaften oder Eitelkeiten in Konflikt geraten, und ziehen dann jedesmal den kürzeren. Er wird den Luther spielen wollen. Und das entscheidet."

„Ich bekenne, daß es mir widerstrebt", sagte Victoire, „die Gestalt Luthers auf der Bühne zu sehen. Oder geh ich darin zu weit?"

Es war Alvensleben, an den sich die Frage gerichtet hatte. „Zu weit? O, meine teuerste Victoire, gewiß nicht. Sie sprechen mir ganz aus dem Herzen. Es sind meine frühesten Erinnerungen, daß ich in unserer Dorfkirche saß und mein alter Vater neben mir, der alle Gesangbuchverse mitsang. Und links neben dem Altar, da hing unser Martin Luther in ganzer Figur, die Bibel im Arm, die Rechte darauf gelegt, ein lebensvolles Bild, und sah zu mir herüber. Ich darf sagen, daß dies ernste Mannesgesicht an manchem

Sonntage besser und eindringlicher zu mir gepredigt hat als unser alter Kluckhuhn, der zwar dieselben hohen Backenknochen und dieselben weißen Päffchen hatte wie der Reformator, aber auch weiter nichts. Und diesen Gottesmann, nach dem wir uns nennen und unterscheiden und zu dem ich nie anders als in Ehrfurcht und Andacht aufgeschaut habe, den will ich nicht aus den Kulissen oder aus einer Hintertür treten sehen. Auch nicht, wenn Iffland ihn gibt, den ich übrigens schätze, nicht bloß als Künstler, sondern auch als Mann von Grundsätzen und guter preußischer Gesinnung."

„Pectus facit oratorem", versicherte Sander, und Victoire jubelte. Bülow aber, der nicht gern neue Götter neben sich duldete, warf sich in seinen Stuhl zurück und sagte, während er sein Kinn und seinen Spitzbart strich: „Es wird Sie nicht überraschen, mich im Dissens zu finden."

„O gewiß nicht", lachte Sander.

„Nur dagegen möcht ich mich verwahren, als ob ich durch einen solchen Dissens irgendwie den Anwalt dieses pfäffischen Zacharias Werner zu machen gedächte, der mir in seinen mystisch-romantischen Tendenzen einfach zuwider ist. Ich bin niemandes Anwalt . . ."

„Auch nicht Luthers?" fragte Schach ironisch.

„Auch nicht Luthers!"

„Ein Glück, daß er dessen entbehren kann . . ."

„Aber auf wie lange?" fuhr Bülow, sich aufrichtend, fort. „Glauben Sie mir, Herr von Schach, auch er ist in der Dekadenz wie so viel anderes mit ihm, und über ein kleines wird keine Generalanwaltschaft der Welt ihn halten können."

„Ich habe Napoleon von einer ‚Episode Preußen' sprechen hören", erwiderte Schach. „Wollen uns die Herren Neuerer und Herr von Bülow an ihrer Spitze vielleicht auch mit einer ‚Episode Luther' beglücken?"

„Es ist so. Sie treffen es. Übrigens sind nicht *wir* es, die dieses Episodentum schaffen wollen. Dergleichen schafft nicht der einzelne, die Geschichte schafft es. Und dabei wird sich ein wunderbarer Zusammenhang zwischen der Episode Preußen und der Episode Luther herausstellen. Es heißt auch da wieder: ‚Sage mir, mit wem du umgehst, und ich will dir sagen, wer du bist.‘ Ich bekenne, daß ich die Tage Preußens gezählt glaube, und ‚wenn der Mantel fällt, muß der Herzog nach‘. Ich überlaß es Ihnen, die Rollen dabei zu verteilen. Die Zusammenhänge zwischen Staat und Kirche werden nicht genugsam gewürdigt; jeder Staat ist in gewissem Sinne zugleich auch ein *Kirchenstaat;* er schließt eine Ehe mit der Kirche, und soll diese Ehe glücklich sein, so müssen beide zueinander passen. In Preußen passen sie zueinander. Und warum? Weil beide gleich dürftig angelegt, gleich eng geraten sind. Es sind Kleinexistenzen, beide bestimmt, in etwas Größerem auf- oder unterzugehen. Und zwar bald, Hannibal ante portas.“

„Ich glaubte Sie dahin verstanden zu haben“, erwiderte Schach, „daß uns Graf Haugwitz nicht den Untergang, wohl aber die Rettung und den Frieden gebracht habe.“

„Das hat er. Aber er kann unser Geschick nicht wenden, wenigstens auf die Dauer nicht. Dies Geschick heißt Einverleibung in das Universelle. Der nationale wie der konfessionelle Standpunkt sind hinschwindende Dinge, vor allem aber ist es der preußische Standpunkt und sein alter ego, der lutherische. Beide sind künstliche Größen. Ich frage, was bedeuten sie, welche Missionen erfüllen sie? Sie ziehen Wechsel aufeinander, sie sind sich gegenseitig Zweck und Aufgabe, das ist alles. Und das soll eine Weltrolle sein? Was hat Preußen der Welt geleistet? Was find ich, wenn ich nachrechne? Die großen Blauen König Friedrich Wilhelms I., den eisernen Ladestock, den Zopf und jene wundervolle Moral, die den Satz erfunden hat: ‚Ich hab ihn an die Krippe gebunden, warum hat er nicht gefressen?‘ “

„Gut, gut. Aber Luther . . .“

„Nun wohl denn, es geht eine Sage, daß mit dem Manne von Wittenberg die Freiheit in die Welt gekommen sei, und beschränkte Historiker haben es dem norddeutschen Volke so lange versichert, bis mans geglaubt hat. Aber was hat er denn in Wahrheit in die Welt gebracht? Unduldsamkeit und Hexenprozesse, Nüchternheit und Langeweile. Das ist kein Kitt für Jahrtausende. Jener Weltmonarchie, der nur noch die letzte Spitze fehlt, wird auch eine Weltkirche folgen, denn wie die kleinen Dinge sich finden und im Zusammenhange stehen, so die großen noch viel mehr. Ich werde mir den Bühnen-Luther nicht ansehen, weil er mir in dieses Herrn Zacharias Werner Verzerrung einfach ein Ding ist, das mich ärgert; aber ihn nicht ansehen, weil es Anstoß gebe, weil es *Entheiligung* sei, das ist mehr, als ich fassen kann."

„Und *wir,* lieber Bülow", unterbrach Frau von Carayon, „wir werden ihn uns ansehen, *trotzdem* es uns Anstoß gibt. Victoire hat recht, und wenn bei Iffland die Eitelkeit stärker sein darf als das Prinzip, so bei *uns* die Neugier. Ich hoffe, Herr von Schach und Sie, lieber Alvensleben, werden uns begleiten. Übrigens sind ein paar der eingelegten Lieder nicht übel. Wir erhielten sie gestern. Victoire, du könntest uns das ein oder andere davon singen."

„Ich habe sie kaum durchgespielt."

„O, dann bitt ich um so mehr", bemerkte Schach. „Alle Salonvirtuosität ist mir verhaßt. Aber was ich in der Kunst liebe, das ist ein solches poetisches Suchen und Tappen."

Bülow lächelte vor sich hin und schien sagen zu wollen: „Ein jeder nach seinen Mitteln."

Schach aber führte Victoiren an das Klavier, und diese sang, während er begleitete:

> Die Blüte, sie schläft so leis und lind
> Wohl in der Wiege von Schnee;
> Einlullt sie der Winter: „Schlaf ein geschwind,
> Du blühendes Kind."
> Und das Kind, es weint und verschläft sein Weh,
> Und hernieder steigen aus duftiger Höh
> Die Schwestern und lieben und blühn . . .

Eine kleine Pause trat ein, und Frau von Carayon fragte: „Nun, Herr Sander, wie besteht es vor Ihrer Kritik?"

„Es muß sehr schön sein", antwortete dieser. „Ich versteh es nicht. Aber hören wir weiter. Die Blüte, die vorläufig noch schläft, wird doch wohl mal erwachen."

> Und kommt der Mai dann wieder so lind,
> Dann bricht er die Wiege von Schnee,

Er schüttelt die Blüte: „Wach auf geschwind,
Du welkendes Kind."
Und es hebt die Äuglein, es tut ihm weh
Und steigt hinauf in die leuchtende Höh,
Wo strahlend die Brüderlein blühn.

Ein lebhafter Beifall blieb nicht aus. Aber er galt ausschließlich Victoiren und der Komposition, und als schließlich auch der Text an die Reihe kam, bekannte sich alles zu Sanders ketzerischen Ansichten.

Nur Bülow schwieg. Er hatte, wie die meisten mit Staatsuntergang beschäftigten Frondeurs, auch seine schwachen Seiten, und eine davon war durch das Lied getroffen worden. An dem halbumwölkten Himmel draußen funkelten ein paar Sterne, die Mondsichel stand dazwischen, und er wiederholte, während er durch die Scheiben der hohen Balkontür hinaufblickte:

„Wo strahlend die Brüderlein blühn."

Wider Wissen und Willen war er ein Kind seiner Zeit und romantisierte.

Noch ein zweites und drittes Lied wurde gesungen, aber das Urteil blieb dasselbe. Dann trennte man sich zu nicht allzu später Stunde.

Drittes Kapitel

Bei Sala Tarone

Die Turmuhren auf dem Gendarmenmarkt schlugen elf, als die Gäste der Frau von Carayon auf die Behrenstraße hinaustraten und, nach links einbiegend, auf die Linden zuschritten. Der Mond hatte sich verschleiert, und die Regenfeuchte, die bereits in der Luft lag und auf Wetterumschlag deutete, tat allen wohl. An der Ecke der Linden empfahl sich Schach, allerhand Dienstliches vorschützend, während Alvensleben, Bülow und Sander übereinkamen, noch eine Stunde zu plaudern.

„Aber wo?" fragte Bülow, der im ganzen nicht wählerisch war, aber doch einen Abscheu gegen Lokale hatte, darin ihm „Aufpasser und Kellner die Kehle zuschnürten“.

„Aber wo?“ wiederholte Sander. „Sieh, das Gute liegt so nah“, und wies dabei auf einen Eckladen, über dem in mäßig großen Buchstaben zu lesen stand: Italiener-Wein- und Delikatessenhandlung von Sala Tarone. Da schon geschlossen war, klopfte man an die Haustür, an deren einer Seite sich ein Einschnitt mit einer Klappe befand. Und wirklich, gleich darauf öffnete sichs von innen, ein Kopf erschien am Kuckloch, und als Alvenslebens Uniform über den Charakter der etwas späten Gäste beruhigt hatte, drehte sich innen der Schlüssel im Schloß, und alle drei traten ein. Aber der Luftzug, der ging, löschte den Blaker aus, den der Küfer in Händen hielt, und nur eine ganz im Hintergrunde, dicht über der Hoftür schwelende Laterne gab gerade noch Licht genug, um das Gefährliche der Passage kenntlich zu machen.

„Ich bitte Sie, Bülow, was sagen Sie zu diesem Defilee?“ brummte Sander, sich immer dünner machend, und wirklich hieß es auf der Hut sein, denn in Front der zu beiden Seiten liegenden Öl- und Weinfässer standen Zitronen- und Apfelsinenkisten, deren Deckel nach vorn hin aufgeklappt waren. „Achtung“, sagte der Küfer. „Is hier allens voll Pinnen und Nägel. Habe mir gestern erst einen eingetreten!“

„Also auch spanische Reiter ... O, Bülow! In solche Lage bringt einen ein militärischer Verlag.“

Dieser Sandersche Schmerzensschrei stellte die Heiterkeit wieder her, und unter Tappen und Tasten war man endlich bis in Nähe der Hoftür gekommen, wo, nach rechts hin, einige der Fässer weniger dicht nebeneinander lagen. Hier zwängte man sich denn auch durch und gelangte mit Hilfe von vier oder fünf steilen Stufen in eine mäßig große Hinterstube, die gelb gestrichen und halb verblakt und nach Art aller „Frühstücksstuben“ um Mitternacht am vollsten war. Überall, an niedrigen Paneelen hin, standen lange, längst eingesessene Ledersofas mit kleinen und großen Tischen davor, und nur *eine* Stelle war da, wo dieses Mobiliar fehlte. Hier stand vielmehr ein mit Kästen und Regalen überbautes Pult, vor welchem einer der Repräsentanten der Firma tagaus, tagein auf einem Drehschemel ritt und seine Befehle (gewöhnlich nur ein Wort) in einen unmittelbar neben dem Pult befindlichen Keller hinunterrief, dessen Falltür immer offenstand.

Unsere drei Freunde hatten in einer dem Kellerloch schräg gegenübergelegenen Ecke Platz genommen, und Sander, der grad lange genug Verleger war, um sich auf lukullische Feinheiten zu verstehen, überflog eben die Wein- und Speisekarte. Diese war in russisch Leder gebunden, roch aber nach Hummer. Es schien nicht, daß unser Lukull gefunden hatte, was ihm gefiel; er schob also die Karte wieder fort und sagte: „Das geringste, was ich von einem solchen hundstäglichen April erwarten kann, sind Maikräuter, Asperula odorata Linnaei. Denn ich hab auch Botanisches verlegt. Von dem Vorhandensein frischer Apfelsinen haben wir uns draußen mit Gefahr unseres Lebens überzeugt, und für den Mosel bürgt uns die Firma."

Der Herr am Pult rührte sich nicht, aber man sah deutlich, daß er mit seinem Rücken zustimmte, Bülow und Alvensleben taten desgleichen, und Sander resolvierte kurz: „Also Maibowle."

Das Wort war absichtlich laut und mit der Betonung einer Ordre gesprochen worden, und im selben Augenblicke scholl es auch schon vom Drehstuhl her in das Kellerloch hinunter: „Fritz!" Ein zunächst nur mit halber Figur aus der Versenkung auftauchender, dicker und kurzhalsiger Junge wurde, wie wenn auf eine Feder gedrückt worden wäre, sofort sichtbar, übersprang diensteifrig, indem er die Hand aufsetzte, die letzten zwei, drei Stufen und stand im Nu vor Sander, den er, allem Anscheine nach, am besten kannte.

„Sagen Sie, Fritz, wie verhält sich die Firma Sala Tarone zur Maibowle?"

„Gut. Sehr gut."

„Aber wir haben erst April, und sosehr ich im allgemeinen der Mann der Surrogate bin, so haß ich doch eins: die Tonkabohne. Die Tonkabohne gehört in die Schnupftabaksdose, nicht in die Maibowle. Verstanden?"

„Zu dienen, Herr Sander."

„Gut denn. Also Maikräuter. Und nicht lange ziehen lassen. Waldmeister ist nicht Kamillentee. Der Mosel, sagen wir ein Zeltinger oder ein Brauneberger, wird langsam über die Büschel gegossen; das genügt. Apfelsinenschnitten als bloßes Ornament. Eine Scheibe zuviel macht Kopfweh. Und nicht zu süß, und eine Cliquot extra. Extra, sag ich. Besser ist besser."

Damit war die Bestellung beendet, und ehe zehn Minuten um waren, erschien die Bowle, darauf nicht mehr als drei oder vier Waldmeisterblättchen schwammen, nur gerade genug, den Beweis der Echtheit zu führen.

„Sehen Sie, Fritz, das gefällt mir. Auf mancher Maibowle schwimmt es wie Entengrütze. Und das ist schrecklich. Ich denke, wir werden Freunde bleiben. Und nun grüne Gläser."

Alvensleben lachte. „Grüne?"

„Ja. Was sich dagegen sagen läßt, lieber Alvensleben, weiß ich und laß es gelten. Es ist in der Tat eine Frage, die mich seit länger beschäftigt und die neben anderen in die Reihe jener Zwiespalte gehört, die sich, wir mögen es anfangen, wie wir wollen, durch unser Leben hinziehen. Die Farbe des Weins geht verloren, aber die Farbe des Frühlings wird gewonnen und mit ihr das festliche Gesamtkolorit. Und dies erscheint mir als der wichtigere Punkt. Unser Essen und Trinken, soweit es nicht der gemeinen Lebensnotdurft dient, muß mehr und mehr zur symbolischen Handlung werden, und ich begreife Zeiten des späteren Mittelalters, in denen der Tafelaufsatz und die Fruchtschalen mehr bedeuteten als das Mahl selbst."

„Wie gut Sie das kleidet, Sander", lachte Bülow. „Und doch dank ich Gott, Ihre Kapaunenrechnung nicht bezahlen zu müssen."

„Die Sie schließlich *doch* bezahlen."

„Ah, das *erste* Mal, daß ich einen dankbaren Verleger in Ihnen entdecke. Stoßen wir an . . . Aber, alle Welt, da steigt ja der lange Nostitz aus der Versenkung. Sehen Sie, Sander, er nimmt gar kein Ende . . ."

Wirklich, es war Nostitz, der, unter Benutzung eines geheimen Eingangs, eben die Kellertreppe hinaufstolperte,

Nostitz von den Gendarmes, der längste Leutnant der Armee, der, trotzdem er aus dem Sächsischen stammte, seiner sechs Fuß drei Zoll halber so ziemlich ohne Widerrede beim Eliteregiment Gendarmes eingestellt und mit einem verbliebenen kleinen Rest von Antagonismus mittlerweile längst fertig geworden war. Ein tollkühner Reiter und ein noch tollkühnerer Cour- und Schuldenmacher, war er seit lang ein Allerbeliebtester im Regiment, so beliebt, daß ihn sich der „Prinz", der kein anderer war als Prinz Louis, bei Gelegenheit der vorjährigen Mobilisierung zum Adjutanten erbeten hatte.

Neugierig, woher er komme, stürmte man mit Fragen auf ihn ein, aber erst als er sich in dem Ledersofa zurechtgerückt hatte, gab er Antwort auf das, was man ihn fragte. „Woher ich komme? Warum ich bei den Carayons geschwänzt habe? Nun, weil ich in Französisch-Buchholz nachsehen wollte, ob die Störche schon wieder da sind, ob der Kuckuck schon wieder schreit und ob die Schulmeisterstochter noch so lange flachsblonde Flechten hat wie voriges Jahr. Ein reizendes Kind. Ich lasse mir immer die Kirche von ihr zeigen, und wir steigen dann in den Turm hinauf, weil ich eine Passion für alte Glockeninschriften habe. Sie glauben gar nicht, was sich in solchem Turme alles entziffern läßt. Ich zähle das zu meinen glücklichsten und lehrreichsten Stunden."

„Und eine Blondine, sagten Sie. Dann freilich erklärt sich alles. Denn neben einer Prinzessin Flachshaar kann unser Fräulein Victoire nicht bestehen. Und nicht einmal die schöne Mama, die schön ist, aber doch am Ende brünett. Und blond geht immer vor schwarz."

„Ich möchte das nicht geradezu zum Axiom erheben", fuhr Nostitz fort. „Es hängt doch alles noch von Nebenumständen ab, die hier freilich ebenfalls zugunsten meiner Freundin sprechen. Die schöne Mama, wie Sie sie nennen, wird siebenunddreißig, bei welcher Addition ich wahrscheinlich galant genug bin, ihr ihre vier Ehejahre *halb* statt doppelt zu rechnen. Aber das ist Schachs Sache, der über kurz oder lang in der Lage sein wird, ihren Taufschein um seine Geheimnisse zu befragen."

„Wie das?“ fragte Bülow.

„Wie das?“ wiederholte Nostitz. „Was doch die Gelehrten, und wenn es gelehrte Militärs wären, für schlechte Beobachter sind. Ist Ihnen denn das Verhältnis zwischen beiden entgangen? Ein ziemlich vorgeschrittenes, glaub ich. C'est le premier pas, qui coûte . . .“

„Sie drücken sich etwas dunkel aus, Nostitz.“

„Sonst nicht gerade mein Fehler.“

„Ich meinerseits glaube Sie zu verstehen“, unterbrach Alvensleben. „Aber Sie täuschen sich, Nostitz, wenn Sie daraus auf eine Partie schließen. Schach ist eine sehr eigenartige Natur, die, was man auch an ihr aussetzen mag, wenigstens manche psychologische Probleme stellt. Ich habe beispielsweise keinen Menschen kennengelernt, bei dem alles so ganz und gar auf das Ästhetische zurückzuführen wäre, womit es vielleicht in einem gewissen Zusammenhange steht, daß er überspannte Vorstellungen von Intaktheit und Ehe hat. Wenigstens von einer Ehe, wie *er* sie zu schließen wünscht. Und so bin ich denn wie von meinem Leben überzeugt, er wird niemals eine Witwe heiraten, auch die schönste nicht. Könnt aber hierüber noch irgendein Zweifel sein, so würd ihn ein Umstand beseitigen, und dieser eine Umstand heißt: ‚Victoire‘.“

„Wie das?“

„Wie schon so mancher Heiratsplan an einer unrepräsentablen Mutter gescheitert ist, so würd er hier an einer unrepräsentablen Tochter scheitern. Er fühlt sich durch ihre mangelnde Schönheit geradezu geniert und erschrickt vor dem Gedanken, seine Normalität, wenn ich mich so ausdrücken darf, mit ihrer Unnormalität in irgendwelche Verbindung gebracht zu sehen. Er ist krankhaft abhängig, abhängig bis zur Schwäche, von dem Urteile der Menschen, speziell seiner Standesgenossen, und würde sich jederzeit außerstande fühlen, irgendeiner Prinzessin oder auch nur einer hochgestellten Dame Victoiren als seine Tochter vorzustellen.“

„Möglich. Aber dergleichen läßt sich vermeiden.“

„Doch schwer. Sie zurückzusetzen oder ganz einfach als Aschenbrödel zu behandeln, das widerstreitet seinem feinen

Sinn, dazu hat er das Herz zu sehr auf dem rechten Fleck. Auch würde Frau von Carayon das einfach nicht dulden. Denn so gewiß wie sie Schach liebt, so gewiß liebt sie Victoire, ja, sie liebt diese noch um ein gut Teil *mehr*. Es ist ein absolut ideales Verhältnis zwischen Mutter und Tochter, und gerade dies Verhältnis ist es, was mir das Haus so wert gemacht hat und noch macht."

„Also begraben wir die Partie", sagte Bülow. „Mir persönlich zu besondrer Genugtuung und Freude, denn ich schwärme für diese Frau. Sie hat den ganzen Zauber des Wahren und Natürlichen, und selbst ihre Schwächen sind reizend und liebenswürdig. Und daneben dieser Schach! Er mag seine Meriten haben, meinetwegen, aber mir ist er nichts als ein Pedant und Wichtigtuer und zugleich die Verkörperung jener preußischen Beschränktheit, die nur drei Glaubensartikel hat: erstes Hauptstück ‚die Welt ruht nicht sichrer auf den Schultern des Atlas als der preußische Staat auf den Schultern der preußischen Armee', zweites Hauptstück ‚der preußische Infanterieangriff ist unwiderstehlich', und drittens und letztens ‚eine Schlacht ist nie verloren, solange das Regiment Gardedukorps nicht angegriffen hat'. Oder natürlich auch das Regiment Gendarmes. Denn sie sind Geschwister, Zwillingsbrüder. Ich verabscheue solche Redensarten, und der Tag ist nahe, wo die Welt die Hohlheit solcher Rodomontaden erkennen wird."

„Und doch unterschätzen Sie Schach. Er ist immerhin einer unserer Besten."

„Um so schlimmer."

„Einer unserer Besten, sag ich, und *wirklich* ein Guter. Er spielt nicht bloß den Ritterlichen, er ist es auch. Natürlich auf seine Weise. Jedenfalls trägt er ein ehrliches Gesicht und keine Maske."

„Alvensleben hat recht", bestätigte Nostitz. „Ich habe nicht viel für ihn übrig, aber das ist wahr, alles an ihm ist echt, auch seine steife Vornehmheit, so langweilig und so beleidigend ich sie finde. Und *darin* unterscheidet er sich von uns. Er ist immer er selbst, gleichviel, ob er in den Salon tritt oder vorm Spiegel steht oder beim Zubettegehn sich seine safranfarbenen Nachthandschuh anzieht. Sander,

der ihn nicht liebt, soll entscheiden und das letzte Wort über ihn haben."

„Es sind keine drei Tage", hob dieser an, „daß ich in der Haude- und Spenerschen gelesen, der Kaiser von Brasilien habe den heiligen Antonius zum Obristleutnant befördert und seinen Kriegsminister angewiesen, besagtem Heiligen die Löhnung bis auf weiteres gutzuschreiben. Welche Gutschreibung mir einen noch größeren Eindruck gemacht hat als die Beförderung. Aber gleichviel. In Tagen derartiger Ernennungen und Beförderungen wird es nicht auffallen, wenn ich die Gefühle dieser Stunde, zugleich aber den von mir geforderten Entscheid und Richterspruch, in die Worte zusammenfasse: Seine Majestät der Rittmeister von Schach, er lebe hoch!"

„O, vorzüglich, Sander", sagte Bülow, „damit haben Sie's getroffen. Die ganze Lächerlichkeit auf einen Schlag. Der kleine Mann in den großen Stiefeln! Aber meinetwegen, er lebe!"

„Da haben wir denn zum Überfluß auch noch die Sprache von ‚Seiner Majestät getreuster Opposition'", antwortete Sander und erhob sich. „Und nun, Fritz, die Rechnung. Erlauben die Herren, daß ich das Geschäftliche arrangiere."

„In besten Händen", sagte Nostitz.

Und fünf Minuten später traten alle wieder ins Freie. Der Staub wirbelte vom Tor her die Linden herauf, augenscheinlich war ein starkes Gewitter im Anzug, und die ersten großen Tropfen fielen bereits.

„Hâtez-vous."

Und jeder folgte der Weisung und mühte sich, so rasch wie möglich und auf nächstem Wege seine Wohnung zu erreichen.

Viertes Kapitel
In Tempelhof

Der nächste Morgen sah Frau von Carayon und Tochter in demselben Eckzimmer, in dem sie den Abend vorher ihre Freunde bei sich empfangen hatten. Beide liebten das Zimmer und gaben ihm auf Kosten aller andern den Vorzug. Es hatte drei hohe Fenster, von denen die beiden untereinander im rechten Winkel stehenden auf die Behren- und Charlottenstraße sahen, während das dritte, türartige, das ganze, breit abgestumpfte Eck einnahm und auf einen mit einem vergoldeten Rokokogitter eingefaßten Balkon hinausführte. Sobald es die Jahreszeit erlaubte, stand diese Balkontür offen und gestattete von beinah jeder Stelle des Zimmers aus einen Blick auf das benachbarte Straßentreiben, das, der aristokratischen Gegend unerachtet, zu mancher Zeit ein besonders belebtes war, am meisten um die Zeit der Frühjahrsparaden, wo nicht bloß die berühmten alten Infanterieregimenter der Berliner Garnison, sondern, was für die Carayons wichtiger war, auch die Regimenter der Gardedukorps und Gendarmes unter dem Klang ihrer silbernen Trompeten an dem Hause vorüberzogen. Bei solcher Gelegenheit (wo sich dann selbstverständlich die Augen der Herren Offiziers zu dem Balkon hinaufrichteten) hatte das Eckzimmer erst seinen eigentlichen Wert und hätte gegen kein anderes vertauscht werden können.

Aber es war auch an stillen Tagen ein reizendes Zimmer, vornehm und gemütlich zugleich. Hier lag der türkische Teppich, der noch die glänzenden, fast ein halbes Menschenalter zurückliegenden Petersburger Tage des Hauses Carayon gesehen hatte, hier stand die malachitne Stutzuhr, ein Geschenk der Kaiserin Katharina, und hier paradierte vor allem auch der große, reich vergoldete Trumeau, der der schönen Frau täglich aufs neue versichern mußte, daß sie noch eine schöne Frau sei. Victoire ließ zwar keine Gelegenheit vorübergehn, die Mutter über diesen wichtigen Punkt zu beruhigen, aber Frau von Carayon war doch klug genug, es sich jeden Morgen durch ihr von ihr selbst zu kontrollierendes Spiegelbild neu bestätigen zu lassen. Ob ihr Blick in solchem Momente zu dem Bilde des mit einem roten Ordensband in ganzer Figur über dem Sofa hängenden Herrn von Carayon hinüberglitt oder ob sich ihr ein stattlicheres Bild vor die Seele stellte, war für niemanden zweifelhaft, der die häuslichen Verhältnisse nur einigermaßen kannte. Denn Herr von Carayon war ein kleiner, schwarzer Koloniefranzose gewesen, der außer einigen in der Nähe von Bordeaux lebenden vornehmen Carayons und einer ihn mit Stolz erfüllenden Zugehörigkeit zur Legation nichts Erhebliches in die Ehe mitgebracht hatte. Am wenigsten aber männliche Schönheit.

Es schlug elf, erst draußen, dann in dem Eckzimmer, in welchem beide Damen an einem Tapisserierahmen beschäftigt waren. Die Balkontür war weit auf, denn trotz des Regens, der bis an den Morgen gedauert hatte, stand die Sonne schon wieder hell am Himmel und erzeugte so ziemlich dieselbe Schwüle, die schon den Tag vorher geherrscht hatte. Victoire blickte von ihrer Arbeit auf und erkannte den Schachschen kleinen Groom, der mit Stulpenstiefeln und zwei Farben am Hut, von denen sie zu sagen liebte, daß es die Schachschen „Landesfarben" seien, die Charlottenstraße heraufkam.

„O sieh nur", sagte Victoire, „da kommt Schachs kleiner Ned. Und wie wichtig er wieder tut! Aber er wird auch zu sehr verwöhnt und immer mehr eine Puppe. Was er nur bringen mag?"

Ihre Neugier sollte nicht lange unbefriedigt bleiben. Schon einen Augenblick später hörten beide die Klingel gehn, und ein alter Diener in Gamaschen, der noch die vornehmen Petersburger Tage miterlebt hatte, trat ein, um auf einem silbernen Tellerchen ein Billett zu überreichen. Victoire nahm es. Es war an Frau von Carayon adressiert.

„An *dich,* Mama."

„Lies nur", sagte diese.

„Nein, du selbst; ich hab eine Scheu vor Geheimnissen."

„Närrin", lachte die Mutter und erbrach das Billett und las: „Meine gnädigste Frau. Der Regen der vorigen Nacht hat nicht nur die Wege gebessert, sondern auch die Luft.

Alles in allem ein so schöner Tag, wie sie der April uns Hyperboreern nur selten gewährt. Ich werde vier Uhr mit meinem Wagen vor Ihrer Wohnung halten, um Sie und Fräulein Victoire zu einer Spazierfahrt abzuholen. Über das Ziel erwarte ich Ihre Befehle. Wissen Sie doch, wie glücklich ich bin, Ihnen gehorchen zu können. Bitte Bescheid durch den Überbringer. Er ist gerade firm genug im Deutschen, um ein ‚ja' oder ‚nein' nicht zu verwechseln. Unter Gruß an meine liebe Freundin Victoire (die zu größerer Sicherheit vielleicht eine Zeile schreibt) Ihr Schach."

„Nun, Victoire, was lassen wir sagen . . .?"

„Aber du kannst doch nicht ernsthaft fragen, Mama?"

„Nun denn also ‚ja'."

Victoire hatte sich mittlerweile bereits an den Schreibtisch gesetzt, und ihre Feder kritzelte: Herzlichst akzeptiert, trotzdem die Ziele vorläufig im Dunkeln bleiben. Aber ist der Entscheidungsmoment erst da, so wird er uns auch das Richtige wählen lassen.

Frau von Carayon las über Victoires Schulter fort. „Es klingt so vieldeutig", sagte sie.

„So will ich ein bloßes Ja schreiben, und du kontrasignierst."

„Nein, laß es nur."

Und Victoire schloß das Blatt und gab es dem draußen wartenden Groom.

Als sie vom Flur her in das Zimmer zurückkehrte, fand sie die Mama nachdenklich. „Ich liebe solche Pikanterien nicht, und am wenigsten solche Rätselsätze."

„*Du* dürftest sie auch nicht schreiben. Aber ich? Ich darf alles. Und nun höre mich. Es muß etwas geschehen, Mama. Die Leute reden so viel, auch schon von mir, und da Schach immer noch schweigt und du nicht sprechen *darfst,* so muß *ich* es tun statt eurer und euch verheiraten. Alles in der Welt kehrt sich einmal um. Sonst verheiraten Mütter ihre Tochter, hier liegt es anders, und ich verheirate dich. Er liebt dich, und du liebst ihn. In den Jahren seid ihr gleich, und ihr werdet das schönste Paar sein, das seit Menschengedenken im Französischen Dom oder in der Dreifaltigkeitskirche getraut wurde. Du siehst, ich lasse dir wenigstens hinsichtlich der Prediger und der Kirche die Wahl; mehr kann ich nicht tun in dieser Sache. Daß du mich mit in die Ehe bringst, ist nicht gut, aber auch nicht schlimm. Wo viel Licht ist, ist viel Schatten."

Frau von Carayons Auge wurde feucht. „Ach, meine süße Victoire, du siehst es anders, als es liegt. Ich will dich nicht mit Bekenntnissen überraschen, und in bloßen Andeutungen zu sprechen, wie du gelegentlich liebst, widerstreitet mir. Ich mag auch nicht philosophieren. Aber *das* laß dir sagen, es liegt alles vorgezeichnet in uns, und was Ursach scheint, ist meist schon wieder Wirkung und Folge. Glaube mir, deine kleine Hand wird das Band *nicht* knüpfen, das du knüpfen möchtest. Es geht nicht, es kann nicht sein. Ich weiß es besser. Und warum auch? Zuletzt lieb ich doch eigentlich nur *dich*."

Ihr Gespräch wurde durch das Erscheinen einer alten Dame, Schwester des verstorbenen Herren von Carayon, unterbrochen, die jeden Dienstag ein für allemal zu Mittag geladen war und unter „zu Mittag" pünktlicherweise zwölf Uhr verstand, trotzdem sie wußte, daß bei den Carayons erst um drei Uhr gegessen wurde. Tante Marguerite, das war ihr Name, war noch eine echte Koloniefranzösin, das heißt eine alte Dame, die das damalige, sich fast ausschließlich im Dativ bewegende Berlinisch mit gesprüntem Munde sprach, das ü dem i vorzog, entweder „Kürschen" aß oder in die „Kürche" ging und ihre Rede selbstverständlich mit französischen Einschiebseln und Anredefloskeln garnierte. Sauber und altmodisch gekleidet, trug sie Sommer und Winter denselben kleinen Seidenmantel und hatte jene halbe Verwachsenheit, die damals bei den alten Koloniedamen so allgemein war, daß Victoire einmal als Kind gefragt hatte: „Wie kommt es nur, liebe Mama, daß fast alle Tanten so ‚ich weiß nicht wie' sind?" Und dabei hatte sie eine hohe Schulter gemacht. Zu dem Seidenmantel Tante Marguerites gehörten auch noch ein Paar seidene Handschuhe, die sie ganz besonders in Ehren hielt und immer erst auf dem obersten Treppenabsatz anzog. Ihre Mitteilungen, an denen sie's nie fehlen ließ, entbehrten all und jedes Interesses, am meisten aber dann, wenn sie, was sie sehr liebte, von hohen und höchsten Personen sprach. Ihre Spezialität waren die kleinen Prinzessinnen der königlichen Familien: la petite princesse Charlotte et la petite princesse Alexandrine, die sie gelegentlich in den Zimmern einer ihr befreundeten französischen Erzieherin sah und mit denen sie sich derartig liiert fühlte, daß, als eines Tages die Brandenburger Torwache beim Vorüberfahren von la princesse Alexandrine versäumt hatte, rechtzeitig ins Gewehr zu treten und die Trommel zu rühren, sie nicht nur das allgemeine Gefühl der Empörung teilte, sondern das Ereignis überhaupt ansah, als ob Berlin ein Erdbeben gehabt habe.

Das war das Tantchen, das eben eintrat.

Frau von Carayon ging ihr entgegen und hieß sie herzlich willkommen, herzlicher als sonst wohl, und das einfach deshalb, weil durch ihr Erscheinen ein Gespräch unterbrochen worden war, das selbst fallen zu lassen sie nicht mehr die Kraft gehabt hatte. Tante Marguerite fühlte sofort heraus, wie günstig heute die Dinge für sie lagen, und begann denn auch in demselben Augenblicke, wo sie sich gesetzt und die Seidenhandschuh in ihren Pompadour gesteckt hatte, sich dem hohen Adel königlicher Residenzien zuzuwenden, diesmal mit Umgehung der „Allerhöchsten Herrschaften“. Ihre Mitteilungen aus der Adelssphäre waren ihren Hofanekdoten in der Regel weit vorzuziehen und hätten ein für allemal passieren können, wenn sie nicht die Schwäche gehabt hätte, die doch immerhin wichtige Personalfrage mit einer äußersten Geringschätzung zu behandeln. Mit andern Worten, sie verwechselte beständig die Namen, und wenn sie von einer Escapade der Baronin Stieglitz erzählte, so durfte man sicher sein, daß sie die Gräfin Taube gemeint hatte. Solche Neuigkeiten eröffneten denn auch das heutige Gespräch, Neuigkeiten, unter denen *die,* daß der Rittmeister von Schenk vom Regiment Gardedukorps der Prinzessin von Croy eine Serenade gebracht habe, die weitaus wichtigste war, ganz besonders, als sich nach einigem Hin- und Herfragen herausstellte, daß der Rittmeister von Schenk in den Rittmeister von Schach, das Regiment Gardedukorps in das Regiment Gendarmes und die Prinzessin von Croy in die Prinzessin von Carolath zu transponieren sei. Solche Richtigstellungen wurden von seiten der Tante jedesmal ohne jede Spur von Verlegenheit entgegengenommen, und solche Verlegenheit kam ihr denn auch *heute* nicht, als ihr, zum Schluß ihrer Geschichte, mitgeteilt wurde, daß der Rittmeister von Schenk alias Schach noch im Laufe dieses Nachmittags erwartet werde, da man eine Fahrt über Land mit ihm verabredet habe. Vollkommener Kavalier, wie er sei, werde er sich sicherlich freuen, eine liebe Verwandte des Hauses an dieser Ausfahrt mit teilnehmen zu sehen. Eine Bemerkung, die von Tante Marguerite sehr wohlwollend aufgenommen und von einem unwillkürlichen Zupfen an ihrem Taftkleide begleitet wurde.

Um Punkt drei war man zu Tische gegangen, und um Punkt vier – l'exactitude est la politesse des rois, würde Bülow gesagt haben – erschien eine zurückgeschlagene Halbchaise vor der Tür in der Behrenstraße. Schach, der selbst fuhr, wollte die Zügel dem Groom geben, beide Carayons aber grüßten schon reisefertig vom Balkon her und waren im nächsten Moment mit einer ganzen Ausstattung von Tüchern, Sonnen- und Regenschirmen unten am Wagenschlag. Mit ihnen auch Tante Marguerite, die nunmehr vorgestellt und von Schach mit einer ihm eigentümlichen Mischung von Artigkeit und Grandezza begrüßt wurde.

„Und nun das dunkle Ziel, Fräulein Victoire."

„Nehmen wir Tempelhof", sagte diese.

„Gut gewählt. Nur Pardon, es ist das undunkelste Ziel von der Welt. Namentlich heute. Sonne und wieder Sonne."

In raschem Trabe ging es die Friedrichsstraße hinunter, erst auf das Rondeel und das Hallesche Tor zu, bis der tiefe Sandweg, der zum Kreuzberg hinaufführte, zu langsamerem Fahren nötigte. Schach glaubte sich entschuldigen zu müssen, aber Victoire, die rückwärts saß und in halber Wendung bequem mit ihm sprechen konnte, war, als echtes Stadtkind, aufrichtig entzückt über all und jedes, was sie zu beiden Seiten des Weges sah, und wurde nicht müde, Fragen zu stellen und ihn durch das Interesse, das sie zeigte, zu beruhigen. Am meisten amüsierten sie die seltsam ausgestopften Altweibergestalten, die zwischen den Sträuchern und Gartenbeeten umherstanden und entweder eine Strohhutkiepe trugen oder mit ihren hundert Papilloten im Winde flatterten und klapperten.

Endlich war man den Abhang hinauf, und über den festen Lehmweg hin, der zwischen den Pappeln lief, trabte man jetzt wieder rascher auf Tempelhof zu. Neben der Straße stiegen Drachen auf, Schwalben schossen hin und her, und am Horizonte blitzten die Kirchtürme der nächstgelegenen Dörfer.

Tante Marguerite, die bei dem Winde, der ging, beständig bemüht war, ihren kleinen Mantelkragen in Ordnung zu halten, übernahm es nichtsdestoweniger, den Führer zu machen, und setzte dabei beide Carayonsche Damen ebensosehr durch ihre Namensverwechselungen wie durch Entdeckung gar nicht vorhandener Ähnlichkeiten in Erstaunen.

„Sieh, liebe Victoire, dieser Wülmersdörfer Kürchtürm! Ähnelt er nicht unsrer Dorotheenstädtschen Kürche?"

Victoire schwieg.

„Ich meine nicht um seiner Spitze, liebe Victoire, nein, um seinem Corps de Logis."

Beide Damen erschraken. Es geschah aber, was gewöhnlich geschieht, *das* nämlich, daß alles das, was die Näherstehenden in Verlegenheit bringt, von den Fernerstehenden entweder überhört oder aber mit Gleichgültigkeit aufgenommen wird. Und nun gar Schach! Er hatte viel zu lange in der Welt alter Prinzessinnen und Hofdamen gelebt, um noch durch irgendein Dummheits- oder Nichtbildungszeichen in ein besondres Erstaunen gesetzt werden zu können. Er lächelte nur und benutzte das Wort „Dorotheenstädtsche Kirche", das gefallen war, um Frau von Carayon zu fragen, ob sie schon von dem Denkmal Kenntnis genommen habe, das in ebengenannter Kirche seitens des hochseligen Königs seinem Sohne, dem Grafen von der Mark, errichtet worden sei.

Mutter und Tochter verneinten. Tante Marguerite jedoch, die nicht gerne zugestand, etwas nicht zu wissen oder wohl gar nicht gesehen zu haben, bemerkte ganz ins Allgemeine hin: „Ach, der liebe kleine Prinz. Daß er so früh sterben mußte. Wie jämmerlich. Und ähnelte doch seiner hochseligen Frau Mutter um beiden Augen."

Einen Augenblick war es, als ob der in seinem Legitimitätsgefühle stark verletzte Schach antworten und den „von seiner hochseligen Mutter" geborenen „lieben kleinen Prinzen" aufs schmählichste dethronisieren wollte; rasch aber übersah er die Lächerlichkeit solcher Idee, wies also lieber, um doch wenigstens etwas zu tun, auf das eben sichtbar werdende grüne Kuppeldach des Charlottenburger Schlosses hin und bog im nächsten Augenblick in die große, mit alten Linden bepflanzte Dorfgasse von Tempelhof ein.

Gleich das zweite Haus war ein Gasthaus. Er gab dem Groom die Zügel und sprang ab, um den Damen beim Aussteigen behilflich zu sein. Aber nur Frau von Carayon und Victoire nahmen die Hilfe dankbar an, während Tante Marguerite verbindlich ablehnte, „weil sie gefunden habe, daß man sich auf seinen eigenen Händen immer am besten verlassen könne".

Der schöne Tag hatte viel Gäste hinausgelockt, und der von einem Staketenzaun eingefaßte Vorplatz war denn auch an allen seinen Tischen besetzt. Das gab eine kleine Verlegenheit. Als man aber eben schlüssig geworden war, in dem Hintergarten, unter einem halboffenen Kegelbahnhäuschen, den Kaffee zu nehmen, ward einer der Ecktische frei, so daß man in Front des Hauses, mit dem Blick auf die Dorfstraße, verbleiben konnte. Das geschah denn auch, und es traf sich, daß es der hübscheste Tisch war. Aus seiner Mitte wuchs ein Ahorn auf, und wenn es auch, ein paar Spitzen abgerechnet, ihm vorläufig noch an allem Laubschmucke fehlte, so saßen doch schon die Vögel in seinen Zweigen und zwitscherten. Und nicht *das* bloß sah man; Equipagen hielten in der Mitte der Dorfstraße, die Stadtkutscher plauderten, und Bauern und Knechte, die mit Pflug und Egge vom Felde hereinkamen, zogen an der Wagenreihe vorüber. Zuletzt kam eine Herde, die der Schäferspitz von rechts und links her zusammenhielt, und dazwischen hörte man die Betglocke, die läutete. Denn es war eben die sechste Stunde.

Die Carayons, so verwöhnte Stadtkinder sie waren oder

vielleicht auch, *weil* sie's waren, enthusiasmierten sich über all und jedes und jubelten, als Schach einen Abendspaziergang in die Tempelhofer Kirche zur Sprache brachte. Sonnenuntergang sei die schönste Stunde. Tante Marguerite freilich, die sich „vor dem unvernünftigen Viehe" fürchtete, wäre lieber am Kaffeetische zurückgeblieben; als ihr aber der zu weiterer Beruhigung herbeigerufene Wirt aufs eindringlichste versichert hatte, daß sie sich um den Bullen nicht zu fürchten brauche, nahm sie Victoirens Arm und trat mit dieser auf die Dorfstraße hinaus, während Schach und Frau von Carayon folgten. Alles, was noch an dem Staketenzaune saß, sah ihnen nach.

„Es ist nichts so fein gesponnen", sagte Frau von Carayon und lachte.

Schach sah sie fragend an.

„Ja, lieber Freund, ich weiß alles. Und niemand Geringeres als Tante Marguerite hat uns heute mittag davon erzählt."

„Wovon?"

„Von der Serenade. Die Carolath ist eine Dame von Welt und vor allem eine Fürstin. Und Sie wissen doch, was Ihnen nachgesagt wird, daß Sie der garstigsten princesse vor der schönsten bourgeoise den Vorzug geben würden. Jeder garstigen Prinzeß, sag ich. Aber zum Überfluß ist die Carolath auch noch schön. Un teint de lys et de rose. Sie werden mich eifersüchtig machen."

Schach küßte der schönen Frau die Hand. „Tante Marguerite hat Ihnen richtig berichtet, und Sie sollen nun alles hören. Auch das kleinste. Denn wenn es mir, wie zugestanden, eine Freude gewährt, einen solchen Abend unter meinen Erlebnissen zu haben, so gewährt es mir doch eine noch größere Freude, mit meiner schönen Freundin darüber plaudern zu können. Ihre Pläsanterien, die so kritisch und doch zugleich so voll guten Herzens sind, machen mir erst alles lieb und wert. Lächeln Sie nicht. Ach, daß ich Ihnen alles sagen könnte. Teure Josephine, Sie sind mir das Ideal einer Frau: klug und doch ohne Gelehrsamkeit und Dünkel, espritvoll und doch ohne Mokanterie. Die Huldigungen, die mein *Herz* darbringt, gelten nach wie vor nur Ihnen,

Ihnen, der liebenswürdigsten und besten. Und das ist Ihr höchster Reiz, meine teure Freundin, daß Sie nicht einmal wissen, wie gut Sie sind und welch stille Macht Sie über mich üben."

Er hatte fast mit Bewegung gesprochen, und das Auge der schönen Frau leuchtete, während ihre Hand in der seinen zitterte. Rasch aber nahm sie den scherzhaften Ton wieder auf und sagte: „Wie gut Sie zu sprechen verstehen. Wissen Sie wohl, so gut spricht man nur aus der Verschuldung heraus."

„Oder aus dem Herzen. Aber lassen wirs bei der Verschuldung, die nach Sühne verlangt. Und zunächst nach Beichte. Deshalb kam ich gestern. Ich hatte vergessen, daß Ihr Empfangsabend war, und erschrak fast, als ich Bülow sah und diesen aufgedunsenen Roturier, den Sander. Wie kommt er nur in Ihre Gesellschaft?"

„Er ist der Schatten Bülows."

„Ein sonderbarer Schatten, der dreimal schwerer wiegt als der Gegenstand, der ihn wirft. Ein wahres Mammut. Nur seine Frau soll ihn noch übertreffen, weshalb ich neulich spöttisch erzählen hörte, Sander, wenn er seine Brunnenpromenade vorhabe, gehe nur dreimal um seine Frau herum. Und *dieser* Mann Bülows Schatten! Wenn Sie lieber sagten, sein Sancho Pansa ..."

„So nehmen Sie Bülow selbst als Don Quichotte?"

„Ja, meine Gnädigste ... Sie wissen, daß es mir im allgemeinen widersteht, zu medisieren, aber dies ist au fond nicht medisieren, ist eher Schmeichelei. Der gute Ritter von La Mancha war ein ehrlicher Enthusiast, und nun frag ich Sie, teuerste Freundin, läßt sich von Bülow dasselbe sagen? Enthusiast! Er ist exzentrisch, nichts weiter, und das Feuer, das in ihm brennt, ist einfach das einer infernalen Eigenliebe."

„Sie verkennen ihn, lieber Schach. Er ist verbittert, gewiß; aber ich fürchte, daß er ein Recht hat, es zu sein."

„Wer an krankhafter Überschätzung leidet, wird immer tausend Gründe haben, verbittert zu sein. Er zieht von Gesellschaft zu Gesellschaft und predigt die billigste der Weisheiten, die Weisheit post festum. Lächerlich. An allem, was uns das letzte Jahr an Demütigungen gebracht hat, ist, wenn man ihn hört, nicht der Übermut oder die Kraft unsrer Feinde schuld, o nein, dieser Kraft würde man mit einer größeren Kraft unschwer haben begegnen können, wenn man sich unsrer Talente, will also sagen der Talente Bülows, rechtzeitig versichert hätte. Das unterließ die Welt, und daran geht sie zugrunde. So geht es endlos weiter. Darum Ulm und darum Austerlitz. Alles hätt ein anderes Ansehen gewonnen, sich anders zugetragen, wenn diesem korsischen Thron- und Kronenräuber, diesem Engel der Finsternis, der sich Bonaparte nennt, die Lichtgestalt Bülows auf dem Schlachtfeld entgegengetreten wäre. Mir widerwärtig. Ich hasse solche Fanfaronaden. Er spricht von Braunschweig und Hohenlohe wie von lächerlichen Größen, *ich* aber halte zu dem friderizianischen Satze, daß die Welt nicht sicherer auf den Schultern des Atlas ruht als Preußen auf den Schultern seiner Armee."

Während dieses Gespräch zwischen Schach und Frau von Carayon geführt wurde, war das ihnen voranschreitende Paar bis an eine Wegstelle gekommen, von der aus ein Fußpfad über ein frisch gepflügtes Ackerfeld hin sich abzweigte.

„Das ist die Kürche", sagte das Tantchen und zeigte mit ihrem Parasol auf ein neugedecktes Turmdach, dessen Rot aus allerlei Gestrüpp und Gezweig hervorschimmerte. Victoire bestätigte, was sich ohnehin nicht bestreiten ließ, und wandte sich gleich danach nach rückwärts, um die Mama durch eine Kopf- und Handbewegung zu fragen, ob man den hier abzweigenden Fußpfad einschlagen wolle. Frau von Carayon nickte zustimmend, und Tante und Nichte schritten in der angedeuteten Richtung weiter. Überall aus dem braunen Acker stiegen Lerchen auf, die hier, noch ehe die Saat heraus war, schon ihr Furchennest gebaut hatten; ganz zuletzt aber kam ein Stück brachliegendes Feld, das bis an die Kirchhofsmauer lief und, außer einer spärlichen Grasnarbe, nichts aufwies als einen trichterförmigen Tümpel, in dem ein Unkenpaar musizierte, während der Rand des Tümpels in hohen Binsen stand.

„Sieh, Victoire, das sind Binsen."

„Ja, liebe Tante."

„Kannst du dir denken, *ma chère,* daß, als ich jung war, die Binsen als kleine Nachtlichter gebraucht wurden und auch wirklich ganz ruhig auf einem Glase schwammen, wenn man krank war oder auch bloß nicht schlafen konnte . . .“

„Gewiß“, sagte Victoire. „Jetzt nimmt man Wachsfädchen, die man zerschneidet und in ein Kartenstückchen steckt.“

„Ganz recht, mein Engelchen. Aber früher waren es Binsen, *des joncs.* Und sie brannten auch. Und deshalb erzähl ich es dir. Denn sie müssen doch ein natürliches Fett gehabt haben, ich möchte sagen etwas Kienenes.“

„Es ist wohl möglich“, antwortete Victoire, die der Tante nie widersprach, und horchte, während sie dies sagte, nach dem Tümpel hin, in dem das Musizieren der Unken immer lauter wurde. Gleich danach aber sah sie, daß ein halberwachsenes Mädchen von der Kirche her in vollem Lauf auf sie zukam und mit einem zottigen weißen Spitz sich neckte, der bellend und beißend an der Kleinen emporsprang. Dabei warf die Kleine, mitten im Lauf, einen an einem Strick und einem Klöppel hängenden Kirchenschlüssel in die Luft und fing ihn so geschickt wieder auf, daß weder der Schlüssel noch der Klöppel ihr weh tun konnten. Zuletzt aber blieb sie stehen und hielt die linke Hand vor die Augen, weil die niedergehende Sonne sie blendete.

„Bist du die Küsterstochter?“ fragte Victoire.

„Ja“, sagte das Kind.

„Dann, bitte, gib uns den Schlüssel oder komm mit uns und schließ uns die Kirche wieder auf. Wir möchten sie gerne sehen, wir und die Herrschaften da.“

„Gerne“, sagte das Kind und lief wieder vorauf, überkletterte die Kirchhofsmauer und verschwand alsbald hinter den Haselnuß- und Hagebuttensträuchern, die hier so reichlich standen, daß sie, trotzdem sie noch kahl waren, eine dichte Hecke bildeten.

Das Tantchen und Victoire folgten ihr und stiegen langsam über verfallene Gräber weg, die der Frühling noch nirgends mit seiner Hand berührt hatte; nirgends zeigte sich ein Blatt, und nur unmittelbar neben der Kirche war eine schattig-feuchte Stelle wie mit Veilchen überdeckt.

Victoire bückte sich, um hastig davon zu pflücken, und als Schach und Frau von Carayon im nächsten Augenblick den eigentlichen Hauptweg des Kirchhofes heraufkamen, ging ihnen Victoire entgegen und gab der Mutter die Veilchen.

Die Kleine hatte mittlerweile schon aufgeschlossen und saß wartend auf dem Schwellstein; als aber beide Paare heran waren, erhob sie sich rasch und trat, allen vorauf, in die Kirche, deren Chorstühle fast so schräg standen wie die Grabkreuze draußen. Alles wirkte kümmerlich und zerfallen; der eben sinkende Sonnenball aber, der hinter den nach Abend zu gelegenen Fenstern stand, übergoß die Wände mit einem rötlichen Schimmer und erneuerte, für Augenblicke wenigstens, die längst blind gewordene Vergoldung der alten Altarheiligen, die hier noch, aus der katholischen Zeit her, ihr Dasein fristeten. Es konnte nicht ausbleiben, daß das genferisch reformierte Tantchen aufrichtig erschrak, als sie dieser „Götzen" ansichtig wurde. Schach aber, der unter seine Liebhabereien auch die Genealogie zählte, fragte bei der Kleinen an, ob nicht vielleicht alte Grabsteine da wären.

„Einer ist da", sagte die Kleine. „Dieser hier", und wies auf ein abgetretenes, aber doch noch deutlich erkennbares Steinbild, das aufrecht in einen Pfeiler, dicht neben dem Altar, eingemauert war. Es war ersichtlich ein Reiteroberst.

„Und wer ist es?" fragte Schach.

„Ein Tempelritter", erwiderte das Kind, „und hieß der Ritter von Tempelhof. Und diesen Grabstein ließ er schon bei Lebzeiten machen, weil er wollte, daß er ihm ähnlich werden sollte."

Hier nickte das Tantchen zustimmend, weil das Ähnlichkeitsbedürfnis des angeblichen Ritters von Tempelhof eine verwandte Seite in ihrem Herzen traf.

„Und er baute diese Kirche", fuhr die Kleine fort, „und baute zuletzt auch das Dorf und nannte es Tempelhof, weil er selber Tempelhof hieß. Und die Berliner sagen ‚Templow'. Aber es ist falsch."

All das nahmen die Damen in Andacht hin, und nur Schach, der neugierig geworden war, fragte weiter, ob sie nicht das eine oder andre noch aus den Lebzeiten des Ritters wisse.

„Nein, aus seinen Lebzeiten nicht. Aber nachher."

Alle horchten auf, am meisten das sofort einen leisen Grusel verspürende Tantchen; die Kleine hingegen fuhr in ruhigem Tone fort: „Ob es alles so wahr ist, wie die Leute sagen, das weiß ich nicht. Aber der alte Kossäte Maltusch hat es noch miterlebt."

„Aber was denn, Kind?"

„Er lag hier vor dem Altar über hundert Jahre, bis es ihn ärgerte, daß die Bauern und Einsegnungskinder immer auf ihm herumstanden und ihm das Gesicht abschurrten, wenn sie zum Abendmahl gingen. Und der alte Maltusch, der jetzt ins neunzigste geht, hat mir und meinem Vater erzählt, er hab es noch mit seinen eigenen Ohren gehört, daß es noch mitunter so gepoltert und gerollt hätte, wie wenn es drüben über Schmargendorf donnert."

„Wohl möglich."

„Aber sie verstanden nicht, was das Poltern und Rollen bedeutete", fuhr die Kleine fort. „Und so ging es, bis das Jahr, wo der russische General, dessen Namen ich immer vergesse, hier auf dem Tempelhofer Felde lag. Da kam einen Sonnabend der vorige Küster und wollte die Singezahlen wegwischen und neue für den Sonntag anschreiben. Und nahm auch schon das Kreidestück. Aber da sah er mit einem Male, daß die Zahlen schon weggewischt und neue Gesangbuchzahlen und auch die Zahlen von einem Bibelspruch, Kapitel und Vers, mit angeschrieben waren. Alles altmodisch und undeutlich und nur so grade noch zu lesen. Und als sie nachschlugen, da fanden sie: ‚Du sollst deinen Toten in Ehren halten und ihn nicht schädigen an seinem Antlitz.' Und nun wußten sie, wer die Zahlen geschrieben, und nahmen den Stein auf und mauerten ihn in diesen Pfeiler."

„Ich finde doch", sagte Tante Marguerite, die, je schrecklicher sie sich vor Gespenstern fürchtete, desto lebhafter ihr Vorhandensein bestritt, „ich finde doch, die Regierung sollte mehr gegen den Aberglauben tun." Und dabei wandte sie sich ängstlich von dem unheimlichen Steinbild ab und ging mit Frau von Carayon, die, was Gespensterfurcht anging, mit dem Tantchen wetteifern konnte, wieder dem Ausgange zu.

Schach folgte mit Victoire, der er den Arm gereicht hatte.

„War es wirklich ein Tempelritter?" fragte diese. „Meine Tempelritterkenntnis beschränkt sich freilich nur auf den *einen* im ‚Nathan', aber wenn unsere Bühne die Kostümfrage nicht zu willkürlich behandelt hat, so müssen die Tempelritter durchaus anders ausgesehen haben. Hab ich recht?"

„Immer recht, meine liebe Victoire." Und der Ton dieser Worte traf ihr Herz und zitterte darin nach, ohne daß sich Schach dessen bewußt gewesen wäre.

„Wohl. Aber wenn kein Templer, was *dann*?" fragte sie weiter und sah ihn zutraulich und doch verlegen an.

„Ein Reiteroberst aus der Zeit des Dreißigjährigen Krieges. Oder vielleicht auch erst aus den Tagen von Fehrbellin. Ich las sogar seinen Namen: Achim von Haake."

„So halten Sie die ganze Geschichte für ein Märchen?"

„Nicht eigentlich das oder wenigstens nicht in allem. Es ist erwiesen, daß wir Templer in diesem Lande hatten, und die Kirche hier mit ihren vorgotischen Formen mag sehr wohl bis in jene Templertage zurückreichen. So viel ist glaubhaft."

„Ich höre so gern von diesem Orden."

„Auch ich. Er ist von der strafenden Hand Gottes am schwersten heimgesucht worden und eben deshalb auch der poetischste und interessanteste. Sie wissen, was ihm vorgeworfen wird: Götzendienst, Verleugnung Christi, Laster aller Art. Und ich fürchte, mit Recht. Aber groß wie seine Schuld, so groß war auch seine Sühne, ganz dessen zu geschweigen, daß auch hier wieder der unschuldig Überlebende die Schuld voraufgegangener Geschlechter zu büßen hatte. Das Los und Schicksal aller Erscheinungen, die sich, auch da noch, wo sie fehlen und irren, dem Alltäglichen entziehen. Und so sehen wir denn den schuldbeladenen Orden, all seiner Unrühmlichkeiten unerachtet, schließlich in einem wiedergewonnenen Glorienschein zugrunde gehen. Es war der Neid, der ihn tötete, der Neid und der Eigennutz, und schuldig oder nicht, mich überwältigt seine Größe."

Victoire lächelte. „Wer Sie so hörte, lieber Schach, könnte

meinen, einen nachgeborenen Templer in Ihnen zu sehen. Und doch war es ein mönchischer Orden, und mönchisch war auch sein Gelübde. Hätten Sie's vermocht, als Templer zu leben und zu sterben?"

„Ja."

„Vielleicht verlockt durch das Kleid, das noch kleidsamer war als die Supra-Weste der Gendarmes."

„Nicht durch das Kleid, Victoire. Sie verkennen mich. Glauben Sie mir, es lebt etwas in mir, das mich vor keinem Gelübde zurückschrecken läßt."

„Um es zu halten?"

Aber eh er noch antworten konnte, fuhr sie rasch in wieder scherzhafter werdendem Tone fort: „Ich glaube, Philipp le Bel hat den Orden auf dem Gewissen. Sonderbar, daß alle historischen Personen, die den Beinamen des ‚*Schönen*' führen, mir unsympathisch sind. Und ich hoffe, nicht aus Neid. Aber die Schönheit, das muß wahr sein, macht selbstisch, und wer selbstisch ist, ist undankbar und treulos."

Schach suchte zu widerlegen. Er wußte, daß sich Victoirens Worte, sosehr sie Pikanterien und Andeutungen liebte, ganz unmöglich gegen *ihn* gerichtet haben konnten. Und darin traf ers auch. Es war alles nur jeu d'esprit, eine Nachgiebigkeit gegen ihren Hang zu philosophieren. Und doch, alles, was sie gesagt hatte, so gewiß es absichtslos gesagt worden war, so gewiß war es doch auch aus einer dunklen Ahnung heraus gesprochen worden.

Als ihr Streit schwieg, hatte man den Dorfeingang erreicht, und Schach hielt, um auf Frau von Carayon und Tante Marguerite, die sich beide versäumt hatten, zu warten.

Als sie heran waren, bot er der Frau von Carayon den Arm und führte *diese* bis an das Gasthaus zurück.

Victoire sah ihnen betroffen nach und sann nach über den Tausch, den Schach mit keinem Worte der Entschuldigung begleitet hatte. Was war das? Und sie verfärbte sich, als sie sich, aus einem plötzlichen Argwohn heraus, die selbstgestellte Frage beantwortet hatte.

Von einem Wiederplatznehmen vor dem Gasthause war keine Rede mehr, und man gab es um so leichter und lieber auf, als es inzwischen kühl geworden und der Wind, der den ganzen Tag über geweht hatte, nach Nordwesten hin umgesprungen war.

Tante Marguerite bat sich den Rücksitz aus, „um nicht gegen dem Winde zu fahren".

Niemand widersprach. So nahm sie denn den erbetenen Platz, und während jeder in Schweigen überdachte, was ihm der Nachmittag gebracht hatte, ging es in immer rascherer Fahrt wieder auf die Stadt zurück.

Diese lag schon im Dämmer, als man bis an den Abhang der Kreuzberghöhe gekommen war, und nur die beiden Gendarmentürme ragten noch mit ihren Kuppeln aus dem graublauen Nebel empor.

Fünftes Kapitel

Victoire von Carayon an Lisette von Perbandt

Ma chère Lisette.

Berlin, den 3. Mai.

Wie froh war ich, endlich von Dir zu hören und so Gutes. Nicht, als ob ich es anders erwartet hätte; wenige Männer hab ich kennengelernt, die mir so ganz eine Garantie des Glückes zu bieten scheinen wie der Deinige. Gesund, wohlwollend, anspruchslos und von jenem schönen Wissens- und Bildungsmaß, das ein gleich gefährliches Zuviel und Zuwenig vermeidet. Wobei ein „Zuviel" das vielleicht noch gefährlichere ist. Denn junge Frauen sind nur zu geneigt, die Forderung zu stellen: „Du sollst keine anderen Götter haben neben mir." Ich sehe das beinah täglich bei Rombergs, und Marie weiß es ihrem klugen und liebenswürdigen Gatten wenig Dank, daß er über Politik und französische Zeitungen die Visiten und Toiletten vergißt.

Was mir allein eine Sorge machte, war Deine neue masurische Heimat, ein Stück Land, das ich mir immer als einen einzigen großen Wald mit hundert Seen und Sümpfen vorgestellt habe. Da dacht ich denn, diese neue Heimat könne Dich leicht in ein melancholisches Träumen versetzen, das dann immer der Anfang zu Heimweh oder wohl gar zu Trauer und Tränen ist. Und davor, so hab ich mir sagen lassen, erschrecken die Männer. Aber ich sehe zu meiner herzlichen Freude, daß Du auch *dieser* Gefahr entgangen bist und daß die Birken, die Dein Schloß umstehen, grüne Pfingstmaien und keine Trauerbirken sind. Apropos über das Birkenwasser mußt Du mir gelegentlich schreiben. Es gehört zu den Dingen, die mich immer neugierig gemacht haben und die kennenzulernen mir bis diesen Augenblick versagt geblieben ist.

Und nun soll ich Dir über *uns* berichten. Du fragst teilnehmend nach all und jedem und verlangst sogar von Tante Margueritens neuester Prinzessin und neuester Namensverwechslung zu hören. Ich könnte Dir gerade *davon* erzählen, denn es sind keine drei Tage, daß wir (wenigstens von diesen Verwechslungen) ein gerüttelt und geschüttelt Maß gehabt haben.

Es war auf einer Spazierfahrt, die Herr von Schach mit uns machte, nach Tempelhof, und zu der auch das Tantchen aufgefordert werden mußte, weil es ihr Tag war. Du weißt, daß wir sie jeden Dienstag als Gast in unserm Hause sehen. Sie war denn auch mit uns in der „Kürche", wo sie, beim Anblick einiger Heiligenbilder aus der katholischen Zeit her, nicht nur beständig auf Ausrottung des Aberglaubens drang, sondern sich mit ebendiesem Anliegen auch regelmäßig an Schach wandte, wie wenn dieser im Konsistorium säße. Und da leg ich denn (weil ich nun mal die Tugend oder Untugend habe, mir alles gleich leibhaftig vorzustellen) während des Schreibens die Feder hin, um mich erst herzlich auszulachen. Au fond freilich ist es viel weniger lächerlich, als es im ersten Augenblick erscheint. Er hat etwas konsistorialrätlich Feierliches, und wenn mich nicht alles täuscht, so ist es gerade dies Feierliche, was Bülow so sehr gegen ihn einnimmt. Viel, viel mehr als der Unterschied der Meinungen.

Und beinah klingt es, als ob ich mich in meiner Schilderung Bülow anschlösse. Wirklich, wüßtest Du's nicht besser, Du würdest dieser Charakteristik unseres Freundes nicht entnehmen können, wie sehr ich ihn schätze. Ja, mehr denn je, trotzdem es an manchem Schmerzlichen nicht fehlt. Aber in meiner Lage lernt man milde sein, sich trösten, verzeihen. Hätt ich es *nicht* gelernt, wie könnt ich leben, *ich,* die ich so gern lebe! Eine Schwäche, die (wie ich einmal gelesen) alle diejenigen haben sollen, von denen man es am wenigsten begreift.

Aber ich sprach von manchem Schmerzlichen, und es drängt mich, Dir davon zu erzählen.

Es war erst gestern auf unserer Spazierfahrt. Als wir den Gang aus dem Dorf in die Kirche machten, führte Schach Mama. Nicht zufällig, es war arrangiert, und zwar durch mich. Ich ließ beide zurück, weil ich eine Aussprache (Du weißt, *welche*) zwischen beiden herbeiführen wollte. Solche stillen Abende, wo man über Feld schreitet und nichts hört als das Anschlagen der Abendglocke, heben uns über kleine Rücksichten fort und machen uns freier. Und sind wir erst *das,* so findet sich auch das rechte Wort. Was zwischen ihnen gesprochen wurde, weiß ich nicht, jedenfalls nicht das, was gesprochen werden sollte. Zuletzt traten wir in die Kirche, die vom Abendrot wie durchglüht war, alles gewann Leben, und es war unvergeßlich schön. Auf dem Heimwege tauschte Schach und führte *mich.* Er sprach sehr anziehend und in einem Tone, der mir ebenso wohltat, als er mich überraschte. Jedes Wort ist mir noch in der Erinnerung geblieben und gibt mir zu denken. Aber was geschah? Als wir wieder am Eingange des Dorfes waren, wurd er schweigsamer und wartete auf die Mama. Dann bot er *ihr* den Arm, und so gingen sie durch das Dorf nach dem Gasthause zurück, wo die Wagen hielten und viele Leute versammelt waren. Es gab mir einen Stich durchs Herz, denn ich konnte mich des Gedankens nicht erwehren, daß es ihm peinlich gewesen sei, mit mir und an meinem Arm unter den Gästen zu erscheinen. In seiner Eitelkeit, von der ich ihn nicht freisprechen kann, ist es ihm unmöglich, sich über das Gerede der Leute hinwegzusetzen, und ein spöttisches Lächeln verstimmt ihn auf eine Woche. So selbstbewußt er ist, so schwach und abhängig ist er in diesem *einen* Punkte. Vor niemandem in der Welt, auch vor der Mama nicht, würd ich ein solches Bekenntnis ablegen, aber *Dir* gegenüber mußt ich es. Hab ich unrecht, so sage mir, daß mein Unglück mich mißtrauisch gemacht habe, so halte mir eine Strafpredigt in allerstrengsten Worten und sei versichert, daß ich sie mit dankbarem Auge lesen werde. Denn all seiner Eitelkeit ungeachtet, schätz ich ihn wie keinen anderen. Es ist ein Satz, daß Männer nicht eitel sein dürfen, weil Eitelkeit lächerlich mache. Mir scheint dies übertrieben. Ist aber der Satz dennoch richtig, so bedeutet Schach eine Ausnahme. Ich hasse das Wort „ritterlich" und habe doch kein anderes für ihn. *Eines* ist er vielleicht noch mehr, diskret, imponierend oder doch voll natürlichen Ansehens, und sollte sich mir *das* erfüllen, was ich um der Mama und auch um meinetwillen wünsche, so würd es mir nicht schwer werden, mich in eine Respektstellung zu ihm hineinzufinden.

Und dazu noch eins. Du hast ihn nie für sehr gescheit gehalten, und ich meinerseits habe nur schüchtern widersprochen. Er hat aber doch die beste Gescheitheit, die mittlere, dazu die des redlichen Mannes. Ich empfinde dies jedesmal, wenn er seine Fehde mit Bülow führt. So sehr ihm dieser überlegen ist, so sehr steht er doch hinter ihm zurück. Dabei fällt mir mitunter auf, wie der Groll, der sich in unserm Freunde regt, ihm eine gewisse Schlagfertigkeit, ja selbst Esprit verleiht. Gestern hat er Sander, dessen Persönlichkeit Du kennst, den Bülowschen Sancho Pansa genannt. Die weiteren Schlußfolgerungen ergeben sich von selbst, und ich find es nicht übel.

Sanders Publikationen machen mehr von sich reden denn je; die Zeit unterstützt das Interesse für eine lediglich polemische Literatur. Außer von Bülow sind auch Aufsätze von Massenbach und Phull erschienen, die von den Eingeweihten als etwas Besonderes und nie Dagewesenes ausgepriesen werden. Alles richtet sich gegen Österreich und beweist aufs neue, daß, wer den Schaden hat, für den Spott nicht sorgen darf. Schach ist empört über dies anmaßliche Besserwissen, wie ers nennt, und wendet sich wieder seinen alten Liebhabereien zu, Kupferstichen und Rennpferden. Sein kleiner Groom wird immer kleiner. Was bei den Chinesinnen die kleinen Füße sind, sind bei den Grooms die kleinen Proportionen überhaupt. Ich meinerseits verhalte mich ablehnend gegen beide, ganz besonders aber gegen die chinesisch eingeschnürten Füßchen, und bin umgekehrt froh, in einem bequemen Pantoffel zu stecken. Führen, schwingen werd ich ihn nie; das überlasse ich meiner teuren Lisette. Tu es mit der Milde, die Dir eigen ist. Empfiehl mich Deinem teuren Manne, der nur den *einen* Fehler hat, Dich mir entführt zu haben. Mama grüßt und küßt ihren Liebling, ich aber lege Dir den Wunsch ans Herz, vergiß in der Fülle des Glücks, das Dir zuteil wurde, nicht *ganz* Deine, wie Du weißt, auf ein bloßes Pflichtteil des Glücks gesetzte

Victoire.

Sechstes Kapitel

Bei Prinz Louis

An demselben Abend, an dem Victoire von Carayon ihren Brief an Lisette von Perbandt schrieb, empfing Schach in seiner in der Wilhelmstraße gelegenen Wohnung ein Einladungsbillett von der Hand des Prinzen Louis.

Es lautete:

Lieber Schach. Ich bin erst seit drei Tagen hier im Moabiter Land und dürste bereits nach Besuch und Gespräch. Eine Viertelmeile von der Hauptstadt hat man schon die Hauptstadt nicht mehr und verlangt nach ihr. Darf ich für morgen auf Sie rechnen? Bülow und sein verlegerischer Anhang haben zugesagt, auch Massenbach und Phull. Also lauter Opposition, die mich erquickt, auch wenn ich sie bekämpfe. Von Ihrem Regiment werden Sie noch Nostitz und Alvensleben treffen. Im Interimsrock und um fünf Uhr. Ihr Louis, Prinz von Pr.

Um die festgesetzte Stunde fuhr Schach, nachdem er Alvensleben und Nostitz abgeholt hatte, vor der prinzlichen Villa vor. Diese lag am rechten Flußufer, umgeben von Wiesen und Werftweiden und hatte die Front, über die Spree fort, auf die Westlisiere des Tiergartens. Anfahrt und

Aufgang waren von der Rückseite her. Eine breite, mit Teppich belegte Treppe führte bis auf ein Podium und von diesem auf einen Vorflur, auf dem die Gäste vom Prinzen empfangen wurden. Bülow und Sander waren bereits da, Massenbach und Phull dagegen hatten sich entschuldigen lassen. Schach war es zufrieden, fand schon Bülow mehr als genug und trug kein Verlangen, die Zahl der Genialitätsleute verstärkt zu sehen. Es war heller Tag noch, aber in dem Speisesaal, in den sie von dem Vestibül aus eintraten, brannten bereits die Lichter und waren (übrigens bei offenstehenden Fenstern) die Jalousien geschlossen. Zu diesem künstlich hergestellten Licht, in das sich von außen her ein Tagesschimmer mischte, stimmte das Feuer in dem in der Mitte des Saales befindlichen Kamine. Vor ebendiesem, ihm den Rücken zukehrend, saß der Prinz und sah, zwischen den offenstehenden Jalousiebrettchen hindurch, auf die Bäume des Tiergartens.

„Ich bitte fürliebzunehmen", begann er, als die Tafelrunde sich arrangiert hatte. „Wir sind hier auf dem Lande; das muß als Entschuldigung dienen für alles, was fehlt. ‚A la guerre, comme à la guerre.' Massenbach, unser Gourmet, muß übrigens etwas derart geahnt, respektive gefürchtet haben. Was mich auch nicht überraschen würde. Heißt es doch, lieber Sander, Ihr guter Tisch habe mehr noch als Ihr guter Verlag die Freundschaft zwischen Ihnen besiegelt."

„Ein Satz, dem ich kaum zu widersprechen wage, Königliche Hoheit."

„Und doch *müßten* Sie's eigentlich. Ihr ganzer Verlag hat keine Spur von jenem ‚laisser passer', das das Vorrecht, ja die Pflicht aller gesättigten Leute ist. Ihre Genies (Pardon, Bülow) schreiben alle wie Hungrige. Meinetwegen. Unsere Paradeleute geb ich Ihnen preis, aber daß Sie mir auch die Österreicher so schlecht behandeln, das mißfällt mir."

„Bin ich es, Königliche Hoheit? Ich für meine Person habe nicht die Prätension höherer Strategie. Nebenher freilich, möcht ich, sozusagen aus meinem Verlage heraus, die Frage stellen dürfen: ‚War Ulm etwas Kluges?' "

„Ach, mein lieber Sander, was ist klug? Wir Preußen

bilden uns beständig ein, es zu sein; und wissen Sie, was Napoleon über unsere vorjährige thüringische Aufstellung gesagt hat? Nostitz, wiederholen Sie's! . . . Er will nicht. Nun, so muß ich es selber tun. ‚Ah, ces Prussiens', hieß es, ‚ils sont encore *plus* stupides que les Autrichiens.' Da haben Sie Kritik über unsere vielgepriesene Klugheit, noch dazu Kritik von einer allerberufensten Seite her. Und hätt ers damit getroffen, so müßten wir uns schließlich zu dem Frieden noch beglückwünschen, den uns Haugwitz erschachert hat. Ja, erschachert, indem er für ein Mitbringsel unsere Ehre preisgab. Was sollen wir mit Hannover? Es ist der Brocken, an dem der preußische Adler ersticken wird."

„Ich habe zu der Schluck- und Verdauungskraft unsres preußischen Adlers ein besseres Vertrauen", erwiderte Bülow. „Gerade das kann er und versteht er von alten Zeiten her. Indessen *darüber* mag sich streiten lassen; worüber sich aber nicht streiten läßt, das ist der Friede, den uns Haugwitz gebracht hat. Wir brauchen ihn wie das tägliche Brot und mußten ihn haben, so lieb uns unser Leben ist. Königliche Hoheit haben freilich einen Haß gegen den armen Haugwitz, der mich insoweit überrascht, als dieser Lombard, der doch die Seele des Ganzen ist, von jeher Gnade vor Eurer Königlichen Hoheit Augen gefunden hat."

„Ah, Lombard! Den Lombard nehm ich nicht ernsthaft und stell ihm außerdem noch in Rechnung, daß er ein halber Franzose ist. Dazu hat er eine Form des Witzes, die mich entwaffnet. Sie wissen doch, sein Vater war *Friseur* und seiner Frau Vater ein *Barbier*. Und nun kommt ebendiese Frau, die nicht nur eitel ist bis zum Närrischwerden, sondern auch noch schlechte französische Verse macht, und fragt ihn, was schöner sei: ‚L'hirondelle *frise* la surface des eaux' oder ‚l'hirondelle *rase* la surface des eaux'? Und was antwortet er? ‚Ich sehe keinen Unterschied, meine Teure; L'hirondelle *frise* huldigt *meinem* Vater, und *l'hirondelle rase* dem *deinigen*.' In diesem Bonmot haben Sie den ganzen Lombard. Was mich aber persönlich angeht, so bekenn ich Ihnen offen, daß ich einer so witzigen Selbstpersiflage nicht widerstehen kann. Er ist ein Polisson, kein Charakter."

„Vielleicht, daß sich ein gleiches auch von Haugwitz

sagen ließe, zum Guten wie zum Schlimmen. Und wirklich, ich geb Eurer Königlichen Hoheit den *Mann* preis. Aber *nicht* seine Politik. Seine Politik ist gut, denn sie rechnet mit gegebenen Größen. Und Eure Königliche Hoheit wissen das besser als ich. Wie steht es denn in Wahrheit mit unseren Kräften? Wir leben von der Hand in den Mund, und warum? Weil der Staat Friedrichs des Großen nicht ein Land mit einer Armee, sondern eine Armee mit einem Lande ist. Unser Land ist nur Standquartier und Verpflegungsmagazin. In sich selber entbehrt es aller großen Ressourcen. Siegen wir, so geht es; aber Kriege führen dürfen nur solche Länder, die Niederlagen ertragen können. Das können wir *nicht.* Ist die Armee hin, so ist alles hin. Und wie schnell eine Armee hin sein kann, das hat uns Austerlitz gezeigt. Ein Hauch kann uns töten, gerad auch uns. ‚Er blies, und die Armada zerstob in alle vier Winde.' Afflavit Deus et dissipati sunt."

„Herr von Bülow", unterbrach hier Schach, „möge mir eine Bemerkung verzeihen. Er wird doch, denk ich, in dem Höllenbrodem, der jetzt über die Welt weht, nicht den Odem Gottes erkennen wollen, nicht *den,* der die Armada zerblies."

„*Doch,* Herr von Schach. Oder glauben Sie wirklich, daß der Odem Gottes im Spezialdienste des Protestantismus oder gar Preußens und seiner Armee steht?"

„Ich hoffe, ja."

„Und ich fürchte, *nein.* Wir haben die ‚propreste Armee', das ist alles. Aber mit der ‚Propretät' gewinnt man keine Schlachten. Erinnern sich Königliche Hoheit der Worte des großen Königs, als General Lehwald ihm seine dreimal geschlagenen Regimenter in Parade vorführte? ‚Propre Leute', hieß es. ‚Da seh Er meine. Sehen aus wie die Grasdeibel, *aber beißen.*' Ich fürchte, wir haben jetzt zuviel Lehwaldsche Regimenter und zuwenig altenfritzige. Der Geist ist heraus, alles ist Dressur und Spielerei geworden. Gibt es doch Offiziere, die, der bloßen Prallheit und Drallheit halber, ihren Uniformrock direkt auf dem Leibe tragen. Alles Unnatur. Selbst das Marschierenkönnen, diese ganz gewöhnliche Fähigkeit des Menschen, die Beine zu setzen, ist uns in dem ewigen Paradeschritt verlorengegangen. Und Marschierenkönnen ist jetzt die erste Bedingung des Erfolges. Alle modernen Schlachten sind mit den Beinen gewonnen worden."

„Und mit *Gold*", unterbrach hier der Prinz. „Ihr großer Empereur, lieber Bülow, hat eine Vorliebe für kleine Mittel. Ja, für allerkleinste. Daß er lügt, ist sicher. Aber er ist auch ein Meister in der Kunst der Bestechung. Und wer hat uns die Augen darüber geöffnet? Er selber. Lesen Sie, was er unmittelbar vor der Austerlitzer Bataille sagte. ‚Soldaten', hieß es, ‚der Feind wird marschieren und unsere Flanke zu gewinnen suchen; bei dieser Marschbewegung aber wird er die seinige preisgeben. Wir werden uns auf diese seine Flanke werfen und ihn schlagen und vernichten.' Und genauso verlief die Schlacht. Es ist unmöglich, daß er aus der bloßen Aufstellung der Österreicher auch schon ihren Schlachtplan erraten haben könnte."

Man schwieg. Da dies Schweigen aber dem lebhaften Prinzen um vieles peinlicher war als Widerspruch, so wandte er sich direkt an Bülow und sagte: „Widerlegen Sie mich."

„Königliche Hoheit befehlen, und so gehorch ich denn. Der Kaiser wußte genau, was geschehen werde, *konnt* es wissen, weil er sich die Frage ‚was tut hier die *Mittelmäßigkeit*?' in vorausberechnender Weise nicht bloß gestellt, sondern auch beantwortet hatte. Die höchste Dummheit, wie zuzugestehen ist, entzieht sich ebenso der Berechnung wie die höchste Klugheit – das ist eine von den großen Seiten der echten und unverfälschten Stupidität. Aber jene ‚Mittelklugen', die gerade klug genug sind, um von der Lust, ‚es auch einmal mit etwas Geistreichem zu probieren', angewandelt zu werden, diese Mittelklugen sind allemal am leichtesten zu berechnen. Und warum? Weil sie jederzeit nur die Mode mitmachen und heute kopieren, was sie gestern sahen. Und das alles wußte der Kaiser. Hic haeret. Er hat sich nie glänzender bewährt als in dieser Austerlitzer Aktion, auch im Nebensächlichen nicht, auch nicht in jenen Impromptus und witzigen Einfällen auf dem Gebiete des Grausigen, die so recht eigentlich das Kennzeichen des Genies sind."

„Ein Beispiel."

„Eines für hundert. Als das Zentrum schon durchbrochen war, hatte sich ein Teil der russischen Garde, vier Bataillone, nach ebensoviel gefrornen Teichen hin zurückgezogen, und eine französische Batterie fuhr auf, um mit Kartätschen in die Bataillone hineinzufeuern. In diesem Augenblick erschien der Empereur. Er überblickte sofort das Besondere der Lage. ‚Wozu hier ein Sichabmühen en détail?' Und er befahl, mit Vollkugeln auf das Eis zu schießen. Eine Minute später, und das Eis barst und brach, und alle vier Bataillone gingen en carré in die morastige Tiefe. Solche vom Moment eingegebenen Blitze hat nur immer das Genie. Die Russen werden sich jetzt vornehmen, es bei nächster Gelegenheit ebenso zu machen, aber wenn Kutusow auf Eis wartet, wird er plötzlich in Wasser oder Feuer stecken. Österreichisch-russische Tapferkeit in Ehren, nur nicht ihr Ingenium. Irgendwo heißt es: ‚In meinem Wolfstornister regt sich des Teufels Küster, ein *Kobold,* heißt Genie' – nun, in dem russisch-österreichischen Tornister ist dieser ‚Kobold und Teufelsküster' nie und nimmer zu Hause gewesen. Und um dies Manko zu kassieren, bedient man sich der alten, elenden Trostgründe: Bestechung und Verräterei. Jedem Besiegten wird es schwer, den Grund seiner Niederlagen an der einzig richtigen Stelle, nämlich *in sich selbst* zu suchen, und auch Kaiser Alexander, mein ich, verzichtet auf ein solches Nachforschen am recht eigentlichsten Platz."

„Und wer wollt ihm darüber zürnen?" antwortete Schach. „Er tat das Seine, ja mehr. Als die Höhe schon verloren und doch andererseits die Möglichkeit einer Wiederherstellung der Schlacht noch nicht geschwunden war, ging er klingenden Spiels an der Spitze neuer Regimenter vor; sein Pferd ward ihm unter dem Leibe erschossen, er bestieg ein zweites, und eine halbe Stunde lang schwankte die Schlacht. Wahre Wunder der Tapferkeit wurden verrichtet, und die Franzosen selbst haben es in enthusiastischen Ausdrücken anerkannt."

Der Prinz, der bei der vorjährigen Berliner Anwesenheit des unausgesetzt als deliciae generis humani gepriesenen Kaisers keinen allzu günstigen Eindruck von ihm empfangen hatte, fand es einigermaßen unbequem, den „liebenswürdigsten der Menschen“ auch noch zum „heldischsten“ erhoben zu sehen. Er lächelte deshalb und sagte: „Seine kaiserliche Majestät in Ehren, so scheint es mir doch, lieber Schach, als ob Sie französischen Zeitungsberichten mehr Gewicht beilegten, als ihnen beizulegen ist. Die Franzosen sind kluge Leute. Je mehr Rühmens sie von ihrem Gegner machen, desto größer wird ihr eigener Ruhm, und dabei schweig ich noch von allen möglichen politischen Gründen, die jetzt sicherlich mitsprechen. ‚Man soll seinem Feinde goldene Brücken bauen‘, sagt das Sprichwort und sagt es mit Recht, denn wer heute mein Feind war, kann morgen mein Verbündeter sein. Und in der Tat, es spukt schon dergleichen, ja, wenn ich recht unterrichtet bin, so verhandelt man bereits über eine neue Teilung der Welt, will sagen über die Wiederherstellung eines morgenländischen und abendländischen Kaisertums. Aber lassen wir Dinge, die noch in der Luft schweben, und erklären wir uns das dem Heldenkaiser gespendete Lob lieber einfach aus dem Rechnungssatze: ‚Wenn der unterlegene russische Mut einen vollen Zentner wog, so wog der siegreiche französische natürlich *zwei*.‘ “

Schach, der seit Kaiser Alexanders Besuch in Berlin das Andreaskreuz trug, biß sich auf die Lippen und wollte replizieren. Aber Bülow kam ihm zuvor und bemerkte: „Gegen ‚unter dem Leibe erschossene Kaiserpferde‘ bin ich überhaupt immer mißtrauisch. Und nun gar hier. All diese Lobeserhebungen müssen Seine Majestät sehr in Verlegenheit gebracht haben, denn es gibt ihrer zu viele, die das Gegenteil bezeugen können. Er ist der ‚gute Kaiser‘, und damit basta.“

„Sie sprechen das so spöttisch, Herr von Bülow“, antwortete Schach. „Und doch frag ich Sie, gibt es einen schöneren Titel?“

„O, gewiß gibt es den. Ein *wirklich* großer Mann wird nicht um seiner Güte willen gefeiert und noch weniger danach benannt. Er wird umgekehrt ein Gegenstand beständiger Verleumdungen sein. Denn das Gemeine, das überall vorherrscht, liebt nur das, was ihm gleicht. Brenkenhof, der trotz seiner Paradoxien mehr gelesen werden sollte, als er gelesen wird, behauptet geradezu, daß in unserm Zeitalter die besten Menschen die schlechteste Reputation haben müßten. Der gute Kaiser! Ich bitte Sie. Welche Augen wohl König Friedrich gemacht haben würde, wenn man ihn den ‚guten Friedrich' genannt hätte."

„Bravo, Bülow", sagte der Prinz und grüßte mit dem Glase hinüber. „Das ist mir aus der Seele gesprochen."

Aber es hätte dieses Zuspruches nicht bedurft. „Alle Könige", fuhr Bülow in wachsendem Eifer fort, „die den Beinamen des ‚guten' führen, sind solche, die das ihnen anvertraute Reich zu Grabe getragen oder doch bis an den Rand der Revolution gebracht haben. Der letzte König von Polen war auch ein sogenannter ‚guter'. In der Regel haben solche Fürstlichkeiten einen großen Harem und einen kleinen Verstand. Und geht es in den Krieg, so muß irgendeine Kleopatra mit ihnen, gleichviel mit oder ohne Schlange."

„Sie meinen doch nicht, Herr von Bülow", entgegnete Schach, „durch Auslassungen wie *diese* den Kaiser Alexander charakterisiert zu haben?"

„Wenigstens annähernd."

„Da wär ich doch neugierig."

„Es ist zu diesem Behufe nur nötig, sich den letzten Besuch des Kaisers in Berlin und Potsdam zurückzurufen. Um was handelte sichs? Nun, anerkanntermaßen um nichts Kleines und Alltägliches, um Abschluß eines Bündnisses auf Leben und Tod, und wirklich, bei Fackellicht trat man in die Gruft Friedrichs des Großen, um sich, über dem Sarge desselben, eine halbmystische Blutsfreundschaft zuzuschwören. Und was geschah unmittelbar danach? Ehe drei Tage vorüber waren, wußte man, daß der aus der Gruft Friedrichs des Großen glücklich wieder ans Tageslicht gestiegene Kaiser die fünf anerkanntesten beautés des Hofes in ebenso viele Schönheitskategorien gebracht habe: beauté coquette und beauté triviale, beauté céleste und beauté du diable und endlich fünftens ‚beauté, qui inspire seul du vrai sentiment'. Wobei wohl jeden die Neugier angewandelt haben mag, das Allerhöchste ‚vrai sentiment' kennenzulernen!"

Siebentes Kapitel

Ein neuer Gast

All diese Sprünge Bülows hatten die Heiterkeit des Prinzen erregt, der denn auch eben mit einem ihm bequem liegenden Capriccio über beauté céleste und beauté du diable beginnen wollte, als er vom Korridor her, unter dem halb zurückgeschlagenen Portierenteppich, einen ihm wohlbekannten kleinen Herrn von unverkennbaren Künstlerallüren erscheinen und gleich danach eintreten sah.

„Ah, Dussek, das ist brav", begrüßte ihn der Prinz. „Mieux vaut tard que jamais. Rücken Sie ein. Hier. Und nun bitt ich, alles, was an Süßigkeiten noch da ist, in den Bereich unseres Künstlerfreundes bringen zu wollen. Sie finden noch tutti quanti, lieber Dussek. Keine Einwendungen. Aber was trinken Sie? Sie haben die Wahl, Asti, Montefiascone, Tokayer."

„Irgendeinen Ungar."

„Herben?"

Dussek lächelte.

„Törichte Frage", korrigierte sich der Prinz und fuhr in gesteigerter guter Laune fort: „Aber nun, Dussek, erzählen Sie. Theaterleute haben, die Tugend selber ausgenommen, allerlei Tugenden, und unter diesen auch die der Mitteilsamkeit. Sie bleiben einem auf die Frage ‚was Neues' selten eine Antwort schuldig."

„Und auch heute nicht, Königliche Hoheit", antwortete Dussek, der, nachdem er genippt hatte, eben sein Bärtchen putzte.

„Nun, so lassen Sie hören. Was schwimmt obenauf?"

„Die ganze Stadt ist in Aufregung. Versteht sich, wenn ich sage ‚die ganze Stadt', so mein ich das Theater."

„Das Theater *ist* die Stadt. Sie sind also gerechtfertigt. Und nun weiter."

„Königliche Hoheit befehlen. Nun denn, wir sind in unserem Haupt und Führer empfindlich gekränkt worden und haben denn auch aus ebendiesem Grunde nicht viel weniger als eine kleine Theateremeute gehabt. *Das* also, hieß es, seien die neuen Zeiten, *das* sei das bürgerliche Regiment, *das* sei der Respekt vor den preußischen ‚belles lettres et beaux arts'. Eine ‚Huldigung der Künste' lasse man sich gefallen, aber eine Huldigung *gegen* die Künste, die sei so fern wie je."

„Lieber Dussek", unterbrach der Prinz, „Ihre Reflexionen in Ehren. Aber da Sie gerade von Kunst sprechen, so muß ich Sie bitten, die Kunst der Retardierung nicht übertreiben zu wollen. Wenn es also möglich ist, Tatsachen. Um was handelt es sich?"

„Iffland ist gescheitert. Er wird den Orden, von dem die Rede war, *nicht* erhalten."

Alles lachte, Sander am herzlichsten, und Nostitz skandierte: „Parturiunt montes, nascetur ridiculus mus."

Aber Dussek war in wirklicher Erregung, und diese wuchs noch unter der Heiterkeit seiner Zuhörer. Am meisten verdroß ihn Sander. „Sie lachen, Sander. Und doch trifft es in diesem Kreise nur Sie und mich. Denn gegen wen anders ist die Spitze gerichtet als gegen das Bürgertum überhaupt?"

Der Prinz reichte dem Sprecher über den Tisch hin die Hand. „Recht, lieber Dussek. Ich liebe solch Eintreten. Erzählen Sie. Wie kam es?"

„Vor allem ganz unerwartet. Wie ein Blitz aus heiterem Himmel. Königliche Hoheit wissen, daß seit lange von einer Dekorierung die Rede war, und wir freuten uns, alles Künstlerneides vergessend, als ob wir den Orden mitempfangen und mittragen sollten. In der Tat, alles ließ sich gut an, und die ‚Weihe der Kraft', für deren Aufführung der Hof sich interessiert, sollte den Anstoß und zugleich die spezielle Gelegenheit geben. Iffland ist Maçon (auch *das* ließ uns hoffen), die Loge nahm es energisch in die Hand, und die Königin war gewonnen. Und nun *doch* gescheitert. Eine kleine Sache, werden Sie sagen; aber nein, meine Herren, es ist eine große Sache. Dergleichen ist immer der Strohhalm, an dem man sieht, woher der Wind weht. Und er weht bei uns nach wie vor von der alten Seite her. Chi va piano va sano, sagt das Sprichwort. Aber im Lande Preußen heißt es ‚pianissimo'."

„Gescheitert, sagten Sie, Dussek. Aber gescheitert woran?“

„An dem Einfluß der Hofgeneralität. Ich habe Rüchels Namen nennen hören. Er hat den Gelehrten gespielt und darauf hingewiesen, wie niedrig das Histrionentum immer und ewig in der Welt gestanden habe, mit alleiniger Ausnahme der neronischen Zeiten. Und *die* könnten doch kein Vorbild sein. Das half. Denn welcher allerchristlichste König will Nero sein oder auch nur seinen Namen hören. Und so wissen wir denn, daß die Sache vorläufig ad acta verwiesen ist. Die Königin ist chagriniert, und an diesem Allerhöchsten Chagrin müssen wir uns vorläufig genügen lassen. Neue Zeit und alte Vorurteile.“

„Lieber Kapellmeister“, sagte Bülow, „ich sehe zu meinem Bedauern, daß Ihre Reflexionen Ihren Empfindungen weit vorauf sind. Übrigens ist das das Allgemeine. Sie sprechen von Vorurteilen, in denen wir stecken, und stecken selber drin. Sie, samt Ihrem ganzen Bürgertum, das keinen neuen freien Gesellschaftszustand schaffen, sondern sich nur eitel und eifersüchtig in die bevorzugten alten Klassen einreihen will. Aber damit schaffen Sie's nicht. An die Stelle der Eifersüchtelei, die jetzt das Herz unseres dritten Standes verzehrt, muß eine Gleichgültigkeit gegen alle diese Kindereien treten, die sich einfach überlebt haben. Wer Gespenster wirklich ignoriert, für den gibt es keine mehr, und wer Orden ignoriert, der arbeitet an ihrer Ausrottung. Und dadurch an Ausrottung einer wahren Epidemie . . .“

„Wie Herr von Bülow umgekehrt an Errichtung eines neuen Königreichs Utopien arbeitet“, unterbrach Sander. „Ich meinerseits nehme vorläufig an, daß die Krankheit, von der er spricht, in der Richtung von Osten nach Westen immer weiterwachsen, aber nicht umgekehrt in der Richtung von Westen nach Osten hin absterben wird. Im Geiste seh ich vielmehr immer neue Multiplikationen und das Erblühen einer Ordensflora mit 24 Klassen wie das Linnésche System.“

Alle traten auf die Seite Sanders, am entschiedensten der Prinz. Es müsse durchaus etwas in der menschlichen Natur stecken, das, wie beispielsweise der Hang zu Schmuck und

Putz, sich auch zu *dieser* Form der Quincaillerie hingezogen fühle. „Ja", so fuhr er fort, „es gibt kaum einen Grad der Klugheit, der davor schützt. Sie werden doch alle Kalkreuth für einen klugen Mann halten, ja mehr, für einen Mann, der, wie wenige, von dem ‚alles ist eitel' unseres Tuns und Trachtens durchdrungen sein muß. Und doch, als er den Roten Adler erhielt, während er den Schwarzen erwartet hatte, warf er ihn wütend ins Schubfach und schrie: ‚Da liege, bis du *schwarz* wirst.' Eine Farbenänderung, die sich denn auch mittlerweile vollzogen hat."

„Es ist mit Kalkreuth ein eigen Ding", erwiderte Bülow, „und offen gestanden, ein anderer unserer Generäle, der gesagt haben soll: Ich gäbe den Schwarzen drum, wenn ich den Roten wieder los wäre, gefällt mir noch besser. Übrigens bin ich minder streng, als es den Anschein hat. Es gibt auch Auszeichnungen, die *nicht* als Auszeichnung ansehen zu wollen einfach Beschränktheit oder niedrige Gesinnung wäre. Admiral Sidney Smith, berühmter Verteidiger von St. Jeanne d'Arc und Verächter aller Orden, legte *doch* Wert auf ein Schaustück, das ihm der Bischof von Acre mit den Worten überreicht hatte: ‚Wir empfingen dieses Schaustück aus den Händen König Richards Cœur de Lion und geben es nach sechshundert Jahren einem seiner Landsleute zurück, der, heldenmütig wie er, unsere Stadt verteidigt hat.' Und ein Elender und Narr, setz ich hinzu, der sich einer *solchen* Auszeichnung *nicht* zu freuen versteht."

„Schätze mich glücklich, ein solches Wort aus Ihrem Munde zu hören", erwiderte der Prinz. „Es bestärkt mich in meinen Gefühlen für Sie, lieber Bülow, und ist mir, Pardon, ein neuer Beweis, daß der Teufel nicht halb so schwarz ist, als er gemalt wird."

Der Prinz wollte weitersprechen. Als aber in ebendiesem Augenblick einer der Diener an ihn herantrat und ihm zuflüsterte, daß der Rauchtisch arrangiert und der Kaffee serviert sei, hob er die Tafel auf und führte seine Gäste, während er Bülows Arm nahm, auf den an den Eßsaal angebauten Balkon. Eine große blau und weiß gestreifte Markise, deren Ringe lustig im Winde klapperten, war schon vorher herabgelassen worden, und unter ihren weit niederhängenden Fransen hinweg sah man, flußaufwärts, auf die halb im Nebel liegenden Türme der Stadt, flußabwärts aber auf die Charlottenburger Parkbäume, hinter deren eben ergrünendem Gezweige die Sonne niederging. Jeder blickte schweigend in das anmutige Landschaftsbild hinaus, und erst, als die Dämmrung angebrochen und eine hohe Sinumbralampe gebracht worden war, nahm man Platz und setzte die holländischen Pfeifen in Brand, unter denen jeder nach Gefallen wählte. Dussek allein, weil er die Musikpassion des Prinzen kannte, war phantasierend an dem im Eßsaale stehenden Flügel zurückgeblieben und sah nur, wenn er den Kopf zur Seite wandte, die jetzt draußen wieder lebhafter plaudernden Tischgenossen und ebenso die Lichtfunken, die von Zeit zu Zeit aus ihren Tonpfeifen aufflogen.

Das Gespräch hatte das Ordensthema nicht wiederaufgenommen, wohl aber sich der ersten Veranlassung desselben, also Iffland und dem in Sicht stehenden neuen Schauspiele, zugewandt, bei welcher Gelegenheit Alvensleben bemerkte, daß er einige der in den Text eingestreuten Gesangstücke während dieser letzten Tage kennengelernt habe. Gemeinschaftlich mit Schach. Und zwar im Salon der liebenswürdigen Frau von Carayon und ihrer Tochter Victoire. Diese habe gesungen und Schach begleitet.

„Die Carayons", nahm der Prinz das Wort. „Ich höre keinen Namen jetzt öfter als *den.* Meine teure Freundin Pauline hat mir schon früher von beiden Damen erzählt und neuerdings auch die Rahel. Alles vereinigt sich, mich neugierig zu machen und Anknüpfungen zu suchen, die sich, mein ich, unschwer werden finden lassen. Entsinn ich mich doch des schönen Fräuleins vom Massowschen Kinderballe her, der, nach Art aller Kinderbälle, des Vorzugs genoß, eine ganz besondere Schaustellung erwachsener und voll erblühter Schönheiten zu sein. Und wenn ich sage: ‚voll erblühter', so sag ich noch wenig. In der Tat, an keinem Ort und zu keiner Zeit hab ich je so schöne Dreißigerinnen auftreten sehen als auf Kinderbällen. Es ist, als ob die Nähe der bewußt oder unbewußt auf Umsturz sinnenden Jugend alles, was heute noch herrscht, doppelt und dreifach anspornte, sein Übergewicht geltend zu machen, ein Übergewicht, das vielleicht morgen schon nicht mehr vorhanden ist. Aber gleichviel, meine Herren, es wird sich ein für allemal sagen lassen, daß Kinderbälle nur für Erwachsene da sind, und dieser interessanten Erscheinung in ihren Ursachen nachzugehen, wäre so recht eigentlich ein Thema für unseren Gentz. Ihr philosophischer Freund Buchholtz, lieber Sander, ist mir zu solchem Spiele nicht graziös genug. Übrigens nichts für ungut; er ist Ihr Freund."

„Aber doch nicht so", lachte Sander, „daß ich nicht jeden Augenblick bereit wäre, ihn Eurer Königlichen Hoheit zu opfern. Und wie mir bei dieser Gelegenheit gestattet sein mag, hinzuzusetzen, nicht bloß aus einem allerspeziellsten, sondern auch noch aus einem ganz allgemeinen Grunde. Denn wenn die Kinderbälle, nach Ansicht und Erfahrung Eurer Königlichen Hoheit, eigentlich am besten ohne Kinder bestehen, so die Freundschaften am besten ohne Freunde. Die Surrogate bedeuten überhaupt alles im Leben und sind recht eigentlich die letzte Weisheitsessenz."

„Es muß sehr gut mit Ihnen stehen, lieber Sander", entgegnete der Prinz, „daß Sie sich zu solchen Ungeheuerlichkeiten offen bekennen können. Mais revenons à notre belle Victoire. Sie war unter den jungen Damen, die durch lebende Bilder das Fest damals einleiteten, und stellte, wenn mich mein Gedächtnis nicht trügt, eine Hebe dar, die dem Zeus eine Schale reichte. Ja, so war es, und indem ich davon spreche, tritt mir das Bild wieder deutlich vor die Seele. Sie war kaum fünfzehn und von jener Taille, die jeden Augenblick zu zerbrechen scheint. Aber sie zerbrechen nie. ‚Comme un ange', sagte der alte Graf Neale, der neben mir stand und mich durch eine Begeisterung langweilte, die mir einfach als eine Karikatur der meinigen erschien. Es wäre mir eine Freude, die Bekanntschaft der Damen erneuern zu können."

„Eure Königliche Hoheit würden das Fräulein Victoire nicht wiedererkennen", sagte Schach, dem der Ton, in dem der Prinz sprach, wenig angenehm war. „Gleich nach dem Massowschen Balle wurde sie von den Blattern befallen und nur durch ein Wunder gerettet. Ein gewisser Reiz der Erscheinung ist ihr freilich geblieben, aber es sind immer nur Momente, wo die seltene Liebenswürdigkeit ihrer Natur einen Schönheitsschleier über sie wirft und den Zauber ihrer früheren Tage wiederherzustellen scheint."

„Also restitutio in integrum", sagte Sander.

Alles lachte.

„Wenn Sie so wollen, ja", antwortete Schach in einem spitzen Tone, während er sich ironisch gegen Sander verbeugte.

Der Prinz bemerkte die Verstimmung und wollte sie kupieren. „Es hilft Ihnen nichts, lieber Schach. Sie sprechen, als ob Sie mich abschrecken wollten. Aber weit gefehlt. Ich bitte Sie, was ist Schönheit? Einer der allervagesten Begriffe. Muß ich Sie an die fünf Kategorien erinnern, die wir in erster Reihe Seiner Majestät dem Kaiser Alexander und in zweiter unsrem Freunde Bülow verdanken? *Alles ist schön* und *nichts*. Ich persönlich würde der beauté du diable jederzeit den Vorzug geben, will also sagen einer Erscheinungsform, die sich mit der des ci-devant schönen Fräuleins von Carayon einigermaßen decken würde."

„Königliche Hoheit halten zu Gnaden", entgegnete Nostitz, „aber es bleibt mir doch zweifelhaft, ob Königliche Hoheit die Kennzeichen der beauté du diable an Fräulein Victoire wahrnehmen würden. Das Fräulein hat einen witzig-elegischen Ton, was auf den ersten Blick als ein Widerspruch erscheint und doch keiner ist, unter allen Umständen aber als ihr charakteristischer Zug gelten kann. Meinen Sie nicht auch, Alvensleben?"

Alvensleben bestätigte.

Der Prinz indessen, der ein Sicheinbohren in Fragen über die Maßen liebte, fuhr, indem er sich dieser Neigung auch heute wieder hingab, immer lebhafter werdend fort: „‚Elegisch', sagen Sie, ‚witzig-elegisch'; ich wüßte nicht, was einer beauté du diable besser anstehen könnte. Sie fassen den Begriff offenbar zu eng, meine Herren. Alles, was Ihnen dabei vorschwebt, ist nur eine Spielart der alleralltäglichsten Schönheitsform, der beauté coquette: das Näschen ein wenig mehr gestubst, der Teint ein wenig dunkler, das Temperament ein wenig rascher, die Manieren ein wenig kühner und rücksichtsloser. Aber damit erschöpfen Sie die höhere Form der beauté du diable keineswegs. Diese hat etwas Weltumfassendes, das über eine bloße Teint- und Rassenfrage weit hinausgeht. Ganz wie die katholische Kirche. Diese wie jene sind auf ein Innerliches gestellt, und das Innerliche, das in *unserer* Frage den Ausschlag gibt, heißt Energie, Feuer, Leidenschaft."

Nostitz und Sander lächelten und nickten.

„Ja, meine Herren, ich gehe weiter und wiederhole: ‚Was ist Schönheit?' Schönheit, bah! Es kann nicht nur auf die gewöhnlichsten Schönheitsformen verzichtet werden, ihr Fehlen kann sogar einen allerdirektesten Vorzug bedeuten. In der Tat, lieber Schach, ich habe wunderbare Niederlagen und noch wunderbarere Siege gesehen. Es ist auch in der Liebe wie bei Morgarten und Sempach, die schönen Ritter werden geschlagen, und die häßlichen Bauern triumphieren. Glauben Sie mir, das Herz entscheidet, *nur* das Herz. Wer liebt, wer die Kraft der Liebe hat, ist auch liebenswürdig, und es wäre grausam, wenn es anders wäre. Gehen Sie die Reihe der eigenen Erfahrungen durch. Was ist alltäglicher, als eine schöne Frau durch eine nicht schöne Geliebte verdrängt zu sehen! Und nicht etwa nach dem Satze ‚toujours perdrix'. O nein, es hat dies viel tiefere Zusammenhänge. Das Langweiligste von der Welt ist die lymphatisch-phlegmatische beauté, die beauté par excellence. Sie kränkelt hier, sie kränkelt da, ich will nicht sagen immer und notwendig, aber doch in der Mehrzahl der Fälle, während meine beauté du diable die Trägerin einer allervollkommensten Gesundheit ist, jener Gesundheit, die zuletzt alles bedeutet und gleichwertig ist mit höchstem Reiz. Und nun frag ich Sie, meine Herren, wer hätte mehr davon als *die* Natur, die durch die größten und gewaltigsten Läuterungsprozesse wie durch ein Fegefeuer gegangen ist. Ein paar Grübchen in der Wange sind das Reizendste von der Welt, das hat schon bei den Römern und Griechen gegolten, und ich bin nicht ungalant und unlogisch genug, um einer Grübchen-Vielheit einen Respekt und eine Huldigung zu versagen, die der Einheit oder dem Pärchen von alters her gebührt. Das paradoxe ‚le laid c'est le beau' hat seine vollkommene Berechtigung, und es heißt nichts anderes, als daß sich hinter dem anscheinend Häßlichen eine höhere Form der Schönheit verbirgt. Wäre meine Pauline hier, wie sie's leider *nicht* ist, sie würde mir zustimmen, offen und nachdrücklich, ohne durch persönliche Schicksale kaptiviert zu sein."

Der Prinz schwieg. Es war ersichtlich, daß er auf einen allseitigen Ausdruck des Bedauerns wartete, Frau Pauline, die gelegentlich die Honneurs des Hauses machte, heute *nicht* anwesend zu sehen. Als aber niemand das Schweigen brach, fuhr er fort: „Es fehlen uns die Frauen und damit dem Wein und unserm Leben der Schaum. Ich nehme meinen Wunsch wieder auf und wiederhole, daß es mich glücklich machen würde, die Carayonschen Damen in dem Salon meiner Freundin empfangen zu dürfen. Ich zähle darauf, daß diejenigen Herren, die dem Kreise der Frau von Carayon angehören, sich zum Interpreten meiner Wünsche machen. Sie, Schach, oder auch Sie, lieber Alvensleben."

Beide verneigten sich.

„Alles in allem wird es das beste sein, meine Freundin Pauline nimmt es persönlich in die Hand. Ich denke, sie wird den Carayonschen Damen einen ersten Besuch machen, und ich sehe Stunden eines angeregtesten geistigen Austausches entgegen."

Die peinliche Stille, womit auch diese Schlußworte hingenommen wurden, würde noch fühlbarer gewesen sein, wenn nicht Dussek in ebendiesem Moment auf den Balkon hinausgetreten wäre. „Wie schön", rief er und wies mit der Hand auf den westlichen, bis hoch hinauf in einem glühgelben Lichte stehenden Horizont.

Alle waren mit ihm an die Brüstung des Balkons getreten und sahen flußabwärts in den Abendhimmel hinein. Vor dem gelben Lichtstreifen standen schwarz und schweigend die hohen Pappeln, und selbst die Schloßkuppel wirkte nur noch als Schattenriß.

Einen jeden der Gäste berührte diese Schönheit. Am schönsten aber war der Anblick zahlloser Schwäne, die, während man in den Abendhimmel sah, vom Charlottenburger Park her in langer Reihe herankamen. Andere lagen schon in Front. Es war ersichtlich, daß die ganze Flottille durch irgendwas bis in die Nähe der Villa gelockt sein mußte, denn sobald sie die Höhe derselben erreicht hatte, schwenkte sie wie militärisch ein und verlängerte die Front derer, die hier schon still und regungslos und die Schnäbel unter dem Gefieder verborgen wie vor Anker lagen. Nur das Rohr bewegte sich leis in ihrem Rücken. So verging eine geraume Zeit. Endlich aber erschien einer in unmittelbarer Nähe des Balkons und reckte den Hals, als ob er etwas sagen wollte.

„Wem gilt es?“ fragte Sander. „Dem Prinzen oder Dussek oder der Sinumbralampe?“

„Natürlich dem Prinzen“, antwortete Dussek.

„Und warum?“

„Weil er nicht bloß Prinz ist, sondern auch Dussek und ‚sine umbra‘.“

Alles lachte (der Prinz mit), während Sander allerförmlichst zum „Hofkapellmeister“ gratulierte. „Und wenn unser Freund“, so schloß er, „in Zukunft wieder Strohhalme sammelt, um an ihnen zu sehen, ‚woher der Wind weht‘, so wird der Wind ihm allemal aus dem Lande geheiligter Traditionen und nicht mehr aus dem Lande der Vorurteile zu kommen scheinen.“

Als Sander noch so sprach, setzte sich die Schwanenflottille, die wohl durch die Dusseksche Musik herbeigelockt sein mußte, wieder in Bewegung und segelte flußabwärts, wie sie bis dahin flußaufwärts gekommen war. Nur der Schwan, der den Obmann gemacht, erschien noch einmal, als ob er seinen Dank wiederholen und sich in zeremonieller Weise verabschieden wolle.

Dann aber nahm auch er die Mitte des Flusses und folgte den übrigen, deren Tete schon unter dem Schatten der Parkbäume verschwunden war.

Achtes Kapitel

Schach und Victoire

Es war kurz nach diesem Diner beim Prinzen, daß in Berlin bekannt wurde, der König werde noch vor Schluß der

Woche von Potsdam herüberkommen, um auf dem Tempelhofer Felde eine große Revue zu halten. Die Nachricht davon weckte diesmal ein mehr als gewöhnliches Interesse, weil die gesamte Bevölkerung nicht nur dem Frieden mißtraute, den Haugwitz mit heimgebracht hatte, sondern auch mehr und mehr der Überzeugung lebte, daß im Letzten immer nur unsere eigene Kraft auch unsere Sicherheit beziehungsweise unsere Rettung sein werde. Welch andere Kraft aber hatten wir als die Armee, die Armee, die, was Erscheinung und Schulung anging, immer noch die friderizianische war.

In solcher Stimmung sah man dem Revuetage, der ein Sonnabend war, entgegen.

Das Bild, das die Stadt vom frühen Morgen an darbot, entsprach der Aufregung, die herrschte. Tausende strömten hinaus und bedeckten vom Halleschen Tor an die bergansteigende Straße, zu deren beiden Seiten sich die „Knapphänse", diese bekannten Zivilmarketender, mit ihren Körben und Flaschen etabliert hatten. Bald danach erschienen auch die Equipagen der vornehmen Welt, unter diesen die Schachs, die für den heutigen Tag den Carayonschen Damen zur Disposition gestellt worden war. Im selben Wagen mit ihnen befand sich ein alter Herr von der Recke, früher Offizier, der, als naher Anverwandter Schachs, die Honneurs und zugleich den militärischen Interpreten machte. Frau von Carayon trug ein stahlgraues Seidenkleid und eine Mantille von gleicher Farbe, während von Victoirens breitrandigem Italienerhut ein blauer Schleier im Winde flatterte. Neben dem Kutscher saß der Groom und erfreute sich der Huld beider Damen, ganz besonders auch der ziemlich willkürlich akzentuierten englischen Worte, die Victoire von Zeit zu Zeit an ihn richtete.

Für elf Uhr war das Eintreffen des Königs angemeldet worden, aber lange vorher schon erschienen die zur Revue befohlenen altberühmten Infanterieregimenter Alt-Larisch, von Arnim und Möllendorf, ihre Janitscharenmusik vorauf. Ihnen folgte die Kavallerie: Gardedukorps, Gendarmes und Leibhusaren, bis ganz zuletzt in einer immer dicker werdenden Staubwolke die Sechs- und Zwölfpfünder heranrasselten und klapperten, die zum Teil schon bei Prag und Leuthen und neuerdings wieder bei Valmy und Pirmasens gedonnert hatten. Enthusiastischer Jubel begleitete den Anmarsch, und wahrlich, wer sie so heranziehen sah, dem mußte das Herz in patriotisch stolzer Erregung höher schlagen. Auch die Carayons teilten das allgemeine Gefühl und nahmen es als bloße Verstimmung oder Altersängstlichkeit, als der alte Herr von der Recke sich vorbog und mit bewegter Stimme sagte:

„Prägen wir uns diesen Anblick ein, meine Damen. Denn, glauben Sie der Vorahnung eines alten Mannes, wir werden diese Pracht nicht wiedersehen. Es ist die Abschiedsrevue der friderizianischen Armee."

Victoire hatte sich auf dem Tempelhofer Felde leicht erkältet und blieb in ihrer Wohnung zurück, als die Mama gegen Abend ins Schauspiel fuhr, ein Vergnügen, das sie jederzeit geliebt hatte, zu keiner Zeit aber mehr als damals, wo sich zu der künstlerischen Anregung auch noch etwas von wohltuender politischer Emotion gesellte. Wallenstein, die Jungfrau, Tell erschienen gelegentlich, am häufigsten aber Holbergs „Politischer Zinngießer", der, wie Publikum und Direktion gemeinschaftlich fühlen mochten, um ein Erhebliches besser als die hohe Schillersche Muse zu lärmenden Demonstrationen geeignet war.

Victoire war allein. Ihr tat die Ruhe wohl, und in einen türkischen Schal gehüllt, lag sie träumend auf dem Sofa, vor ihr ein Brief, den sie kurz vor ihrer Vormittagsausfahrt empfangen und in jenem Augenblicke nur flüchtig gelesen hatte. Desto langsamer und aufmerksamer freilich, als sie von der Revue wieder zurückgekommen war.

Es war ein Brief von Lisette.

Sie nahm ihn auch jetzt wieder zur Hand und las eine Stelle, die sie schon vorher mit einem Bleistiftstrich bezeichnet hatte:

... Du mußt wissen, meine liebe Victoire, daß ich, Pardon für dies offene Geständnis, mancher Äußerung in Deinem letzten Briefe keinen vollen Glauben schenke. Du suchst Dich und mich zu täuschen, wenn Du schreibst, daß Du Dich in ein Respektsverhältnis zu S. hineindenkst. Er würde selber lächeln, wenn er davon hörte. Daß Du Dich plötzlich so verletzt fühlen, ja, verzeihe, so pikiert werden konntest, als er den Arm Deiner Mama nahm, verrät Dich und gibt mir allerlei zu denken wie denn auch anderes noch, was Du speziell in dieser Veranlassung schreibst. Ich lerne Dich plötzlich von einer Seite kennen, von der ich Dich noch nicht kannte, von der argwöhnischen nämlich. Und nun, meine teure Victoire, hab ein freundliches Ohr für das, was ich Dir in bezug auf diesen wichtigen Punkt zu sagen habe. Bin ich doch die ältere. Du darfst Dich ein für allemal nicht in ein Mißtrauen gegen Personen hineinleben, die durchaus den entgegengesetzten Anspruch erheben dürfen. Und zu diesen Personen, mein ich, gehört Schach. Ich finde, je mehr ich den Fall überlege, daß Du ganz einfach vor einer Alternative stehst und entweder Deine gute Meinung über S. oder aber Dein Mißtrauen *gegen* ihn fallen lassen mußt. Er sei Kavalier, schreibst Du mir, ja, das Ritterliche, fügst Du hinzu, sei so recht eigentlich seine Natur, und im selben Augenblicke, wo Du dies schreibst, bezichtigt ihn Dein Argwohn einer Handelsweise, die, träfe sie zu, das Unritterlichste von der Welt sein würde. Solche Widersprüche gibt es nicht. Man ist entweder ein Mann von Ehre, oder man ist es nicht. Im übrigen, meine teure Victoire, sei guten Mutes und halte Dich ein für allemal versichert, *Dir lügt der Spiegel.* Es ist nur *eines,* um dessentwillen wir Frauen leben, wir leben, um uns ein Herz zu gewinnen, aber wodurch wir es gewinnen, ist gleichgültig.

Victoire faltete das Blatt wieder zusammen. „Es rät und tröstet sich leicht aus einem vollen Besitz heraus; sie hat alles, und nun ist sie großmütig. Arme Worte, die von des Reichen Tische fallen."

Und sie bedeckte beide Augen mit ihren Händen.

In diesem Augenblick hörte sie die Klingel gehen und gleich danach ein zweites Mal, ohne daß jemand von der Dienerschaft gekommen wäre. Hatten es Beate und der alte

Jannasch überhört? Oder waren sie fort? Eine Neugier überkam sie. Sie ging also leise bis an die Tür und sah auf den Vorflur hinaus. Es war Schach. Einen Augenblick schwankte sie, was zu tun sei, dann aber öffnete sie die Glastür und bat ihn, einzutreten.

„Sie klingelten so leise. Beate wird es überhört haben."

„Ich komme nur, um nach dem Befinden der Damen zu fragen. Es war ein prächtiges Paradewetter, kühl und sonnig, aber der Wind ging doch ziemlich scharf . . ."

„Und Sie sehen mich unter seinen Opfern. Ich fiebere, nicht gerade heftig, aber wenigstens *so,* daß ich das Theater aufgeben mußte. Der Schal (in den ich bitte, mich wieder einwickeln zu dürfen) und diese Tisane, von der Beate wahre Wunder erwartet, werden mir wahrscheinlich zuträglicher sein als Wallensteins Tod. Mama wollte mir anfänglich Gesellschaft leisten. Aber Sie kennen ihre Passion für alles, was Schauspiel heißt, und so hab ich sie fortgeschickt. Freilich auch aus Selbstsucht; denn daß ich es gestehe, mich verlangte nach Ruhe."

„Die nun mein Erscheinen *doch* wiederum stört. Aber nicht auf lange, nur gerade lange genug, um mich eines Auftrags zu entledigen, einer Anfrage, mit der ich übrigens leicht möglicherweise zu spät komme, wenn Alvensleben schon gesprochen haben sollte."

„Was ich nicht glaube, vorausgesetzt, daß es nicht Dinge sind, die Mama für gut befunden hat, selbst vor mir als Geheimnis zu behandeln."

„Ein sehr unwahrscheinlicher Fall. Denn es ist ein Auftrag, der sich an Mutter und Tochter gleichzeitig richtet. Wir hatten ein Diner beim Prinzen, cercle intime, zuletzt natürlich auch Dussek. Er sprach vom Theater (von was anderem sollt er?) und brachte sogar Bülow zum Schweigen, was vielleicht eine Tat war."

„Aber Sie medisieren ja, lieber Schach."

„Ich verkehre lange genug im Salon der Frau von Carayon, um wenigstens in den Elementen dieser Kunst unterrichtet zu sein."

„Immer schlimmer, immer größere Ketzereien. Ich werde Sie vor das Großinquisitoriat der Mama bringen. Und wenigstens der Tortur einer Sittenpredigt sollen Sie nicht entgehen."

„Ich wüßte keine liebere Strafe."

„Sie nehmen es zu leicht ... Aber nun der Prinz ..."

„Er will Sie sehen, *beide*, Mutter und Tochter. Frau Pauline, die, wie Sie vielleicht wissen, den Zirkel des Prinzen macht, soll Ihnen eine Einladung überbringen."

„Der zu gehorchen Mutter und Tochter sich zu besonderer Ehre rechnen werden."

„Was mich nicht wenig überrascht. Und Sie können, meine teure Victoire, dies kaum im Ernste gesprochen haben. Der Prinz ist mir ein gnädiger Herr, und ich lieb ihn de tout mon cœur. Es bedarf keiner Worte darüber. Aber er ist ein Licht mit einem reichlichen Schatten oder, wenn Sie mir den Vergleich gestatten wollen, ein Licht, das mit einem Räuber brennt. Alles in allem, er hat den zweifelhaften Vorzug so vieler Fürstlichkeiten, in Kriegs- und in Liebesabenteuern gleich hervorragend zu sein, oder es noch runder herauszusagen, er ist abwechselnd ein Helden- und ein Debauchenprinz. Dabei grundsatzlos und rücksichtslos, sogar ohne Rücksicht auf den Schein. Was vielleicht das Allerschlimmste ist. Sie kennen seine Beziehungen zu Frau Pauline?"

„Ja."

„Und ..."

„Ich billige sie nicht. Aber sie nicht billigen, ist etwas anderes, als sie verurteilen. Mama hat mich gelehrt, mich über derlei Dinge nicht zu kümmern und zu grämen. Und hat sie nicht recht? Ich frage Sie, lieber Schach, was würd aus uns, ganz speziell aus uns zwei Frauen, wenn wir uns innerhalb unserer Umgangs- und Gesellschaftssphäre zu Sittenrichtern aufwerfen und Männlein und Weiblein auf die Korrektheit ihres Wandels hin prüfen wollten? Etwa durch eine Wasser- und Feuerprobe. Die Gesellschaft ist souverän. Was sie gelten läßt, gilt, was sie verwirft, ist verwerflich. Außerdem liegt hier alles exzeptionell. Der Prinz ist ein Prinz, Frau von Carayon ist eine Witwe, und ich ... bin ich."

„Und bei diesem Entscheide soll es bleiben, Victoire?"

„Ja. Die Götter balancieren. Und wie mir Lisette Perbandt eben schreibt: ‚wem genommen wird, dem wird auch gegeben‘. In meinem Falle liegt der Tausch etwas schmerzlich, und ich wünschte wohl, ihn nicht gemacht zu haben. Aber andererseits geh ich nicht blind an dem eingetauschten Guten vorüber und freue mich meiner Freiheit. Wovor andere meines Alters und Geschlechts erschrecken, das darf ich. An dem Abende bei Massows, wo man mir zuerst huldigte, war ich, ohne mir dessen bewußt zu sein, eine Sklavin. Oder doch abhängig von hundert Dingen. Jetzt bin ich frei.“

Schach sah verwundert auf die Sprecherin. Manches, was der Prinz über sie gesagt hatte, ging ihm durch den Kopf. Waren das Überzeugungen oder Einfälle? War es Fieber? Ihre Wangen hatten sich gerötet, und ein aufblitzendes Feuer in ihrem Auge traf ihn mit dem Ausdruck einer trotzigen Entschlossenheit. Er versuchte jedoch, sich in den leichten Ton, in dem ihr Gespräch begonnen hatte, zurückzufinden, und sagte: „Meine teure Victoire scherzt. Ich möchte wetten, es ist ein Band Rousseau, was da vor ihr liegt, und ihre Phantasie geht mit dem Dichter.“

„Nein, es ist nicht Rousseau. Es ist ein anderer, der mich *mehr interessiert*.“

„Und *wer*, wenn ich neugierig sein darf?“

„Mirabeau.“

„Und warum *mehr*?“

„Weil er mir nähersteht. Und das Allerpersönlichste bestimmt immer unser Urteil. Oder doch *fast* immer. Er ist mein Gefährte, mein spezieller Leidensgenoß. Unter Schmeicheleien wuchs er auf. ‚Ah, das schöne Kind‘, hieß es tagein, tagaus. Und dann eines Tages war alles hin, hin wie . . . wie . . .“

„Nein, Victoire, Sie sollen das Wort nicht aussprechen.“

„Ich *will* es aber und würde den Namen meines Gefährten und Leidensgenossen zu meinem *eigenen* machen, wenn ich es könnte. Victoire *Mirabeau* de Carayon, oder sagen wir Mirabelle de Carayon, das klingt schön und ungezwungen, und wenn ichs recht übersetze, so heißt es Wunderhold.“

Und dabei lachte sie voll Übermut und Bitterkeit. Aber die Bitterkeit klang vor.

„Sie dürfen *so* nicht lachen, Victoire, nicht so. Das kleidet Sie nicht, das verhäßlicht Sie. Ja, werfen Sie nur die Lippen – *verhäßlicht* Sie. Der Prinz hatte doch recht, als er enthusiastisch von Ihnen sprach. Armes Gesetz der Form und der Farbe. Was allein gilt, ist das ewig Eine, daß sich die Seele den Körper schafft oder ihn durchleuchtet und verklärt."

Victoirens Lippen flogen, ihre Sicherheit verließ sie, und ein Frost schüttelte sie. Sie zog den Schal höher hinauf, und Schach nahm ihre Hand, die eiskalt war, denn alles Blut drängte nach ihrem Herzen.

„Victoire, Sie tun sich unrecht; Sie wüten nutzlos gegen sich selbst und sind um nichts besser als der Schwarzseher, der nach allem Trüben sucht und an Gottes hellem Sonnenlicht vorübersieht. Ich beschwöre Sie, fassen Sie sich und glauben Sie wieder an Ihr Anrecht auf Leben und Liebe. War ich denn blind? In dem bittren Wort, in dem Sie sich demütigen wollten, in ebendiesem Worte haben Sie's getroffen, ein für allemal. Alles ist Märchen und Wunder an Ihnen; ja Mirabelle, ja Wunderhold!"

Ach, das waren die Worte, nach denen ihr Herz gebangt hatte, während es sich in Trotz zu waffnen suchte.

Und nun hörte sie sie willenlos und schwieg in einer süßen Betäubung.

Die Zimmeruhr schlug neun, und die Turmuhr draußen antwortete. Victoire, die den Schlägen gefolgt war, strich das Haar zurück und trat ans Fenster und sah auf die Straße.

„Was erregt dich?"

„Ich meinte, daß ich den Wagen gehört hätte."

„Du hörst zu fein."

Aber sie schüttelte den Kopf, und im selben Augenblick fuhr der Wagen der Frau von Carayon vor.

„Verlassen Sie mich . . . Bitte."

„Bis auf morgen."

Und ohne zu wissen, ob es ihm glücken werde, der Begegnung mit Frau von Carayon auszuweichen, empfahl er sich rasch und huschte durch Vorzimmer und Korridor.

Alles war still und dunkel unten, und nur von der Mitte des Hausflurs her fiel ein Lichtschimmer bis in Nähe der obersten Stufen. Aber das Glück war ihm hold. Ein breiter Pfeiler, der bis dicht an die Treppenbrüstung vorsprang, teilte den schmalen Vorflur in zwei Hälften, und hinter diesen Pfeiler trat er und wartete.

Victoire stand in der Glastür und empfing die Mama. „Du kommst so früh. Ach, wie hab ich dich erwartet!"

Schach hörte jedes Wort. „Erst die Schuld und dann die Lüge", klang es in ihm. „Das alte Lied."

Aber die Spitze seiner Worte richtete sich gegen ihn und nicht gegen Victoire.

Dann trat er aus seinem Versteck hervor und schritt rasch und geräuschlos die Treppe hinunter.

Neuntes Kapitel

Schach zieht sich zurück

„Bis auf morgen", war Schachs Abschiedswort gewesen, aber er kam nicht. Auch am zweiten und dritten Tage nicht. Victoire suchte sichs zurechtzulegen, und wenn es nicht glücken wollte, nahm sie Lisettens Brief und las immer wieder die Stelle, die sie längst auswendig wußte. „Du darfst Dich, ein für allemal, nicht in ein Mißtrauen gegen Personen hineinleben, die durchaus den entgegengesetzten Anspruch erheben dürfen. Und zu diesen Personen, mein ich, gehört Schach. Ich finde, je mehr ich den Fall überlege, daß Du ganz einfach vor einer Alternative stehst und entweder Deine gute Meinung über S. oder aber Dein Mißtrauen gegen ihn fallen lassen mußt." Ja, Lisette hatte recht, und doch blieb ihr eine Furcht im Gemüte. „Wenn doch alles nur . . ." Und es übergoß sie mit Blut.

Endlich am vierten Tage kam er. Aber es traf sich, daß sie kurz vorher in die Stadt gegangen war. Als sie zurückkehrte, hörte sie von seinem Besuch; er sei sehr liebenswürdig gewesen, habe zwei-, dreimal nach ihr gefragt und ein Bukett für sie zurückgelassen. Es waren Veilchen und

Rosen, die das Zimmer mit ihrem Dufte füllten. Victoire, während ihr die Mama von dem Besuche vorplauderte, bemühte sich, einen leichten und übermütigen Ton anzuschlagen, aber ihr Herz war zu voll von widerstreitenden Gefühlen, und sie zog sich zurück, um sich in zugleich glücklichen und bangen Tränen auszuweinen.

Inzwischen war der Tag herangekommen, wo die „Weihe der Kraft“ gegeben werden sollte. Schach schickte seinen Diener und ließ anfragen, ob die Damen der Vorstellung beizuwohnen gedächten. Es war eine bloße Form, denn er wußte, daß es so sein werde.

Im Theater waren alle Plätze besetzt. Schach saß den Carayons gegenüber und grüßte mit großer Artigkeit. Aber bei diesem Gruße blieb es, und er kam nicht in ihre Loge hinüber, eine Zurückhaltung, über die Frau von Carayon kaum weniger betroffen war als Victoire. Der Streit indessen, den das hinsichtlich des Stücks in zwei Lager geteilte Publikum führte, war so heftig und aufregend, daß beide Damen ebenfalls mit hingerissen wurden und momentan wenigstens alles Persönliche vergaßen. Erst auf dem Heimweg kehrte die Verwunderung über Schachs Benehmen zurück.

Am andern Vormittage ließ er sich melden. Frau von Carayon war erfreut, Victoire jedoch, die schärfer sah, empfand ein tiefes Unbehagen. Er hatte ganz ersichtlich diesen Tag abgewartet, um einen bequemen Plauderstoff zu haben und mit Hilfe desselben über die Peinlichkeit eines ersten Wiedersehens mit ihr leichter hinwegzukommen. Er küßte Frau von Carayon die Hand und wandte sich dann gegen Victoiren, um dieser sein Bedauern auszusprechen, sie bei seinem letzten Besuche verfehlt zu haben. Man entfremde sich fast, anstatt sich fester anzugehören. Er sprach dies so, daß ihr ein Zweifel blieb, ob er es mit tieferer Bedeutung oder aus bloßer Verlegenheit gesagt habe. Sie sann darüber nach, aber ehe sie zum Abschluß kommen konnte, wandte sich das Gespräch dem Stücke zu.

„Wie finden Sie's?“ fragte Frau von Carayon.

„Ich liebe nicht Komödien“, antwortete Schach, „die fünf Stunden spielen. Ich wünsche Vergnügen oder Erholung im Theater, aber keine Strapaze.“

„Zugestanden. Aber dies ist etwas Äußerliches und beiläufig ein Mißstand, dem ehestens abgeholfen sein wird. Iffland selbst ist mit erheblichen Kürzungen einverstanden. Ich will Ihr Urteil über das Stück."

„Es hat mich *nicht* befriedigt."

„Und warum nicht?"

„Weil es alles auf den Kopf stellt. *Solchen* Luther hat es Gott sei Dank nie gegeben, und wenn ein solcher je käme, so würd er uns einfach dahin zurückführen, von wo der echte Luther uns seinerzeit wegführte. Jede Zeile widerstreitet dem Geist und Jahrhundert der Reformation; alles ist Jesuitismus oder Mystizismus und treibt ein unerlaubtes und beinah kindisches Spiel mit Wahrheit und Geschichte. Nichts paßt. Ich wurde beständig an das Bild Albrecht Dürers erinnert, wo Pilatus mit Pistolenhalftern reitet, oder an ein ebenso bekanntes Altarblatt in Soest, wo statt des Osterlamms ein westfälischer Schinken in der Schüssel liegt. In diesem seinwollenden Lutherstück aber liegt ein allerpfäffischster Pfaff in der Schüssel. Es ist ein Anachronismus von Anfang bis Ende."

„Gut. Das ist Luther. Aber, ich wiederhole, das *Stück*?"

„Luther ist das Stück. Das andere bedeutet nichts. Oder soll ich mich für Katharina von Bora begeistern, für eine Nonne, die schließlich keine war?"

Victoire senkte den Blick, und ihre Hand zitterte. Schach sah es, und über seinen faux pas erschreckend, sprach er jetzt hastig und in sich überstürzender Weise von einer Parodie, die vorbereitet werde, von einem angekündigten Proteste der lutherischen Geistlichkeit, vom Hofe, von Iffland, vom Dichter selbst und schloß endlich mit einer übertriebenen Lobpreisung der eingelegten Lieder und Kompositionen. Er hoffe, daß Fräulein Victoire noch den Abend in Erinnerung habe, wo er diese Lieder am Klavier begleiten durfte.

All dies wurde sehr freundlich gesprochen, aber so freundlich es klang, so fremd klang es auch, und Victoire hörte mit feinem Ohr heraus, daß es nicht die Sprache war, die sie fordern durfte. Sie war bemüht, ihm unbefangen zu antworten, aber es blieb ein äußerliches Gespräch, bis er ging.

Den Tag nach diesem Besuche kam Tante Marguerite. Sie hatte bei Hofe von dem schönen Stücke gehört, das so schön sei wie noch gar keins, und so wollte sie's gerne sehn. Frau von Carayon war ihr zu Willen, nahm sie mit in die zweite Vorstellung, und da wirklich sehr gekürzt worden war, blieb auch noch Zeit, daheim eine halbe Stunde zu plaudern.

„Nun, Tante Marguerite“, fragte Victoire, „wie hat es dir gefallen?“

„Gut, liebe Victoire. Denn es berührt doch den Hauptpunkt in unserer gereinigten Kürche.“

„Welchen meinst du, liebe Tante?“

„Nun, *den* von der chrüstlichen Ehe.“

Victoire zwang sich, ernsthaft zu bleiben, und sagte dann: „Ich dachte, dieser Hauptpunkt in unserer Kirche läge doch noch in etwas anderem, also zum Beispiel in der Lehre vom Abendmahl.“

„O nein, meine liebe Victoire, das weiß ich ganz genau. Mit oder ohne Wein, das macht keinen so großen Unterschied; aber ob unsere prédicateurs in einer sittlich getrauten Ehe leben oder nicht, das, mein Engelchen, ist von einer würklichen importance.“

„Und ich finde, Tante Marguerite hat ganz recht“, sagte Frau von Carayon.

„Und das ist es auch“, fuhr die gegen alles Erwarten Belobigte fort, „was das Stück *will* und was man um so deutlicher sieht, als die Bethmann würklich eine sehr hübsche Frau ist. Oder doch zum wenigsten viel hübscher, als sie würklich war. Ich meine die Nonne. Was aber nichts schadet, denn er war auch kein hübscher Mann und lange nicht so hübsch als *er*. Ja, werde nur rot, meine liebe Victoire, so viel weiß ich auch.“

Frau von Carayon lachte herzlich.

„Und das muß wahr sein, unser Herr Rittmeister von Schach ist würklich ein *sehr* angenehmer Mann, und ich denke noch ümmer an Tempelhof und den aufrechtstehenden Ritter ... Und wißt ihr denn, in Wülmersdorf soll auch einer sein und auch ebenso weggeschubbert. Und von wem ich das habe? Nun? Von la petite Princesse Charlotte.“

Zehntes Kapitel

„Es muß etwas geschehn"

Die „Weihe der Kraft" wurde nach wie vor gegeben, und Berlin hörte nicht auf, in zwei Lager geteilt zu sein. Alles, was mystisch-romantisch war, war *für,* alles, was freisinnig war, *gegen* das Stück. Selbst im Hause Carayon setzte sich diese Fehde fort, und während die Mama teils um des Hofes, teils um ihrer eigenen „Gefühle" willen überschwenglich mitschwärmte, fühlte sich Victoire von diesen Sentimentalitäten abgestoßen. Sie fand alles unwahr und unecht und versicherte, daß Schach in jedem seiner Worte recht gehabt habe.

Dieser kam jetzt von Zeit zu Zeit, aber doch immer nur, wenn er sicher sein durfte, Victoiren in Gesellschaft der Mutter zu treffen. Er bewegte sich wieder viel in den „großen Häusern" und legte, wie Nostitz spottete, den Radziwills und Carolaths zu, was er den Carayons entzog. Auch Alvensleben scherzte darüber, und selbst Victoire versuchte, den gleichen Ton zu treffen. Aber ohne daß es ihr glücken wollte. Sie träumte so hin, und nur eigentlich traurig war sie nicht. Noch weniger unglücklich.

Unter denen, die sich mit dem Stück, also mit der Tagesfrage, beschäftigten, waren auch die Offiziere vom Regiment Gendarmes, obschon ihnen nicht einfiel, sich ernsthaft auf ein *Für* oder *Wider* einzulassen. Sie sahen alles ausschließlich auf seine komische Seite hin an und fanden in der Auflösung eines Nonnenklosters, in Katharina von Boras „neunjähriger Pflegetochter" und endlich in dem beständig flötespielenden Luther einen unerschöpflichen Stoff für ihren Spott und Übermut.

Ihr Lieblingsversammlungsort in jenen Tagen war die Wachtstube des Regiments, wo die jüngeren Kameraden den diensttuenden Offizier zu besuchen und sich bis in die Nacht hinein zu divertieren pflegten. Unter den Gesprächen, die man in Veranlassung der neuen Komödie hier führte, kamen Spöttereien, wie die vorgenannten, kaum noch von der Tagesordnung, und als einer der Kameraden daran erinnerte, daß das neuerdings von seiner früheren Höhe herabgestiegene Regiment eine Art patriotische Pflicht habe, sich mal wieder „als es selbst" zu zeigen, brach ein ungeheurer Jubel aus, an dessen Schluß alle einig waren, daß etwas geschehn müsse. Daß es sich dabei lediglich um eine Travestie der „Weihe der Kraft", etwa durch eine Maskerade, handeln könne, stand von vornherein fest, und nur über das „wie" gingen die Meinungen noch auseinander. Infolge davon beschloß man, ein paar Tage später eine neue Zusammenkunft abzuhalten, in der nach Anhörung einiger Vorschläge der eigentliche Plan fixiert werden sollte.

Rasch hatte sichs herumgesprochen, und als Tag und Stunde da waren, waren einige zwanzig Kameraden in dem vorerwähnten Lokal erschienen: Itzenplitz, Jürgaß und Britzke, Billerbeck und Diricke, Graf Haeseler, Graf Herzberg, von Rochow, von Putlitz, ein Kracht, ein Klitzing und nicht zum letzten ein schon älterer Leutnant von Zieten, ein kleines, häßliches und säbelbeiniges Kerlchen, das durch entfernte Vetterschaft mit dem berühmten General und beinahe mehr noch durch eine keck in die Welt hineinkrähende Stimme zu balancieren wußte, was ihm an sonstigen Tugenden abging. Auch Nostitz und Alvensleben waren erschienen. Schach fehlte.

„Wer präsidiert?" fragte Klitzing.

„Nur zwei Möglichkeiten", antwortete Diricke. „Der längste oder der kürzeste. Will also sagen, Nostitz oder Zieten."

„Nostitz, Nostitz", riefen alle durcheinander, und der so durch Akklamation Gewählte nahm auf einem ausgebuchteten Gartenstuhle Platz. Flaschen und Gläser standen die lange Tafel entlang.

„Rede halten: Assemblée nationale . . ."

Nostitz ließ den Lärm eine Weile dauern und klopfte dann erst mit dem ihm als Zeichen seiner Würde zur Seite liegenden Pallasch auf den Tisch.

„Silentium, silentium."

„Kameraden vom Regiment Gendarmes, Erben eines alten Ruhmes auf dem Felde militärischer und gesellschaftlicher Ehre (denn wir haben nicht nur der Schlacht die

Richtung, wir haben auch der Gesellschaft den *Ton* gegeben), Kameraden, sag ich, wir sind schlüssig geworden: *es muß etwas geschehn!*"

„Ja, ja. Es muß etwas geschehen."

„Und neu geweiht durch die ‚Weihe der Kraft', haben wir, dem alten Luther und uns selber zuliebe, beschlossen, einen Aufzug zu bewerkstelligen, von dem die spätesten Geschlechter noch melden sollen. Es muß etwas Großes werden! Erinnern wir uns, wer nicht vorschreitet, der schreitet zurück. Ein Aufzug also. So viel steht fest. Aber Wesen und Charakter dieses Aufzuges bleibt noch zu fixieren, und zu diesem Behufe haben wir uns hier versammelt. Ich bin bereit, Ihre Vorschläge der Reihe nach entgegenzunehmen. Wer Vorschläge zu machen hat, melde sich."

Unter denen, die sich meldeten, war auch Leutnant von Zieten.

„Ich gebe dem Leutnant von Zieten das Wort."

Dieser erhob sich und sagte, während er sich leicht auf der Stuhllehne wiegte: „Was ich vorzuschlagen habe, heißt *Schlittenfahrt.*"

Alle sahen einander an, einige lachten.

„Im Juli?"

„Im Juli", wiederholte Zieten. „Unter den Linden wird Salz gestreut, und über diesen Schnee hin geht unsere Fahrt. Erst ein paar aufgelöste Nonnen; in dem großen Hauptschlitten aber, der die Mitte des Zuges bildet; paradieren Luther und sein Famulus, jeder mit einer Flöte, während Katharinchen auf einer Pritsche reitet. Ad libitum mit Fackel oder Schlittenpeitsche. Vorreiter eröffnen den Zug. Kostüme werden dem Theater entnommen oder angefertigt. Ich habe gesprochen."

Ein ungeheurer Lärm antwortete, bis der Ruhe gebietende Nostitz endlich durchdrang. „Ich nehme diesen Lärm einfach als Zustimmung und beglückwünsche Kamerad Zieten, mit einem einzigen und ersten Meisterschuß gleich ins Schwarze getroffen zu haben. Also Schlittenfahrt. Angenommen?"

„Ja, ja."

„So bleibt nur noch Rollenverteilung. Wer gibt den Luther?"

„Schach."

„Er wird ablehnen."

„Nicht doch", krähte Zieten, der gegen den schönen, ihm bei mehr als einer Gelegenheit vorgezogenen Schach eine Spezialmalice hegte: „Wie kann man Schach so verkennen! Ich kenn ihn besser. Er wird es freilich eine halbe Stunde lang beklagen, sich hohe Backenknochen auflegen und sein Normal-Oval in eine bäuerische tête carrée verwandeln zu müssen. Aber schließlich wird er Eitelkeit gegen Eitelkeit setzen und seinen Lohn darin finden, auf vierundzwanzig Stunden der Held des Tages zu sein."

Ehe Zieten noch ausgesprochen hatte, war von der Wache her ein Gefreiter eingetreten, um ein an Nostitz adressiertes Schreiben abzugeben.

„Ah, lupus in fabula."

„Von Schach?"

„Ja!"

„Lesen, lesen!"

Und Nostitz erbrach den Brief und las: „Ich bitte Sie, lieber Nostitz, bei der mutmaßlich in ebendiesem Augenblicke stattfindenden Versammlung unserer jungen Offiziere meinen Vermittler und, wenn nötig, auch meinen Anwalt machen zu wollen. Ich habe das Zirkular erhalten und war anfänglich gewillt, zu kommen. Inzwischen aber ist mir mitgeteilt worden, um was es sich aller Wahrscheinlichkeit nach handeln wird, und diese Mitteilung hat meinen Entschluß geändert. Es ist Ihnen kein Geheimnis, daß all das, was man vorhat, meinem Gefühl widerstreitet, und so werden Sie sich mit Leichtigkeit herausrechnen können, wie viel oder wie wenig ich (dem schon ein *Bühnen*-Luther contre cœur war) für einen Mummenschanz-Luther übrig habe. Daß wir diesen Mummenschanz in eine Zeit verlegen, die nicht einmal eine Fastnachtsfreiheit in Anspruch nehmen darf, bessert sicherlich nichts. Jüngeren Kameraden soll aber durch diese meine Stellung zur Sache kein Zwang auferlegt werden, und jedenfalls darf man sich meiner Diskretion versichert halten. Ich bin nicht das Gewissen des Regiments, noch weniger sein Aufpasser. Ihr Schach."

„Ich wußt es", sagte Nostitz in aller Ruhe, während er

das Schachsche Billett an dem ihm zunächst stehende Lichte verbrannte. „Kamerad Zieten ist größer in Vorschlägen und Phantastik als in Menschenkenntnis. Er will mir antworten, seh ich, aber ich kann ihm nicht nachgeben, denn in diesem Augenblicke heißt es ausschließlich: wer spielt den Luther? Ich bringe den Reformator unter den Hammer. Der Meistbietende hat ihn. Zum ersten, zweiten und zum ... dritten. Niemand? So bleibt mir nichts übrig als Ernennung. Alvensleben, Sie."

Dieser schüttelte den Kopf. „Ich stehe dazu wie Schach; machen Sie das Spiel, ich bin kein Spielverderber, aber ich spiele persönlich nicht mit. Kann nicht und will nicht. Es steckt mir dazu zuviel Katechismus Lutheri im Leibe."

Nostitz wollte nicht gleich nachgeben. „Alles zu seiner Zeit", nahm er das Wort, „und wenn der Ernst seinen Tag hat, so hat der Scherz wenigstens seine Stunde. Sie nehmen alles zu gewissenhaft, zu feierlich, zu pedantisch. Auch darin wie Schach. Keinerlei Ding ist an sich gut oder bös. Erinnern Sie sich, daß wir den alten Luther nicht verhöhnen wollen, im Gegenteil, wir wollen ihn rächen. Was verhöhnt werden soll, ist das *Stück,* ist die Lutherkarikatur, ist der Reformator in falschem Licht und an falscher Stelle. Wir sind Strafgericht, Instanz aller obersten Sittlichkeit. Tun Sie's. Sie dürfen uns nicht im Stiche lassen, oder es fällt alles in den Brunnen."

Andere sprachen in gleichem Sinne. Aber Alvensleben blieb fest, und eine kleine Verstimmung schwand erst, als sich unerwartet (und eben deshalb von allgemeinstem Jubel begrüßt) der junge Graf Herzberg erhob, um sich für die Lutherrolle zu melden.

Alles, was danach noch zu ordnen war, ordnete sich rasch, und ehe zehn Minuten vergangen waren, waren bereits die Hauptrollen verteilt: Graf Herzberg den Luther, Diricke den Famulus, Nostitz, wegen seiner kolossalen Größe, die Katharina von Bora. Der Rest wurd einfach als Nonnenmaterial eingeschrieben, und nur Zieten, dem man sich besonders verpflichtet fühlte, rückte zur Äbtissin auf. Er erklärte denn auch sofort, auf seinem Schlittensitz ein „jeu entrieren" oder mit dem Klostervogt eine Partie

Mariage spielen zu wollen. Ein neuer Jubel brach aus, und nachdem noch in aller Kürze der nächste Montag für die Maskerade festgesetzt, alles Ausplaudern aber aufs strengste verboten worden war, schloß Nostitz die Sitzung.

In der Tür drehte sich Diricke noch einmal um und fragte: „Aber wenns regnet?“

„Es *darf* nicht regnen.“

„Und was wird aus dem Salz?“

„C'est pour les domestiques.“

„Et pour la canaille“, schloß der jüngste Kornet.

Elftes Kapitel

Die Schlittenfahrt

Schweigen war gelobt worden, und es blieb auch wirklich verschwiegen. Ein vielleicht einzig dastehender Fall. Wohl erzählte man sich in der Stadt, daß die Gendarmes etwas vorhätten und mal wieder über einem jener tollen Streiche brüteten, um derentwillen sie vor andern Regimentern einen Ruf hatten, aber man erfuhr weder, worauf die Tollheit hinauslaufen werde, noch auch, für welchen Tag sie geplant sei. Selbst die Carayonschen Damen, an deren letztem Empfangsabende weder Schach noch Alvensleben erschienen waren, waren ohne Mitteilung geblieben, und so brach denn die berühmte „Sommer-Schlittenfahrt“ über Näher- und Fernerstehende gleichmäßig überraschend herein.

In einem in der Nähe der Mittel- und Dorotheenstraße gelegenen Stallgebäude hatte man sich bei Dunkelwerden versammelt, und, ein Dutzend prachtvoll gekleideter und von Fackelträgern begleiteter Vorreiter vorauf, ganz also wie Zieten es proponiert hatte, schoß man mit dem Glockenschlage neun an dem Akademiegebäude vorüber auf die Linden zu, jagte weiter abwärts erst in die Wilhelm-, dann aber umkehrend in die Behren- und Charlottenstraße hinein und wiederholte diese Fahrt um das eben bezeichnete Lindenkarree herum in einer immer gesteigerten Eile.

Als der Zug das *erste* Mal an dem Carayonschen Hause

vorüberkam und das Licht der voraufreitenden Fackeln grell in alle Scheiben der Beletage fiel, eilte Frau von Carayon, die sich zufällig allein befand, erschreckt ans Fenster und sah auf die Straße hinaus. Aber statt des Rufes „Feuer!“, den sie zu hören erwartete, hörte sie nur, wie mitten im Winter, ein Knallen großer Hetz- und Schlittenpeitschen mit Schellengeläut dazwischen, und ehe sie sich zurechtzufinden imstande war, war alles schon wieder vorüber und ließ sie verwirrt und fragend und in einer halben Betäubung zurück. In solchem Zustande war es, daß Victoire sie fand.

„Um Gottes willen, Mama, was ist?“

Aber ehe Frau von Carayon antworten konnte, war die Spitze der Maskerade zum *zweiten* Male heran, und Mutter und Tochter, die jetzt rasch und zu besserer Orientierung von ihrem Eckzimmer auf den Balkon hinausgetreten waren, waren von diesem Augenblick an nicht länger im Zweifel, was das Ganze bedeute. Verhöhnung, gleichviel, auf wen und was. Erst unzüchtige Nonnen, mit einer Hexe von Äbtissin an der Spitze, johlend, trinkend und Karten spielend, und in der Mitte des Zuges ein auf Rollen laufender und in der Fülle seiner Vergoldung augenscheinlich als Triumphwagen gedachter Hauptschlitten, in dem Luther samt Famulus und auf der Pritsche Katharina von Bora saßen. An der riesigen Gestalt erkannten sie Nostitz. Aber wer war der auf dem Vordersitz? fragte sich Victoire. Wer verbarg sich hinter dieser Luther-Maske? War *er* es? Nein, es war unmöglich. Und doch, auch wenn er es *nicht* war, er war doch immer ein Mitschuldiger in diesem widerlichen Spiele, das er gutgeheißen oder wenigstens nicht gehindert hatte. Welche verkommene Welt, wie pietätlos, wie bar aller Schicklichkeit! Wie schal und ekel. Ein Gefühl unendlichen Wehs ergriff sie, das Schöne verzerrt und das Reine durch den Schlamm gezogen zu sehen. Und warum? Um einen Tag lang von sich reden zu machen, um einer kleinlichen Eitelkeit willen. Und *das* war die Sphäre, darin sie gedacht und gelacht und gelebt und gewebt und darin sie nach Liebe verlangt und ach, das Schlimmste von allem, an Liebe geglaubt hatte!

„Laß uns gehen“, sagte sie, während sie den Arm der Mutter nahm, und wandte sich, um in das Zimmer zurückzukehren. Aber ehe sie's erreichen konnte, wurde sie wie von einer Ohnmacht überrascht und sank auf der Schwelle des Balkons nieder.

Die Mama zog die Klingel, Beate kam, und beide trugen sie bis an das Sofa, wo sie gleich danach von einem heftigen Brustkrampfe befallen wurde. Sie schluchzte, richtete sich auf, sank wieder in die Kissen, und als die Mutter ihr Stirn und Schläfe mit Kölnischem Wasser waschen wollte, stieß sie sie heftig zurück. Aber im nächsten Augenblick riß sie der Mama den Flacon aus der Hand und goß es sich über Hals und Nacken. „Ich bin mir zuwider wie die Welt. In meiner Krankheit damals hab ich Gott um mein Leben gebeten . . . Aber wir *sollen* nicht um unser Leben bitten . . . Gott weiß am besten, was uns frommt. Und wenn er uns zu sich hinaufziehen will, so sollen wir nicht bitten: laß uns noch . . . O, wie schmerzlich ich das fühle! Nun leb ich . . . Aber wie, wie!“

Frau von Carayon kniete neben dem Sofa nieder und sprach ihr zu. Denselben Augenblick aber schoß der Schlittenzug zum *dritten* Male an dem Hause vorüber, und wieder war es, als ob sich schwarze, phantastische Gestalten in dem glühroten Schein jagten und haschten. „Ist es nicht wie die Hölle?“ sagte Victoire, während sie nach dem Schattenspiel an der Decke zeigte.

Frau von Carayon schickte Beaten, um den Arzt rufen zu lassen. In Wahrheit aber lag ihr weniger an dem Arzt als an einem Alleinsein und einer Aussprache mit dem geliebten Kinde.

„Was ist dir? Und wie du nur fliegst und zitterst. Und siehst so starr. Ich erkenne meine heitere Victoire nicht mehr. Überlege, Kind, was ist denn geschehen? Ein toller Streich mehr, einer unter vielen, und ich weiß Zeiten, wo du diesen Übermut mehr belacht als beklagt hättest. Es ist etwas anderes, was dich quält und drückt; ich seh es seit Tagen schon. Aber du verschweigst mirs, du hast ein Geheimnis. Ich beschwöre dich, Victoire, sprich. Du darfst es. Es sei, was es sei.“

Victoire schlug ihren Arm um Frau von Carayons Hals, und ein Strom von Tränen entquoll ihrem Auge.

„Beste Mutter!“

Und sie zog sie fester an sich und küßte sie und beichtete ihr alles.

Zwölftes Kapitel

Schach bei Frau von Carayon

Am andern Vormittage saß Frau von Carayon am Bette der Tochter und sagte, während diese zärtlich und mit einem wiedergewonnenen ruhig-glücklichen Ausdruck zu der Mutter aufblickte: „Habe Vertrauen, Kind. Ich kenn ihn so lange Zeit. Er ist schwach und eitel nach Art aller schönen Männer, aber von einem nicht gewöhnlichen Rechtsgefühl und einer untadeligen Gesinnung.“

In diesem Augenblicke wurde Rittmeister von Schach gemeldet, und der alte Jannasch setzte hinzu, daß er ihn in den Salon geführt habe.

Frau von Carayon nickte zustimmend.

„Ich wußte, daß er kommen würde“, sagte Victoire.

„Weil du's geträumt?“

„Nein, nicht geträumt; ich beobachte nur und rechne. Seit einiger Zeit weiß ich im voraus, an welchem Tag und bei welcher Gelegenheit er erscheinen wird. Er kommt immer, wenn etwas geschehen ist oder eine Neuigkeit vorliegt, über die sich bequem sprechen läßt. Er geht einer intimen Unterhaltung mit mir aus dem Wege. So kam er nach der Aufführung des Stücks, und heute kommt er nach der Aufführung der Schlittenfahrt. Ich bin doch begierig, ob er mit dabei war. War ers, so sag ihm, wie sehr es mich verletzt hat. Oder sag es lieber nicht.“

Frau von Carayon war bewegt. „Ach, meine süße Victoire, du bist zu gut, viel zu gut. Er verdient es nicht; keiner.“ Und sie streichelte die Tochter und ging über den Korridor fort in den Salon, wo Schach ihrer wartete.

Dieser schien weniger befangen als sonst und verbeugte

sich, ihr die Hand zu küssen, was sie freundlich geschehen ließ. Und doch war ihr Benehmen verändert. Sie wies mit einem Zeremoniell, das ihr sonst fremd war, auf einen der zur Seite stehenden japanischen Stühle, schob sich ein Fußkissen heran und nahm ihrerseits auf dem Sofa Platz.

„Ich komme nach dem Befinden der Damen zu fragen und zugleich in Erfahrung zu bringen, ob die gestrige Maskerade Gnade vor Ihren Augen gefunden hat oder nicht."

„Offen gestanden, nein. Ich, für meine Person, fand es wenig passend, und Victoire fühlte sich beinahe widerwärtig davon berührt."

„Ein Gefühl, das ich teile."

„So waren Sie nicht mit von der Partie?"

„Sicherlich nicht. Und es überrascht mich, es noch erst versichern zu müssen, Sie kennen ja meine Stellung zu dieser Frage, meine teure Josephine, kennen sie seit jenem Abend, wo wir zuerst über das Stück und seinen Verfasser sprachen. Was ich damals äußerte, gilt ebenso noch heut. Ernste Dinge fordern auch eine ernste Behandlung, und es freut mich aufrichtig, Victoiren auf meiner Seite zu sehen. Ist sie zu Haus?"

„Zu Bett."

„Ich hoffe nichts Ernstliches."

„Ja und nein. Die Nachwirkungen eines Brust- und Weinkrampfes, von dem sie gestern abend befallen wurde."

„Mutmaßlich infolge dieser Maskeradentollheit. Ich beklag es von ganzem Herzen."

„Und doch bin ich ebendieser Tollheit zu Danke verpflichtet. In dem Degoût über die Mummerei, deren Zeuge sie sein mußte, löste sich ihr die Zunge; sie brach ihr langes Schweigen und vertraute mir ein Geheimnis an, ein Geheimnis, das Sie kennen."

Schach, der sich doppelt schuldig fühlte, war wie mit Blut übergossen.

„Lieber Schach", fuhr Frau von Carayon fort, während sie jetzt seine Hand nahm und ihn aus ihren klugen Augen freundlich, aber fest ansah, „lieber Schach, ich bin nicht albern genug, Ihnen eine Szene zu machen oder gar eine

Sittenpredigt zu halten; zu den Dingen, die mir am meisten verhaßt sind, gehört auch Tugendschwätzerei. Ich habe von Jugend auf in der Welt gelebt, kenne die Welt und habe manches an meinem eigenen Herzen erfahren. Und wär ich heuchlerisch genug, es vor mir und anderen verbergen zu wollen, wie könnt ich es vor *Ihnen?*"

Sie schwieg einen Augenblick, während sie mit ihrem Batisttuch ihre Stirn berührte. Dann nahm sie das Wort wieder auf und setzte hinzu: „Freilich, es gibt ihrer, und nun gar unter uns Frauen, die den Spruch von der Linken, die nicht wissen soll, was die Rechte tut, dahin deuten, daß das Heute nicht wissen soll, was das Gestern tat. Oder wohl gar das Vorgestern! Ich aber gehöre nicht zu diesen Virtuosinnen des Vergessens. Ich leugne nichts, will es nicht, mag es nicht. Und nun verurteilen Sie mich, wenn Sie können."

Er war ersichtlich getroffen, als sie so sprach, und seine ganze Haltung zeigte, welche Gewalt sie noch immer über ihn ausübte.

„Lieber Schach", fuhr sie fort. „Sie sehen, ich gebe mich Ihrem Urteil preis. Aber wenn ich mich auch bedingungslos einer jeden Verteidigung oder Anwaltschaft für Josephine von Carayon enthalte, für *Josephine* (Verzeihung, Sie haben eben selbst den alten Namen wieder heraufbeschworen), so darf ich doch nicht darauf verzichten, der Anwalt der *Frau* von Carayon zu sein, ihres Hauses und ihres Namens."

Es schien, daß Schach unterbrechen wollte. Sie ließ es aber nicht zu. „Noch einen Augenblick Ich werde gleich gesagt haben, was ich zu sagen habe. Victoire hat mich gebeten, über *alles* zu schweigen, nichts zu verraten, auch *Ihnen* nicht, und nichts zu verlangen. Zur Sühne für eine halbe Schuld (und ich rechne hoch, wenn ich von einer *halben* Schuld spreche) will sie die *ganze* tragen, auch vor der Welt, und will sich in jenem romantischen Zuge, der ihr eigen ist, aus ihrem Unglück ein Glück erziehen. Sie gefällt sich in dem Hochgefühl des Opfers, in einem süßen Hinsterben für den, den sie liebt, und für *das,* was sie lieben *wird.* Aber so schwach ich in meiner Liebe zu Victoire bin, so bin ich doch nicht schwach genug, ihr in dieser Großmutskomödie zu Willen zu sein. Ich gehöre der Gesellschaft an, deren Bedingungen ich erfülle, deren Gesetzen ich mich unterwerfe; daraufhin bin ich erzogen, und ich habe nicht Lust, einer Opfermarotte meiner einzig geliebten Tochter zuliebe meine gesellschaftliche Stellung mit zum Opfer zu bringen. Mit andern Worten, ich habe nicht Lust, ins Kloster zu gehen oder die dem Irdischen entrückte Säulenheilige zu spielen, auch nicht um Victoirens willen. Und so muß ich denn auf Legitimisierung des Geschehens dringen. Dies, mein Herr Rittmeister, war es, was ich Ihnen zu sagen hatte."

Schach, der inzwischen Gelegenheit gefunden hatte, sich wieder zu sammeln, erwiderte, daß er wohl wisse, wie jegliches Ding im Leben seine natürliche Konsequenz habe. Und solcher Konsequenz gedenk er sich nicht zu entziehen. Wenn ihm *das,* was er jetzt wisse, bereits früher bekannt geworden sei, würd er um ebendie Schritte, die Frau von Carayon jetzt fordere, seinerseits aus freien Stücken gebeten haben. Er habe den Wunsch gehabt, unverheiratet zu bleiben, und von einer solchen langgehegten Vorstellung Abschied zu nehmen, schaffe momentan eine gewisse Verwirrung. Aber er fühle mit nicht minderer Gewißheit, daß er sich zu dem Tage zu beglückwünschen habe, der binnen kurzem diesen Wechsel in sein Leben bringen werde. Victoire sei der Mutter Tochter, das sei die beste Gewähr seiner Zukunft, die Verheißung eines wirklichen Glücks.

All dies wurde sehr artig und verbindlich gesprochen, aber doch zugleich auch mit einer bemerkenswerten Kühle.

Dies empfand Frau von Carayon in einer ihr nicht nur schmerzlichen, sondern sie geradezu verletzenden Weise; das, was sie gehört hatte, war weder die Sprache der Liebe noch der Schuld, und als Schach schwieg, erwiderte sie spitz: „Ich bin Ihnen sehr dankbar für Ihre Worte, Herr von Schach, ganz besonders auch für *das,* was sich darin an meine Person richtete. Daß Ihr ‚Ja' rückhaltloser und ungesuchter hätte klingen können, empfinden Sie wohl am eigenen Herzen. Aber gleichviel, mir genügt das ‚Ja'. Denn wonach dürst ich denn am Ende? Nach einer Trauung im Dom und einer Galahochzeit. Ich will mich einmal wieder in gelbem Atlas sehen, der mich kleidet, und haben wir dann erst unseren Fackeltanz getanzt und Victoirens Strumpfband zerschnitten – denn ein wenig prinzeßlich werden wirs doch wohl halten müssen, schon um Tante Margueritens willen –, nun, so geb ich Ihnen carte blanche. Sie sind dann wieder frei, frei wie der Vogel in der Luft, in Tun und Lassen, in Haß und Liebe, denn es ist dann einfach geschehen, was geschehen *mußte*."

Schach schwieg.

„Ich nehme vorläufig ein stilles Verlöbnis an. Über alles andere werden wir uns leicht verständigen. Wenn es sein muß, schriftlich. Aber die Kranke wartet jetzt auf mich und so verzeihen Sie."

Frau von Carayon erhob sich, und gleich danach verabschiedete sich Schach in aller Förmlichkeit, ohne daß weiter ein Wort zwischen ihnen gesprochen worden wäre.

Dreizehntes Kapitel

„Le choix du Schach"

In beinahe offener Gegnerschaft hatte man sich getrennt. Aber es ging alles besser, als nach dieser gereizten Unterhaltung erwartet werden konnte, wozu sehr wesentlich ein Brief beitrug, den Schach andern Tags an Frau von Carayon schrieb. Er bekannte sich darin in allem Freimut schuldig, schützte, wie schon während des Gesprächs selbst, Überraschung und Verwirrung vor und traf in allen diesen Erklärungen einen wärmeren Ton, eine herzlichere Sprache. Ja, sein Rechtsgefühl, dem er ein Genüge tun wollte, ließ ihn vielleicht mehr sagen, als zu sagen gut und klug war. Er sprach von seiner Liebe zu Victoiren und vermied absichtlich oder zufällig all jene Versicherungen von Respekt und Wertschätzung, die so bitter wehe tun, wo das einfache Geständnis einer herzlichen Neigung gefordert wird. Victoire sog jedes Wort ein, und als die Mama schließlich den Brief aus der Hand legte, sah diese letztere nicht ohne Bewegung, wie zwei Minuten Glück ausgereicht hatten, ihrem armen Kinde die Hoffnung und *mit* dieser Hoffnung auch die verlorene Frische zurückzugeben. Die Kranke strahlte, fühlte sich wie genesen, und Frau von Carayon sagte: „Wie hübsch du bist, Victoire.“

Schach empfing am selben Tage noch ein Antwortbillett, das ihm unumwunden die herzliche Freude seiner alten Freundin ausdrückte. Manches Bittere, was sie gesagt habe, mög er vergessen; sie habe sich, lebhaft wie sie sei, hinreißen lassen. Im übrigen sei noch nichts Ernstliches und Erhebliches versäumt, und wenn, dem Sprichworte nach, aus Freude Leid erblühe, so kehre sichs auch wohl um. Sie sehe wieder hell in die Zukunft und hoffe wieder. Was sie persönlich zum Opfer bringe, bringe sie gern, wenn dies Opfer die Bedingung für das Glück ihrer Tochter sei.

Schach, als er das Billett gelesen, wog es hin und her und war ersichtlich von einer gemischten Empfindung. Er hatte sich, als er in seinem Briefe von Victoire sprach, einem ihr nicht leicht von irgendwem zu versagenden, freundlich-herzlichen Gefühl überlassen und diesem Gefühle (dessen entsann er sich) einen besonders lebhaften Ausdruck gegeben. Aber das, woran ihn das Billett seiner Freundin jetzt aufs neue gemahnte, das war *mehr,* hieß einfach Hochzeit, Ehe, Worte, deren bloßer Klang ihn von alter Zeit her erschreckte. Hochzeit! Und Hochzeit mit wem? Mit einer Schönheit, die, wie der Prinz sich auszudrücken beliebt hatte, „durch ein Fegefeuer gegangen war“. „Aber“, so fuhr er in seinem Selbstgespräche fort, „ich stehe nicht auf dem Standpunkte des Prinzen, ich schwärme nicht für ‚Läuterungsprozesse‘, hinsichtlich deren nicht feststeht, ob der Verlust nicht größer ist als der Gewinn, und wenn ich mich auch persönlich zu diesem Standpunkte bekehren könnte, so bekehr ich doch nicht die Welt ... Ich bin rettungslos dem Spott und Witz der Kameraden verfallen, und das Ridikül einer allerglücklichsten ‚Landehe‘, die wie das Veilchen im verborgnen blüht, liegt in einem wahren Musterexemplar vor mir. Ich sehe genau, wies kommt: ich quittiere den Dienst, übernehme wieder Wuthenow, ackere, melioriere, ziehe Raps oder Rüben und befleißige mich einer allerehelichsten Treue. Welch Leben, welche Zukunft! An *einem* Sonntage Predigt, am *andern* Evangelium oder Epistel und dazwischen Whist en trois, immer mit demselben Pastor. Und dann kommt einmal ein Prinz in die nächste Stadt, vielleicht Prinz Louis in Person, und wechselt die Pferde, während ich erschienen bin, um am Tor oder am Gasthof ihm aufzuwarten. Und er mustert mich und meinen altmodischen Rock und frägt mich, wie mirs gehe. Und dabei drückt jede seiner Mienen aus: ‚O Gott, was doch drei Jahr aus einem Menschen machen können.' Drei Jahr . . . Und vielleicht werden es dreißig."

Er war in seinem Zimmer auf und ab gegangen und blieb vor einer Spiegelkonsole stehen, auf der der Brief lag, den er während des Sprechens beiseite gelegt hatte. Zwei-, dreimal hob er ihn auf und ließ ihn wieder fallen. „Mein Schicksal. Ja, ‚der Moment entscheidet'. Ich entsinne mich noch, so schrieb sie damals. Wußte sie, was kommen würde? *Wollte* sie's? O pfui, Schach, verunglimpfe nicht das süße Geschöpf. Alle Schuld liegt bei *dir*. Deine *Schuld* ist dein Schicksal. Und ich will sie tragen."

Er klingelte, gab dem Diener einige Weisungen und ging zu den Carayons.

Es war, als ob er sich durch das Selbstgespräch, das er geführt, von dem Drucke, der auf ihm lastete, frei gemacht habe. Seine Sprache, der alten Freundin gegenüber, war jetzt natürlich, beinah herzlich, und ohne daß auch nur eine kleinste Wolke das wiederhergestellte Vertrauen der Frau von Carayon getrübt hätte, besprachen beide, was zu tun sei. Schach zeigte sich einverstanden mit allem: in einer Woche Verlobung und nach drei Wochen die Hochzeit. Unmittelbar nach der Hochzeit aber sollte das junge Paar eine Reise nach Italien antreten und nicht vor Ablauf eines Jahres in die Heimat zurückkehren, Schach nach der Hauptstadt, Victoire nach Wuthenow, dem alten Familiengute, das ihr, von einem früheren Besuche her (als Schachs Mutter noch lebte), in dankbarer und freundlicher Erinnerung war. Und war auch das *Gut* inzwischen in Pacht gegeben, so war doch noch das *Schloß* da, stand frei zur Verfügung und konnte jeden Augenblick bezogen werden.

Nach Festsetzungen wie diese trennte man sich. Ein Sonnenschein lag über dem Hause Carayon, und Victoire vergaß aller Betrübnis, die vorausgegangen war.

Auch Schach legte sichs zurecht. Italien wiederzusehen, war ihm seit einem ersten, erst um wenige Jahre zurückliegenden Aufenthalte daselbst ein brennender Wunsch geblieben; *der* erfüllte sich nun; und kehrten sie dann zurück, so ließ sich ohne Schwierigkeit auch aus der geplanten doppelten Wirtschaftsführung allerlei Nutzen und Vorteil ziehen. Victoire hing an Landleben und Stille. Von Zeit zu Zeit nahm er dann Urlaub und fuhr oder ritt hinüber. Und dann gingen sie durch die Felder und plauderten. O, sie plauderte ja so gut und war einfach und espritvoll zugleich. Und nach abermals einem Jahr oder einem zweiten und dritten, je nun, da hatte sichs verblutet, da war es tot und vergessen. Die Welt vergißt so leicht, und die Gesellschaft noch leichter. Und dann hielt man seinen Einzug in das Eckhaus am Wilhelmsplatz und freute sich beiderseits der Rückkehr in Verhältnisse, die doch schließlich nicht bloß seine, sondern auch *ihre* Heimat bedeuteten. Alles war überstanden und das Lebensschiff an der Klippe des Lächerlichen *nicht* gescheitert.

Armer Schach! Es war anders in den Sternen geschrieben.

Die Woche, die bis zur Verlobungsanzeige vergehen sollte, war noch nicht um, als ihm ein Brief mit voller Titelaufschrift und einem großen roten Siegel ins Haus geschickt wurde. Den ersten Augenblick hielt ers für ein amtliches Schreiben (vielleicht eine Bestallung) und zögerte mit dem Öffnen, um die Vorfreude der Erwartung nicht abzukürzen. Aber woher kam es? Von wem. Er prüfte neugierig das Siegel und erkannte nun leicht, daß es überhaupt kein Siegel, sondern ein Gemmenabdruck sei. Sonderbar. Und nun erbrach ers, und ein Bild fiel ihm entgegen, eine radierte Skizze mit der Unterschrift „Le choix du Schach“. Er wiederholte sich das Wort, ohne sich in ihm oder dem Bilde selbst zurechtfinden zu können, und empfand nur ganz allgemein und aufs unbestimmte hin etwas von Angriff und Gefahr. Und wirklich, als er sich orientiert hatte, sah er, daß sein erstes Gefühl ein richtiges gewesen war. Unter einem Thronhimmel saß der persische Schach, erkennbar an seiner hohen Lammfellmütze, während an der untersten Thronstufe zwei weibliche Gestalten standen und des Augenblicks harrten, wo der von seiner Höhe her kalt und vornehm Dreinschauende seine Wahl zwischen ihnen getroffen haben würde. Der persische Schach aber war einfach *unser* Schach, und zwar in allerfrappantester Porträtähnlichkeit, während die beiden ihn fragend anblickenden und um vieles flüchtiger skizzierten Frauenköpfe wenigstens ähnlich genug waren, um Frau von Carayon und Victoire mit aller Leichtigkeit erkennen zu lassen. Also nicht mehr und nicht weniger als eine Karikatur. Sein Verhältnis zu den Carayons hatte sich in der Stadt herumgesprochen, und einer seiner Neider und Gegner, deren er nur zu viele hatte, hatte die Gelegenheit ergriffen, seinem boshaften Gelüst ein Genüge zu tun.

Schach zitterte vor Scham und Zorn, alles Blut stieg ihm zu Kopf, und es war ihm, als würd er vom Schlage getroffen.

Einem natürlichen Verlangen nach Luft und Bewegung folgend oder vielleicht auch von der Ahnung erfüllt, daß der letzte Pfeil noch nicht abgeschossen sei, nahm er Hut und Degen, um einen Spaziergang zu machen. Begegnungen und Geplauder sollten ihn zerstreuen, ihm seine Ruhe wiedergeben. Was war es denn schließlich? Ein kleinlicher Akt der Rache.

Die Frische draußen tat ihm wohl; er atmete freier und hatte seine gute Laune fast schon wiedergewonnen, als er, vom Wilhelmsplatz her in die Linden einbiegend, auf die schattigere Seite der Straße hinüberging, um hier ein paar Bekannte, die des Wegs kamen, anzusprechen. Sie vermieden aber ein Gespräch und wurden sichtlich verlegen. Auch Zieten kam, grüßte nonchalant und, wenn nicht alles täuschte, sogar mit hämischer Miene. Schach sah ihm nach und sann und überlegte noch, was die Suffisance des einen und die verlegenen Gesichter der andern bedeutet haben mochten, als er, einige hundert Schritte weiter aufwärts, einer ungewöhnlich großen Menschenmenge gewahr wurde, die vor einem kleinen Bilderladen stand. Einige lachten, andere schwatzten, alle jedoch schienen zu fragen, was es eigentlich sei? Schach ging im Bogen um die Zuschauermenge herum, warf einen Blick über ihre Köpfe weg und wußte genug. An dem Mittelfenster hing dieselbe Karikatur, und der absichtlich niedrig normierte Preis war mit Rotstift groß daruntergeschrieben.

Also eine Verschwörung.

Schach hatte nicht die Kraft mehr, seinen Spaziergang fortzusetzen, und kehrte in seine Wohnung zurück.

Um Mittag empfing Sander ein Billett von Bülow: Lieber Sander. Eben erhalte ich eine Karikatur, die man auf Schach und die Carayonschen Damen gemacht hat. Im Zweifel darüber, ob Sie dieselbe schon kennen, schließe ich sie diesen Zeilen bei. Bitte, suchen Sie dem Ursprunge nachzugehen. Sie wissen ja alles und hören das Berliner Gras wachsen. Ich meinerseits bin empört. *Nicht* Schachs halber, der diesen ‚Schach von Persien' einigermaßen verdient (denn er ist wirklich so was), aber der Carayons halber. Die liebenswürdige Victoire! So bloßgestellt zu werden. Alles Schlechte nehmen wir uns von den Franzosen an, und an ihrem Guten, wohin auch die Gentilezza gehört, gehen wir vorüber. Ihr B.

Sander warf nur einen flüchtigen Blick auf das Bild, das er kannte, setzte sich an sein Pult und antwortete: Mon Général! Ich brauche dem Ursprunge nicht nachzugehen, er ist *mir* nachgegangen. Vor etwa vier, fünf Tagen erschien ein Herr in meinem Kontor und befragte mich, ob ich mich dazu verstehen würde, den Vertrieb einiger Zeichnungen in die Hand zu nehmen. Als ich sah, um was es sich handelte, lehnte ich ab. Es waren drei Blätter, darunter auch Le choix du Schach. Der bei mir erschienene Herr gerierte sich als ein Fremder, aber er sprach, alles gekünstelten Radebrechens unerachtet, das Deutsche so gut, daß ich seine Fremdheit für eine bloße Maske halten mußte. Personen aus dem Prinz R.schen Kreise nehmen Anstoß an seinem Gelieble mit der Prinzessin und stecken vermutlich dahinter. Irr ich aber in dieser Annahme, so wird mit einer Art von Sicherheit auf Kameraden seines Regiments zu schließen sein. Er ist nichts weniger als beliebt; wer den Aparten spielt, ist es nie. Die Sache möchte hingehen, wenn nicht, wie Sie sehr richtig hervorheben, die Carayons mit hineingezogen wären. Um *ihret*willen beklag ich den Streich, dessen Gehässigkeit sich in diesem *einen* Bilde schwerlich erschöpft haben wird. Auch die beiden andern, deren ich eingangs erwähnte, werden mutmaßlich folgen. Alles in diesem anonymen Angriff ist klug berechnet, und klug berechnet ist auch der Einfall, das Gift nicht gleich auf einmal zu geben. Es wird seine Wirkung nicht verfehlen, und nur auf das „wie" haben wir zu warten. Tout à vous. S.

In der Tat, die Besorgnis, die Sander in diesen Zeilen an Bülow ausgesprochen hatte, sollte sich nur als zu gerechtfertigt erweisen. Intermittierend wie das Fieber, erschienen in zweitägigen Pausen auch die beiden andern Blätter und wurden, wie das erste, von jedem Vorübergehenden gekauft oder wenigstens begafft und besprochen. Die Frage Schach – Carayon war über Nacht zu einer cause célèbre geworden, trotzdem das neugierige Publikum nur die Hälfte wußte. Schach, so hieß es, habe sich von der schönen Mutter ab- und der unschönen Tochter zugewandt. Über das Motiv erging man sich in allerlei Mutmaßungen, ohne dabei das Richtige zu treffen.

Schach empfing auch die beiden andern Blätter unter Kuvert. Das Siegel blieb dasselbe. Blatt zwei hieß „La gazza ladra" oder „Die diebische *Schach*-Elster" und stellte eine Elster dar, die, zwei Ringe von ungleichem Werte musternd, den unscheinbareren aus der Schmuckschale nimmt.

Am weitaus verletzendsten aber berührte das den Salon der Frau von Carayon als Szenerie nehmende dritte Blatt. Auf dem Tische stand ein Schachbrett, dessen Figuren, wie nach einem verlorengegangenen Spiel und wie um die Niederlage zu besiegeln, umgeworfen waren. Daneben saß Victoire, gut getroffen, und ihr zu Füßen kniete Schach, wieder in der persischen Mütze des ersten Bildes. Aber diesmal bezipfelt und eingedrückt. Und darunter stand: „Schach – matt."

Der Zweck dieser wiederholten Angriffe wurde nur *zu* gut erreicht. Schach ließ sich krank melden, sah niemand und bat um Urlaub, der ihm auch umgehend von seinem Chef, dem Obersten von Schwerin, gewährt wurde.

So kam es, daß er am selben Tag, an dem, nach gegenseitigem Abkommen, seine Verlobung mit Victoire veröffentlicht werden sollte, Berlin verließ. Er ging auf sein Gut, ohne sich von den Carayons (deren Haus er all die Zeit über nicht betreten hatte) verabschiedet zu haben.

Vierzehntes Kapitel

In Wuthenow am See

Es schlug Mitternacht, als Schach in Wuthenow eintraf, an dessen entgegengesetzter Seite das auf einem Hügel erbaute, den Ruppiner See nach rechts und links hin überblickende Schloß Wuthenow lag. In den Häusern und Hütten war alles längst in tiefem Schlaf, und nur aus den Ställen her hörte man noch das Stampfen eines Pferds oder das halblaute Brüllen einer Kuh.

Schach passierte das Dorf und bog am Ausgang in einen schmalen Feldweg ein, der, allmählich ansteigend, auf den Schloßhügel hinaufführte. Rechts lagen die Bäume des Außenparks, links eine gemähte Wiese, deren Heugeruch die Luft erfüllte. Das Schloß selbst war nichts als ein alter, weißgetünchter und von einer schwarzgeteerten Balkenlage durchzogener Fachwerkbau, dem erst Schachs Mutter, die „verstorbene Gnädige", durch ein Doppeldach, einen Blitzableiter und eine prächtige, nach dem Muster von Sanssouci hergerichtete Terrasse das Ansehen allernüchternster Tagtäglichkeit genommen hatte. Jetzt freilich, unter dem Sternenschein, lag alles da wie das Schloß im Märchen, und Schach hielt öfters an und sah hinauf, augenscheinlich betroffen von der Schönheit des Bildes.

Endlich war er oben und ritt auf das Einfahrtstor zu, das sich in einem flachen Bogen zwischen dem Giebel des Schlosses und einem danebenstehenden Gesindehause wölbte. Vom Hof her vernahm er im selben Augenblick ein Bellen und Knurren und hörte, wie der Hund wütend aus seiner Hütte fuhr und mit seiner Kette nach rechts und links hin an der Holzwandung umherschrammte.

„Kusch dich, Hektor!" Und das Tier, die Stimme seines

Herrn erkennend, begann jetzt vor Freude zu heulen und zu winseln und abwechselnd auf die Hütte hinauf- und wieder hinunterzuspringen.

Vor dem Gesindehause stand ein Walnußbaum mit weitem Gezweige. Schach stieg ab, schlang den Zügel um den Ast und klopfte halblaut an einen der Fensterläden. Aber erst als er das zweitemal gepocht hatte, wurd es lebendig drinnen, und er hörte von dem Alkoven her eine halb verschlafene Stimme: „Wat is?"

„Ich, Krist."

„Jott, Mutter, dats joa de junge Herr."

„Joa, dat is hei. Steih man upp un mach flink."

Schach hörte jedes Wort und rief gutmütig in die Stube hinein, während er den nur angelegten Laden halb öffnete: „Laß dir Zeit, Alter."

Aber der Alte war schon aus dem Bette heraus und sagte nur immer, während er hin und her suchte: „Glieks, junge Herr, glieks. Man noch en beten."

Und wirklich nicht lange, so sah Schach einen Schwefelfaden brennen und hörte, daß eine Laternentür auf- und wieder zugeknipst wurde. Richtig, ein erster Lichtschein blitzte jetzt durch die Scheiben, und ein Paar Holzpantinen klappten über den Lehmflur hin. Und nun wurde der Riegel zurückgeschoben, und Krist, der in aller Eile nichts als ein leinenes Beinkleid übergezogen hatte, stand vor seinem jungen Herrn. Er hatte vor manchem Jahr und Tag, als der alte „Gnädge Herr" gestorben war, den durch diesen Todesfall erledigten Ehren- und Respektstitel auf seinen jungen Herrn übertragen wollen, aber dieser, der mit Krist das erste Wasserhuhn geschossen und die erste Bootsfahrt über den See gemacht hatte, hatte von dem neuen Titel nichts wissen wollen.

„Jott, junge Herr, sunst schrewen S' doch ümmer ihrst o'r schicken uns Baarschen o'r den kleenen inglischen Kierl. Un nu keen Wort nich. Awers ick wußt et joa, as de Poggen hüt Oabend mit ehr Gequoak nich to Enn koam künn. ‚Jei, jei, Mutter', seggt ick, ‚dat bedüt wat.' Awers as de Fruenslüd sinn! Wat seggt se? ‚Wat sall et bedüden?' seggt se. ‚Regen bedüt et. Und dats man gaud. Denn uns Tüffeln bruken't.' "

„Ja, ja“, sagte Schach, der nur mit halbem Ohr hingehört hatte, während der Alte die kleine Tür aufschloß, die von der Giebelseite her ins Schloß führte. „Ja, ja. Regen ist gut. Aber geh nur vorauf.“

Krist tat, wie sein junger Herr ihm geheißen, und beide gingen nun einen mit Fliesen gedeckten schmalen Korridor entlang. Erst in der Mitte verbreiterte sich dieser und bildete nach links hin eine geräumige Treppenhalle, während nach rechts hin eine mit Goldleisten und Rokokoverzierungen reich ausgelegte Doppeltür in einen Gartensalon führte, der als Wohn- und Empfangszimmer der verstorbenen Frau Generalin von Schach, einer sehr vornehmen und sehr stolzen Dame, gedient hatte. Hierher richteten sich denn auch die Schritte beider, und als Krist die halb verquollene Tür nicht ohne Müh und Anstrengung geöffnet hatte, trat man ein.

Unter dem vielen, was an Kunst- und Erinnerungsgegenständen in diesem Gartensalon umherstand, war auch ein bronzener Doppelleuchter, den Schach selber, vor drei Jahren erst, von seiner italienischen Reise mit nach Hause gebracht und seiner Mutter verehrt hatte. Diesen Leuchter nahm jetzt Krist vom Kamin und zündete die beiden Wachslichter an, die seit lange schon in den Leuchtertellern steckten und ihrerzeit der verstorbenen Gnädigen zum Siegeln ihrer Briefe gedient hatten. Die Gnädige selbst aber war erst seit einem Jahre tot, und da Schach von jener Zeit an nicht wieder hier gewesen war, so hatte noch alles den alten Platz. Ein paar kleine Sofas standen wie früher an den Schmalseiten einander gegenüber, während zwei größere die Mitte der Längswand einnahmen und nichts als die vergoldete Rokokodoppeltür zwischen sich hatten. Auch der runde Rosenholztisch (ein Stolz der Generalin) und die große Marmorschale, darin alabasterne Weintrauben und Orangen und ein Pinienapfel lagen, standen unverändert an ihrem Platz. In dem ganzen Zimmer aber, das seit lange nicht gelüftet war, war eine stickige Schwüle.

„Mach ein Fenster auf“, sagte Schach. „Und dann gib mir eine Decke. Die da.“

„Wullen S’ sich denn *hier* henleggen, junge Herr?“

„Ja, Krist. Ich habe schon schlechter gelegen."

„Ick weet. Jott, wenn de oll jnädge Herr uns *doa*vunn vertellen deih. Ümmer so platsch in'n Kalkmodder rin. Nei, nei, dat wihr nix för mi. ‚Jott, jnädge Herr', seggt ick denn ümmer, ‚ick gloob, de Huut geiht em runner.' Awers denn lacht joa de oll jnädge Herr ümmer un seggte: ‚Nei, Krist, *uns* Huut sitt fast.' "

Während der Alte noch so sprach und vergangener Zeiten gedachte, griff er zugleich doch nach einem breiten, aus Rohr geflochtenen Ausklopfer, der in einer Kaminecke stand, und versuchte damit das eine Sofa, das sich Schach als Lagerstätte ausgewählt hatte, wenigstens aus dem Gröbsten herauszubringen. Aber der dichte Staub, der aufstieg, zeigte nur das Vergebliche solcher Bemühungen, und Schach sagte mit einem Anfluge von guter Laune: „Störe den Staub nicht in seinem Frieden." Und erst als ers gesprochen hatte, fiel ihm der Doppelsinn darin auf, und er gedachte der Eltern, die drunten in der Dorfkirche in großen Kupfersärgen und mit einem aufgelöteten Kruzifix darauf in der alten Gruft der Familie standen.

Aber er hing dem Bilde nicht weiter nach und warf sich aufs Sofa. „Meinem Schimmel gib ein Stück Brot und einen Eimer Wasser; dann hält er aus bis morgen. Und nun stelle das Licht ans Fenster und laß es brennen . . . Nein, nicht da, nicht ans offene; an das daneben. Und nun gute Nacht, Krist. Und schließe von außen zu, daß sie mich nicht wegtragen."

„Ih, se wihren doch nich . . ."

Und Schach hörte bald danach die Pantinen, wie sie den Korridor hinunterklappten. Ehe Krist aber die Giebeltür noch erreicht und von außen her zugeschlossen haben konnte, legte sichs schon schwer und bleiern auf seines Herrn überreiztes Gehirn.

Freilich nicht auf lang. Aller auf ihm lastenden Schwere zum Trotz empfand er deutlich, daß etwas über ihn hinsummte, ihn streife und kitzle, und als ein Sichdrehen und -wenden und selbst ein unwillkürliches und halbverschlafenes Umherschlagen mit der Hand nichts helfen wollte, riß er sich endlich auf und zwang sich ins Wachen zurück.

Und nun sah er, was es war. Die beiden eben verschwelenden Lichter, die mit ihrem Qualme die schon stickige Luft noch stickiger gemacht hatten, hatten allerlei Getier vom Garten her in das Zimmer gelockt, und nur über Art und Beschaffenheit desselben war noch ein Zweifel. Einen Augenblick dachte er an Fledermäuse; sehr bald aber mußte er sich überzeugen, daß es einfach riesige Motten und Nachtschmetterlinge waren, die zu ganzen Dutzenden in dem Saale hin und her flogen, an die Scheiben stießen und vergeblich das offene Fenster wiederzufinden suchten.

Er raffte nun die Decke zusammen und schlug mehrmals durch die Luft, um die Störenfriede wieder hinaus zu jagen. Aber das unter diesem Jagen und Schlagen immer nur ängstlicher werdende Geziefer schien sich zu verdoppeln und summte nur dichter und lauter als vorher um ihn herum. An Schlaf war nicht mehr zu denken, und so trat er denn ans offene Fenster und sprang hinaus, um, draußen umhergehend, den Morgen abzuwarten.

Er sah nach der Uhr. Halb zwei. Die dicht vor dem Salon gelegene Gartenanlage bestand aus einem Rondeel mit Sonnenuhr, um das herum, in meist dreieckigen und von Buchsbaum eingefaßten Beeten, allerlei Sommerblumen blühten: Reseda und Rittersporn und Lilien und Levkojen. Man sah leicht, daß eine ordnende Hand hier neuerdings gefehlt hatte, trotzdem Krist zu seinen vielfachen Ämtern auch das eines Gärtners zählte; die Zeit indes, die seit dem Tode der Gnädigen vergangen war, war andererseits eine viel zu kurze noch, um schon zu vollständiger Verwilderung geführt zu haben. Alles hatte nur erst den Charakter eines wuchernden Blühens angenommen, und ein schwerer und doch zugleich auch erquicklicher Levkojenduft lag über den Beeten, den Schach in immer volleren Zügen einsog.

Er umschritt das Rondell, einmal, zehnmal, und balancierte, während er einen Fuß vor den andern setzte, zwischen den nur handbreiten Stegen hin. Er wollte dabei seine Geschicklichkeit proben und die Zeit mit guter Manier hinter sich bringen. Aber diese Zeit wollte nicht schwinden, und als er wieder nach der Uhr sah, war erst eine Viertelstunde vergangen.

Er gab nun die Blumen auf und schritt auf einen der beiden Laubengänge zu, die den großen Parkgarten flanierten und von der Höhe bis fast an den Fuß des Schloßhügels herniederstiegen. An mancher Stelle waren die Gänge nach obenhin überwachsen, an andern aber offen, und es unterhielt eine Weile, den abwechselnd zwischen Licht und Dunkel liegenden Raum in Schritten auszumessen. Ein paarmal erweiterte sich der Gang zu Nischen und Tempelrundungen, in denen allerhand Sandsteinfiguren standen: Götter und Göttinnen, an denen er früher viele hundert Male vorübergegangen war, ohne sich auch nur im geringsten um sie zu kümmern oder ihrer Bedeutung nachzuforschen; heut aber blieb er stehen und freute sich besonders aller derer, denen die Köpfe fehlten, weil sie die dunkelsten und unverständlichsten waren und sich am schwersten erraten ließen. Endlich war er den Laubengang hinunter, stieg ihn wieder hinauf und wieder hinunter und stand nun am Dorfausgang und hörte, daß es zwei schlug. Oder bedeuteten die beiden Schläge halb, war es halb drei? Nein, es war erst zwei.

Er gab es auf, das Auf und Nieder seiner Promenade noch weiterfortzusetzen, und beschrieb lieber einen Halbkreis um den Fuß des Schloßhügels herum, bis er in Front des Schlosses selber war. Und nun sah er hinauf und sah die große Terrasse, die, von Orangeriekübeln und Zypressenpyramiden eingefaßt, bis dicht an den See hinunterführte. Nur ein schmal Stück Wiese lag noch dazwischen, und auf ebendieser Wiese stand eine uralte Eiche, deren Schatten Schach jetzt umschritt, einmal, vielemal, als würd er in ihrem Bann gehalten. Es war ersichtlich, daß ihn der Kreis, in dem er ging, an einen anderen Kreis gemahnte, denn er murmelte vor sich hin: „Könnt ich heraus!"

Das Wasser, das hier so verhältnismäßig nah an die Schloßterrasse herantrat, war ein bloßer toter Arm des Sees, nicht der See selbst. Auf diesen See hinauszufahren aber war in seinen Knabenjahren immer seine höchste Wonne gewesen.

„Ist ein Boot da, so fahr ich." Und er schritt auf den Schilfgürtel zu, der die tief einmündende Bucht von drei

Seiten her einfaßte. Nirgends schien ein Zugang. Schließlich indes fand er einen überwachsenen Steg, an dessen Ende das große Sommerboot lag, das seine Mama viele Jahre lang benutzt hatte, wenn sie nach Karwe hinüberfuhr, um den Knesebecks einen Besuch zu machen. Auch Ruder und Stangen fanden sich, während der flache Boden des Boots, um einen trockenen Fuß zu haben, mit hochaufgeschüttetem Binsenstroh überdeckt war. Schach sprang hinein, löste die Kette vom Pflock und stieß ab. Irgendwelche Ruderkünste zu zeigen, war ihm vorderhand noch unmöglich, denn das Wasser war so seicht und schmal, daß er bei jedem Schlage das Schilf getroffen haben würde. Bald aber verbreiterte sichs, und er konnte nun die Ruder einlegen. Eine tiefe Stille herrschte; der Tag war noch nicht wach, und Schach hörte nichts als ein leises Wehen und Rauschen und den Ton des Wassers, das sich glucksend an dem Schilfgürtel brach. Endlich aber war er in dem großen und eigentlichen See, durch den der Rhin fließt, und die Stelle, wo der Strom ging, ließ sich an einem Gekräusel der sonst spiegelglatten Fläche deutlich erkennen. In diese Strömung bog er jetzt ein, gab dem Boote die rechte Richtung, legte sich und die Ruder ins Binsenstroh und fühlte sofort, wie das Treiben und ein leises Schaukeln begann.

Immer blasser wurden die Sterne, der Himmel rötete sich im Osten, und er schlief ein.

Als er erwachte, war das mit dem Strom gehende Boot schon weit über die Stelle hinaus, wo der tote Arm des Sees nach Wuthenow hin abbog. Er nahm also die Ruder wieder in die Hand und legte sich mit aller Kraft ein, um aus der Strömung heraus und an die verpaßte Stelle zurückzukommen, und freute sich der Anstrengung, die es ihn kostete.

Der Tag war inzwischen angebrochen. Über dem First des Wuthenower Herrenhauses hing die Sonne, während drüben am andern Ufer die Wolken im Widerschein glühten und die Waldstreifen ihren Schatten in den See warfen. Auf dem See selbst aber begann es sich zu regen, und ein die Morgenbrise benutzender Torfkahn glitt mit ausgespanntem Segel an Schach vorüber. Ein Frösteln überlief diesen. Aber dies Frösteln tat ihm wohl, denn er fühlte deutlich, wie der Druck, der auf ihm lastete, sich dabei minderte. Nahm er es nicht zu schwer? Was war es denn am Ende? Bosheit und Übelwollen. Und wer kann sich dem entziehen! Es kommt und geht. Eine Woche noch, und die Bosheit hat sich ausgelebt. Aber während er so sich tröstete, zogen auch wieder andere Bilder herauf, und er sah sich in einem Kutschwagen bei den prinzlichen Herrschaften vorfahren, um ihnen Victoire von Carayon als seine Braut vorzustellen. Und er hörte deutlich, wie die alte Prinzeß Ferdinand ihrer Tochter, der schönen Radziwill, zuflüsterte: „Est-elle riche?“ – „Sans doute.“ – „Ah, je comprends.“

Unter so wechselnden Bildern und Betrachtungen bog er wieder in die kurz vorher so stille Bucht ein, in deren Schilf jetzt ein buntes und bewegtes Leben herrschte. Die darin nistenden Vögel kreischten oder gurrten, ein paar Kiebitze flogen auf, und eine Wildente, die sich neugierig umsah, tauchte nieder, als das Boot plötzlich in Sicht kam. Eine Minute später, und Schach hielt wieder am Steg, schlang die Kette fest um den Pflock und stieg unter Vermeidung jedes Umwegs die Terrasse hinauf, auf deren oberstem Absatz er Krists Frau, der alten Mutter Kreepschen, begegnete, die schon auf war, um ihrer Ziege das erste Grünfutter zu bringen.

„Tag, Mutter Kreepschen.“

Die Alte schrak zusammen, ihren drinnen im Gartensalon vermuteten jungen Herrn (um dessentwillen sie die Hühner nicht aus dem Stall gelassen hatte, bloß damit ihr Gackern ihn nicht im Schlafe stören sollte) jetzt von der Frontseite des Schlosses her auf sie zukommen zu sehen.

„Jott, junge Herr! Wo kümmen S’ denn her?“

„Ich konnte nicht schlafen, Mutter Kreepschen.“

„Wat wihr denn los? Hätt et wedder spökt?“

„Beinah. Mücken und Motten warens. Ich hatte das Licht brennen lassen. Und der eine Fensterflügel war auf.“

„Awers worümm hebben S’ denn dat Licht nich utpuust? Dat weet doch jed-een, wo Licht is, doa sinn ook ümmer Gnitzen un Motten. Ick weet nich! Un mien oll Kreepsch, he woahrd ook ümmer dümmscher. Jei, jei. Un nich en Oog to.“

„Doch, Mutter Kreepschen. Ich habe geschlafen, im Boot, und ganz gut und ganz fest. Aber jetzt frier ich. Und wenns Feuer brennt, dann bringt Ihr mir wohl was Warmes. Nicht wahr? 'ne Suppe oder 'nen Kaffee."

„Jott, et brennt joa all lang, junge Herr; Füer is ümmer dat ihrst. Versteiht sich, versteiht sich, wat Warms. Un ick bring et ook glieks; man blot de oll Zick, de geiht för. Se jloben joar nich, junge Herr, wie schabernacksch so'n oll Zick is. De weet, as ob se 'ne Uhr in'n Kopp hätt, ob et feif is or söß. Un wennt söß is, denn wohrd se falsch. Un kumm ick denn un will ehr melken, joa, wat jloben Se woll, wat se denn deiht? Denn stött se mi. Und ümmer hier int Krüz, dicht bi de Hüft. Un worümm? Wiel se weet, dat ick doa miene Wehdag hebben deih. Awers nu kommen S' man ihrst in uns Stuw und setten sich en beten dahl. Mien oll Kreepsch ist joa nu groad bie't Pierd und schütt't em wat in. Awers keen Viertelstunn mihr, junge Herr, denn hebben S' Ehren Koffe. Un ook wat dato. De oll Semmelfru von Herzberg wihr joa all hier."

Unter diesen Worten war Schach in Kreepschens gute Stube getreten: Alles darin war sauber und rein, nur die Luft nicht. Ein eigentümlicher Geruch herrschte vor, der von einem Pfeffer- und Koriandermixtum herrührte, das die Kreepschen als Mottenvertreibungsmittel in die Sofaecken gesteckt hatte. Schach öffnete deshalb das Fenster, kettelte den Haken ein und war nun erst imstande, sich all der Kleinigkeiten zu freun, die die „gute Stube" schmückten. Über dem Sofa hingen zwei kleine Kalenderbildchen, Anekdoten aus dem Leben des großen Königs darstellend. „Du, du!" stand unter dem einen, und „Bon soir, messieurs!" unter dem andern. Um die Bilderchen und ihre Goldborte herum hingen zwei dicke Immortellenkränze mit schwarzen und weißen Schleifen daran, während auf dem kleinen, niedrigen Ofen eine Vase mit Zittergras stand. Das Hauptschmuckstück aber war ein Schilderhäuschen mit rotem Dach, in dem früher, aller Wahrscheinlichkeit nach, ein Eichkätzchen gehaust und seinen Futterwagen an der Kette herangezogen hatte. Jetzt war es leer, und der Wagen hatte stille Tage.

Schach war eben mit seiner Musterung fertig, als ihm auch schon gemeldet wurde, daß drüben alles klar sei.

Und wirklich, als er in den Gartensalon eintrat, der ihm ein Nachtlager so beharrlich verweigert hatte, war er überrascht, was Ordnungssinn und ein paar freundliche Hände mittlerweile daraus gemacht hatten. Tür und Fenster standen auf, die Morgensonne füllte den Raum mit Licht, und aller Staub war von Tisch und Sofa verschwunden. Einen Augenblick später erschien auch schon Krists Frau mit dem Kaffee, die Semmeln in einen Korb gelegt, und als Schach eben den Deckel von der Meißner Kanne heben wollte, klangen vom Dorfe her die Kirchenglocken herauf.

„Was ist denn *das*?“ fragte Schach. „Es kann ja kaum sieben sein.“

„Justement sieben, junge Herr.“

„Aber sonst war es doch erst um elf. Und um zwölfe dann Predigt.“

„Joa, so wihr et. Awers nu nich mihr. Un ümmer den dritt'n Sünndag is et anners. Twee Sünndag, wenn de Radenslebensche kümmt, denn is't um twölwen, wiel he joa irst in Radensleben preestern deiht, awers den dritten Sünndag, wenn de oll Ruppinsche röwer kümmt, denn is et all um achten. Un ümmer, wenn uns oll Kriwitz von sine Turmluk ut unsen Ollschen von dröwen abstötten seiht, denn treckt he joa sien Klock: Und dats ümmer um söb'n.“

„Wie heißt denn jetzt der Ruppinsche?“

„Na, wie sall he heten? He heet ümmer noch so. Is joa ümmer noch de oll Bienengräber.“

„Bei dem bin ich ja eingesegnet. War immer ein sehr guter Mann.“

„Joa, dat is he. Man blot, he hett keene Teihn mihr, ook nich een, un nu brummelt un mummelt he ümmerto, un keen Minsch versteiht em.“

„Das ist gewiß nicht so schlimm, Mutter Kreepschen. Aber die Leute haben immer was auszusetzen. Und nun gar erst die Bauern! Ich will hingehen und mal wieder nachsehen, was mir der alte Bienengräber zu sagen hat, mir und den andern. Hat er denn noch in seiner Stube das große Hufeisen, dran ein Zehnpfundgewicht hing?

Das hab ich mir immer angesehen, wenn ich nicht aufpaßte."

„Dat woahrd he woll noch hebben. De Jungens passen joa all nich upp."

Und nun ging sie, um ihren jungen Herrn nicht länger zu stören, und versprach, ihm ein Gesangbuch zu bringen.

Schach hatte guten Appetit und ließ sich die Herzberger Semmeln schmecken. Denn seit er Berlin verlassen, war noch kein Bissen über seine Lippen gekommen. Endlich aber stand er auf, um in die Gartentür zu treten, und sah von hier aus über das Rondeel und die Buchsbaumrabatten und weiter dahinter über die Baumwipfel des Parkes fort, bis sein Auge schließlich auf einem sonnenbeschienenen Storchenpaar ausruhte, das unten, am Fuße des Hügels, über eine mit Ampfer und Ranunkeln rot und gelb gemusterte Wiese hinschritt.

Er verfiel im Anblicke dieses Bildes in allerlei Betrachtungen; aber es läutete gerade zum dritten Male, und so ging er denn ins Dorf hinunter, um von dem herrschaftlichen Chorstuhl aus zu hören, was ihm der alte Bienengräber zu sagen habe.

Bienengräber sprach gut genug, so recht aus dem Herzen und der Erfahrung heraus, und als der letzte Vers gesungen und die Kirche wieder leer war, wollte Schach auch wirklich in die Sakristei gehen, dem Alten danken für manches gute Wort aus längst vergangener Zeit her und ihn in seinem Boot über den See hin zurückbegleiten. Unterwegs aber wollt er ihm alles sagen, ihm beichten und seinen Rat erbitten. Er würde schon Antwort wissen. Das Alter sei allemal weise, und wenn nicht von Weisheits, so doch bloß schon von Alters wegen. „Aber", unterbrach er sich mitten in diesem Vorsatze, „was soll mir schließlich seine Antwort? Hab ich diese Antwort nicht schon vorweg? Hab ich sie nicht in mir selbst? Kenn ich nicht die Gebote? Was mir fehlt, ist bloß die Lust, ihnen zu gehorchen."

Und während er so vor sich hin redete, ließ er den Plan eines Zwiegesprächs fallen und stieg den Schloßberg wieder hinauf.

Er hatte von dem Gottesdienst in der Kirche nichts abgehandelt, und *doch* schlug es erst zehn, als er wieder oben anlangte.

Hier ging er jetzt durch alle Zimmer, einmal, zweimal, und sah sich die Bilder aller der Schachs an, die zerstreut und in Gruppen an den Wänden umherhingen. Alle waren in hohen Stellungen in der Armee gewesen, alle trugen sie den Schwarzen Adler oder den Pour le mérite. Das hier war der General, der bei Malplaquet die große Redoute nahm, und das hier war das Bild seines eigenen Großvaters, des Obersten im Regiment Itzenplitz, der den Hochkirchner Kirchhof mit vierhundert Mann eine Stunde lang gehalten hatte. Schließlich fiel er, zerhauen und zerschossen, wie alle die, die mit ihm waren. Und dazwischen hingen die Frauen, einige schön, am schönsten aber seine Mutter.

Als er wieder in dem Gartensalon war, schlug es zwölf. Er warf sich in die Sofaecke, legte die Hand über Aug und Stirn und zählte die Schläge. „Zwölf. Jetzt bin ich zwölf Stunden hier, und mir ist, als wären es zwölf Jahre ... Wie wird es sein? Alltags die Kreepschen und sonntags Bienengräber oder der Radenslebensche, was keinen Unterschied macht. Einer wie der andere. Gute Leute, versteht sich, alle gut ... Und dann gehe ich mit Victoire durch den Garten, und aus dem Park auf die Wiese, dieselbe Wiese, die wir vom Schloß aus immer und ewig und ewig und immer sehen und auf der der Ampfer und die Ranunkeln blühn. Und dazwischen spazieren die Störche. Vielleicht sind wir allein; aber vielleicht läuft auch ein kleiner Dreijähriger neben uns her und singt in einem fort: Adebar, du Bester, bring mir eine Schwester! Und meine Schloßherrin errötet und wünscht sich das Schwesterchen *auch*. Und endlich sind elf Jahre herum, und wir halten an der ersten Station, die die stroherne Hochzeit heißt. Ein sonderbares Wort. Und dann ist auch allmählich die Zeit da, sich malen zu lassen für die Galerie. Denn wir dürfen doch am Ende nicht fehlen! Und zwischen die Generäle rück ich dann als Rittmeister ein, und zwischen die schönen Frauen kommt Victoire. Vorher aber hab ich eine Konferenz mit dem Maler und sag ihm: ‚Ich rechne darauf, daß Sie den *Ausdruck* zu treffen wissen. Die Seele macht ähnlich.‘ Oder soll ich ihm geradezu sagen: ‚Machen Sie's gnädig‘ ... Nein, nein!“

Fünfzehntes Kapitel

Die Schachs und die Carayons

Was immer geschieht, geschah auch diesmal: die Carayons erfuhren nichts von dem, was die halbe Stadt wußte. Dienstag, wie gewöhnlich, erschien Tante Marguerite, fand Victoiren „um dem Kinn etwas spitz" und warf im Laufe der Tischunterhaltung hin: „Wißt ihr denn schon, es sollen ja Karikatüren erschienen sein?"

Aber dabei blieb es, da Tante Marguerite jenen alten Gesellschaftsdamen zuzählte, die nur immer von allem „gehört haben", und als Victoire fragte: „Was denn, liebe Tante?" wiederholte sie nur: „Karikatüren, liebes Kind. Ich weiß es ganz genau." Und damit ließ man den Gesprächsgegenstand fallen.

Es war gewiß ein Glück für Mutter und Tochter, daß sie von den Spott- und Zerrbildern, deren Gegenstand sie waren, nichts in Erfahrung brachten; aber für den *Dritt*beteiligten, für Schach, war es ebenso gewiß ein Unglück und eine Quelle neuer Zerwürfnisse. Hätte Frau von Carayon, als deren schönster Herzenszug ein tiefes Mitgefühl gelten konnte, nur die kleinste Vorstellung von all dem Leid gehabt, das, die ganze Zeit über, über ihren Freund ausgeschüttet worden war, so würde sie von der ihm gestellten Forderung zwar nicht Abstand genommen, aber ihm doch Aufschub gewährt und Trost und Teilnahme gespendet haben; ohne jede Kenntnis jedoch von dem, was inzwischen vorgefallen war, ägrierte sie sich gegen Schach immer mehr und erging sich von dem Augenblick an, wo sie von seinem Rückzug nach Wuthenow erfuhr, über seinen „Wort- und Treubruch", als den sies ansah, in den heftigsten und unschmeichelhaftesten Ausdrücken.

Es war sehr bald, daß sie von diesem Rückzuge hörte. Denselben Abend noch, an dem Schach seinen Urlaub angetreten hatte, ließ sich Alvensleben bei den Carayons melden. Victoire, der jede Gesellschaft peinlich war, zog sich zurück, Frau von Carayon aber ließ bitten und empfing ihn mit besondrer Herzlichkeit.

„Daß ich Ihnen sagen könnte, lieber Alvensleben, wie sehr ich mich freue, Sie nach so vielen Wochen einmal wiederzusehen! Eine Welt von Dingen hat sich seitdem zugetragen. Und ein Glück, daß Sie standhaft blieben, als man Ihnen den Luther aufzwingen wollte. Das hätte mir Ihr Bild ein für allemal verdorben."

„Und doch, meine Gnädigste, schwankt ich einen Augenblick, ob ich ablehnen sollte."

„Und weshalb?"

„Weil unser beiderseitiger Freund unmittelbar *vorher* abgelehnt hatte. Nachgerade widersteht es mir, immer wieder und wieder in seine Fußtapfen zu treten. Gibt es ihrer doch ohnehin schon genug, die mich einfach als seinen Abklatsch bezeichnen, an der Spitze Zieten, der mir erst neulich wieder zurief: ‚Hüten Sie sich, Alvensleben, daß Sie nicht als Schach II in die Rang- und Quartierliste kommen.'"

„Was nicht zu befürchten steht. Sie sind eben doch anders."

„Aber nicht besser."

„Wer weiß"

„Ein Zweifel, der mich aus dem Munde meiner schönen Frau von Carayon einigermaßen überrascht und unsrem verwöhnten Freunde, wenn er davon hörte, seine Wuthenower Tage vielleicht verleiden würde."

„Seine Wuthenower Tage?"

„Ja, meine Gnädigste. Mit unbestimmtem Urlaub. Und Sie wissen nichts davon? Er wird sich doch nicht ohne vorgängigen Abschied von Ihnen in sein altes Seeschloß zurückgezogen haben, von dem Nostitz neulich behauptete, das es halb Wurmfraß und halb Romantik sei."

„Und doch ist es geschehen. Er ist launenhaft, wie Sie wissen." Sie wollte mehr sagen, aber es gelang ihr, sich zu bezwingen und das Gespräch über allerhand Tagesneuigkeiten fortzusetzen, bei welcher Gelegenheit Alvensleben zu seiner Beruhigung wahrnahm, daß sie von der Haupttagesneuigkeit, von dem Erscheinen der Bilder, nicht das geringste wußte. Wirklich, es war der Frau von Carayon auch in der zwischenliegenden halben Woche nicht einen Augenblick in den Sinn gekommen, etwas Näheres über das von dem Tantchen Angedeutete hören zu wollen.

Endlich empfahl sich Alvensleben, und Frau von Carayon, allen Zwanges nunmehr los und ledig, eilte, während Tränen ihren Augen entstürzten, in Victoirens Zimmer, um ihr die Mitteilung von Schachs Flucht zu machen. Denn eine Flucht war es.

Victoire folgte jedem Wort. Aber ob es nun ihre Hoffnung und Zuversicht oder umgekehrt ihre Resignation war, gleichviel, sie blieb ruhig.

„Ich bitte dich, urteile nicht zu früh. Ein Brief von ihm wird eintreffen und über alles Aufklärung geben. Laß es uns abwarten; du wirst sehen, daß du deinem Verdacht und deiner Verstimmung gegen ihn mehr nachgegeben hast als recht und billig war."

Aber Frau von Carayon wollte sich nicht umstimmen lassen.

„Ich kannt ihn schon, als du noch ein Kind warst. Nur zu gut. Er ist eitel und hochfahrend, und die prinzlichen Höfe haben ihn vollends überschraubt. Er verfällt mehr und mehr ins Ridiküle. Glaube mir, er will Einfluß haben und zieht sich im stillen irgendeinen politischen oder gar staatsmännischen Ehrgeiz groß. Was mich am meisten verdrießt, ist das: er hat sich auch plötzlich auf seinen Obotritenadel besonnen und fängt an, sein Schach- oder Schachentum für etwas ganz Besondres in der Weltgeschichte zu halten."

„Und tut damit nicht mehr, als was *alle* tun . . . Und die Schachs sind doch *wirklich* eine alte Familie."

„Daran mag er denken und das Pfauenrad schlagen, wenn er über seinen Wuthenower Hühnerhof hingeht. Und solche Hühnerhöfe gibt es hier überall. Aber, was soll *uns* das? Oder zum wenigsten, was soll es *dir*? An mir hätt er vorbeistolzieren und der bürgerlichen Generalpächterstochter, der kleinen Roturière, den Rücken kehren können. Aber du, Victoire, du; du bist nicht bloß meine Tochter, du bist auch deines Vaters Tochter, du bist eine *Carayon*!"

Victoire sah die Mama mit einem Anfluge schelmischer Verwunderung an.

„Ja, lache nur, Kind, lache laut, ich verüble dirs nicht.

Hast du mich doch selber oft genug über diese Dinge lachen sehen. Aber, meine süße Victoire, die Stunden sind nicht gleich, und heute bitt ich deinem Vater ab und dank ihm von Herzen, weil er mir in seinem Adelsstolze, mit dem er mich zur Verzweiflung gebracht und aus seiner Nähe hinweggelangweilt hat, eine willkommene Waffe gegen diesen mir unerträglichen Dünkel in die Hand gibt. Schach, Schach! Was ist Schach! Ich kenn ihre Geschichte nicht und *will* sie nicht kennen, aber ich wette diese meine Brosche gegen eine Stecknadel, daß du, wenn du das ganze Geschlecht auf die Tenne wirfst, da, wo der Wind am schärfsten geht, daß nichts übrigbleibt, sag ich, als ein halbes Dutzend Obersten und Rittmeister, alle devotest erstorben und alle mit einer Pontaknase. Lehre mich *diese* Leute kennen!"

„Aber Mama . . ."

„Und nun die Carayons! Es ist wahr, ihre Wiege hat nicht an der Havel und nicht einmal an der Spree gestanden, und weder im Brandenburger noch im Havelberger Dom ist je geläutet worden, wenn einer von ihnen kam oder ging. Oh, ces pauvres gens, ces malheureux Carayons! Sie hatten ihre Schlösser, beiläufig *wirkliche* Schlösser, so bloß armselig an der Gironde hin, waren bloß Girondins, und deines Vaters leibliche Vettern fielen unter der Guillotine, weil sie treu und frei zugleich waren und uneingeschüchtert durch das Geschrei des Berges für das Leben ihres Königs gestimmt hatten."

Immer verwunderter folgte Victoire.

„Aber", fuhr Frau von Carayon fort, „ich will nicht vom Jüngstgeschehenen sprechen, will nicht sprechen von *heute*. Denn ich weiß wohl, das Vonheutesein ist immer ein Verbrechen in den Augen derer, die schon gestern da waren, gleichviel *wie*. Nein, ich will von alten Zeiten sprechen, von Zeiten, als der erste Schach ins Land und an den Ruppiner See kam und einen Wall und Graben zog und eine lateinische Messe hörte, von der er nichts verstand. Eben damals zogen die Carayons, ces pauvres et malheureux Carayons, mit vor Jerusalem und eroberten und befreiten es. Und als sie heimkamen, da kamen Sänger an ihren Hof, und sie sangen selbst, und als Victoire de Carayon (ja, sie hieß auch

Victoire) sich dem großen Grafen Lusignan vermählte, dessen erlauchter Bruder Großprior des hohen Ordens vom Spital und endlich König von Zypern war, da waren wir mit einem Königshause versippt und verschwägert, mit den Lusignans, aus deren großem Hause die schöne Melusine kam, unglücklichen, aber Gott sei Dank unprosaischen Angedenkens. Und von uns Carayons, die wir ganz andere Dinge gesehen haben, will sich dieser Schach abwenden und hochmütig zurückziehen? *Unsrer* will er sich schämen? Er, Schach. Will er es als Schach, oder will er es als Grundherr von Wuthenow? Ah, bah! Was ist es denn mit beiden? Schach ist ein blauer Rock mit einem roten Kragen, und Wuthenow ist eine Lehmkate."

„Mama, glaube mir, du tust ihm unrecht. Ich such es nach einer andern Seite hin. Und da *find* ich es auch."

Frau von Carayon beugte sich zu Victoire nieder und küßte sie leidenschaftlich. „Ach, wie gut du bist, viel, viel besser als deine Mama. Und nur *eines* ist gut an ihr, daß sie dich liebt. Er aber sollte dich *auch* lieben! Schon um deiner Demut willen."

Victoire lächelte.

„Nein, nicht so. Der Glaube, daß du verarmt und ausgeschieden seiest, beherrscht dich mit der Macht einer fixen Idee. Du *bist* nicht so verarmt. Und auch er . . ."

Sie stockte.

„Sieh, du warst ein schönes Kind, und Alvensleben hat mir erzählt, in welch enthusiastischen Worten der Prinz erst neulich wieder von deiner Schönheit auf dem Massowschen Balle gesprochen habe. Das ist nicht hin, davon blieb dir, und jeder muß es finden, der ihm liebevoll in deinen Zügen nachzugehen den Sinn und das Herz hat. Und wenn wer dazu verpflichtet ist, so ist *ers*! Aber er sträubt sich, denn so hautain er ist, so konventionell ist er. Ein kleiner ängstlicher Aufmerker. Er hört auf das, was die Leute sagen, und wenn das ein Mann tut (wir müssens), so heiß ich das Feigheit und lâcheté. Aber er soll mir Rede stehn. Ich habe meinen Plan jetzt fertig und will ihn demütigen, so gewiß er uns demütigen wollte."

Frau von Carayon kehrte nach diesem Zwiegespräch in

das Eckzimmer zurück, setzte sich an Victoirens kleinen Schreibtisch und schrieb:

Einer Mitteilung Herrn von Alvensleben entnehme ich, daß Sie, mein Herr von Schach, heute, Sonnabend abend, Berlin verlassen und sich für einen Landaufenthalt in Wuthenow entschieden haben. Ich habe keine Veranlassung, Ihnen diesen Landaufenthalt zu mißgönnen oder Ihre Berechtigung dazu zu bestreiten, muß aber Ihrem Rechte das meiner Tochter gegenüberstellen. Und so gestatten Sie mir denn, Ihnen in Erinnerung zu bringen, daß die Veröffentlichung des Verlöbnisses für morgen, Sonntag, zwischen uns verabredet worden ist. Auf diese Veröffentlichung besteh ich auch heute noch. Ist sie bis Mittwoch früh nicht erfolgt, erfolgen meinerseits andre, durchaus selbständige Schritte. Sosehr dies meiner Natur widerspricht (Victoirens ganz zu schweigen, die von diesem meinem Schreiben nichts weiß und nur bemüht sein würde, mich daran zu hindern), so lassen mir doch die Verhältnisse, die Sie, das mindeste zu sagen, nur zu gut kennen, keine Wahl. Also bis auf Mittwoch! Josephine von Carayon.

Sie siegelte den Brief und übergab ihn persönlich einem Boten mit der Weisung, sich bei Tagesanbruch nach Wuthenow hin auf den Weg zu machen.

Auf Antwort zu warten war ihm eigens untersagt worden.

Sechzehntes Kapitel

Frau von Carayon und der alte Köckritz

Der Mittwoch kam und ging, ohne daß ein Brief Schachs oder gar die geforderte Verlobungsankündigung erschienen wäre. Frau von Carayon hatte dies nicht anders erwartet und ihre Vorbereitungen daraufhin getroffen.

Am Donnerstag früh hielt ein Wagen vor ihrem Hause, der sie nach Potsdam hinüberführen sollte, wo sich der König seit einigen Wochen aufhielt. Sie hatte vor, einen

Fußfall zu tun, ihm den ihr widerfahrenen Affront vorzustellen und seinen Beistand anzurufen. Daß es in des Königs Macht stehen werde, diesen Beistand zu gewähren und einen Ausgleich herbeizuführen, war ihr außer Zweifel. Auch über die Mittel und Wege, sich Seiner Majestät zu nähern, hatte sie nachgedacht, und mit gutem Erfolge. Sie kannte den Generaladjutanten von Köckritz, der vor dreißig Jahren und länger als ein junger Leutnant oder Stabskapitän in ihrem elterlichen Hause verkehrt und der „kleinen Josephine", dem allgemeinen Verzuge, manche Bonbonniere geschenkt hatte. Der war jetzt Liebling des Königs, einflußreichste Person seiner nächsten Umgebung, und durch *ihn,* zu dem sie wenigstens in oberflächlichen Beziehungen geblieben war, hoffte sie sich einer Audienz versichert halten zu dürfen.

Um die Mittagsstunde war Frau von Carayon drüben, stieg im „Einsiedler" ab, ordnete ihre Toilette und begab sich sofort ins Schloß. Aber hier mußte sie von einem zufällig die Freitreppe herabkommenden Kammerherrn in Erfahrung bringen, daß Seine Majestät Potsdam bereits wieder verlassen und sich zur Begrüßung Ihrer Majestät der Königin, die tags darauf aus Bad Pyrmont zurückzukehren gedenke, nach Paretz begeben habe, wo man, frei vom Zwange des Hofes, eine Woche lang in glücklicher Zurückgezogenheit zu verleben gedenke.

Das war nun freilich eine böse Nachricht. Wer sich zu einem peinlichen Gange (und wenn es der „hochnotpeinlichste" wäre) anschickt und mit Sehnsucht auf das Schrekkensende wartet, für den ist nichts härter als Vertagung. Nur rasch, rasch! Eine kurze Strecke geht es, aber dann versagen die Nerven.

Schweren Herzens und geängstigt durch die Vorstellung, daß ihr dieser Fehlschlag vielleicht einen Fehlschlag überhaupt bedeute, kehrte Frau von Carayon in das Gasthaus zurück. An eine Fahrt nach Paretz hinaus war für heute nicht mehr zu denken, um so weniger, als zu so später Nachmittagszeit unmöglich noch eine Audienz erbeten werden konnte. So denn also warten bis morgen! Sie nahm ein kleines Diner, setzte sich wenigstens zu Tisch und schien entschlossen, die langen, langen Stunden in Einsamkeit auf ihrem Zimmer zu verbringen. Aber die Gedanken und Bilder, die vor ihr aufstiegen, und vor allem die feierlichen Ansprachen, die sie sich zum hundertsten Male wiederholte, so lange wiederholte, bis sie zuletzt fühlte, sie werde, wenn der Augenblick da sei, kein einziges Wort hervorbringen können – alles das gab ihr zuletzt den gesunden Entschluß ein, sich gewaltsam aus ihren Grübeleien herauszureißen und in den Straßen und Umgebungen der Stadt umherzufahren. Ein Lohndiener erschien denn auch, um ihr seine Dienste zur Verfügung zu stellen, und um die sechste Stunde hielt eine mittelelegante Mietchaise vor dem Gasthause, da sich das von Berlin her benutzte Gefährt, nach seiner halbtägigen Anstrengung im Sommersand, als durchaus ruhebedürftig herausgestellt hatte.

„Wohin befehlen gnädige Frau?"

„Ich überlaß es Ihnen. Nur keine Schlösser oder doch so wenig wie möglich; aber Park und Garten und Wasser und Wiesen."

„Ah, je comprends", radebrechte der Lohndiener, der sich daran gewöhnt hatte, seine Fremden ein für allemal als Halbfranzosen zu nehmen, oder vielleicht auch dem französischen Namen der Frau von Carayon einige Berücksichtigung schuldig zu sein glaubte. „Je comprends." Und er gab dem in einem alten Tressenhut auf dem Bock sitzenden Kutscher Ordre, zunächst in den „Neuen Garten" zu fahren.

In dem „Neuen Garten" war es wie tot, und eine dunkle, melancholische Zypressenallee schien gar kein Ende nehmen zu wollen. Endlich lenkte man nach rechts hin in einen neben einem See hinlaufenden Weg ein, dessen einreihig gepflanzte Bäume mit ihrem weit ausgestreckten und niederhängenden Gezweige den Wasserspiegel berührten. In dem Gitterwerke der Blätter aber glomm und glitzerte die niedergehende Sonne. Frau von Carayon vergaß über dieser Schönheit all ihr Leid und fühlte sich dem Zauber derselben erst wieder entrissen, als der Wagen aus dem Uferweg abermals in den großen Mittelgang einbog und gleich danach vor einem aus Backstein aufgeführten, im übrigen aber mit Gold und Marmor reich geschmückten Hause hielt.

„Wem gehört es?"
„Dem König."
„Und wie heißt es?"
„Das Marmorpalais."
„Ah, das Marmorpalais. Das ist also das Palais ..."
„Zu dienen, gnädige Frau. Das ist das Palais, in dem weiland Seine Majestät König Friedrich Wilhelm der Zweite seiner langen und schmerzlichen Wassersucht allerhöchst erlag. Und steht auch noch alles ebenso, wie's damals gestanden hat. Ich kenne das Zimmer ganz genau, wo der gute gnädige Herr immer ‚den Lebensgas' trank, den ihm der Geheimrat Hufeland in einem kleinen Ballon ans Bett bringen ließ oder vielleicht auch bloß in einer Kalbsblase. Wollen die gnädige Frau das Zimmer sehen? Es ist freilich schon spät. Aber ich kenne den Kammerdiener, und er tut es, denk ich, auf meine Empfehl ... versteht sich ...Und ist auch dasselbe kleine Zimmer, worin sich eine Figur von der Frau Rietz oder, wie manche sagen, von der Mamsell Encken oder der Gräfin Lichtenau befindet, das heißt, nur eine kleine Figur, so bloß bis an die Hüften oder noch weniger."

Frau von Carayon dankte. Sie war bei dem Gange, der ihr für morgen bevorstand, nicht in der Laune, das Allerheiligste der Rietz oder auch nur ihre Porträtbüste kennenlernen zu wollen. Sie sprach also den Wunsch aus, immer weiter in den Park hineinzufahren, und ließ erst umkehren, als schon die Sonne nieder war und ein kühlerer Luftstrom den Abend ankündigte. Wirklich, es schlug neun, als man auf der Rückfahrt an der Garnisonskirche vorüberkam, und ehe noch das Glockenspiel seinen Choral ausgespielt hatte, hielt der Wagen wieder vor dem „Einsiedler".

Die Fahrt hatte sie gekräftigt und ihr ihren Mut zurückgegeben. Dazu kam eine wohltuende Müdigkeit, und sie schlief besser als seit lange. Selbst was sie träumte, war hell und licht.

Am andern Morgen erschien, wie verabredet, ihre nun wieder ausgeruhte Berliner Equipage vor dem Hotel; da sie jedoch allen Grund hatte, der Kenntnis und Umsicht ihres eigenen Kutschers zu mißtrauen, engagierte sie, wie zur Aushilfe, denselben Lohndiener wieder, der sich gestern, aller kleinen Eigenheiten seines Standes unerachtet, so vorzüglich bewährt hatte. Das gelang ihm denn auch heute wieder. Er wußte von jedem Dorf und Lustschloß, an dem man vorüberkam, zu berichten, am meisten von Marquardt, aus dessen Parke, zu wenigstens vorübergehendem Interesse der Frau von Carayon, jenes Gartenhäuschen hervorschimmerte, darin unter Zutun und Anleitung des Generals von Bischofswerder dem „dicken Könige“ (wie sich der immer konfidentieller werdende Cicerone jetzt ohne weiteres ausdrückte) die Geister erschienen waren.

Eine Viertelmeile hinter Marquardt hatte man die Wublitz, einen von Mummeln überblühten Havelarm, zu passieren, dann folgten Äcker und Wiesengründe, die hoch in Gras und Blumen standen, und ehe noch die Mittagsstunde heran war, war ein Brückensteg und alsbald auch ein offenstehendes Gittertor erreicht, das den Paretzer Parkeingang bildete.

Frau von Carayon, die sich ganz als Bittstellerin empfand, ließ in dem ihr eigenen, feinen Gefühl an dieser Stelle halten und stieg aus, um den Rest des Weges zu Fuß zu machen. Es war nur eine kleine sonnenbeschienene Strecke noch, aber gerade das Sonnenlicht war ihr peinlich, und so hielt sie sich denn seitwärts unter den Bäumen hin, um nicht vor der Zeit gesehen zu werden.

Endlich indes war sie bis an die Sandsteinstufen des Schlosses heran und schritt sie tapfer hinauf. Die Nähe der Gefahr hatte ihr einen Teil ihrer natürlichen Entschlossenheit zurückgegeben.

„Ich wünschte den General von Köckritz zu sprechen“, wandte sie sich an einen im Vestibül anwesenden Lakaien, der sich gleich beim Eintritt der schönen Dame von seinem Sitz erhoben hatte.

„Wen hab ich dem Herrn General zu melden?“

„Frau von Carayon.“

Der Lakai verneigte sich und kam mit der Antwort zurück: Der Herr General lasse bitten, in das Vorzimmer einzutreten.

Frau von Carayon hatte nicht lange zu warten. General von Köckritz, von dem die Sage ging, daß er außer seiner leidenschaftlichen Liebe zu seinem Könige keine weitere Passion als eine Pfeife Tabak und einen Rubber Whist habe, trat ihr von seinem Arbeitszimmer her entgegen, entsann sich sofort der alten Zeit und bat sie mit verbindlichster Handbewegung, Platz zu nehmen. Sein ganzes Wesen hatte so sehr den Ausdruck des Gütigen und Vertrauenerweckenden, daß die Frage nach seiner Klugheit nur sehr wenig daneben bedeutete. Namentlich für solche, die, wie Frau von Carayon, mit einem Anliegen kamen. Und das sind bei Hofe die meisten. Er bestätigte durchaus die Lehre, daß eine *wohlwollende* Fürstenumgebung einer geistreichen immer weit vorzuziehen ist. Nur freilich sollen diese fürstlichen Privatdiener nicht auch Staatsdiener sein und nicht mitbestimmen und mitregieren wollen.

General von Köckritz hatte sich so gesetzt, daß ihn Frau von Carayon im Profil hatte. Sein Kopf steckte halb in einem überaus hohen und steifen Uniformkragen, aus dem nach vorn hin ein Jabot quoll, während nach hinten ein kleiner, sauber behandelter Zopf fiel. Dieser schien ein eigenes Leben zu führen und bewegte sich leicht und mit einer gewissen Koketterie hin und her, auch wenn an dem Manne selbst nicht die geringste Bewegung wahrzunehmen war.

Frau von Carayon, ohne den Ernst ihrer Lage zu vergessen, erheiterte sich doch offenbar an diesem eigentümlich neckischen Spiel, und erst einmal ins Heitere gekommen, erschien ihr das, was ihr oblag, um vieles leichter und bezwingbarer und befähigte sie, mit Freimut über all und jedes zu sprechen, auch über das, was man als den „delikaten Punkt" in ihrer oder ihrer Tochter Angelegenheit bezeichnen konnte.

Der General hatte nicht nur aufmerksam, sondern auch teilnahmevoll zugehört und sagte, als Frau von Carayon schwieg: „Ja, meine gnädigste Frau, das sind sehr fatale Sachen, Sachen, von denen Seine Majestät nicht zu hören liebt, weshalb ich im allgemeinen darüber zu schweigen pflege, wohlverstanden, solange nicht Abhilfe zu schaffen und überhaupt nichts zu bessern ist. Hier aber *ist* zu bessern, und ich würde meine Pflicht versäumen und Seiner Majestät einen schlechten Dienst erweisen, wenn ich ihm einen

Fall wie den Ihrigen vorenthalten oder, da Sie selber gekommen sind, Ihre Sache vorzutragen, Sie, meine gnädigste Frau, durch künstlich erfundene Schwierigkeiten an solchem Vortrage behindern wollte. Denn solche Schwierigkeiten sind allemalen erfundene Schwierigkeiten in einem Lande wie das unsre, wo von alter Zeit her die Fürsten und Könige das Recht ihres Volkes wollen und nicht gesonnen sind, der Forderung eines solchen Rechtes bequem aus dem Wege zu gehen. Am allerwenigsten aber mein Allergnädigster König und Herr, der ein starkes Gefühl für das *Ebenmäßige* des Rechts und eben deshalb einen wahren Widerwillen und rechten Herzensabscheu gegen alle *die*jenigen hat, die sich, wie manche Herren Offiziers, insonderheit aber die sonst so braven und tapfren Offiziers von Dero Regiment Gendarmes, aus einem schlechten Dünkel allerlei Narretei zu permittieren geneigt sind und es für angemessen und löblich oder doch zum mindesten für nicht unstatthaft halten, das Glück und den Ruf andrer ihrem Übermut und ihrer schlechten moralité zu opfern."

Frau von Carayons Augen füllten sich mit Tränen. „Que vous êtes bon, mon cher général."

„Nicht ich, meine teure Frau. Aber mein Allergnädigster König und Herr, *der* ist gut. Und ich denke, Sie sollen den Beweis dieser seiner Herzensgüte bald in Händen halten, trotzdem wir heut einen schlimmen oder sagen wir lieber einen schwierigen Tag haben. Denn, wie Sie vielleicht schon in Erfahrung gebracht haben, der König erwartet in wenig Stunden die Königin zurück; um nicht gestört zu werden in der Freude des Wiedersehens, *deshalb* befindet er sich hier, *deshalb* ist er hierhergegangen, nach Paretz. Und nun läuft ihm in dies Idyll ein Rechtsfall und eine Streitsache nach. Und eine Streitsache von so delikater Natur. Ja, wirklich ein Schabernack ist es und ein rechtes Schnippchen, das ihm die Laune der Frau Fortuna schlägt. Er will sich seines Liebesglückes freuen (Sie wissen, wie sehr er die Königin liebt), und in demselben Augenblicke fast, der ihm sein Liebesglück bringen soll, hört er eine Geschichte von unglücklicher Liebe. Das verstimmt ihn. Aber er ist zu gütig, um dieser Verstimmung nicht Herr zu werden, und treffen wirs nur einigermaßen leidlich, so müssen wir uns aus ebendiesem Zusammentreffen auch noch einen besonderen Vorteil zu ziehen wissen. Denn das eigene Glück, das er erwartet, wird ihn nur noch geneigter machen als sonst, das getrübte Glück andrer wiederherzustellen. Ich kenn ihn ganz in seinem Rechtsgefühl und in der Güte seines Herzens. Und so geh ich denn, meine teure Frau, Sie bei dem Könige zu melden."

Er hielt aber plötzlich wie nachdenkend inne, wandte sich noch einmal wieder und setzte hinzu: „Irr ich nicht, so hat er sich eben in den Park begeben. Ich kenne seinen Lieblingsplatz. Lassen Sie mich also sehen. In wenig Minuten bring ich Ihnen die Antwort, ob er Sie hören will oder nicht. Und nun noch einmal, seien Sie gutes Mutes. Sie dürfen es."

Und damit nahm er Hut und Stock und trat durch eine kleine Seitentür unmittelbar in den Park hinaus.

In dem Empfangszimmer, in dem Frau von Carayon zurückgeblieben war, hingen allerlei Buntdruckbilder, wie sie damals von England her in der Mode waren: Engelsköpfe von Josua Reynolds, Landschaften von Gainsborough, auch ein paar Nachbildungen italienischer Meisterwerke, darunter eine büßende Magdalena. War es die von Correggio? Das wundervoll tiefblau getönte Tuch, das die Büßende halb verhüllte, fesselte Frau von Carayons Aufmerksamkeit, und sie trat heran, um sich über den Maler zu vergewissern. Aber ehe sie noch seinen Namen entziffern konnte, kehrte der alte General zurück und bat seinen Schützling, ihm zu folgen.

Und so traten sie denn in den Park, drin eine tiefe Stille herrschte. Zwischen Birken und Edeltannen hin schlängelte sich der Weg und führte bis an eine künstliche, von Moos und Efeu überwachsene Felswand, in deren Front (der alte Köckritz war jetzt zurückgeblieben) der König auf einer Steinbank saß.

Er erhob sich, als er die schöne Frau sich nähern sah, und trat ihr ernst und freundlich entgegen. Frau von Carayon wollte sich auf ein Knie niederlassen, der König aber litt es nicht, nahm sie vielmehr aufrichtend bei der Hand und sagte: „Frau von Carayon? Mir sehr wohl bekannt . . . Erinnre Kinderball . . . schöne Tochter . . . Damals . . ."

Er schwieg einen Augenblick, entweder in Verlegenheit über das ihm entschlüpfte letzte Wort oder aber aus Mitgefühl mit der tiefen Bewegung der unglücklichen und beinahe zitternd vor ihm stehenden Mutter, und fuhr dann fort: „Köckritz mir eben Andeutungen gemacht ... *Sehr* fatal ... Aber bitte ... sich setzen, meine Gnädigste ... Mut ... Und nun sprechen Sie."

Siebzehntes Kapitel

Schach in Charlottenburg

Eine Woche später hatten König und Königin Paretz wieder verlassen, und schon am Tage danach ritt Rittmeister von Schach in Veranlassung eines ihm in Schloß Wuthenow übergebenen Kabinettsschreibens nach Charlottenburg hinaus, wohin inzwischen der Hof übergesiedelt war. Er nahm seinen Weg durchs Brandenburger Tor und die große Tiergartenallee, links hinter ihm Ordonnanz Baarsch, ein mit einem ganzen Linsengericht von Sommersprossen überdeckter Rotkopf mit übrigens noch röterem Backenbart, auf welchen roten und etwas abstehenden Bart hin Zieten zu versichern pflegte, daß man auch *diesen* Baarsch an seinen Flossen erkennen könne. Wuthenower Kind und seines Gutsherrn und Rittmeisters ehemaliger Spielgefährte, war er diesem und allem, was Schach hieß, selbstverständlich in unbedingten Treuen ergeben.

Es war vier Uhr nachmittags und der Verkehr nicht groß, trotzdem die Sonne schien und ein erquickender Wind wehte. Nur wenige Reiter begegneten ihnen, unter diesen auch ein paar Offiziere von Schachs Regiment. Schach erwiderte ihren Gruß, passierte den Landwehrgraben und ritt bald danach in die breite Charlottenburger Hauptstraße mit ihren Sommerhäusern und Vorgärten ein.

Am Türkischen Zelt, das sonst wohl sein Ziel zu sein pflegte, wollte sein Pferd einbiegen; er zwang es aber weiter und hielt erst bei dem Morellischen Kaffeehause, das ihm heute für den Gang, den er vorhatte, bequemer gelegen war.

Er schwang sich aus dem Sattel, gab der Ordonnanz den Zügel und ging ohne Versäumnis auf das Schloß zu. Hier trat er nach Passierung eines öden und von der Julisonne längst verbrannten Grasvierecks erst in ein geräumiges Treppenhaus und bald danach in einen schmalen Korridor ein, an dessen Wänden in anscheinend überlebensgroßen Porträts die glotzäugigen blauen Riesen König Friedrich Wilhelms I. paradierten. Am Ende dieses Ganges aber traf er einen Kammerdiener, der ihn, nach vorgängiger Meldung, in das Arbeitskabinett des Königs führte.

Dieser stand an einem Pult, auf dem Karten ausgebreitet lagen, ein paar Pläne der Austerlitzer Schlacht. Er wandte sich sofort, trat auf Schach zu und sagte: „Habe Sie rufen lassen, lieber Schach . . . Die Carayons; fatale Sache. Spiele nicht gern den Moralisten und Splitterrichter; mir verhaßt; auch meine Verirrungen. Aber in Verirrungen nicht stekkenbleiben; wiedergutmachen. Übrigens nicht recht begreife. Schöne Frau, die Mutter; mir *sehr* gefallen; kluge Frau.“

Schach verneigte sich.

„Und die Tochter! Weiß wohl, weiß; armes Kind . . . Aber, enfin, müssen Sie doch scharmant gefunden haben, und was man einmal scharmant gefunden, findet man, wenn man nur will, auch wieder. Aber das ist *Ihre* Sache, geht mich nichts an. Was mich angeht, das ist die honnêteté. Die verlang ich, und um dieser honnêteté willen verlang ich Ihre Heirat mit dem Fräulein von Carayon. Oder Sie müßten denn Ihren Abschied nehmen und den Dienst quittieren wollen.“

Schach schwieg, verriet aber durch Haltung und Miene, daß ihm dies das Schmerzlichste sein würde.

„Nun, denn bleiben also; schöner Mann; liebe das. Aber Remedur muß geschafft werden, und bald, und gleich. Übrigens alte Familie, die Carayons, und wird Ihren Fräulein Töchtern (Pardon, lieber Schach!) die Stiftsanwartschaft auf Marienfließ oder Heiligengrabe nicht verderben. Abgemacht also. Rechne darauf, dringe darauf. Und werden mir Meldung machen.“

„Zu Befehl, Ew. Majestät.“

„Und noch eines; habe mit der Königin darüber gesprochen; will Sie sehn; Frauenlaune. Werden sie drüben in der Orangerie treffen . . . Dank Ihnen."

Schach war gnädig entlassen, verbeugte sich und ging den Korridor hinunter auf das am entgegengesetzten Flügel des Schlosses gelegene große Glas- und Gewächshaus zu, von dem der König gesprochen hatte.

Die Königin aber war noch nicht da, vielleicht noch im Park. So trat er denn in diesen hinaus und schritt auf einem Fliesengange zwischen einer Menge hier aufgestellter römischer Kaiser auf und ab, von denen ihn einige faunartig anzulächeln schienen. Endlich sah er die Königin von der Fährbrücke her auf sich zukommen, eine Hofdame mit ihr, allem Anscheine nach das jüngere Fräulein von Viereck. Er ging beiden Damen entgegen und trat in gemessener Entfernung beiseit, um die militärischen Honneurs zu machen. Das Hoffräulein aber blieb um einige Schritte zurück.

„Ich freue mich, Sie zu sehen, Herr von Schach. Sie kommen vom Könige."

„Zu Befehl, Ew. Majestät."

„Es ist etwas gewagt", fuhr die Königin fort, „daß ich Sie habe bitten lassen. Aber der König, der anfänglich dagegen war und mich darüber verspottete, hat es schließlich gestattet. Ich bin eben eine Frau, und es wäre hart, wenn ich mich meiner Frauenart entschlagen müßte, nur weil ich eine *Königin* bin. Als Frau aber interessiert mich alles, was unser Geschlecht angeht, und was ging uns näher an als eine solche question d'amour."

„Majestät sind so gnädig."

„Nicht gegen Sie, lieber Schach. Es ist um des Fräuleins willen . . . Der König hat mir alles erzählt, und Köckritz hat von dem Seinen hinzugetan. Es war denselben Tag, als ich von Pyrmont wieder in Paretz eintraf, und ich kann Ihnen kaum aussprechen, wie groß meine Teilnahme mit dem Fräulein war. Und nun wollen Sie, gerade *Sie,* dem lieben Kinde diese Teilnahme versagen und mit dieser Teilnahme zugleich sein Recht. Das ist unmöglich. Ich kenne Sie so lange Zeit und habe Sie jederzeit als einen Kavalier und Mann von Ehre befunden. Und dabei, denk ich, belassen wirs. Ich habe von den Spottbildern gehört, die publiziert worden sind, und diese Bilder, so nehm ich an, haben Sie verwirrt und Ihnen Ihr ruhiges Urteil genommen. Ich begreife das, weiß ich doch aus allereigenster Erfahrung, wie weh dergleichen tut und wie der giftige Pfeil uns nicht bloß in unserem Gemüte verwundet, sondern auch verwandelt und *nicht* verwandelt zum Besseren. Aber wie dem auch sei, Sie mußten sich auf sich selbst besinnen und damit zugleich auch auf *das,* was Pflicht und Ehre von Ihnen fordern."

Schach schwieg.

„Und Sie *werden* es", fuhr die Königin, immer lebhafter werdend, fort, „und werden sich als einen Reuigen und Bußfertigen zeigen. Es kann Ihnen nicht schwer werden, denn selbst aus der Anklage gegen Sie, so versicherte mir der König, habe noch immer ein Ton der Zuneigung gesprochen. Seien Sie dessen gedenk, wenn Ihr Entschluß je wieder ins Schwanken kommen sollte, was ich nicht fürchte. Wüßt ich doch kaum etwas, was mir in diesem Augenblicke so lieb wäre wie die Schlichtung dieses Streites und der Bund zweier Herzen, die mir füreinander bestimmt erscheinen. Auch durch eine recht eigentliche Liebe. Denn Sie werden doch, hoff ich, nicht in Abrede stellen wollen, daß es ein geheimnisvoller Zug war, was Sie zu diesem lieben und einst so schönen Kinde hinführte. Das Gegenteil anzunehmen, widerstreitet mir. Und nun eilen Sie heim und machen Sie glücklich und werden Sie glücklich. Meine Wünsche begleiten Sie, Sie *beide.* Sie werden sich zurückziehen, solang es die Verhältnisse gebieten; unter allen Umständen erwart ich, daß Sie mir Ihre Familienereignisse melden und den Namen Ihrer Königin als erste Taufpatin in Ihr Wuthenower Kirchenbuch eintragen lassen. Und nun Gott befohlen."

Ein Gruß und eine freundliche Handbewegung begleiteten diese Worte; Schach aber, als er sich kurz vor der Gartenfront noch einmal umsah, sah, wie beide Damen in einen Seitenweg einbogen und auf eine schattigere, mehr der Spree zu gelegene Partie des Parkes zuschritten.

Er selbst saß eine Viertelstunde später wieder im Sattel; Ordonnanz Baarsch folgte.

Die gnädigen Worte beider Majestäten hatten eines Eindrucks auf ihn nicht verfehlt; trotzdem war er nur getroffen, in nichts aber umgestimmt worden. Er wußte, was er dem König schuldig sei: *Gehorsam!* Aber sein Herz widerstritt, und so galt es denn für ihn, etwas ausfindig zu machen, was Gehorsam und Ungehorsam in sich vereinigte, was dem Befehle seines Königs und dem Befehle seiner eigenen Natur gleichmäßig entsprach. Und dafür gab es nur *einen* Weg. Ein Gedanke, den er schon in Wuthenow gefaßt hatte, kam ihm jetzt wieder und reifte rasch zum Entschluß, und je fester er ihn werden fühlte, desto mehr fand er sich in seine frühere gute Haltung und Ruhe zurück. „Leben", sprach er vor sich hin. „Was ist leben? Eine Frage von Minuten, eine Differenz von heut auf morgen." Und er fühlte sich, nach Tagen schweren Druckes, zum ersten Male wieder leicht und frei.

Als er, heimreitend, bis an die Wegstelle gekommen war, wo eine alte Kastanienallee nach dem Kurfürstendamm hin abzweigte, bog er in diese Allee ein, winkte Baarsch an sich heran und sagte, während er den Zügel fallen ließ und die linke Hand auf die Kruppe seines Pferdes stemmte: „Sage, Baarsch, was hältst du eigentlich von heiraten?"

„Jott, Herr Rittmeister, wat soll ich davon halten? Mein Vater selig sagte man ümmer: Heiraten is gut, aber nich heiraten is noch besser."

„Ja, das mag er wohl gesagt haben. Aber wenn ich nun heirate, Baarsch?"

„Ach, Herr Rittmeister werden doch nich!"

„Ja, wer weiß ... Ist es denn ein solches Malheur?"

„Jott, Herr Rittmeister, vor *Ihnen* grade nich, aber vor mir..."

„Wie das?"

„Weil ich mit Untroffzier Czepanski gewett't hab, es würd *doch* nichts. Un wer verliert, muß die ganze Korporalschaft freihalten."

„Aber woher wußtet ihr denn davon?"

„I Jott, des munkelt ja nu all lang. Un wie nu vorige Woch ooch noch die Bilders kamen ..."

„Ah so ... Nu sage, Baarsch, wie steht es denn eigentlich mit der Wette? Hoch?"

„I nu, ’s jeht, Herr Rittmeister. ’ne Cottbusser un’n Kümmel. Aber vor jed’ een.“

„Nu, Baarsch, du sollst dabei nicht zu Schaden kommen. Ich werde die Wette bezahlen.“

Und danach schwieg er und murmelte nur noch vor sich hin: „et payer les pots cassés.“

Achtzehntes Kapitel

Fata Morgana

Schach war zu guter Stunde wieder heim, und noch denselben Abend schrieb er ein Billett an Frau von Carayon, in dem er in anscheinend aufrichtigen Worten um seines Benehmens willen um Entschuldigung bat. Ein Kabinettsschreiben, das er vorgestern in Wuthenow empfangen habe, hab ihn heute nachmittag nach Charlottenburg hinausgeführt, wo König und Königin ihn an *das,* was seine Pflicht sei, gemahnt hätten. Er bedaure, solche Mahnung verschuldet zu haben, finde den Schritt, den Frau von Carayon getan, gerechtfertigt und bäte, morgen im Laufe des Vormittags sich beiden Damen vorstellen zu dürfen, um ihnen sein Bedauern über diese neuen Versäumnisse persönlich zu wiederholen. In einer Nachschrift, die länger als der Brief selbst war, war hinzugefügt, daß er durch eine Krisis gegangen sei; diese Krisis aber liege jetzt hinter ihm, und er hoffe sagen zu dürfen, ein Grund, an ihm oder seinem Rechtsgefühle zu zweifeln, werde *nicht* wiederkehren. Er lebe nur noch dem einen Wunsch und Gedanken, alles, was geschehen sei, durch Gesetzlichkeit auszugleichen. Über ein Mehr lege er sich vorläufig Schweigen auf.

Dies Billett, das der kleine Groom überbrachte, wurde, trotz der schon vorgerückten Stunde, von Frau von Carayon auf der Stelle beantwortet. Sie freue sich, in seinen Zeilen einer so versöhnlichen Sprache zu begegnen. Über alles, was seinem Briefe nach als ein nunmehr Zurückliegendes anzusehen sei, werd es am besten sein zu schweigen; auch *sie* fühle, daß sie ruhiger und rücksichtsvoller hätte handeln sollen, sie habe sich hinreißen lassen, und nur das *eine* werd ihr vielleicht zur Entschuldigung dienen dürfen, daß sie von jenen hämischen Angriffen in Wort und Bild, die sein Benehmen im Laufe der letzten Woche bestimmt zu haben schienen, erst seit zwei Tagen Kenntnis habe. Hätte sie diese Kenntnis früher gehabt, so würde sie vieles milder beurteilt, jedenfalls aber eine abwartende Haltung ihm und seinem Schweigen gegenüber eingenommen haben. Sie hoffe jetzt, daß alles wieder einklingen werde. Victoirens große Liebe (nur zu groß) und seine eigene Gesinnung, die, wie sie sich überzeugt halte, wohl schwanken, aber nie dauernd erschüttert werden könne, gäben ihr die Gewähr einer friedlichen und, wenn ihre Bitten Erhörung fänden, auch einer glücklichen Zukunft.

Am andern Vormittage wurde Schach bei Frau von Carayon gemeldet. Sie ging ihm entgegen, und das sich sofort entspinnende Gespräch verriet auf beiden Seiten weniger Verlegenheit, als nach dem Vorgefallenen hätte vorausgesetzt werden sollen. Und doch erklärte sichs auch wieder. Alles, was geschehen war, so schmerzlich es hüben und drüben berührt hatte, war doch schließlich von jeder der beiden Parteien verstanden worden, und wo Verständnis ist, ist auch Verzeihung oder wenigstens die Möglichkeit einer solchen. Alles hatte sich in natürlicher Konsequenz aus den Verhältnissen heraus entwickelt, und weder die Flucht, die Schach bewerkstelligt, noch die Klage, die Frau von Carayon an oberster Stelle geführt hatte, hatten Übelwollen oder Gehässigkeit ausdrücken sollen.

Als das Gespräch einen Augenblick zu stocken begann, erschien Victoire. Sie sah gut aus, nicht abgehärmt, vielmehr frischer als sonst. Er trat ihr entgegen, nicht kalt und zeremoniös, sondern herzlich, und der Ausdruck einer innigen und aufrichtigen Teilnahme, womit er auf sie sah und ihr die Hand reichte, besiegelte den Frieden. Es war kein Zweifel, er war ergriffen, und während Victoire vor Freude strahlte, füllten Tränen das Auge der Mutter.

Es war der beste Moment, das Eisen zu schmieden. Sie bat also Schach, der sich schon erhoben hatte, seinen Platz noch einmal auf einen kurzen Augenblick einnehmen zu wollen, um gemeinschaftlich mit ihm die nötigsten Festsetzungen zu treffen. Was sie zu sagen habe, seien nur wenige Worte. So viel sei gewiß, Zeit sei versäumt worden, und diese Versäumnis wieder einzubringen, empfehle sich wohl zunächst. Ihre langjährige freundschaftliche Beziehung zum alten Konsistorialrat Bocquet, der sie selber getraut und Victoiren eingesegnet habe, böte dazu die beste Gelegenheit. Es werde leicht sein, an die Stelle des herkömmlichen dreimaligen Aufgebots ein einmaliges zu setzen; das müsse nächsten Sonntag geschehen, und am Freitage der nächsten Woche – denn die Freitage, die gemeinhin für Unglückstage gölten, hätte sie persönlich von der durchaus entgegengesetzten Seite kennengelernt – werde dann die Hochzeit zu folgen haben. Und zwar in ihrer eigenen Wohnung, da sie Hochzeiten in cinem Hotel oder Gasthause von ganzer Seele hasse. Was dann weiter zu geschehen habe, das stehe bei dem jungen Paare; sie sei neugierig, ob Venedig über Wuthenow oder Wuthenow über Venedig den Sieg davontragen werde. Die Lagunen hätten sie gemeinsam und die Gondel auch, und nur um eines müsse sie bitten, daß der kleine Brückensteg unterm Schilf, an dem die Gondel liege, nie zur Seufzerbrücke erhoben werde.

So ging das Geplauder, und so verging der Besuch.

Am Sonntage, wie verabredet, erfolgte das Aufgebot, und der Freitag, an dem die Hochzeit stattfinden sollte, rückte heran. Alles im Carayonschen Hause war Aufregung, am aufgeregtesten Tante Marguerite, die jetzt täglich erschien und durch ihre naive Glückseligkeit alles Unbequeme balancierte, das sonst unzertrennlich von ihrem Erscheinen war.

Abends kam Schach. Er war heitrer und in seinem Urteile milder als sonst und vermied nur in ebenso bemerkenswerter wie zum Glück unbemerkt bleibender Weise, von der Hochzeit und den Vorbereitungen dazu zu sprechen. Wurd er gefragt, ob er dies oder jenes wünsche, so bat er mit einer Art von Empressement, ganz nach eigenem Dafürhalten verfahren zu wollen; er kenne den Takt und guten Geschmack der Damen und wisse, daß ohne sein Raten und Zutun alles am besten entschieden werden würde; wenn ihm dabei manches dunkel und geheimnisvoll bleibe, so sei dies ein Vorteil mehr für ihn, hab er doch von Jugend auf eine Neigung gehabt, sich überraschen zu lassen.

Unter solchen Ausflüchten entzog er sich jedem Geplauder, das, wie Tante Marguerite sich ausdrückte, „den Ehrentag en vue hatte", war aber um so plauderhafter, wenn das Gespräch auf die Reisetage nach der Hochzeit hinüberlenkte. Denn Venedig, aller halben Widerrede der Frau von Carayon zum Trotz, hatte doch schließlich über Wuthenow gesiegt, und Schach, wenn die Rede darauf kam, hing mit einer ihm sonst völlig fremden Phantastik allen erdenklichen Reiseplänen und Reisebildern nach. Er wollte nach Sizilien hinüber und die Sireneninseln passieren, ob frei oder an den Mast gebunden, überlaß er Victoiren und ihrem Vertrauen. Und dann wollten sie nach Malta. Nicht um Maltas willen, o nein. Aber auf dem Wege dahin sei die Stelle, wo der geheimnisvolle schwarze Weltteil in Luftbildern und Spiegelungen ein allererstes Mal zu dem in Nebel und Schnee gebornen Hyperboreer spräche. *Das* sei die Stelle, wo die bilderreiche Fee wohne, die *stumme* Sirene, die mit dem Zauber ihrer Farbe fast noch verführerischer locke als die singende. Beständig wechselnd seien die Szenen und Gestalten ihrer Laterna magica, und während eben noch ein ermüdeter Zug über den gelben Sand ziehe, dehne sichs plötzlich wie grüne Triften, und unter der schattengebenden Palme säße die Schar der Männer, die Köpfe gebeugt und alle Pfeifen in Brand, und schwarz und braune Mädchen, ihre Flechten gelöst und wie zum Tanze geschürzt, erhüben die Becken und schlügen das Tamburin. Und mitunter sei's, als lach' es. Und dann schwieg' es und schwänd es wieder. Und diese Spiegelung aus der geheimnisvollen Ferne, *das* sei das Ziel!

Und Victoire jubelte, hingerissen von der Lebhaftigkeit seiner Schilderung.

Aber im selben Augenblick überkam es sie bang und düster, und in ihrer Seele rief eine Stimme: *Fata Morgana.*

Neunzehntes Kapitel
Die Hochzeit

Die Trauung hatte stattgefunden, und um die vierte Stunde versammelten sich die zur Hochzeit Geladenen in dem nach dem Hofe hinaus gelegenen großen Eßsaale, der für gewöhnlich als ein bloßes unbequemes Anhängsel der Carayonschen Wohnung angesehen und seit einer ganzen Reihe von Jahren heute zum ersten Male wieder in Gebrauch genommen wurde. Dies erschien tunlich, trotzdem die Zahl der Gäste keine große war. Der alte Konsistorialrat Bocquet hatte sich bewegen lassen, dem Mahle beizuwohnen, und saß, dem Brautpaare gegenüber, neben der Frau von Carayon; unter den anderweit Geladenen aber waren, außer dem Tantchen und einigen alten Freunden aus der Generalfinanzpächterzeit her, in erster Reihe Nostitz, Alvensleben und Sander zu nennen. Auf letzteren hatte Schach, aller sonstigen, auch bei Feststellung der Einladungsliste, beobachteten Differenz unerachtet, mit besonderem Nachdruck bestanden, weil ihm inzwischen das rücksichtsvolle Benehmen desselben bei Gelegenheit des Verlagsantrages der drei Bilder bekannt geworden war, ein Benehmen, das er um so höher anschlug, als er es von *dieser* Seite her nicht erwartet hatte. Bülow, Schachs alter Gegner, war nicht mehr in Berlin und hätte wohl auch gefehlt, wenn er noch dagewesen wäre.

Die Tafelstimmung verharrte bis zum ersten Trinkspruch in der herkömmlichen Feierlichkeit; als indessen der alte Konsistorialrat gesprochen und in einem dreigeteilten und als „historischer Rückblick“ zu bezeichnenden Toast erst des großväterlichen Generalfinanzpächterhauses, dann der Trauung der Frau von Carayon und drittens (und zwar unter Zitierung des ihr mit auf den Lebensweg gegebenen Bibelspruches) der Konfirmation Victoirens gedacht, endlich aber mit einem halb ehrbaren, halb scherzhaften Hinweis auf den ägyptischen Wundervogel, in dessen verheißungsvolle Nähe man sich begeben wolle, geschlossen hatte, war das Zeichen zu einer Wandlung der Stimmung gegeben.

Alles gab sich einer ungezwungenen Heiterkeit hin, an der sogar Victoire teilnahm, und nicht zum wenigsten, als sich schließlich auch das zu Ehren des Tages in einem grasgrünen Seidenkleid und einem hohen Schildpattkamme erschienene Tantchen erhob, um einen *zweiten* Toast auf das Brautpaar auszubringen. Ihr verschämtes Klopfen mit dem Dessertmesser an die Wasserkaraffe war eine Zeitlang unbemerkt geblieben und kam erst zur Geltung, als Frau von Carayon erklärte: Tante Marguerite wünsche zu sprechen.

Diese verneigte sich denn auch zum Zeichen der Zustimmung und begann ihre Rede mit viel mehr Selbstbewußtsein, als man nach ihrer anfänglichen Schüchternheit erwarten durfte. „Der Herr Konsistorialrat hat so schön und so lange gesprochen, und ich ähnle nur dem Weibe Ruth, das über dem Felde geht und Ähren sammelt, was auch der Text war, worüber am letzten Sonntag in der kleinen Melonenkürche gepredigt wurde, die wieder sehr leer war, ich glaube nicht mehr als ölf oder zwölf. Aber als Tante der lieben Braut, in welcher Beziehung ich wohl die älteste bin, erheb ich dieses Glas, um noch einmal auf dem Wohle des jungen Paares zu trinken."

Und danach setzte sie sich wieder, um die Huldigungen der Gesellschaft entgegenzunehmen. Schach versuchte, der alten Dame die Hand zu küssen, was sie jedoch wehrte, wogegen sie Victoirens Umarmung mit allerlei kleinen Liebkosungen und zugleich mit der Versicherung erwiderte: sie hab es alles vorher gewußt, von dem Nachmittag an, wo sie die Fahrt nach Tempelhof und den Gang nach der Kürche gemacht hätten. Denn sie hab es wohl gesehen, daß Victoire neben dem großen, für die Mama bestimmten Veilchenstrauß auch noch einen kleinen Strauß in der Hand gehalten hätte, den habe sie dem lieben Bräutigam, dem Herrn von Schach, in der Kürchentüre präsentieren wollen. Aber als er dann gekommen sei, habe sie das kleine Bukett wieder weggeworfen, und es sei dicht neben der Tür auf ein Kindergrab gefallen, was immer etwas bedeute und auch *dies*mal etwas bedeutet habe. Denn sosehr sie gegen den Aberglauben sei, so glaube sie doch an Sympathie, natürlich bei abnehmendem Mond. Und der ganze Nachmittag stehe noch so deutlich vor ihr, als wär es gestern gewesen, und wenn manche so täten, als wisse man nichts, so hätte man doch auch seine zwei gesunden Augen und wisse recht gut, wo die besten Kürschen hingen. In diesen Satz vertiefte sie sich immer mehr, ohne daß die Bedeutung desselben dadurch klarer geworden wäre.

Nach Tante Margueritens Toast löste sich die Tafelreihe: jeder verließ seinen Platz, um abwechselnd hier oder dort eine Gastrolle geben zu können, und als bald danach auch die großen Jostyschen Devisenbonbons umhergereicht und allerlei Sprüche wie beispielsweise „Liebe, wunderbare Fee, selbst dein Wehe tut nicht weh", aller kleinen und undeutlichen Schrift unerachtet, entziffert und verlesen worden waren, erhob man sich von der Tafel. Alvensleben führte Frau von Carayon, Sander Tante Marguerite, bei welcher Gelegenheit, und zwar über das Ruth-Thema, von seiten Sanders allerlei kleine Neckereien verübt wurden, Neckereien, die der Tante so sehr gefielen, daß sie Victoiren, als der Kaffee serviert wurde, zuflüsterte: „Scharmanter Herr. Und so galant. Und so bedeutungsvoll."

Schach sprach viel mit Sander, erkundigte sich nach Bülow, der ihm zwar nie sympathisch, aber trotz all seiner Schrullen immer ein Gegenstand des Interesses gewesen sei, und bat Sander, ihm bei sich darbietender Gelegenheit dies ausdrücken zu wollen. In allem, was er sagte, sprach sich Freundlichkeit und ein Hang nach Versöhnung aus.

In diesem Hange nach Versöhnung stand er aber nicht allein da, sondern begegnete sich darin mit Frau von Carayon. Als ihm diese persönlich eine zweite Tasse präsentierte, sagte sie, während er den Zucker aus einer Schale nahm: „Auf ein Wort, lieber Schach, aber im Nebenzimmer."

Und sie ging ihm dahin vorauf.

„Lieber Schach", begann sie, hier auf einem großgeblümten Kanapee Platz nehmend, von dem aus beide mit Hilfe der offenstehenden Flügeltür einen Blick auf das Eckzimmer hin frei hatten, „es sind dies unsere letzten Minuten, und ich möchte mir, ehe wir Abschied voneinander nehmen, noch manches von der Seele heruntersprechen. Ich will nicht mit meinem Alter kokettieren, aber ein Jahr ist eine lange Zeit, und wer weiß, ob wir uns wiedersehen. Über Victoire kein Wort. Sie wird Ihnen keine trübe Stunde machen; sie liebt Sie zu sehr, um es zu können oder zu wollen. Und Sie, lieber Schach, werden sich dieser Liebe würdig zeigen. Sie werden ihr nicht wehe tun, diesem süßen Geschöpf, das nur Demut und Hingebung ist. Es ist unmöglich. Und so verlang ich denn kein Versprechen von Ihnen. Ich weiß im voraus, ich hab es."

Schach sah vor sich hin, als Frau von Carayon diese Worte sprach, und tröpfelte, während er die Tasse mit der Linken hielt, den Kaffee langsam aus dem zierlichen kleinen Löffel.

„Ich habe seit unserer Versöhnung", fuhr sie fort, „mein Vertrauen wieder. Aber dies Vertrauen, wie mein Brief Ihnen schon aussprach, war in Tagen, die nun glücklicherweise hinter uns liegen, um vieles mehr, als ich es für möglich gehalten hätte, von mir gewichen, und in diesen Tagen hab ich harte Worte gegen Sie gebraucht, harte Worte, wenn ich mit Victoiren sprach, und noch härtere, wenn ich mit mir allein war. Ich habe Sie kleinlich und hochmütig, eitel und bestimmbar gescholten und habe Sie, was das Schlimmste war, der Undankbarkeit und der lâcheté geziehen. All das beklag ich jetzt und schäme mich einer Stimmung, die mich unsre Vergangenheit so vergessen lassen konnte."

Sie schwieg einen Augenblick. Aber als Schach antworten wollte, litt sie's nicht und sagte: „Nur ein Wort noch. Alles, was ich in jenen Tagen gesagt und gedacht habe, bedrückte mich und verlangte nach dieser Beichte. Nun erst ist alles wieder klar zwischen uns, und ich kann Ihnen wieder frei ins Auge sehen. Aber nun genug. Kommen Sie. Man wird uns ohnehin schon vermißt haben."

Und sie nahm seinen Arm und scherzte: „Nicht wahr? On revient toujours à ses premiers amours. Und ein Glück, daß ich es Ihnen lachend aussprechen kann, und in einem Momente reiner und ganzer Freude."

Victoire trat Schach und ihrer Mama von dem Eckzimmer her entgegen und sagte: „Nun, was war es?"

„Eine Liebeserklärung."

„Ich dacht es. Und ein Glück, Schach, daß wir morgen reisen. Nicht wahr? Ich möcht der Welt um keinen Preis das Bild einer eifersüchtigen Tochter geben."

Und Mutter und Tochter nahmen auf dem Sofa Platz, wo sich Alvensleben und Nostitz ihnen gesellten.

In diesem Augenblick wurde Schach der Wagen gemeldet, und es war, als ob er sich bei dieser Meldung verfärbe. Frau von Carayon sah es auch. Er sammelte sich aber rasch wieder, empfahl sich und trat in den Korridor hinaus, wo der kleine Groom mit Mantel und Hut auf ihn wartete. Victoire war ihm bis an die Treppe hinaus gefolgt, auf der noch vom Hof her ein halber Tagesschein flimmerte.

„Bis auf morgen", sagte Schach und trennte sich rasch und ging.

Aber Victoire beugte sich weit über das Geländer vor und wiederholte leise: „Bis auf morgen. Hörst du? ... Wo sind wir morgen?"

Und siehe, der süße Klang ihrer Stimme verfehlte seines Eindrucks *nicht,* auch in *diesem* Augenblicke nicht. Er sprang die Stufen wieder hinauf, umarmte sie, wie wenn er Abschied nehmen wolle für immer, und küßte sie.

„Auf Wiedersehn, Mirabelle."

Und nachhorchend hörte sie noch seinen Schritt auf dem Flur. Dann fiel die Haustür ins Schloß, und der Wagen rollte die Straße hinunter.

Auf dem Bocke saßen Ordonnanz Baarsch und der Groom, von denen jener sichs eigens ausbedungen hatte, seinen Rittmeister und Gutsherrn an diesem seinem Ehrentage fahren zu dürfen. Was denn auch ohne weiteres bewilligt worden war. Als der Wagen aus der Behren- in die Wilhelmstraße einbog, gab es einen Ruck oder Schlag, ohne daß ein Stoß von unten her verspürt worden wäre.

„Damn", sagte der Groom. „What's that?"

„Wat et is? Wat soll et sind, Kleener? En Steen is et; en doter Feldwebel."

„Oh no, Baarsch. Nich stone. 't was something ... dear me ... like shooting."

„Schuting? Nanu!"

„Yes, pistol-shooting ..."

Aber der Satz kam nicht mehr zu Ende, denn der Wagen hielt vor Schachs Wohnung, und der Groom sprang in Angst und Eile vom Bock, um seinem Herrn beim Aussteigen behilflich zu sein. Er öffnete den Wagenschlag, ein dichter Qualm schlug ihm entgegen, und Schach saß aufrecht in der Ecke, nur wenig zurückgelehnt. Auf dem Teppich zu seinen Füßen lag das Pistol. Entsetzt warf der Kleine den Schlag wieder ins Schloß und jammerte: „Heavens, he is dead!"

Die Wirtsleute wurden alarmiert, und so trugen sie den Toten in seine Wohnung hinauf.

Baarsch fluchte und flennte und schob alles auf die „Menschheit", weil ers aufs Heiraten zu schieben nicht den Mut hatte. Denn er war eine diplomatische Natur wie alle Bauern.

Zwanzigstes Kapitel

Bülow an Sander

Königsberg, 14. Sept. 1806. ... Sie schreiben mir, lieber Sander, auch von Schach. Das rein Tatsächliche wußte ich schon, die Königsberger Zeitung hatte der Sache kurz erwähnt, aber erst Ihrem Briefe verdank ich die Aufklärung, soweit sie gegeben werden kann. Sie kennen meine Neigung (und dieser folg ich auch heut), aus dem einzelnen aufs Ganze zu schließen, aber freilich auch umgekehrt aus dem Ganzen aufs einzelne, was mit dem Generalisieren zusammenhängt. Es mag das sein Mißliches haben und mich oft zu weit führen. Indessen, wenn jemals eine Berechtigung dazu vorlag, so hier, und speziell *Sie* werden es begreiflich finden, daß mich dieser Schach-Fall, der nur ein Symptom ist, um eben seiner symptomatischen Bedeutung willen aufs ernsteste beschäftigt. Er ist durchaus Zeiterscheinung, aber wohlverstanden, mit lokaler Begrenzung, ein in seinen Ursachen ganz abnormer Fall, der sich in dieser Art und Weise nur in Seiner Königlichen Majestät von Preußen Haupt- und Residenzstadt, oder, wenn über diese hinaus, immer nur in den Reihen unserer nachgeborenen friderizianischen Armee zutragen konnte, einer Armee, die statt der Ehre nur noch den Dünkel und statt der Seele nur noch ein Uhrwerk hat – ein Uhrwerk, das bald genug abgelaufen sein wird. Der große König hat diesen schlimmen Zustand der Dinge vorbereitet, aber daß er *so* schlimm werden konnte, dazu mußten sich die großen Königsaugen erst schließen, vor denen bekanntermaßen jeder mehr erbangte als vor Schlacht und Tod.

Ich habe lange genug dieser Armee angehört, um zu wissen, daß „Ehre" das dritte Wort in ihr ist; eine Tänzerin ist scharmant „auf Ehre", eine Schimmelstute magnifique „auf Ehre", ja, mir sind Wucherer empfohlen und vorgestellt worden, die süperb „auf Ehre" waren. Und dies beständige Sprechen von Ehre, von einer falschen Ehre, hat die Begriffe verwirrt und die richtige Ehre tot gemacht.

All das spiegelt sich auch in diesem Schach-Fall, in Schach selbst, der, all seiner Fehler unerachtet, immer noch einer der Besten war.

Wie lag es denn? Ein Offizier verkehrt in einem adligen Hause; die Mutter gefällt ihm, und an einem schönen Maitage gefällt ihm auch die Tochter, vielleicht, oder sagen wir lieber sehr wahrscheinlich, weil ihm Prinz Louis eine halbe Woche vorher einen Vortrag über „beauté du diable" gehalten hat. Aber gleichviel, sie gefällt ihm, und die Natur zieht ihre Konsequenzen. Was unter so gegebenen Verhältnissen wäre nun wohl einfacher und natürlicher gewesen als Ausgleich durch einen Eheschluß, durch eine Verbindung, die weder gegen den äußeren Vorteil noch gegen irgendein Vorurteil verstoßen hätte. Was aber geschieht? Er flieht nach Wuthenow, einfach weil das holde Geschöpf, um das sichs handelt, ein paar Grübchen mehr in der Wange hat, als gerade modisch oder herkömmlich ist, und weil diese „paar Grübchen zuviel" unsren glatten und wie mit Schachtelhalm polierten Schach auf vier Wochen in eine von seinen Feinden bewitzelte Stellung hätten bringen können. Er flieht also, sag ich, löst sich feige von Pflicht und Wort, und als ihn schließlich, um ihn selber sprechen zu lassen, sein „Allergnädigster König und Herr" an Pflicht und Wort erinnert und strikten Gehorsam fordert, da gehorcht er, aber nur, um im Momente des Gehorchens den Gehorsam in einer allerbrüskesten Weise zu brechen. Er kann nun mal Zietens spöttischen Blick nicht ertragen, noch viel weniger einen neuen Ansturm von Karikaturen, und in Angst gesetzt durch einen Schatten, eine Erbsenblase, greift er zu dem alten Auskunftsmittel der Verzweifelten: un peu de poudre.

Da haben Sie das Wesen der falschen Ehre. Sie macht uns abhängig von dem Schwankendsten und Willkürlichsten, was es gibt, von dem auf Triebsand aufgebauten Urteile der Gesellschaft, und veranlaßt uns, die heiligsten Gebote, die schönsten und natürlichsten Regungen ebendiesem Gesellschaftsgötzen zum Opfer zu bringen. Und diesem Kultus einer falschen Ehre, die nichts ist als Eitelkeit und Verschrobenheit, ist denn auch Schach erlegen, und Größeres als er wird folgen. Erinnern Sie sich dieser Worte. Wir haben wie Vogel Strauß den Kopf in den Sand gesteckt, um nicht zu hören und nicht zu sehen. Aber diese Straußenvorsicht hat noch nie gerettet. Als es mit der Mingdynastie zur Neige ging und die siegreichen Mandschuheere schon in die Palastgärten von Peking eingedrungen waren, erschienen immer noch Boten und Abgesandte, die dem Kaiser von Siegen und wieder Siegen meldeten, weil es gegen „den Ton“ der guten Gesellschaft und des Hofes war, von Niederlagen zu sprechen. O, dieser gute Ton! Eine Stunde später war ein Reich zertrümmert und ein Thron gestürzt. Und warum? Weil alles Geschraubte zur Lüge führt und alle Lüge zum Tod.

Entsinnen Sie sich des Abends in Frau von Carayons Salon, wo bei dem Thema „Hannibal ante portas“ ähnliches über meine Lippen kam? Schach tadelte mich damals als unpatriotisch. Unpatriotisch! Die Warner sind noch immer bei diesem Namen genannt worden. Und nun! Was ich damals als etwas bloß Wahrscheinliches vor Augen hatte, jetzt ist es *tatsächlich* da. Der Krieg ist erklärt. Und was das bedeutet, steht in aller Deutlichkeit vor meiner Seele. Wir werden an derselben Welt des Scheins zugrunde gehen, an der Schach zugrunde gegangen ist.

Ihr Bülow.

Nachschrift. Dohna (früher bei der Gardedukorps), mit dem ich eben über die Schachsche Sache gesprochen habe, hat eine Lesart, die mich an frühere Nostitzsche Mitteilungen erinnerte. Schach habe die Mutter geliebt, was ihn, in einer Ehe mit der Tochter, in seltsam peinliche Herzenskonflikte geführt haben würde. Schreiben Sie mir doch darüber. Ich persönlich find es pikant, aber nicht zutreffend. Schachs Eitelkeit hat ihn zeitlebens bei voller Herzenskühle gehalten, und seine Vorstellungen von Ehre (hier ausnahmsweise die richtige) würden ihn außerdem, wenn er die Ehe mit der Tochter wirklich geschlossen hätte, vor jedem faux pas gesichert haben. B.

Einundzwanzigstes Kapitel

Victoire von Schach an Lisette von Perbandt

Rom, 18. August 1807. Ma chère Lisette.

Daß ich Dir sagen könnte, wie gerührt ich war über so liebe Zeilen! Aus dem Elend des Krieges, aus Kränkungen und Verlusten heraus, hast Du mich mit Zeichen alter, unveränderter Freundschaft überschüttet und mir meine Versäumnisse nicht zum Üblen gedeutet.

Mama wollte mehr als einmal schreiben, aber ich selber bat sie, damit zu warten.

Ach, meine teure Lisette, Du nimmst teil an meinem Schicksal und glaubst, der Zeitpunkt sei nun da, mich gegen Dich auszusprechen. Und Du hast recht. Ich will es tun, so gut ichs kann.

Wie sich das alles erklärt? fragst Du und setzest hinzu: Du stündest vor einem Rätsel, das sich Dir nicht lösen wolle. Meine liebe Lisette, wie lösen sich die Rätsel? Nie. Ein Rest von Dunklem und Unaufgeklärtem bleibt, und in die letzten und geheimsten Triebfedern andrer oder auch nur unsrer eignen Handlungsweise hineinzublicken, ist uns versagt. Er sei, so versichern die Leute, der schöne Schach gewesen, und ich, das mindeste zu sagen, die nicht-schöne Victoire – das habe den Spott herausgefordert, und diesem

Spotte Trotz zu bieten, dazu habe er nicht die Kraft gehabt. Und so sei er denn aus Furcht vor dem Leben in den Tod gegangen.

So sagt die Welt, und in vielem wird es zutreffen. Schrieb er mir doch Ähnliches und verklagte sich darüber. Aber wie die Welt strenger gewesen ist als nötig, so vielleicht auch er selbst. Ich seh es in einem andern Licht. Er wußte sehr wohl, daß aller Spott der Welt schließlich erlahmt und erlischt, und war im übrigen auch Manns genug, diesen Spott zu bekämpfen, im Fall er *nicht* erlahmen und *nicht* erlöschen wollte. Nein, er fürchtete sich nicht vor diesem Kampf oder wenigstens nicht so, wie vermutet wird; aber eine kluge Stimme, die die Stimme seiner eigensten und innersten Natur war, rief ihm beständig zu, daß er diesen Kampf *umsonst* kämpfen und daß er, wenn auch siegreich gegen die Welt, *nicht* siegreich gegen sich selber sein würde. *Das* war es. Er gehörte durchaus, und mehr als irgendwer, den ich kennengelernt habe, zu *den* Männern, die *nicht* für die Ehe geschaffen sind. Ich erzählte Dir schon bei früherer Gelegenheit von einem Ausfluge nach Tempelhof, der überhaupt in mehr als einer Beziehung einen Wendepunkt für uns bedeutete. Heimkehrend aus der Kirche, sprachen wir über Ordensritter und Ordensregeln, und der ungesucht ernste Ton, mit dem er, trotz meiner Neckereien, den Gegenstand behandelte, zeigte mir deutlich, welchen Idealen er nachhing. Und unter diesen Idealen – all seiner Liaisons unerachtet oder vielleicht auch um dieser Liaisons willen – war sicherlich *nicht* die Ehe. Noch jetzt darf ich Dir versichern, und die Sehnsucht meines Herzens ändert nichts an dieser Erkenntnis, daß es mir schwer, ja fast unmöglich ist, ihn mir au sein de sa famille vorzustellen. Ein Kardinal (ich seh ihrer hier täglich) läßt sich eben nicht als Ehemann denken. Und Schach auch nicht.

Da hast Du mein Bekenntnis, und Ähnliches muß er selber gedacht und empfunden haben, wenn er auch freilich in seinem Abschiedsbriefe darüber schwieg. Er war seiner ganzen Natur nach auf Repräsentation und Geltendmachung einer gewissen Grandezza gestellt, auf mehr *äußerliche* Dinge, woraus Du sehen magst, daß ich ihn nicht überschätze.

Wirklich, wenn ich ihn in seinen Fehden mit Bülow immer wieder und wieder unterliegen sah, so fühlt ich nur zu deutlich, daß er weder ein Mann von hervorragender geistiger Bedeutung noch von superiorem Charakter sei; zugegeben das alles; und doch war er andererseits durchaus befähigt, innerhalb enggezogener Kreise zu glänzen und zu herrschen. Er war wie dazu bestimmt, der Halbgott eines prinzlichen Hofes zu sein, und würde diese Bestimmung, Du darfst darüber nicht lachen, nicht bloß zu seiner persönlichen Freude, sondern auch zum Glück und Segen anderer, ja vieler anderer, erfüllt haben. Denn er war ein guter Mensch, und auch klug genug, um immer das Gute zu wollen. An dieser Laufbahn als ein prinzlicher Liebling und plénipotentiaire hätt ich ihn verhindert, ja hätt ihn bei meinen anspruchslosen Gewohnheiten aus all und jeder Karriere herausgerissen und ihn nach Wuthenow hingezwungen, um mit mir ein Spargelbeet anzulegen oder der Kluckhenne die Küchelchen wegzunehmen. Davor erschrak er. Er sah ein kleines und beschränktes Leben vor sich und war, ich will nicht sagen auf ein großes gestellt, aber doch auf ein solches, das *ihm* als groß erschien.

Über meine Nichtschönheit wär er hinweggekommen. Ich hab ihm, ich zögre fast, es niederzuschreiben, nicht eigentlich mißfallen, und vielleicht hat er mich wirklich geliebt. Befrag ich seine letzten, an mich gerichteten Zeilen, so wär es in Wahrheit so. Doch ich mißtraue diesem süßen Wort. Denn er war voll Weichheit und Mitgefühl, und alles Weh, was er mir bereitet hat durch sein Leben und sein Sterben, er wollt es ausgleichen, soweit es auszugleichen war.

Alles Weh! Ach, wie so fremd und strafend mich dieses Wort ansieht! Nein, meine liebe Lisette, nichts von Weh. Ich hatte früh resigniert und vermeinte, kein Anrecht an jenes Schönste zu haben, was das Leben hat. Und nun hab ich es gehabt. Liebe. Wie mich das erhebt und durchzittert und alles Weh in Wonne verkehrt. Da liegt das Kind und schlägt eben die blauen Augen auf. *Seine* Augen. Nein, Lisette, viel Schweres ist mir auferlegt worden, aber es federt leicht in die Luft, gewogen neben meinem Glück. –

Das Kleine, Dein Patchen, war krank bis auf den Tod, und nur durch ein Wunder ist es mir erhalten geblieben.

Und davon muß ich Dir erzählen.

Als der Arzt nicht mehr Hilfe wußte, ging ich mit unserer Wirtin (einer echten alten Römerin in ihrem Stolz und ihrer Herzensgüte) nach der Kirche Araceli hinauf, einem neben dem Kapitol gelegenen alten Rundbogenbau, wo sie den „Bambino", das Christkind, aufbewahren, eine hölzerne Wickelpuppe mit großen Glasaugen und einem ganzen Diadem von Ringen, wie sie dem Christkind um seiner gespendeten Hilfe willen von unzähligen Müttern verehrt worden sind. Ich bracht ihm einen Ring mit, noch eh ich seiner Fürsprache sicher war, und dieses Zutrauen muß den Bambino gerührt haben. Denn sieh, er half. Eine Krisis kam unmittelbar, und der Dottore verkündigte sein „va bene"; die Wirtin aber lächelte, wie wenn sie selber das Wunder verrichtet hätte.

Und dabei kommt mir die Frage, was wohl Tante Marguerite, wenn sie davon hörte, zu all dem „Aberglauben" sagen würde? Sie würde mich vor der „alten Kürche" warnen, und mit *mehr* Grund, als sie weiß.

Denn nicht nur *alt* ist Araceli, sondern auch trostreich und labevoll und kühl und schön.

Sein Schönstes aber ist sein Name, der *„Altar des Himmels"* bedeutet. Und auf diesem Altar steigt tagtäglich das Opfer meines Dankes auf.

Theodor Fontane
Irrungen Wirrungen

Erste Veröffentlichung: Vossische Zeitung, Berlin 24. Juli bis 23. August 1887.
Erste Buchveröffentlichung im Verlag W. Steffens, Leipzig 1888.

Erstes Kapitel

An dem Schnittpunkte von Kurfürstendamm und Kurfürstenstraße, schräg gegenüber dem „Zoologischen“, befand sich in der Mitte der siebziger Jahre noch eine große, feldeinwärts sich erstreckende Gärtnerei, deren kleines, dreifenstriges, in einem Vorgärtchen um etwa hundert Schritte zurückgelegenes Wohnhaus, trotz aller Klarheit und Zurückgezogenheit, von der vorübergehenden Straße her sehr wohl erkannt werden konnte. Was aber sonst noch zu dem Gesamtgewese der Gärtnerei gehörte, ja die recht eigentliche Hauptsache derselben ausmachte, war durch ebendies kleine Wohnhaus wie durch eine Kulisse versteckt, und nur ein rot und grün gestrichenes Holztürmchen mit einem halb weggebrochenen Zifferblatt unter der Turmspitze (von Uhr selbst keine Rede) ließ vermuten, daß hinter dieser Kulisse noch etwas anderes verborgen sein müsse, welche Vermutung denn auch in einer von Zeit zu Zeit aufsteigenden, das Türmchen umschwärmenden Taubenschar und mehr noch in einem gelegentlichen Hundegeblaff ihre Bestätigung fand. Wo dieser Hund eigentlich steckte, das entzog sich freilich der Wahrnehmung, trotzdem die hart an der linken Ecke gelegene, von früh bis spät aufstehende Haustür einen Blick auf ein Stückchen Hofraum gestattete. Überhaupt schien sich nichts mit Absicht verbergen zu wollen, und doch mußte jeder, der zu Beginn unserer Erzählung des Weges kam, sich an dem Anblick des dreifenstrigen Häuschens und einiger im Vorgarten stehenden Obstbäume genügen lassen.

Es war die Woche nach Pfingsten, die Zeit der langen Tage, deren blendendes Licht mitunter kein Ende nehmen wollte. Heut aber stand die Sonne schon hinter dem Wilmersdorfer Kirchturm, und statt der Strahlen, die sie den ganzen Tag über herabgeschickt hatte, lagen bereits abendliche Schatten in dem Vorgarten, dessen halbmärchenhafte Stille nur noch von der Stille des von der alten Frau Nimptsch und ihrer Pflegetochter Lene mietweise bewohnten Häuschens übertroffen wurde. Frau Nimptsch selbst aber saß wie gewöhnlich an dem großen, kaum fußhohen Herd ihres die ganze Hausfront einnehmenden Vorderzimmers und sah, hockend und vorgebeugt, auf einen rußigen alten Teekessel, dessen Deckel, trotzdem der Wrasen auch vorn aus der Tülle quoll, beständig hin und her klapperte. Dabei hielt die Alte beide Hände gegen die Glut und war so versunken in ihre Betrachtungen und Träumereien, daß sie nicht hörte, wie die nach dem Flur hinausführende Tür aufging und eine robuste Frauensperson ziemlich geräuschvoll eintrat. Erst als diese letztere sich geräuspert und ihre Freundin und Nachbarin, eben unsere Frau Nimptsch, mit einer gewissen Herzlichkeit bei Namen genannt hatte, wandte sich diese nach rückwärts und sagte nun auch ihrerseits freundlich und mit einem Anfluge von Schelmerei: „Na, das is recht, liebe Frau Dörr, daß Sie mal wieder rüberkommen. Und noch dazu vons ‚Schloß'. Denn ein Schloß is es und bleibt es. Hat ja 'nen Turm. Un nu setzen Sie sich ... Ihren lieben Mann hab ich eben weggehen sehen. Und muß auch. Is ja heute sein Kegelabend."

Die so freundlich als Frau Dörr Begrüßte war nicht bloß eine robuste, sondern vor allem auch eine sehr stattlich aussehende Frau, die, neben dem Eindruck des Gütigen und Zuverlässigen, zugleich den einer besonderen Beschränktheit machte. Die Nimptsch indessen nahm sichtlich keinen Anstoß daran und wiederholte nur: „Ja, sein Kegelabend. Aber, was ich sagen wollte, liebe Frau Dörr, mit Dörren seinen Hut, das geht nicht mehr. Der is ja schon fuchsblank und eigentlich schimpfierlich. Sie müssen ihn ihm wegnehmen und einen andern hinstellen. Vielleicht merkt er es nich ... Und nu rücken Sie ran hier, liebe Frau Dörr, oder lieber da drüben auf die Hutsche . . . Lene, na Sie wissen ja, is ausgeflogen un hat mich mal wieder in Stich gelassen."

„Er war woll hier?"

„Freilich war er. Und beide sind nu ein bißchen auf Wilmersdorf zu; den Fußweg lang, da kommt keiner. Aber jeden Augenblick können sie wieder hier sein."

„Na, da will ich doch lieber gehn."

„O nich doch, liebe Frau Dörr. Er bleibt ja nich. Und wenn er auch bliebe, Sie wissen ja, der is nicht so."

„Weiß, weiß. Und wie steht es denn?"

„Ja, wie soll es stehn? Ich glaube, sie denkt so was, wenn sie's auch nich wahr haben will, und bildet sich was ein."

„O du meine Güte", sagte Frau Dörr, während sie, statt der ihr angebotenen Fußbank, einen etwas höheren Schemel heranschob. „O du meine Güte, denn is es schlimm. Immer wenn das Einbilden anfängt, fängt auch das Schlimme an. Das is wie Amen in der Kirche. Sehen Sie, liebe Frau Nimptsch, mit mir war es ja eigentlich ebenso; man bloß nichts von Einbildung. Und bloß darum war es auch wieder ganz anders."

Frau Nimptsch verstand augenscheinlich nicht recht, was die Dörr meinte, weshalb diese fortfuhr: „Und weil ich mir nie was in'n Kopp setzte, darum ging es immer ganz glatt und gut, und ich habe nu Dörren. Na, viel is es nich, aber es is doch was Anständiges, und man kann sich überall sehen lassen. Und drum bin ich auch in die Kirche mit ihm gefahren und nich bloß Standesamt. Bei Standesamt reden sie immer noch." Die Nimptsch nickte.

Frau Dörr aber wiederholte: „Ja, in die Kirche, in die Matthäikirche un bei Büchseln. Aber, was ich eigentlich sagen wollte, sehen Sie, liebe Frau Nimptsch, ich war ja woll eigentlich größer und anziehlicher als die Lene, un wenn ich auch nicht hübscher war (denn so was kann man nie recht wissen, un die Geschmäcker sind so verschieden), so war ich doch so mehr im Vollen, un das mögen manche. Ja, soviel is richtig. Aber wenn ich auch sozusagen fester war un mehr im Gewicht fiel un so was hatte, nu ja, ich hatte so was, so war ich doch immer man ganz einfach un beinah simpel; un was nu er war, mein Graf mit seine fuffzig auf'm Puckel, na, der war auch man ganz simpel und bloß immer kreuzfidel un unanständig. Und da reichen ja keine hundert Mal, daß ich ihm gesagt habe: ‚Ne, ne, Graf, *das* geht nicht, *so* was verbitt ich mir . . .' Und immer die Alten sind so. Und ich sage bloß, liebe Frau Nimptsch, Sie können sich so was gar nich denken. Gräßlich war es. Und wenn ich mir nu der Lene ihren Baron ansehe, denn schämt es mir immer noch, wenn ich denke, wie meiner war. Und nu gar erst die Lene selber. Jott, ein Engel is sie woll grade auch nich, aber propper und fleißig un kann alles und is für Ordnung un fürs Reelle. Und sehen Sie, liebe Frau Nimptsch, das is grade das Traurige. Was da so rumfliegt, heute hier un morgen da, na, das kommt nicht um, das fällt wie die Katz immer wieder auf die vier Beine; aber so'n gutes Kind, das alles ernsthaft nimmt und alles aus Liebe tut, ja, *das* ist schlimm . . . Oder vielleicht is es auch nich so schlimm; Sie haben sie ja bloß angenommen un is nich Ihr eigen Fleisch und Blut, un vielleicht is es eine Prinzessin oder so was."

Frau Nimptsch schüttelte bei dieser Vermutung den Kopf und schien antworten zu wollen. Aber die Dörr war schon aufgestanden und sagte, während sie den Gartensteig hinuntersah: „Gott, da kommen sie. Und bloß in Zivil un Rock un Hose ganz egal. Aber man sieht es doch! Und nu sagt er ihr was ins Ohr, und sie lacht so vor sich hin. Aber ganz rot is sie geworden . . . Und nu geht er. Und nu . . . wahrhaftig, ich glaube, er dreht noch mal um. Nei, nei, er grüßt bloß noch mal, und sie wirft ihm Kußfinger zu . . . Ja, das glaub ich; so was laß ich mir gefallen . . . Nei, so war meiner nich."

Frau Dörr sprach noch weiter, bis Lene kam und die beiden Frauen begrüßte.

Zweites Kapitel

Andern Vormittags schien die schon ziemlich hochstehende Sonne auf den Hof der Dörrschen Gärtnerei und beleuchtete hier eine Welt von Baulichkeiten, unter denen auch das „Schloß“ war, von dem Frau Nimptsch am Abend vorher mit einem Anfluge von Spott und Schelmerei gesprochen hatte. Ja, dies „Schloß“! In der Dämmerung hätt es bei seinen großen Umrissen wirklich für etwas Derartiges gelten können, heut aber, in unerbittlich heller Beleuchtung daliegend, sah man nur zu deutlich, daß der ganze bis hoch hinauf mit gotischen Fenstern bemalte Bau nichts als ein jämmerlicher Holzkasten war, in dessen beide Giebelwände man ein Stück Fachwerk mit Stroh- und Lehmfüllung eingesetzt hatte, welchem vergleichsweise soliden Einsatze zwei Giebelstuben entsprachen. Alles andere war bloße Steindiele, von der aus ein Gewirr von Leitern zunächst auf einen Boden und von diesem höher hinauf in das als Taubenhaus dienende Türmchen führte. Früher, in Vor-Dörrscher Zeit, hatte der ganze riesige Holzkasten als bloße Remise zur Aufbewahrung von Bohnenstangen und Gießkannen, vielleicht auch als Kartoffelkeller gedient; seit aber, vor so und so viel Jahren, die Gärtnerei von ihrem gegenwärtigen Besitzer gekauft worden war, war das eigentliche Wohnhaus an Frau Nimptsch vermietet und der gotisch bemalte Kasten, unter Einfügung der schon erwähnten zwei Giebelstuben, zum Aufenthalt für den damals verwitweten Dörr hergerichtet worden, eine höchst primitive Herrichtung, an der seine bald danach erfolgende Wiederverheiratung nichts geändert hatte. Sommers war diese beinah fensterlose Remise mit ihren Steinfliesen und ihrer Kühle kein übler Aufenthalt, um die Winterzeit aber hätte Dörr und Frau samt einem aus erster Ehe stammenden zwanzigjährigen, etwas geistesschwachen Sohn einfach erfrieren müssen, wenn nicht die beiden großen, an der andern Seite des Hofes gelegenen Treibhäuser gewesen wären. In diesen verbrachten alle drei Dörrs die Zeit von November bis März ausschließlich, aber auch in der besseren und sogar in der heißen Jahreszeit spielte sich das Leben der Familie, wenn man nicht gerade vor der Sonne Zuflucht suchte, zu großem Teile vor und in diesen Treibhäusern ab, weil hier alles am bequemsten lag: hier standen die Treppchen und Estraden, auf denen die jeden Morgen aus den Treibhäusern hervorgeholten Blumen ihre frische Luft schöpfen durften; hier war der Stall mit Kuh und Ziege, hier die Hütte mit dem Ziehhund, und von hier aus erstreckte sich auch das wohl fünfzig Schritte lange Doppelmistbeet, mit einem schmalen Gange dazwischen, bis an den großen, weiter zurückgelegenen Gemüsegarten. In diesem sah es nicht sonderlich ordentlich aus, einmal weil Dörr keinen Sinn für Ordnung, außerdem aber eine so große Hühnerpassion hatte, daß er diesen seinen Lieblingen, ohne Rücksicht auf den Schaden, den sie stifteten, überall umherzupicken gestattete. Groß war freilich dieser Schaden nie, da seiner Gärtnerei, die Spargelanlagen abgerechnet, alles Feinere fehlte. Dörr hielt das Gewöhnlichste zugleich für das Vorteilhafteste, zog deshalb Majoran und andere Wurstkräuter, besonders aber Porree, hinsichtlich dessen er der Ansicht lebte, daß der richtige Berliner überhaupt nur drei Dinge brauche: eine Weiße, einen Gilka und Porree. „Bei Porree", schloß er dann regelmäßig, „ist noch keiner zu kurz gekommen." Er war überhaupt ein Original, von ganz selbständigen Anschauungen und einer entschiedenen Gleichgültigkeit gegen das, was über ihn gesagt wurde. Dem entsprach denn auch seine zweite Heirat, eine Neigungsheirat, bei der die Vorstellung von einer besondren Schönheit seiner Frau mitgewirkt und ihr früheres Verhältnis zu dem Grafen, statt ihr schädlich zu sein, gerad umgekehrt den Ausschlag zum Guten hin gegeben und einfach den Vollbeweis ihrer Unwiderstehlichkeit erbracht hatte. Wenn sich dabei mit gutem Grunde von Überschätzung sprechen ließ, so doch freilich nicht von seiten Dörrs in Person, für den die Natur, soweit Äußerlichkeiten in Betracht kamen, ganz ungewöhnlich wenig getan hatte. Mager, mittelgroß und mit fünf grauen Haarsträhnen über Kopf und Stirn, wär er eine vollkommene Trivialerscheinung gewesen, wenn ihm nicht eine zwischen Augenwinkel und linker Schläfe sitzende braune Pocke was Apartes gegeben hätte. Weshalb denn auch seine Frau nicht mit Unrecht und in der ihr eigenen ungenierten Weise zu sagen pflegte: „Schrumplig is er man, aber von links her hat er so was Borsdorfriges."

Damit war er gut getroffen und hätte nach diesem Signalement überall erkannt werden müssen, wenn er nicht tagaus, tagein eine mit einem großen Schirm ausgestattete Leinwandmütze getragen hätte, die, tief ins Gesicht gezogen, sowohl das Alltägliche wie das Besondere seiner Physiognomie verbarg.

Und so, die Mütze samt Schirm ins Gesicht gezogen, stand er auch heute wieder, am Tage nach dem zwischen Frau Dörr und Frau Nimptsch geführten Zwiegespräche, vor einer an das vordere Treibhaus sich anlehnenden Blumenestrade, verschiedene Goldlack- und Geraniumtöpfe beiseite schiebend, die morgen mit auf den Wochenmarkt sollten. Es waren sämtlich solche, die nicht im Topf gezogen, sondern nur eingesetzt waren, und mit einer besonderen Genugtuung und Freude ließ er sie vor sich aufmarschieren, schon im voraus über die „Madams" lachend, die morgen kommen, ihre herkömmlichen fünf Pfennig abhandeln und schließlich doch die Betrogenen sein würden. Es zählte das zu seinen größten Vergnügungen und war eigentlich das Hauptgeistesleben, das er führte. „Das bißchen Geschimpfe ... Wenn ichs nur mal mit anhören könnte."

So sprach er noch vor sich hin, als er vom Garten her das Gebell eines kleinen Köters und dazwischen das verzweifelte Krähen eines Hahns hörte, ja, wenn nicht alles täuschte, seines Hahns, seines Lieblings mit dem Silbergefieder. Und sein Auge nach dem Garten hin richtend, sah er in der Tat, daß ein Haufen Hühner auseinandergestoben, der Hahn aber auf einen Birnbaum geflogen war, von dem aus er gegen den unten kläffenden Hund unausgesetzt um Hilfe rief.

„Himmeldonnerwetter", schrie Dörr in Wut, „das is wieder Bollmann seiner ... Wieder durch den Zaun ... I, da soll doch ..." Und den Geraniumtopf, den er eben musterte, rasch aus der Hand setzend, lief er auf die Hundehütte zu, griff nach dem Kettenzwickel und machte den großen Ziehhund los, der nun sofort auch wie ein Rasender auf den Garten zuschoß. Eh dieser jedoch den Birnbaum erreichen konnte, gab „Bollmann seiner" bereits Fersengeld und verschwand unter dem Zaun weg ins Freie – der fuchsgelbe Ziehhund zunächst noch in großen Sätzen nach. Aber das Zaunloch, das für den Affenpinscher gerade ausgereicht hatte, verweigerte ihm den Durchgang und zwang ihn, von seiner Verfolgung Abstand zu nehmen.

Nicht besser erging es Dörr selber, der inzwischen mit einer Harke herangekommen war und mit seinem Hund Blicke wechselte. „Ja, Sultan, diesmal war es nichts." Und dabei trottete Sultan wieder auf seine Hütte zu, langsam und verlegen, wie wenn er einen kleinen Vorwurf herausgehört hätte. Dörr selbst aber sah dem draußen in einer Ackerfurche hinjagenden Affenpinscher nach und sagte nach einer Weile: „Hol mich der Deubel, wenn ich mir nich 'ne Windbüchse anschaffe, bei Mehles oder sonstwo. Un denn pust ich das Biest so stille weg, und kräht nich Huhn nich Hahn danach. Nich mal meiner."

Von dieser ihm von seiten Dörrs zugemuteten Ruhe schien der letztere jedoch vorläufig nichts wissen zu wollen, machte vielmehr von seiner Stimme nach wie vor den ausgiebigsten Gebrauch. Und dabei warf er den Silberhals so stolz, als ob er den Hühnern zeigen wolle, daß seine Flucht in den Birnbaum hinein ein wohlüberlegter Coup oder eine bloße Laune gewesen sei.

Dörr aber sagte: „Jott, so'n Hahn. Denkt nu auch wunder, was er is. Un seine Courage is doch auch man soso."

Und damit ging er wieder auf seine Blumenestrade zu.

Drittes Kapitel

Der ganze Hergang war auch von Frau Dörr, die gerade beim Spargelstechen war, beobachtet, aber nur wenig beachtet worden, weil sich ähnliches jeden dritten Tag wiederholte. Sie fuhr denn auch in ihrer Arbeit fort und gab das Suchen erst auf, als auch die schärfste Musterung der Beete keine „weißen Köppe" mehr ergeben wollte. Nun erst hing sie den Korb an ihren Arm, legte das Stechmesser hinein und ging langsam und ein paar verirrte Küken vor sich hertreibend, erst auf den Mittelweg des Gartens und dann auf den Hof und die Blumenestrade zu, wo Dörr seine Marktarbeit wiederaufgenommen hatte.

„Na, Suselchen", empfing er seine bessere Hälfte, „da bist du ja. Hast du woll gesehn? Bollmann seiner war wieder da. Höre, der muß dran glauben, un denn brat ich ihn aus; ein bißchen Fett wird er ja woll haben, un Sultan kann denn die Grieben kriegen ... Und Hundefett, höre, Susel ..." und er wollte sich augenscheinlich in eine seit einiger Zeit von ihm bevorzugte Gichtbehandlungsmethode vertiefen. In diesem Augenblick aber des Spargelkorbes am Arme seiner Frau gewahr werdend, unterbrach er sich und sagte: „Na, nu zeige mal her. Hats denn gefleckt?"

„I nu", sagte Frau Dörr und hielt ihm den kaum halbgefüllten Korb hin, dessen Inhalt er kopfschüttelnd durch die Finger gleiten ließ. Denn es waren meist dünne Stangen und viel Bruch dazwischen.

„Höre, Susel, es bleibt dabei, du hast keine Spargelaugen."

„O, ich habe schon. Man bloß hexen kann ich nich."

„Na, wir wollen nich streiten, Susel; mehr wird es doch nich. Aber zum Verhungern is es."

„I, es denkt nich dran. Laß doch das ewige Gerede, Dörr; sie stecken ja drin, un ob sie nu heute rauskommen oder morgen, is ja ganz egal. Eine tüchtige Husche, so wie die vor Pfingsten, und du sollst mal sehn. Und Regen gibt es. Die Wassertonne riecht schon wieder, un die große Kreuzspinn is in die Ecke gekrochen. Aber du willst jeden Dag alles haben; das kannst du nich verlangen."

Dörr lachte. „Na, binde man alles gut zusammen. Und den kleinen Murks auch. Und du kannst ja denn auch was ablassen."

„Ach, rede doch nicht so", unterbrach ihn die sich über seinen Geiz beständig ärgernde Frau, zog ihn aber, was er immer als Zärtlichkeit nahm, auch heute wieder am Ohrzipfel und ging auf das „Schloß" zu, wo sie sichs auf dem Steinfliesenflur bequem machen und die Spargelbündel binden wollte. Kaum aber, daß sie den hier immer bereitstehenden Schemel bis an die Schwelle vorgerückt hatte, so hörte sie, wie schräg gegenüber in dem von der Frau Nimptsch bewohnten dreifenstrigen Häuschen ein Hinterfenster mit einem kräftigen Ruck aufgestoßen und gleich darauf eingehakt wurde. Zugleich sah sie Lene, die mit einer weiten, lilagemusterten Jacke über dem Friesrock und einem Häubchen auf dem aschblonden Haar, freundlich zu ihr hinüber grüßte.

Frau Dörr erwiderte den Gruß mit gleicher Freundlichkeit und sagte dann: „Immer Fenster auf; das ist recht, Lenechen. Und fängt auch schon an, heiß zu werden. Es gibt heute noch was.“

„Ja. Und Mutter hat von der Hitze schon ihr Kopfweh, und da will ich doch lieber in der Hinterstube plätten. Is auch hübscher hier; vorne sieht man ja keinen Menschen.“

„Hast recht“, antwortete die Dörr. „Na, da werd ich man ein bißchen ans Fenster rücken. Wenn man so spricht, geht einen alles besser von der Hand.“

„Ach, das is lieb und gut von Ihnen, Frau Dörr. Aber hier am Fenster is ja grade die pralle Sonne.“

„Schad't nichts, Lene. Da bring ich meinen Marchtschirm mit, altes Ding und lauter Flicken. Aber tut immer noch seine Schuldigkeit.“

Und ehe fünf Minuten um waren, hatte die gute Frau Dörr ihren Schemel bis an das Fenster geschleppt und saß nun unter ihrer Schirmstellage so behaglich und selbstbewußt, als ob es auf den Gendarmenmarkt gewesen wäre. Drinnen aber hatte Lene das Plättbrett auf zwei dicht ans Fenster gerückte Stühle gelegt und stand nun so nahe, daß man sich mit Leichtigkeit die Hand reichen konnte. Dabei ging das Plätteisen emsig hin und her. Und auch Frau Dörr war fleißig beim Aussuchen und Zusammenbinden, und wenn sie dann und wann von ihrer Arbeit aus ins Fenster hineinsah, sah sie, wie nach hinten zu der kleine Plättofen glühte, der für neue heiße Bolzen zu sorgen hatte.

„Du könntest mir mal 'nen Teller geben, Lene, Teller oder Schüssel.“ Und als Lene gleich danach brachte, was Frau Dörr gewünscht hatte, tat diese den Bruchspargel hinein, den sie während des Sortierens in ihrer Schürze behalten hatte. „Da, Lene, das gibt 'ne Spargelsuppe. Un is so gut wie das andre. Denn daß es immer die Köppe sein müssen, is ja dummes Zeug. Ebenso wie mit'n Blumenkohl; immer Blume, Blume, die reine Einbildung. Der Strunk is eigentlich das beste, da sitzt die Kraft drin. Und die Kraft is immer die Hauptsache."

„Gott, Sie sind immer so gut, Frau Dörr. Aber was wird nur Ihr Alter sagen?"

„Der? Ach, Leneken, was der sagt, is ganz egal. Der red't doch. Er will immer, daß ich den Murks mit einbinde, wie wenns richtige Stangen wären; aber solche Bedrügerei mag ich nich, auch wenn Bruch- und Stückenzeug grade so gut schmeckt wie's Ganze. Was einer bezahlt, das muß er haben, un ich ärgere mir bloß, daß so'n Mensch, dem es so zuwächst, so'n alter Geizkragen is. Aber so sind die Gärtners alle, rapschen und rapschen un können nie genug kriegen."

„Ja", lachte Lene, „geizig is er und ein bißchen wunderlich. – Aber eigentlich doch ein guter Mann."

„Ja, Leneken, er wäre so weit ganz gut, un auch die Geizerei wäre nich so schlimm un is immer noch besser als die Verbringerei, wenn er man nich so zärtlich wäre. Du glaubst es nich, immer is er da. Un nu sieh ihn dir an. Es is doch eigentlich man ein Jammer mit ihm, un dabei richtige Sechsundfünfzig, un vielleicht is es noch ein Jahr mehr. Denn lügen tut er auch, wenns ihm gerade paßt. Un da hilft auch nichts, gar nichts. Ich erzähl ihm immer von Schlag und Schlag und zeig ihm welche, die so humpeln und einen schiefen Mund haben, aber er lacht bloß immer und glaubt es nich. Es kommt aber doch so. Ja, Leneken, ich glaub es ganz gewiß, daß es so kommt. Und vielleicht balde. Na, verschrieben hat er mir alles, un so sag ich weiter nichts. Wie einer sich legt, so liegt er. Aber was reden wir von Schlag und Dörr, un daß er bloß O-Beine hat. Jott, mein Leneken, da gibt es ganz andere Leute, die sind so grade gewachsen wie 'ne Tanne. Nich wahr, Lene?"

Lene wurde hierbei noch röter, als sie schon war, und sagte: „Der Bolzen ist kalt geworden." Und vom Plättbrett zurücktretend, ging sie bis an den eisernen Ofen und schüttete den Bolzen in die Kohlen zurück, um einen neuen herauszunehmen. Alles war das Werk eines Augenblicks. Und nun ließ sie mit einem geschickten Ruck den neuen glühenden Bolzen vom Feuerhaken in das Plätteisen niedergleiten, klappte das Türchen wieder ein und sah nun erst, daß Frau Dörr noch immer auf Antwort wartete. Sicherheitshalber aber stellte die gute Frau die Frage noch mal und setzte gleich hinzu: „Kommt er denn heute?"

„Ja. Wenigstens hat er es versprochen."

„Nu sage mal, Lene", fuhr Frau Dörr fort, „wie kam es denn eigentlich? Mutter Nimptsch sagt nie was, un wenn sie was sagt, denn is es auch man immer soso, nich hü un nich hott. Und immer bloß halb un so konfuse. Nu sage du mal. Is es denn wahr, daß es in Stralau war?"

„Ja, Frau Dörr, in Stralau war es, den zweiten Ostertag, aber schon so warm, als ob Pfingsten wär, und weil Lina Gansauge gern Kahn fahren wollte, nahmen wir einen Kahn, und Rudolf, den Sie ja wohl auch kennen und der ein Bruder von Lina ist, setzte sich ans Steuer."

„Jott, Rudolf. Rudolf is ja noch ein Junge."

„Freilich. Aber er meinte, daß er's verstünde, und sagte bloß immer: ‚Mächens, ihr müßt stillsitzen; ihr schunkelt so', denn er spricht so furchtbar berlinsch. Aber wir dachten gar nicht dran, weil wir gleich sahen, daß es mit seiner ganzen Steuerei nicht weit her sei. Zuletzt aber vergaßen wirs wieder und ließen uns treiben und neckten uns mit denen, die vorbeikamen und uns mit Wasser bespritzten. Und in dem einen Boote, das mit unsrem dieselbe Richtung hatte, saßen ein paar sehr feine Herren, die beständig grüßten, und in unsrem Übermute grüßten wir wieder, und Lina wehte sogar mit dem Taschentuch und tat, als ob sie die Herren kenne, was aber gar nicht der Fall war, und wollte sich bloß zeigen, weil sie noch so sehr jung ist. Und während wir noch so lachten und scherzten und mit dem Ruder bloß so spielten, sahen wir mit einem Male, daß von Treptow her das Dampfschiff auf uns zukam, und wie Sie sich denken können, liebe Frau Dörr, waren wir auf den Tod erschrocken und riefen in unsrer Angst Rudolfen zu, daß er uns heraussteuern solle. Der Junge war aber aus

Rand und Band und steuerte bloß so, daß wir uns beständig im Kreise drehten. Und nun schrien wir und wären sicherlich überfahren worden, wenn nicht in ebendiesem Augenblicke das andre Boot mit den zwei Herren sich unsrer Not erbarmt hätte. Mit ein paar Schlägen war es neben uns, und während der eine mit einem Bootshaken uns fest und scharf heranzog und an das eigne Boot ankoppelte, ruderte der andre sich und uns aus dem Strudel heraus, und nur einmal war es noch, als ob die große, vom Dampfschiff her auf uns zukommende Welle uns umwerfen wolle. Der Kapitän drohte denn auch wirklich mit dem Finger (ich sah es inmitten all meiner Angst); aber auch das ging vorüber, und eine Minute später waren wir bis an Stralau heran, und die beiden Herren, denen wir unsre Rettung verdankten, sprangen ans Ufer und reichten uns die Hand und waren uns als richtige Kavaliere beim Aussteigen behilflich. Und da standen wir denn nun auf der Landungsbrücke bei Tübbeckes und waren sehr verlegen, und Lina weinte jämmerlich vor sich hin, und bloß Rudolf, der überhaupt ein störrischer und großmäuliger Bengel is und immer gegens Militär, bloß Rudolf sah ganz bockig vor sich hin, als ob er sagen wollte: ‚Dummes Zeug, ich hätt euch auch rausgesteuert.‘ “

„Ja, so is er, ein großmäuliger Bengel; ich kenn ihn. Aber nu die beiden Herren. Das ist doch die Hauptsache . . .“

„Nun, die bemühten sich erst noch um uns und blieben dann an dem andren Tisch und sahen immer zu uns rüber. Und als wir so gegen sieben, und es schummerte schon, nach Hause wollten, kam der eine und fragte, ob er und sein Kamerad uns ihre Begleitung anbieten dürften? Und da lacht ich übermütig und sagte, sie hätten uns ja gerettet, und einem Retter dürfe man nichts abschlagen. Übrigens sollten sie sichs noch mal überlegen, denn wir wohnten so gut wie am andern Ende der Welt. Und sei eigentlich eine Reise. Worauf er verbindlich antwortete: ‚desto besser‘. Und mittlerweile war auch der andre herangekommen . . . Ach, liebe Frau Dörr, es mag wohl nicht recht gewesen sein, gleich so frei weg zu sprechen; aber der eine gefiel mir, und sich zieren und zimperlich tun, das hab ich nie gekonnt. Und so gingen wir denn den weiten Weg, erst an der Spree und dann an dem Kanal hin."

„Und Rudolf?"

„Der ging hinterher, als ob er gar nicht zugehöre, sah aber alles und paßte gut auf. Was auch recht war; denn die Lina is ja erst achtzehn un noch ein gutes, unschuldiges Kind!"

„Meinst du?"

„Gewiß, Frau Dörr. Sie brauchen sie ja bloß anzusehn. So was sieht man gleich."

„Ja, mehrstens. Aber mitunter auch nich. Und da haben sie euch denn nach Hause gebracht?"

„Ja, Frau Dörr."

„Und nachher?"

„Ja, nachher. Nun, Sie wissen ja, wie's nachher kam. Er kam dann den andern Tag und fragte nach. Und seitdem ist er oft gekommen, und ich freue mich immer, wenn er kommt. Gott, man freut sich doch, wenn man mal was erlebt. Es ist oft so einsam hier draußen. Und Sie wissen ja, Frau Dörr, Mutter hat nichts dagegen und sagt immer: ‚Kind, es schad't nichts. Eh man sichs versieht, is man alt.' "

„Ja, ja", sagte die Dörr, „so was hab ich die Nimptschen auch schon sagen hören. Und hat auch ganz recht. Das heißt, wie mans nehmen will, und nach'm Katechismus is doch eigentlich immer noch besser und sozusagen überhaupt das beste. Das kannst du mir schon glauben. Aber ich weiß woll, es geht nich immer, und mancher will auch nich. Und wenn einer nich will, na, denn will er nich, un denn muß es auch so gehn und geht auch mehrstens, man bloß, daß man ehrlich is un anständig und Wort hält. Un natürlich, was denn kommt, das muß man aushalten und darf sich nicht wundern. Un wenn man all so was weiß und sich immer wieder zu Gemüte führt, na, denn is es nich so schlimm. Un schlimm is eigentlich man bloß das Einbilden."

„Ach, liebe Frau Dörr", lachte Lene, „was Sie nur denken. Einbilden! Ich bilde mir gar nichts ein. Wenn ich einen liebe, dann lieb ich ihn. Und das ist mir genug. Und will weiter gar nichts von ihm, nichts, gar nichts; und daß mir mein Herze so schlägt und ich die Stunden zähle, bis er kommt, und nicht abwarten kann, bis er wieder da ist, das macht mich glücklich, das ist mir genug."

„Ja", schmunzelte die Dörr vor sich hin, „das is das richtige, so muß es sein. Aber is es denn wahr, Lene, daß er Botho heißt? So kann doch einer eigentlich nich heißen; das is ja gar kein christlicher Name."

„Doch, Frau Dörr." Und Lene machte Miene, die Tatsache, daß es solchen Namen gäbe, des weiteren zu bestätigen. Aber ehe sie dazu kommen konnte, schlug Sultan an, und im selben Augenblicke hörte man deutlich vom Hausflur her, daß wer eingetreten sei. Wirklich erschien auch der Briefträger und brachte zwei Bestellkarten für Dörr und einen Brief für Lene.

„Gott, Hahnke", rief die Dörr dem in großen Schweißperlen vor ihr Stehenden zu, „Sie drippen ja man so. Is es denn so'ne schwebende Hitze? Un erst halb zehn. Na, soviel seh ich woll, Briefträger is auch kein Vergnügen."

Und die gute Frau wollte gehn, um ein Glas frische Milch zu holen. Aber Hahnke dankte. „Habe keine Zeit, Frau Dörr. Ein andermal." Und damit ging er.

Lene hatte mittlerweile den Brief erbrochen.

„Na, was schreibt er?"

„Er kommt heute nicht, aber morgen. Ach, es ist so lange bis morgen. Ein Glück, daß ich Arbeit habe; je mehr Arbeit, desto besser. Und ich werde heut nachmittag in Ihren Garten kommen und graben helfen. – Aber Dörr darf nicht dabei sein." –

„I, Gott bewahre."

Und danach trennte man sich, und Lene ging in das Vorderzimmer, um der Alten das von der Frau Dörr erhaltene Spargelgericht zu bringen.

Viertes Kapitel

Und nun war der andere Abend da, zu dem Baron Botho sich angemeldet hatte. Lene ging im Vorgarten auf und ab; drinnen aber, in der großen Vorderstube, saß wie gewöhnlich Frau Nimptsch am Herd, um den herum sich auch heute wieder die vollzählig erschienene Familie Dörr gruppiert hatte. Frau Dörr strickte mit großen Holznadeln an einer blauen, für ihren Mann bestimmten Wolljacke, die, vorläufig noch ohne rechte Form, nach Art eines großen Vlieses auf ihrem Schoße lag. Neben ihr, die Beine bequem übereinandergeschlagen, rauchte Dörr aus einer Tonpfeife, während der Sohn in einem dicht am Fenster stehenden Großvaterstuhle saß und seinen Rotkopf an die Stuhlwange lehnte. Jeden Morgen bei Hahnenschrei aus dem Bett, war er auch heute wieder vor Müdigkeit eingeschlafen. Gesprochen wurde wenig, und so hörte man denn nichts als das Klappern der Holznadeln und das Knabbern des Eichhörnchens, das mitunter aus seinem Schilderhäuschen herauskam und sich neugierig umsah. Nur das Herdfeuer und der Widerschein des Abendrots gaben etwas Licht.

Frau Dörr saß so, daß sie den Gartensteg hinaufsehen und trotz der Dämmerung erkennen konnte, wer draußen, am Heckenzaun entlang, des Weges kam.

„Ah, da kommt er“, sagte sie. „Nu, Dörr, laß mal deine Pfeife ausgehen. Du bist heute wieder wie'n Schornstein un rauchst und schmookst den ganzen Tag. Un so'n Knallerballer wie deiner, der is nich für jeden.“

Dörr ließ sich solche Rede wenig anfechten, und ehe seine Frau mehr sagen oder ihre Wahrsprüche wiederholen konnte, trat der Baron ein. Er war sichtlich angeheitert, kam er doch von einer Maibowle, die Gegenstand einer Klubwette gewesen war, und sagte, während er Frau Nimptsch die Hand reichte: „Guten Tag, Mutterchen. Hoffentlich gut bei Weg. Ah, und Frau Dörr; und Herr Dörr, mein alter Freund und Gönner. Hören Sie, Dörr, was sagen Sie zu dem Wetter? Eigens für Sie bestellt und für mich mit. Meine Wiesen zu Hause, die vier Jahre von fünf immer unter Wasser stehen und nichts bringen als

Ranunkeln, die können solch Wetter brauchen. Und Lene kanns auch brauchen, daß sie mehr draußen ist; sie wird mir sonst zu blaß."

Lene hatte derweilen einen Holzstuhl neben die Alte gerückt, weil sie wußte, daß Baron Botho hier am liebsten saß; Frau Dörr aber, in der eine starke Vorstellung davon lebte, daß ein Baron auf einem Ehrenplatz sitzen müsse, war inzwischen aufgestanden und rief, immer das blaue Vlies nachschleppend, ihrem Pflegesohn zu: „Will er woll auf! Ne, ich sage. Wo's nich drin steckt, da kommt es auch nich." Der arme Junge fuhr blöd und verschlafen in die Höh und wollte den Platz räumen, der Baron litt es aber nicht. „Ums Himmels willen, liebe Frau Dörr, lassen Sie doch den Jungen. Ich sitz am liebsten auf einem Schemel wie mein Freund Dörr hier."

Und damit schob er den Holzstuhl, den Lene noch immer in Bereitschaft hatte, neben die Alte und sagte, während er sich setzte: „Hier neben Frau Nimptsch, das ist der beste Platz. Ich kenne keinen Herd, auf den ich so gern sähe; immer Feuer, immer Wärme. Ja, Mutterchen, es ist so; hier ist es am besten."

„Ach, du mein Gott", sagte die Alte. „Hier am besten! Hier bei 'ner alten Wasch- und Plättefrau."

„Freilich. Und warum nicht? Jeder Stand hat seine Ehre. Waschfrau auch. Wissen Sie denn, Mutterchen, daß es hier in Berlin einen berühmten Dichter gegeben hat, der ein Gedicht auf seine alte Waschfrau gemacht hat?"

„Is es möglich?"

„Freilich ist es möglich. Es ist sogar gewiß. Und wissen Sie, was er zum Schluß gesagt hat? Da hat er gesagt, er möchte so leben und sterben wie die alte Waschfrau. Ja, das hat er gesagt."

„Is es möglich?" simperte die Alte noch einmal vor sich hin.

„Und wissen Sie, Mutterchen, um auch das nicht zu vergessen, daß er ganz recht gehabt hat, und daß ich ganz dasselbe sage? Ja, Sie lachen so vor sich hin. Aber sehen Sie sich mal um hier, wie leben Sie? Wie Gott in Frankreich. Erst haben Sie das Haus und diesen Herd und dann den Garten und dann Frau Dörr. Und dann haben Sie die Lene. Nicht wahr? Aber wo steckt sie nur?"

Er wollte noch weitersprechen, aber im selben Augenblicke kam Lene mit einem Kaffeebrett zurück, auf dem eine Karaffe mit Wasser samt Apfelwein stand, Apfelwein, für den der Baron, weil er ihm wunderbare Heilkraft zuschrieb, eine sonst schwer begreifliche Vorliebe hatte.

„Ach Lene, wie du mich verwöhnst. Aber du darfst es mir nicht so feierlich präsentieren, das ist ja, wie wenn ich im Klub wäre. Du mußt es mir aus der Hand bringen, da schmeckt es am besten. Und nun gib mir deine Patsche, daß ich sie streicheln kann. Nein, nein, die Linke, die kommt von Herzen. Und nun setze dich da hin, zwischen Herr und Frau Dörr, dann hab ich dich gegenüber und kann dich immer ansehn. Ich habe mich den ganzen Tag auf diese Stunde gefreut."

Lene lachte.

„Du glaubst es wohl nicht? Ich kann es dir aber beweisen, Lene; denn ich habe dir von der großen Herren- und Damen-Fete, die wir gestern hatten, was mitgebracht. Und wenn man was zum Mitbringen hat, dann freut man sich auch auf die, die's kriegen sollen. Nicht wahr, lieber Dörr?"

Dörr schmunzelte, Frau Dörr aber sagte: „Jott, *der*. Der un mitbringen. Dörr is bloß für rapschen und sparen. So sind die Gärtners. Aber neugierig bin ich doch, was der Herr Baron mitgebracht haben."

„Nun, da will ich nicht lange warten lassen, sonst denkt meine liebe Frau Dörr am Ende, daß es ein goldener Pantoffel ist oder sonst was aus dem Märchen. Es ist aber bloß *das*."

Und dabei gab er Lenen eine Tüte, daraus, wenn nicht alles täuschte, das gefranste Papier einiger Knallbonbons hervorguckte.

Wirklich, es waren Knallbonbons, und die Tüte ging reihum.

„Aber nun müssen wir auch ziehen, Lene; halt fest und Augen zu."

Frau Dörr war entzückt, als es einen Knall gab, und noch mehr, als Lenes Zeigefinger blutete. „Das tut nich weh,

Lene, das kenn ich; das is, wie wenn sich 'ne Braut in'n Finger sticht. Ich kannte mal eine, die war so versessen drauf, die stach sich immerzu und lutschte und lutschte, wie wenn es wunder was wäre."

Lene wurde rot. Aber Frau Dörr sah es nicht und fuhr fort: „Un nu den Vers lesen, Herr Baron."

Und dieser las denn auch:

> In Liebe selbstvergessen sein,
> Freut Gott und die lieben Engelein.

„Jott", sagte Frau Dörr und faltete die Hände. „Das is ja wie aus'n Gesangbuch. Is es denn immer so fromm?"

„I bewahre", sagte Botho, „nicht immer. Kommen Sie, liebe Frau Dörr, wir wollen auch mal ziehen und sehn, was dabei herauskommt."

Und nun zog er wieder und las:

> Wo Amors Pfeil recht tief getroffen,
> Da stehen Himmel und Hölle offen.

„Nun, Frau Dörr, was sagen Sie dazu? Das klingt schon anders; nicht wahr?"

„Ja", sagte Frau Dörr, „anders klingt es. Aber es gefällt mir nicht recht . . . Wenn ich einen Knallbonbon ziehe . . ."

„Nun?"

„Da darf nichts von Hölle vorkommen; da will ich nich hören, daß es so was gibt."

„Ich auch nicht", lachte Lene. „Frau Dörr hat ganz recht; sie hat überhaupt immer recht. Aber das ist wahr, wenn man solchen Vers liest, da hat man immer gleich was zum Anfangen, ich meine zum Anfangen mit der Unterhaltung; denn anfangen is immer das schwerste, gerade wie beim Briefschreiben, und ich kann mir eigentlich keine Vorstellung machen, wie man mit so viel fremden Damen (und ihr kennt euch doch nicht alle) so gleich mir nichts, dir nichts ein Gespräch anfangen kann."

„Ach, meine liebe Lene", sagte Botho, „das ist nicht so schwer, wie du denkst. Es ist sogar ganz leicht. Und wenn du willst, will ich dir gleich eine Tischunterhaltung vormachen."

Frau Dörr und Frau Nimptsch drückten ihre Freude darüber aus, und auch Lene nickte zustimmend.

„Nun", fuhr Baron Botho fort, „denke dir also, du wärst eine kleine Gräfin. Und eben hab ich dich zu Tische geführt und Platz genommen, und nun sind wir beim ersten Löffel Suppe."

„Gut. Gut. Aber nun?"

„Und nun sag ich: Irr ich nicht, meine gnädigste Komtesse, so sah ich Sie gestern in der Flora, Sie und Ihre Frau Mama. Nicht zu verwundern. Das Wetter lockt ja jetzt täglich heraus, und man könnte schon von Reisewetter sprechen. Haben Sie Pläne, Sommerpläne, meine gnädigste Gräfin? Und nun antwortest du, daß leider noch nichts feststünde, weil der Papa durchaus nach dem Bayrischen wolle, daß aber die Sächsische Schweiz mit dem Königstein und der Bastei dein Herzenswunsch wäre."

„Das ist es auch wirklich", lachte Lene.

„Nun sieh, das trifft sich gut. Und so fahr ich denn fort: Ja, gnädigste Komtesse, da begegnen sich unsere Geschmacksrichtungen. Ich ziehe die Sächsische Schweiz ebenfalls jedem anderen Teile der Welt vor, namentlich auch der eigentlichen Schweiz. Man kann nicht immer große Natur schwelgen, nicht immer klettern und außer Atem sein. Aber Sächsische Schweiz! Himmlisch, ideal! Da hab ich Dresden; in einer viertel oder halben Stunde bin ich da, da seh ich Bilder, Theater, Großen Garten, Zwinger, Grünes Gewölbe. Versäumen Sie nicht, sich die Kanne mit den törichten Jungfrauen zeigen zu lassen, und vor allem den Kirschkern, auf dem das ganze Vaterunser steht. Alles bloß durch die Lupe zu sehen."

„Und so sprecht ihr!"

„Ganz so, mein Schatz. Und wenn ich mit meiner Nachbarin zur Linken, also mit Komtesse Lene, fertig bin, so wend ich mich zu meiner Nachbarin zur Rechten, also zu Frau Baronin Dörr ..."

Die Dörr schlug vor Entzücken mit der Hand aufs Knie, daß es einen lauten Puff gab ...

„Zu Frau Baronin Dörr also. Und spreche nun worüber? Nun, sagen wir über Morcheln."

„Aber mein Gott, Morcheln. Über Morcheln, Herr Baron, das geht doch nicht."

„O warum nicht, warum soll es nicht gehen, liebe Frau Dörr? Das ist ein sehr ernstes und lehrreiches Gespräch und hat für manche mehr Bedeutung, als Sie glauben. Ich besuchte mal einen Freund in Polen, Regiments- und Kriegskameraden, der ein großes Schloß bewohnte, rot und mit zwei dicken Türmen, und so furchtbar alt, wie's eigentlich gar nicht mehr vorkommt. Und das letzte Zimmer war sein Wohnzimmer; denn er war unverheiratet, weil er ein Weiberfeind war . . ."

„Ist es möglich?"

„Und überall waren morsche, durchgetretene Dielen, und immer, wo ein paar Dielen fehlten, da war ein Morchelbeet, und an all den Morchelbeeten ging ich vorbei, bis ich zuletzt in sein Zimmer kam."

„Ist es möglich?" wiederholte die Dörr und setzte hinzu: „Morcheln. Aber man kann doch nicht immer von Morcheln sprechen."

„Nein, nicht immer. Aber oft oder wenigstens manchmal, und eigentlich ist es ganz gleich, wovon man spricht. Wenn es nicht Morcheln sind, sind es Champignons, und wenn es nicht das rote polnische Schloß ist, dann ist es Schlößchen Tegel oder Saatwinkel oder Valentinswerder. Oder Italien oder Paris oder die Stadtbahn, oder ob die Panke zugeschüttet werden soll. Es ist alles ganz gleich. Über jedes kann man ja was sagen, und ob's einem gefällt oder nicht. Und ‚ja' ist geradesoviel wie ‚nein'."

„Aber", sagte Lene, „wenn es alles so redensartlich ist, da wundert es mich, daß ihr solche Gesellschaften mitmacht."

„O man sieht doch schöne Damen und Toiletten und mitunter auch Blicke, die, wenn man gut aufpaßt, einem eine ganze Geschichte verraten. Und jedenfalls dauert es nicht lange, so daß man immer noch Zeit hat, im Klub alles nachzuholen. Und im Klub ist es wirklich reizend, da hören die Redensarten auf, und die Wirklichkeiten fangen an. Ich habe gestern Pitt seine Graditzer Rappstute abgenommen."

„Wer ist Pitt?"

„Ach, das sind so Namen, die wir nebenher führen, und wir nennen uns so, wenn wir unter uns sind. Der Kronprinz sagt auch Vicky, wenn er Viktoria meint. Es ist ein wahres Glück, daß es solche Liebes- und Zärtlichkeitsnamen gibt. Aber horch, eben fängt drüben das Konzert an. Können wir nicht die Fenster aufmachen, daß wirs besser hören? Du wippst ja schon mit der Fußspitze hin und her. Wie wär es, wenn wir anträten und einen Kontre versuchten oder eine Française? Wir sind drei Paare: Vater Dörr und meine gute Frau Nimptsch und dann Frau Dörr und ich (ich bitte um die Ehre) und dann kommt Lene mit Hans."

Frau Dörr war sofort einverstanden, Dörr und Frau Nimptsch aber lehnten ab, diese, weil sie zu alt sei, jener, weil er so was Feines nicht kenne.

„Gut, Vater Dörr. Aber dann müssen Sie den Takt schlagen; Lene, gib ihm das Kaffeebrett und einen Löffel. Und nun antreten, meine Damen. Frau Dörr, Ihren Arm. Und nun, Hans, aufwachen, flink, flink."

Und wirklich, beide Paare stellten sich auf, und Frau Dörr wuchs ordentlich noch an Stattlichkeit, als ihr Partner in einem feierlichen Tanzmeister-Französisch anhob: „En avant deux, pas de basque". Der sommersprossige, leider noch immer verschlafene Gärtnerjunge sah sich maschinenmäßig und ganz nach Art einer Puppe hin und her geschoben, die drei andern aber tanzten wie Leute, die's verstehen, und entzückten den alten Dörr derart, daß er sich von seinem Schemel erhob und, statt mit dem Löffel, mit seinem Knöchel an das Kaffeebrett schlug. Auch der alten Frau Nimptsch kam die Lust früherer Tage wieder, und weil sie nichts Besseres tun konnte, wühlte sie mit dem Feuerhaken so lange in der Kohlenglut umher, bis die Flamme hoch aufschlug.

So ging es, bis die Musik drüben schwieg: Botho führte Frau Dörr wieder an ihren Platz, und nur Lene stand noch da, weil der ungeschickte Gärtnerjunge nicht wußte, was er mit ihr machen sollte. Das aber paßte Botho gerade, der, als die Musik drüben wieder anhob, mit Lene zu walzen und ihr zuzuflüstern begann, wie reizend sie sei, reizender denn je.

Sie waren alle warm geworden, am meisten die gerade jetzt am offenen Fenster stehende Frau Dörr. „Jott, mir schuddert so“, sagte sie mit einem Male, weshalb Botho verbindlich aufsprang, um die Fenster zu schließen. Aber Frau Dörr wollte davon nichts wissen und behauptete: Was die feinen Leute wären, die wären alle für frische Luft, und manche wären so fürs Frische, daß ihnen im Winter das Deckbett an den Mund fröre. Denn Atem wäre dasselbe wie Wrasen, grade wie der, der aus der Tülle käm. Also die Fenster müßten aufbleiben, davon ließe sie nicht. Aber wenn Lenechen so fürs Innerliche was hätte, so was für Herz und Seele . . .

„Gewiß, liebe Frau Dörr; alles, was Sie wollen. Ich kann einen Tee machen oder einen Punsch, oder noch besser, ich habe ja noch das Kirschwasser, das Sie Mutter Nimptschen und mir letzten Weihnachten zu der großen Mandelstolle geschenkt haben . . .“

Und ehe sich Frau Dörr zwischen Punsch und Tee entscheiden konnte, war auch die Kirschwasserflasche schon da, mit Gläsern, großen und kleinen, in die sich nun jeder nach Gutdünken hineintat. Und nun ging Lene, den rußigen Herdkessel in der Hand, reihum und goß das kochsprudelnde Wasser ein. „Nicht zuviel, Leneken, nicht zuviel. Immer aufs Ganze. Wasser nimmt die Kraft.“ Und im Nu füllte sich der Raum mit dem aufsteigenden Kirschmandelarom.

„Ah, das hast du gut gemacht“, sagte Botho, während er aus dem Glase nippte. „Weiß es Gott, ich habe gestern nichts gehabt und heute im Klub erst recht nicht, was mir so geschmeckt hätte. Hoch Lene! Das eigentliche Verdienst in der Sache hat aber doch unsere Freundin, Frau Dörr, ‚weils ihr so geschuddert hat‘, und so bring ich denn gleich noch eine zweite Gesundheit aus: Frau Dörr, sie lebe hoch!“

„Sie lebe hoch!“ riefen alle durcheinander, und der alte Dörr schlug wieder mit seinem Knöchel ans Brett.

Alle fanden, daß es ein feines Getränk sei, viel feiner als Punschextrakt, der im Sommer immer nach bittrer Zitrone schmecke, weil es meistens alte Flaschen seien, die schon von Fastnacht an im Ladenfenster in der grellen Sonne gestanden hätten. Kirschwasser aber, das sei was Gesundes und nie verdorben, und ehe man sich mit dem Bittermandelgift vergifte, da müßte man doch schon was Ordentliches einnehmen, wenigstens eine Flasche.

Diese Bemerkung machte Frau Dörr, und der Alte, der es nicht darauf ankommen lassen wollte, vielleicht weil er diese hervorragendste Passion seiner Frau kannte, drang auf Aufbruch: Morgen sei auch noch ein Tag.

Botho und Lene redeten zu, doch noch zu bleiben. Aber die gute Frau Dörr, die wohl wußte, daß man zuzeiten nachgeben müsse, wenn man die Herrschaft behalten wolle, sagte nur: „Laß, Leneken, ich kenn ihn; er geht nu mal mit die Hühner zu Bett." – „Nun", sagte Botho, „wenn es beschlossen ist, ist es beschlossen. Aber dann begleiten wir die Familie Dörr bis an ihr Haus."

Und damit brachen alle auf und ließen nur die alte Frau Nimptsch zurück, die den Abgehenden freundlich und kopfnickend nachsah und dann aufstand und sich in den Großvaterstuhl setzte.

Fünftes Kapitel

Vor dem „Schloß" mit dem grün und rot gestrichenen Turme machten Botho und Lene halt und baten Dörr in aller Förmlichkeit um Erlaubnis, noch in den Garten gehen und eine halbe Stunde darin promenieren zu dürfen. Der Abend sei so schön. Vater Dörr brummelte, daß er sein Eigentum in keinem beßren Schutz lassen könne, worauf das junge Paar unter artigen Verbeugungen Abschied nahm und auf den Garten zuschritt. Alles war schon zur Ruh, und nur Sultan, an dem sie vorbei mußten, richtete sich hoch auf und winselte so lange, bis ihn Lene gestreichelt hatte. Dann erst kroch er wieder in seine Hütte zurück.

Drinnen im Garten war alles Duft und Frische; denn den ganzen Hauptweg hinauf, zwischen den Johannis- und Stachelbeersträuchern, standen Levkojen und Reseda, deren feiner Duft sich mit dem kräftigeren der Thymianbeete mischte. Nichts regte sich in den Bäumen, und nur Leuchtkäfer schwirrten durch die Luft.

Lene hatte sich in Bothos Arm gehängt und schritt mit ihm auf das Ende des Gartens zu, wo zwischen zwei Silberpappeln eine Bank stand.

„Wollen wir uns setzen?“

„Nein“, sagte Lene, „nicht jetzt“, und bog in einen Seitenweg ein, dessen hoch stehende Himbeerbüsche fast über den Gartenzaun hinauswuchsen. „Ich gehe so gern an deinem Arm. Erzähle mir etwas. Aber etwas recht Hübsches. Oder frage.“

„Gut. Ist es dir recht, wenn ich mit den Dörrs anfange?“

„Meinetwegen.“

„Ein sonderbares Paar. Und dabei, glaub ich, glücklich. Er muß tun, was sie will, und ist doch um vieles klüger.“

„Ja“, sagte Lene, „klüger ist er, aber auch geizig und hartherzig, und das macht ihn gefügig, weil er beständig ein schlechtes Gewissen hat. Sie sieht ihm scharf auf die Finger und leidet es nicht, wenn er jemand übervorteilen will. Und das ist es, wovor er Furcht hat und was ihn nachgiebig macht.“

„Und weiter nichts?“

„Vielleicht auch noch Liebe, so sonderbar es klingt. Das heißt Liebe von seiner Seite. Denn trotz seiner Sechsundfünfzig oder mehr ist er noch wie vernarrt in seine Frau, und bloß weil sie so groß ist. Beide haben mir die wunderlichsten Geständnisse darüber gemacht. Ich bekenne dir offen, mein Geschmack wäre sie nicht.“

„Da hast du aber unrecht, Lene; sie macht eine Figur.“

„Ja“, lachte Lene, „sie macht eine Figur, aber sie hat keine. Siehst du denn gar nicht, daß ihr die Hüften eine Handbreit zu hoch sitzen? Aber so was seht ihr nicht, und ‚Figur‘ und ‚stattlich‘ ist immer euer drittes Wort, ohne daß sich wer drum kümmert, wo denn die Stattlichkeit eigentlich herkommt.“

So plaudernd und neckend blieb sie stehn und bückte sich, um auf einem langen und schmalen Erdbeerbeete, das sich in Front von Zaun und Hecke hinzog, nach einer Frühererdbeere zu suchen. Endlich hatte sie, was sie wollte, nahm das Stengelchen eines wahren Prachtexemplares zwischen die Lippen und trat vor ihn hin und sah ihn an.

Er war auch nicht säumig, pflückte die Beere von ihrem Munde fort und umarmte sie und küßte sie.

„Meine süße Lene, das hast du recht gemacht. Aber höre nur, wie Sultan blafft; er will bei dir sein; soll ich ihn losmachen?"

„Nein, wenn er hier ist, hab ich dich nur noch halb. Und sprichst du dann gar noch von der stattlichen Frau Dörr, so hab ich dich so gut wie gar nicht mehr."

„Gut", lachte Botho, „Sultan mag bleiben, wo er ist. Ich bin es zufrieden. Aber von Frau Dörr muß ich noch weitersprechen. Ist sie wirklich so gut?"

„Ja, das ist sie, trotzdem sie sonderbare Dinge sagt, Dinge, die wie Zweideutigkeiten klingen und es auch sein mögen. Aber sie weiß nichts davon, und in ihrem Tun und Wandel ist nicht das geringste, was an ihre Vergangenheit erinnern könnte."

„Hat sie denn eine?"

„Ja. Wenigstens stand sie jahrelang in einem Verhältnis und ‚ging mit ihm', wie sie sich auszudrücken pflegt. Und darüber ist wohl kein Zweifel, daß über dies Verhältnis und natürlich auch über die gute Frau Dörr selbst viel, sehr viel geredet worden ist. Und sie wird auch Anstoß über Anstoß gegeben haben. Nur sie selber hat sich in ihrer Einfalt nie Gedanken darüber gemacht und noch weniger Vorwürfe. Sie spricht davon wie von einem unbequemen Dienst, den sie getreulich und ehrlich erfüllt hat, bloß aus Pflichtgefühl. Du lachst, und es klingt auch sonderbar genug. Aber es läßt sich nicht anders sagen. Und nun lassen wir die Frau Dörr und setzen uns lieber und sehen in die Mondsichel."

Wirklich, der Mond stand drüben über dem Elefantenhause, das in dem niederströmenden Silberlichte noch phantastischer aussah als gewöhnlich. Lene wies darauf hin, zog die Mantelkapuze fester zusammen und barg sich an seine Brust.

So vergingen ihr Minuten, schweigend und glücklich, und erst als sie sich wie von einem Traume, der sich doch nicht festhalten ließ, wieder aufrichtete, sagte sie:

„Woran hast du gedacht? Aber du mußt mir die Wahrheit sagen.“

„Woran ich dachte, Lene? Ja, fast schäm ich mich, es zu sagen. Ich hatte sentimentale Gedanken und dachte nach Haus hin an unsren Küchengarten in Schloß Zehden, der genauso daliegt wie dieser Dörrsche, dieselben Salatbeete mit Kirschbäumen dazwischen, und ich möchte wetten, auch ebenso viele Meisenkästen. Und auch die Spargelbeete liefen so hin. Und dazwischen ging ich mit meiner Mutter, und wenn sie guter Laune war, gab sie mir das Messer und erlaubte, daß ich ihr half. Aber weh mir, wenn ich ungeschickt war und die Spargelstange zu lang oder zu kurz abstach. Meine Mutter hatte eine rasche Hand.“

„Glaub's. Und mir ist immer, als ob ich Furcht vor ihr haben müßte.“

„Furcht? Wie das? Warum, Lene?“

Lene lachte herzlich, und doch war eine Spur von Gezwungenheit darin. „Du mußt nicht gleich denken, daß ich vorhabe, mich bei der Gnädigen melden zu lassen, und darfst es nicht anders nehmen, als ob ich gesagt hätte, ich fürchte mich vor der Kaiserin. Würdest du deshalb denken, daß ich zu Hofe wollte? Nein, ängstige dich nicht; ich verklage dich nicht.“

„Nein, das tust du nicht. Dazu bist du viel zu stolz und eigentlich eine kleine Demokratin und ringst dir jedes freundliche Wort nur so von der Seele. Hab ich recht? Aber wie's auch sei, mache dir auf gut Glück hin ein Bild von meiner Mutter. Wie sieht sie aus?“

„Genauso wie du: groß und schlank und blauäugig und blond.“

„Arme Lene“, und das Lachen war diesmal auf seiner Seite, „da hast du fehlgeschossen. Meine Mutter ist eine kleine Frau mit lebhaften schwarzen Augen und einer großen Nase.“

„Glaub es nicht. Das ist nicht möglich.“

„Und ist doch so. Du mußt nämlich bedenken, daß ich auch einen Vater habe. Aber das fällt euch nie ein. Ihr denkt immer, ihr seid die Hauptsache. Und nun sage mir noch etwas über den Charakter meiner Mutter. Aber rate besser.“

„Ich denke mir sie sehr besorgt um das Glück ihrer Kinder."

„Getroffen ..."

„... Und daß all ihre Kinder reiche, das heißt sehr reiche Partien machen. Und ich weiß auch, wen sie für dich in Bereitschaft hält."

„Eine Unglückliche, die du ..."

„Wie du mich verkennst. Glaube mir, daß ich dich habe, diese Stunde habe, das ist mein Glück. Was daraus wird, das kümmert mich nicht. Eines Tages bist du weggeflogen ..."

Er schüttelte den Kopf.

„Schüttle nicht den Kopf; es ist so, wie ich sage. Du liebst mich und bist mir treu, wenigstens bin ich in meiner Liebe kindisch und eitel genug, es mir einzubilden. Aber wegfliegen wirst du, das seh ich klar und gewiß. Du wirst es müssen. Es heißt immer, die Liebe mache blind, aber sie macht auch hell und fernsichtig."

„Ach, Lene, du weißt gar nicht, wie lieb ich dich habe."

„Doch, ich weiß es. Und weiß auch, daß du deine Lene für was Besondres hältst und jeden Tag denkst: wenn sie doch eine Gräfin wäre. Damit ist es nun aber zu spät, das bring ich nicht mehr zuwege. Du liebst mich und bist schwach. Daran ist nichts zu ändern. Alle schönen Männer sind schwach, und der Stärkere beherrscht sie ... Und der Stärkere ... ja, wer ist dieser Stärkere? Nun, entweder ists deine Mutter oder das Gerede der Menschen, oder die Verhältnisse. Oder vielleicht alles drei ... Aber sieh nur."

Und sie wies nach dem Zoologischen hinüber, aus dessen Baum- und Blätterdunkel eben eine Rakete zischend in die Luft fuhr und mit einem Puff in zahllose Schwärmer zerstob. Eine zweite folgte der ersten, und so ging es weiter, als ob sie sich jagen und überholen wollten, bis es mit einem Male vorbei war und die Gebüsche drüben in einem grünen und roten Lichte zu glühen anfingen. Ein paar Vögel in ihren Käfigen kreischten dazwischen, und dann fiel nach einer langen Pause die Musik wieder ein.

„Weißt du, Botho, wenn ich dich nun so nehmen und mit dir die Lästerallee drüben auf und ab schreiten könnte, so sicher wie hier zwischen den Buchsbaumrabatten, und könnte jedem sagen: ‚Ja, wundert euch nur, er ist er und ich bin ich, und er liebt mich und ich liebe ihn', – ja, Botho, was glaubst du wohl, was ich dafür gäbe? Aber rate nicht, du rätst es doch nicht. Ihr kennt ja nur euch und euren Klub und euer Leben. Ach, das arme bißchen Leben."

„Sprich nicht so, Lene."

„Warum nicht? Man muß allem ehrlich ins Gesicht sehn und sich nichts weismachen lassen, und vor allem sich selber nichts weismachen. Aber es wird kalt, und drüben ist es auch vorbei. Das ist das Schlußstück, das sie jetzt spielen. Komm, wir wollen uns drin an den Herd setzen, das Feuer wird noch nicht aus sein, und die Alte ist längst zu Bett."

So gingen sie, während sie sich leicht an seine Schulter lehnte, den Gartensteig wieder hinauf. Im „Schloß" brannte kein Licht mehr, und nur Sultan, den Kopf aus seiner Hütte vorstreckend, sah ihnen nach. Aber er rührte sich nicht und hatte bloß mürrische Gedanken.

Sechstes Kapitel

Es war die Woche danach, und die Kastanien hatten bereits abgeblüht; auch in der Bellevuestraße. Hier hatte Baron Botho von Rienäcker eine zwischen einem Front- und einem Gartenbalkon gelegene Parterrewohnung inne: Arbeitszimmer, Eßzimmer, Schlafzimmer, die sich sämtlich durch eine geschmackvolle, seine Mittel ziemlich erheblich übersteigende Einrichtung auszeichneten. In dem Eßzimmer befanden sich zwei Hertelsche Stilleben und dazwischen eine Bärenhatz, wertvolle Kopie nach Rubens, während in dem Arbeitszimmer ein Andreas Achenbachscher „Seesturm", umgeben von einigen kleineren Bildern desselben Meisters, paradierte. Der „Seesturm" war ihm bei Gelegenheit einer Verlosung zugefallen, und an diesem schönen und wertvollen Besitze hatte er sich zum Kunstkenner und speziell zum Achenbach-Enthusiasten herangebildet. Er scherzte gern darüber und pflegte zu versichern, daß ihm sein Lotterieglück, weil es ihn zu beständig neuen Ankäufen verführt habe, teuer zu stehen gekommen sei, hinzusetzend, daß es vielleicht mit jedem Glücke dasselbe sei.

Vor dem Sofa, dessen Plüsch mit einem persischen Teppich überdeckt war, stand auf einem Malachittischchen das Kaffeegeschirr, während auf dem Sofa selbst allerlei politische Zeitungen umherlagen, unter ihnen auch solche, deren Vorkommen an dieser Stelle ziemlich verwunderlich war und nur aus dem Baron Bothoschen Lieblingssatze, Schnack gehe vor Politik, erklärt werden konnte. Geschichten, die den Stempel der Erfindung an der Stirn trugen, sogenannte „Perlen", amüsierten ihn am meisten. Ein Kanarienvogel, dessen Bauer während der Frühstückszeit allemal offenstand, flog auch heute wieder auf Hand und Schulter seines ihn nur zu sehr verwöhnenden Herrn, der, anstatt ungeduldig zu werden, das Blatt jedesmal beiseite tat, um den kleinen Liebling zu streicheln. Unterließ er es aber, so drängte sich das Tierchen an Hals und Bart des Lesenden und piepte so lang und eigensinnig, bis ihm der Wille getan war. „Alle Lieblinge sind gleich", sagte Baron Rienäcker, „und fordern Gehorsam und Unterwerfung."

In diesem Augenblicke ging die Korridorklingel, und der Diener trat ein, um die draußen abgegebenen Briefe zu bringen. Der eine, graues Kuvert in Quadrat, war offen und mit einer Dreipfennigmarke frankiert. „Hamburger Lotterielos oder neue Zigarren", sagte Rienäcker und warf Kuvert und Inhalt, ohne weiter nachzusehen, beiseite. „Aber das hier . . . Ah, von Lene. Nun, den verspare ich mir bis zuletzt, wenn ihm dieser dritte, gesiegelte, nicht den Rang streitig macht. Ostensches Wappen. Also von Onkel Kurt Anton; Poststempel ‚Berlin', will sagen: schon da. Was wird er nur wollen? Zehn gegen eins, ich soll mit ihm frühstücken oder einen Sattel kaufen oder ihn zu Renz begleiten, vielleicht auch zu Kroll; am wahrscheinlichsten das eine tun und das andere nicht lassen."

Und er schnitt das Kuvert, auf dem er auch Onkel Ostens Handschrift erkannt hatte, mit einem auf dem Fensterbrett liegenden Messerchen auf und nahm den Brief heraus. Der aber lautete:

Hotel Brandenburg, Nummer 15. Mein lieber Botho. Vor einer Stunde bin ich hier, unter eurer alten Berliner Devise „vor Taschendieben wird gewarnt", auf dem Ostbahnhofe glücklich eingetroffen und habe mich in Hotel Brandenburg einquartiert, will sagen an alter Stelle; was ein richtiger Konservativer ist, ist es auch in kleinen Dingen. Ich bleibe nur zwei Tage, denn eure Luft drückt mich. Es ist ein stikkiges Nest. Alles andre mündlich. Ich erwarte Dich ein Uhr bei Hiller. Dann wollen wir einen Sattel kaufen. Und dann abends zu Renz. Sei pünktlich. Dein alter Onkel Kurt Anton.

Rienäcker lachte. „Dacht ich's doch! Und doch eine Neuerung. Früher war es Borchardt, jetzt Hiller. Ei, ei, Onkelchen, was ein richtiger Konservativer ist, ist es auch in kleinen Dingen . . . Und nun meine liebe Lene . . . Was Onkel Kurt Anton wohl sagen würde, wenn er wüßte, in welcher Begleitung sein Brief und seine Befehle hier eingetroffen sind."

Und während er so sprach, erbrach er Lenes Billett und las:

Es sind nun schon volle fünf Tage, daß ich Dich nicht gesehen habe. Soll es eine volle Woche werden? Und ich dachte, Du müßtest den andern Tag wiederkommen, so glücklich war ich den Abend. Und Du warst so lieb und gut. Mutter neckt mich schon und sagt: ‚Er kommt nicht wieder.' Ach, wie mir das immer einen Stich ins Herz gibt, weil es ja mal so kommen muß, und weil ich fühle, daß es jeden Tag kommen kann. Daran wurd ich gestern wieder erinnert. Denn wenn ich Dir eben schrieb, ich hätte Dich fünf Tage lang nicht gesehen, so hab ich nicht die Wahrheit gesagt; ich habe Dich gesehn, gestern, aber heimlich, verstohlen, auf dem Korso. Denke Dir, ich war auch da, natürlich weit zurück in einer Seiten-Alleh, und habe Dich eine Stunde lang auf und ab reiten sehn. Ach, ich freute mich über die Maßen, denn Du warst der stattlichste (beinah so stattlich wie Frau Dörr, die sich Dir emphelen läßt), und ich hatte solchen Stolz Dich zu sehn, daß ich nicht einmal eifersüchtig wurde. Nur einmal kam es. Wer war denn die schöne Blondine mit den zwei Schimmeln, die ganz in einer Blumengirlande gingen? Und die Blumen so dicht, ganz ohne Blatt und Stiehl. So was Schönes hab ich all mein Lebtag nicht gesehn. Als Kind hätt ich gedacht, es müss' eine Prinzessin sein; aber jetzt weiß ich, daß Prinzessinnen nicht immer die schönsten sind. Ja, sie war schön und gefiehl Dir, ich sah es wohl, und Du gefiehlst ihr auch. Aber die Mutter, die neben der schönen Blondine saß, *der* gefiehlst Du noch besser. Und das ärgerte mich. Einer ganz jungen gönne ich Dich, wenns durchaus sein muß. Aber einer alten! Und nun gar einer Mama! Nein, nein, *die* hat ihr Teil. Jedenfalls, mein einziger Botho, siehst Du, daß Du mich wieder gut machen und beruhigen mußt. Ich erwarte Dich morgen oder übermorgen. Und wenn Du nicht Abend kannst, so komme bei Tag, und wenn es nur eine Minute wäre. Ich habe solche Angst um Dich, das heißt eigentlich um mich. Du verstehst mich schon. Deine Lene.

„Deine Lene", sprach er, die Briefunterschrift wiederholend, noch einmal vor sich hin, und eine Unruhe bemächtigte sich seiner, weil ihm allerwiderstreitendste Gefühle durchs Herz gingen: Liebe, Sorge, Furcht. Dann durchlas er den Brief noch einmal. An zwei, drei Stellen konnt er sichs nicht versagen, ein Strichelchen mit dem silbernen Crayon zu machen, aber nicht aus Schulmeisterei, sondern aus eitel Freude. „Wie gut sie schreibt! Kalligraphisch gewiß und orthographisch beinah ... Stiehl statt Stiel ... Ja, warum nicht? Stiehl war eigentlich ein gefürchteter Schulrat; aber, Gott sei Dank, ich bin keiner. Und ‚emphelen'. Soll ich wegen f und h mit ihr zürnen. Großer Gott, wer kann ‚empfehlen' richtig schreiben? Die ganz jungen Komtessen nicht immer und die ganz alten nie. Also was schadt's! Wahrhaftig, der Brief ist wie Lene selber: gut, treu, zuverlässig, und die Fehler machen ihn nur noch reizender."

Er lehnte sich in den Stuhl zurück und legte die Hand über Stirn und Augen: „Arme Lene, was soll werden! Es wär uns beiden besser gewesen, der Ostermontag wäre diesmal ausgefallen. Wozu gibt es auch zwei Feiertage? Wozu Treptow und Stralau und Wasserfahrten? Und nun der Onkel! Entweder kommt er wieder als Abgesandter von meiner Mutter, oder er hat Pläne für mich aus sich selbst, aus eigener Initiative. Nun, ich werde ja sehen. Eine diplomatische Verstellungsschule hat er nicht durchgemacht, und wenn er zehn Eide geschworen hat, zu schweigen, es kommt doch heraus. Ich wills schon erfahren, trotzdem ich in der Kunst der Intrige gleich nach ihm selber komme."

Dabei zog er ein Fach seines Schreibtisches auf, darin, von einem roten Bändchen umwunden, schon andere Briefe Lenens lagen. Und nun klingelte er nach dem Diener, der ihm beim Ankleiden behilflich sein sollte. „So, Johann, das wäre getan . . . Und nun vergiß nicht, die Jalousien herunterzulassen. Und wenn wer kommt und nach mir fragt, bis zwölf bin ich in der Kaserne, nach eins bei Hiller und am Abend bei Renz. Und zieh auch die Jalousien zu rechter Zeit wieder auf, daß ich nicht wieder einen Brütofen vorfinde. Und laß die Lampe vorn brennen. Aber nicht in meinem Schlafzimmer; die Mücken sind wie toll in diesem Jahr. Verstanden?"

„Zu Befehl, Herr Baron."

Und unter diesem Gespräche, das schon halb im Korridor geführt worden war, trat Rienäcker in den Hausflur, ziepte draußen im Vorgarten die dreizehnjährige, sich grad über den Wagen ihres kleinen Bruders beugende Portierstochter von hinten her am Zopf und empfing einen wütenden, aber im Erkennungsmoment ebenso rasch in Zärtlichkeit übergehenden Blick als Antwort darauf.

Und nun erst trat er durch die Gittertür auf die Straße. Hier sah er, unter der grünen Kastanienlaube hin, abwechselnd auf das Tor und dann wieder nach dem Tiergarten zu, wo sich, wie auf einem Camera-obscura-Glase, die Menschen und Fuhrwerke geräuschlos hin und her bewegten. „Wie schön. Es ist doch wohl eine der besten Welten."

Siebentes Kapitel

Um zwölf Uhr war der Dienst in der Kaserne getan, und Botho von Rienäcker ging die Linden hinunter aufs Tor zu, lediglich in der Absicht, die Stunde bis zum Rendezvous bei Hiller, so gut sich's tun ließ, auszufüllen. Zwei, drei Bilderläden waren ihm dabei sehr willkommen. Bei Lepke standen ein paar Oswald Achenbachs im Schaufenster, darunter eine palermitanische Straße, schmutzig und sonnig, und von einer geradezu frappierenden Wahrheit des Lebens und Kolorits. – „Es gibt doch Dinge, worüber man nie ins reine kommt. So mit den Achenbachs. Bis vor kurzem hab ich auf Andreas geschworen; aber wenn ich so was sehe, wie das hier, so weiß ich nicht, ob ihm der Oswald nicht gleichkommt oder ihn überholt. Jedenfalls ist er bunter und mannigfacher. All dergleichen aber ist mir bloß zu denken erlaubt, vor den Leuten es auszusprechen hieße meinen ‚Seesturm' ohne Not auf den halben Preis herabsetzen."

Unter solchen Betrachtungen stand er eine Zeitlang vor dem Lepkeschen Schaufenster und ging dann, über den Pariser Platz hin, auf das Tor und die schräg links führende Tiergartenallee zu, bis er vor der Wolfschen Löwengruppe haltmachte. Hier sah er nach der Uhr. „Halb eins. Also Zeit." Und so wandt er sich wieder, um auf demselben Wege nach den „Linden" hin zurückzukehren. Vor dem Redernschen Palais sah er Leutnant von Wedell von den Gardedragonern auf sich zukommen.

„Wohin, Wedell?"

„In den Klub. Und Sie?"

„Zu Hiller."

„Etwas früh."

„Ja. Aber was hilft's? Ich soll mit einem alten Onkel von mir frühstücken, neumärkisch Blut und just in dem Winkel zu Hause, wo Bentsch, Rentsch, Stentsch liegen – lauter Reimwörter auf Mensch, selbstverständlich ohne weitre Konsequenz oder Verpflichtung. Übrigens hat er, ich meine den Onkel, mal in Ihrem Regiment gestanden. Freilich lange her, erste vierziger Jahre. Baron Osten."

„Der Wietzendorfer?"

„Eben der."

„O, den kenn ich, das heißt dem Namen nach. Etwas Verwandtschaft. Meine Großmutter war eine Osten. Ist doch derselbe, der mit Bismarck auf dem Kriegsfuß steht?"

„Derselbe. Wissen Sie was, Wedell, kommen Sie mit. Der Klub läuft Ihnen nicht weg und Pitt und Serge auch nicht; Sie finden sie um drei geradsogut wie um eins. Der Alte schwärmt noch immer für Dragonerblau mit Gold und ist Neumärker genug, um sich über jeden Wedell zu freuen."

„Gut, Rienäcker. Aber auf Ihre Verantwortung."

„Mit Vergnügen."

Unter solchem Gespräche waren sie bei Hiller angelangt, wo der alte Baron bereits an der Glastür stand und ausschaute, denn es war eine Minute nach eins. Er unterließ aber jede Bemerkung und war augenscheinlich erfreut, als Botho vorstellte: „Leutnant von Wedell."

„Ihr Herr Neffe . . ."

„Nichts von Entschuldigungen, Herr von Wedell, alles, was Wedell heißt, ist mir willkommen, und wenn es diesen Rock trägt, doppelt und dreifach. Kommen Sie, meine Herren, wir wollen uns aus diesem Stuhl- und Tischdefilee herausziehen und, so gut es geht, nach rückwärtshin konzentrieren. Sonst nicht Preußensache; hier aber ratsam."

Und damit ging er, um gute Plätze zu finden, vorauf und wählte nach Einblick in verschiedene kleine Kabinetts schließlich ein mäßig großes, mit einem lederfarbnen Stoff austapeziertes Zimmer, das trotz eines breiten und dreigeteilten Fensters wenig Licht hatte, weil es auf einen engen und dunklen Hof sah. Von einem hier zu vier gedeckten Tisch wurde im Nu das vierte Kuvert entfernt, und während die beiden Offiziere Pallasch und Säbel in die Fensterecke stellten, wandte sich der alte Baron an den Oberkellner, der in einiger Entfernung gefolgt war, und befahl einen Hummer und einen weißen Burgunder.

„Aber welchen, Botho?"

„Sagen wir Chablis."

„Gut, Chablis. Und frisches Wasser. Aber nicht aus der Leitung; lieber so, daß die Karaffe beschlägt. Und nun, meine Herren, bitte Platz zu nehmen: lieber Wedell, hier, Botho, du da. Wenn nur diese Glut, diese verfrühte Hundstagshitze nicht wäre. Luft, meine Herren, Luft. Ihr schönes Berlin, das immer schöner wird (so versichern einen wenigstens alle, die nichts Besseres kennen), Ihr schönes Berlin hat alles, aber keine Luft." Und dabei riß er die großen Fensterflügel auf und setzte sich so, daß er die breite Mittelöffnung gerade vor sich hatte.

Der Hummer war noch nicht gekommen, aber der Chablis stand schon da. Voll Unruhe nahm der alte Osten eins der Brötchen aus dem Korb und schnitt es mit ebensoviel Hast wie Virtuosität in Schrägstücke, bloß um etwas zu tun zu haben. Dann ließ er das Messer wieder fallen und reichte Wedell die Hand. „Ihnen unendlich verbunden, Herr von Wedell, und brillanter Einfall von Botho, Sie dem Klub auf ein paar Stunden abspenstig gemacht zu haben. Ich nehm es als eine gute Vorbedeutung, gleich bei meinem ersten Ausgang in Berlin einen Wedell begrüßen zu dürfen."

Und nun begann er einzuschenken, weil er seiner Unruhe nicht länger Herr bleiben konnte, befahl, eine Cliquot kalt zu stellen, und fuhr dann fort: „Eigentlich, lieber Wedell, sind wir verwandt; es gibt keine Wedells, mit denen wir nicht verwandt wären, und wenn's auch bloß durch einen Scheffel Erbsen wäre; neumärkisches Blut ist in allen. Und wenn ich nun gar mein altes Dragonerblau wiedersehe, da schlägt mir das Herz bis in den Hals hinein. Ja, Herr von Wedell, alte Liebe rostet nicht. Aber da kommt der Hummer . . . Bitte, hier die große Schere. Die Scheren sind immer das beste . . . Aber, was ich sagen wollte, alte Liebe rostet nicht, und der Schneid auch nicht. Und ich setze hinzu: Gott sei Dank. Damals hatten wir noch den alten Dobeneck. Himmelwetter, war *das* ein Mann! Ein Mann wie ein Kind. Aber wenn es mal schlecht ging und nicht klappen wollte, wenn er einen dann ansah, *den* hätt ich sehen wollen, der den Blick ausgehalten hätte. Richtiger alter Ostpreuße noch von Anno 13 und 14 her. Wir fürchteten ihn, aber wir liebten ihn auch. Denn er war wie ein Vater. Und wissen Sie, Herr von Wedell, wer mein Rittmeister war . . .?"

In diesem Augenblicke kam auch der Champagner.

„Mein Rittmeister war Manteuffel, derselbe, dem wir alles verdanken, der uns die Armee gemacht hat und mit der Armee den Sieg."

Herr von Wedell verbeugte sich, während Botho leichthin sagte: „Gewiß, man kann es sagen."

Aber das war nicht klug und weise von Botho, wie sich gleich herausstellen sollte; denn der ohnehin an Kongestionen leidende alte Baron wurde rot über den ganzen kahlen

Kopf weg, und das bißchen krause Haar an seinen Schläfen schien noch krauser werden zu wollen. „Ich verstehe dich nicht, Botho, was soll dies ‚Man kann es sagen', das heißt soviel wie ‚man kann es auch *nicht* sagen'. Und ich weiß auch, worauf das alles hinaus will. Es will andeuten, daß ein gewisser Kürassieroffizier aus der Reserve, der im übrigen mit nichts in Reserve gehalten hat, am wenigsten mit revolutionären Maßnahmen, es will andeuten, sag ich, daß ein gewisser Halberstädter mit schwefelgelbem Kragen eigentlich auch St. Privat allerpersönlichst gestürmt und um Sedan herum den großen Zirkel gezogen habe. Botho, damit darfst du mir nicht kommen. Er war ein Referendar und hat auf der Potsdamer Regierung gearbeitet, sogar unter dem alten Meding, der nie gut auf ihn zu sprechen war, ich weiß das, und hat eigentlich nichts gelernt, als Depeschen schreiben. Soviel will ich ihm lassen, *das* versteht er, oder mit anderen Worten: er ist ein Federfuchser. Aber nicht die Federfuchser haben Preußen groß gemacht. War der bei Fehrbellin ein Federfuchser? War der bei Leuthen ein Federfuchser? War Blücher ein Federfuchser oder Yorck? *Hier* sitzt die preußische Feder. Ich kann diesen Kultus nicht leiden."

„Aber, lieber Onkel . . ."

„Aber, aber, ich dulde kein Aber. Glaube mir, Botho, zu solcher Frage, dazu gehören Jahre; derlei Dinge versteh ich besser. Wie steht es denn? Er stößt die Leiter um, drauf er emporgestiegen, und verbietet sogar die Kreuzzeitung, und rund heraus: er ruiniert uns; er denkt klein von uns, er sagt uns Sottisen, und wenn ihm der Sinn danach steht, verklagt er uns auf Diebstahl oder Unterschlagung und schickt uns auf die Festung. Ach, was sag ich, auf die Festung, Festung ist für anständige Leute, nein, ins Landarmenhaus schickt er uns, um Wolle zu zupfen . . . Aber Luft, meine Herren, Luft. Sie haben keine Luft hier. Verdammtes Nest."

Und er erhob sich und riß zu dem bereits offenstehenden Mittelflügel auch noch die beiden Nebenflügel auf, so daß von dem Zuge, der ging, die Gardinen und das Tischtuch ins Wehen kamen. Dann sich wieder setzend, nahm er ein Stück Eis aus dem Champagnerkühler und fuhr sich damit über die Stirn.

„Ah", fuhr er fort, „das Stück Eis hier, das ist das Beste vom ganzen Frühstück ... Und nun sagen Sie, Herr von Wedell, hab ich recht oder nicht? Botho, Hand aufs Herz, hab ich recht? Ist es nicht so, daß man sich als ein Märkischer von Adel aus reiner Edelmannsempörung einen Hochverratsprozeß auf den Leib reden möchte? Solchen Mann ... aus unsrer besten Familie ... vornehmer als die Bismarcks und so viele für Thron und Hohenzollerntum gefallen, daß man eine ganze Leibkompagnie daraus formieren könnte, Leibkompagnie mit Blechmützen, und der Boitzenburger kommandiert sie. Ja, meine Herren. Und solcher Familie solchen Affront. Und warum? Unterschlagung, Indiskretion, Bruch von Amtsgeheimnis. Ich bitte Sie, fehlt nur noch Kindsmord und Vergehen gegen die Sittlichkeit, und wahrhaftig, es bleibt verwunderlich genug, daß nicht auch *das* noch herausgedrückt worden ist. Aber die Herren schweigen. Ich bitte Sie, sprechen Sie. Glauben Sie mir, daß ich andre Meinungen hören und ertragen kann; ich bin nicht wie er; sprechen Sie, Herr von Wedell, sprechen Sie."

Wedell, in immer wachsender Verlegenheit, suchte nach einem Ausgleichs- und Beruhigungsworte: „Gewiß, Herr Baron, es ist, wie Sie sagen. Aber, Pardon, ich habe damals, als die Sache zum Austrag kam, vielfach aussprechen hören, und die Worte sind mir im Gedächtnis geblieben, daß der Schwächere darauf verzichten müsse, dem Stärkeren die Wege kreuzen zu wollen, das verbiete sich in Leben wie Politik; es sei nun mal so: Macht gehe vor Recht."

„Und kein Widerspruch dagegen, kein Appell?"

„Doch, Herr Baron. Unter Umständen auch ein Appell. Und um nichts zu verschweigen: ich kenne solche Fälle gerechtfertigter Opposition. Was die Schwäche nicht darf, das darf die Reinheit, die Reinheit der Überzeugung, die Lauterkeit der Gesinnung. *Die* hat das Recht der Auflehnung, sie hat sogar die Pflicht dazu. Wer aber *hat* diese Lauterkeit? Hatte sie ... Doch, ich schweige, weil ich weder Sie, Herr Baron, noch die Familie, von der wir sprechen, verletzen möchte. Sie wissen aber, auch ohne daß ich es sage, daß *er,* der das Wagnis wagte, diese Lauterkeit der

Gesinnung *nicht* hatte. Der bloß Schwächere darf nichts, nur der Reine darf alles."

„Nur der Reine darf alles", wiederholte der alte Baron mit einem so schlauen Gesicht, daß es zweifelhaft blieb, ob er mehr von der Wahrheit oder der Anfechtbarkeit dieser These durchdrungen sei. „Der Reine darf alles. Kapitaler Satz, den ich mir mit nach Hause nehme. Der wird meinem Pastor gefallen, der letzten Herbst den Kampf mit mir aufgenommen und ein Stück von meinem Acker zurückgefordert hat. Nicht seinetwegen, i Gott bewahre, bloß um des Prinzips und seines Nachfolgers willen, dem er nichts vergeben dürfe. Schlauer Fuchs. Aber der Reine darf alles."

„Du wirst schon nachgeben in der Pfarrackerfrage", sagte Botho. „Kenn ich doch Schönemann noch von Sellenthins her."

„Ja, da war er noch Hauslehrer und kannte nichts Besseres, als die Schulstunden abkürzen und die Spielstunden in die Länge ziehen. Und konnte Reifen spielen wie ein junger Marquis; wahrhaftig, es war ein Vergnügen, ihm zuzusehen. Aber nun ist er sieben Jahre im Amt und du würdest den Schönemann, der der gnädigen Frau den Hof machte, nicht wiedererkennen. Eins aber muß ich ihm lassen, er hat beide Frölens gut erzogen und am besten deine Käthe . . ."

Botho sah den Onkel verlegen an, fast als ob er ihn um Diskretion bitten wolle. Der alte Baron aber, überfroh, das heikle Thema so glücklich beim Schopfe gefaßt zu haben, fuhr in überströmender und immer wachsender guter Laune fort: „Ach, laß doch, Botho. Diskretion. Unsinn. Wedell ist Landsmann und wird von der Geschichte so gut wissen wie jeder andere. Weshalb schweigen über solche Dinge. Du bist doch so gut wie gebunden. Und weiß es Gott, Junge, wenn ich so die Frölens Revue passieren lasse, 'ne beßre findest du nicht; Zähne wie Perlen und lacht immer, daß man die ganze Schnur sieht. Eine Flachsblondine zum Küssen, und wenn ich dreißig Jahre jünger wäre, höre . . ."

Wedell, der Bothos Verlegenheit bemerkte, wollte ihm zu Hilfe kommen und sagte: „Die Sellenthinschen Damen sind alle sehr anmutig, Mutter wie Töchter; ich war vorigen

Sommer mit ihnen in Norderney, scharmant, aber ich würde der zweiten den Vorzug geben ..."

„Desto besser, Wedell. Da kommt ihr euch nicht in die Quer und wir können gleich eine Doppelhochzeit feiern. Und Schönemann kann trauen, wenn Kluckhuhn, der, wie alle Alten, empfindlich ist, es zugibt, und ich will ihm nicht nur das Fuhrwerk stellen, ich will ihm auch das Stück Pfarracker ohne weiteres zedieren, wenn ich solche Hochzeit zwischen heut und einem Jahr erlebe. Sie sind reich, lieber Wedell, und mit Ihnen pressiert es am Ende nicht. Aber sehen Sie sich unsern Freund Botho an. Daß er so wohlgenährt aussieht, das verdankt er nicht seiner Sandbüchse, die, die paar Wiesen abgerechnet, eigentlich nichts als eine Kiefernschonung ist, und noch weniger seinem Muränensee. ‚Muränensee', das klingt wundervoll, und man könnte beinah sagen poetisch. Aber das ist auch alles. Man kann von Muränen nicht leben. Ich weiß, du hörst nicht gerne davon; aber da wir mal dabei sind, so muß es heraus. Wie liegt es denn? Dein Großvater hat die Heide runterschlagen lassen, und dein Vater selig – ein kapitaler Mann, aber ich habe keinen Menschen je so schlecht L'hombre spielen sehn und so hoch dazu –, dein Vater selig, sag ich, hat die fünfhundert Morgen Bruchacker an die Jeseritzer Bauern parzelliert, und was von gutem Boden übriggeblieben ist, ist nicht viel, und die dreißigtausend Taler sind auch längst wieder fort. Wärst du allein, so möcht es gehn; aber du mußt teilen mit deinem Bruder, und vorläufig hat die Mama, meine Frau Schwester Liebden, das Ganze noch in Händen, eine prächtige Frau, klug und gescheit, aber auch nicht auf die sparsame Seite gefallen. Botho, wozu stehst du bei den Kaiserkürassieren, und wozu hast du eine reiche Cousine, die bloß darauf wartet, daß du kommst und in einem regelrechten Antrage das besiegelst und wahrmachst, was die Eltern schon verabredet haben, als ihr noch Kinder wart. Wozu noch überlegen? Höre, wenn ich morgen auf der Rückreise bei deiner Mama mit vorfahren und ihr die Nachricht bringen könnte: ‚Liebste Josephine, Botho *will,* alles abgemacht', höre, Junge, das wäre mal was, das einem alten Onkel, der's gut mit dir meint, eine Freude machen könnte.

Reden Sie zu, Wedell, es ist Zeit, daß er aus der Garçonschaft herauskommt. Er vertut sonst sein bißchen Vermögen oder verplempert sich wohl gar mit einer kleinen Bourgeoise. Hab ich recht? Natürlich. Abgemacht. Und darauf müssen wir noch anstoßen. Aber nicht mit diesem Rest ..."
Und er drückte auf die Klingel.

„Eine Heidsieck. Beste Marke."

Achtes Kapitel

Im Klub befanden sich um ebendiese Zeit zwei junge Kavaliere, der eine, von den Gardedukorps, schlank, groß und glatt, der andere, von den Pasewalkern abkommandiert, etwas kleiner, mit Vollbart und nur vorschriftsmäßig freiem Kinn. Der weiße Damast des Tisches, dran sie gefrühstückt hatten, war zurückgeschlagen, und an der freigewordenen Hälfte saßen beide beim Pikett.

„Sechs Blatt mit 'ner Quart."

„Gut."

„Und du?"

„Vierzehn As, drei Könige, drei Damen ... Und du machst keinen Stich." Und er legte das Spiel auf den Tisch und schob im nächsten Augenblicke die Karten zusammen, während der andere mischte.

„Weißt du schon, Ella verheiratet sich."

„Schade."

„Warum schade?"

„Sie kann dann nicht mehr durch den Reifen springen."

„Unsinn. Je mehr sie sich verheiraten, desto schlanker werden sie."

„Doch mit Ausnahme. Viele Namen aus der Zirkusaristokratie blühen schon in der dritten und vierten Generation, was denn doch einigermaßen auf Wechselzustände von schlank und nicht schlank oder, wenn du willst, auf Neumond und erstes Viertel und so weiter hinweist."

„Irrtum. Error in calculo. Du vergißt Adoption. Alle diese Zirkusleute sind heimliche Gichtelianer und vererben nach Plan und Abmachung ihr Vermögen, ihr Ansehen und ihren Namen. Es scheinen dieselben und sind doch andere geworden. Immer frisches Blut. Heb ab ... Übrigens hab ich noch eine zweite Nachricht. Afzelius kommt in den Generalstab."

„Welcher?"

„Der von den Ulanen."

„Unmöglich."

„Moltke hält große Stücke auf ihn, und er soll eine vorzügliche Arbeit gemacht haben."

„Imponiert mir nicht. Alles Bibliotheks- und Abschreibesache. Wer nur ein bißchen findig ist, kann Bücher leisten wie Humboldt oder Ranke."

„Quart. Vierzehn As."

„Quint vom König."

Und während die Stiche gemacht wurden, hörte man in dem Billardzimmer nebenan das Klappen der Bälle und das Fallen der kleinen Boulekegel.

Nur sechs oder acht Herren waren alles in allem in den zwei hintern Klubzimmern, die mit ihrer Schmalseite nach einem sonnigen und ziemlich langweiligen Garten hinaussahen, versammelt, alle schweigsam, alle mehr oder weniger in ihr Whist oder Domino vertieft, nicht zum wenigsten die zwei pikettspielenden Herren, die sich eben über Ella und Afzelius unterhalten hatten. Es ging hoch, weshalb beide von ihrem Spiel erst wieder aufsahen, als sie, durch eine offne Rundbogennische, von dem nebenherlaufenden Zimmer her eines neuen Ankömmlings gewahr wurden. Es war Wedell.

„Aber Wedell, wenn Sie nicht eine Welt von Neuigkeiten mitbringen, so belegen wir Sie mit dem großen Bann."

„Pardon, Serge, es war keine bestimmte Verabredung."

„Aber doch beinah. Übrigens finden Sie mich persönlich in nachgiebigster Stimmung. Wie Sie sich mit Pitt auseinandersetzen wollen, der eben 150 Points verloren, ist Ihre Sache."

Dabei schoben beide die Karten beiseit, und der von dem herzukommenden Wedell als Serge Begrüßte zog seine Remontoiruhr und sagte: „Drei Uhr fünfzehn. Also Kaffee.

Irgendein Philosoph, und es muß einer der größten gewesen sein, hat einmal gesagt, das sei das beste am Kaffee, daß er in jede Situation und Tagesstunde hineinpasse. Wahrhaftig. Wort eines Weisen. Aber wo nehmen wir ihn? Ich denke, wir setzen uns draußen auf die Terrasse, mitten in die Sonne. Je mehr man das Wetter brüskiert, desto besser führt man. Also Pehlecke, drei Tassen. Ich kann das Umfallen der Boulekegel nicht mehr mit anhören, es macht mich nervös; draußen haben wir freilich auch Lärm, aber doch anders, und hören statt des spitzen Klappertons das Poltern und Donnern unserer unterirdischen Kegelbahn, wobei wir uns einbilden können, am Vesuv oder Ätna zu sitzen. Und warum auch nicht? Alle Genüsse sind schließlich Einbildung, und wer die beste Phantasie hat, hat den größten Genuß. Nur das Unwirkliche macht den Wert und ist eigentlich das einzig Reale."

„Serge", sagte der andere, der beim Pikettspielen als Pitt angeredet worden war, „wenn du mit deinen berühmten großen Sätzen so fortfährst, so bestrafst du Wedell härter, als er verdient. Außerdem hast du Rücksicht auf mich zu nehmen, weil ich verloren habe. So, hier wollen wir bleiben, den lawn im Rücken, diesen Efeu neben uns und eine kahle Wand en vue. Himmlischer Aufenthalt für Seiner Majestät Garde! Was wohl der alte Fürst Pückler zu diesem Klubgarten gesagt haben würde! Pehlecke . . . so, hier den Tisch her, jetzt gehts. Und zum Schluß eine Kuba von Ihrem gelagertsten Lager. Und nun, Wedell, wenn Ihnen verziehen werden soll, schütteln Sie Ihr Gewand, bis ein neuer Krieg herausfällt oder irgendeine andere große Nachricht. Sie sind ja durch Puttkamers mit unserem lieben Herrgott verwandt. Mit welchem, brauch ich nicht erst hinzuzusetzen. Was kocht er wieder?"

„Pitt", sagte Wedell, „ich beschwöre Sie, nur keine Bismarckfragen. Denn erstlich wissen Sie, daß ich nichts weiß, weil Vettern im siebzehnten Grad nicht gerade zu den Intimen und Vertrauten des Fürsten gehören; zum zweiten aber komme ich, statt vom Fürsten, recte von einem Bolzenschießen her, das sich mit einigen Treffern und vielen, vielen Nichttreffern gegen niemand anders als gegen Seine Durchlaucht richtete."

„Und wer war dieser kühne Schütze?"

„Der alte Baron Osten, Rienäckers Onkel. Scharmanter alter Herr und Bon-Garçon, aber freilich auch Pfiffikus."

„Wie alle Märker."

„Bin auch einer."

„Tant mieux. Da wissen Sie's von sich selbst. Aber heraus mit der Sprache. Was sagte der Alte?"

„Vielerlei. Das Politische kaum der Rede wert, aber ein anderes desto wichtiger: Rienäcker steht vor einer scharfen Ecke."

„Und vor welcher?"

„Er soll heiraten."

„Und das nennen Sie eine scharfe Ecke? Ich bitte Sie, Wedell, Rienäcker steht vor einer viel schärferen: er hat 9000 jährlich und gibt 12000 aus, und das ist immer die schärfste aller Ecken, jedenfalls schärfer als die Heiratsecke. Heiraten ist für Rienäcker keine Gefahr, sondern die Rettung. Übrigens hab ich es kommen sehen. Und wer ist es denn?"

„Eine Cousine!"

„Natürlich. Retterin und Cousine sind heutzutage fast identisch. Und ich wette, daß sie Paula heißt. Alle Cousinen heißen jetzt Paula."

„Diese nicht."

„Sondern?"

„Käthe."

„Käthe? Ah, da weiß ichs. Käthe Sellenthin. Hm, nicht übel, glänzende Partie. Der alte Sellenthin – es ist doch der mit dem Pflaster überm Auge? – hat sechs Güter, und die Vorwerke mit eingerechnet, sind es sogar dreizehn. Geht zu gleichen Teilen, und das dreizehnte kriegt Käthe noch als Zuschlag. Gratuliere . . ."

„Sie kennen sie?"

„Gewiß. Wundervolle Flachsblondine mit Vergißmeinnichtaugen, aber trotzdem nicht sentimental, weniger Mond als Sonne. Sie war hier bei der Zülow in Pension und wurde mit vierzehn schon umkurt und umworben."

„In der Pension?"

„Nicht direkt und nicht alltags, aber doch sonntags, wenn

sie beim alten Osten zu Tische war, demselben, von dem Sie jetzt herkommen. Käthe, Käthe Sellenthin ... sie war damals wie 'ne Bachstelze, und wir nannten sie so, und war der reizendste Backfisch, den Sie sich denken können. Ich seh noch ihren Haardutt, den wir immer den Wocken nannten. Und den soll Rienäcker nun abspinnen. Nun, warum nicht? Es wird ihm so schwer nicht werden."

„Am Ende doch schwerer, als mancher denkt", antwortete Wedell. „Und so gewiß er der Aufbesserung seiner Finanzen bedarf, so bin ich doch nicht sicher, daß er sich für die blonde Speziallandsmännin ohne weiteres entscheiden wird. Rienäcker ist nämlich seit einiger Zeit in einen andren Farbenton, und zwar ins Aschfarbene, gefallen, und wenn es wahr ist, was mir Balafré neulich sagte, so hat er sichs ganz ernsthaft überlegt, ob er nicht seine Weißzeugdame zur weißen Dame erheben soll. Schloß Avenel oder Schloß Zehden macht ihm keinen Unterschied, Schloß ist Schloß, und Sie wissen, Rienäcker, der überhaupt in manchem seinen eigenen Weg geht, war immer fürs Natürliche."

„Ja", lachte Pitt. „Das war er. Aber Balafré schneidet auf und erfindet sich interessante Geschichten. Sie sind nüchtern, Wedell, und werden doch solch erfundenes Zeug nicht glauben wollen."

„Nein, Erfundenes nicht", sagte Wedell. „Aber ich glaube, was ich weiß. Rienäcker, trotz seiner sechs Fuß oder vielleicht auch gerade deshalb, ist schwach und bestimmbar und von einer seltenen Weichheit und Herzensgüte."

„Das ist er. Aber die Verhältnisse werden ihn zwingen, und er wird sich lösen und frei machen, schlimmstenfalls wie der Fuchs aus dem Eisen. Es tut weh, und ein Stückchen Leben bleibt dran hängen. Aber das Hauptstück ist doch wieder heraus, wieder frei. Vive Käthe. Und Rienäcker! Wie sagt das Sprichwort: ‚Mit dem Klugen ist Gott.'"

Neuntes Kapitel

Botho schrieb denselben Abend noch an Lene, daß er am andern Tage kommen würde, vielleicht schon früher als gewöhnlich. Und er hielt Wort und war eine Stunde vor Sonnenuntergang da. Natürlich fand er auch Frau Dörr. Es war eine prächtige Luft, nicht zu warm, und nachdem man noch eine Weile geplaudert hatte, sagte Botho: „Wir könnten vielleicht in den Garten gehen."

„Ja, in den Garten. Oder sonst wohin?"

„Wie meinst du?"

Lene lachte. „Sei nicht wieder in Sorge, Botho. Niemand ist in den Hinterhalt gelegt, und die Dame mit dem Schimmelgespann und der Blumengirlande wird dir nicht in den Weg treten."

„Also wohin, Lene?"

„Bloß ins Feld, ins Grüne, wo du nichts haben wirst als Gänseblümchen und mich. Und vielleicht auch Frau Dörr, wenn sie die Güte haben will, uns zu begleiten."

„Ob sie will", sagte Frau Dörr. „Gewiß will sie. Große Ehre. Aber man muß sich doch erst ein bißchen zurechtmachen. Ich bin gleich wieder da."

„Nicht nötig, Frau Dörr, wir holen Sie ab."

Und so geschah es, und als das junge Paar eine Viertelstunde später auf den Garten zuschritt, stand Frau Dörr schon an der Tür, einen Umhang überm Arm und einen prachtvollen Hut auf dem Kopf, ein Geschenk Dörrs, der, wie alle Geizhälse, mitunter etwas lächerlich Teures kaufte.

Botho sagte der so Herausgeputzten etwas Schmeichelhaftes, und gleich danach gingen alle drei den Gang hinunter und traten durch ein verstecktes Seitenpförtchen auf einen Feldweg hinaus, der hier, wenigstens zunächst noch und eh er weiter abwärts in das freie Wiesengrün einbog, an dem an seiner Außenseite hoch in Nesseln stehenden Gartenzaun hinlief.

„Hier bleiben wir", sagte Lene. „Das ist der hübscheste Weg und der einsamste. Da kommt niemand."

Und wirklich, es war der einsamste Weg, um vieles stiller und menschenleerer als drei, vier andere, die parallel mit ihm über die Wiese hin auf Wilmersdorf zuführten und zum Teil ein eigentümliches Vorstadtsleben zeigten. An dem einen dieser Wege befanden sich allerlei Schuppen, zwischen denen reckartige, wie für Turner bestimmte Gerüste standen und Bothos Neugier weckten; aber eh er noch erkunden konnte, was es denn eigentlich sei, gab ihm das Tun drüben auch schon Antwort auf seine Frage: Decken und Teppiche wurden über die Gerüste hin ausgebreitet, und gleich danach begann ein Klopfen und Schlagen mit großen Rohrstöcken, so daß der Weg drüben alsbald in einer Staubwolke lag.

Botho wies darauf hin und wollte sich eben mit Frau Dörr in ein Gespräch über den Wert oder Unwert der Teppiche vertiefen, die, bei Lichte besehen, doch bloß Staubfänger seien, und wenn einer nicht fest auf der Brust sei, so hätt er die Schwindsucht weg, er wisse nicht wie. Mitten im Satz aber brach er ab, weil der von ihm eingeschlagene Weg in ebendiesem Augenblicke an einer Stelle vorüberführte, wo der Schutt einer Bildhauerwerkstatt abgeladen sein mußte, denn allerhand Stuckornamente, namentlich Engelsköpfe, lagen in großer Zahl umher.

„Das ist ein Engelskopf", sagte Botho. „Sehen Sie, Frau Dörr, und hier ist sogar ein geflügelter."

„Ja", sagte Frau Dörr. „Und ein Pausback dazu. Aber is es denn ein Engel? Ich denke, wenn er so klein is und Flügel hat, heißt er Amor."

„Amor oder Engel", sagte Botho, „das ist immer dasselbe. Fragen Sie nur Lene, die wird es bestätigen. Nicht wahr, Lene?"

Lene tat empfindlich, aber er nahm ihre Hand, und alles war wieder gut.

Unmittelbar hinter dem Schutthaufen bog der Pfad nach links hin ab und mündete gleich danach in einen etwas größeren Feldweg ein, dessen Pappelweiden eben blühten und ihre flockenartigen Kätzchen über die Wiese hin ausstreuten, auf der sie nun wie gezupfte Watte dalagen.

„Sieh, Lene", sagte Frau Dörr, „weißt du denn, daß sie jetzt Betten damit stopfen, ganz wie mit Federn? Und sie nennen es Waldwolle."

„Ja, ich weiß, Frau Dörr. Und ich freue mich immer, wenn die Leute so was ausfinden und sich zunutze machen. Aber für Sie wär es nichts."

„Nein, Lene, für mich wär es nich. Da hast du recht. Ich bin so mehr fürs Feste, für Pferdehaar und Sprungfedern, und wenn es denn so wuppt . . ."

„O ja", sagte Lene, der diese Beschreibung etwas ängstlich zu werden anfing. „Ich fürchte bloß, daß wir Regen kriegen. Hören Sie nur die Frösche, Frau Dörr."

„Ja, die Poggen", bestätigte diese. „Nachts ist es mitunter ein Gequake, daß man nicht schlafen kann. Und woher kommt es? Weil hier alles Sumpf is und bloß so tut, als ob es Wiese wäre. Sieh doch den Tümpel an, wo der Storch steht und guckt gerade hierher. Na, nach mir sieht er nich. Da könnt er lange sehn. Und is auch recht gut so."

„Wir müssen am Ende doch wohl umkehren", sagte Lene verlegen, und eigentlich nur, um etwas zu sagen.

„I bewahre", lachte Frau Dörr. „Nun erst recht nich, Lene; du wirst dich doch nich graulen und noch dazu vor so was. Adebar, du guter, bring mir . . . Oder soll ich lieber singen: Adebar, du bester?"

So ging es noch eine Weile weiter, denn Frau Dörr brauchte Zeit, um von einem solchen Lieblingsthema wieder loszukommen.

Endlich aber war doch eine Pause da, während welcher man in langsamem Tempo weiterschritt, bis man zuletzt an einen Höhenrücken kam, der sich hier plateauartig von der Spree nach der Havel hinüberzieht. An ebendieser Stelle hörten auch die Wiesen auf, und Korn- und Rapsfelder fingen an, die sich bis an die vorderste Häuserreihe von Wilmersdorf zogen.

„Nun bloß da noch rauf", sagte Frau Dörr, „und dann setzen wir uns und pflücken Butterblumen und flechten uns einen Stengelkranz. Jott, das macht immer soviel Spaß, wenn man den einen Stengel in den andern piekt, bis der Kranz fertig is oder die Kette."

„Wohl, wohl", sagte Lene, der es heute beschieden war, aus kleinen Verlegenheiten gar nicht herauszukommen. „Wohl, wohl. Aber nun kommen Sie, Frau Dörr; hier geht der Weg."

Und so sprechend, stiegen sie den niedrigen Abhang hinauf und setzten sich, oben angekommen, auf einen hier seit letztem Herbst schon aus Peden und Nesseln zusammengekarrten Unkrauthaufen. Dieser Pedenhaufen war ein prächtiger Ruheplatz, zugleich auch ein Aussichtspunkt, von dem aus man über einen von Werft und Weiden eingefaßten Graben hin nicht nur die nördliche Häuserreihe von Wilmersdorf überblicken, sondern auch von einer benachbarten Kegelbahntabagie her das Fallen der Kegel und vor allem das Zurückrollen der Kugel auf zwei klapprigen Latten in aller Deutlichkeit hören konnte. Lene vergnügte sich über die Maßen darüber, nahm Bothos Hand und sagte: „Sieh, Botho, ich weiß so gut Bescheid damit (denn als Kind wohnten wir auch neben einer solchen Tabagie), daß ich, wenn ich die Kugel bloß aufsetzen höre, gleich weiß, wieviel sie machen wird."

„Nun", sagte Botho, „da können wir ja wetten."

„Und um was?"

„Das findet sich."

„Gut. Aber ich brauch es nur dreimal zu treffen, und wenn ich schweige, so zählt es nicht."

„Bin es zufrieden."

Und nun horchten alle drei hinüber, und die mit jedem Moment erregter werdende Frau Dörr verschwor sich hoch und teuer, ihr puppre das Herz, und ihr sei gerade so, wie wenn sie vor einem Theatervorhang sitze. „Lene, Lene, du hast dir zuviel zugetraut, Kind, das is ja gar nich möglich."

So wär es wohl noch weitergegangen, wenn man nicht in ebendiesem Augenblicke gehört hätte, daß eine Kugel aufgesetzt und nach einmaligem dumpfem Anschlag an die Seitenbande wieder still wurde. „Sandhase", rief Lene. Und richtig, so war es.

„Das war leicht", sagte Botho. „Zu leicht. Das hätt ich auch geraten. Sehen wir also, was kommt."

Und siehe da, zwei weitere Würfe folgten, ohne daß Lene gesprochen oder sich auch nur gerührt hätte. Nur Frau Dörrs Augen traten immer mehr aus dem Kopfe. Jetzt aber, und Lene hob sich sofort von ihrem Platz, kam eine kleine feste Kugel, und in einem eigentümlichen Mischton von Elastizität und Härte hörte man sie vibrierend über das Brett hintanzen. „Alle neun", rief Lene. Und im Nu gab es drüben ein Fallen, und der Kegeljunge bestätigte nur, was kaum noch der Bestätigung bedurfte.

„Du sollst gewonnen haben, Lene. Wir essen heute noch ein Vielliebchen, und dann geht alles in einem. Nicht wahr, Frau Dörr?"

„Versteht sich", zwinkerte diese, „alles in einem." Und dabei band sie den Hut ab und beschrieb Kreise damit, wie wenn es ihr Markthut gewesen wäre.

Mittlerweile sank die Sonne hinter den Wilmersdorfer Kirchturm, und Lene schlug vor, aufzubrechen und den Rückweg anzutreten, es werde so fröstlich; unterwegs aber wollte man spielen und sich greifen; sie sei sicher, Botho werde sie nicht fangen.

„Ei, da wollen wir doch sehn."

Und nun begann ein Jagen und Haschen, bei dem Lene wirklich nicht gefangen werden konnte, bis sie zuletzt vor Lachen und Aufregung so abgeäschert war, daß sie sich hinter die stattliche Frau Dörr flüchtete.

„Nun hab ich meinen Baum", lachte sie, „nun kriegst du mich erst recht nicht." Und dabei hielt sie sich an Frau Dörrs etwas abstehender Schoßjacke fest und schob die gute Frau so geschickt nach rechts und links, daß sie sich eine Zeitlang mit Hilfe derselben deckte. Plötzlich aber war Botho neben ihr, hielt sie fest und gab ihr einen Kuß.

„Das ist gegen die Regel; wir haben nichts ausgemacht." Aber trotz solcher Abweisung hing sie sich doch an seinen Arm und kommandierte, während sie die Garde-Schnarrstimme nachahmte: „Parademarsch . . . frei weg" und ergötzte sich an den bewundernden und nicht enden wollenden Ausrufen, womit die gute Frau Dörr das Spiel begleitete.

„Ist es zu glauben?" sagte diese. „Nein, es is *nich* zu glauben. Un immer so un nie anders. Un wenn ich denn an meinen denke! Nicht zu glauben, sag ich. Un war doch auch einer. Un tat auch immer so."

„Was meint sie nur?" fragte Botho leise.

„O, sie denkt wieder . . . Aber, du weißt ja . . . Ich habe dir ja davon erzählt."

„Ach *das* is es. *Der*. Nun, er wird wohl so schlimm nicht gewesen sein."

„Wer weiß. Zuletzt ist einer wie der andere.“

„Meinst du?“

„Nein.“ Und dabei schüttelte sie den Kopf, und in ihrem Auge lag etwas von Weichheit und Rührung. Aber sie wollte diese Stimmung nicht aufkommen lassen und sagte deshalb rasch: „Singen wir, Frau Dörr. Singen wir. Aber was?“

„Morgenrot ...“

„Nein, das nicht ... ‚Morgen in das kühle Grab‘, das ist mir zu traurig. Nein, singen wir: ‚Übers Jahr, übers Jahr‘ oder noch lieber: ‚Denkst du daran‘.“

„Ja, *das* is recht, *das* is schön; das is mein Leib- und Magenlied.“

Und mit gut eingeübter Stimme sangen alle drei das Lieblingslied der Frau Dörr, und man war schon bis in die Nähe der Gärtnerei gekommen, als es noch immer über das Feld hinklang: „Ich denke dran ... ich danke dir mein Leben“, und dann von der andren Wegseite her, wo die lange Reihe der Schuppen und Remisen stand, im Echo widerhallte.

Die Dörr war überglücklich. Aber Lene und Botho waren ernst geworden.

Zehntes Kapitel

Es dunkelte schon, als man wieder vor der Wohnung der Frau Nimptsch war, und Botho, der seine Heiterkeit und gute Laune rasch zurückgewonnen hatte, wollte nur einen Augenblick noch mit hineinsehen und sich gleich danach verabschieden. Als ihn Lene jedoch an allerlei Versprechungen und Frau Dörr mit Betonung und Augenspiel an das noch ausstehende Vielliebchen erinnerte, gab er nach und entschloß sich, den Abend über zu bleiben.

„Das is recht“, sagte die Dörr. „Und ich bleibe nun auch. Das heißt, wenn ich bleiben darf und bei dem Vielliebchen nicht störe. Denn man kann doch nie wissen. Und ich will bloß noch den Hut nach Hause bringen und den Umhang. Und denn komm ich wieder.“

„Gewiß müssen Sie wiederkommen“, sagte Botho, während er ihr die Hand gab. „So jung kommen wir nicht wieder zusammen.“

„Nein, nein“, lachte die Dörr, „so jung kommen wir nich wieder zusammen. Un is auch eigentlich ganz unmöglich, un wenn wir auch morgen schon wieder zusammenkämen. Denn ein Tag is doch immer ein Tag und macht auch schon was aus. Und deshalb is es ganz richtig, daß wir so jung nich wieder zusammenkommen. Und muß sich jeder gefallen lassen.“

In dieser Tonart ging es noch eine Weile weiter, und die von niemandem bestrittene Tatsache des täglichen Älterwerdens gefiel ihr so, daß sie dieselbe noch einige Male wiederholte. Dann erst ging sie. Lene begleitete sie bis auf den Flur, Botho seinerseits aber setzte sich neben Frau Nimptsch und fragte, während er ihr das von der Schulter gefallene Umschlagtuch wieder umhing, ob sie noch böse sei, daß er die Lene wieder auf ein paar Stunden entführt habe. Aber es sei so hübsch gewesen, und oben auf dem Pedenhaufen, wo sie sich ausgeruht und geplaudert hätten, hätten sie der Zeit ganz vergessen.

„Ja, die Glücklichen vergessen die Zeit“, sagte die Alte. „Und die Jugend is glücklich, un is auch gut so un soll so sein. Aber wenn man alt wird, lieber Herr Baron, da werden einen die Stunden lang un man wünscht sich die Tage fort un das Leben auch.“

„Ach, das sagen Sie so, Mutterchen. Alt oder jung, eigentlich lebt doch jeder gern. Nicht wahr, Lene, wir leben gern?“

Lene war eben wieder vom Flur her in die Stube getreten und lief, wie getroffen von dem Wort, auf ihn zu und umhalste und küßte ihn und war überhaupt von einer Leidenschaftlichkeit, die ihr sonst ganz fremd war.

„Lene, was hast du nur?“

Aber sie hatte sich schon wieder gesammelt und wehrte mit rascher Handbewegung seine Teilnahme ab, wie wenn sie sagen wollte: „Frage nicht.“ Und nun ging sie, während Botho mit Frau Nimptsch weitersprach, auf das Küchenschapp zu, kramte drin umher und kam gleich danach und völlig heitern Gesichts mit einem kleinen, in blaues Zuckerpapier genähten Buche zurück, das ganz das Aussehen hatte wie die, drin Hausfrauen ihre täglichen Ausgaben aufschreiben. Dazu diente das Bündelchen denn auch wirklich und zugleich zu Fragen, mit denen sich Lene, sei's aus Neugier oder gelegentlich auch aus tieferem Interesse, beschäftigte. Sie schlug es jetzt auf und wies auf die letzte Seite, darauf Bothos Blick sofort der dick unterstrichenen Überschrift begegnete: „*Was zu wissen not tut.*"

„Alle Tausend, Lene, das klingt ja wie Traktätchen oder Lustspieltitel."

„Ist auch so was. Lies nur weiter."

Und nun las er: „Wer waren die beiden Damen auf dem Korso? Ist es die ältere oder ist es die junge? Wer ist Pitt? Wer ist Serge? Wer ist Gaston?"

Botho lachte. „Wenn ich dir das alles beantworten soll, Lene, so bleib ich bis morgen früh."

Ein Glück, daß Frau Dörr bei dieser Antwort fehlte, sonst hätt es eine neue Verlegenheit gegeben. Aber die sonst so flinke Freundin, flink wenigstens, wenn es sich um den Baron handelte, war noch nicht wieder zurück, und so sagte denn Lene: „Gut, so will ich mich handeln lassen. Und meinetwegen denn von den zwei Damen ein andermal! Aber was bedeuten die fremden Namen? Ich habe schon neulich danach gefragt, als du die Tüte brachtest. Aber was du da sagtest, war keine rechte Antwort, nur so halb. Ist es ein Geheimnis?"

„Nein."

„Nun denn, sage."

„Gern, Lene. Diese Namen sind bloß Necknamen."

„Ich weiß. Das sagtest du schon."

„. . . Also Namen, die wir uns aus Bequemlichkeit beigelegt haben, mit und ohne Beziehung, je nachdem."

„Und was heißt Pitt?"

„Pitt war ein englischer Staatsmann."

„Und ist dein Freund auch einer?"

„Um Gottes willen . . ."

„Und Serge?"

„Das ist ein russischer Vorname, den ein Heiliger und viele russische Großfürsten führen."

„Die aber nicht Heilige zu sein brauchen, nicht wahr? . . . Und Gaston?“

„Ist ein französischer Name.“

„Ja, dessen entsinn ich mich. Ich habe mal, als ein ganz junges Ding, und ich war noch nicht eingesegnet, ein Stück gesehn: ‚Der Mann mit der eisernen Maske‘. Und der mit der Maske, der hieß Gaston. Und ich weinte jämmerlich.“

„Und lachst jetzt, wenn ich dir sage: Gaston bin *ich*.“

„Nein, ich lache nicht. Du hast auch eine Maske.“

Botho wollte scherz- und ernsthaft das Gegenteil versichern, aber Frau Dörr, die gerade wieder eintrat, schnitt das Gespräch ab, indem sie sich entschuldigte, daß sie so lange habe warten lassen. Aber eine Bestellung sei gekommen, und sie habe rasch noch einen Begräbniskranz flechten müssen.

„Einen großen oder einen kleinen?“ fragte die Nimptsch, die gern von Begräbnissen sprach und eine Passion hatte, sich von allem dazu Gehörigen erzählen zu lassen.

„Nu“, sagte die Dörr, „es war ein mittelscher; kleine Leute. Efeu mit Azalie.“

„Jott“, fuhr die Nimptsch fort, „alles is jetzt für Efeu und Azalie, bloß ich nich. Efeu is ganz gut, wenn er aufs Grab kommt und alles so grün und dicht einspinnt, daß das Grab seine Ruhe hat und der drunter liegt auch. Aber Efeu in ’n Kranz, das is nich richtig. Zu meiner Zeit, da nahmen wir Immortellen, gelbe oder halbgelbe, und wenn es ganz was Feines sein sollte, denn nahmen wir rote oder weiße und machten Kränze draus oder auch bloß einen und hingen ihn ans Kreuz, und da hing er denn den ganzen Winter, und wenn der Frühling kam, da hing er noch. Un manche hingen noch länger. Aber so mit Efeu oder Azalie, das is nichts. Un warum nicht? Darum nicht, weil es nich lange dauert. Un ich denke mir immer, je länger der Kranz oben hängt, desto länger denkt der Mensch auch an seinen Toten unten. Un mitunter auch ’ne Witwe, wenn sie nich zu jung is. Un das is es, warum ich für Immortelle bin, gelbe oder rote oder auch weiße, un kann ja jeder einen andern Kranz zuhängen, wenn er will. Das ist denn so für den Schein. Aber der immortellige, das is der richtige.“

„Mutter“, sagte Lene, „du sprichst wieder soviel von Grab und Kranz.“

„Ja, Kind, jeder spricht, woran er denkt. Un denkt einer an Hochzeit, denn redt er von Hochzeit, un denkt einer an Begräbnis, dann redt er von Grab. Un ich habe nich mal angefangen von Grab un Kranz zu reden, Frau Dörr hat angefangen, was auch ganz recht war. Un ich spreche bloß immer davon, weil ich immer 'ne Angst habe un immer denke: ja, wer wird dir mal einen bringen?“

„Ach, Mutter . . .“

„Ja, Lene, du bist gut, du bist ein gutes Kind. Aber der Mensch denkt un Gott lenkt, un heute rot un morgen tot. Un du kannst sterben so gut wie ich, jeden Tag, den Gott werden läßt, wenn ich es auch nich glaube. Un Frau Dörr kann auch sterben oder wohnt denn, wenn ich sterbe, vielleicht woanders, oder ich wohne woanders un bin vielleicht eben erst eingezogen. Ach, meine liebe Lene, man hat nichts sicher, gar nichts, auch nich mal einen Kranz aufs Grab.“

„*Doch, doch,* Mutter Nimptsch“, sagte Botho, „den haben Sie sicher.“

„Na, na, Herr Baron, wenn es man wahr is.“

„Und wenn ich in Petersburg bin oder in Paris und ich höre, daß meine alte Frau Nimptsch gestorben ist, dann schick ich einen Kranz, und wenn ich in Berlin bin oder in der Nähe, dann bring ich ihn selber.“

Der Alten Gesicht verklärte sich ordentlich vor Freude. „Na, das is ein Wort, Herr Baron. Un da hab ich doch nu meinen Kranz aufs Grab, und is mir lieb, daß ich ihn habe. Denn ich kann die kahlen Gräber nich leiden, die so aussehn, wie 'n Waisenhauskirchhof oder für die Gefangenen oder noch schlimmer. Aber nu mach einen Tee, Lene, das Wasser kocht un bullert schon, un Erdbeeren und Milch sind auch da. Un auch saure. Jott, den armen Herrn Baron muß ja schon ganz jämlich sein. Immer ankucken macht hungrig, soviel weiß ich auch noch. Ja, Frau Dörr, man hat ja doch auch mal seine Jugend gehabt, un wenn es auch lange her is. Aber die Menschen waren damals so wie heut.“

Frau Nimptsch, die heut ihren Redetag hatte, philosophierte noch eine Weile weiter, während Lene das Abendbrot auftrug und Botho seine Neckereien mit der guten Frau Dörr fortsetzte. Das sei gut, daß sie den Staatshut zu rechter Zeit zu Bette gebracht habe, der sei für Kroll oder fürs Theater, aber nicht für den Wilmersdorfer Pedenhaufen. Wo sie den Hut denn eigentlich her habe? Solchen Hut habe keine Prinzessin. Und er habe so was Kleidsames überhaupt noch gar nicht gesehn; er wolle nicht von sich selber reden, aber ein Prinz hätte sich drin vergaffen können.

Die gute Frau hörte wohl heraus, daß er sich einen Spaß mache. Trotzdem sagte sie: „Ja, wenn Dörr mal anfängt, denn is er so forsch und fein, daß ich mitunter gar nicht weiß, wo ers her hat. Alltags is nich viel mit ihm, aber mit eins is er wie vertauscht un gar nich mehr derselbe, un ich sage denn immer: es is am Ende doch was mit ihm, un er kann es man bloß nich so zeigen."

So plauderte man beim Tee, bis zehn Uhr heran war. Dann brach Botho auf, und Lene und Frau Dörr begleiteten ihn durch den Vorgarten bis an die Gartentür. Als sie hier standen, erinnerte die Dörr daran, daß man das Vielliebchen noch immer vergessen habe. Botho schien aber die Mahnung überhören zu wollen und betonte nur nochmals, wie hübsch der Nachmittag gewesen sei. „Wir müssen öfter so gehn, Lene, und wenn ich wiederkomme, dann überlegen wir, wohin. O, ich werde schon etwas finden, etwas Hübsches und Stilles, und recht weit und nicht so bloß über Feld."

„Und dann nehmen wir Frau Dörr wieder mit", sagte Lene, „oder bitten sie darum. Nicht wahr, Botho?"

„Gewiß, Lene. Frau Dörr muß immer dabei sein. Ohne Frau Dörr geht es nicht."

„Ach, Herr Baron, das kann ich ja gar nich annehmen, das kann ich ja gar nich verlangen."

„Doch, liebe Frau Dörr", lachte Botho. „Sie können *alles* verlangen. Eine Frau wie Sie."

Und damit trennte man sich.

Elftes Kapitel

Die Landpartie, die man nach dem Wilmersdorfer Spaziergange verabredet oder wenigstens geplant hatte, war nun auf einige Wochen hin das Lieblingsgespräch, und immer, wenn Botho kam, überlegte man, *wohin*? Alle möglichen Plätze wurden erwogen: Erkner und Kranichberge, Schwilow und Baumgartenbrück, aber alle waren immer noch zu besucht, und so kam es, daß Botho schließlich „Hankels Ablage" nannte, von dessen Schönheit und Einsamkeit er wahre Wunderdinge gehört habe; Lene war einverstanden. Ihr lag nur daran, mal hinauszukommen und in Gottes freier Natur, möglichst fern von dem großstädtischen Getreibe, mit dem geliebten Manne zusammen zu sein. Wo, war gleichgültig.

Der nächste Freitag wurde zu der Partie bestimmt. „Abgemacht." Und nun fuhren sie mit dem Görlitzer Nachmittagszuge nach Hankels Ablage hinaus, wo sie Nachtquartier nehmen und den andern Tag in aller Stille zubringen wollten.

Der Zug hatte nur wenige Wagen, aber auch diese waren schwach besetzt, und so kam es, daß sich Botho und Lene allein befanden. In dem Coupé nebenan wurde lebhaft gesprochen, zugleich deutlich genug, um herauszuhören, daß es Weiterreisende waren, keine Mitpassagiere für Hankels Ablage.

Lene war glücklich, reichte Botho die Hand und sah schweigend in die Wald- und Heidelandschaft hinaus. Endlich sagte sie: „Was wird aber Frau Dörr sagen, daß wir sie zu Hause gelassen?"

„Sie darf es gar nicht erfahren."

„Mutter wird es ihr ausplaudern."

„Ja, dann steht es schlimm, und doch ließ sichs nicht anders tun. Sieh, auf der Wiese neulich, da ging es, da waren wir mutterwindallein. Aber wenn wir in Hankels Ablage auch noch soviel Einsamkeit finden, so finden wir doch immer noch einen Wirt und eine Wirtin und vielleicht sogar einen Berliner Kellner. Und solch Kellner, der immer so still vor sich hinlacht oder wenigstens in sich hinein, den kann ich nicht aushalten, der verdirbt mir die Freude. Frau Dörr, wenn sie neben deiner Mutter sitzt oder den alten Dörr erzieht, ist unbezahlbar, aber nicht unter Menschen. Unter Menschen ist sie bloß komische Figur und eine Verlegenheit."

Gegen fünf hielt der Zug an einem Waldrande ... Wirklich, niemand außer Botho und Lene stieg aus, und beide schlenderten jetzt behaglich und unter häufigem Verweilen auf ein Gasthaus zu, das, in etwa zehn Minuten Entfernung von dem kleinen Stationsgebäude, hart an der Spree seinen Platz hatte. Dies „Etablissement", wie sichs auf einem schiefstehenden Wegweiser nannte, war ursprünglich ein bloßes Fischerhaus gewesen, das sich erst sehr allmählich und mehr durch An- als Umbau in ein Gartenhaus verwandelt hatte; der Blick über den Strom aber hielt für alles, was sonst vielleicht fehlen mochte, schadlos und ließ das glänzende Renommee, dessen sich diese Stelle bei allen Eingeweihten erfreute, keinen Augenblick als übertrieben erscheinen. Auch Lene fühlte sich sofort angeheimelt und nahm in einer verandaartig vorgebauten Holzhalle Platz, deren eine Hälfte von dem Gezweig einer alten, zwischen Haus und Ufer stehenden Ulme verdeckt wurde.

„Hier bleiben wir", sagte sie. „Sieh doch nur die Kähne, zwei, drei ... und dort weiter hinauf kommt eine ganze Flotte. Ja, das war ein glücklicher Gedanke, der uns hierher führte. Sieh doch nur, wie sie drüben auf dem Kahne hin und her laufen und sich gegen die Ruder stemmen. Und dabei alles so still. O, mein einziger Botho, wie schön das ist und wie gut ich dir bin."

Botho freute sich, Lene so glücklich zu sehen. Etwas Entschlossenes und beinah Herbes, das sonst in ihrem Charakter lag, war wie von ihr genommen und einer ihr sonst fremden Gefühlsweichheit gewichen, und dieser Wechsel schien ihr selber unendlich wohlzutun.

Nach einer Weile kam der sein „Etablissement" schon von Vater und Großvater her innehabende Wirt, um nach den Befehlen der Herrschaften zu fragen, vor allem auch, ob sie zur Nacht bleiben würden, und bat, als diese Frage bejaht worden war, über ihr Zimmer Beschluß fassen zu wollen. Es ständen ihnen mehrere zur Verfügung, unter denen die Giebelstube wohl die beste sein würde. Sie sei zwar niedrig, aber sonst groß und geräumig und hätte den Blick über die Spree bis an die Müggelberge.

Der Wirt ging nun, als sein Vorschlag angenommen war, um die nötigen Vorbereitungen zu treffen, und Botho und Lene waren nicht nur wieder allein miteinander, sondern genossen auch das Glück dieses Alleinseins in vollen Zügen. Auf einem der herabhängenden Ulmenzweige wiegte sich ein in einem niedrigen Nachbargebüsche nistender Fink, Schwalben fuhren hin und her, und zuletzt kam eine schwarze Henne mit einem langen Gefolge von Entenküken an der Veranda vorüber und stolzierte gravitätisch auf einen weit in den Fluß hineingebauten Wassersteg zu. Mitten auf diesem Steg aber blieb die Henne stehn, während sich die Küken ins Wasser stürzten und fortschwammen.

Lene sah eifrig dem allen zu. „Sieh nur, Botho, wie der Strom durch die Pfähle schießt." Aber eigentlich war es weder der Steg noch die durchschießende Flut, was sie fesselte, sondern die zwei Boote, die vorn angekettet lagen. Sie liebäugelte damit und erging sich in kleinen Fragen und Anspielungen, und erst als Botho taub blieb und durchaus nichts davon verstehen wollte, rückte sie klarer mit der Sprache heraus und sagte rundweg, daß sie gern Wasser fahren möchte.

„Weiber sind doch unverbesserlich. Unverbesserlich in ihrem Leichtsinn. Denk an den zweiten Ostertag. Um ein Haar . . ."

„. . . Wär ich ertrunken. Gewiß. Aber das war nur das eine. Nebenher lief die Bekanntschaft mit einem stattlichen Herrn, dessen du dich vielleicht entsinnst. Er hieß Botho . . . Du wirst doch, denk ich, den zweiten Ostertag nicht als einen Unglückstag ansehen wollen? Da bin ich artiger und galanter."

„Nun, nun . . . Aber kannst du denn auch rudern, Lene?"

„Freilich kann ich. Und kann auch sogar steuern und ein Segel stellen. Weil ich beinah ertrunken wäre, denkst du gering von mir und meiner Kunst. Aber der Junge war schuld, und ertrinken kann am Ende jeder."

Und dabei gingen sie von der Veranda her den Steg entlang auf die zwei Boote zu, deren Segel eingerefft waren, während ihre Wimpel, mit eingesticktem Namen, oben an der Mastspitze flatterten.

„Welches nehmen wir", sagte Botho, „die ‚Forelle' oder die ‚Hoffnung'?"

„Natürlich die Forelle. Was sollen wir mit der Hoffnung?"

Botho hörte wohl heraus, daß dies von Lene mit Absicht und um zu sticheln gesagt wurde, denn so fein sie fühlte, so verleugnete sie doch nie das an kleinen Spitzen Gefallen findende Berliner Kind. Er verzieh ihr aber dies Spitzige, schwieg und war ihr beim Einsteigen behilflich. Dann sprang er nach. Als er gleich darauf das Boot losketten wollte, kam der Wirt und brachte Jackett und Plaid, weil es bei Sonnenuntergang kalt würde. Beide dankten, und in Kürze waren sie mitten auf dem Strom, der hier, durch Inseln und Landzungen eingeengt, keine dreihundert Schritte breit sein mochte. Lene tat nur dann und wann einen Schlag mit dem Ruder, aber auch diese wenigen Schläge reichten schon aus, sie nach einer kleinen Weile bis an eine hoch in Gras stehende, zugleich als Schiffswerft dienende Wiese zu führen, auf der, in einiger Entfernung von ihnen, ein Spreekahn gebaut und alte, leckgewordene Kähne kalfatert und geteert wurden.

„Dahin müssen wir", jubelte Lene, während sie Botho mit sich fortzog. Aber ehe beide bis an die Schiffsbaustelle heran waren, hörte das Hämmern der Zimmermannsaxt auf, und das beginnende Läuten der Glocke verkündete, daß Feierabend sei. So bogen sie denn hundert Schritt von der Werft in einen Pfad ein, der, schräg über die Wiese hin, auf einen Kiefernwald zuführte. Die roten Stämme desselben glühten prächtig im Widerschein der schon tiefstehenden Sonne, während über den Kronen ein bläulicher Nebel lag.

„Ich möchte dir einen recht schönen Strauß pflücken", sagte Botho, während er Lene bei der Hand nahm. „Aber sieh nur, die reine Wiese, nichts als Gras und keine Blume. Nicht eine."

„Doch. Die Hülle und Fülle. Du siehst nur keine, weil du zu anspruchsvoll bist."

„Und wenn ich es wäre, so wär ich es bloß für dich."

„O, keine Ausflüchte. Du wirst sehen, ich finde welche."

Und sich niederbückend, suchte sie nach rechts und links hin und sagte: „Sieh nur, hier . . . und da . . . und hier wieder. Es stehen hier mehr als in Dörrs Garten; man muß nur ein Auge dafür haben." Und so pflückte sie behend und emsig, zugleich allerlei Unkraut und Grashalme mit ausreißend, bis sie, nach kurzer Zeit, eine Menge Brauchbares und Unbrauchbares in Händen hatte.

Währenddem waren sie bis an eine seit Jahr und Tag leerstehende Fischerhütte gekommen, vor der, auf einem mit Kienäpfeln überstreuten Sandstreifen (denn der Wald stieg unmittelbar dahinter an), ein umgestülpter Kahn lag.

„Der kommt uns zu paß", sagte Botho, „hier wollen wir uns setzen. Du mußt ja müde sein. Und nun laß sehen, was du gepflückt hast. Ich glaube, du weißt es selber nicht, und ich werde mich auf den Botaniker hin ausspielen müssen. Gib her. Das ist Ranunkel, und das ist Mäuseohr, manche nennen es auch falsches Vergißmeinnicht. Hörst du, falsches. Und hier das mit dem gezackten Blatt, das ist Taraxacum, unsere gute alte Butterblume, woraus die Franzosen Salat machen. Nun meinetwegen. Aber Salat und Bukett ist ein Unterschied."

„Gib nur wieder her", lachte Lene. „Du hast kein Auge für diese Dinge, weil du keine Liebe dafür hast, und Auge und Liebe gehören immer zusammen. Erst hast du der Wiese die Blumen abgesprochen, und jetzt, wo sie da sind, willst du sie nicht als richtige Blumen gelten lassen. Es sind aber Blumen und noch dazu sehr gute. Was gilt die Wette, daß ich dir etwas Hübsches zusammenstelle."

„Nun, da bin ich doch neugierig, was du wählen wirst."

„Nur solche, denen du selber zustimmst. Und nun laß uns anfangen. Hier ist Vergißmeinnicht, aber kein Mäuseohr-Vergißmeinnicht, will sagen kein falsches, sondern ein echtes. Zugestanden?"

„Ja."

„Und das hier ist Ehrenpreis, eine feine, kleine Blume. Die wirst du doch auch wohl gelten lassen? Da frag ich gar nicht erst. Und diese große rotbraune, das ist Teufels-Abbiß und eigens für dich gewachsen. Ja, lache nur. Und das hier", und sie bückte sich nach ein paar gelben Blumenköpfchen, die gerade vor ihr auf der Sandstelle blühten, „das sind Immortellen."

„Immortellen", sagte Botho. „Die sind ja die Passion der alten Frau Nimptsch. Natürlich, *die* nehmen wir, *die* dürfen nicht fehlen. Und nun binde nur das Sträußchen zusammen."

„Gut. Aber womit? Wir wollen es lassen, bis wir eine Binse finden."

„Nein, so lange will ich nicht warten. Und ein Binsenhalm ist mir auch nicht gut genug, ist zu dick und grob. Ich will was Feines. Weißt du, Lene, du hast so schönes langes Haar; reiß eins aus und flicht den Strauß damit zusammen."

„Nein", sagte sie bestimmt.

„Nein? Warum nicht? Warum nein?"

„Weil das Sprichwort sagt: ‚Haar bindet.' Und wenn ich es um den Strauß binde, so bist du mitgebunden."

„Ach, das ist Aberglauben. Das sagt Frau Dörr."

„Nein, die alte Frau sagt es. Und was die mir von Jugend auf gesagt hat, auch wenn es wie Aberglauben aussah, das war immer richtig."

„Nun meinetwegen. Ich streite nicht. Aber ich will kein ander Band um den Strauß, als ein Haar von dir. Und du wirst doch nicht so eigensinnig sein und mirs abschlagen."

Sie sah ihn an, zog ein Haar aus ihrem Scheitel und wand es um den Strauß. Dann sagte sie: „Du hast es gewollt. Hier, nimm es. Nun bist du gebunden."

Er versuchte zu lachen, aber der Ernst, mit dem sie das Gespräch geführt und die letzten Worte gesprochen hatte, war doch nicht ohne Eindruck auf ihn geblieben.

„Es wird kühl", sagte er nach einer Weile. „Der Wirt hatte recht, dir Jackett und Plaid nachzubringen. Komm, laß uns aufbrechen."

Und so gingen sie wieder auf die Stelle zu, wo das Boot lag, und eilten sich, über den Fluß zu kommen.

Jetzt erst, im Rückfahren, sahen sie, wie malerisch das Gasthaus dalag, dem sie mit jedem Ruderschlage näherkamen. Eine hohe groteske Mütze, so saß das Schilfdach auf dem niedrigen Fachwerkbau, dessen vier kleine Frontfenster sich eben zu erhellen begannen. Und im selben Augenblicke wurden auch ein paar Windlichter in die Veranda getragen, und durch das Gezweige der alten Ulme, das im Dunkel einem phantastischen Gitterwerke glich, blitzten allerlei Lichtstreifen über den Strom hin.

Keiner sprach. Jeder aber hing seinem Glück und der Frage nach, wie lange das Glück noch dauern werde.

Zwölftes Kapitel

Es dunkelte schon, als sie landeten.

„Laß uns diesen Tisch nehmen", sagte Botho, während sie wieder unter die Veranda traten: „Hier trifft dich kein Wind, und ich bestelle dir einen Grog oder Glühwein, nicht wahr? Ich sehe ja, du hast es kalt."

Er schlug ihr noch allerlei andres vor, aber Lene bat, auf ihr Zimmer gehn zu dürfen; wenn er dann komme, sei sie wieder munter. Sie sei nur angegriffen und brauche nichts; und wenn sie nur Ruhe habe, so werd es vorübergehen.

Damit verabschiedete sie sich und stieg in die mittlerweile hergerichtete Giebelstube hinauf, begleitet von der in durchaus irrigen Vermutungen befangenen Wirtin, die sofort neugierig fragte, was es denn eigentlich sei, und, einer Antwort unbedürftig, im selben Augenblicke fortfuhr: ja, das sei so bei jungen Frauen, das wisse sie von sich selber, und eh ihr Ältester geboren wurde (jetzt habe sie schon vier und eigentlich fünf, aber der mittelste sei zu früh gekommen und gleich tot), da hätte sie's auch gehabt. Es flög einen so an und sei dann wie zum Sterben. Aber eine Tasse Melissentee, das heißt Klostermelisse, da fiele es gleich wieder ab, und man sei mit eins wieder wie 'n Fisch im Wasser und ordentlich aufgekratzt und fidel und ganz zärtlich. „Ja, ja, gnäd'ge Frau, wenn erst so vier um einen rumstehen, ohne daß ich den kleinen Engel mitrechne ..."

Lene bezwang nur mit Müh ihre Verlegenheit und bat, um wenigstens etwas zu sagen, um etwas Melissentee, Klostermelisse, wovon sie auch schon gehört habe.

Während oben in der Giebelstube dies Gespräch geführt wurde, hatte Botho Platz genommen, aber nicht innerhalb der windgeschützten Veranda, sondern an einem urwüchsigen Brettertisch, der, in Front derselben, auf vier Pfählen aufgenagelt war und einen freien Blick hatte. Hier wollt er sein Abendbrot einnehmen. Er bestellte sich denn auch ein Fischgericht, und als der „Schlei mit Dill", wofür das Wirtshaus von alter Zeit her ein Renommee hatte, aufgetragen wurde, kam der Wirt, um zu fragen, welchen Wein der Herr Baron – er gab ihm diesen Titel auf gut Glück hin – beföhle.

„Nun, ich denke", sagte Botho, „zu dem delikaten Schlei paßt am besten ein Brauneberger oder, sagen wir lieber, ein Rüdesheimer, und zum Zeichen, daß er gut ist, müssen Sie sich zu mir setzen und bei Ihrem eigenen Weine mein Gast sein."

Der Wirt verbeugte sich unter Lächeln und kam bald danach mit einer angestaubten Flasche zurück, während die Magd, eine hübsche Wendin in Friesrock und schwarzem Kopftuch, auf einem Tablett die Gläser brachte.

„Nun, lassen Sie sehn", sagte Botho. „Die Flasche verspricht alles mögliche Gute. Zu viel Staub und Spinnweb ist allemal verdächtig, aber diese hier ... Ah, superb! Das ist 70er, nicht wahr? Und nun lassen Sie uns anstoßen! Ja, auf was? Auf das Wohl von Hankels Ablage!"

Der Wirt war augenscheinlich entzückt, und Botho, der wohl sah, welchen guten Eindruck er machte, fuhr deshalb in dem ihm eigenen leichten und leutseligen Tone fort: „Ich find es reizend hier, und nur eins läßt sich gegen Hankels Ablage sagen: der Name."

„Ja", bestätigte der Wirt, „der Name, der läßt viel zu wünschen übrig und ist eigentlich ein Malheur für uns. Und doch hat es seine Richtigkeit damit; Hankels Ablage war nämlich wirklich eine Ablage, und so heißt es denn auch so."

„Gut. Aber das bringt uns nicht weiter. Warum hieß es Ablage? Was ist Ablage?“

„Nun, wir könnten auch sagen: Aus- und Einladestelle. Das ganze Stück Land hier herum“, und er wies nach rückwärts, „war nämlich immer ein großes Dominium und hieß unter dem Alten Fritzen und auch früher schon unter dem Soldatenkönige die Herrschaft Wusterhausen. Und es gehörten wohl auch an die dreißig Dörfer dazu, samt Forst und Heide. Nun sehen Sie, die dreißig Dörfer, die schafften natürlich was, oder, was dasselbe sagen will, sie hatten Ausfuhr und Einfuhr, und für beides brauchten sie von Anfang an einen Hafen- oder Stapelplatz und konnte nur noch zweifelhaft sein, welche Stelle man dafür wählen würde. Da wählten sie *diese* hier; diese Bucht wurde Hafen, Stapelplatz, ‚Ablage‘ für alles, was kam und ging, und weil der Fischer, der damals hier wohnte, beiläufig mein Ahnherr, Hankel hieß, so hatten wir eine ‚Hankels Ablage‘.“

„Schade“, sagte Botho, „daß mans nicht jedem so rund und nett erklären kann“, und der Wirt, der sich hierdurch ermutigt fühlen mochte, wollte fortfahren. Eh er aber beginnen konnte, hörte man einen Vogelschrei hoch oben in den Lüften, und als Botho neugierig hinaufsah, sah er, daß zwei mächtige Vögel, kaum noch erkennbar, im Halbdunkel über der Wasserfläche hinschwebten.

„Waren das wilde Gänse?“

„Nein, Reiher. Die ganze Forst hier herum ist Reiher-Forst. Überhaupt ein rechter Jagdgrund, Schwarzwild und Damwild in Massen, und in dem Schilf und Rohr hier Enten, Schnepfen und Bekassinen.“

„Entzückend“, sagte Botho, in dem sich der Jäger regte. „Wissen Sie, daß ich Sie beneide. Was tut schließlich der Name? Enten, Schnepfen, Bekassinen. Es überkommt einen eine Lust, daß mans auch so gut haben möchte. Nur einsam muß es hier sein, zu einsam.“

Der Wirt lächelte vor sich hin, und Botho, dem es nicht entging, wurde neugierig und sagte: „Sie lächeln. Aber ist es nicht so? Seit einer halben Stunde hör ich nichts als das Wasser, das unter dem Steg hingluckst, und in diesem Augenblick oben den Reiherschrei. Das nenn ich einsam, so hübsch es ist. Und dann und wann ziehn ein paar große Spreekähne vorüber, aber alle sind einander gleich oder sehn sich wenigstens ähnlich. Und eigentlich ist jeder wie ein Gespensterschiff. Eine wahre Totenstille."

„Gewiß", sagte der Wirt. „Aber doch alles nur, solang es dauert." – „Wie das?"

„Ja", wiederholte der Gefragte, „solang es dauert. Sie sprechen von Einsamkeit, Herr Baron, und tagelang ist es auch wirklich einsam hier. Und es können auch Wochen werden. Aber kaum, daß das Eis bricht und das Frühjahr kommt, so kommt auch schon Besuch, und der Berliner ist da."

„Wann kommt er?"

„Unglaublich früh. Okuli, da kommen sie. Sehen Sie, Herr Baron, wenn ich, der ich doch ausgewettert bin, immer noch drin in der Stube bleibe, weil der Ostwind pustet und die Märzensonne sticht, setzt sich der Berliner schon ins Freie, legt seinen Sommerüberzieher über den Stuhl und bestellt eine Weiße. Denn sowie nur die Sonne scheint, spricht der Berliner von schönem Wetter. Ob in jedem Windzug eine Lungenentzündung oder Diphtheritis sitzt, ist ihm egal. Er spielt dann am liebsten mit Reifen; einige sind auch für Boccia, und wenn sie dann abfahren, ganz gedunsen von der Prallsonne, dann tut mir mitunter das Herz weh, denn keiner ist darunter, dem nicht wenigstens am andern Tage die Haut abschülbert."

Botho lachte. „Ja, die Berliner! Wobei mir übrigens einfällt, Ihre Spree hier herum muß ja auch die Gegend sein, wo die Ruderer und Segler zusammenkommen und ihre Regatten haben."

„Gewiß", sagte der Wirt. „Aber das will nicht viel sagen. Wenns viele sind, dann sind es fünfzig oder vielleicht auch mal hundert. Und dann ruht es wieder und ist auf Wochen und Monate hin mit dem ganzen Wassersport vorbei. Nein, die Klubleute, das ist vergleichsweise bequem, das ist zum Aushalten. Aber wenn dann im Juni die Dampfschiffe kommen, dann ist es schlimm. Und dann bleibt es so den ganzen Sommer über oder doch eine lange, lange Weile."

„Glaubs", sagte Botho.

„. . . Dann trifft jeden Abend ein Telegramm ein: ‚Morgen früh 9 Uhr Ankunft auf Spreedampfer »Alsen«. Tagespartie. 240 Personen.‘ Und dann folgen die Namen derer, die's arrangiert haben. Einmal geht das. Aber die Länge hat die Qual. Denn wie verläuft eine solche Partie? Bis Dunkelwerden sind sie draußen in Wald und Wiese, dann aber kommt das Abendbrot, und dann tanzen sie bis um elf. Nun werden Sie sagen, ‚das ist nichts Großes‘, und wär auch nichts Großes, wenn der andre Tag ein Ruhetag wär. Aber der zweite Tag ist wie der erste, und der dritte ist wie der zweite. Jeden Abend um elf dampft ein Dampfer mit 240 Personen ab, und jeden Morgen um neun ist ein Dampfer mit ebensoviel Personen wieder da. Und inzwischen muß doch aufgeräumt und alles wieder klar gemacht werden. Und so vergeht die Nacht mit Lüften, Putzen und Scheuern, und wenn die letzte Klinke wieder blank ist, ist auch das nächste Schiff schon wieder heran. Natürlich hat alles auch sein Gutes, und wenn man um Mitternacht Kasse zählt, so weiß man, wofür man sich gequält hat. ‚Von nichts kommt nichts‘, sagt das Sprichwort und hat auch ganz recht, und wenn ich all die Maibowlen auffüllen sollte, die hier schon getrunken sind, so müßt ich mir ein Heidelberger Faß anschaffen. Es bringt was ein, gewiß, und ist alles schön und gut. Aber dafür, daß man vorwärtskommt, kommt man doch auch rückwärts und bezahlt mit dem Besten, was man hat, mit Leben und Gesundheit. Denn was ist Leben ohne Schlaf?“

„Wohl, ich sehe schon“, sagte Botho, „kein Glück ist vollkommen. Aber dann kommt der Winter, und dann schlafen Sie wie sieben Dächse.“

„Ja, wenn nicht gerade Silvester oder Dreikönigstag oder Fastnacht ist. Und die sind öfter, als der Kalender angibt. Da sollten Sie das Leben hier sehen, wenn sie, von zehn Dörfern her, zu Schlitten oder Schlittschuh, in dem großen Saal, den ich angebaut habe, zusammenkommen. Dann sieht man kein großstädtisch Gesicht mehr, und die Berliner lassen einen in Ruh, aber der Großknecht und die Jungemagd, die haben dann ihren Tag. Da sieht man Otterfellmützen und Manchesterjacken mit silbernen Buckelknöpfen, und allerlei Soldaten, die grad auf Urlaub sind, sind mit dabei: Schwedter Dragoner und Fürstenwalder Ulanen oder wohl gar Potsdamer Husaren. Und alles ist eifersüchtig und streitlustig, und man weiß nicht, was ihnen lieber ist, das Tanzen oder das Krakeelen, und bei dem kleinsten Anlaß stehn die Dörfer gegeneinander und liefern sich ihre Bataillen. Und so toben und lärmen sie die ganze Nacht durch, und ganze Pfannkuchenberge verschwinden, und erst bei Morgengrauen geht es über das Stromeis oder den Schnee hin wieder nach Hause."

„Da seh ich freilich", lachte Botho, „daß sich von Einsamkeit und Totenstille nicht gut sprechen läßt. Ein Glück nur, daß ich von dem allen nicht gewußt habe, sonst hätt ich gar nicht den Mut gehabt und wäre fortgeblieben. Und das wäre mir doch leid gewesen, einen so hübschen Fleck Erde gar nicht gesehen zu haben . . . Aber Sie sagten vorhin, ‚was ist Leben ohne Schlaf', und ich fühle, daß Sie recht haben. Ich bin müde trotz früher Stunde; das macht, glaub ich, die Luft und das Wasser. Und dann muß ich doch auch sehn . . . Ihre liebe Frau hat sich so bemüht . . . Gute Nacht, Herr Wirt. Ich habe mich verplaudert."

Und damit stand er auf und ging auf das still gewordene Haus zu.

Lene, die Füße schräg auf dem herangerückten Stuhl, hatte sich aufs Bett gelegt und eine Tasse von dem Tee getrunken, den ihr die Wirtin gebracht hatte. Die Ruhe, die Wärme taten ihr wohl, der Anfall ging vorüber, und sie hätte schon nach kurzer Zeit wieder in die Veranda hinuntergehn und an dem Gespräche, das Botho mit dem Wirte führte, teilnehmen können. Aber ihr war nicht gesprächig zu Sinn, und so stand sie nur auf, um sich in dem Zimmer umzusehen, für das sie bis dahin kein Auge gehabt hatte.

Und wohl verlohnte sichs. Die Balkenlagen und Lehmwände hatte man aus alter Zeit hier fortbestehen lassen, und die geweißte Decke hing to tief herab, daß man sie mit dem Finger berühren konnte, was aber zu bessern gewesen war, das war auch wirklich gebessert worden. An Stelle der kleinen Scheiben, die man im Erdgeschoß noch sah, war hier oben ein großes, bis fast auf die Diele reichendes Fenster eingesetzt worden, das ganz so, wie der Wirt es geschildert, einen prächtigen Blick auf die gesamte Wald- und Wasserszenerie gestattete. Das große Spiegelfenster war aber nicht alles, was Neuzeit und Komfort hier getan hatten. Auch ein paar gute Bilder, mutmaßlich auf einer Auktion erstanden, hingen an den alten, überall Buckel und Blasen bildenden Lehmwänden umher, und just da, wo der vorgebaute Fenstergiebel nach hinten oder, was dasselbe sagen will, nach dem eigentlichen Zimmer zu die Dachschrägung traf, standen sich ein paar elegante Toilettentische gegenüber. Alles zeigte, daß man die Fischer- und Schifferherberge mit Geflissentlichkeit beibehalten, aber sie doch zugleich auch in ein gefälliges Gasthaus für die reichen Sportsleute vom Segler- und Ruderklub umgewandelt hatte.

Lene fühlte sich angeheimelt von allem, was sie sah, und begann zunächst die rechts und links in breiter Umrahmung über den Bettständen hängenden Bilder zu betrachten. Es waren Stiche, die sie, dem Gegenstande nach, lebhaft interessierten, und so wollte sie gerne wissen, was es mit den Unterschriften auf sich habe. „Washington crossing the Delaware“ stand unter dem einen, „The last hour at Trafalgar“ unter dem andern. Aber sie kam über ein bloßes Silbenentziffern nicht hinaus, und das gab ihr, so klein die Sache war, einen Stich ins Herz, weil sie sich der Kluft dabei bewußt wurde, die sie von Botho trennte. Der spöttelte freilich über Wissen und Bildung, aber sie war klug genug, um zu fühlen, was von diesem Spotte zu halten war.

Dicht neben der Eingangstür, über einem Rokokotisch, auf dem rote Gläser und eine Wasserkaraffe standen, hing noch eine buntfarbige, mit einer dreisprachigen Unterschrift versehene Lithographie: „Si jeunesse savait“, – ein Bild, das sie sich entsann in der Dörrschen Wohnung gesehen zu haben. Dörr liebte dergleichen. Als sie's hier wiedersah, fuhr sie verstimmt zusammen. Ihre feine Sinnlichkeit fühlte sich von dem Lüsternen in dem Bilde wie von einer Verzerrung ihres eignen Gefühls beleidigt, und so ging sie denn, den Eindruck wieder loszuwerden, bis an das Giebelfenster und öffnete beide Flügel, um die Nachtluft einzulassen. Ach, wie sie das erquickte! Dabei setzte sie sich auf das Fensterbrett, das nur zwei Handbreit über der Diele war, schlang ihren linken Arm um das Kreuzholz und horchte nach der nicht allzu entfernten Veranda hinüber. Aber sie vernahm nichts. Eine tiefe Stille herrschte; nur in der alten Ulme ging ein Wehen und Rauschen, und alles, was eben noch von Verstimmung in ihrer Seele geruht haben mochte, das schwand jetzt hin, als sie den Blick immer eindringlicher und immer entzückter auf das vor ihr ausgebreitete Bild richtete. Das Wasser flutete leise, der Wald und die Wiese lagen im abendlichen Dämmer, und der Mond, der eben wieder seinen ersten Sichelstreifen zeigte, warf einen Lichtschein über den Strom und ließ das Zittern seiner kleinen Wellen erkennen.

„Wie schön“, sagte Lene hochaufatmend. „Und ich bin doch glücklich“, setzte sie hinzu.

Sie mochte sich nicht trennen von dem Bilde. Zuletzt aber erhob sie sich, schob einen Stuhl vor den Spiegel und begann ihr schönes Haar zu lösen und wieder einzuflechten. Als sie noch damit beschäftigt war, kam Botho.

„Lene, noch auf! Ich dachte, daß ich dich mit einem Kusse wecken müßte.“

„Dazu kommst du zu früh, so spät du kommst.“

Und sie stand auf und ging ihm entgegen. „Mein einziger Botho. Wie lange du bleibst ...“

„Und das Fieber? Und der Anfall?“

„Ist vorüber, und ich bin wieder munter, seit einer halben Stunde schon. Und ebenso lange hab ich dich erwartet.“ Und sie zog ihn mit sich fort an das noch offenstehende Fenster: „Sieh nur! Ein armes Menschenherz, soll ihm keine Sehnsucht kommen bei solchem Anblick?“

Und sie schmiegte sich an ihn und blickte, während sie die Augen schloß, mit einem Ausdruck höchsten Glückes zu ihm auf.

Dreizehntes Kapitel

Beide waren früh auf, und die Sonne kämpfte noch mit dem Morgennebel, als sie schon die Stiege herabkamen, um unten ihr Frühstück zu nehmen. Ein leiser Wind ging, eine Frühbrise, die die Schiffer nicht gern ungenutzt lassen, und so glitt denn auch, als unser junges Paar eben ins Freie trat, eine ganze Flottille von Spreekähnen an ihnen vorüber.

Lene war noch in ihrem Morgenanzuge. Sie nahm Bothos Arm und schlenderte mit ihm am Ufer entlang an einer Stelle hin, die hoch in Schilf und Binsen stand. Er sah sie zärtlich an. „Lene, du siehst ja aus, wie ich dich noch gar nicht gesehen habe. Ja, wie sag ich nur? Ich finde kein anderes Wort: du siehst so glücklich aus."

Und so war es. Ja, sie war glücklich, ganz glücklich, und sah die Welt in einem rosigen Lichte. Sie hatte den besten, den liebsten Mann am Arm und genoß eine kostbare Stunde. War das nicht genug? Und wenn diese Stunde die letzte war, nun, so war sie die letzte. War es nicht schon ein Vorzug, einen solchen Tag durchleben zu können? Und wenn auch nur einmal, ein einzig Mal.

So schwanden ihr alle Betrachtungen von Leid und Sorge, die sonst wohl, ihr selbst zum Trotz, ihre Seele bedrückten, und alles, was sie fühlte, war Stolz, Freude, Dank. Aber sie sagte nichts; sie war abergläubisch und wollte das Glück nicht bereden, und nur an einem leisen Zittern ihres Arms gewahrte Botho, wie das Wort: „Ich glaube, du bist glücklich, Lene" ihr das innerste Herz getroffen hatte.

Der Wirt kam und erkundigte sich artig, wenn auch mit einem Anfluge von Verlegenheit, nach ihrer Nachtruhe.

„Vorzüglich", sagte Botho. „Der Melissentee, den Ihre liebe Frau verordnet, hat wahre Wunder getan, und die Mondsichel, die uns gerade ins Fenster schien, und die Nachtigallen, die leise schlugen, so leise, daß man sie nur eben noch hören konnte, ja wer wollte da nicht schlafen wie im Paradiese? Hoffentlich wird sich kein Spreedampfer mit zweihundertvierzig Gästen für heute nachmittag angemeldet haben. Das wäre dann freilich die Vertreibung aus dem Paradiese. Sie lächeln und denken: Wer weiß? und vielleicht hab ich mit meinen Worten den Teufel schon an die Wand gemalt. Aber noch ist er nicht da, noch seh ich keinen Schlot und keine Rauchfahne, noch ist die Spree rein, und wenn auch ganz Berlin schon unterwegs wäre, das Frühstück wenigstens können wir noch in Ruhe nehmen. Nicht wahr? Aber wo?"

„Die Herrschaften haben zu befehlen."

„Nun, dann denk ich unter der Ulme. Die Halle, so schön sie ist, ist doch nur gut, wenn draußen die Sonne brennt. Und sie brennt noch nicht und hat noch drüben am Walde mit dem Nebel zu tun."

Der Wirt ging, das Frühstück anzuordnen; das junge Paar aber setzte seinen Spaziergang fort bis nach einer diesseitigen Landzunge hin, von der aus sie die roten Dächer eines Nachbardorfes und rechts daneben den spitzen Kirchturm von Königswusterhausen erkennen konnten. Am Rande der Landzunge lag ein angetriebener Weidenstamm. Auf diesen setzten sie sich und sahen von ihm aus zwei Fischersleuten zu, Mann und Frau, die das umstehende Rohr schnitten und die großen Bündel in ihren Prahm warfen. Es war ein hübsches Bild, an dem sie sich erfreuten, und als sie nach einer Weile wieder zurück waren, wurde das Frühstück eben aufgetragen, mehr ein englisches als ein deutsches: Kaffee und Tee, samt Eiern und Fleisch und in einem silbernen Ständer sogar Schnittchen von geröstetem Weißbrot.

„Ah, schau, Lene. Hier müssen wir öfters unser Frühstück nehmen. Was meinst du? Himmlisch! Und sieh nur da drüben auf der Werft, da kalfatern sie schon wieder und geht ordentlich im Takt. Wahrhaftig, solch Arbeits-Taktschlag ist doch eigentlich die schönste Musik."

Lene nickte, war aber nur halb dabei, denn ihr Interesse galt auch heute wieder dem Wassersteg, freilich nicht den angekettelten Booten, die gestern ihre Passion geweckt hatten, wohl aber einer hübschen Magd, die mitten auf dem Brettergange neben ihrem Küchen- und Kupfergeschirr kniete. Mit einer herzlichen Arbeitslust, die sich in jeder Bewegung ihrer Arme ausdrückte, scheuerte sie die Kannen, Kessel und Kasserollen, und immer, wenn sie fertig war, ließ sie das plätschernde Wasser das blankgescheuerte Stück umspülen. Dann hob sie's in die Höh, ließ es einen Augenblick in der Sonne blitzen und tat es in einen nebenstehenden Korb.

Lene war wie benommen von dem Bild. „Sieh nur", und sie wies auf die hübsche Person, die sich, so schien es, in ihrer Arbeit nicht genugtun konnte.

„Weißt du, Botho, das ist kein Zufall, daß sie da kniet; sie kniet da für mich, und ich fühle deutlich, daß es mir ein Zeichen ist und eine Fügung."

„Aber was ist dir nur, Lene? Du veränderst dich ja, du bist ja mit einem Male ganz blaß geworden."

„O nichts."

„Nichts? Und hast doch einen Flimmer im Auge, wie wenn dir das Weinen näher wäre als das Lachen. Du wirst doch schon Kupfergeschirr gesehen haben und auch eine Köchin, die's blank scheuert. Es ist ja fast, als ob du das Mädchen beneidest, daß sie da kniet und arbeitet wie für drei."

Das Erscheinen des Wirts unterbrach hier das Gespräch, und Lene gewann ihre ruhige Haltung und bald auch ihren Frohmut wieder. Dann aber ging sie hinauf, um sich umzukleiden.

Als sie wiederkam, fand sie, daß inzwischen ein vom Wirt aufgestelltes Programm von Botho bedingungslos angenommen war: ein Segelboot sollte das junge Paar nach dem nächsten Dorfe, dem reizend an der wendischen Spree gelegenen Nieder-Löhme, bringen, von welchem Dorf aus sie den Weg bis Königswusterhausen zu Fuß machen, daselbst Park und Schloß besuchen und dann auf demselben Wege zurückkommen wollten. Es war eine Halbtagspartie. Über den Nachmittag ließ sich dann weiter verfügen.

Lene war es zufrieden, und schon wurden ein paar Dekken in das rasch instand gesetzte Boot getragen, als man vom Garten her Stimmen und herzliches Lachen hörte, was auf Besuch zu deuten und eine Störung ihrer Einsamkeit in Aussicht zu stellen schien.

„Ah, Segler und Ruderklubleute", sagte Botho. „Gott sei Dank, daß wir ihnen entgehen, Lene. Laß uns eilen!"

Und beide brachen auf, um so rasch wie möglich ins Boot zu kommen. Aber ehe sie noch den Wassersteg erreichen konnten, sahen sie sich bereits umstellt und eingefangen. Es waren Kameraden und noch dazu die intimsten: Pitt, Serge, Balafré. Alle drei mit ihren Damen.

„Ah les beaux esprits se rencontrent", sagte Balafré voll übermütiger Laune, die jedoch rasch einer gesetzteren Haltung wich, als er wahrnahm, daß er von der Hausschwelle her, auf der Wirt und Wirtin standen, beobachtet wurde. „Welche glückliche Begegnung an dieser Stelle. Gestatten Sie mir, Gaston, Ihnen unsere Damen vorstellen zu dürfen: Königin Isabeau, Fräulein Johanna, Fräulein Margot."

Botho sah, welche Parole heute galt, und sich rasch hineinfindend, entgegnete er, nunmehr auch seinerseits vorstellend, mit leichter Handbewegung auf Lene: „Mademoiselle Agnes Sorel."

Alle drei Herren verneigten sich artig, ja dem Anscheine nach sogar respektvoll, während die beiden Töchter Thibaut d'Arcs einen überaus kurzen Knicks machten und der um wenigstens fünfzehn Jahre älteren Königin Isabeau eine freundlichere Begrüßung der ihnen unbekannten und sichtlich unbequemen Agnes Sorel überließen.

Das Ganze war eine Störung, vielleicht sogar eine geplante; je mehr dies aber zutreffen mochte, desto mehr gebot es sich, gute Miene zum bösen Spiel zu machen. Und dies gelang Botho vollkommen. Er stellte Fragen über Fragen und erfuhr bei dieser Gelegenheit, daß man, zu früher Stunde schon, mit einem der kleineren Spreedampfer bis Schmöckwitz und von dort aus mit einem Segelboote bis Zeuthen gefahren sei. Von Zeuthen aus habe man den Weg zu Fuß gemacht, keine zwanzig Minuten; es sei reizend gewesen: alte Bäume, Wiesen und rote Dächer.

Während der gesamte neue Zuzug, besonders aber die wohlarrondierte Königin Isabeau, die sich beinah mehr noch durch Sprechfähigkeit als durch Abrundung auszeichnete, diese Mitteilungen machte, hatte man, zwanglos promenierend, die Veranda erreicht, wo man an einem der langen Tische Platz nahm.

„Allerliebst", sagte Serge. „Weit, frei und offen und doch

so verschwiegen. Und die Wiese drüben wie geschaffen für eine Mondscheinpromenade."

„Ja", setzte Balafré hinzu, „Mondscheinpromenade. Hübsch, sehr hübsch. Aber wir haben erst zehn Uhr früh, macht bis zur Mondscheinpromenade runde zwölf Stunden, die noch untergebracht sein wollen. Ich proponiere Wasserkorso."

„Nein", sagte Isabeau, „Wasserkorso geht nicht; davon haben wir heute schon über und über gehabt. Erst Dampfschiff, dann Boot und nun wieder Boot, das ist zuviel. Ich bin dagegen. Überhaupt, ich begreife nicht, was dies ewige Pätscheln soll; dann fehlt bloß noch, daß wir angeln oder die Ykleis mit der Hand greifen und uns über die kleinen Biester freuen. Nein, gepätschelt wird heute nicht mehr. Darum muß ich sehr bitten."

Die Herren, an die sich diese Worte richteten, amüsierten sich ersichtlich über die Dezidiertheit der Königin-Mutter und machten sofort andere Vorschläge, deren Schicksal aber dasselbe war. Isabeau verwarf alles und bat, als man schließlich ihr Gebaren halb in Scherz und halb in Ernst zu mißbilligen anfing, einfach um Ruhe. „Meine Herren", sagte sie, „Geduld. Ich bitte, mir wenigstens einen Augenblick das Wort zu gönnen." Ironischer Beifall antwortete, denn nur *sie* hatte bis dahin gesprochen. Aber unbekümmert darum fuhr sie fort: „Meine Herren, ich bitte Sie, lehren Sie mich die Herrens kennen. Was heißt Landpartie? Landpartie heißt frühstücken und ein Jeu machen. Hab ich recht?"

„Isabeau hat immer recht", lachte Balafré und gab ihr einen Schlag auf die Schulter. „Wir machen ein Jeu. Der Platz hier ist kapital; ich glaube beinah, jeder muß hier gewinnen. Und die Damen promenieren derweilen oder machen vielleicht ein Vormittagsschläfchen. Das soll das Gesundeste sein, und anderthalb Stunden wird ja wohl ausreichen. Und um zwölf Uhr Reunion. Menu nach dem Ermessen unserer Königin. Ja, Königin, das Leben ist doch schön. Zwar aus ‚Don Carlos'. Aber muß denn alles aus der ‚Jungfrau' sein?"

Das schlug ein, und die zwei jüngeren kicherten, obwohl sie bloß das Stichwort verstanden hatten. Isabeau dagegen, die bei solcher antippenden und beständig in kleinen Anzüglichkeiten sich ergehenden Sprache groß geworden war, blieb vollkommen würdevoll und sagte, während sie sich zu den drei anderen Damen wandte: „Meine Damen, wenn ich bitten darf: wir sind jetzt entlassen und haben zwei Stunden für uns. Übrigens nicht das Schlimmste."

Damit erhoben sie sich und gingen auf das Haus zu, wo die Königin in die Küche trat und unter freundlichem, aber doch überlegenem Gruße nach dem Wirte fragte. Dieser war nicht zugegen, weshalb die junge Frau versprach, ihn aus dem Garten abrufen zu wollen; Isabeau litt es nicht, sie werde selber gehn, und ging auch wirklich, immer gefolgt von ihrem Drei-Damen-Kortege (Balafré sprach von Glucke mit Küken), nach dem Garten hinaus, wo sie den Wirt bei der Anlage neuer Spargelbeete traf. Unmittelbar daneben lag ein altmodisches Treibhaus, vorne ganz niedrig, mit großen schräg liegenden Fenstern, auf dessen etwas abgebröckeltes Mauerwerk sich Lene samt den Töchtern Thibaut d'Arcs setzte, während Isabeau die Verhandlungen leitete.

„Wir kommen, Herr Wirt, um wegen des Mittagsbrots mit Ihnen zu sprechen. Was können wir haben?"

„Alles, was die Herrschaften befehlen."

„Alles? Das ist viel, beinah zu viel. Nun, dann bin ich für Aal. Aber nicht so, sondern so." Und sie wies, während sie das sagte, von ihrem Fingerring auf das breite, dicht anliegende Armband.

„Tut mir leid, meine Damen", erwiderte der Wirt. „Aal is nicht. Überhaupt Fisch; damit kann ich nicht dienen, der ist Ausnahme. Gestern hatten wir Schlei mit Dill, aber der war aus Berlin. Wenn ich einen Fisch haben will, muß ich ihn vom Köllnischen Fischmarkt holen."

„Schade. Da hätten wir einen mitbringen können. Aber was dann?"

„Einen Rehrücken."

„Hm, das läßt sich hören. Und vorher etwas Gemüse. Spargel ist schon eigentlich zu spät, oder doch beinah. Aber Sie haben da, wie ich sehe, noch junge Bohnen. Und hier in dem Mistbeet wird sich ja wohl auch noch was finden lassen, ein paar Gurken oder ein paar Rapunzeln. Und dann eine süße Speise. So was mit Schlagsahne. Mir persönlich liegt nicht daran, aber die Herren, die beständig so tun, als machten sie sich nichts daraus, die sind immer fürs Süße. Also drei, vier Gänge, denk ich. Und dann Butterbrot und Käse."

„Und bis wann befehlen die Herrschaften?"

„Nun, ich denke bald, oder doch wenigstens so bald wie möglich. Nicht wahr? Wir sind hungrig, und wenn der Rehrücken eine halbe Stunde Feuer hat, hat er genug. Also sagen wir: um zwölf. Und wenn ich bitten darf, eine Bowle: ein Rheinwein, drei Mosel, drei Champagner. Aber gute Marke. Glauben Sie nicht, daß sichs vertut. Ich kenne das und schmecke heraus, ob Moët oder Mumm. Aber Sie werden schon machen; ich darf sagen, Sie flößen mir ein Vertrauen ein. Apropos, können wir nicht aus Ihrem Garten gleich in den Wald? Ich hasse jeden unnützen Schritt. Und vielleicht finden wir noch Champignons. Das wäre himmlisch. Die können dann noch an den Rehrücken: Champignons verderben nie was."

Der Wirt bejahte nicht bloß die hinsichtlich des bequemeren Weges gestellte Frage, sondern begleitete die Damen auch persönlich bis an die Gartenpforte, von der aus man bis zur Waldlisiere nur ein paar Schritte hatte. Bloß eine chaussierte Straße lief dazwischen. Als diese passiert war, war man drüben im Waldesschatten, und Isabeau, die stark unter der immer größer werdenden Hitze litt, pries sich glücklich, den verhältnismäßig weiten Umweg über ein baumloses Stück Grasland vermieden zu haben. Sie machte den eleganten, aber mit einem großen Fettfleck ausstaffierten Sonnenschirm zu, hing ihn an ihren Gürtel und nahm Lenens Arm, während die beiden andern Damen folgten. Isabeau war augenscheinlich in bester Stimmung und sagte, sich umwendend, zu Margot und Johanna: „Wir müssen aber doch ein Ziel haben. So bloß Wald und wieder Wald is eigentlich schrecklich. Was meinen Sie, Johanna?"

Johanna war die größere von den beiden d'Arcs, sehr hübsch, etwas blaß und mit raffinierter Einfachheit gekleidet. Serge hielt darauf. Ihre Handschuh saßen wundervoll, und man hätte sie für eine Dame halten können, wenn sie nicht, während Isabeau mit dem Wirte sprach, den einen Handschuhknopf, der aufgesprungen war, mit den Zähnen wieder zugeknöpft hätte.

„Was meinen Sie, Johanna?" wiederholte die Königin ihre Frage.

„Nun, dann schlag ich vor, daß wir nach dem Dorfe zurückgehn, von dem wir gekommen sind. Es hieß ja wohl Zeuthen und sah so romantisch und so melancholisch aus, und war ein so hübscher Weg hierher. Und zurück muß er eigentlich ebenso hübsch sein oder vielleicht noch hübscher. Und an der rechten, das heißt also von hier aus an der linken Seite, war ein Kirchhof mit lauter Kreuzen drauf. Und ein sehr großes von Marmor."

„Ja, liebe Johanna, das ist alles ganz gut, aber was sollen wir damit? Wir haben ja den Weg gesehen. Oder wollen Sie den Kirchhof . . .?"

„Freilich will ich. Ich habe da so meine Gefühle, besonders an solchem Tage wie heute. Und es ist immer gut, sich zu erinnern, daß man sterben muß. Und wenn dann der Flieder so blüht . . ."

„Aber Johanna, der Flieder blüht ja gar nicht mehr, höchstens noch der Goldregen, und der hat eigentlich auch schon Schoten. Du meine Güte, wenn Sie so partout für Kirchhöfe sind, so können Sie sich ja den in der Oranienstraße jeden Tag ansehen. Aber ich weiß schon, mit Ihnen ist nicht zu reden. Zeuthen und Kirchhof, alles Unsinn. Da bleiben wir doch lieber hier und sehen gar nichts. Kommen Sie, Kleine, geben Sie mir Ihren Arm wieder!"

Die Kleine, die durchaus nicht klein war, war Lene. Sie gehorchte. Die Königin aber fuhr jetzt, indem sie wieder voraufging, in vertraulicherem Tone fort: „Ach diese Johanna, man kann eigentlich nicht mit ihr umgehen; sie hat keinen guten Ruf und is eine Gans. Ach, Kind, Sie glauben gar nicht, was jetzt alles so mitläuft; nu ja, sie hat 'ne hübsche Figur und hält auf ihre Handschuh. Aber sie sollte lieber auf was andres halten. Und sehen Sie, die, die so sind, die reden immer von sterben und Kirchhof. Und nun sollen Sie sie nachher sehn! Solang es so geht, geht es. Aber wenn dann die Bowle kommt und wieder leer is und wieder kommt, dann quietscht und johlt sie. Keine Idee von Anstand. Aber wo soll es auch herkommen? Sie war immer bloß bei kleinen Leuten, draußen auf der Chaussee nach Tegel, wo kein Mensch recht hinkommt und bloß mal Artillerie vorbeifährt. Und Artillerie ... Nun ja ... Sie glauben gar nich, wie verschieden das alles ist. Und nun hat sie der Serge da rausgenommen und will was aus ihr machen. Ja, du meine Güte, so geht das nicht, oder wenigstens nicht so flink; gut Ding will Weile haben. Aber da sind ja noch Erdbeeren. Ei, das ist nett! Kommen Sie, Kleine, wir wollen welche pflücken (wenn nur das verdammte Bücken nicht wär), und wenn wir eine recht große finden, dann wollen wir sie mitnehmen. Die steck ich ihm dann in den Mund, und dann freut er sich. Denn Sie müssen wissen, er ist ein Mann wie 'n Kind und eigentlich der Beste."

Lene, die wohl merkte, daß es sich um Balafré handelte, tat ein paar Fragen und fragte unter anderm auch wieder, warum die Herren eigentlich die sonderbaren Namen hätten. Sie habe schon früher danach gefragt, aber nie was gehört, was der Rede wert gewesen wäre.

„Jott", sagte die Königin, „es soll so was sein und soll keiner was merken und is doch alles bloß Ziererei. Denn erstens kümmert sich keiner drum, und wenn sich einer drum kümmert, is es auch noch so. Und warum auch? Wen soll es denn schaden? Sie haben sich alle nichts vorzuwerfen, und einer ist wie der andre."

Lene sah vor sich hin und schwieg.

„Und eigentlich, Kind, und Sie werden das auch noch sehn, eigentlich is es alles bloß langweilig. Eine Weile geht es, und ich will nichts dagegen sagen und wills auch nicht abschwören. Aber die Länge hat die Last. So von fuffzehn an und noch nich mal eingesegnet. Wahrhaftig, je bälder man wieder raus ist, desto besser. Ich kaufe mir denn (denn das Geld krieg ich) 'ne Dest'lation und weiß auch schon wo, und denn heirat ich mir einen Witmann und weiß auch schon wen. Und er will auch. Denn das muß ich

Ihnen sagen, ich bin für Ordnung und Anständigkeit, und die Kinder orntlich erziehn, und ob es seine sind oder meine, is janz egal ... Und wie is es denn eigentlich mit Ihnen?"

Lene sagte kein Wort.

„Jott, Kind, Sie verfärben sich ja; Sie sind woll am Ende mit *hier* dabei", und sie wies aufs Herz, „und tun alles aus Liebe? Ja, Kind, *denn* is es schlimm, denn gibt es 'nen Kladderadatsch."

Johanna folgte mit Margot. Sie blieben absichtlich etwas zurück und brachen sich Birkenreiser ab, wie wenn sie vorhätten, einen Kranz daraus zu flechten. „Wie gefällt sie dir denn?" sagte Margot. „Ich meine die von Gaston."

„Gefallen? Gar nich. Das fehlt auch noch, daß solche mitspielen und in Mode kommen! Sieh doch nur, wie ihr die Handschuh sitzen. Und mit dem Hut is auch nicht viel. Er dürfte sie gar nicht so gehn lassen. Und sie muß auch dumm sein, sie spricht ja kein Wort."

„Nein", sagte Margot, „dumm ist sie nicht; sie hats bloß noch nich weg. Und daß sie sich gleich an die gute Dicke ranmacht, das is doch auch klug genug."

„Ach, die gute Dicke. Geh mir mit *der*! Die denkt, sie is es. Aber es is gar nichts mit ihr. Ich will ihr sonst nichts nachsagen, aber falsch ist sie, falsch wie Galgenholz."

„Nein, Johanna, falsch is sie nu grade nich. Und sie hat dir auch öfter aus der Patsche geholfen. Du weißt schon, was ich meine."

„Gott, warum? Weil sie selber mit drinsaß, und weil sie sich ewig ziert und wichtig tut. Wer so dick ist, ist nie gut."

„Jott, Johanna, was du nur redst. Umgekehrt is es, die Dicken sind immer gut."

„Na meinetwegen. Aber das kannst du nicht bestreiten, daß sie 'ne lächerliche Figur macht. Sieh doch nur, wie sie dahinwatschelt; wie 'ne Fettente. Und immer bis oben ran zu, bloß weil sie sich sonst vor anständigen Leuten gar nicht sehen lassen kann. Und, Margot, das laß ich mir nicht nehmen, ein bißchen schlanke Figur ist doch die Hauptsache. Wir sind doch noch keine Türken. Und warum wollte sie nicht mit auf den Kirchhof? Weil sie sich jrault? I bewahre, sie denkt nich dran, bloß weil sie sich wieder eingeknallt hat und es vor Hitze nicht aushalten kann. Und is eigentlich nich mal so furchtbar heiß heute."

So gingen die Gespräche, bis sich die beiden Paare schließlich wieder vereinigten und auf einen mit Moos bewachsenen Grabenrand setzten.

Isabeau sah öfter nach der Uhr; der Zeiger wollte nicht recht vom Fleck.

Als es aber halb zwölf war, sagte sie: „Nun, meine Damen, ist es Zeit; ich denke, wir haben jetzt gerade genug Natur gehabt und können mit Fug und Recht zu was andrem übergehen. Seit heute früh um sieben eigentlich keinen Bissen. Denn die Grünauer Schinkenstulle kann ich doch nicht rechnen . . . Aber Gott sei Dank, alles Entsagen, sagt Balafré, hat seinen Lohn in sich, und Hunger ist der beste Koch. Kommen Sie, meine Damen, der Rehrücken fängt an wichtiger zu werden als alles andre. Nicht wahr, Johanna?"

Diese gefiel sich in einem Achselzucken und suchte die Zumutung, als ob Dinge wie Rehrücken und Bowle je Gewicht für sie haben könnten, entschieden abzulehnen.

Isabeau aber lachte. „Nun, wir werden ja sehn, Johanna. Freilich, der Zeuthner Kirchhof wäre besser gewesen. Aber man muß nehmen, was man hat."

Und damit brachen allesamt auf, um aus dem Wald in den Garten und aus diesem, drin sich ein paar Zitronenvögel eben haschten, bis in die Front des Hauses, wo gegessen werden sollte, zurückzukehren.

Im Vorübergehen an der Gaststube sah Isabeau den mit dem Umstülpen einer Moselweinflasche beschäftigten Wirt.

„Schade", sagte sie, „daß ich grade *das* sehen mußte. Das Schicksal hätte mir auch einen besseren Anblick gönnen können. Warum gerade Mosel?"

Vierzehntes Kapitel

Eine rechte Heiterkeit hatte nach diesem Spaziergang trotz aller von Isabeau gemachten Anstrengungen nicht mehr aufkommen wollen, was aber, wenigstens für Botho und Lene, das Schlimmere war, war das, daß diese Heiterkeit auch ausblieb, als sich beide von den Kameraden mit ihren Damen verabschiedet und ganz allein, in einem nur von ihnen besetzten Coupé, die Rückfahrt angetreten hatten. Eine Stunde später waren sie, ziemlich herabgestimmt, auf dem trübselig erleuchteten Görlitzer Bahnhof eingetroffen, und hier, beim Aussteigen, hatte Lene sofort und mit einer Art Dringlichkeit gebeten, sie den Weg durch die Stadt hin allein machen zu lassen: sie seien ermüdet und abgespannt, und das tue nicht gut; Botho aber war von dem, was er als schuldige Rücksicht und Kavalierspflicht ansah, nicht abzubringen gewesen, und so hatten sie denn in einer klapprigen alten Droschke die lange, lange Fahrt am Kanal hin gemeinschaftlich gemacht, immer bemüht, ein Gespräch über die Partie und, wie hübsch sie gewesen sei zustande zu bringen – eine schreckliche Zwangsunterhaltung, bei der Botho nur zu sehr gefühlt hatte, wie richtig Lenens Empfindung gewesen war, als sie von dieser Begleitung in beinahe beschwörendem Tone nichts hatte wissen wollen. Ja, der Ausflug nach „Hankels Ablage", von dem man sich so viel versprochen und der auch wirklich so schön und glücklich begonnen hatte, war in seinem Ausgange nichts als eine Mischung von Verstimmung, Müdigkeit und Abspannung gewesen, und nur im letzten Augenblick, wo Botho liebevoll freundlich und mit einem gewissen Schuldbewußtsein sein „Gute Nacht, Lene" gesagt hatte, war diese noch einmal auf ihn zugeeilt und hatte, seine Hand ergreifend, ihn mit beinah leidenschaftlichem Ungestüm geküßt: „Ach, Botho, es war heute nicht so, wie's hätte sein sollen, und doch war niemand schuld . . . Auch die andern nicht."

„Laß es, Lene!"

„Nein, nein. Es war niemand schuld; dabei bleibt es, daran ist nichts zu ändern. Aber daß es so ist, das ist eben das Schlimme daran. Wenn wer schuld hat, dann bittet man um

Verzeihung, und dann ist es wieder gut. Aber das nutzt uns nichts. Und es ist auch nichts zu verzeihn."

„Lene ..."

„Du mußt noch einen Augenblick hören. Ach, mein einziger Botho, du willst es mir verbergen, aber es geht zu End. Und rasch, ich weiß es."

„Wie du nur sprichst."

„Ich hab es freilich nur geträumt", fuhr Lene fort. „Aber warum hab ich es geträumt? Weil es mir den ganzen Tag vor der Seele steht. Mein Traum war nur, was mir mein Herz eingab. Und was ich dir noch sagen wollte, Botho, und warum ich dir die paar Schritte nachgelaufen bin: es bleibt doch bei dem, was ich dir gestern abend sagte. Daß ich diesen Sommer leben konnte, war mir ein Glück und bleibt mir ein Glück, auch wenn ich von heut ab unglücklich werde."

„Lene, Lene, sprich nicht so ..."

„Du fühlst selbst, daß ich recht habe; dein gutes Herz sträubt sich nur, es zuzugestehen, und will es nicht wahrhaben. Aber ich weiß es: gestern, als wir über die Wiese gingen und plauderten und ich dir den Strauß pflückte, das war unser letztes Glück und unsere letzte schöne Stunde."

Mit diesem Gespräche hatte der Tag geschlossen, und nun war der andre Morgen, und die Sommersonne schien hell in Bothos Zimmer. Beide Fenster standen auf, und in den Kastanien draußen quirilierten die Spatzen. Botho selbst, aus einem Meerschaum rauchend, lag zurückgelehnt in seinem Schaukelstuhl und schlug dann und wann mit einem neben ihm liegenden Taschentuche nach einem großen Brummer, der, wenn er zu dem einen Fenster hinaus war, sofort wieder an dem andern erschien, um Botho hartnäckig und unerbittlich zu umsummen.

„Daß ich diese Bestie doch los wäre! Quälen, martern möcht ich sie. Diese Brummer sind allemal Unglücksboten und so hämisch zudringlich, als freuten sie sich über den Ärger, dessen Herold und Verkündiger sie sind." In diesem Augenblicke schlug er wieder danach. „Wieder fort. Es hilft nichts. Also Resignation. Ergebung ist überhaupt das Beste. Die Türken sind die klügsten Leute."

Das Zuschlagen der kleinen Gittertür draußen ließ ihn während dieses Selbstgesprächs auf den Vorgarten blicken und dabei des eben eingetretenen Briefträgers gewahr werden, der ihm gleich danach unter leichtem militärischem Gruß und mit einem „Guten Morgen, Herr Baron" erst eine Zeitung und dann einen Brief in das nicht allzu hohe Parterrefenster hineinreichte. Botho warf die Zeitung beiseite, zugleich den Brief betrachtend, auf dem er die kleine, dichtstehende, trotzdem aber sehr deutliche Handschrift seiner Mutter unschwer erkannt hatte. „Dacht ichs doch ... Ich weiß schon, eh ich gelesen. Arme Lene."

Und nun brach er den Brief auf und las:

Schloß Zehden. 29. Juni 1875. Mein lieber Botho! Was ich Dir als Befürchtung in meinem letzten Briefe mitteilte, das hat sich nun erfüllt: Rothmüller in Arnswalde hat sein Kapital zum 1. Oktober gekündigt und nur „aus alter Freundschaft" hinzugefügt, daß er bis Neujahr warten wolle, wenn es mir eine Verlegenheit schaffe. Denn er wisse wohl, was er dem Andenken des seligen Herrn Barons schuldig sei. Diese Hinzufügung, so gut sie gemeint sein mag, ist doch doppelt empfindlich für mich; es mischt sich so viel prätentiöse Rücksichtnahme mit ein, die niemals angenehm berührt, am wenigsten von solcher Seite her. Du begreifst vielleicht die Verstimmung und Sorge, die mir diese Zeilen geschaffen haben. Onkel Kurt Anton würde helfen wie schon bei früherer Gelegenheit; er liebt mich und vor allem *Dich,* aber seine Geneigtheit immer wieder in Anspruch zu nehmen, hat doch etwas Bedrückliches und hat es um so mehr, als er unsrer ganzen Familie, speziell aber uns beiden, die Schuld an unsren ewigen Verlegenheiten zuschiebt. *Ich* bin ihm, trotz meines redlichen Michkümmerns um die Wirtschaft, nicht wirtschaftlich und anspruchslos genug, worin er recht haben mag, und *Du* bist ihm nicht praktisch und lebensklug genug, worin er wohl ebenfalls das Richtige treffen wird. Ja, Botho, so liegt es. Mein Bruder ist ein Mann von einem sehr feinen Rechts-

und Billigkeitsgefühl und von einer in Geldangelegenheiten geradezu hervorragenden Gentilezza, was man nur von wenigen unsrer Edelleute sagen kann. Denn unsre Mark Brandenburg ist die Sparsamkeits- und, wo geholfen werden soll, sogar die Ängstlichkeitsprovinz; aber so gentil er ist, er hat seine Launen und Eigenwilligkeiten, und sich in diesen beharrlich gekreuzt zu sehen, hat ihn seit einiger Zeit aufs ernsthafteste verstimmt. Er sagte mir, als ich letzthin Veranlassung nahm, der uns abermals drohenden Kapitalskündigung zu gedenken: „Ich stehe gern zu Diensten, Schwester, wie du weißt, aber ich bekenne dir offen, immer da helfen zu sollen, wo man sich in jedem Augenblicke selber helfen könnte, wenn man nur etwas einsichtiger und etwas weniger eigensinnig wäre, das erhebt starke Zumutungen an *die* Seite meines Charakters, die nie meine hervorragendste war: an meine Nachgiebigkeit . . ." Du weißt, Botho, worauf sich diese seine Worte beziehen, und ich lege sie heute *Dir* ans Herz, wie sie damals von Onkel Kurt Antons Seite *mir* ans Herz gelegt wurden. Es gibt nichts, was Du, Deinen Worten und Briefen nach zu schließen, mehr perhorreszierst als Sentimentalitäten, und doch fürcht ich, steckst Du selber drin, und zwar tiefer, als Du zugeben willst oder vielleicht weißt. Ich sage nicht mehr.

Rienäcker legte den Brief aus der Hand und schritt im Zimmer auf und ab, während er den Meerschaum halb mechanisch mit einer Zigarette vertauschte. Dann nahm er den Brief wieder und las weiter: Ja, Botho, Du hast unser aller Zukunft in der Hand und hast zu bestimmen, ob dies Gefühl einer beständigen Abhängigkeit fortdauern oder aufhören soll. Du hast es in der Hand, sag ich, aber, wie ich freilich hinzufügen muß, nur kurze Zeit noch, jedenfalls nicht auf lange mehr. Auch darüber hat Onkel Kurt Anton mit mir gesprochen, namentlich im Hinblick auf die Sellenthiner Mama, die sich bei seiner letzten Anwesenheit in Rothenmoor in dieser sie lebhaft beschäftigenden Sache nicht nur mit großer Entschiedenheit, sondern auch mit einem Anflug von Gereiztheit ausgesprochen hat. Ob das Haus Rienäcker vielleicht glaube, daß ein immer kleiner werdender Besitz nach Art der Sibyllinischen Bücher (wo sie den Vergleich her hat, weiß ich nicht) immer wertvoller würde? Käthe werde nun zweiundzwanzig, habe den Ton der großen Welt und verfüge mit Hilfe der von ihrer Tante Kielmannsegge herstammenden Erbschaft über ein Vermögen, dessen Zinsbetrag hinter dem Kapitalbetrag der Rienäckerschen Heide samt Muränensee nicht sehr erheblich zurückbleiben werde. Solche junge Dame lasse man überhaupt nicht warten, am wenigsten aber mit so viel Beharrlichkeit und Seelenruhe. Wenn es Herrn von Rienäcker beliebe, das, was früher darüber von seiten der Familie geplant und besprochen sei, fallen zu lassen und stattgehabte Verabredungen als bloßes Kinderspiel anzusehn, so habe sie nichts dagegen. Herr von Rienäcker *sei* frei von dem Augenblick an, wo er frei sein wolle. Wenn er aber umgekehrt vorhabe, von dieser unbedingten Rückzugsfreiheit nicht Gebrauch machen zu wollen, so sei es an der Zeit, auch das zu zeigen. Sie wünsche nicht, daß ihre Tochter in das Gerede der Leute komme.

Du wirst dem Tone, der hieraus spricht, unschwer entnehmen, daß es durchaus nötig ist, Entschlüsse zu fassen und zu handeln. Was ich wünsche, weißt Du. Meine Wünsche sollen aber nicht verbindlich für Dich sein. Handle, wie Dir eigene Klugheit es eingibt; entscheide Dich so oder so, nur handle überhaupt! Ein Rückzug ist ehrenvoller als fernere Hinausschiebung. Säumst Du länger, so verlieren wir nicht nur die Braut, sondern das Sellenthiner Haus überhaupt und, was noch schlimmer, ja das Schlimmste ist, auch die freundlichen und immer hilfebereiten Gesinnungen des Onkels. Meine Gedanken begleiten Dich, möchten sie Dich auch leiten können. Ich wiederhole Dir, es wäre der Weg zu Deinem und unser aller Glück. Womit ich verbleibe Deine Dich liebende Mutter Josephine von R.

Botho, als er gelesen, war in großer Erregung. Es war so, wie der Brief es aussprach, und ein Hinausschieben nicht länger möglich. Es stand nicht gut mit dem Rienäckerschen Vermögen, und Verlegenheiten waren da, die durch eigne Klugheit und Energie zu heben er durchaus nicht die Kraft in sich fühlte. „Wer bin ich? Durchschnittsmensch aus der sogenannten Obersphäre der Gesellschaft. Und was kann ich? Ich kann ein Pferd stallmeistern, einen Kapaun tranchieren und ein Jeu machen. Das ist alles, und so hab ich denn die Wahl zwischen Kunstreiter, Oberkellner und Croupier. Höchstens kommt noch der Troupier hinzu, wenn ich in eine Fremdenlegion eintreten will. Und Lene dann mit mir als Tochter des Regiments. Ich sehe sie schon in kurzem Rock und Hackenstiefeln und ein Tönnchen auf dem Rücken."

In diesem Tone sprach er weiter und gefiel sich darin, sich bittre Dinge zu sagen. Endlich aber zog er die Klingel und beorderte sein Pferd, weil er ausreiten wolle. Und nicht lange, so hielt eine prächtige Fuchsstute draußen, ein Geschenk des Onkels, zugleich der Neid der Kameraden. Er hob sich in den Sattel, gab dem Burschen einige Weisungen und ritt auf die Moabiter Brücke zu, nach deren Passierung er in einen breiten, über Fenn und Feld in die Jungfernheide hinüberführenden Weg einlenkte. Hier ließ er sein Pferd aus dem Trab in den Schritt fallen und nahm sich, während er bis dahin allerhand unklaren Gedanken nachgehangen hatte, mit jedem Augenblicke fester und schärfer ins Verhör. „Was ist es denn, was mich hindert, den Schritt zu tun, den alle Welt erwartet? Will ich Lene heiraten? Nein. Hab ichs ihr versprochen? Nein. Erwartet sie's? Nein. Oder wird uns die Trennung leichter, wenn ich sie hinausschiebe? Nein. Immer nein und wieder nein. Und doch säume und schwanke ich, *das* eine zu tun, was durchaus getan werden muß. Und weshalb säume ich? Woher diese Schwankungen und Vertagungen? Törichte Frage. Weil ich sie liebe."

Kanonenschüsse, die vom Tegeler Schießplatz herüberklangen, unterbrachen hier sein Selbstgespräch, und erst als er das momentan unruhig gewordene Pferd wieder beruhigt hatte, nahm er den früheren Gedankengang wieder auf und wiederholte: „Weil ich sie liebe! Ja. Und warum soll ich mich dieser Neigung schämen? Das Gefühl ist souverän, und die Tatsache, daß man liebt, ist auch das Recht dazu, möge die Welt noch so sehr den Kopf darüber schütteln oder von Rätsel sprechen. Übrigens ist es kein Rätsel, und wenn doch, so kann ich es lösen. Jeder Mensch ist seiner Natur nach auf bestimmte, mitunter sehr, sehr kleine Dinge gestellt, Dinge, die, trotzdem sie klein sind, für ihn das Leben oder doch des Lebens Bestes bedeuten. Und dies Beste heißt mir Einfachheit, Wahrheit, Natürlichkeit. Das alles hat Lene; damit hat sie mirs angetan, da liegt der Zauber, aus dem mich zu lösen mir jetzt so schwerfällt."

In diesem Augenblicke stutzte sein Pferd, und er wurde eines aus einem Wiesenstreifen aufgescheuchten Hasen gewahr, der dicht vor ihm auf die Jungfernheide zu jagte. Neugierig sah er ihm nach und nahm seine Betrachtungen erst wieder auf, als der Flüchtige zwischen den Stämmen der Heide verschwunden war. „Und war es denn", fuhr er fort, „etwas so Törichtes und Unmögliches, was ich wollte? Nein. Es liegt nicht in mir, die Welt herauszufordern und ihr und ihren Vorurteilen öffentlich den Krieg zu erklären; ich bin durchaus gegen solche Donquichotterien. Alles, was ich wollte, war ein verschwiegenes Glück, ein Glück, für das ich früher oder später, um des ihr ersparten Affronts willen, die stille Gutheißung der Gesellschaft erwartete. So war mein Traum, so gingen meine Hoffnungen und Gedanken. Und nun soll ich heraus aus diesem Glück und soll ein andres eintauschen, das mir keins ist. Ich hab eine Gleichgültigkeit gegen den Salon und einen Widerwillen gegen alles Unwahre, Geschraubte, Zurechtgemachte, Schick, Tournüre, savoir-faire – mir alles ebenso häßliche wie fremde Wörter."

Hier bog das Pferd, das er schon seit einer Viertelstunde kaum noch im Zügel hatte, wie von selbst in einen Seitenweg ein, der zunächst auf ein Stück Ackerland und gleich dahinter auf einen von Unterholz und ein paar Eichen eingefaßten Grasplatz führte. Hier, im Schatten eines der älteren Bäume, stand ein kurzes, gedrungenes Steinkreuz, und als er näher heranritt, um zu sehen, was es mit diesem Kreuz eigentlich sei, las er: „*Ludwig v. Hinckeldey,* gest. 10. März 1856." Wie das ihn traf! Er wußte, daß das Kreuz hier herum stehe, war aber nie bis an diese Stelle gekommen und sah es nun als ein Zeichen an, daß das seinem eigenen Willen überlassene Pferd ihn gerade hierher geführt hatte.

Hinckeldey! Das war nun an die zwanzig Jahr, daß der damals Allmächtige zu Tode kam, und alles, was bei der Nachricht davon in seinem Elternhause gesprochen worden war, das stand jetzt wieder lebhaft vor seiner Seele. Vor allem *eine* Geschichte kam ihm wieder in Erinnerung. Einer der bürgerlichen, seinem Chef besonders vertrauten Räte hatte übrigens gewarnt und abgemahnt und das Duell überhaupt, und nun gar ein solches und unter solchen Umständen, als einen Unsinn und als ein Verbrechen bezeichnet. Aber der sich bei *dieser* Gelegenheit plötzlich auf den Edelmann hin ausspielende Vorgesetzte hatte brüsk und hochmütig geantwortet: „Nörner, davon verstehen Sie nichts." Und eine Stunde später war er in den Tod gegangen. Und warum? Einer Adelsvorstellung, einer Standesmarotte zuliebe, die mächtiger war als alle Vernunft, auch mächtiger als das Gesetz, dessen Hüter und Schützer zu sein er recht eigentlich die Pflicht hatte. „Lehrreich. Und was habe ich speziell daraus zu lernen? Was predigt dies Denkmal *mir*? Jedenfalls das eine, daß das Herkommen unser Tun bestimmt. Wer ihm gehorcht, kann zugrunde gehn, aber er geht besser zugrunde als der, der ihm widerspricht."

Während er noch so sann, warf er sein Pferd herum und ritt querfeldein auf ein großes Etablissement, ein Walzwerk oder eine Maschinenwerkstatt, zu, draus aus zahlreichen Essen Qualm und Feuersäulen in die Luft stiegen. Es war Mittag, und ein Teil der Arbeiter saß draußen im Schatten, um die Mahlzeit einzunehmen. Die Frauen, die das Essen gebracht hatten, standen plaudernd daneben, einige mit einem Säugling auf dem Arm, und lachten sich untereinander an, wenn ein schelmisches oder anzügliches Wort gesprochen wurde. Rienäcker, der sich den Sinn für das Natürliche mit nur zu gutem Rechte zugeschrieben, war entzückt von dem Bilde, das sich ihm bot, und mit einem Anfluge von Neid sah er auf die Gruppe glücklicher Menschen.

„Arbeit und täglich Brot und Ordnung. Wenn unsre märkischen Leute sich verheiraten, so reden sie nicht von

Leidenschaft und Liebe, sie sagen nur: ‚Ich muß doch meine Ordnung haben', und das ist ein schöner Zug im Leben unsres Volks und nicht einmal prosaisch. Denn Ordnung ist viel und mitunter alles. Und nun frag ich mich: War *mein* Leben in der ‚Ordnung'? Nein. Ordnung ist Ehe." So sprach er noch eine Weile vor sich hin, und dann sah er wieder Lene vor sich stehn, aber in ihrem Auge lag nichts von Vorwurf und Anklage, sondern es war umgekehrt, als ob sie freundlich zustimme.

„Ja, meine liebe Lene, du bist auch für Arbeit und Ordnung und siehst es ein und machst es mir nicht schwer . . . aber schwer ist es doch . . . für dich und mich."

Er setzte sein Pferd wieder in Trab und hielt sich noch eine Strecke hart an der Spree hin. Dann aber bog er, an den in der Mittagsstille daliegenden Zelten vorüber, in einen Reitweg ein, der ihn bis an den Wrangel-Brunnen und gleich danach bis vor seine Tür führte.

Fünfzehntes Kapitel

Botho wollte sofort zu Lene hinaus, und als er fühlte, daß er dazu keine Kraft habe, wollt er wenigstens schreiben. Aber auch das ging nicht. „Ich kann es nicht, heute nicht." Und so ließ er den Tag vergehen und wartete bis zum andern Morgen. Da schrieb er denn in aller Kürze.

Liebe Lene! Nun kommt es doch so, wie Du mir vorgestern gesagt: Abschied. Und Abschied auf immer. Ich hatte Briefe von Haus, die mich zwingen; es muß sein, und weil es sein muß, so sei es schnell . . . Ach, ich wollte, diese Tage lägen hinter uns. Ich sage Dir weiter nichts, auch nicht, wie mir ums Herz ist . . . Es war eine kurze schöne Zeit, und ich werde nichts davon vergessen. Gegen neun bin ich bei Dir, nicht früher, denn es darf nicht lange dauern. Auf Wiedersehn, nur noch einmal auf Wiedersehn.

Dein B. v. R.

Und nun kam er. Lene stand am Gitter und empfing ihn wie sonst; nicht der kleinste Zug von Vorwurf oder auch nur von schmerzlicher Entsagung lag in ihrem Gesicht. Sie nahm seinen Arm, und so gingen sie den Vorgartensteig hinauf.

„Es ist recht, daß du kommst . . . Ich freue mich, daß du da bist. Und du mußt dich auch freuen."

Unter diesen Worten hatten sie das Haus erreicht, und Botho machte Miene, wie gewöhnlich vom Flur her in das große Vorderzimmer einzutreten. Aber Lene zog ihn weiter fort und sagte: „Nein, Frau Dörr ist drin . . ."

„Und ist uns noch bös?"

„Das nicht. Ich habe sie beruhigt. Aber, was sollen wir heut mit ihr? Komm, es ist ein so schöner Abend, und wir wollen allein sein."

Er war einverstanden, und so gingen sie denn den Flur hinunter und über den Hof auf den Garten zu. Sultan regte sich nicht und blinzelte nur beiden nach, als sie den großen Mittelsteig hinauf und dann auf die zwischen den Himbeerbüschen stehende Bank zuschritten.

Als sie hier ankamen, setzten sie sich. Es war still; nur vom Felde her hörte man ein Gezirp, und der Mond stand über ihnen.

Sie lehnte sich an ihn und sagte ruhig und herzlich: „Und das ist nun also das letzte Mal, daß ich deine Hand in meiner halte?"

„Ja, Lene. Kannst du mir verzeihn?"

„Wie du nur immer fragst. Was soll ich dir verzeihn?"

„Daß ich deinem Herzen wehe tue."

„Ja, weh tut es. Das ist wahr."

Und nun schwieg sie wieder und sah hinauf auf die blaß am Himmel heraufziehenden Sterne.

„Woran denkst du, Lene?"

„Wie schön es wäre, dort oben zu sein."

„Sprich nicht so. Du darfst dir das Leben nicht wegwünschen; von solchem Wunsche ist nur noch ein Schritt . . ."

Sie lächelte. „Nein, das nicht. Ich bin nicht wie das Mädchen, das an den Ziehbrunnen lief und sich hineinstürzte, weil ihr Liebhaber mit einer andern tanzte. Weißt du noch, wie du mir davon erzähltest?"

„Aber, was soll es dann? Du bist doch nicht so, daß du so was sagst, bloß um etwas zu sagen."

„Nein, ich hab es auch ernsthaft gemeint. Und wirklich", und sie wies hinauf, „ich wäre gerne da. Da hätt ich Ruh. Aber ich kann es abwarten ... Und nun komm und laß uns ins Feld gehn. Ich habe kein Tuch mit herausgenommen und find es kalt hier im Stillsitzen."

Und so gingen sie denn denselben Feldweg hinauf, der sie damals bis an die vorderste Häuserreihe von Wilmersdorf geführt hatte. Der Turm war deutlich sichtbar unter dem sternenklaren Himmel, und nur über den Wiesengrund zog ein dünner Nebelschleier.

„Weißt du noch", sagte Botho, „wie wir mit Frau Dörr hier gingen?"

Sie nickte. „Deshalb hab ich dirs vorgeschlagen; mich fror gar nicht oder doch kaum. Ach, es war ein so schöner Tag damals, und so heiter und glücklich bin ich nie gewesen, nicht vorher und nicht nachher. Noch in diesem Augenblicke lacht mir das Herz, wenn ich daran zurückdenke, wie wir gingen und sangen: ‚Denkst du daran.' Ja, Erinnerung ist viel, ist alles. Und die hab ich nun und bleibt mir und kann mir nicht mehr genommen werden. Und ich fühle ordentlich, wie mir dabei leicht zumute wird."

Er umarmte sie. „Du bist so gut."

Lene aber fuhr in ihrem ruhigen Tone fort: „Und daß mir so leicht ums Herz ist, das will ich nicht vorübergehn lassen und will dir alles sagen. Eigentlich ist es das alte, was ich dir immer schon gesagt habe, noch vorgestern, als wir draußen auf der halb gescheiterten Partie waren, und dann nachher, als wir uns trennten. Ich hab es so kommen sehn, von Anfang an, und es geschieht nur, was muß. Wenn man schön geträumt hat, so muß man Gott dafür danken und darf nicht klagen, daß der Traum aufhört und die Wirklichkeit wieder anfängt. Jetzt ist es schwer, aber es vergißt sich alles oder gewinnt wieder ein freundliches Gesicht. Und eines Tages bist du wieder glücklich und vielleicht ich auch."

„Glaubst du's? Und wenn nicht, was dann?"

„Dann lebt man ohne Glück."

„Ach, Lene, du sagst das so hin, als ob Glück nichts wäre. Aber es ist was, und das quält mich eben, und ist mir doch, als ob ich dir ein Unrecht getan hätte."

„Davon sprech ich dich frei. Du hast mir kein Unrecht getan, hast mich nicht auf Irrwege geführt und hast mir nichts versprochen. Alles war mein freier Entschluß. Ich habe dich von Herzen liebgehabt, das war mein Schicksal, und wenn es eine Schuld war, so war es *meine* Schuld. Und noch dazu eine Schuld, deren ich mich, ich muß es dir immer wieder sagen, von ganzer Seele freue, denn sie war mein Glück. Wenn ich nun dafür zahlen muß, so zahle ich gern. Du hast nicht gekränkt, nicht verletzt, nicht beleidigt oder doch höchstens das, was die Menschen Anstand nennen und gute Sitte. Soll ich mich darum grämen? Nein. Es rückt sich alles wieder zurecht, auch das. Und nun komm und laß uns umkehren. Sieh nur, wie die Nebel steigen; ich denke, Frau Dörr ist nun fort, und wir treffen die gute Alte allein. Sie weiß von allem und hat den ganzen Tag über immer nur ein und dasselbe gesagt."

„Und was?"

„Daß es so gut sei."

Frau Nimptsch war wirklich allein, als Botho und Lene bei ihr eintraten. Alles war still und dämmerig, und nur das Herdfeuer warf einen Lichtschein über die breiten Schatten, die sich schräg durch das Zimmer zogen. Der Stieglitz schlief schon lange in seinem Bauer, und man hörte nichts als dann und wann das Zischen des überkochenden Wassers.

„Guten Abend, Mutterchen!" sagte Botho.

Die Alte gab den Gruß zurück und wollte von ihrer Fußbank aufstehen, um den großen Lehnstuhl heranzurücken. Aber Botho litt es nicht und sagte: „Nein, Mutterchen, ich setze mich auf meinen alten Platz."

Und dabei schob er den Schemel ans Feuer.

Eine kleine Pause trat ein; alsbald aber begann er wieder: „Ich komme heut, um Abschied zu nehmen und Ihnen für alles Liebe und Gute zu danken, das ich hier so lange gehabt habe. Ja, Mutterchen, so recht von Herzen. Ich bin hier so gern gewesen und so glücklich. Aber nun muß ich fort, und alles, was ich noch sagen kann, ist bloß das: es ist wohl das Beste so."

Die Alte schwieg und nickte zustimmend. „Aber ich bin nicht aus der Welt", fuhr Botho fort, „und ich werde Sie nicht vergessen, Mutterchen. Und nun geben Sie mir die Hand. So. Und nun gute Nacht!"

Hiernach stand er schnell auf und schritt auf die Tür zu, während Lene sich an ihn hing. So gingen sie bis an das Gartengitter, ohne daß weiter ein Wort gesprochen wäre. Dann aber sagte sie: „Nun kurz, Botho! Meine Kräfte reichen nicht mehr; es war doch zuviel, diese zwei Tage. Lebe wohl, mein Einziger, und sei so glücklich, wie du's verdienst, und so glücklich, wie du mich gemacht hast. Dann bist du glücklich. Und von dem andern rede nicht mehr, es ist der Rede nicht wert. So, so."

Und sie gab ihm einen Kuß und noch einen und schloß dann das Gitter.

Als er an der andern Seite der Straße stand, schien er, als er Lenens ansichtig wurde, noch einmal umkehren und Wort und Kuß mit ihr tauschen zu wollen. Aber sie wehrte heftig mit der Hand. Und so ging er denn weiter die Straße hinab, während sie, den Kopf auf den Arm und den Arm auf den Gitterpfosten gestützt, ihm mit großem Auge nachsah.

So stand sie noch lange, bis sein Schritt in der nächtlichen Stille verhallt war.

Sechzehntes Kapitel

Mitte September hatte die Verheiratung auf dem Sellenthinschen Gute Rothenmoor stattgefunden; Onkel Osten, sonst kein Redner, hatte das Brautpaar in dem zweifellos längsten Toaste seines Lebens leben lassen, und am Tage darauf hatte die Kreuzzeitung unter ihren sonstigen Familienanzeigen auch die folgende gebracht: „Ihre am gestrigen Tage stattgehabte eheliche Verbindung zeigen hierdurch ergebenst an Botho Freiherr von Rienäcker,

Premierleutnant im Kaiser-Kürassier-Regiment; Käthe Freifrau von Rienäcker geb. von Sellenthin." Die Kreuzzeitung war begreiflicherweise nicht das Blatt, das in die Dörrsche Gärtnerwohnung samt ihren Dependenzien kam, aber schon am andern Morgen traf ein an Fräulein Magdalene Nimptsch adressierter Brief ein, in dem nichts lag als der Zeitungsausschnitt mit der Vermählungsanzeige. Lene fuhr zusammen, sammelte sich aber rascher, als der Absender, aller Wahrscheinlichkeit nach eine neidische Kollegin, erwartet haben mochte. Daß es von solcher Seite her kam, war schon aus dem beigefügten „Hochwohlgeboren" zu schließen. Aber gerade dieser Extraschabernack, der den schmerzhaften Stich verdoppeln sollte, kam Lenen zustatten und verminderte das bittere Gefühl, das ihr diese Nachricht sonst wohl verursacht hätte.

Botho und Käthe von Rienäcker waren noch am Hochzeitstage selbst nach Dresden hin aufgebrochen, nachdem beide der Verlockung einer neumärkischen Vetternreise glücklich widerstanden hatten. Und wahrlich, sie hatten nicht Ursache, ihre Wahl zu bereuen; am wenigsten Botho, der sich jeden Tag nicht nur zu dem Dresdener Aufenthalte, sondern vielmehr noch zu dem Besitze seiner jungen Frau beglückwünschte, die Kaprizen und üble Laune gar nicht zu kennen schien. Wirklich, sie lachte den ganzen Tag über, und so leuchtend und hellblond sie war, so war auch ihr Wesen. An allem ergötzte sie sich, und allem gewann sie die heitre Seite ab. In dem von ihnen bewohnten Hotel war ein Kellner mit einem Toupet, das einem eben umkippenden Wellenkamme glich, und dieser Kellner samt seiner Frisur war ihre tagtägliche Freude, so sehr, daß sie, wiewohl sonst ohne besonderen Esprit, sich in Bildern und Vergleichen gar nicht genugtun konnte. Botho freute sich mit und lachte herzlich, bis sich mit einem Male doch etwas von Bedenken und selbst von Unbehagen in sein Lachen einzumischen begann. Er nahm nämlich wahr, daß sie, was auch geschehen oder ihr zu Gesicht kommen mochte, lediglich am Kleinen und Komischen hing, und als beide nach etwa vierzehntägigem, glücklichem Aufenthalt ihre Heimreise nach Berlin antraten, ereignete sichs, daß ein kurzes, gleich zu Beginn der Fahrt geführtes Gespräch ihm über diese Charakterseite seiner Frau volle Gewißheit gab. Sie hatten ein Coupé für sich, und als sie, von der Elbbrücke her, noch einmal zurückblickten, um nach Altstadt-Dresden und der Kuppel der Frauenkirche hinüberzugrüßen, sagte Botho, während er ihre Hand nahm: „Und nun sage mir, Käthe, was war eigentlich das Hübscheste hier in Dresden?"

„Rate!"

„Ja, das ist schwer, denn du hast so deinen eignen Geschmack, und mit Kirchengesang und Holbeinscher Madonna darf ich dir gar nicht kommen . . ."

„Nein. Da hast du recht. Und ich will meinen gestrengen Herrn auch nicht lange warten und sich quälen lassen. Es war dreierlei, was mich entzückte: voran die Konditorei am Altmarkt und der Scheffelgassen-Ecke mit den wundervollen Pastetchen und dem Likör. Da so zu sitzen . . ."

„Aber, Käthe, man konnte ja gar nicht sitzen, man konnte kaum stehn, und war eigentlich, als ob man sich jeden Bissen erobern müsse."

„Das war es eben. Eben deshalb, mein Bester. Alles, was man sich erobern muß . . ."

Und sie wandte sich ab und spielte neckisch die Schmollende, bis er ihr einen herzlichen Kuß gab.

„Ich sehe", lachte sie, „du bist schließlich einverstanden, und zur Belohnung höre nun auch das zweite und dritte. Mein zweites war das Sommertheater draußen, wo wir ‚Monsieur Herkules' sahn und Knaak den Tannhäusermarsch auf einem klapprigen alten Whisttisch trommelte. So was Komisches hab ich all mein Lebtag nicht gesehn und du wahrscheinlich auch nicht. Es war wirklich zu komisch . . . Und das dritte . . . Nun, das dritte, das war ‚Bacchus auf dem Ziegenbock' im Grünen Gewölbe und der ‚Sich kratzende Hund' von Peter Vischer."

„Ich dachte mir so was, und wenn Onkel Osten davon hört, dann wird er dir recht geben und dich noch lieber haben als sonst und mir noch öfter wiederholen: Ich sage dir, Botho, die Käthe . . ."

„Soll ers nicht?"

„O gewiß soll er."

Und damit brach auf Minuten hin ihr Gespräch ab, das in Bothos Seele, so zärtlich und liebevoll er zu der jungen Frau hinübersah, doch einigermaßen ängstlich nachklang. Die junge Frau selbst indes hatte keine Ahnung von dem, was in ihres Gatten Seele vorging, und sagte nur: „Ich bin müde, Botho. Die vielen Bilder. Es kommt doch nach . . . Aber" (der Zug hielt eben) „was ist denn das für ein Lärm und Getreibe da draußen?"

„Das ist ein Dresdener Vergnügungsort, ich glaube Kötzschenbroda."

„Kötzschenbroda? Zu komisch."

Und während der Zug weiterdampfte, streckte sie sich aus und schloß anscheinend die Augen. Aber sie schlief nicht und sah zwischen den Wimpern hin nach dem geliebten Manne hinüber.

In der damals noch einreihigen Landgrafenstraße hatte Käthes Mama mittlerweile die Wohnung eingerichtet, und als zu Beginn des Oktobers das junge Paar in Berlin wieder eintraf, war es entzückt von dem Komfort, den es vorfand.

In den beiden Frontzimmern, die jedes einen Kamin hatten, war geheizt, aber Tür und Fenster standen auf, denn es war eine milde Herbstluft, und das Feuer brannte nur des Anblicks und des Luftzuges halber. Das Schönste aber war der große Balkon mit seinem weit herunterfallenden Zeltdach, unter dem hinweg man in gerader Richtung ins Freie sah, erst über das Birkenwäldchen und den Zoologischen Garten fort und dahinter bis an die Nordspitze des Grunewalds.

Käthe freute sich unter Händeklatschen dieser prächtig freien Aussicht, umarmte die Mama, küßte Botho und wies dann plötzlich nach links hin, wo zwischen vereinzelten Pappeln und Weiden ein Schindelturm sichtbar wurde. „Sieh, Botho, wie komisch. Er ist ja wie dreimal eingeknickt. Und das Dorf daneben. Wie heißt es?"

„Ich glaube, Wilmersdorf", stotterte Botho.

„Nun gut, Wilmersdorf. Aber was heißt das: ‚ich glaube'.

Du wirst doch wissen, wie die Dörfer hier herum heißen. Sieh nur, Mama, macht er nicht ein Gesicht, als ob er uns ein Staatsgeheimnis verraten hätte? Nichts komischer als diese Männer."

Und damit verließ man den Balkon wieder, um in dem dahinter gelegenen Zimmer das erste Mittagsmahl en famille einzunehmen: nur die Mama, das junge Paar und Serge, der als einziger Gast geladen war.

Rienäckers Wohnung lag keine tausend Schritt von dem Hause der Frau Nimptsch. Aber Lene wußte nichts davon und nahm ihren Weg oft durch die Landgrafenstraße, was sie vermieden haben würde, wenn sie von dieser Nachbarschaft auch nur eine Ahnung gehabt hätte.

Doch es konnt ihr nicht lange ein Geheimnis bleiben.

Es ging schon in die dritte Oktoberwoche, trotzdem war es noch wie im Sommer, und die Sonne schien so warm, daß man den schärferen Luftton kaum empfand.

„Ich muß heut in die Stadt, Mutter", sagte Lene. „Goldstein hat mir geschrieben. Er will mit mir über ein Muster sprechen, das in die Wäsche der Waldeckschen Prinzessin eingestickt werden soll. Und wenn ich erst in der Stadt bin, will ich auch die Frau Demuth in der Alten Jakobstraße besuchen. Man kommt sonst ganz von aller Menschheit los. Aber um Mittag bin ich wieder hier. Ich werd es Frau Dörr sagen, daß sie nach dir sieht."

„Laß nur, Lene, laß nur. Ich bin am liebsten allein. Und die Dörr, sie redt soviel un immer von ihrem Mann. Und ich habe ja mein Feuer. Und wenn der Stieglitz piept, das is mir genug. Aber wenn du mir eine Tüte mitbringst, ich habe jetzt immer solch Kratzen, und Malzbonbon löst so . . ."

„Schön, Mutter."

Und damit hatte Lene die kleine stille Wohnung verlassen und war erst die Kurfürsten- und dann die lange Potsdamer Straße hinunter gegangen, auf den Spittelmarkt zu, wo die Gebrüder Goldstein ihr Geschäft hatten. Alles verlief nach Wunsch, und es war nahezu Mittag, als sie, heimkehrend, diesmal anstatt der Kurfürsten- lieber die Lützowstraße passierte. Die Sonne tat ihr wohl, und das Treiben auf dem Magdeburger Platze, wo gerade Wochenmarkt war und alles eben wieder zum Aufbruch rüstete, vergnügte sie so, daß sie stehenblieb und sich das bunte Durcheinander mit ansah. Sie war wie benommen davon und wurd erst aufgerüttelt, als die Feuerwehr mit ungeheurem Lärm an ihr vorbeirasselte.

Lene horchte, bis das Gebimmel und Geklingel in der Ferne verhallt war, dann aber sah sie links hinunter nach der Turmuhr der Zwölf-Apostel-Kirche. „Gerade zwölf", sagte sie. „Nun ist es Zeit, daß ich mich eile; sie wird immer unruhig, wenn ich später komme, als sie denkt." Und so ging sie weiter die Lützowstraße hinunter auf den gleichnamigen Platz zu. Aber mit einem Male hielt sie und wußte nicht, wohin, denn auf ganz kurze Entfernung erkannte sie Botho, der, mit einer jungen schönen Dame am Arm, grad auf sie zukam. Die junge Dame sprach lebhaft und anscheinend lauter heitre Dinge, denn Botho lachte beständig, während er zu ihr niederblickte. Diesem Umstande verdankte sie's auch, daß sie nicht schon lange bemerkt worden war, und rasch entschlossen, eine Begegnung mit ihm um jeden Preis zu vermeiden, wandte sie sich vom Trottoir her nach rechts hin und trat an das zunächst befindliche große Schaufenster heran, vor dem, mutmaßlich als Deckel für eine hier befindliche Kelleröffnung, eine viereckige geriffelte Eisenplatte lag. Das Schaufenster selbst war das eines gewöhnlichen Materialwarenladens mit dem üblichen Aufbau von Stearinlichten und Mixed-Pickles-Flaschen; nichts Besonderes, aber Lene starrte darauf hin, als ob sie dergleichen noch nie gesehen habe. Und wahrlich, Zeit war es, denn in ebendiesem Augenblicke streifte das junge Paar hart an ihr vorüber, und kein Wort entging ihr von dem Gespräche, das zwischen beiden geführt wurde.

„Käthe, nicht so laut", sagte Botho, „die Leute sehen uns schon an."

„Laß sie . . ."

„Sie denken am Ende, wir zanken uns . . ."

„Unter Lachen? Zanken unter Lachen?"

Und sie lachte wieder.

Lene fühlte das Zittern der dünnen Eisenplatte, darauf sie stand. Ein waagerecht liegender Messingstab zog sich, zum Schutze der großen Glasscheibe, vor dem Schaufenster hin, und einen Augenblick war es ihr, als ob sie, wie zu Beistand und Hilfe, nach dem Messingstab greifen müsse, sie hielt sich aber aufrecht, und erst als sie sicher sein durfte, daß beide weit genug fort waren, wandte sie sich wieder, um ihren Weg fortzusetzen. Sie tappte sich vorsichtig an den Häusern hin, und eine kurze Strecke ging es. Aber bald war ihr doch, als ob ihr die Sinne schwänden, und kaum, daß sie die nächste nach dem Kanal hin abzweigende Querstraße erreicht hatte, so bog sie hier ein und trat in einen Vorgarten, dessen Gittertür offenstand. Nur mit Mühe noch schleppte sie sich bis an eine kleine zu Veranda und Hochparterre hinaufführende Freitreppe, wenige Stufen, und setzte sich, einer Ohnmacht nah, auf eine derselben.

Als sie wieder erwachte, sah sie, daß ein halberwachsenes Mädchen, ein Grabscheit in der Hand, mit dem sie kleine Beete gegraben hatte, neben ihr stand und sie teilnahmsvoll anblickte, während von der Verandabrüstung aus eine alte Kindermuhme sie mit kaum geringerer Neugier musterte. Niemand war augenscheinlich zu Haus als das Kind und die Dienerin, und Lene dankte beiden und erhob sich und schritt wieder auf die Pforte zu. Das halberwachsene Mädchen aber sah ihr traurig-verwundert nach, und es war fast, wie wenn in dem Kinderherzen eine erste Vorstellung von dem Leid des Lebens gedämmert hätte.

Lene war inzwischen, den Fahrdamm passierend, bis an den Kanal gekommen und ging jetzt unten an der Böschung entlang, wo sie sicher sein durfte, niemandem zu begegnen. Von den Kähnen her blaffte dann und wann ein Spitz, und ein dünner Rauch, weil Mittag war, stieg aus den kleinen Kajütenschornsteinen auf. Aber sie sah und hörte nichts oder war wenigstens ohne Bewußtsein dessen, was um sie her vorging, und erst als jenseits des Zoologischen die Häuser am Kanal hin aufhörten und die große Schleuse mit ihrem drüberwegschäumenden Wasser sichtbar wurde, blieb sie stehen und rang nach Luft. „Ach, wer weinen könnte." Und sie drückte die Hand gegen Brust und Herz.

Zu Hause traf sie die Mutter an ihrem alten Platz und setzte sich ihr gegenüber, ohne daß ein Wort oder Blick zwischen ihnen gewechselt worden wäre. Mit einem Male aber sah die Alte, deren Auge bis dahin immer in derselben Richtung gegangen war, von ihrem Herdfeuer auf und erschrak, als sie der Veränderung in Lenens Gesicht gewahr wurde.

„Lene, Kind, was hast du? Lene, wie siehst du nur aus?“ Und so schwer beweglich sie sonsten war, heute machte sie sich im Umsehn von ihrer Fußbank los und suchte nach dem Krug, um die noch immer wie halbtot Dasitzende mit Wasser zu besprengen. Aber der Krug war leer, und so humpelte sie nach dem Flur und vom Flur nach Hof und Garten hinaus, um die gute Frau Dörr zu rufen, die gerade Goldlack und Jelängerjelieber abschnitt, um Marktsträuße daraus zu binden. Ihr Alter aber stand neben ihr und sagte: „Nimm nich wieder zuviel Strippe.“

Frau Dörr, als sie das jämmerliche Rufen der alten Frau von fern her hörte, verfärbte sich und antwortete mit lauter Stimme: „Komme schon, Mutter Nimptsch, komme schon“, und alles wegwerfend, was sie von Blumen und Bast in der Hand hatte, lief sie gleich auf das kleine Vorderhaus zu, weil sie sich sagte, daß da was los sein müsse.

„Richtig, dacht ichs doch . . . Leneken.“ Und dabei rüttelte und schüttelte sie die nach wie vor leblos Dasitzende, während die Alte langsam nachkam und über den Flur hinschlurrte.

„Wir müssen sie zu Bett bringen“, rief Frau Dörr, und die Nimptsch wollte selber mit anfassen. Aber so war das „wir“ der stattlichen Frau Dörr nicht gemeint gewesen. „Ich mache so was allein, Mutter Nimptsch“, und Lenen in ihre Arme nehmend, trug sie sie nebenan in die Kammer und deckte sie hier zu.

„So, Mutter Nimptsch. Nu ’ne heiße Stürze. Das kenn ich, das kommt vons Blut. Erst ’ne Stürze un denn ’n Ziegelstein an die Fußsohlen; aber gerad untern Spann, da sitzt das Leben . . . Wovon is es denn eigentlich? Is gewiß ’ne Altration.“

„Weiß nich. Sie hat nichts gesagt. Aber ich denke mir, daß sie ’n vielleicht gesehn hat.“

„Richtig. Das is es. Das kenn ich ... Aber nu die Fenster zu un runter mits Rollo ... Manche sind für Kampfer und Hoffmannstropfen, aber Kampfer schwächt so und is eigentlich bloß für Motten. Nein, liebe Nimptschen, was 'ne Natur is un noch dazu solche junge, die muß sich immer selber helfen, und darum bin ich für schwitzen. Aber orntlich. Un wovon kommt es? Von die Männer kommt es. Un doch hat man sie nötig un braucht sie ... Na, sie kriegt ja schon wieder Farbe."

„Wolln wir nich lieber nach'n Doktor schicken?"

„I, Jott bewahre. Die kutschieren jetzt rum, un eh einer kommt, is sie schon dreimal dot und lebendig."

Siebzehntes Kapitel

Drittehalb Jahre waren seit jener Begegnung vergangen, während welcher Zeit sich manches in unserem Bekannten- und Freundeskreise verändert hatte, nur nicht in dem in der Landgrafenstraße.

Hier herrschte dieselbe gute Laune weiter, der Frohmut der Flitterwochen war geblieben, und Käthe lachte nach wie vor. Was andere junge Frauen vielleicht betrübt hätte: daß das Paar einfach ein Paar blieb, wurde von Käthe keinen Augenblick schmerzlich empfunden. Sie lebte so gern und fand an Putz und Plaudern, an Reiten und Fahren ein so volles Genüge, daß sie vor einer Veränderung ihrer Häuslichkeit eher erschrak, als sie herbeiwünschte. Der Sinn für Familie, geschweige die Sehnsucht danach, war ihr noch nicht aufgegangen, und als die Mama brieflich eine Bemerkung über diese Dinge machte, schrieb Käthe ziemlich ketzerisch zurück: Sorge Dich nicht, Mama. Bothos Bruder hat sich ja nun ebenfalls verlobt, in einem halben Jahr ist Hochzeit, und ich überlaß es gern meiner zukünftigen Schwägerin, sich die Fortdauer des Hauses Rienäcker angelegen sein zu lassen.

Botho sah es anders an, aber auch sein Glück wurde durch das, was fehlte, nicht sonderlich getrübt, und wenn ihn trotzdem von Zeit zu Zeit eine Mißstimmung anwandelte, so war es, wie schon damals auf seiner Dresdener Hochzeitsreise, vorwiegend darüber, daß mit Käthe wohl ein leidlich vernünftiges, aber durchaus kein ernstes Wort zu reden war. Sie war unterhaltlich und konnte sich mitunter bis zu glücklichen Einfällen steigern, aber auch das Beste, was sie sagte, war oberflächlich und „spielrig", als ob sie der Fähigkeit entbehrt hätte, zwischen wichtigen und unwichtigen Dingen zu unterscheiden. Und was das schlimmste war, sie betrachtete das alles als einen Vorzug, wußte sich was damit und dachte nicht daran, es abzulegen. „Aber, Käthe, Käthe", rief Botho dann wohl und ließ in diesem Zuruf etwas von Mißbilligung mit durchklingen; ihr glückliches Naturell aber wußt ihn immer wieder zu entwaffnen, ja, so sehr, daß er sich mit dem Anspruch, den er erhob, fast pedantisch vorkam.

Lene mit ihrer Einfachheit, Wahrheit und Unredensartlichkeit stand ihm öfters vor der Seele, schwand aber ebenso rasch wieder hin, und nur wenn Zufälligkeiten einen ganz bestimmten Vorfall in aller Lebendigkeit wieder in ihm wachriefen, kam ihm mit dieser größeren Lebendigkeit des Bildes auch wohl ein stärkeres Gefühl und mitunter selbst eine Verlegenheit.

Eine solche Zufälligkeit ereignete sich gleich im ersten Sommer, als das junge Paar, von einem Diner bei Graf Alten zurückgekehrt, auf dem Balkon saß und seinen Tee nahm. Käthe lag zurückgelehnt in ihrem Stuhl und ließ sich aus der Zeitung einen mit Zahlenangaben reichgespickten Artikel über Pfarr- und Stolgebühren vorlesen. Eigentlich verstand sie wenig davon, um so weniger, als die vielen Zahlen sie störten, aber sie hörte doch ziemlich aufmerksam zu, weil alle märkischen Frölens ihre halbe Jugend „bei Predigers" zubringen und so den Pfarrhausinteressen ihre Teilnahme bewahren. So war es auch heut. Endlich brach der Abend herein, und im selben Augenblicke, wo's dunkelte, begann drüben im „Zoologischen" das Konzert, und ein entzückender Straußscher Walzer klang herüber.

„Höre nur, Botho", sagte Käthe, sich aufrichtend, während sie voll Übermut hinzusetzte: „Komm, laß uns tanzen."

Und ohne seine Zustimmung abzuwarten, zog sie ihn aus seinem Stuhl in die Höh und walzte mit ihm in das große Balkonzimmer hinein und in diesem noch ein paarmal herum. Dann gab sie ihm einen Kuß und sagte, während sie sich an ihn schmiegte: „Weißt du, Botho, so wundervoll hab ich noch nie getanzt, auch nicht auf meinem ersten Ball, den ich noch bei der Zülow mitmachte, ja, daß ichs nur gestehe, noch eh ich eingesegnet war. Onkel Osten nahm mich auf seine Verantwortung mit, und die Mama weiß es bis diesen Tag nicht. Aber selbst da war es nicht so schön wie heut. Und doch ist verbotene Frucht die schönste. Nicht wahr? Aber du sagst ja nichts, du bist ja verlegen, Botho. Sieh, so ertapp ich dich mal wieder."

Er wollte, so gut es ging, etwas sagen, aber sie ließ ihn nicht dazu kommen. „Ich glaube wirklich, Botho, meine Schwester Ine hat es dir angetan, und du darfst mich nicht damit trösten wollen, sie sei noch ein halber Backfisch oder nicht weit darüber hinaus. Das sind immer die gefährlichsten. Ist es nicht so? Nun, ich will nichts gesehen haben, und ich gönn es ihr und dir. Aber auf alte, ganz alte Geschichten bin ich eifersüchtig, viel eifersüchtiger als auf neue."

„Sonderbar", sagte Botho und versuchte zu lachen.

„Und doch am Ende nicht so sonderbar, wie's aussieht", fuhr Käthe fort. „Sieh, neue Geschichten hat man doch immer halb unter Augen, und es muß schon schlimm kommen und ein wirklicher Meisterverräter sein, wenn man gar nichts merken und so reinweg betrogen werden soll. Aber alte Geschichten, da hört alle Kontrolle auf, da kann es tausend und drei geben, und man weiß es kaum."

„Und was man nicht weiß . . ."

„Kann einen *doch* heiß machen. Aber lassen wirs und lies mir lieber weiter aus deiner Zeitung vor. Ich habe beständig an unsere Kluckhuhns denken müssen, und die gute Frau versteht es nicht. Und der Älteste soll jetzt gerade studieren."

Solche Geschichten ereigneten sich häufiger und beschworen in Bothos Seele mit den alten Zeiten auch Lenens

Bild herauf, aber sie selbst sah er nicht, was ihm auffiel, weil er ja wußte, daß sie halbe Nachbarn waren.

Es fiel ihm auf und wär ihm doch leicht erklärlich gewesen, wenn er rechtzeitig in Erfahrung gebracht hätte, daß Frau Nimptsch und Lene gar nicht mehr an alter Stelle zu finden seien. Und doch war es so. Von dem Tag an, wo Lene dem jungen Paar in der Lützowstraße begegnet war, hatte sie der Alten erklärt, in der Dörrschen Wohnung nicht mehr bleiben zu können, und als Mutter Nimptsch, die sonst nie widersprach, den Kopf geschüttelt und geweimert und in einem fort auf den Herd hingewiesen hatte, hatte Lene gesagt: „Mutter, du kennst mich doch! Ich werde dir doch deinen Herd und dein Feuer nicht nehmen; du sollst alles wieder haben; ich habe das Geld dazu gespart, und wenn ichs nicht hätte, so wollt ich arbeiten, bis es beisammen wär. Aber hier müssen wir fort. Ich muß jeden Tag da vorbei, das halt ich nicht aus, Mutter. Ich gönn ihm sein Glück, ja mehr noch, ich freue mich, daß ers hat. Gott ist mein Zeuge, denn er war ein guter, lieber Mensch und hat mir zu Liebe gelebt, und kein Hochmut und keine Haberei. Und daß ichs rundheraus sage, trotzdem ich die feinen Herren nicht leiden kann, ein richtiger Edelmann, so recht einer, der das Herz auf dem rechten Flecke hat. Ja, mein einziger Botho, du sollst glücklich sein, so glücklich, wie du's verdienst. Aber ich kann es nicht sehn, Mutter, ich muß weg hier, denn sowie ich zehn Schritte gehe, denk ich, er steht vor mir. Und da bin ich in einem ewigen Zittern. Nein, nein, das geht nicht. Aber deine Herdstelle sollst du haben. Das versprech ich dir, ich, deine Lene."

Nach diesem Gespräche war seitens der Alten aller Widerstand aufgegeben worden, und auch Frau Dörr hatte gesagt: „Versteht sich, ihr müßt ausziehen. Und dem alten Geizkragen, dem Dörr, dem gönn ichs. Immer hat er mir was vorgebrummt, daß ihr zu billig einsäßt und daß nich die Steuer un die Repratur dabei raus käme. Nu mag er sich freuen, wenn ihm alles leer steht. Und so wirds kommen. Denn wer zieht denn in solchen Puppenkasten, wo jeder Kater ins Fenster kuckt un kein Gas nich un keine Wasserleitung. I, versteht sich; ihr habt ja vierteljährliche Kündigung, und Ostern könnt ihr raus, da helfen ihm keine Sperenzchen. Und ich freue mich ordentlich; ja, Lene, so schlecht bin ich. Aber ich muß auch gleich für meine Schadenfreude bezahlen. Denn wenn du weg bist, Kind, und die gute Frau Nimptsch mit ihrem Feuer und ihrem Teekessel und immer kochend Wasser, ja, Lene, was hab ich denn noch? Doch bloß *ihn* un Sultan und den dummen Jungen, der immer dummer wird. Un sonst keinen Menschen nich. Un wenns denn kalt wird und Schnee fällt, is es mitunter zum kattolsch werden vor lauter Stillsitzen und Einsamkeit."

Das waren so die ersten Verhandlungen gewesen, als der Umzugsplan in Lene feststand; und als Ostern herankam, war wirklich ein Möbelwagen vorgefahren, um aufzuladen, was an Habseligkeiten da war. Der alte Dörr hatte sich bis zuletzt überraschend gut benommen, und nach erfolgtem feierlichem Abschiede war Frau Nimptsch in eine Droschke gepackt und mit ihrem Eichkätzchen und Stieglitz bis an das Luisenufer gefahren worden, wo Lene, drei Treppen hoch, eine kleine Prachtwohnung gemietet und nicht nur ein paar neue Möbeln angeschafft, sondern, in Erinnerung an ihr Versprechen, vor allem auch für einen an den großen Vorderzimmerofen angebauten Kamin gesorgt hatte. Seitens des Wirts waren anfänglich allerlei Schwierigkeiten gemacht worden, weil solch Vorbau den Ofen ruiniere. Lene hatte jedoch unter Angabe der Gründe darauf bestanden, was dem Wirt, einem alten, braven Tischlermeister, dem so was gefiel, einen großen Eindruck gemacht und ihn zum Nachgeben bestimmt hatte.

Beide wohnten nun ziemlich ebenso, wie sie vordem im Dörrschen Gartenhause gewohnt hatten, nur mit dem Unterschiede, daß sie jetzt drei Treppen hoch saßen und statt auf die phantastischen Türme des Elefantenhauses auf die hübsche Kuppel der Michaeliskirche sahen. Ja, der Blick, dessen sie sich erfreuten, war entzückend und so schön und frei, daß er selbst auf die Lebensgewohnheiten der alten Nimptsch einen Einfluß gewann und sie bestimmte, nicht mehr bloß auf der Fußbank am Feuer, sondern, wenn die Sonne schien, auch am offenen Fenster zu sitzen, wo Lene für einen Tritt gesorgt hatte. Das alles tat der alten Frau Nimptsch ungemein wohl und half ihr auch gesundheitlich auf, so daß sie seit dem Wohnungswechsel weniger an Reißen litt als draußen in dem Dörrschen Gartenhause, das, so poetisch es lag, nicht viel besser als ein Keller gewesen war.

Im übrigen verging keine Woche, wo nicht, trotz des endlos weiten Weges, Frau Dörr vom „Zoologischen" her am Luisenufer erschienen wäre, bloß um zu sehn, wie's stehe. Sie sprach dann, nach Art aller Berliner Ehefrauen, ausschließlich von ihrem Manne, dabei regelmäßig einen Ton anschlagend, als ob die Verheiratung mit ihm eine der schwersten Mesalliancen und eigentlich etwas halb Unerklärliches gewesen wäre. In Wahrheit aber stand es so, daß sie sich nicht nur äußerst behaglich und zufrieden fühlte, sondern sich auch freute, daß Dörr gerade so war, wie er war. Denn sie hatte nur Vorteile davon, einmal den, beständig reicher zu werden, und nebenher den zweiten, ihr ebenso wichtigen, ohne jede Gefahr von Änderung und Vermögenseinbuße sich unausgesetzt über den alten Geizkragen erheben und ihm Vorhaltungen über seine niedrige Gesinnung machen zu können. Ja, Dörr war das Hauptthema bei diesen Gesprächen, und Lene, wenn sie nicht bei Goldsteins oder sonstwo in der Stadt war, lachte jedesmal herzlich mit und um so herzlicher, als sie sich, ebenso wie die Nimptsch, seit dem Umzuge sichtlich erholt hatte. Das Einrichten, Anschaffen und Instandsetzen hatte sie, wie sich denken läßt, von Anfang an von ihren Betrachtungen abgezogen, und was noch wichtiger und für ihre Gesundheit und Erholung erst recht von Vorteil gewesen war, war das, daß sie nun keine Furcht mehr vor einer Begegnung mit Botho zu haben brauchte. Wer kam nach dem Luisenufer? Botho gewiß nicht. All das vereinigte sich, sie vergleichsweise wieder frisch und munter erscheinen zu lassen, und nur eines war geblieben, das auch äußerlich an zurückliegende Kämpfe gemahnte: mitten durch ihr Scheitelhaar zog sich eine weiße Strähne. Mutter Nimptsch hatte kein Auge dafür oder machte nicht viel davon, die Dörr aber, die nach ihrer Art mit der Mode ging und vor allem ungemein stolz auf ihren echten Zopf war, sah die weiße Strähne gleich und sagte zu

Lene: „Jott, Lene. Un grade links. Aber natürlich ... da sitzt es ja ... links muß es ja sein."

Es war bald nach dem Umzuge, daß dies Gespräch geführt wurde. Sonst geschah im allgemeinen weder Bothos noch der alten Zeiten Erwähnung, was einfach darin seinen Grund hatte, daß Lene, wenn die Plauderei speziell *diesem* Thema sich zuwandte, jedesmal rasch abbrach oder auch wohl aus dem Zimmer ging. Das hatte sich die Dörr, als es Mal auf Mal wiederkehrte, gemerkt, und so schwieg sie denn über Dinge, von denen man ganz ersichtlich weder reden noch hören wollte. So ging es ein Jahr lang, und als das Jahr um war, war noch ein anderer Grund da, der es nicht rätlich erscheinen ließ, auf die alten Geschichten zurückzukommen. Nebenan nämlich war, Wand an Wand mit der Nimptsch, ein Mieter eingezogen, der, von Anfang an auf gute Nachbarschaft haltend, bald noch mehr als ein guter Nachbar zu werden versprach. Er kam jeden Abend und plauderte, so daß es mitunter an die Zeiten erinnerte, wo Dörr auf seinem Schemel gesessen und seine Pfeife geraucht hatte, nur daß der neue Nachbar in vielen Stücken doch anders war: ein ordentlicher und gebildeter Mann, von nicht gerade feinen, aber sehr anständigen Manieren, dabei guter Unterhalter, der, wenn Lene mit zugegen war, von allerlei städtischen Angelegenheiten, von Schulen, Gasanstalten und Kanalisation und mitunter auch von seinen Reisen zu sprechen wußte. Traf es sich, daß er mit der Alten allein war, so verdroß ihn auch das nicht, und er spielte dann Tod und Leben mit ihr oder Dambrett oder half ihr auch wohl eine Patience legen, trotzdem er eigentlich alle Karten verabscheute. Denn er war ein Konventikler und hatte, nachdem er erst bei den Mennoniten und dann später bei den Irvingianern eine Rolle gespielt hatte, neuerdings eine selbständige Sekte gestiftet.

Wie sich denken läßt, erregte dies alles die höchste Neugier der Frau Dörr, die denn auch nicht müde wurde, Fragen zu stellen und Anspielungen zu machen, aber immer nur, wenn Lene wirtschaftlich zu tun oder in der Stadt allerlei Besorgungen hatte. „Sagen Sie, liebe Frau Nimptsch, was is er denn eigentlich? Ich habe nachgeschlagen, aber steht noch nich drin; Dörr hat bloß immer den vorjährigen. Franke heißt er?"

„Ja, Franke."

„Franke, Da war mal einer in der Ohmgasse, Großböttchermeister, und hatte bloß ein Auge; das heißt, das andre war auch noch da, man bloß ganz weiß und sah eigentlich aus wie 'ne Fischblase. Und wovon war es? Ein Reifen, als er ihn umlegen wollte, war abgesprungen und mit der Spitze grad ins Auge. Davon war es. Ob er von da herstammt?"

„Nein, Frau Dörr, er is gar nich von hier. Er is aus Bremen."

„Ach so. Na, denn is es ja ganz natürlich."

Frau Nimptsch nickte zustimmend, ohne sich über diese Natürlichkeitsversicherung weiter aufklären zu lassen, und fuhr ihrerseits fort: „Un von Bremen bis Amerika dauert bloß vierzehn Tage. Da ging er hin. Un er war so was wie Klempner oder Schlosser oder Maschinenarbeiter, aber als er sah, daß es nich ging, wurd er Doktor und zog rum mit lauter kleinen Flaschen und soll auch gepredigt haben. Un weil er so gut predigte, wurd er angestellt bei . . . Ja, nun hab ich es wieder vergessen. Aber es sollen lauter sehr fromme Leute sein und auch sehr anständige."

„Herr, du meine Güte", sagte Frau Dörr. „Er wird doch nich . . . Jott, wie heißen sie doch, die so viele Frauen haben, immer gleich sechs oder sieben und manche noch mehre . . . Ich weiß nich, was sie mit so viele machen."

Es war ein Thema, wie geschaffen für Frau Dörr. Aber die Nimptsch beruhigte die Freundin und sagte: „Nein, liebe Dörr, es is doch anders. Ich hab erst auch so was gedacht, aber da hat er gelacht und gesagt: ‚I bewahre, Frau Nimptsch. Ich bin Junggesell. Und wenn ich mich verheirate, da denk ich mir, eine ist grade genug.'"

„Na, da fällt mir ein Stein vom Herzen", sagte die Dörr. „Und wie kam es denn nachher? Ich meine, drüben in Amerika."

„Nu, nachher kam es ganz gut und dauerte gar nich lange, so war ihm geholfen. Denn was die Frommen sind, die helfen sich immer untereinander. Und hatte wieder Kundschaft gekriegt und auch sein altes Metier wieder. Und das hat er noch und is in einer großen Fabrik hier in der Köpnicker Straße, wo sie kleine Röhren machen und Brenner und Hähne und alles, was sie für den Gas brauchen. Und er ist da der Oberste, so wie Zimmer- und Mauerpolier, un hat wohl hundert unter sich. Un is ein sehr reputierlicher Mann mit Zylinder un schwarze Handschuh. Un hat auch ein gutes Gehalt."

„Un Lene?"

„Nu, Lene, die nähm ihn schon. Und warum auch nich? Aber sie kann ja den Mund nicht halten, und wenn er kommt und ihr was sagt, dann wird sie ihm alles erzählen, all die alten Geschichten; erst die mit Kuhlwein (un is doch nu schon so lang, als wärs eigentlich gar nich gewesen) und denn die mit dem Baron. Und Franke, müssen Sie wissen, ist ein feiner un anständiger Mann, un eigentlich schon ein Herr."

„Wir müssen es ihr ausreden. Er braucht ja nich alles zu wissen; wozu denn? Wir wissen ja auch nich alles."

„Woll, woll. Aber die Lene . . ."

Achtzehntes Kapitel

Nun war Juni 1878. Frau von Rienäcker und Frau von Sellenthin waren den Mai über auf Besuch bei dem jungen Paare gewesen, und Mutter und Schwiegermutter, die sich mit jedem Tage mehr einredeten, ihre Käthe blasser, blutloser und matter als sonst vorgefunden zu haben, hatten, wie sich denken läßt, nicht aufgehört, auf einen Spezialarzt zu dringen, mit dessen Hilfe, nach beiläufig sehr kostspieligen gynäkologischen Untersuchungen, eine vierwöchentliche Schlangenbader Kur als vorläufig unerläßlich festgesetzt worden war. Schwalbach könne dann folgen. Käthe hatte gelacht und nichts davon wissen wollen, am wenigsten von Schlangenbad, es sei so was Unheimliches in dem Namen, und sie fühle schon die Viper an der Brust; aber schließlich hatte sie nachgegeben und in den nun beginnenden Reisevorbereitungen eine Befriedigung gefunden, die größer war als die, die sie sich von der Kur versprach. Sie fuhr täglich in die Stadt, um Einkäufe zu machen, und wurde nicht müde zu versichern, wie sie jetzt erst das so hoch in Gunst und Geltung stehende „shopping" der englischen Damen begreifen lerne: so von Laden zu Laden zu wandern und immer hübsche Sachen und höfliche Menschen zu finden, das sei doch wirklich ein Vergnügen und lehrreich dazu, weil man so vieles sehe, was man gar nicht kenne, ja, wovon man bis dahin nicht einmal den Namen gehört hätte. Botho nahm in der Regel an diesen Gängen und Ausfahrten teil, und ehe die letzte Juniwoche heran war, war die halbe Rienäckersche Wohnung in eine kleine Ausstellung von Reiseeffekten umgewandelt: ein Riesenkoffer mit Messingbeschlag, den Botho nicht ganz mit Unrecht den „Sarg seines Vermögens" nannte, leitete den Reigen ein; dann kamen zwei kleinere von Juchtenleder, samt Taschen, Decken und Kissen, und über das Sofa hin ausgebreitet lag die Reisegarderobe mit einem Staubmantel obenan und einem Paar wundervoller dicksohliger Schnürstiefel, als ob es sich um irgendeine Gletscherpartie gehandelt hätte.

Den 24. Juni, Johannistag, sollte die Reise beginnen; aber am Tage vorher wollte Käthe den cercle intime noch einmal um sich versammeln, und so waren denn Wedell und ein junger Osten und selbstverständlich auch Pitt und Serge zu verhältnismäßig früher Stunde geladen worden. Dazu Käthes besonderer Liebling Balafré, der bei Mars la Tour, damals noch als „Halberstädter", die große Attacke mitgeritten und wegen eines wahren Prachthiebes schräg über Stirn und Backe seinen Beinamen erhalten hatte.

Käthe saß zwischen Wedell und Balafré und sah nicht aus, als ob sie Schlangenbads oder irgendeiner Badekur der Welt besonders bedürftig sei; sie hatte Farbe, lachte, tat hundert Fragen und begnügte sich, wenn der Gefragte zu sprechen anhob, mit einem Minimum von Antwort. Eigentlich führte sie das Wort, und keiner nahm Anstoß daran, weil sie die Kunst des gefälligen Nichtssagens mit einer wahren Meisterschaft übte. Balafré fragte, wie sie sich ihr Leben in den Kurtagen denke? Schlangenbad sei nicht bloß wegen seiner Heilwunder, sondern viel, viel mehr noch wegen seiner Langenweile berühmt, und vier Wochen Badelangeweile seien selbst unter den günstigsten Kurverhältnissen etwas viel.

„O, lieber Balafré“, sagte Käthe. „Sie dürfen mich nicht ängstigen und würden es auch nicht, wenn Sie wüßten, wieviel Botho für mich getan hat. Er hat mir nämlich acht Bände Novellen als freilich unterste Schicht in den Koffer gelegt, und damit sich meine Phantasie nicht kurwidrig erhitze, hat er gleich noch ein Buch über künstliche Fischzucht mit zugetan.“

Balafré lachte.

„Ja, Sie lachen, lieber Freund, und wissen doch erst die kleinere Hälfte, die Haupthälfte (Botho tut nämlich nichts ohne Grund und Ursache) ist seine Motivierung. Es war natürlich bloß Scherz, was ich da vorhin von meiner mit Hilfe der Fischzuchtbroschüre nicht zu schädigenden Phantasie sagte, das Ernste von der Sache lief darauf hinaus, ich *müsse* dergleichen, die Broschüre nämlich, endlich lesen, und zwar aus Lokalpatriotismus; denn die Neumark, unsere gemeinsame glückliche Heimat, sei seit Jahr und Tag schon die Brut- und Geburtsstätte der künstlichen Fischzucht, und wenn ich von diesem nationalökonomisch so wichtigen neuen Ernährungsfaktor nichts wüßte, so dürft ich mich jenseits der Oder im Landsberger Kreise gar nicht mehr sehen lassen, am allerwenigsten aber in Berneuchen bei meinem Vetter Borne.“

Botho wollte das Wort nehmen, aber sie schnitt es ihm ab und fuhr fort: „Ich weiß, was du sagen willst und daß es wenigstens mit den acht Novellen nur so für alle Fälle sei. Gewiß, gewiß, du bist immer so schrecklich vorsichtig. Aber ich denke, ‚alle Fälle‘ sollen gar nicht kommen. Ich hatte nämlich gestern noch einen Brief von meiner Schwester Ine, die mir schrieb, Anna Grävenitz sei seit acht Tagen auch da. Sie kennen sie ja, Wedell, eine geborene Rohr, scharmante Blondine, mit der ich bei der alten Zülow in Pension und sogar in derselben Klasse war. Und ich entsinne mich noch, wie wir unsern vergötterten Felix Bachmann gemeinschaftlich anschwärmten und sogar Verse machten, bis die gute alte Zülow sagte, sie verbäte sich solchen Unsinn. Und

Elly Winterfeld, wie mir Ine schreibt, käme wahrscheinlich auch. Und nun sag ich mir, in Gesellschaft von zwei reizenden jungen Frauen – und ich als dritte, wenn auch mit den beiden andern gar nicht zu vergleichen –, in so guter Gesellschaft, sag ich, muß man doch am Ende leben können. Nicht wahr, lieber Balafré?"

Dieser verneigte sich unter einem grotesken Mienenspiel, das in allem, nur nicht hinsichtlich eines von ihr selbst versicherten Zurückstehens gegen irgendwen sonst in der Welt, seine Zustimmung ausdrücken sollte, nahm aber nichtsdestoweniger sein ursprüngliches Examen wieder auf und sagte: „Wenn ich Details hören könnte, meine Gnädigste! Das einzelne, sozusagen die Minute bestimmt unser Glück und Unglück. Und der Tag hat der Minuten so viele."

„Nun, ich denk es mir so. Jeden Morgen Briefe. Dann Promenadenkonzert und Spaziergang mit den zwei Damen, am liebsten in einer verschwiegenen Allee. Da setzen wir uns dann und lesen uns die Briefe vor, die wir doch hoffentlich erhalten werden, und lachen, wenn er zärtlich schreibt, und sagen ‚ja, ja'. Und dann kommt das Bad und nach dem Bade die Toilette, natürlich mit Sorglichkeit und Liebe, was doch in Schlangenbad nicht ununterhaltlicher sein kann als in Berlin. Eher das Gegenteil. Und dann gehen wir zu Tisch und haben einen alten General zur Rechten und einen reichen Industriellen zur Linken, und für Industrielle hab ich von Jugend an eine Passion gehabt. Eine Passion, deren ich mich nicht schäme. Denn entweder haben sie neue Panzerplatten erfunden oder unterseeische Telegraphen gelegt oder einen Tunnel gebohrt oder eine Klettereisenbahn angelegt. Und dabei, was ich auch nicht verachte, sind sie reich. Und nach Tische Lesezimmer und Kaffee bei heruntergelassenen Jalousien, so daß einem die Schatten und Lichter immer auf der Zeitung umhertanzen. Und dann Spaziergang. Und vielleicht, wenn wir Glück haben, haben sich sogar ein paar Frankfurter oder Mainzer Kavaliere herüberverirrt und reiten neben dem Wagen her; und das muß ich Ihnen sagen, meine Herren, gegen Husaren, gleichviel ob rot oder blau, kommen Sie nicht auf, und von meinem militärischen Standpunkt aus ist und bleibt es ein entschiedener Fehler, daß man die Gardedragoner verdoppelt, aber die Gardehusaren sozusagen einfach gelassen hat. Und noch unbegreiflicher ist es mir, daß man sie drüben läßt. So was Apartes gehört in die Hauptstadt."

Botho, den das enorme Sprechtalent seiner Frau zu genieren anfing, suchte durch kleine Schraubereien ihrer Schwatzhaftigkeit Einhalt zu tun. Aber seine Gäste waren viel unkritischer als er, ja erheiterten sich mehr denn je über die „reizende kleine Frau", und Balafré, der in Käthe-Bewunderung obenan stand, sagte: „Rienäcker, wenn Sie noch ein Wort gegen Ihre Frau sagen, so sind Sie des Todes. Meine Gnädigste, was dieser Oger von Ehemann nur überhaupt will, was er nur krittelt? Ich weiß es nicht. Und am Ende muß ich gar glauben, daß er sich in seiner Schweren-Kavallerie-Ehre gekränkt fühlt und – Pardon wegen der Wortspielerei! – lediglich um seines Harnisch willen in Harnisch gerät. Rienäcker, ich beschwöre Sie! Wenn ich solche Frau hätte wie Sie, so wäre mir jede Laune Befehl, und wenn mich die Gnädigste zum Husaren machen wollte, nun, so würd ich schlankweg Husar, und damit basta. Soviel aber weiß ich gewiß und möchte Leben und Ehre darauf verwetten, wenn Seine Majestät solche beredten Worte hören könnte, so hätten die Gardehusaren drüben keine ruhige Stunde mehr, lägen morgen schon im Marschquartier in Zehlendorf und rückten übermorgen durchs Brandenburger Tor hier ein. O, dies Haus Sellenthin, das ich, die Gelegenheit beim Schopf ergreifend, in diesem ersten Toaste zum ersten, zum zweiten und zum dritten Male leben lasse! Warum haben Sie keine Schwester mehr, meine Gnädigste? Warum hat sich Fräulein Ine bereits verlobt? Vor der Zeit und jedenfalls mir zum Tort."

Käthe war glücklich über derlei kleine Huldigungen und versicherte, daß sie, trotz Ine, die nun freilich rettungslos für ihn verloren sei, alles tun wolle, was sich tun lasse, wiewohl sie recht gut wisse, daß er, als ein unverbesserlicher Junggeselle, nur bloß so rede. Gleich danach aber ließ sie die Neckerei mit Balafré fallen und nahm das Reisegespräch wieder auf, am eingehendsten das Thema, wie sie sich die Korrespondenz eigentlich denke. Sie hoffe, wie sie nur wiederholen könne, jeden Tag einen Brief zu empfangen, das sei nun mal Pflicht eines zärtlichen Gatten, werd es aber ihrerseits an sich kommen lassen und nur am ersten Tage von Station zu Station ein Lebenszeichen geben. Dieser Vorschlag fand Beifall sogar bei Rienäcker und wurde nur schließlich dahin abgeändert, daß sie zwar auf jeder Hauptstation bis Köln hin, über das sie trotz des Umwegs ihre Route nahm, eine Karte schreiben, alle ihre Karten aber, soviel oder sowenig ihrer sein möchten, in ein gemeinschaftliches Kuvert stecken solle. Das habe dann den Vorzug, daß sie sich ohne Furcht vor Postexpedienten und Briefträgern über ihre Reisegenossen in aller Ungeniertheit aussprechen könne.

Nach dem Diner nahm man draußen auf dem Balkon den Kaffee, bei welcher Gelegenheit sich Käthe, nachdem sie sich eine Weile gesträubt, in ihrem Reisekostüm: in Rembrandthut und Staubmantel samt umgehängter Reisetasche präsentierte. Sie sah reizend aus. Balafré war entzückter denn je und bat sie, nicht allzusehr überrascht sein zu wollen, wenn sie ihn am andern Morgen, ängstlich in eine Coupéecke gedrückt, als Reisekavalier vorfinden sollte.

„Vorausgesetzt, daß er Urlaub kriegt", lachte Pitt.

„Oder desertiert", setzte Serge hinzu, „was den Huldigungsakt freilich erst vollkommen machen würde."

So ging die Plauderei noch eine Weile. Dann verabschiedete man sich bei den liebenswürdigen Wirten und kam überein, bis zur Lützowplatzbrücke zusammenzubleiben. Hier aber teilte man sich in zwei Parteien, und während Balafré samt Wedell und Osten am Kanal hin weiterschlenderten, gingen Pitt und Serge, die noch zu Kroll wollten, auf den Tiergarten zu.

„Reizendes Geschöpf, diese Käthe", sagte Serge. „Rienäcker wirkt etwas prosaisch daneben, und mitunter sieht er so sauertöpfisch und neunmalweise drein, als ob er die kleine Frau, die, bei Lichte besehn, eigentlich klüger ist als er, vor aller Welt entschuldigen müsse."

Pitt schwieg.

„Und was sie nur in Schwalbach oder Schlangenbad soll?" fuhr Serge fort. „Es hilft doch nichts. Und wenn es hilft, ist es meist eine sehr sonderbare Hilfe."

Pitt sah ihn von der Seite her an. „Ich finde, Serge, du russifizierst dich immer mehr oder was dasselbe sagen will, wächst dich immer mehr in deinen Namen hinein."

„Immer noch nicht genug. Aber Scherz beiseite, Freund, eines ist Ernst in der Sache: Rienäcker ärgert mich. Was hat er gegen die reizende, kleine Frau. Weißt du's?"

„Ja."

„Nun?"

„She is rather a little silly. Oder, wenn du's deutsch hören willst: sie dalbert ein bißchen. Jedenfalls *ihm* zuviel."

Neunzehntes Kapitel

Käthe zog zwischen Berlin und Potsdam schon die gelben Vorhänge vor ihr Coupéfenster, um Schutz gegen die beständig stärker werdende Blendung zu haben, am Luisenufer aber waren an demselben Tage keine Vorhänge herabgelassen, und die Vormittagssonne schien hell in die Fenster der Frau Nimptsch und füllte die ganze Stube mit Licht. Nur der Hintergrund lag im Schatten, und hier stand ein altmodisches Bett mit hoch aufgetürmten und rot und weiß karierten Kissen, an die Frau Nimptsch sich lehnte. Sie saß mehr als sie lag, denn sie hatte Wasser in der Brust und litt heftig an asthmatischen Beschwerden. Immer wieder wandte sie den Kopf nach dem einen offenstehenden Fenster, aber doch noch häufiger nach dem Kaminofen, auf dessen Herdstelle heute kein Feuer brannte.

Lene saß neben ihr, ihre Hand haltend, und als sie sah, daß der Blick der Alten immer in derselben Richtung ging, sagte sie: „Soll ich ein Feuer machen, Mutter? Ich dachte, weil du liegst und die Bettwärme hast und weil es so heiß ist ..."

Die Alte sagte nichts, aber es kam Lenen doch so vor, als ob sie's wohl gern hätte. So ging sie denn hin und bückte sich und machte ein Feuer.

Als sie wieder ans Bett kam, lächelte die Alte zufrieden und sagte: „Ja, Lene, heiß ist es. Aber du weißt ja, ich muß es immer sehn. Und wenn ich es nicht sehe, dann denk ich, es ist alles aus, und kein Leben und kein Funke mehr. Und man hat doch so seine Angst hier ..."

Und dabei wies sie nach Brust und Herz.

„Ach, Mutter, du denkst immer gleich an Sterben. Und ist doch so oft schon vorübergegangen."

„Ja, Kind, oft is es vorübergegangen, aber mal kommt es, und mit Siebzig, da kann es jeden Tag kommen. Weißt du, mache das andere Fenster auch noch auf, dann is mehr Luft hier, und das Feuer brennt besser. Sieh doch bloß, es will nicht mehr recht, es raucht so ..."

„Das macht die Sonne, die grade drauf steht ..."

„Und dann gib mir von den grünen Tropfen, die mir die Dörr gebracht hat. Ein bißchen hilft es doch immer."

Lene tat wie geheißen, und der Kranken, als sie die Tropfen genommen hatte, schien wirklich etwas besser und leichter ums Herz zu werden. Sie stemmte die Hand aufs Bett und schob sich höher hinauf, und als ihr Lene noch ein Kissen ins Kreuz gestopft hatte, sagte sie: „War Franke schon hier?"

„Ja, gleich heute früh. Er fragt immer, eh er in die Fabrik geht."

„Is ein sehr guter Mann."

„Ja, das ist er."

„Und mit das Konventikelsche ..."

„... Wird es so schlimm nicht sein. Und ich glaube beinah, daß er seine guten Grundsätze da her hat. Glaubst du nicht auch?"

Die Alte lächelte. „Nein, Lene, die kommen vom lieben Gott. Und der eine hat sie, un der andre hat sie nicht. Ich glaube nich recht ans Lernen und Erziehen ... Und hat er noch nichts gesagt?"

„Ja, gestern abend."

„Un was hast du ihm geantwortet?"

„Ich hab ihm geantwortet, daß ich ihn nehmen wolle, weil ich ihn für einen ehrlichen und zuverlässigen Mann hielte, der nicht bloß für mich, sondern auch für dich sorgen würde ..."

Die Alte nickte zustimmend.

„Und", fuhr Lene fort, „als ich das so gesagt hatte, nahm

er meine Hand und rief in guter Laune: ‚Na, Lene, denn also abgemacht!' Ich aber schüttelte den Kopf und sagte, daß das so schnell nicht ginge, denn ich hätt ihm noch was zu bekennen. Und als er fragte: was? erzählt ich ihm, ich hätte zweimal ein Verhältnis gehabt: erst ... na, du weißt ja, Mutter ... und den ersten hätt ich ganz gern gehabt, und den andern hätt ich sehr geliebt, und mein Herz hinge noch an ihm. Aber er sei jetzt glücklich verheiratet, und ich hätt ihn nie wiedergesehen, außer ein einzig Mal, und ich wollt ihn auch nicht wiedersehn. Ihm aber, der es so gut mit uns meine, hätt ich das alles sagen müssen, weil ich keinen und am wenigsten ihn hintergehen wolle ..."

„Jott, Jott", weimerte die Alte dazwischen.

„... Und gleich danach ist er aufgestanden und in seine Wohnung rübergegangen. Aber er war nicht böse, was ich ganz deutlich sehen konnte. Nur litt ers nicht, als ich ihn, wie sonst, bis an die Flurtür bringen wollte."

Frau Nimptsch war ersichtlich in Angst und Unruhe, wobei sich freilich nicht recht erkennen ließ, ob es um des eben Gehörten willen oder aus Atemnot war. Es schien aber fast das letztere, denn mit einem Male sagte sie: „Lene, Kind, ich liege nicht hoch genug. Du mußt mir noch das Gesangbuch unterlegen."

Lene widersprach nicht, ging vielmehr und holte das Gesangbuch. Als sie's aber brachte, sagte die Alte: „Nein, nich *das*, das ist das neue. Das alte will ich, das dicke mit den zwei Klappen."

Und erst als Lene mit dem dicken Gesangbuche wieder da war, fuhr die Alte fort: „Das hab ich meiner Mutter selig auch holen müssen und war noch ein halbes Kind damals und meine Mutter noch keine fuffzig und saß ihr auch hier und konnte keine Luft kriegen, und die großen Angstaugen guckten mich immer so an. Als ich ihr aber das Porstsche, das sie bei der Einsegnung gehabt, unterschob, da wurde sie ganz still und ist ruhig eingeschlafen. Und das möcht ich auch. Ach, Lene. Der Tod ist es nich ... Aber das Sterben ... So, so. Ah, das hilft."

Lene weinte still vor sich hin, und weil sie nun wohl sah, daß der guten alten Frau letzte Stunde nahe sei, schickte sie zu Frau Dörr und ließ sagen, es stehe schlecht und ob Frau Dörr nicht kommen wolle. Die ließ denn auch zurücksagen, ja, sie werde kommen, und um die sechste Stunde kam sie wirklich mit Lärm und Trara, weil Leisesein, auch bei Kranken, nicht ihre Sache war. Sie stappste nur so durch die Stube hin, daß alles schütterte und klirrte, was auf und neben dem Herde lag, und dabei verklagte sie Dörr, der immer grad in der Stadt sei, wenn er mal zu Hause sein solle, und immer zu Hause wär, wenn sie ihn zum Kuckuck wünsche. Dabei hatte sie der Kranken die Hand gedrückt und Lene gefragt, ob sie denn auch tüchtig von den Tropfen eingegeben habe?

„Ja."

„Wieviel denn?"

„Fünf . . . fünf alle zwei Stunden."

Das sei zuwenig, hatte die Dörr darauf versichert und unter Auskramung ihrer gesamten medizinischen Kenntnis hinzugesetzt: Sie habe die Tropfen vierzehn Tage lang in der Sonne ziehn lassen, und wenn man sie richtig einnehme, so ginge das Wasser weg wie mit 'ner Plumpe. Der alte Selke drüben im Zoologischen sei schon wie 'ne Tonne gewesen und habe schon ein Vierteljahr lang keinen Bettzippel mehr gesehn, immer aufrecht in'n Stuhl un alle Fenster weit aufgerissen, als er aber vier Tage lang die Tropfen genommen, sei's gewesen, wie wenn man auf eine Schweinsblase drücke: hast du nich gesehn, alles raus un wieder lapp un schlapp.

Unter diesen Worten hatte die robuste Frau der alten Nimptsch eine doppelte Portion von ihrem Fingerhut eingezwungen.

Lene, die bei dieser energischen Hilfe von einer doppelten und nur zu berechtigten Angst befallen wurde, nahm ihr Tuch und schickte sich an, einen Arzt zu holen. Und die Dörr, die sonst immer gegen die Doktors war, hatte diesmal nichts dagegen.

„Geh", sagte sie, „sie kanns nicht lange mehr machen. Kuck bloß mal hier", und sie wies auf die Nasenflügel, „da sitzt der Dod."

Lene ging; aber sie konnte den Michaelkirchplatz noch

kaum erreicht haben, als die bis dahin in einem Halbschlummer gelegene Alte sich aufrichtete und nach ihr rief: „Lene . . ."

„Lene is nich da."

„Wer is denn da?"

„Ich, Mutter Nimptsch. Ich, Frau Dörr."

„Ach, Frau Dörr, das is recht. So, hierher; hier auf die Hutsche."

Frau Dörr, gar nicht gewöhnt, sich kommandieren zu lassen, schüttelte sich ein wenig, war aber doch zu gutmütig, um dem Kommando nicht nachzukommen. Und so setzte sie sich denn auf die Fußbank.

Und sieh da, im selben Augenblick begann auch die alte Frau schon: „Ich will einen gelben Sarg haben un blauen Beschlag. Aber nich zuviel . . ."

„Gut, Frau Nimptsch."

„Un ich will auf'n neuen Jakobikirchhof liegen, hintern Rollkrug un ganz weit weg, nach Britz zu."

„Gut, Frau Nimptsch."

„Und gespart hab ich alles dazu, schon vordem, als ich noch sparen konnte. Un es liegt in der obersten Schublade. Un da liegt auch das Hemd un das Kamisol, und ein Paar weiße Strümpfe mit N. Und dazwischen liegt es."

„Gut, Frau Nimptsch. Es soll alles geschehen, wie Sie gesagt haben. Und is sonst noch was?"

Aber die Alte schien von Frau Dörrs Frage nichts mehr gehört zu haben, und ohne Antwort zu geben, faltete sie bloß die Hände, sah mit einem frommen und freundlichen Ausdruck zur Decke hinauf und betete: „Lieber Gott im Himmel, nimm sie in deinen Schutz und vergilt ihr alles, was sie mir alten Frau getan hat."

„Ah, die Lene", sagte Frau Dörr vor sich hin und setzte dann hinzu: „Das wird der liebe Gott auch, Frau Nimptsch, den kenn ich, und habe noch keine verkommen sehn, die so war wie die Lene und solch Herz und solche Hand hatte."

Die Alte nickte, und ein freundlich Bild stand sichtlich vor ihrer Seele.

So vergingen Minuten, und als Lene zurückkam und vom Flur her an die Korridortür klopfte, saß Frau Dörr noch immer auf der Fußbank und hielt die Hand ihrer alten Freundin. Und jetzt erst, wo sie das Klopfen draußen hörte, ließ sie die Hand los und stand auf und öffnete.

Lene war noch außer Atem. „Er ist gleich hier ... er wird gleich kommen.“

Aber die Dörr sagte nur: „Jott, die Doktors“ und wies auf die Tote.

Zwanzigstes Kapitel

Käthes erster Reisebrief war in Köln auf die Post gegeben und traf, wie versprochen, am andern Morgen in Berlin ein. Die gleich mitgegebene Adresse rührte noch von Botho her, der jetzt, lächelnd und in guter Laune, den sich etwas fest anfühlenden Brief in Händen hielt. Wirklich, es waren drei mit blassem Bleistift und auf beiden Seiten beschriebene Karten in das Kuvert gesteckt worden, alle schwer lesbar, so daß Rienäcker auf den Balkon hinaustrat, um das undeutliche Gekritzel besser entziffern zu können.

„Nun laß sehn, Käthe.“

Und er las:

Brandenburg a. H., 8 Uhr früh. Der Zug, mein lieber Botho, hält hier nur drei Minuten, aber sie sollen nicht ungenutzt vorübergehen, nötigenfalls schreib ich unterwegs im Fahren weiter, so gut oder so schlecht es geht. Ich reise mit einer jungen, sehr reizenden Bankiersfrau, Madame Salinger geb. Saling, aus Wien. Als ich mich über die Namensähnlichkeit wunderte, sagte sie: „Joa, schauns, i hoab halt mei Komprativ g'heirat.“ Sie spricht in einem fort dergleichen und geht trotz einer zehnjährigen Tochter (blond, die Mutter brünett) ebenfalls nach Schlangenbad. Und auch über Köln, und auch wie ich eines dort abzustattenden Besuches halber. Das Kind ist gut geartet, aber nicht gut erzogen und hat mir bei dem beständigen Umherklettern im Coupé bereits meinen Sonnenschirm zerbrochen, was die Mutter sehr in Verlegenheit brachte. Auf dem Bahnhofe, wo wir eben halten, das heißt, in diesem Augenblicke setzt sich der Zug schon wieder in Bewegung, wimmelt es von Militär, darunter auch Brandenburger Kürassiere mit einem quittgelben Namenszug auf der Achselklappe; wahrscheinlich Nikolaus. Es macht sich sehr gut. Auch Füsiliere waren da, Fünfunddreißiger, kleine Leute, die mir doch kleiner vorkamen als nötig, obschon Onkel Osten immer zu sagen pflegte: der beste Füsilier sei *der*, der nur mit bewaffnetem Auge gesehen werden könne. Doch ich schließe. Die Kleine (leider) rennt nach wie vor von einem Coupéfenster zum andern und erschwert mir das Schreiben. Und dabei nascht sie beständig Kuchen: kleine, mit Kirschen und Pistazien belegte Tortenstücke. Schon zwischen Potsdam und Werder fing sie damit an. Die Mutter ist doch zu schwach. Ich würde strenger sein.

Botho legte die Karte beiseit und überflog, so gut es ging, die zweite. Sie lautete:

Hannover, 12 Uhr 30 Minuten. In Magdeburg war Goltz am Bahnhofe und sagte mir, Du hättest ihm geschrieben, ich käme. Wie gut und lieb wieder von Dir. Du bist doch immer der Beste, der Aufmerksamste. Goltz hat jetzt die Vermessungen am Harz, das heißt, am 1. Juli fängt er an. – Der Aufenthalt hier in Hannover währt eine Viertelstunde, was ich benutzt habe, mir den unmittelbar am Bahnhofe gelegenen Platz anzusehen: lauter erst unter unserer Herrschaft entstandene Hotels und Bier-Etablissements, von denen eins ganz im gotischen Stile gebaut ist. Die Hannoveraner, wie mir ein Mitreisender erzählte, nennen es die „Preußische Bierkirche", bloß aus welfischem Antagonismus. Wie schmerzlich dergleichen! Die Zeit wird aber auch *hier* vieles mildern. Das walte Gott. – Die Kleine knabbert in einem fort weiter, was mich zu beunruhigen anfängt. Wohin soll das führen? Die Mutter aber ist wirklich reizend und hat mir schon *alles* erzählt. Sie war auch in Würzburg, bei Scanzoni, für den sie schwärmt. Ihr Vertrauen gegen mich ist beschämend und beinahe peinlich. Im übrigen ist sie, wie ich nur wiederholen kann, durchaus comme il faut. Um Dir bloß eines zu nennen: welch Reisenecessaire! Die Wiener sind uns in solchen Dingen doch sehr überlegen; man merkt die ältere Kultur.

„Wundervoll", lachte Botho. „Wenn Käthe kulturhistorische Betrachtungen anstellt, übertrifft sie sich selbst. Aber aller guten Dinge sind drei. Laß sehn."

Und dabei nahm er die dritte Karte.

Köln, 8 Uhr abends. Kommandantur. Ich will meine Karten doch lieber noch *hier* zur Post geben und nicht bis Schlangenbad warten, wo Frau Salinger und ich morgen mittag einzutreffen gedenken. Mir geht es gut. Schroffensteins sehr liebenswürdig; besonders er. Übrigens, um nichts zu vergessen, Frau Salinger wurde durch Oppenheims Equipage vom Bahnhofe abgeholt. Unsere Fahrt, anfangs so reizvoll, gestaltete sich von Hamm aus einigermaßen beschwerlich und unschön. Die Kleine litt schwer und leider durch Schuld der Mutter. „Was möchtest du noch?" fragte sie, nachdem unser Zug eben den Bahnhof Hamm passiert hatte, worauf das Kind antwortete: „Drops." Und erst, von *dem* Augenblick an wurd es so schlimm . . . Ach, lieber Botho, jung oder alt, unsere Wünsche bedürfen doch beständig einer strengen und gewissenhaften Kontrolle. Dieser Gedanke beschäftigt mich seitdem unausgesetzt, und die Begegnung mit dieser liebenswürdigen Frau war vielleicht kein Zufall in meinem Leben. Wie oft habe ich Kluckhuhn in diesem Sinne sprechen hören. Und er hat recht. Morgen mehr.

Deine Käthe.

Botho schob die drei Karten wieder ins Kuvert und sagte: „Ganz Käthe. Welch Talent für die Plauderei! Und ich könnte mich eigentlich freuen, daß sie so schreibt, wie sie schreibt. Aber es fehlt etwas. Es ist alles so angeflogen, so bloßes Gesellschaftsecho. Aber sie wird sich ändern, wenn sie Pflichten hat. Oder doch vielleicht. Jedenfalls will ich die Hoffnung darauf nicht aufgeben."

Am Tage danach kam ein kurzer Brief aus Schlangenbad, in dem viel, viel weniger stand als auf den drei Karten, und von diesem Tage an schrieb sie nur alle halbe Woche noch und plauderte von Anna Grävenitz und der wirklich auch noch erschienenen Elly Winterfeld, am meisten aber von Madame Salinger und der reizenden kleinen Sarah. Es waren immer dieselben Versicherungen, und nur am Schlusse der dritten Woche hieß es einigermaßen abweichend: „Ich finde jetzt die Kleine reizender als die Mutter. Diese gefällt sich in einem Toilettenluxus, den ich kaum passend finden kann, um so weniger, als eigentlich keine Herren hier sind. Auch seh ich jetzt, daß sie Farbe auflegt und die Augenbrauen malt und vielleicht auch die Lippen, denn sie sind kirschrot. Das Kind aber ist sehr natürlich. Immer, wenn sie mich sieht, stürzt sie mit Vehemenz auf mich zu und küßt mir die Hand und entschuldigt sich zum hundertsten Male wegen der Drops, aber die Mama sei schuld, worin ich dem Kinde nur zustimmen kann. Und doch muß andrerseits ein geheimnisvoll naschiger Zug in Sarahs Natur liegen; ich möchte beinahe sagen, etwas wie Erbsünde (Glaubst Du daran? Ich glaube daran, mein lieber Botho.), denn sie kann von den Süßigkeiten nicht lassen und kauft sich in einem fort Oblaten, nicht Berliner, die wie Schaumkringel schmecken, sondern Karlsbader mit eingestreutem Zucker. Aber nichts mehr schriftlich davon. Wenn ich Dich wiedersehe, was sehr bald sein kann – denn ich möchte gern mit Anna Grävenitz zusammen reisen, man ist doch so mehr unter sich –, sprechen wir darüber und über vieles andere noch. Ach, wie freu ich mich, Dich wiederzusehen und mit Dir auf dem Balkon sitzen zu können. Es ist doch am schönsten in Berlin, und wenn dann die Sonne so hinter Charlottenburg und dem Grunewald steht, und man so träumt und so müde wird, o wie herrlich ist das! Nicht wahr! Und weißt Du wohl, was Frau Salinger gestern zu mir sagte? Ich sei noch blonder geworden, sagte sie. Nun, Du wirst ja sehn. Wie immer Deine Käthe.

Rienäcker nickte mit dem Kopf und lächelte. „Reizende, kleine Frau. Von ihrer Kur schreibt sie nichts; ich wette, sie fährt spazieren und hat noch keine zehn Bäder genommen.“ Und nach diesem Selbstgespräche gab er dem eben eintretenden Burschen einige Weisungen und ging durch

Tiergarten und Brandenburger Tor erst die Linden hinunter und dann auf die Kaserne zu, wo der Dienst ihn bis Mittag in Anspruch nahm.

Als er bald nach zwölf Uhr wieder zu Hause war und sichs nach eingenommenem Imbiß eben ein wenig bequem machen wollte, meldete der Bursche, daß ein Herr . . . ein Mann, er schwankte in der Titulatur, draußen sei, der den Herrn Baron zu sprechen wünsche.

„Wer?“

– „Gideon Franke . . . Er sagte so.“

„Franke? Sonderbar. Nie gehört. Laß ihn eintreten.“

Der Bursche ging wieder, während Botho wiederholte: „Franke . . . Gideon Franke . . . Nie gehört. Kenn ich nicht.“

Einen Augenblick später trat der Angemeldete ein und verbeugte sich von der Tür her etwas steif. Er trug einen bis obenhin zugeknöpften schwarzbraunen Rock, übermäßig blanke Stiefel und blankes, schwarzes Haar, das an beiden Schläfen dicht anlag. Dazu schwarze Handschuhe und hohe Vatermörder von untadeliger Weiße.

Botho ging ihm mit der ihm eigenen chevaleresken Artigkeit entgegen und sagte: „Herr Franke?“

Dieser nickte.

„Womit kann ich dienen? Darf ich Sie bitten, Platz zu nehmen . . . Hier . . . Oder vielleicht hier. Polsterstühle sind immer unbequem.“

Franke lächelte zustimmend und setzte sich auf einen Rohrstuhl, auf den Rienäcker hingewiesen hatte.

„Womit kann ich dienen?“ wiederholte Rienäcker.

„Ich komme mit einer Frage, Herr Baron.“

„Die mir zu beantworten eine Freude sein wird, vorausgesetzt, daß ich sie beantworten kann.“

„O, niemand besser als Sie, Herr von Rienäcker . . . Ich komme nämlich wegen der Lene Nimptsch.“

Botho fuhr zurück.

„. . . Und möchte“, fuhr Franke fort, „gleich hinzusetzen dürfen, daß es nichts Genierliches ist, was mich herführt. Alles, was ich zu sagen oder, wenn Sie’s gestatten, Herr Baron, zu fragen habe, wird Ihnen und Ihrem Hause keine

Verlegenheiten schaffen. Ich weiß auch von der Abreise der gnädigen Frau, der Frau Baronin, und habe mit allem Vorbedacht auf Ihr Alleinsein gewartet oder, wenn ich so sagen darf, auf Ihre Strohwitwertage."

Botho hörte mit feinem Ohre heraus, daß der, der da sprach, trotz seines spießbürgerlichen Aufzuges, ein Mann von Freimut und untadeliger Gesinnung sei. Das half ihm rasch aus seiner Verwirrung heraus, und er hatte Haltung und Ruhe ziemlich wiedergewonnen, als er über den Tisch hin fragte: „Sie sind ein Anverwandter Lenens? Verzeihung, Herr Franke, daß ich meine alte Freundin bei diesem alten, mir so lieben Namen nenne."

Franke verbeugte sich und erwiderte: „Nein, Herr Baron, kein Verwandter; ich habe nicht diese Legitimation. Aber meine Legitimation ist vielleicht keine schlechtere: ich kenne die Lene seit Jahr und Tag und habe die Absicht, sie zu heiraten. Sie hat auch zugesagt, aber mir bei der Gelegenheit auch von ihrem Vorleben erzählt und dabei mit so großer Liebe von Ihnen gesprochen, daß es mir auf der Stelle feststand, Sie selbst, Herr Baron, offen und unumwunden fragen zu wollen, was es mit der Lene eigentlich sei. Worin Lene selbst, als ich ihr von meiner Absicht erzählte, mich mit sichtlicher Freude bestärkte, freilich gleich hinzusetzend: ich solle es lieber nicht tun, denn Sie würden *zu* gut von ihr sprechen."

Botho sah vor sich hin und hatte Mühe, die Bewegung seines Herzens zu bezwingen. Endlich aber war er wieder Herr seiner selbst und sagte: „Sie sind ein ordentlicher Mann, Herr Franke, der das Glück der Lene will, soviel hör und seh ich, und das gibt Ihnen ein gutes Recht auf Antwort. Was ich Ihnen zu sagen habe, darüber ist mir kein Zweifel, und ich schwanke nur noch *wie*. Das Beste wird sein, ich erzähl Ihnen, wie's kam und weiterging und dann abschloß."

Franke verbeugte sich abermals, zum Zeichen, daß er auch seinerseits dies für das Beste halte.

„Nun denn", hob Rienäcker an, „es geht jetzt ins dritte Jahr oder ist auch schon ein paar Monate darüber, daß ich bei Gelegenheit einer Kahnfahrt um die Treptower Liebesinsel herum in die Lage kam, zwei jungen Mädchen einen

Dienst zu leisten und sie vor dem Kentern ihres Bootes zu bewahren. Eins der beiden Mädchen war die Lene, und an der Art, wie sie dankte, sah ich gleich, daß sie anders war als andere. Von Redensarten keine Spur, auch später nicht, was ich gleich hier hervorheben möchte. Denn so heiter und mitunter beinahe ausgelassen sie sein kann, von Natur ist sie nachdenklich, ernst und einfach."

Botho schob mechanisch das noch auf dem Tische stehende Tablett beiseite, strich die Decke glatt und fuhr dann fort: „Ich bat sie, sie nach Hause begleiten zu dürfen, und sie nahm es ohne weiteres an, was mich damals einen Augenblick überraschte. Denn ich kannte sie noch nicht. Aber ich sah sehr bald, woran es lag; sie hatte sich von Jugend an daran gewöhnt, nach ihren eigenen Entschlüssen zu handeln, ohne viel Rücksicht auf die Menschen und jedenfalls ohne Furcht vor ihrem Urteil."

Franke nickte.

„So machten wir denn den weiten Weg, und ich begleitete sie nach Haus und war entzückt von allem, was ich da sah, von der alten Frau, von dem Herd, an dem sie saß, von dem Garten, darin das Haus lag, und von der Abgeschiedenheit und Stille. Nach einer Viertelstunde ging ich wieder, und als ich mich draußen am Gartengitter von der Lene verabschiedete, frug ich, ob ich wiederkommen dürfe, welche Frage sie mit einem einfachen ‚Ja' beantwortete. Nichts von falscher Scham, aber noch weniger von Unweiblichkeit. Umgekehrt, es lag etwas Rührendes in ihrem Wesen und ihrer Stimme."

Rienäcker, als das alles wieder vor seine Seele trat, stand in sichtlicher Erregung auf und öffnete beide Flügel der Balkontür, als ob es ihm in seinem Zimmer zu heiß werde. Dann, auf und ab schreitend, fuhr er in einem rascheren Tempo fort: „Ich habe kaum noch etwas hinzuzusetzen. Das war um Ostern, und wir hatten einen Sommer lang allerglücklichste Tage. Soll ich davon erzählen? Nein. Und dann kam das Leben mit seinem Ernst und seinen Ansprüchen. Und das war es, was uns trennte."

Botho hatte mittlerweile seinen Platz wieder eingenommen, und der all die Zeit über mit Glattstreichung seines

Hutes beschäftigte Franke sagte ruhig vor sich hin: „Ja, so hat sie mirs auch erzählt."

„Was nicht anders sein kann, Herr Franke. Denn die Lene – und ich freue mich von ganzem Herzen, auch gerade das noch sagen zu können –, die Lene lügt nicht und bisse sich eher die Zunge ab, als daß sie flunkerte. Sie hat einen doppelten Stolz, und neben dem, von ihrer Hände Arbeit leben zu wollen, hat sie noch den andern, alles grad heraus zu sagen und keine Flausen zu machen und nichts zu vergrößern und nichts zu verkleinern. ‚Ich brauche es nicht, und ich *will* es nicht', das hab ich sie viele Male sagen hören. Ja, sie hat ihren eigenen Willen, vielleicht etwas mehr als recht ist, und wer sie tadeln will, kann ihr vorwerfen, eigenwillig zu sein. Aber sie will nur, was sie glaubt verantworten zu können und wohl auch wirklich verantworten kann, und solch Wille, mein ich, ist doch mehr Charakter als Selbstgerechtigkeit. Sie nicken, und ich sehe daraus, daß wir einerlei Meinung sind, was mich aufrichtig freut. Und nun noch ein Schlußwort, Herr Franke. Was zurückliegt, liegt zurück. Können Sie darüber nicht hin, so muß ich das respektieren. Aber können Sie's, so sag ich Ihnen, Sie kriegen da eine selten gute Frau. Denn sie hat das Herz auf dem rechten Fleck und ein starkes Gefühl für Pflicht und Recht und Ordnung."

„So hab ich Lenen auch immer gefunden, und ich verspreche mir von ihr, ganz so wie der Herr Baron sagen, eine selten gute Frau. Ja, der Mensch soll die Gebote halten, *alle* soll er sie halten, aber es ist doch ein Unterschied, je nachdem die Gebote sind, und wer das *eine* nicht hält, der kann immer noch was taugen, wer aber das *andere* nicht hält, und wenns auch im Katechismus dicht daneben stünde, der taugt nichts und ist verworfen von Anfang an und steht außerhalb der Gnade."

Botho sah ihn verwundert an und wußte sichtlich nicht, was er aus dieser feierlichen Ansprache machen sollte. Gideon Franke aber, der nun auch seinerseits im Gange war, hatte kein Auge mehr für den Eindruck, den seine ganz auf eigenem Boden gewachsenen Anschauungen hervorbrachten, und fuhr deshalb in einem immer predigerhafter werdenden Tone fort: „Und wer in seines Fleisches Schwäche gegen das sechste verstößt, dem kann verziehen werden, wenn er in gutem Wandel und in der Reue steht, wer aber gegen das *siebente* verstößt, der steckt nicht bloß in des Fleisches Schwäche, der steckt in der Seele Niedrigkeit, und wer lügt und trügt oder verleumdet und falsch Zeugnis redet, der ist von Grund aus verdorben und aus der Finsternis geboren, und ist keine Rettung mehr und gleicht einem Felde, darinnen die Nesseln so tief liegen, daß das Unkraut immer wieder aufschießt, so viel gutes Korn auch gesäet werden mag. Und darauf leb ich und sterb ich und hab es durch alle Tage hin erfahren. Ja, Herr Baron, auf die Proppertät kommt es an und auf die Honnettität kommt es an und auf die Reellität. Und auch im Ehestande. Denn ehrlich währt am längsten, und Wort und Verlaß muß sein. Aber was gewesen ist, das ist gewesen, das gehört vor Gott. Und denk ich anders darüber, was ich auch respektiere, gerade so wie der Herr Baron, so muß ich davonbleiben und mit meiner Neigung und Liebe gar nicht erst anfangen. Ich war lange drüben in den States, und wenn auch drüben, gerade so wie hier, nicht alles Gold ist, was glänzt, *das* ist doch wahr, man lernt drüben anders sehen und nicht immer durchs selbe Glas. Und lernt auch, daß es viele Heilswege gibt und viele Glückswege. Ja, Herr Baron, es gibt viele Wege, die zu Gott führen, und es gibt viele Wege, die zu Glück führen, dessen bin ich in meinem Herzen gleicherweise gewiß. Und der eine Weg ist gut, und der andre Weg ist gut. Aber jeder gute Weg muß ein offener Weg und ein gerader Weg sein und in der Sonne liegen, und ohne Morast und ohne Sumpf und ohne Irrlicht. Auf die Wahrheit kommt es an, und auf die Zuverlässigkeit kommt es an und auf die Ehrlichkeit."

Franke hatte sich bei diesen Worten erhoben, und Botho der ihm artig bis an die Tür hin folgte, gab ihm hier die Hand.

„Und nun, Herr Franke, bitt ich zum Abschied noch um das eine: grüßen Sie mir die Frau Dörr, wenn Sie sie sehn und der alte Verkehr mit ihr noch andauert, und vor allem grüßen Sie mir die gute alte Frau Nimptsch. Hat sie denn noch ihre Gicht und ihre ‚Wehdage', worüber sie sonst ständig klagte?"

„Damit ist es vorbei."

„Wie das?" fragte Botho.

„Wir haben sie vor drei Wochen schon begraben, Herr Baron. Gerade heut vor drei Wochen."

„Begraben?" wiederholte Botho. „Und wo?"

„Draußen hinterm Rollkrug, auf dem neuen Jakobikirchhof ... Eine gute alte Frau. Und wie sie an der Lene hing! Ja, Herr Baron, die Mutter Nimptsch ist tot. Aber Frau Dörr, *die* lebt noch", und er lachte, „die lebt noch lange. Und wenn sie kommt, ein weiter Weg ist es, dann werd ich sie grüßen. Und ich sehe schon, wie sie sich freut. Sie kennen sie ja, Herr Baron. Ja, ja, die Frau Dörr ..."

Und Gideon Franke zog noch einmal seinen Hut, und die Tür fiel ins Schloß.

Einundzwanzigstes Kapitel

Rienäcker, als er wieder allein war, war von dieser Begegnung und vor allem von dem, was er zuletzt gehört, wie benommen. Wenn er sich, in der zwischenliegenden Zeit, des kleinen Gärtnerhauses und seiner Insassen erinnert hatte, so hatte sich ihm selbstverständlich alles so vor die Seele gestellt, wie's einst gewesen war, und nun war alles anders, und er hatte sich in einer ganz neuen Welt zurechtzufinden: in dem Häuschen wohnten Fremde, wenn es überhaupt noch bewohnt war, auf dem Herde brannte kein Feuer mehr, wenigstens nicht tagaus, tagein, und Frau Nimptsch, die das Feuer gehütet hatte, war tot und lag draußen auf dem Jakobikirchhof. Alles das ging in ihm um, und mit einemmal stand auch der Tag wieder vor ihm, an dem er der alten Frau, halb humoristisch, halb feierlich, versprochen hatte, ihr einen Immortellenkranz aufs Grab zu legen. In der Unruhe, darin er sich befand, war es ihm schon eine Freude, daß ihm das Versprechen wieder einfiel, und so beschloß er denn, die damalige Zusage sofort wahr zu machen. „Rollkrug und Mittag und pralle Sonne – die reine

Reise nach Mittelafrika. Aber die gute Alte soll ihren Kranz haben.“

Und gleich danach nahm er Degen und Mütze und machte sich auf den Weg.

An der Ecke war ein Droschkenstand, freilich nur ein kleiner, und so kam es, daß trotz der Inschrifttafel: „Halteplatz für drei Droschken“, immer nur der Platz und höchst selten eine Droschke da war. So war es auch heute wieder, was mit Rücksicht auf die Mittagsstunde (wo die Droschken überall, als ob die Erde sie verschlänge, zu verschwinden pflegen) an diesem ohnehin nur auf ein Pflichtteil gesetzten Halteplatz kaum überraschen konnte. Botho ging also weiter, bis ihm, in Nähe der Von-der-Heydt-Brücke, ein ziemlich klappriges Gefährt entgegenkam, hellgrün mit rotem Plüschsitz und einem Schimmel davor. Der Schimmel schlich nur so hin, und Rienäcker konnte sich angesichts der „Tour“, die dem armen Tiere bevorstand, eines wehmütigen Lächelns nicht erwehren. Aber so weit er auch das Auge schicken mochte, nichts Besseres war in Sicht, und so trat er denn an den Kutscher heran und sagte: „Nach dem Rollkrug. Jakobikirchhof.“

„Zu Befehl, Herr Baron.“

„. . . Aber unterwegs müssen wir halten. Ich will nämlich noch einen Kranz kaufen.“

„Zu Befehl, Herr Baron.“

Botho war einigermaßen verwundert über die mit so viel Promptheit wiederkehrende Titulatur und sagte deshalb: „Kennen Sie mich?“

„Zu Befehl, Herr Baron. Baron Rienäcker, Landgrafenstraße. Dicht bei'n Halteplatz. Hab Ihnen schon öfter gefahren.“

Bei diesem Gespräche war Botho eingestiegen, gewillt, sichs in der Plüschecke nach Möglichkeit bequem zu machen, er gab es aber bald wieder auf, denn die Ecke war heiß wie ein Ofen.

Rienäcker hatte den hübschen und herzerquickenden Zug aller märkischen Edelleute, mit Personen aus dem Volke gern zu plaudern, lieber als mit „Gebildeten“, und begann denn auch ohne weiteres, während sie im Halbschatten der jungen Kanalbäume dahinfuhren: „Is das eine Hitze! Ihr Schimmel wird sich auch nicht gefreut haben, wenn er ‚Rollkrug' gehört hat."

„Na, Rollkrug geht noch; Rollkrug geht noch von wegen der Heide. Wenn er da durchkommt un die Fichten riecht, freut er sich immer. Er ist nämlich vons Land ... Oder vielleicht is es auch die Musike. Wenigstens spitzt er immer die Ohren."

„So, so", sagte Botho. „Bloß nach tanzen sieht er mir nicht aus ... Aber wo werden wir denn den Kranz kaufen? Ich möchte nicht gern ohne Kranz auf den Kirchhof kommen."

„O damit is noch Zeit, Herr Baron. Wenn erst die Kirchhofsgegend kommt, vons Hallsche Tor an un die ganze Pionierstraße runter."

„Ja, ja, Sie haben recht; ich entsinne mich ..."

„Un nachher, bis dicht an den Kirchhof ran, hats ihrer auch noch."

Botho lächelte. „Sie sind wohl ein Schlesier?"

„Ja", sagte der Kutscher. „Die meisten sind. Aber ich bin schon lange hier und eigentlich ein halber Richtiger-Berliner."

„Und's geht Ihnen gut?"

„Na, von gut is nu woll keine Rede nich. Es kost allens zu viel un soll immer vons Beste sein. Und der Haber is teuer. Aber das ginge noch, wenn man bloß nichts passiert. Passieren tut aber immer was, heute bricht 'ne Achse, un morgen fällt en Pferd. Ich habe noch einen Fuchs zu Hause, der bei den Fürstenwalder Ulanen gestanden hat; propres Pferd, man bloß keine Luft nich un wird es wohl nich lange mehr machen. Un mit eins is er weg ... Un denn die Fahrpolizei; nie zufrieden, hier nich un da nich. Immer muß man frisch anstreichen. Un der rote Plüsch is auch nich von umsonst."

Während sie noch so plauderten, waren sie, den Kanal entlang, bis an das Hallesche Tor gekommen; vom Kreuzberg her aber kam gerad ein Infanteriebataillon mit voller Musik, und Botho, der keine Begegnungen wünschte, trieb deshalb etwas zur Eile. So ging es denn rasch an der Belle-Alliance-Brücke vorbei, jenseits derselben aber ließ er halten, weil er gleich an einem der ersten Häuser gelesen hatte: „Kunst- und Handelsgärtnerei“. Drei, vier Stufen führten in einen Laden hinauf, in dessen großem Schaufenster allerlei Kränze lagen.

Rienäcker stieg aus und die Stufen hinauf. Die Tür oben aber gab beim Eintreten einen scharfen Klingelton. „Darf ich Sie bitten, mir einen hübschen Kranz zeigen zu wollen?“

„Begräbnis?“

„Ja.“

Das schwarzgekleidete Fräulein, das, vielleicht mit Rücksicht auf den Umstand, daß hier meist Grabkränze verkauft wurden, in seiner Gesamthaltung (selbst die Schere fehlte nicht) etwas ridikül Parzenhaftes hatte, kam alsbald mit einem Immergrünkranze zurück, in den weiße Rosen eingeflochten waren. Zugleich entschuldigte sie sich, daß es nur weiße Rosen seien. Weiße Kamelien stünden höher. Botho seinerseits war zufrieden, enthielt sich aller Ausstellungen und fragte nur, ob er zu dem frischen Kranz auch einen Immortellenkranz haben könne.

Das Fräulein schien über das Altmodische, das sich in dieser Frage kundgab, einigermaßen verwundert, bejahte jedoch und erschien gleich danach mit einem Karton, in dem fünf, sechs Immortellenkränze lagen, gelbe, rote, weiße.

„Zu welcher Farbe raten Sie mir?“

Das Fräulein lächelte: „Immortellenkränze sind ganz außer Mode. Höchstens in Winterzeit . . . Und dann immer nur . . .“

„Es wird das beste sein, ich entscheide mich ohne weiteres für diesen hier.“ Und damit schob Botho den ihm zunächst liegenden gelben Kranz über den Arm, ließ den von Immergrün mit den weißen Rosen folgen und stieg rasch wieder in seine Droschke. Beide Kränze waren ziemlich groß und fielen auf dem roten Plüschsitz, auf dem sie lagen, hinreichend auf, um in Botho die Frage zu wecken, ob er sie nicht lieber dem Kutscher hinüberreichen solle. Rasch aber entschlug er sich dieser Anwandlung wieder und sagte: „Wenn man der alten Frau Nimptsch einen Kranz bringen will, muß man sich auch zu dem Kranz bekennen. Und wer sich dessen schämt, muß es überhaupt nicht versprechen.“

So ließ er denn die Kränze liegen, wo sie lagen, und vergaß ihrer beinah ganz, als sie gleich danach in einen Straßenteil einbogen, der ihn durch seine bunte, hier und da groteske Szenerie von seinen bisherigen Betrachtungen abzog. Rechts, auf wohl fünfhundert Schritt Entfernung hin, zog sich ein Plankenzaun, über den hinweg allerlei Buden, Pavillons und Lampenportale ragten, alle mit einer Welt von Inschriften bedeckt. Die meisten derselben waren neueren und neusten Datums, einige dagegen, und gerade die größten und buntesten, griffen weit zurück und hatten sich, wenn auch in einem regenverwaschenen Zustande, vom letzten Jahr her gerettet. Mitten unter diesen Vergnügungslokalen und mit ihnen abwechselnd hatten verschiedene Handwerksmeister ihre Werkstätten aufgerichtet, vorwiegend Bildhauer und Steinmetze, die hier, mit Rücksicht auf die zahlreichen Kirchhöfe, meist nur Kreuze, Säulen und Obelisken ausstellten. All das konnte nicht verfehlen, auf jeden hier des Weges Kommenden einen Eindruck zu machen, und diesem Eindruck unterlag auch Rienäcker, der von seiner Droschke her, unter wachsender Neugier, die nicht enden wollenden und untereinander im tiefsten Gegensatze stehenden Anpreisungen las und die dazu gehörigen Bilder musterte. Fräulein Rosella, das Wundermädchen, lebend zu sehen; Grabkreuze zu billigsten Preisen; Amerikanische Schnellphotographie; Russisches Ballwerfen, sechs Wurf zehn Pfennig; Schwedischer Punsch mit Waffeln; Figaros schönste Gelegenheit oder erster Frisiersalon der Welt; Grabkreuze zu billigsten Preisen; Schweizer Schießhalle:

> Schieße gut und schieße schnell,
> Schieß und triff wie Wilhelm Tell.

Und darunter Tell selbst mit Armbrust, Sohn und Apfel.

Endlich war man am Ende der langen Bretterwand, und an ebendiesem Endpunkt machte der Weg eine scharfe Biegung auf die Hasenheide zu, von deren Schießständen her man in der mittäglichen Stille das Knattern der Gewehre hörte. Sonst blieb alles, auch in dieser Fortsetzung der

Straße, so ziemlich dasselbe: Blondin, nur in Trikot und Medaillen gekleidet, stand balancierend auf dem Seile, überall von Feuerwerk umblitzt, während um und neben ihm allerlei kleinere Plakate sowohl Ballonauffahrten wie Tanzvergnügungen ankündigten. Eins lautete: ..Sizilianische Nacht. Um zwei Uhr Wiener Bonbonwalzer."

Botho, der diese Stelle wohl seit Jahr und Tag nicht passiert hatte, las alles mit ungeheucheltem Interesse, bis er nach Passierung der „Heide", deren Schatten ihn ein paar Minuten lang erquickt hatte, jenseits derselben in den Hauptweg einer sehr belebten und in ihrer Verlängerung auf Rixdorf zulaufenden Vorstadt einbog. Wagen, in doppelter und dreifacher Reihe, bewegten sich vor ihm her, bis mit einem Male alles stillstand und der Verkehr stockte. „Warum halten wir?" Aber ehe der Kutscher antworten konnte, hörte Botho schon das Fluchen und Schimpfen aus der Front her und sah, daß alles ineinandergefahren war. Sich vorbeugend und dabei neugierig nach allen Seiten hin ausspähend, würde ihm, bei der ihm eigenen Vorliebe für das Volkstümliche, der ganze Zwischenfall sehr wahrscheinlich mehr Vergnügen als Mißstimmung bereitet haben, wenn ihn nicht ein vor ihm haltender Wagen sowohl durch Ladung wie Inschrift zu trübseliger Betrachtung angeregt hätte. „Glasbruch-Ein-und-Verkauf von Max Zippel in Rixdorf" stand in großen Buchstaben auf einem wandartigen Hinterbrett, und ein ganzer Berg von Scherben türmte sich in dem Wagenkasten auf. „Glück und Glas" . . . Und mit Widerstreben sah er hin, und dabei war ihm in allen Fingerspitzen, als schnitten ihn die Scherben.

Endlich aber kam die Wagenreihe nicht nur wieder in Fluß, sondern der Schimmel tat auch sein Bestes, Versäumtes einzuholen, und eine kleine Weile, so hielt man vor einem lehnan gebauten, mit hohem Dach und vorspringendem Giebel ausstaffierten Eckhause, dessen Erdgeschoßfenster so niedrig über der Straße lagen, daß sie mit dieser fast dasselbe Niveau hatten. Ein eiserner Arm streckte sich aus dem Giebel vor und trug einen aufrechtstehenden vergoldeten Schlüssel.

„Was ist das?" fragte Botho.

„Der Rollkrug."

„Gut. Dann sind wir bald da. Bloß hier noch bergan. Tut mir leid um den Schimmel, aber es hilft nichts."

Der Kutscher gab dem Pferd einen Knips, und gleich danach fuhren sie die mäßig ansteigende Bergstraße hinauf, an deren einer Seite der *alte,* wegen Überfüllung schon wieder halb geschlossene Jakobikirchhof lag, während an der dem Kirchhofszaun gegenüber gelegenen Seite hohe Mietskasernen aufstiegen.

Vor dem letzten Hause standen umherziehende Spielleute, Horn und Harfe, dem Anscheine nach Mann und Frau. Die Frau sang auch, aber der Wind, der hier ziemlich scharf ging, trieb alles hügelan, und erst als Botho zehn Schritt und mehr an dem armen Musikantenpaare vorüber war, war er in der Lage, Text und Melodie zu hören. Es war dasselbe Lied, das sie damals auf dem Wilmersdorfer Spaziergange so heiter und so glücklich gesungen hatten, und er erhob sich und blickte, wie wenn es ihm nachgerufen würde, nach dem Musikantenpaare zurück. Die standen abgekehrt und sahen nichts; ein hübsches Dienstmädchen aber, das an der Giebelseite des Hauses mit Fensterputzen beschäftigt war und den um- und rückschauhaltenden Blick des jungen Offiziers sich zuschreiben mochte, schwenkte lustig von ihrem Fensterbrett her den Lederlappen und fiel übermütig mit ein: „Ich denke dran, ich danke dir mein Leben, doch *du,* Soldat, denkst *du* daran?"

Botho, die Stirn in die Hand drückend, warf sich in die Droschke zurück, und ein Gefühl, unendlich süß und unendlich schmerzlich, ergriff ihn. Aber freilich das Schmerzliche wog vor und fiel erst ab von ihm, als die Stadt hinter ihm lag und fern am Horizont im blauen Mittagsdämmer die Müggelberge sichtbar wurden.

Endlich hielten sie vor dem neuen Jakobikirchhof.

„Soll ich warten?"

„Ja. Aber nicht hier. Unten beim Rollkrug. Und wenn Sie die Musikantenleute noch treffen ... hier, das ist für die arme Frau."

Zweiundzwanzigstes Kapitel

Botho hatte sich der Führung eines gleich am Kirchhofseingange beschäftigten Alten anvertraut und das Grab der Frau Nimptsch in guter Pflege gefunden: Efeuranken waren eingesetzt, ein Geraniumtopf stand dazwischen, und an einem Eisenständerchen hing bereits ein Immortellenkranz. „Ah, Lene", sagte Botho vor sich hin. „Immer dieselbe . . . Ich komme zu spät." Und dann wandt' er sich zu dem neben ihm stehenden Alten und sagte: „War wohl bloß 'ne kleine Leiche?"

„Ja, klein war sie man."

„Drei oder vier?"

„Justement vier. Und, versteht sich, unser alter Suppern-dent. Er sprach bloß 's Gebet, und die große mittelaltsche Frau, die mit dabei war, so vierzig oder drum rum, die blieb in einem Weinen. Und auch 'ne Jungsche war mit dabei. Die kommt jetzt alle Woche mal, und den letzten Sonntag hat sie den Geranium gebracht. Und will auch noch 'n Stein haben, wie sie jetzt Mode sind: grünpoliert, mit Namen und Datum drauf."

Und hiernach zog sich der Alte mit der allen Kirchhofsleuten eigenen Geschäftspolitesse wieder zurück, während Botho seinen Immortellenkranz an den schon vorher von Lene gebrachten anhing, den aus Immergrün und weißen Rosen aber um den Geraniumtopf herumlegte. Dann ging er, nachdem er noch eine Weile das schlichte Grab betrachtet und der guten Frau Nimptsch liebevoll gedacht hatte, wieder auf den Kirchhofsausgang zu. Der Alte, der hier inzwischen seine Spalierarbeit wieder aufgenommen, sah ihm, die Mütze ziehend, nach und beschäftigte sich mit der Frage, was einen so vornehmen Herrn, über dessen Vornehmheit ihm, seinem letzten Händedruck nach, kein Zweifel war, wohl an das Grab der alten Frau geführt haben könne. „Da muß so was sein. Und hat die Droschke nicht warten lassen." Aber er kam zu keinem Abschluß, und um sich wenigstens auch seinerseits so dankbar wie möglich zu zeigen, nahm er eine der in seiner Nähe stehenden Gießkannen und ging erst auf den kleinen eisernen Brunnen und dann auf das Grab der Frau Nimptsch zu, um den im Sonnenbrand etwas trocken gewordenen Efeu zu bewässern.

Botho war mittlerweile bis an die dicht am Rollkruge haltende Droschke zurückgegangen, stieg hier ein und hielt eine Stunde später wieder in der Landgrafenstraße. Der Kutscher sprang dienstfertig ab und öffnete den Schlag.

„Da“, sagte Botho . . . „Und dies extra. War ja ’ne halbe Landpartie . . .“

„Na, man kanns auch woll vor ’ne ganze nehmen.“

„Ich verstehe“, lachte Rienäcker. „Da muß ich wohl noch zulegen?“

„Schaden wirds nich . . . Danke schön, Herr Baron.“

„Aber nun futtert mir auch den Schimmel besser raus. Is ja ein Jammer.“

Und er grüßte und stieg die Treppe hinauf.

Oben in seiner Wohnung war alles still, selbst die Dienstboten fort, weil sie wußten, daß er um diese Zeit immer im Klub war. Wenigstens seit seinen Strohwitwertagen. „Unzuverlässiges Volk“, brummte er vor sich hin und schien ärgerlich. Trotzdem war es ihm lieb, allein zu sein. Er wollte niemand sehn und setzte sich draußen auf den Balkon, um so vor sich hin zu träumen. Aber es war stickig unter der herabgelassenen Markise, daran zum Überfluß auch noch lange blauweiße Fransen hingen, und so stand er wieder auf, um die große Leinwand in die Höh zu ziehn. Das half. Die sich nun einstellende frische Luftströmung tat ihm wohl und, aufatmend und bis an die Brüstung vortretend, sah er über Feld und Wald hin bis auf die Charlottenburger Schloßkuppel, deren malachitfarbne Kupferbekleidung im Glanz der Nachmittagssonne schimmerte.

„Dahinter liegt Spandau“, sprach er vor sich hin. „Und hinter Spandau zieht sich ein Bahndamm und ein Schienengeleise, das bis an den Rhein läuft. Und auf dem Geleise seh ich einen Zug, viele Wagen, und in einem der Wagen sitzt Käthe. Wie sie wohl aussehen mag? O gut; gewiß. Und wovon sie wohl sprechen mag? Nun, ich denke mir von allerlei: pikante Badegeschichten und vielleicht auch von Frau

Salingers Toiletten, und daß es in Berlin doch eigentlich am besten sei. Und muß ich mich nicht freuen, daß sie wiederkommt? Eine so hübsche Frau, so jung, so glücklich, so heiter. Und ich freue mich auch. Aber *heute* darf sie nicht kommen. Um Gottes willen nicht. Und doch ist es ihr zuzutrauen. Sie hat seit drei Tagen nicht geschrieben und steht noch ganz auf dem Standpunkt der Überraschungen."

Er hing dem noch eine Weile nach, dann aber wechselten die Bilder, und längst Zurückliegendes trat statt Käthes wieder vor seine Seele: der Dörrsche Garten, der Gang nach Wilmersdorf, die Partie nach Hankels Ablage. Das war der letzte schöne Tag gewesen, die letzte glückliche Stunde . . . „Sie sagte damals, daß ein Haar zu fest binde, darum weigerte sie sich und wollt es nicht. Und ich? Warum bestand ich darauf? Ja, es gibt solche rätselhaften Kräfte, solche Sympathien aus Himmel oder Hölle, und nun bin ich gebunden und kann nicht los. Ach sie war so lieb und gut an jenem Nachmittag, als wir noch allein waren und an Störung nicht dachten, und ich vergesse das Bild nicht, wie sie da zwischen den Gräsern stand und nach rechts und links hin die Blumen pflückte. Die Blumen – ich habe sie noch. Aber ich will ein Ende damit machen. Was sollen mir diese toten Dinge, die mir nur Unruhe stiften und mir mein bißchen Glück und meinen Ehefrieden kosten, wenn je ein fremdes Auge darauf fällt."

Und er erhob sich von seinem Balkonplatz und ging, durch die ganze Wohnung hin, in sein nach dem Hofe hinaus gelegenes Arbeitszimmer, das des Morgens in heller Sonne, jetzt aber in tiefem Schatten lag. Die Kühle tat ihm wohl, und er trat an einen eleganten, noch aus seiner Junggesellenzeit herstammenden Schreibtisch heran, dessen Ebenholzkästchen mit allerlei kleinen Silbergirlanden ausgelegt waren. In der Mitte dieser Kästchen aber baute sich ein mit einem Giebelfeld ausgestattetes und zur Aufbewahrung von Wertsachen dienendes Säulentempelchen auf, dessen nach hintenzu gelegenes Geheimfach durch eine Feder geschlossen wurde. Botho drückte jetzt auf die Feder und nahm, als das Fach aufsprang, ein kleines Briefbündel heraus, das mit einem roten Faden umwunden war, obenauf aber, und wie nachträglich eingeschoben, lagen die Blumen, von denen er eben gesprochen. Er wog das Päckchen in Händen und sagte, während er den Faden ablöste: „Viel Freud, viel Leid. Irrungen, Wirrungen. Das alte Lied."

Er war allein und an Überraschung nicht zu denken. In seiner Vorstellung aber immer noch nicht sicher genug, stand er auf und schloß die Tür. Und nun erst nahm er den obenauf liegenden Brief und las. Es waren die den Tag vor dem Wilmersdorfer Spaziergange geschriebenen Zeilen, und mit Rührung sah er jetzt im Wiederlesen auf alles das, was er damals mit einem Bleistiftstrichelchen bezeichnet hatte. „Stiehl ... Alleh ... Wie diese liebenswürdigen ‚h's' mich auch heute wieder anblicken, besser als alle Orthographie der Welt. Und wie klar die Handschrift. Und wie gut und schelmisch, was sie da schreibt. Ach, sie hatte die glücklichste Mischung und war vernünftig und leidenschaftlich zugleich. Alles, was sie sagte, hatte Charakter und Tiefe des Gemüts. Arme Bildung, wie weit bleibst du dahinter zurück."

Er nahm nun auch den zweiten Brief und wollte sich überhaupt vom Schluß her bis an den Anfang der Korrespondenz durchlesen. Aber es tat ihm zu weh. „Wozu? Wozu beleben und auffrischen, was tot ist und tot bleiben muß? Ich muß aufräumen damit und dabei hoffen, daß mit diesen Trägern der Erinnerung auch die Erinnerungen selbst hinschwinden werden."

Und wirklich, er war es entschlossen, und sich rasch von seinem Schreibtisch erhebend, schob er einen Kaminschirm beiseit und trat an den kleinen Herd, um die Briefe darauf zu verbrennen. Und siehe da, langsam, als ob er sich das Gefühl eines süßen Schmerzes verlängern wolle, ließ er jetzt Blatt auf Blatt auf die Herdstelle fallen und in Feuer aufgehen. Das letzte, was er in Händen hielt, war das Sträußchen, und während er sann und grübelte, kam ihm eine Anwandlung, als ob er jede Blume noch einmal einzeln betrachten und zu diesem Zwecke das Haarfädchen lösen müsse. Plötzlich aber, wie von abergläubischer Furcht erfaßt, warf er die Blumen den Briefen nach.

Ein Aufflackern noch, und nun war alles vorbei, verglommen.

„Ob ich nun frei bin? . . . Will ich's denn? Ich will es *nicht*. Alles Asche. Und *doch* gebunden."

Dreiundzwanzigstes Kapitel

Botho sah in die Asche. „Wie wenig und wie viel." Und dann schob er den eleganten Kaminschirm wieder vor, in dessen Mitte sich die Nachbildung einer pompejanischen Wandfigur befand. Hundertmal war sein Auge darüber hinweggeglitten, ohne zu beachten, was es eigentlich sei, heute sah er es und sagte: „Minerva mit Schild und Speer. Aber Speer bei Fuß. Vielleicht bedeutet es Ruhe . . . Wär es so." Und dann stand er auf, schloß das um seinen besten Schatz ärmer gewordene Geheimfach und ging wieder nach vorn.

Unterwegs, auf dem ebenso schmalen wie langen Korridore, traf er Köchin und Hausmädchen, die diesen Augenblick erst von einem Tiergartenspaziergange zurückkamen. Als er beide verlegen und ängstlich dastehen sah, überkam ihn ein menschlich Rühren, aber er bezwang sich und rief sich zu, wenn auch freilich mit einem Anfluge von Ironie, daß endlich einmal ein Exempel statuiert werden müsse. So begann er denn, so gut er konnte, die Rolle des donnernden Zeus zu spielen. Wo sie nur gesteckt hätten? Ob das Ordnung und gute Sitte sei? Er habe nicht Lust, der gnädigen Frau, wenn sie zurückkomme (vielleicht heute schon), einen aus Rand und Band gegangenen Hausstand zu überliefern. Und der Bursche? „Nun, ich will nichts wissen, nichts hören, am wenigsten Entschuldigungen." Und als dies heraus war, ging er weiter und lächelte, zumeist über sich selbst. Wie leicht ist doch predigen, und wie schwer ist danach handeln und tun. Armer Kanzelheld ich! Bin ich nicht selbst aus Rand und Band? Bin ich nicht selber aus Ordnung und guter Sitte? Daß es war, das möchte gehn, aber daß es noch ist, das ist das Schlimmste.

Dabei nahm er wieder seinen Platz auf dem Balkon und klingelte. Jetzt kam auch der Bursche, fast noch ängstlicher und verlegener als die Mädchen, aber es hatte keine Not mehr, das Wetter war vorüber. „Sage der Köchin, daß ich etwas essen will. Nun, warum stehst du noch? Ah, ich sehe schon“, und er lachte, „nichts im Hause. Trifft sich alles vorzüglich . . . – also Tee; bringe mir Tee, *der* wird doch wohl da sein. Und laß ein paar Schnitten machen; alle Wetter, ich habe Hunger . . . Und sind die Abendzeitungen schon da?“

„Zu Befehl, Herr Rittmeister.“

Nicht lange, so war der Teetisch draußen auf dem Balkon serviert, und selbst ein Imbiß hatte sich gefunden. Botho saß zurückgelehnt in den Schaukelstuhl und starrte nachdenklich in die kleine blaue Flamme. Dann nahm er zunächst den Moniteur seiner kleinen Frau, das „Fremdenblatt“, und erst in weiterer Folge die „Kreuzzeitung“ zur Hand und sah auf die letzte Seite. „Gott, wie wird Käthe sich freuen, diese letzte Seite jeden Tag wieder frisch an der Quelle studieren zu können, will sagen zwölf Stunden früher als in Schlangenbad. Und hat sie nicht recht? ‚Unsere heut vollzogene eheliche Verbindung beehren sich anzuzeigen Adalbert von Lichterloh, Regierungsreferendar und Leutnant der Reserve, Hildegard von Lichterloh, geb. Holtze.‘ Wundervoll. Und wahrhaftig, so zu sehn, wie sichs weiter lebt und liebt in der Welt, ist eigentlich das Beste. Hochzeit und Kindtaufen! Und ein paar Todesfälle dazwischen. Nun, die braucht man ja nicht zu lesen, Käthe tut es nicht, und ich tu es auch nicht, und bloß wenn die Vandalen mal einen ihrer ‚alten Herrn‘ verloren haben und ich das Korpszeichen inmitten der Trauerannonce sehe, das les ich, das erheitert mich und ist mir immer, als ob der alte Korpskämpe zu Hofbräu nach Walhalla geladen wäre. Spatenbräu paßt eigentlich noch besser.“

Er legte das Blatt wieder beiseit, weil es klingelte . . . Sollte sie wirklich . . . Nein, es war nichts, bloß eine vom Wirt heraufgeschickte Suppenliste, drauf erst fünfzig Pfennig gezeichnet standen. Aber den ganzen Abend über blieb er trotzdem in Aufregung, weil ihm beständig die Möglichkeit einer Überraschung vorschwebte, und sooft er eine Droschke mit einem Koffer vorn und einem Damenhute dahinter in die Landgrafenstraße einbiegen sah, rief er sich zu: „Das ist sie, sie liebt dergleichen, und ich höre sie schon sagen: ‚Ich dacht es mir so komisch, Botho.'"

Käthe war nicht gekommen. Statt ihrer kam am anderen Morgen ein Brief, worin sie ihre Rückkehr für den dritten Tag anmeldete. Sie werde wieder mit Frau Salinger reisen, die doch, alles in allem, eine sehr nette Frau sei, mit viel guter Laune, viel Schick und viel Reisekomfort.

Botho legte den Brief aus der Hand und freute sich momentan ganz aufrichtig, seine schöne junge Frau binnen drei Tagen wiederzusehen. „Unser Herz hat Platz für allerlei Widersprüche . . . Sie dalbert, nun ja, aber eine dalbrige junge Frau ist immer noch besser als keine."

Danach rief er die Leute zusammen und ließ sie wissen, daß die gnädige Frau in drei Tagen wieder da sein werde; sie sollten alles instand setzen und die Schlösser putzen. Und kein Fliegenfleck auf dem großen Spiegel.

Als er so Vorkehrungen getroffen, ging er zum Dienst in die Kaserne. „Wenn wer fragt, ich bin von fünf an wieder zu Haus."

Sein Programm für die dazwischenliegende Zeit ging dahin, daß er bis Mittag auf dem Eskadronhofe bleiben, dann ein paar Stunden reiten und nach dem Ritt im Klub essen wollte. Wenn er niemand anders dort traf, so traf er doch Balafré, was gleichbedeutend war mit Whist en deux und einer Fülle von Hofgeschichten, wahren und unwahren. Denn Balafré, so zuverlässig er war, legte doch grundsätzlich eine Stunde des Tags für Humbug und Aufschneidereien an. Ja, diese Beschäftigung stand ihm, nach Art eines geistigen Sports, unter seinen Vergnügungen obenan.

Und wie das Programm war, so wurd es auch ausgeführt. Die Hofuhr in der Kaserne schlug eben zwölf, als er sich in den Sattel hob und nach Passierung erst der „Linden" und gleich danach der Luisenstraße, schließlich in einen neben dem Kanal hinlaufenden Weg einbog, der weiterhin seine Richtung auf Plötzensee zu nahm. Dabei kam ihm der Tag wieder in Erinnerung, an dem er hier auch herumgeritten war, um sich Mut für den Abschied von Lene zu gewinnen, für den Abschied, der ihm so schwer ward und der doch sein mußte. Das war nun drei Jahre. Was lag alles dazwischen? Viel Freude; gewiß. Aber es war doch keine rechte Freude gewesen. Ein Bonbon, nicht viel mehr. Und wer kann von Süßigkeiten leben!

Er hing dem noch nach, als er auf einem von der Jungfernheide her nach dem Kanal hinüberführenden Reitwege zwei Kameraden herankommen sah, Ulanen, wie die deutlich erkennbaren Tschapkas schon von fern her verrieten. Aber wer waren sie? Freilich, die Zweifel auch darüber konnten nicht lange währen, und noch ehe man sich von hüben und drüben bis auf hundert Schritte genähert hatte, sah Botho, daß es die Rexins waren, Vettern, und beide vom selben Regiment.

„Ah, Rienäcker", sagte der Ältere. „Wohin?"

„So weit der Himmel blau ist."

„Das ist mir zu weit."

„Nun, dann bis Saatwinkel."

„Das läßt sich hören. Da bin ich mit von der Partie, vorausgesetzt, daß ich nicht störe . . . Kurt", und hiermit wandte er sich an seinen jüngeren Begleiter, „Pardon! Aber ich habe mit Rienäcker zu sprechen. Und unter Umständen . . ."

„. . . Spricht sichs besser zu zweien. Ganz nach deiner Bequemlichkeit, Bozel", und dabei grüßte Kurt von Rexin und ritt weiter. Der mit Bozel angeredete Vetter aber warf sein Pferd herum, nahm die linke Seite neben dem ihm in der Rangliste weit vorstehenden Rienäcker und sagte: „Nun denn also, Saatwinkel. In die Tegeler Schußlinie werden wir ja wohl nicht einreiten."

„Ich werd es wenigstens zu vermeiden suchen", entgegnete Rienäcker, „erstens mir selbst und zweitens Ihnen zuliebe. Und drittens und letztens um Henriettens willen. Was würde die schwarze Henriette sagen, wenn ihr ihr Bogislaw totgeschossen würde, und noch dazu durch eine befreundete Granate?"

„Das würd ihr freilich einen Stich ins Herz geben", erwiderte Rexin, „und ihr und mir einen Strich durch die Rechnung machen."

„Durch welche Rechnung?"

„Das ist eben der Punkt, Rienäcker, über den ich mit Ihnen sprechen wollte."

„Mit mir? Und von welchem Punkte?"

„Sie sollten es eigentlich erraten und ist auch nicht schwer. Ich spreche natürlich von einem Verhältnis, *meinem* Verhältnis."

„Verhältnis!" lachte Botho. „Nun, ich stehe zu Diensten, Rexin. Aber offen gestanden, ich weiß nicht recht, was speziell mir Ihr Vertrauen einträgt. Ich bin nach keiner Seite hin, am wenigsten aber nach dieser, eine besondere Weisheitsquelle. Da haben wir ganz andere Autoritäten. Eine davon kennen Sie gut. Noch dazu Ihr und Ihres Vetters besonderer Freund."

„Balafré?"

„Ja."

Rexin fühlte was von Nüchternheit und Ablehnung heraus und schwieg einigermaßen verstimmt. Das aber war mehr, als Botho bezweckt hatte, weshalb er sofort wieder einlenkte. „Verhältnisse. Pardon, Rexin, es gibt ihrer so viele."

„Gewiß. Aber so viel ihrer sind, so verschieden sind sie auch."

Botho zuckte mit den Achseln und lächelte. Rexin aber, sichtlich gewillt, sich nicht zum zweiten Male durch Empfindelei stören zu lassen, wiederholte nur in gleichmütigem Tone: „Ja, so viel ihrer, so verschieden auch. Und ich wundre mich, Rienäcker, gerade Sie mit den Achseln zucken zu sehn. Ich dachte mir . . ."

„Nun denn heraus mit der Sprache."

„Soll geschehn."

Und nach einer Weile fuhr Rexin fort: „Ich habe die hohe Schule durchgemacht, bei den Ulanen und schon vorher (Sie wissen, daß ich erst spät dazu kam) in Bonn und Göttingen, und brauche keine Lehren und Ratschläge, wenn sichs um das Übliche handelt. Aber wenn ich mich ehrlich befrage, so handelt sichs in meinem Falle nicht um das Übliche, sondern um einen Ausnahmefall."

„Glaubt jeder."

„Kurz und gut, ich fühle mich engagiert, mehr als das, ich liebe Henrietten, oder um Ihnen so recht meine Stimmung zu zeigen, ich liebe die schwarze Jette. Ja, dieser anzügliche Trivialname mit seinem Anklang an Kantine paßt mir am besten, weil ich alle feierlichen Allüren in dieser Sache vermeiden möchte. Mir ist ernsthaft genug zumut, und weil mir ernsthaft zumut ist, kann ich alles, was wie Feierlichkeit und schöne Redensart aussieht, nicht brauchen. Das schwächt bloß ab."

Botho nickte zustimmend und entschlug sich mehr und mehr jedes Anfluges von Spott und Superiorität, den er bis dahin allerdings gezeigt hatte.

„Jette", fuhr Rexin fort, „stammt aus keiner Ahnenreihe von Engeln und ist selber keiner. Aber wo findet man dergleichen? In unsrer Sphäre? Lächerlich. Alle diese Unterschiede sind ja gekünstelt und die gekünsteltsten liegen auf dem Gebiete der Tugend. Natürlich gibt es Tugend und ähnliche schöne Sachen, aber Unschuld und Tugend sind wie Bismarck und Moltke, das heißt rar. Ich habe mich ganz in Anschauungen wie diese hineingelebt, halte sie für richtig und habe vor, danach zu handeln, soweit es geht. Und nun hören Sie, Rienäcker. Ritten wir hier statt an diesem langweiligen Kanal, so langweilig und strippengerade wie die Formen und Formeln unsrer Gesellschaft, ich sage, ritten wir hier statt an diesem elenden Graben am Sacramento hin, und hätten wir statt der Tegeler Schießstände die Diggings vor uns, so würd ich die Jette freiweg heiraten; ich kann ohne sie nicht leben, sie hat es mir angetan, und ihre Natürlichkeit, Schlichtheit und wirkliche Liebe wiegen mir zehn Komtessen auf. Aber es geht nicht. Ich kann es meinen Eltern nicht antun und mag auch nicht mit siebenundzwanzig aus dem Dienst heraus, um in Texas Cowboy zu werden oder Kellner auf einem Mississippidampfer. Also Mittelkurs . . ."

„Was verstehen Sie darunter?"

„Einigung ohne Sanktion."

„Also Ehe ohne Ehe."

„Wenn Sie wollen, ja. Mir liegt nichts am Wort, ebensowenig wie an Legalisierung, Sakramentierung oder wie sonst noch diese Dinge heißen mögen: ich bin etwas nihilistisch angeflogen und habe keinen rechten Glauben an pastorale Heiligsprechung. Aber, ums kurz zu machen, ich bin, weil ich nicht anders kann, für Monogamie, nicht aus Gründen der Moral, sondern aus Gründen meiner mir eingebornen Natur. Mir widerstehen alle Verhältnisse, wo knüpfen und lösen sozusagen in dieselbe Stunde fällt, und wenn ich mich eben einen Nihilisten nannte, so kann ich mich mit noch größerem Recht einen Philister nennen. Ich sehne mich nach einfachen Formen, nach einer stillen, natürlichen Lebensweise, wo Herz zum Herzen spricht und wo man das Beste hat, was man haben kann, Ehrlichkeit, Liebe, Freiheit."

„Freiheit", wiederholte Botho.

„Ja, Rienäcker. Aber weil ich wohl weiß, daß auch Gefahren dahinter lauern und dies Glück der Freiheit, vielleicht aller Freiheit, ein zweischneidig Schwert ist, das verletzen kann, man weiß nicht wie, so hab ich Sie fragen wollen."

„Und ich will Ihnen antworten", sagte der mit jedem Augenblick ernster gewordene Rienäcker, dem bei diesen Konfidenzen das eigne Leben, das zurückliegende wie das gegenwärtige, wieder vor die Seele treten mochte. „Ja, Rexin, ich will Ihnen antworten, so gut ich kann, und ich glaube, daß ich es kann. Und so beschwör ich Sie denn, bleiben Sie davon. Bei dem, was Sie vorhaben, ist immer nur zweierlei möglich, und das eine ist gerade so schlimm wie das andre. Spielen Sie den Treuen und Ausharrenden oder, was dasselbe sagen will, brechen Sie von Grund aus mit Stand und Herkommen und Sitte, so werden Sie, wenn Sie nicht versumpfen, über kurz oder lang sich selbst ein Greuel und eine Last sein; verläuft es aber anders und schließen Sie, wie's die Regel ist, nach Jahr und Tag Ihren Frieden mit Gesellschaft und Familie, dann ist der Jammer da, dann muß gelöst werden, was durch glückliche Stunden und ach, was mehr bedeutet, durch unglückliche, durch Not und Ängste verwebt und verwachsen ist. Und das tut weh."

Rexin schien antworten zu wollen, aber Botho sah es nicht

und fuhr fort: „Lieber Rexin, Sie haben vorhin in einem wahren Musterstücke dezenter Ausdrucksweise von Verhältnissen gesprochen, ‚wo knüpfen und lösen in dieselbe Stunde fällt', aber diese Verhältnisse, die keine sind, sind nicht die schlimmsten, die schlimmsten sind die, die, um Sie noch mal zu zitieren, den ‚Mittelkurs' halten. Ich warne Sie, hüten Sie sich vor diesem Mittelkurs, hüten Sie sich vor dem Halben. Was Ihnen Gewinn dünkt, ist Bankrott, und was Ihnen Hafen scheint, ist Scheiterung. Es führt *nie* zum Guten, auch wenn äußerlich alles glatt abläuft und keine Verwünschung ausgesprochen und kaum ein stiller Vorwurf erhoben wird. Und es kann auch nicht anders sein. Denn alles hat seine natürliche Konsequenz, dessen müssen wir eingedenk sein. Es kann nichts ungeschehen gemacht werden, und ein Bild, das uns in die Seele gegraben wurde, verblaßt nie ganz wieder, schwindet nie ganz wieder dahin. Erinnerungen bleiben, und Vergleiche kommen. Und so denn noch einmal, Freund, zurück von Ihrem Vorhaben, oder Ihr Leben empfängt eine Trübung, und Sie ringen sich nie mehr zu Klarheit und Helle durch. Vieles ist erlaubt, nur nicht das, was die Seele trifft, nur nicht Herzen hineinziehen und wenns auch bloß das eigne wäre."

Vierundzwanzigstes Kapitel

Am dritten Tage traf ein im Abreisemoment aufgegebenes Telegramm ein: „Ich komme heut abend. K."

Und wirklich, sie kam. Botho war am Anhalter Bahnhof und wurde der Frau Salinger vorgestellt, die von Dank für gute Reisekameradschaft nichts hören wollte, vielmehr immer nur wiederholte, wie glücklich *sie* gewesen sei, vor allem aber wie glücklich *er* sein müsse, solche reizende junge Frau zu haben. „Schauns, Herr Baron, wann i das Glück hätt und der Herr Gemoahl wär, i würd mi kein drei Tag von *solch* ane Frau trenne." Woran sie dann Klagen über die gesamte Männerwelt, aber im selben Augenblick auch eine dringende Einladung nach Wien knüpfte. „Wir hoabn a netts Häusl kei Stund von Wian und a paar Reitpferd und a Küch. In Preußen hoabens die Schul, und in Wian hoaben wir die Küch. Und i weiß halt nit, was i vorzieh."

„Ich weiß es", sagte Käthe, „und ich glaube, Botho auch."

Damit trennte man sich, und unser junges Paar stieg in einen offenen Wagen, nachdem Ordre gegeben war, das Gepäck nachzuschicken.

Käthe warf sich zurück und stemmte den kleinen Fuß gegen den Rücksitz, auf dem ein Riesenbukett, die letzte Huldigung der von der reizenden Berliner Dame ganz entzückten Schlangenbader Hauswirtin, lag. Käthe selbst nahm Bothos Arm und schmiegte sich an ihn, aber auf wenig Augenblicke nur, dann richtete sie sich wieder auf und sagte, während sie mit dem Sonnenschirm das immer aufs neue herunterfallende Bukett festhielt: „Es ist doch eigentlich reizend hier, all die Menschen und die vielen Spreekähne, die vor Enge nicht ein noch aus wissen. Und so wenig Staub. Ich find es doch einen rechten Segen, daß sie jetzt sprengen und alles unter Wasser setzen; freilich lange Kleider darf man dabei nicht tragen. Und sieh nur den Brotwagen da mit dem vorgespannten Hund. Es ist doch zu komisch. Nur der Kanal . . . Ich weiß nicht, er ist immer noch so . . ."

„Ja", lachte Botho, „er ist immer noch so. Vier Wochen Julihitze haben ihn nicht verbessern können."

Sie fuhren unter den jungen Bäumen hin; Käthe riß ein Lindenblatt ab, nahms in die hohle Hand und schlug drauf, daß es knallte. „So machten wirs immer zu Haus. Und in Schlangenbad, wenn wir nichts Besseres zu tun hatten, haben wirs auch so gemacht und alle die Spielereien aus der Kinderzeit wieder aufgenommen. Kannst du dirs denken, ich hänge ganz ernsthaft an solchen Torheiten und bin doch eigentlich eine alte Person und habe abgeschlossen."

„Aber Käthe . . ."

„Ja, ja, Matrone, du wirst es sehn . . . Aber sieh doch nur, Botho, da ist ja noch der Staketenzaun und das alte Weißbierlokal mit dem komischen und etwas unanständigen Namen, über den wir in der Pension immer so schrecklich gelacht haben. Ich dachte, das Lokal wäre längst eingegangen. Aber so was lassen sich die Berliner nicht nehmen, so was hält sich; alles muß nur einen sonderbaren Namen haben, über den sie sich amüsieren können."

Botho schwankte zwischen Glücklichsein und Anflug von Verstimmung. „Ich finde, du bist ganz unverändert, Käthe."

„Gewiß bin ich. Und warum sollt ich auch verändert sein? Ich bin ja nicht nach Schlangenbad geschickt worden, um mich zu verändern, wenigstens nicht in meinem Charakter und meiner Unterhaltung. Und ob ich mich sonst verändert habe? Nun, cher ami, nous verrons."

„Matrone?"

Sie hielt ihm den Finger auf den Mund und schlug den Reiseschleier wieder zurück, der ihr halb über das Gesicht gefallen war, gleich danach aber passierten sie den Potsdamer Bahnviadukt, über dessen Eisengebälk eben ein Kurierzug hinbrauste. Das gab ein Zittern und Donnern zugleich, und als sie die Brücke hinter sich hatten, sagte sie: „Mir ist es immer unangenehm, gerade drunter zu sein."

„Aber die drüber haben es nicht besser."

„Vielleicht nicht. Aber es liegt in der Vorstellung. Vorstellungen sind überhaupt so mächtig. Meinst du nicht auch?" Und sie seufzte, wie wenn sich ihr plötzlich etwas Schreckliches und tief in ihr Leben Eingreifendes vor die Seele gestellt hätte. Dann aber fuhr sie fort: „In England, so sagte mir Mr. Armstrong, eine Badebekanntschaft, von der ich dir noch ausführlicher erzählen muß, übrigens mit einer Alvensleben verheiratet, in England, sagte er, würden die Toten fünfzehn Fuß tief begraben. Nun, fünfzehn Fuß tief ist nicht schlimmer als fünf, aber ich fühlte ordentlich, während er mirs erzählte, wie sich mir der clay, das ist nämlich das richtige englische Wort, zentnerschwer auf die Brust legte. Denn in England haben sie schweren Lehmboden."

„Armstrong sagtest du . . . Bei den badischen Dragonern war ein Armstrong."

„Ein Vetter von dem. Sie sind alle Vettern, ganz wie bei uns. Ich freue mich schon, dir ihn in all seinen kleinen Eigenheiten schildern zu können. Ein vollkommener Kavalier mit aufgesetztem Schnurrbart, worin er freilich etwas zu weit ging. Er sah sehr komisch aus, diese gewribbelte Spitze, dran er immer noch weiter wribbelte."

Zehn Minuten später hielt ihr Wagen vor ihrer Wohnung, und Botho, während er ihr den Arm reichte, führte sie hinauf. Eine Girlande zog sich um die große Korridortür, und eine Tafel mit dem Inschriftsworte „Willkommen", in dem leider ein ‚l' fehlte, hing etwas schief an der Girlande. Käthe sah hinauf und las und lachte.

„Willkommen! Aber bloß mit einem ‚l', will sagen nur halb. Ei, ei. Und ein ‚L' ist noch der Liebesbuchstabe. Nun, du sollst auch alles nur halb haben."

Und so trat sie durch die Tür in den Korridor ein, wo Köchin und Hausmädchen bereits standen und ihr die Hand küßten.

„Guten Tag, Berta; guten Tag, Minette. Ja, Kinder, da bin ich wieder. Nun, wie findet ihr mich? Hab ich mich erholt?" Und eh die Mädchen antworten konnten, worauf auch gar nicht gerechnet war, fuhr sie fort: „Aber *ihr* habt euch erholt. Namentlich du, Minette, du bist ja ordentlich stark geworden."

Minette sah verlegen vor sich hin, weshalb Käthe gutmütig hinzusetzte: „Ich meine nur hier so um Kinn und Hals."

Indem kam auch der Bursche. „Nun, Orth, ich war schon in Sorge um Sie. Gott sei Dank, ohne Not; ganz unverfallen, bloß ein bißchen bläßlich. Aber das macht die Hitze. Und immer noch dieselben Sommersprossen."

„Ja, gnädige Frau, *die* sitzen."

„Nun, das ist recht. Immer echt in der Farbe."

Unter solchem Gespräche war sie bis in ihr Schlafzimmer gegangen, wohin Botho und Minette ihr folgten, während die beiden andern sich in ihre Küchenregion zurückzogen.

„Nun, Minette, hilf mir. Erst den Mantel. Und nun nimm den Hut. Aber sei vorsichtig, wir wissen uns sonst vor Staub nicht zu retten. Und nun sage Orth, daß er den Tisch deckt vorn auf dem Balkon, ich habe den ganzen Tag keinen Bissen genossen, weil ich wollte, daß es mir recht gut bei euch schmecken solle. Und nun geh, liebe Seele; geh, Minette."

Minette beeilte sich und ging, während Käthe vor dem hohen Stehspiegel stehenblieb und sich das in Unordnung geratene Haar arrangierte. Zugleich sah sie im Spiegel auf Botho, der neben ihr stand und die schöne junge Frau musterte.

„Nun, Botho", sagte sie schelmisch und kokett und ohne sich nach ihm umzusehen.

Und ihre liebenswürdige Koketterie war klug genug berechnet, und er umarmte sie, wobei sie sich seinen Liebkosungen überließ. Und nun umspannte er ihre Taille und hob sie hoch in die Höh. „Käthe, Puppe, liebe Puppe."

„Puppe, liebe Puppe, das sollt ich eigentlich übelnehmen, Botho. Denn mit Puppen spielt man. Aber ich nehm es nicht übel, im Gegenteil. Puppen werden am meisten geliebt und am besten behandelt. Und darauf kommt es mir an."

Fünfundzwanzigstes Kapitel

Es war ein herrlicher Morgen, der Himmel halb bewölkt, und in dem leisen Westwinde, der ging, saß das junge Paar auf dem Balkon und sah, während Minette den Kaffeetisch abräumte, nach dem Zoologischen und seinen Elefantenhäusern hinüber, deren bunte Kuppeln im Morgendämmer lagen.

„Ich weiß eigentlich noch nichts", sagte Botho, „du bist ja gleich eingeschlafen, und der Schlaf ist mir heilig. Aber nun will ich auch alles wissen. Erzähle."

„Ja, erzählen; was soll ich erzählen? Ich habe dir ja so viele Briefe geschrieben, und Anna Grävenitz und Frau Salinger mußt du ja so gut kennen wie ich oder eigentlich noch besser, denn ich habe mitunter mehr geschrieben, als ich wußte."

„Wohl. Aber ebensooft hieß es ‚davon mündlich'. Und dieser Moment ist nun da, sonst denk ich, du willst mir etwas verschweigen. Von deinen Ausflügen weiß ich eigentlich gar nichts, und du warst doch in Wiesbaden. Es heißt zwar, daß es in Wiesbaden nur Obersten und alte Generale gäbe, aber es sind doch auch Engländer da. Und bei Engländern fällt mir wieder dein Schotte ein, von dem du mir erzählen wolltest. Wie hieß er doch?"

„Armstrong; Mr. Armstrong. Ja, das war ein entzückender Mann, und ich begriff seine Frau nicht, eine Alvensleben, wie ich dir, glaub ich, schon sagte, die beständig in Verlegenheit kam, wenn er sprach. Und er war doch ein vollkommener Gentleman, der sehr auf sich hielt, auch dann noch, wenn er sich gehen ließ und eine gewisse Nonchalance zeigte. Gentlemen bewähren sich in solchen Momenten immer am besten. Meinst du nicht auch? Er trug einen blauen Schlips und einen gelben Sommeranzug und sah aus, als ob er darin eingenäht wäre, weshalb Anna Grävenitz immer sagte: Da kommt das Pennal. Und immer ging er mit einem großen aufgespannten Sonnenschirm, was er sich in Indien angewöhnt hatte. Denn er war Offizier in einem schottischen Regiment, das lange in Madras oder Bombay gestanden, oder vielleicht war es auch Delhi. Das ist aber am Ende gleich. Was *der* alles erlebt hatte! Seine Konversation war reizend, wenn man auch mitunter nicht wußte, wie mans nehmen sollte."

„Also zudringlich? Insolent?"

„Ich bitte dich, Botho, wie du nur sprichst. Ein Mann wie der; Kavalier comme il faut. Nun, ich will dir ein Beispiel von seiner Art zu sprechen geben. Uns gegenüber saß die alte Generalin von Wedell, und Anna Grävenitz fragte sie, ich glaube, es war gerade der Jahrestag von Königgrätz, ob es wahr sei, daß dreiunddreißig Wedells im Siebenjährigen Kriege gefallen seien, was die alte Generalin bejahte, hinzusetzend, es wären eigentlich noch einige mehr gewesen. Alle, die zunächst saßen, waren über die große Zahl erstaunt, nur Mr. Armstrong nicht, und als ich ihn wegen seiner Gleichgültigkeit scherzhaft zur Rede stellte, sagte er, daß er sich über so kleine Zahlen nicht aufregen könne. ‚Kleine Zahlen', unterbrach ich ihn, aber er setzte lachend, und um mich zu widerlegen, hinzu: von den Armstrongs seien einhundertdreiunddreißig in den verschiedenen Kriegsfehden seines Clans umgekommen. Und als die alte Generalin dies anfangs nicht glauben wollte, schließlich aber (als Mr. A. dabei beharrte) neugierig frug: ob denn alle hundertdreiunddreißig auch wirklich ‚gefallen' seien? sagte er: ‚Nein, meine Gnädigste, nicht gerade gefallen, die meisten sind wegen Pferdediebstahls von den Engländern, unseren damaligen Feinden, gehenkt worden.' Und als sich alles über dies unstandesgemäße, ja, man kann wohl sagen, etwas genierliche Gehenktwerden entsetzte, schwor er, wir täten unrecht, Anstoß daran zu nehmen, die Zeiten und Anschauungen änderten sich, und was seine doch zunächst beteiligte Familie betreffe, so sähe dieselbe mit Stolz auf diese Heldenvorfahren zurück. Die schottische Kriegsführung habe dreihundert Jahre lang aus Viehraub und Pferdediebstahl bestanden, ländlich sittlich, und er könne nicht finden, daß ein großer Unterschied sei zwischen Länderraub und Viehraub."

„Verkappter Welfe", sagte Botho. „Aber es hat manches für sich."

„Gewiß. Und ich stand immer auf seiner Seite, wenn er sich in solchen Sätzen erging. Ach, er war zum Totlachen. Er sagte, man müsse nichts feierlich nehmen, es verlohne sich nicht, und nur das Angeln sei eine ernste Beschäftigung. Er angle mitunter vierzehn Tage lang im Loch Neß oder im Loch Lochy, denke dir, solche komische Namen gibt es in Schottland, und schliefe dann im Boot, und mit Sonnenaufgang stünd er wieder da, und wenn dann die vierzehn Tage um wären, dann mausre er sich, dann ginge die ganze schülbrige Haut ab, und dann hab er eine Haut wie ein Baby. Und er täte das alles aus Eitelkeit, denn ein glatter egaler Teint sei doch eigentlich das Beste, was man haben könne. Und dabei sah er mich so an, daß ich nicht gleich eine Antwort finden konnte. Ach, ihr Männer! Aber das ist doch wahr, ich hatte von Anfang an ein rechtes Attachement für ihn und nahm nicht Anstoß an seiner Redeweise, die sich mitunter in langen Ausführungen, aber doch viel, viel lieber noch in einem beständigen Hin und Her erging. Einer seiner Lieblingssätze war: ‚Ich kann es nicht leiden, wenn ein einziges Gericht eine Stunde lang auf dem Tische steht; nur nicht immer dasselbe, mir ist es angenehmer, wenn die Gänge rasch wechseln.' Und so sprang er immer vom Hundertsten ins Tausendste."

„Nun, da müßt ihr euch freilich gefunden haben", lachte Botho.

„Haben wir auch. Und wir wollen uns Briefe schreiben, ganz in dem Stil, wie wir miteinander gesprochen; das haben wir beim Abschied gleich ausgemacht. Unsere Herren, auch deine Freunde, sind immer so gründlich. Und du bist der gründlichste, was mich mitunter recht bedrückt und ungeduldig macht. Und du mußt mir versprechen, auch so zu sein wie Mr. Armstrong und ein bißchen mehr einfach und harmlos plaudern zu wollen und ein bißchen rascher und nicht immer dasselbe Thema."

Botho versprach Besserung, und als Käthe, die die Superlative liebte, nach Vorführung eines phänomenal reichen Amerikaners, eines absolut kakerlakigen Schweden mit Kaninchenaugen und einer faszinierend schönen Spanierin – mit einem Nachmittagsausfluge nach Limburg, Oranienstein und Nassau geschlossen und ihrem Gatten abwechselnd die Krypt, die Kadettenanstalt und die Wasserheilanstalt beschrieben hatte, zeigte sie plötzlich auf die Schloßkuppel nach Charlottenburg und sagte: „Weißt du, Botho, da müssen wir heute noch hin, oder nach Westend, oder nach Halensee. Die Berliner Luft ist doch etwas stickig und hat nichts von dem Atem Gottes, der draußen weht und den die Dichter mit Recht so preisen. Und wenn man aus der Natur kommt, so wie ich, so hat man das, was ich die Reinheit und Unschuld nennen möchte, wieder lieb gewonnen. Ach, Botho, welcher Schatz ist doch ein unschuldiges Herz. Ich habe mir fest vorgenommen, mir ein reines Herz zu bewahren. Und du mußt mir darin helfen. Ja, das mußt du, versprich es mir. Nein, nicht so; du mußt mir dreimal einen Kuß auf die Stirn geben, bräutlich, ich will keine Zärtlichkeit, ich will einen Weihekuß ... Und wenn wir uns mit einem Lunch begnügen, natürlich ein warmes Gericht, so können wir um drei draußen sein."

Und wirklich, sie fuhren hinaus, und wiewohl die Charlottenburger Luft noch mehr hinter dem „Atem Gottes" zurückblieb als die Berliner, so war Käthe doch fest entschlossen, im Schloßpark zu bleiben und Halensee fallen zu lassen. Westend sei so langweilig, und Halensee sei noch wieder eine halbe Reise, fast wie nach Schlangenbad, im Schloßpark aber könne man das Mausoleum sehen, wo die blaue Beleuchtung einen immer so sonderbar berühre, ja, sie möchte sagen, wie wenn einem ein Stück Himmel in die Seele falle. Das stimme dann andächtig und zu frommer Betrachtung. Und wenn auch das Mausoleum nicht wäre, so wäre doch die Karpfenbrücke da, mit der Klingel dran, und wenn dann ein großer Mooskarpfen käme, so wär es ihr immer, als käm ein Krokodil. Und vielleicht wär auch eine Frau mit Kringel und Oblaten da, von der man etwas kaufen und dadurch im kleinen ein gutes Werk tun könne, sie sage mit Absicht ein „gutes Werk" und vermeide das Wort christlich, denn Frau Salinger habe auch immer gegeben.

Und alles verlief programmäßig, und als die Karpfen gefüttert waren, gingen beide weiter in den Park hinein, bis sie dicht an das Belvedere kamen mit seinen Rokokofiguren und seinen historischen Erinnerungen. Von diesen Erinnerungen wußte Käthe nichts, und Botho nahm deshalb Veranlassung, ihr von den Geistern abgeschiedener Kaiser und Kurfürsten zu erzählen, die der General von Bischofswerder an ebendieser Stelle habe erscheinen lassen, um den König Friedrich Wilhelm II. aus seinen lethargischen Zuständen oder, was dasselbe gewesen, aus den Händen seiner Geliebten zu befreien und ihn auf den Pfad der Tugend zurückzuführen.

„Und hat es geholfen?" fragte Käthe.

„Nein."

„Schade. Dergleichen berührt mich immer tief schmerzlich. Und wenn ich mir dann denke, daß der unglückliche Fürst (denn unglücklich *muß* er gewesen sein) der Schwiegervater der Königin Luise war, so blutet mir das Herz. *Wie* muß sie gelitten haben! Ich kann mir immer in unserem Preußen solche Dinge gar nicht recht denken. Und Bischofswerder, sagtest du, hieß der General, der die Geister erscheinen ließ?"

„Ja. Bei Hofe hieß er der Laubfrosch."

„Weil er das Wetter machte?"
„Nein, weil er einen grünen Rock trug."
„Ach, das ist zu komisch . . . Der Laubfrosch."

Sechsundzwanzigstes Kapitel

Bei Sonnenuntergang waren beide wieder daheim, und Käthe, nachdem sie Hut und Mantel an Minette gegeben und den Tee beordert hatte, folgte Botho in sein Zimmer, weil es sie nach dem Bewußtsein und der Genugtuung verlangte, den ersten Tag nach der Reise ganz und gar an seiner Seite zugebracht zu haben.

Botho war es zufrieden, und weil sie fröstelte, schob er ihr ein Kissen unter die Füße, während er sie zugleich mit einem Plaid zudeckte. Bald danach aber wurd er abgerufen, um Dienstliches, das der Erledigung bedurfte, rasch abzumachen.

Minuten vergingen, und da Kissen und Plaid nicht recht helfen und die gewünschte Wärme nicht geben wollten, so zog Käthe die Klingel und sagte dem eintretenden Diener, daß er ein paar Stücke Holz bringen solle; sie friere so.

Zugleich erhob sie sich, um den Kaminschirm beseite zu schieben, und sah, als dies geschehen war, das Häuflein Asche, das noch auf der Eisenplatte lag.

Im selben Moment trat Botho wieder ein und erschrak bei dem Anblick, der sich ihm bot. Aber er beruhigte sich sogleich wieder, als Käthe mit dem Zeigefinger auf die Asche wies und in ihrem scherzhaftesten Tone sagte: „Was bedeutet das, Botho? Sieh, da hab ich dich mal wieder ertappt. Nun bekenne. Liebesbriefe? Ja oder nein?"

„Du wirst doch glauben, was du willst."

„Ja oder nein?"

„Gut denn; ja."

„*Das* war recht. Nun kann ich mich beruhigen. Liebesbriefe, zu komisch. Aber wir wollen sie doch lieber zweimal verbrennen; erst zu Asche und dann zu Rauch. Vielleicht glückt es."

Und sie legte die Holzstücke, die der Diener mittlerweile gebracht hatte, geschickt zusammen und versuchte, sie mit ein paar Zündhölzchen anzuzünden. Und es gelang auch. Im Nu brannte das Feuer hellauf, und während sie den Fauteuil an die Flamme schob und die Füße bequem und, um sie zu wärmen, bis an die Eisenstäbe vorstreckte, sagte sie: „Und nun will ich dir auch die Geschichte von der Russin erzählen, die natürlich gar keine Russin war. Aber eine sehr kluge Person. Sie hatte Mandelaugen, alle diese Personen haben Mandelaugen, und gab vor, daß sie zur Kur in Schlangenbad sei. Nun, das kennt man. Einen Arzt hatte sie nicht, wenigstens keinen ordentlichen, aber jeden Tag war sie drüben in Frankfurt oder in Wiesbaden oder auch in Darmstadt und immer in Begleitung. Und einige sagen sogar, es sei nicht mal derselbe gewesen. Und nun hättest du sehen sollen, welche Toilette und welche Suffisance! Kaum daß sie grüßte, wenn sie mit ihrer Ehrendame zur Table d'hôte kam. Denn eine Ehrendame hatte sie, das ist immer das erste bei solchen Damen. Und wir nannten sie ‚die Pompadour', ich meine die Russin, und sie wußt es auch, daß wir sie so nannten. Und die alte Generalin Wedell, die ganz auf unsrer Seite stand und sich über die zweifelhafte Person ärgerte (denn eine Person war es, darüber war kein Zweifel), die alte Wedell, sag ich, sagte ganz laut über den Tisch hin: ‚Ja, meine Damen, die Mode wechselt in allem, auch in den Taschen und Täschchen, und sogar in den Beuteln und Beutelchen. Als ich noch jung war, gab es noch Pompadours, aber heute gibt es keine Pompadours mehr. Nicht wahr? Es gibt keine Pompadours mehr?' Und dabei lachten wir und sahen alle die Pompadour an. Aber die schreckliche Person gewann trotzdem einen Sieg über uns und sagte mit lauter und scharfer Stimme, denn die alte Wedell hörte schlecht: ‚Ja, Frau Generalin, es ist so, wie Sie sagen. Nur sonderbar, als die Pompadours abgelöst wurden, kamen die Reticules an die Reihe, die man dann später die Ridicules nannte. Und solche Ridicules gibt es noch.' Und dabei sah sie die gute, alte Wedell an, die, weil sie nicht antworten konnte, vom Tische aufstand und den Saal verließ. Und nun frag ich dich, was sagst du dazu? Was sagst du zu solcher Impertinenz?... Aber Botho, du sprichst ja nicht, du hörst ja gar nicht..."

„Doch, doch, Käthe..."

Drei Wochen später war eine Trauung in der Jakobikirche, deren kreuzgangartiger Vorhof auch heute von einer dichten und neugierigen Menschenmenge, meist Arbeiterfrauen, einige mit ihren Kindern auf dem Arm, besetzt war. Aber auch Schul- und Straßenjugend hatte sich eingefunden. Allerlei Kutschen fuhren vor, und gleich aus einer der ersten stieg ein Paar, das, solang es im Gesichtskreise der Anwesenden verblieb, mit Lachen und Getuschel begleitet wurde.

„*Die* Taille", sagte eine der zunächststehenden Frauen.

„Taille?"

„Na denn Hüfte."

„Schon mehr Walfischrippe."

„*Das* stimmt."

Und kein Zweifel, daß sich dies Gespräch noch fortgesetzt hätte, wenn nicht in ebendiesem Augenblicke die Brautkutsche vorgefahren wäre. Der vom Bock herabspringende Diener eilte, den Kutschenschlag zu öffnen, aber der Bräutigam selbst, ein hagerer Herr mit hohem Hut und spitzen Vatermördern, war ihm bereits zuvorgekommen und reichte seiner Braut die Hand, einem sehr hübschen Mädchen, das übrigens, wie gewöhnlich bei Bräuten, weniger um seines hübschen Aussehens, als um seines weißen Atlaskleides willen bewundert wurde. Dann stiegen beide die mit einem etwas abgetretenen Teppich belegte, nur wenig Stufen zählende Steintreppe hinauf, um zunächst in den Kreuzgang und gleich danach in das Kirchenportal einzutreten. Aller Blicke folgten ihnen.

„Un kein Kranz nich?" sagte dieselbe Frau, vor deren kritischem Auge kurz vorher die Taille der Frau Dörr so schlecht bestanden hatte.

„Kranz?... Kranz?... Wissen Sie denn nich?... Haben Sie denn nichts munkeln hören?"

„Ach so. Freilich hab ich. Aber, liebe Kornatzki, wenn es nachs Munkeln ginge, gäb es gar keine Kränze mehr, un

Schmidt in der Friedrichstraße könnte man gleich zumachen."

„Ja, ja", lachte jetzt die Kornatzki, „das könnt er. Un am Ende für so 'nen Alten! Fuffzig jute hat er doch woll aufn Puckel un sah eigentlich aus, als ob er seine silberne gleich mitfeiern wollte."

„Woll. So sah er aus. Un haben Sie denn seine Vatermörder gesehn? So was lebt nich."

„Damit kann er sie gleich dotmachen, wenns wieder munkelt."

„Ja, das kann er."

Und so ging es noch eine Weile weiter, während aus der Kirche schon das Präludium der Orgel hörbar wurde.

Den anderen Morgen saßen Rienäcker und Käthe beim Frühstück, diesmal in Bothos Arbeitszimmer, dessen beide Fenster, um Luft und Licht einzulassen, weit offenstanden. Rings um den Hof her nistende Schwalben flogen zwitschernd vorüber, und Botho, der ihnen allmorgendlich einige Krumen hinzustreuen pflegte, griff eben wieder zu gleichem Zweck nach dem Frühstückskorb, als ihm das ausgelassene Lachen seiner seit fünf Minuten schon in ihre Lieblingszeitung vertieften jungen Frau Veranlassung gab, den Korb wieder hinzustellen.

„Nun, Käthe, was ist? Du scheinst ja was ganz besonders Nettes gefunden zu haben."

„Hab ich auch ... Es ist doch zu komisch, was es für Namen gibt! Und immer gerade bei Heirats- und Verlobungsanzeigen. Höre doch nur."

„Ich bin ganz Ohr."

„... Ihre heute vollzogene eheliche Verbindung zeigen ergebenst an: Gideon Franke, Fabrikmeister, Magdalene Franke, geb. Nimptsch ..., Nimptsch. Kannst du dir was Komischeres denken? Und dann Gideon!"

Botho nahm das Blatt, aber freilich nur, weil er seine Verlegenheit dahinter verbergen wollte. Dann gab er es ihr zurück und sagte mit so viel Leichtigkeit im Ton, als er aufbringen konnte: „Was hast du nur gegen Gideon, Käthe? Gideon ist besser als Botho."

Theodor Fontane
Frau Jenny Treibel

Erste Veröffentlichung: Deutsche Rundschau, herausgegeben von Julius Rodenberg, Bd. 70, Januar bis März, Bd. 71, April bis Juni 1892; unter dem Titel: Frau Jenny Treibel oder ‚Wo sich Herz zum Herzen find't'. Erste Buchveröffentlichung im Verlag Friedrich Fontane, Berlin 1893.

Erstes Kapitel

An einem der letzten Maitage, das Wetter war schon sommerlich, bog ein zurückgeschlagener Landauer vom Spittelmarkt her in die Kur- und dann in die Adlerstraße ein und hielt gleich danach vor einem, trotz seiner Front von nur fünf Fenstern, ziemlich ansehnlichen, im übrigen aber altmodischen Hause, dem ein neuer, gelbbrauner Ölfarbenanstrich wohl etwas mehr Sauberkeit, aber keine Spur von gesteigerter Schönheit gegeben hatte, beinahe das Gegenteil. Im Fond des Wagens saßen zwei Damen mit einem Bologneserhündchen, das sich der hell und warm scheinenden Sonne zu freuen schien. Die links sitzende Dame von etwa dreißig, augenscheinlich ein Erzieherin oder Gesellschafterin, öffnete von ihrem Platz aus zunächst den Wagenschlag und war dann der anderen, mit Geschmack und Sorglichkeit gekleideten und trotz ihrer hohen Fünfzig noch sehr gut aussehenden Dame beim Aussteigen behilflich. Gleich danach aber nahm die Gesellschafterin ihren Platz wieder ein, während die ältere Dame auf eine Vortreppe zuschritt und nach Passierung derselben in den Hausflur eintrat. Von diesem aus stieg sie, so schnell ihre Korpulenz es zuließ, eine Holzstiege mit abgelaufenen Stufen hinauf, unten von sehr wenig Licht, weiter oben aber von einer schweren Luft umgeben, die man füglich als eine Doppelluft bezeichnen konnte. Gerade der Stelle gegenüber, wo die Treppe mündete, befand sich eine Entreetür mit Guckloch, und neben diesem ein grünes, knittriges Blechschild, darauf „Professor Wilibald Schmidt“ ziemlich undeutlich zu lesen war. Die ein wenig asthmatische Dame fühlte zunächst das Bedürfnis, sich auszuruhen, und musterte bei der Gelegenheit den ihr übrigens von langer Zeit her bekannten Vorflur, der vier gelbgestrichene Wände mit etlichen Haken und Riegeln und dazwischen einen hölzernen Halbmond zum Bürsten und Ausklopfen der Röcke zeigte. Dazu wehte, der ganzen Atmosphäre auch hier den Charakter gebend, von einem nach hinten zu führenden Korridor her ein sonderbarer Küchengeruch heran, der, wenn nicht alles täuschte, nur auf Rührkartoffeln und Karbonade gedeutet werden konnte, beides mit Seifenwrasen untermischt. „Also kleine Wäsche", sagte die von dem allen wieder ganz eigentümlich berührte stattliche Dame still vor sich hin, während sie zugleich weit zurückliegender Tage gedachte, wo sie selbst hier, in ebendieser Adlerstraße, gewohnt und in dem gerade gegenübergelegenen Materialwarenladen ihres Vaters mit im Geschäft geholfen und auf einem über zwei Kaffeesäcke gelegten Brett kleine und große Tüten geklebt hatte, was ihr jedesmal mit „zwei Pfennig fürs Hundert" gutgetan worden war. „Eigentlich viel zuviel, Jenny", pflegte dann der Alte zu sagen, „aber du sollst mit Geld umgehen lernen." Ach, waren das Zeiten gewesen! Mittags Schlag zwölf, wenn man zu Tisch ging, saß sie zwischen dem Kommis Herrn Mielke und dem Lehrling Louis, die beide, so verschieden sie sonst waren, dieselbe hochstehende Kammtolle und dieselben erfrorenen Hände hatten. Und Louis schielte bewundernd nach ihr hinüber, aber wurde jedesmal verlegen, wenn er sich auf seinen Blicken ertappt sah. Denn er war zu niedrigen Standes, aus einem Obstkeller in der Spreegasse. Ja, das alles stand jetzt wieder vor ihrer Seele, während sie sich auf dem Flur umsah und endlich die Klingel neben der Tür zog. Der überall verbogene Draht raschelte denn auch, aber kein Anschlag ließ sich hören, und so faßte sie schließlich den Klingelgriff noch einmal und zog stärker. Jetzt klang auch ein Bimmelton von der Küche her bis auf den Flur herüber, und ein paar Augenblicke später ließ sich erkennen, daß eine hinter dem Guckloch befindliche kleine Holzklappe beiseite geschoben wurde. Sehr wahrscheinlich war es des Professors Wirtschafterin, die jetzt, von ihrem Beobachtungsposten aus, nach Freund oder Feind aussah, und als diese Beobachtung ergeben hatte, daß er „gut Freund" sei, wurde der Türriegel ziemlich geräuschvoll zurückgeschoben, und eine ramassierte Frau von ausgangs Vierzig, mit einem ansehnlichen Haubenbau auf ihrem vom Herdfeuer geröteten Gesicht, stand vor ihr.

„Ach, Frau Treibel . . . Frau Kommerzienrätin . . . Welche Ehre . . ."

„Guten Tag, liebe Frau Schmolke. Was macht der Professor? Und was macht Fräulein Corinna? Ist das Fräulein zu Hause?"

„Ja, Frau Kommerzienrätin. Eben wieder nach Hause gekommen aus der Philharmonie. Wie wird sie sich freuen."

Und dabei trat Frau Schmolke zur Seite, um den Weg nach dem einfenstrigen, zwischen den zwei Vorderstuben gelegenen und mit einem schmalen Leinwandläufer belegten Entree freizugeben.

Aber ehe die Kommerzienrätin noch eintreten konnte, kam ihr Fräulein Corinna schon entgegen und führte die „mütterliche Freundin", wie sich die Rätin gern selber nannte, nach rechts hin in das eine Vorderzimmer.

Dies war ein hübscher, hoher Raum, die Jalousien herabgelassen, die Fenster nach innen auf, vor deren einem eine Blumenestrade mit Goldlack und Hyazinthen stand. Auf dem Sofatische präsentierte sich gleichzeitig eine Glasschale mit Apfelsinen, und die Porträts der Eltern des Professors, des Rechnungsrats Schmidt aus der Heroldskammer und seiner Frau, geb. Schwerin, sahen auf die Glasschale hernieder – der alte Rechnungsrat in Frack und rotem Adlerorden, die geborene Schwerin mit starken Backenknochen und Stubsnase, was, trotz einer ausgesprochenen Bürgerlichkeit, immer noch mehr auf die pommersch-uckermärkischen Träger des berühmten Namens als auf die spätere oder, wenn man will, auch *viel* frühere posensche Linie hindeutete.

„Liebe Corinna, wie nett du dies alles zu machen verstehst und wie hübsch es doch bei euch ist, so kühl und so frisch – und die schönen Hyazinthen. Mit den Apfelsinen verträgt es sich freilich nicht recht, aber das tut nichts, es sieht so gut aus . . . Und nun legst du mir in deiner Sorglichkeit auch noch das Sofakissen zurecht! Aber verzeih, ich sitze nicht gern auf dem Sofa; das ist immer so weich, und man sinkt dabei so tief ein. Ich setze mich lieber hier in den Lehnstuhl und sehe zu den alten, lieben Gesichtern da hinauf. Ach, war das ein Mann; gerade wie dein Vater. Aber der alte Rechnungsrat war beinah noch verbindlicher, und einige sagten auch immer, er sei so gut wie von der Kolonie. Was auch stimmte. Denn seine Großmutter, wie du freilich besser weißt als ich, war ja eine Charpentier, Stralauer Straße."

Unter diesen Worten hatte die Kommerzienrätin in einem hohen Lehnstuhle Platz genommen und sah mit dem Lorgnon nach den „lieben Gesichtern" hinauf, deren sie sich eben so huldvoll erinnert hatte, während Corinna fragte, ob sie nicht etwas Mosel und Selterwasser bringen dürfe, es sei so heiß.

„Nein, Corinna, ich komme eben vom Lunch, und Selterwasser steigt mir immer so zu Kopf. Sonderbar, ich kann Sherry vertragen und auch Port, wenn er lange gelagert hat; aber Mosel und Selterwasser, das benimmt mich ... Ja, sieh, Kind, dies Zimmer hier, das kenne ich nun schon vierzig Jahre und darüber, noch aus Zeiten her, wo ich ein halbwachsen Ding war, mit kastanienbraunen Locken, die meine Mutter, so viel sie sonst zu tun hatte, doch immer mit rührender Sorgfalt wickelte. Denn damals, meine liebe Corinna, war das Rotblonde noch nicht so Mode wie jetzt, aber kastanienbraun galt schon, besonders wenn es Locken waren, und die Leute sahen mich auch immer darauf an. Und dein Vater auch. Er war damals ein Student und dichtete. Du wirst es kaum glauben, wie reizend und wie rührend das alles war, denn die Kinder wollen es immer nicht wahrhaben, daß die Eltern auch einmal jung waren und gut aussahen und ihre Talente hatten. Und ein paar Gedichte waren an mich gerichtet, die hab ich mir aufgehoben bis diesen Tag, und wenn mir schwer ums Herz ist, dann nehme ich das kleine Buch, das ursprünglich einen blauen Deckel hatte (jetzt aber hab ich es in grünen Maroquin binden lassen), und setze mich ans Fenster und sehe auf unsern Garten und weine mich still aus, ganz still, daß es niemand sieht, am wenigsten Treibel oder die Kinder. Ach Jugend! Meine liebe Corinna, du weißt gar nicht, welch ein Schatz die Jugend ist und wie die reinen Gefühle, die noch kein rauher Hauch getrübt hat, doch unser Bestes sind und bleiben."

„Ja", lachte Corinna, „die Jugend ist gut. Aber ‚Kommerzienrätin' ist auch gut und eigentlich noch besser. Ich bin für einen Landauer und einen Garten um die Villa herum. Und wenn Ostern ist und Gäste kommen, natürlich recht viele, so werden Ostereier in dem Garten versteckt, und jedes Ei ist eine Attrappe voll Konfitüren von Hövell oder Kranzler, oder auch ein kleines Necessaire ist drin. Und wenn dann all die Gäste die Eier gefunden haben, dann nimmt jeder Herr seine Dame, und man geht zu Tisch. Ich bin durchaus für Jugend, aber für Jugend mit Wohlleben und hübschen Gesellschaften."

„Das höre ich gern, Corinna, wenigstens gerade jetzt; denn ich bin hier, um dich einzuladen, und zwar auf morgen schon; es hat sich so rasch gemacht. Ein junger Mr. Nelson ist nämlich bei Otto Treibels angekommen (das heißt aber, er wohnt nicht bei ihnen), ein Sohn von Nelson & Co. aus Liverpool, mit denen mein Sohn Otto seine Hauptgeschäftsverbindung hat. Und Helene kennt ihn auch. Das ist so hamburgisch, die kennen alle Engländer, und wenn sie sie nicht kennen, so tun sie wenigstens so. Mir unbegreiflich. Also Mr. Nelson, der übermorgen schon wieder abreist, um den handelt es sich; ein lieber Geschäftsfreund, den Ottos durchaus einladen mußten. Das verbot sich aber leider, weil Helene mal wieder Plättag hat, was nach ihrer Meinung allem anderen vorgeht, sogar im Geschäft. Da haben *wirs* denn übernommen, offen gestanden nicht allzu gern, aber doch auch nicht geradezu ungern. Otto war nämlich, während seiner englischen Reise, wochenlang in dem Nelsonschen Hause zu Gast. Du siehst daraus, wie's steht und wie sehr mir an deinem Kommen liegen muß; du sprichst Englisch und hast alles gelesen und hast vorigen Winter auch Mr. Booth als Hamlet gesehen. Ich weiß noch recht gut, wie du davon schwärmtest. Und englische Politik und Geschichte wirst du natürlich auch wissen, dafür bist du ja deines Vaters Tochter."

„Nicht viel weiß ich davon, nur ein bißchen. Ein bißchen lernt man ja."

„Ja, jetzt, liebe Corinna. Du hast es gut gehabt, und alle haben es jetzt gut. Aber zu meiner Zeit, da war es anders, und wenn mir nicht der Himmel, dem ich dafür danke, das Herz für das Poetische gegeben hätte, was, wenn es mal in einem lebt, nicht wieder auszurotten ist, so hätte ich nichts gelernt und wüßte nichts. Aber, Gott sei Dank, ich habe mich an Gedichten herangebildet, und wenn man viele davon auswendig weiß, so weiß man doch manches. Und daß es so ist, sieh, das verdanke ich nächst Gott, der es in meine Seele pflanzte, deinem Vater. Der hat das Blümlein großgezogen, das sonst drüben in dem Ladengeschäft unter all den prosaischen Menschen – und du glaubst gar nicht, wie prosaische Menschen es gibt – verkümmert wäre... Wie geht es denn mit deinem Vater? Es muß ein Vierteljahr sein oder länger, daß ich ihn nicht gesehen habe, den 14. Februar, an Ottos Geburtstag. Aber er ging so früh, weil so viel gesungen wurde."

„Ja, das liebt er nicht. Wenigstens dann nicht, wenn er damit überrascht wird. Es ist eine Schwäche von ihm, und manche nennen es eine Unart."

„O, nicht doch, Corinna, das darfst du nicht sagen. Dein Vater ist bloß ein origineller Mann. Ich bin unglücklich, daß man seiner so selten habhaft werden kann. Ich hätt ihn auch zu morgen gerne mit eingeladen, aber ich bezweifle, daß Mr. Nelson ihn interessiert, und von den andern ist nun schon gar nicht zu sprechen; unser Freund Krola wird morgen wohl wieder singen und Assessor Goldammer seine Polizeigeschichten erzählen und sein Kunststück mit dem Hut und den zwei Talern machen."

„O, da freu ich mich. Aber freilich, Papa tut sich nicht gerne Zwang an, und seine Bequemlichkeit und seine Pfeife sind ihm lieber als ein junger Engländer, der vielleicht dreimal um die Welt gefahren ist. Papa ist gut, aber einseitig und eigensinnig."

„Das kann ich nicht zugeben, Corinna. Dein Papa ist ein Juwel, das weiß ich am besten."

„Er unterschätzt alles Äußerliche, Besitz und Geld, und überhaupt alles, was schmückt und schön macht."

„Nein, Corinna, sage das nicht. Er sieht das Leben von der richtigen Seite an; er weiß, daß Geld eine Last ist und daß das Glück ganz woanders liegt.“ Sie schwieg bei diesen Worten und seufzte nur leise. Dann aber fuhr sie fort: „Ach, meine liebe Corinna, glaube mir, kleine Verhältnisse, das ist *das,* was allein glücklich macht.“

Corinna lächelte. „Das sagen alle die, die drüber stehen und die kleinen Verhältnisse nicht kennen.“

„Ich kenne sie, Corinna.“

„Ja, von früher her. Aber das liegt nun zurück und ist vergessen oder wohl gar verklärt. Eigentlich liegt es doch so: alles möchte reich sein, und ich verdenke es keinem. Papa freilich, der schwört noch auf die Geschichte von dem Kamel und dem Nadelöhr. Aber die junge Welt ...“

„... Ist leider anders. Nur zu wahr. Aber so gewiß das ist, so ist es doch nicht so schlimm damit, wie du dirs denkst. Es wäre auch zu traurig, wenn der Sinn für das Ideale verlorenginge, vor allem in der Jugend. Und in der Jugend lebt er auch noch. Da ist zum Beispiel dein Vetter Marcell, den du beiläufig morgen auch treffen wirst (er hat schon zugesagt) und an dem ich wirklich nichts weiter zu tadeln wüßte, als daß er Wedderkopp heißt. Wie kann ein so feiner Mann einen so störrischen Namen führen! Aber wie dem auch sein möge, wenn ich ihn bei Ottos treffe, so spreche ich immer so gern mit ihm. Und warum? Bloß weil er die Richtung hat, die man haben soll. Selbst unser guter Krola sagte mir erst neulich, Marcell sei eine von Grund aus ethische Natur, was er noch höher stelle als das Moralische; worin ich ihm, nach einigen Aufklärungen von seiner Seite, beistimmen mußte. Nein, Corinna, gib den Sinn, der sich nach oben richtet, nicht auf, jenen Sinn, der von dorther allein das Heil erwartet. Ich habe nur meine beiden Söhne, Geschäftsleute, die den Weg ihres Vaters gehen, und ich muß es geschehen lassen; aber wenn mich Gott durch eine Tochter gesegnet hätte, *die* wäre *mein* gewesen, auch im Geist, und wenn sich ihr Herz einem armen, aber edlen Manne, sagen wir einem Manne wie Marcell Wedderkopp, zugeneigt hätte ...“

„... So wäre das ein Paar geworden“, lachte Corinna.

„Der arme Marcell! Da hätt er nun sein Glück machen können, und muß gerade die Tochter fehlen."

Die Kommerzienrätin nickte.

„Überhaupt ist es schade, daß es so selten klappt und paßt", fuhr Corinna fort. „Aber Gott sei Dank, gnädigste Frau haben ja noch den Leopold, jung und unverheiratet, und da Sie solche Macht über ihn haben – so wenigstens sagt er selbst, und sein Bruder Otto sagt es auch, und alle Welt sagt es –, so könnt er Ihnen, da der ideale Schwiegersohn nun mal eine Unmöglichkeit ist, wenigstens eine ideale Schwiegertochter ins Haus führen, eine reizende, junge Person, vielleicht eine Schauspielerin . . ."

„Ich bin nicht für Schauspielerinnen . . ."

„Oder eine Malerin, oder eine Pastors- oder eine Professorentochter . . ."

Die Kommerzienrätin stutzte bei diesem letzten Worte und streifte Corinna stark, wenn auch flüchtig. Indessen wahrnehmend, daß diese heiter und unbefangen blieb, schwand ihre Furchtanwandlung ebenso schnell, wie sie gekommen war.

„Ja, Leopold", sagte sie, „den hab ich noch. Aber Leopold ist ein Kind. Und seine Verheiratung steht jedenfalls noch in weiter Ferne. Wenn er aber käme . . ."

Und die Kommerzienrätin schien sich allen Ernstes – vielleicht weil es sich um etwas noch „in so weiter Ferne" Liegendes handelte – der Vision einer idealen Schwiegertochter hingeben zu wollen, kam aber nicht dazu, weil in ebendiesem Augenblicke der aus seiner Obersekunda kommende Professor eintrat und seine Freundin, die Rätin, mit vieler Artigkeit begrüßte.

„Stör ich?"

„In Ihrem eigenen Hause? Nein, lieber Professor; Sie können überhaupt nie stören. Mit Ihnen kommt immer das Licht. Und wie Sie waren, so sind Sie geblieben. Aber mit Corinna bin ich nicht zufrieden. Sie spricht so modern und verleugnet ihren Vater, der immer nur in einer schönen Gedankenwelt lebte . . ."

„Nun ja, ja", sagte der Professor. „Man kann es so nennen. Aber ich denke, sie wird sich noch wieder zurückfinden.

Freilich, einen Stich ins Moderne wird sie wohl behalten. Schade. Das war anders, als wir jung waren, da lebte man noch in Phantasie und Dichtung . . .“

Er sagte das so hin, mit einem gewissen Pathos, als ob er seinen Sekundanern eine besondere Schönheit aus dem Horaz oder aus dem Parzival (denn er war Klassiker und Romantiker zugleich) zu demonstrieren hätte. Sein Pathos war aber doch etwas theatralisch gehalten und mit einer feinen Ironie gemischt, die die Kommerzienrätin auch klug genug war herauszuhören. Sie hielt es indessen trotzdem für angezeigt, einen guten Glauben zu zeigen, nickte deshalb nur und sagte: „Ja, schöne Tage, die nie wiederkehren.“

„Nein“, sagte der in seiner Rolle mit dem Ernst eines Großinquisitors fortfahrende Wilibald. „Es ist vorbei damit; aber man muß eben weiterleben.“

Eine halbverlegene Stille trat ein, während welcher man, von der Straße her, einen scharfen Peitschenknips hörte.

„Das ist ein Mahnzeichen“, warf jetzt die Kommerzienrätin ein, eigentlich froh der Unterbrechung. „Johann unten wird ungeduldig. Und wer hätte den Mut, es mit einem solchen Machthaber zu verderben.“

„Niemand“, erwiderte Schmidt. „An der guten Laune unserer Umgebung hängt unser Lebensglück; ein Minister bedeutet mir wenig, aber die Schmolke . . .“

„Sie treffen es wie immer, lieber Freund.“

Und unter diesen Worten erhob sich die Kommerzienrätin und gab Corinna einen Kuß auf die Stirn, während sie Wilibald die Hand reichte. „Mit uns, lieber Professor, bleibt es beim alten, unentwegt.“ Und damit verließ sie das Zimmer, von Corinna bis auf den Flur und die Straße begleitet.

„Unentwegt“, wiederholte Wilibald, als er allein war. „Herrliches Modewort, und nun auch schon bis in die Villa Treibel gedrungen . . . Eigentlich ist meine Freundin Jenny noch geradeso wie vor vierzig Jahren, wo sie die kastanienbraunen Locken schüttelte. Das Sentimentale liebte sie schon damals, aber doch immer unter Bevorzugung von Courmachen und Schlagsahne. Jetzt ist sie nun rundlich geworden und beinah gebildet, oder doch, was man so gebildet zu nennen pflegt, und Adolar Krola trägt ihr Arien aus Lohengrin und Tannhäuser vor. Denn ich denke mir, daß das ihre Lieblingsopern sind. Ach, ihre Mutter, die gute Frau Bürstenbinder, die das Puppchen drüben im Apfelsinenladen immer so hübsch herauszuputzen wußte, sie hat in ihrer Weiberklugheit damals ganz richtig gerechnet. Nun ist das Püppchen eine Kommerzienrätin und kann sich alles gönnen, auch das Ideale, und sogar ‚unentwegt'. Ein Musterstück von einer Bourgeoise."

Und dabei trat er ans Fenster, hob die Jalousien ein wenig und sah, wie Corinna, nachdem die Kommerzienrätin ihren Sitz wieder eingenommen hatte, den Wagenschlag ins Schloß warf. Noch ein gegenseitiger Gruß, an dem die Gesellschaftsdame mit sauersüßer Miene teilnahm, und die Pferde zogen an und trabten langsam auf die nach der Spree hin gelegene Ausfahrt zu, weil es schwer war, in der engen Adlerstraße zu wenden.

Als Corinna wieder oben war, sagte sie: „Du hast doch nichts dagegen, Papa? Ich bin morgen bei Treibels zu Tisch geladen. Marcell ist auch da, und ein junger Engländer, der sogar Nelson heißt."

„Ich was dagegen? Gott bewahre. Wie könnt ich was dagegen haben, wenn ein Mensch sich amüsieren will. Ich nehme an, du amüsierst dich."

„Gewiß amüsier ich mich. Es ist doch mal was anderes. Was Distelkamp sagt und Rindfleisch und der kleine Friedeberg, das weiß ich ja schon alles auswendig. Aber was Nelson sagen wird, denk dir, Nelson, das weiß ich nicht."

„Viel Gescheites wird es wohl nicht sein."

„Das tut nichts. Ich sehne mich manchmal nach Ungescheitheiten."

„Da hast du recht, Corinna."

Zweites Kapitel

Die Treibelsche Villa lag auf einem großen Grundstücke, das, in bedeutender Tiefe, von der Köpnicker Straße bis an die Spree reichte. Früher hatten hier in unmittelbarer Nähe des Flusses nur Fabrikgebäude gestanden, in denen alljährlich ungezählte Zentner von Blutlaugensalz und später, als sich die Fabrik erweiterte, kaum geringere Qualitäten von Berlinerblau hergestellt worden waren. Als aber nach dem siebziger Kriege die Milliarden ins Land kamen und die Gründeranschauungen selbst die nüchternsten Köpfe zu beherrschen anfingen, fand auch Kommerzienrat Treibel sein bis dahin in der Alten Jakobstraße gelegenes Wohnhaus, trotzdem es von Gontard, ja nach einigen sogar von Knobelsdorff herrühren sollte, nicht mehr zeit- und standesgemäß, und baute sich auf seinem Fabrikgrundstück eine modische Villa mit kleinem Vorder- und parkartigem Hintergarten. Diese Villa war ein Hochparterrebau mit aufgesetztem ersten Stock, welcher letztere jedoch, um seiner niedrigen Fenster willen, eher den Eindruck eines Mezzanin als einer Beletage machte. Hier wohnte Treibel seit sechzehn Jahren und begriff nicht, daß er es, einem noch dazu bloß gemutmaßten friderizianischen Baumeister zuliebe, so lange Zeit hindurch in der unvornehmen und aller frischen Luft entbehrenden Alten Jakobstraße ausgehalten habe; Gefühle, die von seiner Frau Jenny mindestens geteilt wurden. Die Nähe der Fabrik, wenn der Wind ungünstig stand, hatte freilich auch allerlei Mißliches im Geleite; Nordwind aber, der den Qualm herantrieb, war notorisch selten, und man brauchte ja die Gesellschaften nicht gerade bei Nordwind zu geben. Außerdem ließ Treibel die Fabrikschornsteine mit jedem Jahre höher hinaufführen und beseitigte damit den anfänglichen Übelstand immer mehr.

Das Diner war zu sechs Uhr festgesetzt; aber bereits eine Stunde vorher sah man Hustersche Wagen mit runden und viereckigen Körben vor dem Gittereingange halten. Die Kommerzienrätin, schon in voller Toilette, beobachtete von dem Fenster ihres Boudoirs aus all diese Vorbereitungen und nahm auch heute wieder, und zwar nicht ohne eine gewisse Berechtigung, Anstoß daran. „Daß Treibel es auch versäumen mußte, für einen Nebeneingang Sorge zu tragen! Wenn er damals nur ein vier Fuß breites Terrain von dem Nachbargrundstück zukaufte, so hätten wir einen Eingang für derart Leute gehabt. Jetzt marschiert jeder Küchenjunge durch den Vorgarten, gerade auf unser Haus zu, wie wenn er miteingeladen wäre. Das sieht lächerlich aus und auch anspruchsvoll, als ob die ganze Köpnicker Straße wissen solle: Treibels geben heut ein Diner. Außerdem ist es unklug, dem Neid der Menschen und dem sozialdemokratischen Gefühl so ganz nutzlos neue Nahrung zu geben."

Sie sagte sich das ganz ernsthaft, gehörte jedoch zu den Glücklichen, die sich nur weniges andauernd zu Herzen nehmen, und so kehrte sie denn vom Fenster zu ihrem Toilettentisch zurück, um noch einiges zu ordnen und den Spiegel zu befragen, ob sie sich neben ihrer Hamburger Schwiegertochter auch werde behaupten können. Helene war freilich nur halb so alt, ja kaum das; aber die Kommerzienrätin wußte recht gut, daß Jahre nichts bedeuten und daß Konversation und Augenausdruck und namentlich die „Welt der Formen", im einen und im andern Sinne, ja im „andern" Sinne noch mehr, den Ausschlag zu geben pflegen. Und hierin war die schon stark an der Grenze des Embonpoint angelangte Kommerzienrätin ihrer Schwiegertochter unbedingt überlegen.

In dem mit dem Boudoir korrespondierenden, an der andern Seite des Frontsaales gelegenen Zimmers saß Kommerzienrat Treibel und las das „Berliner Tageblatt". Es war gerade eine Nummer, der der „Ulk" beilag. Er weidete sich an dem Schlußbild und las dann einige von Nunnes philosophischen Betrachtungen. „Ausgezeichnet . . . Sehr gut . . . Aber ich werde das Blatt doch beiseite schieben oder mindestens das ‚Deutsche Tageblatt' darüberlegen müssen. Ich glaube, Vogelsang gibt mich sonst auf. Und ich kann ihn, wie die Dinge mal liegen, nicht mehr entbehren, so wenig, daß ich ihn zu heute habe einladen müssen. Überhaupt eine sonderbare Gesellschaft! Erst dieser Mr. Nelson, den sich Helene, weil ihre Mädchen mal wieder am Plättbrett stehen, gefälligst abgewälzt hat, und zu diesem Nelson dieser Vogelsang, dieser Leutnant a. D. und agent provocateur in Wahlsachen. Er versteht sein Metier, so sagt man mir allgemein, und ich muß es glauben. Jedenfalls scheint mir das sicher: hat er mich erst in Teupitz-Zossen und an den Ufern der wendischen Spree durchgebracht, so bringt er mich auch *hier* durch. Und das ist die Hauptsache. Denn schließlich läuft doch alles darauf hinaus, daß ich in Berlin selbst, wenn die Zeit dazu gekommen ist, den Singer oder irgendeinen andern von der Couleur beiseite schiebe. Nach der Beredsamkeitsprobe neulich bei Buggenhagen ist ein Sieg sehr wohl möglich, und so muß ich ihn mir warmhalten. Er hat einen Sprechanismus, um den ich ihn beneiden könnte, trotzdem ich doch auch nicht in einem Trappistenkloster geboren und großgezogen bin. Aber neben Vogelsang? Null. Und kann auch nicht anders sein; denn bei Lichte besehen, hat der ganze Kerl nur drei Lieder auf seinem Kasten und dreht eins nach dem andern von der Walze herunter, und wenn er damit fertig ist, fängt er wieder an. So steht es mit ihm, und darin steckt seine Macht, gutta cavat lapidem; der alte Wilibald Schmidt würde sich freuen, wenn er mich so zitieren hörte, vorausgesetzt, daß es richtig ist. Oder vielleicht auch umgekehrt; wenn drei Fehler drin sind, amüsiert er sich noch mehr; Gelehrte sind nun mal so ... Vogelsang, das muß ich ihm lassen, hat freilich noch eines, was wichtiger ist als das ewige Wiederholen, er hat den Glauben an sich und ist überhaupt ein richtiger Fanatiker. Ob es wohl mit allem Fanatismus ebenso steht? Mir sehr wahrscheinlich. Ein leidlich gescheites Individuum kann eigentlich gar nicht fanatisch sein. Wer an einen Weg und eine Sache glaubt, ist allemal ein Poveretto, und ist seine Glaubenssache zugleich er selbst, so ist er gemeingefährlich und eigentlich reif für Dalldorf. Und von solcher Beschaffenheit ist just der Mann, dem zu Ehren ich, wenn ich von Mr. Nelson absehe, heute mein Diner gebe und mir zwei adlige Fräuleins eingeladen habe, blaues Blut, das hier in der Köpnicker Straße so gut wie gar nicht vorkommt und deshalb aus Berlin W von mir verschrieben werden mußte, ja zur Hälfte sogar aus Charlottenburg. O Vogelsang! Eigentlich ist mir der Kerl ein Greuel. Aber was tut man nicht alles als Bürger und Patriot."

Und dabei sah Treibel auf das zwischen den Knopflöchern ausgespannte Kettchen mit drei Orden en miniature, unter denen ein rumänischer der vollgültigste war, und seufzte, während er zugleich auch lachte. „Rumänien, früher Moldau und Walachei. Es ist mir wirklich zu wenig."

Das erste Coupé, das vorfuhr, war das seines ältesten Sohnes Otto, der sich selbständig etabliert und ganz am Ausgange der Köpnicker Straße, zwischen dem zur Pionierkaserne gehörigen Pontonhaus und dem Schlesischen Tor, einen Holzhof errichtet hatte, freilich von der höheren Observanz, denn es waren Farbhölzer, Fernambuk- und Campecheholz, mit denen er handelte. Seit etwa acht Jahren war er auch verheiratet. Im selben Augenblicke, wo der Wagen hielt, zeigte er sich seiner jungen Frau beim Aussteigen behilflich, bot ihr verbindlich den Arm und schritt, nach Passierung des Vorgartens, auf die Freitreppe zu, die zunächst zu einem verandaartigen Vorbau der väterlichen Villa hinaufführte. Der alte Kommerzienrat stand schon in der Glastür und empfing die Kinder mit der ihm eigenen Jovialität. Gleich darauf erschien auch die Kommerzienrätin aus dem seitwärts angrenzenden und nur durch eine Portiere von dem großen Empfangssaal geschiedenen Zimmer und reichte der Schwiegertochter die Backe, während ihr Sohn Otto ihr die Hand küßte.

„Gut, daß du kommst, Helene", sagte sie mit einer glücklichen Mischung von Behaglichkeit und Ironie, worin sie, wenn sie wollte, Meisterin war. „Ich fürchtete schon, du würdest dich auch vielleicht behindert sehen."

„Ach, Mama, verzeih ... Es war nicht bloß des Plättags halber; unsere Köchin hat zum ersten Juni gekündigt, und wenn sie kein Interesse mehr haben, so sind sie so unzuverlässig; und auf Elisabeth ist nun schon gar kein Verlaß mehr. Sie ist ungeschickt bis zur Unschicklichkeit und hält die Schüsseln immer so dicht über die Schultern, besonders der Herren, als ob sie sich ausruhen wollte ..."

Die Kommerzienrätin lächelte halb versöhnt, denn sie hörte gern dergleichen.

„... Und aufschieben", fuhr Helene fort, „verbot sich auch. Mr. Nelson, wie du weißt, reist schon morgen abend wieder. Übrigens ein charmanter junger Mann, der euch gefallen wird. Etwas kurz und einsilbig, vielleicht weil er nicht recht weiß, ob er sich deutsch oder englisch ausdrücken soll; aber was er sagt, ist immer gut und hat ganz die Gesetztheit und Wohlerzogenheit, die die meisten Engländer haben. Und dabei immer wie aus dem Ei gepellt. Ich habe nie solche Manschetten gesehen, und es bedrückt mich geradezu, wenn ich dann sehe, womit sich mein armer Otto behelfen muß, bloß weil man die richtigen Kräfte beim besten Willen nicht haben kann. Und so sauber wie die Manschetten, so sauber ist alles an ihm, ich meine an Mr. Nelson, auch sein Kopf und sein Haar. Wahrscheinlich, daß er es mit Honey-water bürstet, oder vielleicht ist es auch bloß mit Hilfe von Shampooing."

Der so rühmlich Gekennzeichnete war der nächste, der am Gartengitter erschien und schon im Herankommen die Kommerzienrätin einigermaßen in Erstaunen setzte. Diese hatte nach der Schilderung ihrer Schwiegertochter einen Ausbund von Eleganz erwartet; statt dessen kam ein Menschenkind daher, an dem, mit Ausnahme der von der jungen Frau Treibel gerühmten Manschettenspezialität, eigentlich alles die Kritik herausforderte. Den ungebürsteten Zylinder im Nacken und reisemäßig in einem gelb und braun quadrierten Anzuge steckend, stieg er, von links nach rechts sich wiegend, die Freitreppe herauf und grüßte mit der bekannten heimatlichen Mischung von Selbstbewußtsein und Verlegenheit. Otto ging ihm entgegen, um ihn seinen Eltern vorzustellen.

„Mr. Nelson from Liverpool – derselbe, lieber Papa, mit dem ich ..."

„Ah, Mr. Nelson. Sehr erfreut. Mein Sohn spricht noch oft von seinen glücklichen Tagen in Liverpool und von dem Ausfluge, den er damals mit Ihnen nach Dublin und, wenn ich nicht irre, auch nach Glasgow machte. Das geht jetzt ins neunte Jahr; Sie müssen damals noch sehr jung gewesen sein."

„O nicht sehr jung, Mr. Treibel ... about sixteen ..."

„Nun, ich dächte doch, sechzehn ..."

„O, sechzehn, nicht sehr jung ... nicht für uns."

Diese Versicherungen klangen um so komischer, als Mr. Nelson, auch jetzt noch, wie ein Junge wirkte. Zu weiteren

Betrachtungen darüber war aber keine Zeit, weil eben jetzt eine Droschke zweiter Klasse vorfuhr, der ein langer, hagerer Mann in Uniform entstieg. Er schien Auseinandersetzungen mit dem Kutscher zu haben, während deren er übrigens eine beneidenswert sichere Haltung beobachtete, und nun rückte er sich zurecht und warf die Gittertür ins Schloß. Er war in Helm und Degen; aber ehe man noch der „Schilderhäuser“ auf seiner Achselklappe gewahr werden konnte, stand es für jeden mit militärischem Blick nur einigermaßen Ausgerüsteten fest, daß er seit wenigstens dreißig Jahren außer Dienst sein müsse. Denn die Grandezza, mit der er daherkam, war mehr die Steifheit eines alten, irgendeiner ganz seltenen Sekte zugehörigen Torf- oder Salzinspektors als die gute Haltung eines Offiziers. Alles gab sich mehr oder weniger automatenhaft, und der in zwei gewirbelten Spitzen auslaufende schwarze Schnurrbart wirkte nicht nur gefärbt, was er natürlich war, sondern zugleich auch wie angeklebt. Desgleichen der Henriquatre. Dabei lag sein Untergesicht im Schatten zweier vorspringender Backenknochen. Mit der Ruhe, die sein ganzes Wesen auszeichnete, stieg er jetzt die Freitreppe hinauf und schritt auf die Kommerzienrätin zu.

„Sie haben befohlen, meine Gnädigste ...“

„Hoch erfreut, Herr Leutnant ...“ Inzwischen war auch der alte Treibel herangetreten und sagte: „Lieber Vogelsang, erlauben Sie mir, daß ich Sie mit den Herrschaften bekannt mache; meinen Sohn Otto kennen Sie, aber nicht seine Frau, meine liebe Schwiegertochter – Hamburgerin, wie Sie leicht erkennen werden ... Und hier“, und dabei schritt er auf Mr. Nelson zu, der sich mit dem inzwischen ebenfalls erschienenen Leopold Treibel gemütlich und ohne jede Rücksicht auf den Rest der Gesellschaft unterhielt, „und hier ein junger lieber Freund unseres Hauses, Mr. Nelson from Liverpool.“

Vogelsang zuckte bei dem Worte „Nelson“ zusammen und schien einen Augenblick zu glauben – denn er konnte die Furcht des Gefopptwerdens nie ganz loswerden –, daß man sich einen Witz mit ihm erlaube. Die ruhigen Mienen aller aber belehrten ihn bald eines Besseren, weshalb er sich artig verbeugte und zu dem jungen Engländer sagte: „Nelson. Ein großer Name. Sehr erfreut, Mr. Nelson."

Dieser lachte dem alt und aufgesteift vor ihm stehenden Leutnant ziemlich ungeniert ins Gesicht, denn solche komische Person war ihm noch gar nicht vorgekommen. Daß er in seiner Art ebenso komisch wirkte, dieser Grad der Erkenntnis lag ihm fern. Vogelsang biß sich auf die Lippen und befestigte sich, unter dem Eindruck dieser Begegnung, in der lang gehegten Vorstellung von der Impertinenz englischer Nation. Im übrigen war jetzt der Zeitpunkt da, wo das Eintreffen immer neuer Ankömmlinge von jeder anderen Betrachtung abzog und die Sonderbarkeiten eines Engländers rasch vergessen ließ.

Einige der befreundeten Fabrikbesitzer aus der Köpnicker Straße lösten in ihren Chaisen mit niedergeschlagenem Verdeck die, wie es schien, noch immer sich besinnende Vogelsangsche Droschke rasch und beinah gewaltsam ab; dann kam Corinna samt ihrem Vetter Marcell Wedderkopp (beide zu Fuß), und schließlich fuhr Johann, der Kommerzienrat Treibelsche Kutscher, vor, und dem mit blauem Atlas ausgeschlagenen Landauer – derselbe, darin gestern die Kommerzienrätin ihren Besuch bei Corinna gemacht hatte – entstiegen zwei alte Damen, die von Johann mit ganz besonderem und beinahe überraschlichem Respekt bchandelt wurden. Es erklärte sich dies aber einfach daraus, daß Treibel, gleich bei Beginn dieser ihm wichtigen und jetzt etwa um dritthalb Jahre zurückliegenden Bekanntschaft, zu seinem Kutscher gesagt hatte: „Johann, ein für allemal, diesen Damen gegenüber immer Hut in Hand. Das andere, du verstehst mich, ist *meine* Sache." Dadurch waren die guten Manieren Johanns außer Frage gestellt. Beiden alten Damen ging Treibel jetzt bis in die Mitte des Vorgartens entgegen, und nach lebhaften Bekomplimentierungen, an denen auch die Kommerzienrätin teilnahm, stieg man wieder die Gartentreppe hinauf und trat, von der Veranda her, in den großen Empfangssalon ein, der bis dahin, weil das schöne Wetter zum Verweilen im Freien einlud, nur von wenigen betreten worden war. Fast alle kannten sich von früheren Treibelschen Diners her; nur Vogelsang und Nelson waren

Fremde, was den partiellen Vorstellungsakt erneuerte. „Darf ich Sie“, wandte sich Treibel an die zuletzt erschienenen alten Damen, „mit zwei Herren bekannt machen, die mir heute zum ersten Male die Ehre ihres Besuches geben: Leutnant Vogelsang, Präsident unseres Wahlkomitees, und Mr. Nelson from Liverpool.“ Man verneigte sich gegenseitig. Dann nahm Treibel Vogelsangs Arm und flüsterte diesem, um ihn einigermaßen zu orientieren, zu: „Zwei Damen vom Hofe, die korpulente: Frau Majorin von Ziegenhals; die *nicht*korpulente (worin Sie mir zustimmen werden): Fräulein Edwine von Bomst.“

„Merkwürdig“, sagte Vogelsang. „Ich würde, die Wahrheit zu gestehen . . .“

„Eine Vertauschung der Namen für angezeigt gehalten haben. Da treffen Sie's, Vogelsang. Und es freut mich, daß Sie ein Auge für solche Dinge haben. Da bezeugt sich das alte Leutnantsblut. Ja, diese Ziegenhals; einen Meter Brustweite wird sie wohl haben, und es lassen sich allerhand Betrachtungen darüber anstellen, werden auch wohl seinerzeit angestellt worden sein. Im übrigen, es sind das so die scherzhaften Widerspiele, die das Leben erheitern. Klopstock war Dichter, und ein anderer, den ich noch persönlich gekannt habe, hieß Griepenkerl . . . Es trifft sich, daß uns beide Damen ersprießliche Dienste leisten können.“

„Wie das? Wieso?“

„Die Ziegenhals ist eine rechte Cousine von dem Zossener Landesältesten, und ein Bruder der Bomst hat sich mit einer Pastorstochter aus der Storkower Gegend ehelich vermählt. Halbe Mesalliance, die wir ignorieren müssen, weil wir Vorteil daraus ziehen. Man muß, wie Bismarck, immer ein Dutzend Eisen im Feuer haben . . . Ah, Gott sei Dank. Johann hat den Rock gewechselt und gibt das Zeichen. Allerhöchste Zeit . . . Eine Viertelstunde warten geht: aber zehn Minuten darüber ist zuviel . . . Ohne mich ängstlich zu belauschen, ich höre, wie der Hirsch nach Wasser schreit. Bitte, Vogelsang, führen Sie meine Frau . . . Liebe Corinna, bemächtigen Sie sich Nelsons . . . Victory and Westminster-Abbey: das Entern ist diesmal an Ihnen. Und nun, meine Damen . . . darf ich um Ihren Arm bitten,

Frau Majorin? . . . und um den Ihren, mein gnädigstes Fräulein?"

Und die Ziegenhals am rechten, die Bomst am linken Arm, ging er auf die Flügeltür zu, die sich, während dieser seiner letzten Worte, mit einer gewissen langsamen Feierlichkeit geöffnet hatte.

Drittes Kapitel

Das Eßzimmer entsprach genau dem vorgelegenen Empfangszimmer und hatte den Blick auf den großen parkartigen Hintergarten mit plätscherndem Springbrunnen, ganz in der Nähe des Hauses; eine kleine Kugel stieg auf dem Wasserstrahl auf und ab, und auf dem Querholz einer zur Seite stehenden Stange saß ein Kakadu und sah, mit dem bekannten Auge voll Tiefsinn, abwechselnd auf den Strahl mit der balancierenden Kugel und dann wieder in den Eßsaal, dessen oberes Schiebefenster, der Ventilation halber, etwas herabgelassen war. Der Kronleuchter brannte schon, aber die niedrig geschraubten Flämmchen waren in der Nachmittagssonne kaum sichtbar und führten ihr schwaches Vorleben nur deshalb, weil der Kommerzienrat, um ihn selbst sprechen zu lassen, nicht liebte, „durch Manipulationen im Laternenansteckerstil in seiner Dinerstimmung gestört zu werden". Auch der bei der Gelegenheit hörbar werdende kleine Puff, den er gern als „moderierten Salutschuß" bezeichnete, konnte seine Gesamtstellung zu der Frage nicht ändern. Der Speisesaal selbst war von schöner Einfachheit: gelber Stuck, in den einige Reliefs eingelegt waren, reizende Arbeiten von Professor Franz. Seitens der Kommerzienrätin war, als es sich um diese Ausschmückung handelte, Reinhold Begas in Vorschlag gebracht, aber von Treibel, als seinen Etat überschreitend, abgelehnt worden. „Das ist für die Zeit, wo wir Generalkonsuls sein werden..." – „Eine Zeit, die nie kommt", hatte Jenny geantwortet. „Doch, doch, Jenny; Teupitz-Zossen ist die erste Staffel dazu." Er wußte, wie zweifelhaft seine Frau seiner Wahlagitation und allen sich daran knüpfenden Hoffnungen gegenüberstand, weshalb er gern durchklingen ließ, daß er von dem Baum seiner Politik auch für die weibliche Eitelkeit noch goldene Früchte zu heimsen gedenke.

Draußen setzte der Wasserstrahl sein Spiel fort. Drinnen im Saal aber, in der Mitte der Tafel, die statt der üblichen Riesenvase mit Flieder und Goldregen ein kleines Blumenparkett zeigte, saß der alte Treibel, neben sich die beiden adligen Damen, ihm gegenüber seine Frau zwischen Leutnant Vogelsang und dem ehemaligen Opernsänger Adolar Krola. Krola war seit fünfzehn Jahren Hausfreund, worauf ihm dreierlei einen gleichmäßigen Anspruch gab: sein gutes Äußere, seine gute Stimme und sein gutes Vermögen. Er hatte sich nämlich kurz vor seinem Rücktritt von der Bühne mit einer Millionärstochter verheiratet. Allgemein zugestanden war er ein sehr liebenswürdiger Mann, was er vor manchen seiner ehemaligen Kollegen ebensosehr voraus hatte wie die mehr als gesicherte Finanzlage.

Frau Jenny präsentierte sich in vollem Glanz, und ihre Herkunft aus dem kleinen Laden in der Adlerstraße war in ihrer Erscheinung bis auf den letzten Rest getilgt. Alles wirkte reich und elegant; aber die Spitzen auf dem veilchenfarbenen Brokatkleide, soviel mußte gesagt werden, taten es nicht allein, auch nicht die kleinen Brillantohrringe, die bei jeder Bewegung hin und her blitzten; nein, was ihr mehr als alles andere eine gewisse Vornehmheit lieh, war die sichere Ruhe, womit sie zwischen ihren Gästen thronte. Keine Spur von Aufregung gab sich zu erkennen, zu der allerdings auch keine Veranlassung vorlag. Sie wußte, was in einem reichen und auf Repräsentation gestellten Hause brauchbare Dienstleute bedeuten, und so wurde denn alles, was sich nach dieser Seite hin nur irgendwie bewährte, durch hohen Lohn und gute Behandlung festgehalten. Alles ging infolge davon wie am Schnürchen, auch heute wieder, und ein Blick Jennys regierte das Ganze, wobei das untergeschobene Luftkissen, das ihr eine dominierende Stellung gab, ihr nicht wenig zustatten kam. In ihrem Sicherheitsgefühl war sie zugleich die Liebenswürdigkeit selbst. Ohne Furcht, wirtschaftlich irgend etwas ins Stocken kommen zu sehen, konnte sie sich selbstverständlich auch den Pflichten einer gefälligen Unterhaltung widmen, und weil sie's störend empfinden mochte – den ersten Begrüßungsmoment abgerechnet –, zu keinem einzigen intimeren Gesprächswort mit den adligen Damen gekommen zu sein, so wandte sie sich jetzt über den Tisch hin an die Bomst und fragte voll anscheinender oder vielleicht auch voll wirklicher Teilnahme: „Haben Sie, mein gnädigstes Fräulein, neuerdings etwas von Prinzeß Anisettchen gehört? Ich habe mich immer für diese junge Prinzessin lebhaft interessiert, ja, für die ganze Linie des Hauses. Sie soll glücklich verheiratet sein. Ich höre so gern von glücklichen Ehen, namentlich in der Obersphäre der Gesellschaft, und ich möchte dabei bemerken dürfen, es scheint mir eine törichte Annahme, daß auf den Höhen der Menschheit das Eheglück ausgeschlossen sein solle."

„Gewiß", unterbrach hier Treibel übermütig, „ein solcher Verzicht auf das denkbar Höchste . . ."

„Lieber Treibel", fuhr die Rätin fort, „ich richtete mich an das Fräulein v. Bomst, das, bei jedem schuldigen Respekt vor deiner sonstigen Allgemeinkenntnis, mir in allem, was ‚Hof' angeht, doch um ein Erhebliches kompetenter ist als du."

„Zweifellos", sagte Treibel. Und die Bomst, die dies eheliche Intermezzo mit einem sichtlichen Behagen begleitet hatte, nahm nun ihrerseits das Wort und erzählte von der Prinzessin, die ganz die Großmutter sei, denselben Teint und vor allem dieselbe gute Laune habe. Das wisse, soviel dürfe sie wohl sagen, niemand besser als sie, denn sie habe noch des Vorzugs genossen, unter den Augen der Hochseligen, die eigentlich ein Engel gewesen, ihr Leben bei Hofe beginnen zu dürfen, bei welcher Gelegenheit sie so recht die Wahrheit begriffen habe, daß die Natürlichkeit nicht nur das Beste, sondern auch das Vornehmste sei.

„Ja", sagte Treibel, „das Beste und das Vornehmste. Da hörst du's, Jenny, von einer Seite her, die du, Pardon, mein gnädigstes Fräulein, eben selbst als ‚kompetenteste Seite' bezeichnet hast."

Auch die Ziegenhals mischte sich jetzt mit ein, und das Gesprächsinteresse der Kommerzienrätin, die, wie jede geborene Berlinerin, für Hof und Prinzessinnen schwärmte, schien sich mehr und mehr ihren beiden Visavis zuwenden zu wollen, als plötzlich ein leises Augenzwinkern Treibels ihr zu verstehen gab, daß auch noch andere Personen zu Tische säßen und daß es des Landes der Brauch sei, sich, was Gespräch angehe, mehr mit seinem Nachbar zur Linken und Rechten als mit seinem Gegenüber zu beschäftigen. Die Kommerzienrätin erschrak denn auch nicht wenig, als sie wahrnahm, wie sehr Treibel mit seinem stillen, wenn auch halb scherzhaften Vorwurf im Rechte sei. Sie hatte Versäumtes nachholen wollen und war dadurch in eine neue, schwerere Versäumnis hineingeraten. Ihr linker Nachbar, Krola – nun, das mochte gehen, der war Hausfreund und harmlos und nachsichtig von Natur. Aber Vogelsang! Es kam ihr mit einem Male zum Bewußtsein, daß sie während des Prinzessinnengesprächs von der rechten Seite her immer etwas wie einen sich einbohrenden Blick empfunden hatte. Ja, das war Vogelsang gewesen, Vogelsang, dieser furchtbare Mensch, dieser Mephisto mit Hahnenfeder und Hinkefuß, wenn auch beides nicht recht zu sehen war. Er war ihr widerwärtig, und doch mußte sie mit ihm sprechen; es war die höchste Zeit.

„Ich habe, Herr Leutnant, von Ihren beabsichtigten Reisen in unsere liebe Mark Brandenburg gehört; Sie wollen bis an die Gestade der wendischen Spree vordringen, ja, noch darüber hinaus. Eine höchst interessante Gegend, wie mir Treibel sagt, mit allerlei Wendengöttern, die sich, bis diesen Tag, in dem finsteren Geiste der Bevölkerung aussprechen sollen."

„Nicht daß ich wüßte, meine Gnädigste."

„So zum Beispiel in dem Städtchen Storkow, dessen Burgemeister, wenn ich recht unterrichtet bin, der Burgemeister Tschech war, jener politische Rechtsfanatiker, der auf König Friedrich Wilhelm IV. schoß, ohne Rücksicht auf die nebenstehende Königin. Es ist eine lange Zeit, aber ich entsinne mich der Einzelheiten, als ob es gestern gewesen wäre, und entsinne mich auch noch des eigentümlichen Liedes, das damals auf diesen Vorfall gedichtet wurde."

„Ja", sagte Vogelsang, „ein erbärmlicher Gassenhauer, darin ganz der frivole Geist spukte, der die Lyrik jener

Tage beherrschte. Was sich anders in dieser Lyrik gibt, ganz besonders auch in dem in Rede stehenden Gedicht, ist nur Schein, Lug und Trug. ‚Er erschoß uns auf ein Haar unser teures Königspaar.‘ Da haben Sie die ganze Perfidie. Das sollte loyal klingen und unter Umständen vielleicht auch den Rückzug decken, ist aber schnöder und schändlicher als alles, was jene verlogene Zeit sonst noch hervorgebracht hat, den großen Hauptsünder auf diesem Gebiete nicht ausgenommen. Ich meine natürlich Herwegh, George Herwegh.“ – „Ach, da treffen Sie mich, Herr Leutnant, wenn auch ungewollt, an einer sehr empfindlichen Stelle. Herwegh war nämlich in der Mitte der vierziger Jahre, wo ich eingesegnet wurde, mein Lieblingsdichter. Es entzückte mich, weil ich immer sehr protestantisch fühlte, wenn er seine ‚Flüche gegen Rom‘ herbeischleppte, worin Sie mir vielleicht beistimmen werden. Und ein anderes Gedicht, worin er uns aufforderte, die Kreuze aus der Erde zu reißen, las ich beinah mit gleichem Vergnügen. Ich muß freilich einräumen, daß es keine Lektüre für eine Konfirmandin war. Aber meine Mutter sagte: ‚Lies es nur, Jenny; der König hat es auch gelesen, und Herwegh war sogar bei ihm in Charlottenburg, und die besseren Klassen lesen es alle.‘ Meine Mutter, wofür ich ihr noch im Grabe danke, war immer für die besseren Klassen. Und das sollte jede Mutter, denn es ist bestimmend für unseren Lebensweg. Das Niedere kann dann nicht heran und bleibt hinter uns zurück.“

Vogelsang zog die Augenbrauen zusammen, und jeder, den die Vorstellung von seiner Mephistophelesschaft bis dahin nur gestreift hatte, hätte bei diesem Mienenspiel unwillkürlich nach dem Hinkefuß suchen müssen. Die Kommerzienrätin aber fuhr fort: „Im übrigen wird mir das Zugeständnis nicht schwer, daß die patriotischen Grundsätze, die der große Dichter predigte, vielleicht sehr anfechtbar waren. Wiewohl auch das nicht immer das Richtige ist, was auf der großen Straße liegt . . .“

Vogelsang, der stolz darauf war, durchaus eine Nebenstraße zu wandeln, nickte jetzt zustimmend.

„. . . Aber lassen wir die Politik, Herr Leutnant. Ich gebe Ihnen Herwegh als politischen Dichter preis, da das Politische nur ein Tropfen fremden Blutes in seinen Adern war. Indessen groß ist er, wo er nur Dichter ist. Erinnern Sie sich? ‚Ich möchte hingehn wie das Abendrot, und wie der Tag mit seinen letzten Gluten ...'"

„‚... Mich in den Schoß des Ewigen verbluten ...' Ja, das kenn ich, meine Gnädigste, das hab ich damals auch nachgebetet. Aber wer sich, als es galt, durchaus nicht verbluten wollte, das war der Herr Dichter selbst. Und so wird es immer sein. Das kommt von den hohen, leeren Worten und der Reimsucherei. Glauben Sie mir, Frau Rätin, das sind überwundene Standpunkte. Der Prosa gehört die Welt."

„Jeder nach seinem Geschmack, Herr Leutnant Vogelsang", sagte die durch diese Worte tief verletzte Jenny. „Wenn Sie Prosa vorziehen, so kann ich Sie daran nicht hindern. Aber mir gilt die poetische Welt, und vor allem gelten mir auch die Formen, in denen das Poetische herkömmlich seinen Ausdruck findet. Ihm allein verlohnt es sich zu leben. Alles ist nichtig; am nichtigsten aber ist das, wonach alle Welt so begehrlich drängt: äußerlicher Besitz, Vermögen, Gold. ‚Gold ist nur Chimäre', da haben Sie den Ausspruch eines großen Mannes und Künstlers, der, seinen Glücksgütern nach – ich spreche von Meyerbeer –, wohl in der Lage war, zwischen dem Ewigen und Vergänglichen unterscheiden zu können. Ich für meine Person verbleibe dem Ideal und werde nie darauf verzichten. Am reinsten aber hab ich das Ideal im Liede, vor allem in dem Liede, das gesungen wird. Denn die Musik hebt es noch in eine höhere Sphäre. Habe ich recht, lieber Krola?"

Krola lächelte gutmütig verlegen vor sich hin, denn als Tenor und Millionär saß er zwischen zwei Stühlen. Endlich aber nahm er seiner Freundin Hand und sagte: „Jenny, wann hätten Sie je *nicht* recht gehabt?"

Der Kommerzienrat hatte sich mittlerweile ganz der Majorin von Ziegenhals zugewandt, deren „Hoftage" noch etwas weiter zurücklagen als die der Bomst. Ihm, Treibel, war dies natürlich gleichgültig; denn sosehr ihm ein gewisser Glanz paßte, den das Erscheinen der Hofdamen, trotz ihrer Außerdienststellung, seiner Gesellschaft immer noch lieh, so stand er doch auch wieder völlig darüber, ein Standpunkt, den ihm die beiden Damen selbst eher zum Guten als zum Schlechten anrechneten. Namentlich die den Freuden der Tafel überaus zugeneigte Ziegenhals nahm ihrem kommerzienrätlichen Freunde nichts übel; am wenigsten aber verdroß es sie, wenn er, außer Adels- und Geburtsfragen, allerlei Sittlichkeitsprobleme streifte, zu deren Lösung er sich, als geborener Berliner, besonders berufen fühlte. Die Majorin gab ihm dann einen Tipp mit dem Finger und flüsterte ihm etwas zu, das vierzig Jahre früher bedenklich gewesen wäre, *jetzt* aber – beide renommierten beständig mit ihrem Alter – nur Heiterkeit weckte. Meist waren es harmlose Sentenzen aus Büchmann oder andere geflügelte Worte, denen erst der Ton, aber dieser oft sehr entschieden, den erotischen Charakter aufdrückte.

„Sagen Sie, cher Treibel", hob die Ziegenhals an, „wie kommen Sie zu dem Gespenst da drüben? Er scheint noch ein Vorachtundvierziger; das war damals die Epoche des sonderbaren Leutnants, aber dieser übertreibt es. Karikatur durch und durch. Entsinnen Sie sich noch eines Bildes aus jener Zeit, das den Don Quijote mit einer langen Lanze darstellte, dicke Bücher rings um sich her. Das ist er, wie er leibt und lebt."

Treibel fuhr mit dem linken Zeigefinger am Innenrand seiner Krawatte hin und her und sagte: „Ja, wie ich zu ihm komme, meine Gnädigste. Nun, jedenfalls mehr der Not gehorchend als dem eigenen Triebe. Seine gesellschaftlichen Meriten sind wohl eigentlich gering, und seine menschlichen werden dasselbe Niveau haben. Aber er ist ein Politiker."

„Das ist unmöglich. Er kann doch nur als Warnungsschatten vor den Prinzipien stehen, die das Unglück haben, von ihm vertreten zu werden. Überhaupt, Kommerzienrat, warum verirren Sie sich in die Politik? Was ist die Folge? Sie verderben sich Ihren guten Charakter, Ihre guten Sitten und Ihre gute Gesellschaft. Ich höre, daß Sie für Teupitz-Zossen kandidieren wollen. Nun meinetwegen. Aber wozu? Lassen Sie doch die Dinge gehen. Sie haben eine charmante Frau, gefühlvoll und hochpoetisch, und haben eine Villa wie diese, darin wir eben ein Ragoût fin einnehmen, das seinesgleichen sucht, und haben draußen im Garten einen Springbrunnen und einen Kakadu, um den ich Sie beneiden könnte, denn meiner, ein grüner, verliert gerade die Federn und sieht aus wie die schlechte Zeit. Was wollen Sie mit Politik? Was wollen Sie mit Teupitz-Zossen? Ja mehr, um Ihnen einen Vollbeweis meiner Vorurteilslosigkeit zu geben, was wollen Sie mit Konservatismus? Sie sind ein Industrieller und wohnen in der Köpnicker Straße. Lassen Sie doch diese Gegend ruhig bei Singer oder Ludwig Löwe, oder wer sonst hier gerade das Prä hat. Jeder Lebensstellung entsprechen auch bestimmte politische Grundsätze. Rittergutsbesitzer sind agrarisch, Professoren sind nationale Mittelpartei, und Industrielle sind fortschrittlich. Seien Sie doch Fortschrittler! Was wollen Sie mit dem Kronenorden? Ich, wenn ich an Ihrer Stelle wäre, lancierte mich ins Städtische hinein und ränge nach der Bürgerkrone."

Treibel, sonst unruhig, wenn einer lange sprach – was er nur sich selbst ausgiebig gestattete –, war diesmal doch aufmerksam gefolgt und winkte zunächst einen Diener heran, um der Majorin ein zweites Glas Chablis zu präsentieren. Sie nahm auch, er mit, und nun stieß er mit ihr an und sagte: „Auf gute Freundschaft und noch zehn Jahre so wie heut! Aber das mit dem Fortschrittlertum und der Bürgerkrone – was ist da zu sagen, meine Gnädigste! Sie wissen, unsereins rechnet und rechnet und kommt aus der Reguladetri gar nicht mehr heraus, aus dem alten Ansatze: ‚Wenn das und das soviel bringt, wieviel bringt das und das?' Und sehen Sie, Freundin und Gönnerin, nach demselben Ansatz hab ich mir auch den Fortschritt und den Konservatismus berechnet und bin dahinter gekommen, daß mir der Konservatismus, ich will nicht sagen mehr abwirft, das wäre vielleicht falsch, aber besser zu mir paßt, mir besser kleidet. Besonders seitdem ich Kommerzienrat bin, ein Titel von fragmentischem Charakter, der doch natürlich seiner Vervollständigung entgegensieht."

„Ah, ich verstehe."

„Nun sehen Sie, l'appétit vient en mangeant, und wer A sagt, will auch B sagen. Außerdem aber, ich erkenne die Lebensaufgabe des Weisen vor allen Dingen in Herstellung des sogenannten Harmonischen, und dies Harmonische, wie die Dinge nun mal liegen, oder vielleicht kann ich auch sagen, wie die Zeichen nun mal sprechen, schließt in meinem Spezialfalle die fortschrittliche Bürgerkrone so gut wie aus."

„Sagen Sie das im Ernste?"

„Ja, meine Gnädigste. Fabriken im allgemeinen neigen der Bürgerkrone zu, Fabriken im besonderen aber – und dahin gehört ausgesprochenermaßen die meine – konstatieren den Ausnahmefall. Ihr Blick fordert Beweise. Nun denn, ich will es versuchen. Ich frage Sie, können Sie sich einen Handelsgärtner denken, der, sagen wir auf der Lichtenberger oder Rummelsburger Gemarkung, Kornblumen im großen zieht, Kornblumen, dies Symbol königlich preußischer Gesinnung, und der zugleich Petroleur und Dynamitarde ist? Sie schütteln den Kopf und bestätigen dadurch mein ‚Nein'. Und nun frage ich Sie weiter, was sind alle Kornblumen der Welt gegen eine Berlinerblaufabrik? Im Berlinerblau haben Sie das symbolisch Preußische sozusagen in höchster Potenz, und je sicherer und unanfechtbarer das ist, desto unerläßlicher ist auch mein Verbleiben auf dem Boden des Konservatismus. Der Ausbau des Kommerzienrätlichen bedeutet in meinem Spezialfalle das natürlich Gegebene . . . jedenfall mehr als die Bürgerkrone."

Die Ziegenhals schien überwunden und lachte, während Krola, der mit halben Ohr zugehört hatte, beistimmend nickte.

So ging das Gespräch in der Mitte der Tafel; aber noch heiterer verlief es am unteren Ende derselben, wo sich die junge Frau Treibel und Corinna gegenübersaßen, die junge Frau zwischen Marcell Wedderkopp und dem Referendar Enghaus, Corinna zwischen Mr. Nelson und Leopold Treibel, dem jüngeren Sohne des Hauses. An der Schmalseite des Tisches, mit dem Rücken gegen das breite Gartenfenster, war das Gesellschaftsfräulein, Fräulein Honig, plaziert worden, deren herbe Züge sich wie ein Protest gegen ihren Namen ausnahmen. Je mehr sie zu lächeln suchte, je sichtbarer wurde der sie verzehrende Neid, der sich nach rechts hin gegen die hübsche Hamburgerin, nach links hin in fast noch ausgesprochenerer Weise gegen Corinna richtete, diese halbe Kollegin, die sich trotzdem mit einer Sicherheit benahm, als ob sie die Majorin von Ziegenhals oder doch mindestens das Fräulein von Bomst gewesen wäre.

Die junge Frau Treibel sah sehr gut aus, blond, klar, ruhig. Beide Nachbarn machten ihr den Hof, Marcell freilich nur mit erkünsteltem Eifer, weil er eigentlich Corinna beobachtete, die sich aus dem einen oder andern Grunde die Eroberung des jungen Engländers vorgesetzt zu haben schien. Bei diesem Vorgehen voll Koketterie sprach sie übrigens so lebhaft, so laut, als ob ihr daran läge, daß jedes Wort auch von ihrer Umgebung und ganz besonders von ihrem Vetter Marcell gehört werde.

„Sie führen einen so schönen Namen", wandte sie sich an Mr. Nelson, „so schön und berühmt, daß ich wohl fragen möchte, ob Ihnen nie das Verlangen gekommen ist . . ."

„O yes, yes . . ."

„. . . sich der Fernambuk- und Campecheholzbranche, darin Sie, soviel ich weiß, auch tätig sind, für immer zu entschlagen? Ich fühle deutlich, daß ich, wenn ich Nelson hieße, keine ruhige Stunde mehr haben würde, bis ich meine Battle at the Nile ebenfalls geschlagen hätte. Sie kennen natürlich die Einzelheiten der Schlacht . . ."

„O, to be sure."

„Nun, da wär ich denn endlich – denn hierlandes weiß niemand etwas Rechtes davon – an der richtigen Quelle. Sagen Sie, Mr. Nelson, wie war das eigentlich mit der Idee, der Anordnung zur Schlacht? Ich habe die Beschreibung vor einiger Zeit im Walter Scott gelesen und war seitdem immer im Zweifel darüber, was eigentlich den Ausschlag gegeben habe, ob mehr eine geniale Disposition oder ein heroischer Mut . . ."

„I should rather think, a heroical courage . . . British oaks and british hearts . . ."

„Ich freue mich, diese Frage durch Sie beglichen zu sehen und in einer Weise, die meinen Sympathien entspricht. Denn ich bin für das Heroische, weil es so selten ist. Aber ich möchte doch auch annehmen, daß das geniale Kommando . . ."

„Certainly, Miss Corinna. No doubt ... England expects that every man will do his duty ...“

„Ja, das waren herrliche Worte, von denen ich übrigens bis heute geglaubt hatte, daß sie bei Trafalgar gesprochen seien. Aber warum nicht auch bei Abukir? Etwas Gutes kann immer zweimal gesagt werden. Und dann ... eigentlich ist eine Schlacht wie die andere, besonders Seeschlachten – ein Knall, eine Feuersäule, und alles geht in die Luft. Es muß übrigens großartig sein und entzückend für alle die, die zusehen können; ein wundervoller Anblick.“

„O splendid ...“

„Ja, Leopold“, fuhr Corinna fort, indem sie sich plötzlich an ihren andern Tischnachbar wandte, „da sitzen Sie nun und lächeln. Und warum lächeln Sie? Weil Sie hinter diesem Lächeln Ihre Verlegenheit verbergen wollen. Sie haben eben nicht jene ‚heroical courage‘, zu der sich dear Mr. Nelson so bedingungslos bekannt hat. Ganz im Gegenteil. Sie haben sich aus Ihres Vaters Fabrik, die doch in gewissem Sinne, wenn auch freilich nur geschäftlich, die Blut- und Eisentheorie vertritt – ja, es klang mir vorhin fast, als ob Ihr Papa der Frau Majorin von Ziegenhals etwas von diesen Dingen erzählt hätte –, Sie haben sich, sag ich, aus dem Blutlaugenhof, in dem Sie verbleiben mußten, in den Holzhof Ihres Bruders Otto zurückgezogen. Das war nicht gut, auch wenn es Fernambukholz ist. Da sehen Sie meinen Vetter Marcell drüben, der schwört jeden Tag, wenn er mit seinen Hanteln umherficht, daß es auf das Reck und das Turnen ankomme, was ihm ein für allemal die Heldenschaft bedeutet, und daß Vater Jahn doch schließlich noch über Nelson geht.“

Marcell drohte halb ernst-, halb scherzhaft mit dem Finger zu Corinna hinüber und sagte: „Cousine, vergiß nicht, daß der Repräsentant einer andern Nation dir zur Seite sitzt und daß du die Pflicht hast, einigermaßen für deutsche Weiblichkeit einzutreten.“

„O, no, no“, sagte Nelson: „Nichts Weiblichkeit; always quick and clever ..., das is was wir lieben an deutsche Frauen. Nichts Weiblichkeit. Fräulein Corinna is quite in the right way.“

„Da hast du's, Marcell. Mr. Nelson, für den du so sorglich eintrittst, damit er nicht falsche Bilder mit in sein meerumgürtetes Albion hinübernimmt, Mr. Nelson läßt dich im Stich, und Frau Treibel, denk ich, läßt dich auch im Stich und Herr Enghaus auch und mein Freund Leopold auch. Und so bin ich gutes Muts, und bleibt nur noch Fräulein Honig . . ."

Diese verneigte sich und sagte: „Ich bin gewohnt, mit der Majorität zu gehen", und ihre ganze Verbittertheit lag in diesem Tone der Zustimmung.

„Ich will mir meines Vetters Mahnung aber doch gesagt sein lassen", fuhr Corinna fort. „Ich bin etwas übermütig, Mr. Nelson, und außerdem aus einer plauderhaften Familie . . ."

„Just what I like, Miss Corinna. ‚Plauderhafte Leute, gute Leute', so sagen wir in England."

„Und das sag ich auch, Mr. Nelson. Können Sie sich einen immer plaudernden Verbrecher denken?"

„O, no; certainly not . . ."

„Und zum Zeichen, daß ich, trotz ewigen Schwatzens, doch eine weibliche Natur und eine richtige Deutsche bin, soll Mr. Nelson von mir hören, daß ich auch noch nebenher kochen, nähen und plätten kann, und daß ich im Lette-Verein die Kunststopferei gelernt habe. Ja, Mr. Nelson, so steht es mit mir. Ich bin ganz deutsch und ganz weiblich, und bleibt eigentlich nur noch die Frage: kennen Sie den Lette-Verein und kennen Sie die Kunststopferei?"

„No, Fräulein Corinna, neither the one nor the other."

„Nun sehen Sie, dear Mr. Nelson, der Lette-Verein ist ein Verein oder ein Institut oder eine Schule für weibliche Handarbeit. Ich glaube sogar nach englischem Muster, was noch ein besonderer Vorzug wäre."

„Not at all; German schools are always to be preferred."

„Wer weiß, ich möchte das nicht so schroff hinstellen. Aber lassen wir das, um uns mit dem weit Wichtigeren zu beschäftigen, mit der Kunststopfereifrage. Das ist wirklich was. Bitte, wollen Sie zunächst das Wort nachsprechen . . ."

Mr. Nelson lächelte gutmütig vor sich hin.

„Nun, ich sehe, daß es Ihnen Schwierigkeiten macht. Aber

diese Schwierigkeiten sind nichts gegen die der Kunststopferei selbst. Sehen Sie, hier ist mein Freund Leopold Treibel und trägt, wie Sie sehen, einen untadeligen Rock mit einer doppelten Knopfreihe, und auch wirklich zugeknöpft, ganz wie es sich für einen Gentleman und einen Berliner Kommerzienratssohn geziemt. Und ich taxiere den Rock auf wenigstens hundert Mark."

„Überschätzung."

„Wer weiß. Du vergißt, Marcell, daß es verschiedene Skalen auch auf diesem Gebiete gibt, eine für Oberlehrer und eine für Kommerzienräte. Doch lassen wir die Preisfrage. Jedenfalls ein feiner Rock, prima. Und nun, wenn wir aufstehen, Mr. Nelson, und die Zigarren herumgereicht werden – ich denke, Sie rauchen doch –, werde ich Sie um Ihre Zigarre bitten und meinem Freunde Leopold Treibel ein Loch in den Rock brennen, hier gerade, wo sein Herz sitzt, und dann werd ich den Rock in einer Droschke mit nach Hause nehmen, und morgen um dieselbe Zeit wollen wir uns hier im Garten wieder versammeln und um das Bassin herum Stühle stellen, wie bei einer Aufführung. Und der Kakadu kann auch dabeisein. Und dann werd ich auftreten wie eine Künstlerin, die ich in der Tat auch bin, und werde den Rock herumgehen lassen, und wenn Sie, dear Mr. Nelson, dann noch imstande sind, die Stelle zu finden, wo das Loch war, so will ich Ihnen einen Kuß geben und Ihnen als Sklavin nach Liverpool hin folgen. Aber es wird nicht dazu kommen. Soll ich sagen leider? Ich habe zwei Medaillen als Kunststopferin gewonnen, und Sie werden die Stelle sicherlich *nicht* finden . . ."

„O, ich werde finden, no doubt, I will find it", entgegnete Mr. Nelson leuchtenden Auges, und weil er seiner immer wachsenden Bewunderung, passend oder nicht, einen Ausdruck geben wollte, schloß er mit einem in kurzen Ausrufungen gehaltenen Hymnus auf die Berlinerinnen und der sich daran anschließenden und mehrfach wiederholten Versicherung, daß sie decidedly clever seien.

Leopold und der Referendar vereinigten sich mit ihm in diesem Lob, und selbst Fräulein Honig lächelte, weil sie sich als Landsmännin mitgeschmeichelt fühlen mochte. Nur im

Auge der jungen Frau Treibel sprach sich eine leise Verstimmung darüber aus, eine Berlinerin und kleine Professorstochter in dieser Weise gefeiert zu sehen. Auch Vetter Marcell, sosehr er zustimmte, war nicht recht zufrieden, weil er davon ausging, daß seine Cousine ein solches Hasten und Sich-in-Szene-Setzen nicht nötig habe; sie war ihm zu schade für die Rolle, die sie spielte. Corinna ihrerseits sah auch ganz deutlich, was in ihm vorging, und würde sich ein Vergnügen daraus gemacht haben, ihn zu necken, wenn nicht in ebendiesem Momente – das Eis wurde schon herumgereicht – der Kommerzienrat an das Glas geklopft und sich, um einen Toast auszubringen, von seinem Platz erhoben hätte: „Meine Herren und Damen, Ladies and Gentlemen . . ."

„Ah, *das* gilt Ihnen", flüsterte Corinna Mr. Nelson zu.

„. . . Ich bin", fuhr Treibel fort, „an dem Hammelrücken vorübergegangen und habe diese verhältnismäßig späte Stunde für einen meinerseits auszubringenden Toast herankommen lassen – eine Neuerung, die mich in diesem Augenblicke freilich vor die Frage stellt, ob der Schmelzezustand eines rot und weißen Panaché nicht noch etwas Vermeidenswerteres ist als der Hammelrücken im Zustande der Erstarrung . . ."

„O, wonderfully good . . ."

„. . . Wie dem aber auch sein möge, jedenfalls gibt es zur Zeit nur *ein* Mittel, ein vielleicht schon angerichtetes Übel auf ein Mindestmaß herabzudrücken: Kürze. Genehmigen Sie denn, meine Herrschaften, in Ihrer Gesamtheit meinen Dank für Ihr Erscheinen, und gestatten Sie mir des ferneren und im besonderen Hinblick auf zwei liebe Gäste, die hier zu sehen ich heute zum ersten Male die Ehre habe, meinen Toast in die britischerseits nahezu geheiligte Formel kleiden zu dürfen: ‚on our army and navy', auf Heer und Flotte also, die wir das Glück haben, hier an dieser Tafel, *einer*seits (er verbeugte sich gegen Vogelsang) durch Beruf und Lebensstellung, *anderer*seits (Verbeugung gegen Nelson) durch einen weltberühmten Heldennamen vertreten zu sehen. Noch einmal also: ‚our army and navy!' Es lebe Leutnant Vogelsang, es lebe Mr. Nelson."

Der Toast fand allseitige Zustimmung, und der in eine nervöse Unruhe geratene Mr. Nelson wollte sofort das Wort nehmen, um zu danken. Aber Corinna hielt ihn ab, Vogelsang sei der ältere und würde vielleicht den Dank für ihn mit aussprechen.

„O, no, no, Fräulein Corinna, not he . . . not such an ugly old fellow . . . please, look at him", und der zapplige Heldennamensvetter machte wiederholte Versuche, sich von seinem Platze zu erheben und zu sprechen. Aber Vogelsang kam ihm wirklich zuvor, und nachdem er den Bart mit der Serviette geputzt und in nervöser Unruhe seinen Waffenrock erst auf- und dann wieder zugeknöpft hatte, begann er mit einer an Komik streifenden Würde: „Meine Herren. Unser liebenswürdiger Wirt hat die Armee leben lassen und mit der Armee meinen Namen verknüpft. Ja, meine Herren, ich *bin* Soldat . . ."

„O, for shame!" brummte der über das wiederholte „meine Herren" und das gleichzeitige Unterschlagen aller anwesenden Damen aufrichtig empörte Mr. Nelson, „o, for shame", und ein Kichern ließ sich allerseits hören, das auch anhielt, bis des Redners immer finsterer werdendes Augenrollen eine wahre Kirchenstille wiederhergestellt hatte. Dann erst fuhr dieser fort: „Ja, meine Herren, ich *bin* Soldat . . . Aber mehr als das, ich bin auch Streiter im Dienst einer Idee. Zwei große Mächte sind es, denen ich diene: Volkstum und Königtum. Alles andere stört, schädigt, verwirrt. Englands Aristokratie, die mir, von meinem Prinzip ganz abgesehen, auch persönlich widerstreitet, veranschaulicht eine solche Schädigung, eine solche Verwirrung; ich verabscheue Zwischenstufen und überhaupt die feudale Pyramide. Das sind Mittelalterlichkeiten. Ich erkenne mein Ideal in einem Plateau, mit einem einzigen, aber alles überragenden Pic."

Die Ziegenhals wechselte hier Blicke mit Treibel.

„. . . Alles sei von Volkesgnaden, bis zu der Stelle hinauf, wo die Gottesgnadenschaft beginnt. Dabei streng geschiedene Machtbefugnisse. Das Gewöhnliche, das Massenhafte, werde bestimmt durch die Masse, das Ungewöhnliche, das Große, werde bestimmt durch das Große. Das ist Thron und Krone. Meiner politischen Erkenntnis nach ruht alles Heil, alle Besserungsmöglichkeit in der Aufrichtung einer Royaldemokratie, zu der sich, soviel ich weiß, auch unser Kommerzienrat bekennt. Und in diesem Gefühle, darin wir uns eins wissen, erhebe ich das Glas und bitte Sie, mit mir auf das Wohl unseres hochverehrten Wirtes zu trinken, zugleich unseres Gonfaloniere, der uns die Fahne trägt. Unser Kommerzienrat Treibel, er lebe hoch!"

Alles erhob sich, um mit Vogelsang anzustoßen und ihn als Erfinder der Royaldemokratie zu beglückwünschen. Einige konnten als aufrichtig entzückt gelten, besonders das Wort „Gonfaloniere" schien gewirkt zu haben, andere lachten still in sich hinein, und nur drei waren direkt unzufrieden: Treibel, weil er sich von den eben entwickelten Vogelsangschen Prinzipien praktisch nicht viel versprach, die Kommerzienrätin, weil ihr das Ganze nicht fein genug vorkam, und drittens Mr. Nelson, weil er sich aus dem gegen die englische Aristokratie gerichteten Satze Vogelsangs einen neuen Haß gegen ebendiesen gesogen hatte. „Stuff and nonsense! What does he know of our aristocracy? To be sure, he does'nt belong to it; – that's all."

„Ich weiß doch nicht", lachte Corinna. „Hat er nicht was von einem Peer of the Realm?"

Nelson vergaß über dieser Vorstellung beinahe all seinen Groll und bot Corinna, während er eine Knackmandel von einem der Tafelaufsätze nahm, eben ein Vielliebchen an, als die Kommerzienrätin den Stuhl schob und dadurch das Zeichen zur Aufhebung der Tafel gab. Die Flügeltüren öffneten sich, und in derselben Reihenfolge, wie man zu Tisch gegangen war, schritt man wieder auf den mittlerweile gelüfteten Frontsaal zu, wo die Herren, Treibel an der Spitze, den älteren und auch einigen jüngeren Damen respektvoll die Hand küßten.

Nur Mr. Nelson verzichtete darauf, weil er die Kommerzienrätin „a little pompous" und die beiden Hofdamen „a little ridiculous" fand, und begnügte sich, an Corinna herantretend, mit einem kräftigen „shaking hands".

Viertes Kapitel

Die große Glastür, die zur Freitreppe führte, stand auf; dennoch war es schwül, und so zog man es vor, den Kaffee draußen zu nehmen, die einen auf der Veranda, die andern im Vorgarten selbst, wobei sich die Tischnachbarn in kleinen Gruppen wieder zusammenfanden und weiterplauderten. Nur als sich die beiden adligen Damen von der Gesellschaft verabschiedeten, unterbrach man sich in diesem mit Medisance reichlich gewürzten Gespräch und sah eine kleine Weile dem Landauer nach, der, die Köpnicker Straße hinauf, erst auf die Frau von Ziegenhalssche Wohnung, in unmittelbarer Nähe der Marschallsbrücke, dann aber auf Charlottenburg zu fuhr, wo die seit fünfunddreißig Jahren in einem Seitenflügel des Schlosses einquartierte Bomst ihr Lebensglück und zugleich ihren besten Stolz aus der Betrachtung zog, in erster Zeit mit des hochseligen Königs Majestät, dann mit der Königin Witwe und zuletzt mit den Meiningenschen Herrschaften dieselbe Luft geatmet zu haben. Es gab ihr all das etwas Verklärtes, was auch zu ihrer Figur paßte.

Treibel, der die Damen bis an den Wagenschlag begleitet, hatte mittlerweile, vom Straßendamm her, die Veranda wieder erreicht, wo Vogelsang, etwas verlassen, aber mit uneingebüßter Würde, seinen Platz behauptete. „Nun ein Wort unter uns, Leutnant, aber nicht hier; ich denke, wir absentieren uns einen Augenblick und rauchen ein Blatt, das nicht alle Tage wächst, und namentlich nicht überall." Dabei nahm er Vogelsang unter den Arm und führte den Gerngehorchenden in sein neben dem Saale gelegenes Arbeitszimmer, wo der geschulte, diesen Lieblingsmoment im Dinerleben seines Herrn von lang her kennende Diener bereits alles zurechtgestellt hatte: das Zigarrenkistchen, den Likörkasten und die Karaffe mit Eiswasser. Die gute Schulung des Dieners beschränkte sich aber nicht auf diese Vorarrangements, vielmehr stand er im selben Augenblick, wo beide Herren ihre Plätze genommen hatten, auch schon mit dem Tablett vor ihnen und präsentierte den Kaffee.

„Das ist recht, Friedrich, auch der Aufbau hier, alles zu

meiner Zufriedenheit; aber gib doch lieber die andere Kiste her, die flache. Und dann sage meinem Sohn Otto, ich ließe ihn bitten ... Ihnen doch recht, Vogelsang? Oder wenn du Otto nicht triffst, so bitte den Polizeiassessor, ja, lieber den, er weiß doch besser Bescheid. Sonderbar, alles, was in der Molkenmarktluft großgeworden, ist dem Rest der Menschheit um ein beträchtliches überlegen. Und dieser Goldammer hat nun gar noch den Vorteil, ein richtiger Pastorssohn zu sein, was all seinen Geschichten einen eigentümlich pikanten Beigeschmack gibt." Und dabei klappte Treibel den Kasten auf und sagte: „Kognak oder Allasch? Oder das eine tun und das andere nicht lassen?"

Vogelsang lächelte, schob den Zigarrenknipser ziemlich demonstrativ beiseite und biß die Spitze mit seinen Raffzähnen ab. Dann griff er nach einem Streichhölzchen. Im übrigen schien er abwarten zu wollen, womit Treibel beginnen würde. Der ließ denn auch nicht lange warten: „Eh bien, Vogelsang, wie gefielen Ihnen die beiden alten Damen? Etwas Feines, nicht wahr? Besonders die Bomst. Meine Frau würde sagen: ätherisch. Nun, durchsichtig genug ist sie. Aber offen gestanden, die Ziegenhals ist mir lieber, drall und prall, kapitales Weib, und muß ihrerzeit ein geradezu formidables Festungsviereck gewesen sein. Rasse, Temperament, und wenn ich recht gehört habe, so pendelt ihre Vergangenheit zwischen verschiedenen kleinen Höfen hin und her. Lady Milford, aber weniger sentimental. Alles natürlich alte Geschichten, alles beglichen, man könnte beinahe sagen, schade. Den Sommer über ist sie jetzt regelmäßig bei den Kraczinskis, in der Zossener Gegend; weiß der Teufel, wo seit kurzem all die polnischen Namen herkommen. Aber schließlich ist es gleichgültig. Was meinen Sie, wenn ich die Ziegenhals, in Anbetracht dieser Kraczinskischen Bekanntschaft, unsern Zwecken dienstbar zu machen suchte?"

„Kann zu nichts führen."

„Warum nicht? Sie vertritt einen richtigen Standpunkt."

„Ich würde mindestens sagen müssen, einen *nicht*richtigen."

„Wieso?"

„Sie vertritt einen durchaus beschränkten Standpunkt,

und wenn ich das Wort wähle, so bin ich noch ritterlich. Übrigens wird mit diesem ‚ritterlich' ein wachsender und geradezu horrender Mißbrauch getrieben; ich glaube nämlich nicht, daß unsere Ritter sehr ritterlich, das heißt ritterlich im Sinne von artig und verbindlich, gewesen sind. Alles bloß historische Fälschungen. Und was diese Ziegenhals angeht, die wir uns, wie Sie sagen, dienstbar machen sollen, so vertritt sie natürlich den Standpunkt des Feudalismus, den der Pyramide. Daß sie zum Hofe steht, ist gut und ist das, was sie mit uns verbindet; aber das ist nicht genug. Personen wie diese Majorin und selbstverständlich auch ihr adliger Anhang, gleichviel ob er polnischen oder deutschen Ursprungs ist – alle leben mehr oder weniger in einem Wust von Einbildungen, will sagen von mittelalterlichen Standesvorurteilen, und das schließt ein Zusammengehen aus, trotzdem wir die Königsfahne mit ihnen gemeinsam haben. Aber diese Gemeinsamkeit frommt nicht, schadet uns nur. Wenn wir rufen: ‚Es lebe der König!', so geschieht es, vollkommen selbstsuchtlos, um einem großen Prinzip die Herrschaft zu sichern; für mich bürge ich, und ich hoffe, daß ich es auch für Sie kann . . ."

„Gewiß, Vogelsang, gewiß."

„Aber diese Ziegenhals – von der ich beiläufig fürchte, daß Sie nur zu sehr recht haben mit der von Ihnen angedeuteten, wenn auch, Gott sei Dank, weit zurückliegenden Auflehnung gegen Moral und gute Sitte –, diese Ziegenhals und ihresgleichen, wenn die rufen: ‚Es lebe der König!', so heißt das immer nur, es lebe der, der für uns sorgt, unser Nährvater; sie kennen nichts als ihren Vorteil. Es ist ihnen versagt, in einer Idee aufzugehen, und sich auf Personen stützen, die nur *sich* kennen, das heißt unsre Sache verloren geben. Unsre Sache besteht nicht bloß darin, den fortschrittlichen Drachen zu bekämpfen, sie besteht auch in der Bekämpfung des Vampyradels, der immer bloß saugt und saugt. Weg mit der ganzen Interessenpolitik. In dem Zeichen absoluter Selbstlosigkeit müssen wir siegen, und dazu brauchen wir das Volk, nicht das Quitzowtum, das seit dem gleichnamigen Stücke wieder obenauf ist und das Heft in die Hände nehmen möchte. Nein, Kommerzienrat, nichts von Pseudokonservatismus, kein Königtum auf falscher Grundlage; das Königtum, wenn wir es konservieren wollen, muß auf etwas Soliderem ruhen als auf einer Ziegenhals oder einer Bomst."

„Nun, hören Sie, Vogelsang, die Ziegenhals wenigstens..."

Und Treibel schien ernstlich gewillt, diesen Faden, der ihm paßte, weiterzuspinnen. Aber ehe er dazu kommen konnte, trat der Polizeiassessor vom Salon her ein, die kleine Meißner Tasse noch in der Hand, und nahm zwischen Treibel und Vogelsang Platz. Gleich nach ihm erschien auch Otto, vielleicht von Friedrich benachrichtigt, vielleicht auch aus eignem Antriebe, weil er von langer Zeit her die der Erotik zugewendeten Wege kannte, die Goldammer, bei Likör und Zigarren, regelmäßig und meist sehr rasch, so daß jede Versäumnis sich strafte, zu wandeln pflegte.

Der alte Treibel wußte dies selbstverständlich noch viel besser, hielt aber ein auch seinerseits beschleunigtes Verfahren doch für angezeigt und hob deshalb ohne weiteres an: „Und nun sagen Sie, Goldammer, was gibt es? Wie steht es mit dem Lützowplatz? Wird die Panke zugeschüttet, oder, was so ziemlich dasselbe sagen will, wird die Friedrichstraße sittlich gereinigt? Offen gestanden, ich fürchte, daß unsre pikanteste Verkehrsader nicht allzuviel dabei gewinnen wird; sie wird um ein Geringes moralischer und um ein beträchtliches langweiliger werden. Da das Ohr meiner Frau bis hierher nicht trägt, so läßt sich dergleichen allenfalls aufs Tapet bringen; im übrigen soll Ihnen meine gesamte Fragerei keine Grenzen ziehen. Je freier, je besser. Ich habe lange genug gelebt, um zu wissen, daß alles, was aus einem Polizeimunde kommt, immer Stoff ist, immer frische Brise, freilich mitunter auch Schirokko, ja geradezu Samum. Sagen wir Samum. Also was schwimmt obenauf?"

„Eine neue Soubrette."

„Kapital. Sehen Sie, Goldammer, jede Kunstrichtung ist gut, weil jede das Ideal im Auge hat. Und das Ideal ist die Hauptsache, soviel weiß ich nachgerade von meiner Frau. Aber das Idealste bleibt doch immer eine Soubrette. Name?"

„Grabillon. Zierliche Figur, etwas großer Mund, Leberfleck."

„Um Gottes willen, Goldammer, das klingt ja wie ein Steckbrief. Übrigens Leberfleck ist reizend; großer Mund Geschmackssache. Und Protegé von wem?"

Goldammer schwieg.

„Ah, ich verstehe. Obersphäre. Je höher hinauf, je näher dem Ideal. Übrigens da wir mal bei Obersphäre sind, wie steht es denn mit der Grußgeschichte? Hat er wirklich nicht gegrüßt? Und ist es wahr, daß er, natürlich der Nichtgrüßer, einen Urlaub hat antreten müssen? Es wäre eigentlich das beste, weil es so nebenher einer Absage gegen den ganzen Katholizismus gleichkäme, sozusagen zwei Fliegen mit einer Klappe."

Goldammer, heimlicher Fortschrittler, aber offener Antikatholik, zuckte die Achseln und sagte: „So gut steht es leider nicht und kann auch nicht. Die Macht der Gegenströmung ist zu stark. Der, der den Gruß verweigerte, wenn Sie wollen der Wilhelm Tell der Situation, hat zu gute Rückendeckung. Wo? Nun, das bleibt in der Schwebe; gewisse Dinge darf man nicht bei Namen nennen, und ehe wir nicht der bekannten Hydra den Kopf zertreten oder, was dasselbe sagen will, dem altenfritzischen ‚Écrasez l'infâme' zum Siege verholfen haben . . ."

In diesem Augenblicke hörte man nebenan singen, eine bekannte Komposition, und Treibel, der eben eine neue Zigarre nehmen wollte, warf sie wieder in das Kistchen zurück und sagte: „Meine Ruh ist hin . . . Und mit der Ihrigen, meine Herren, steht es nicht viel besser. Ich glaube, wir müssen wieder bei den Damen erscheinen, um an der Ära Adolar Krola teilzunehmen. Dennn *die* beginnt jetzt."

Damit erhoben sich alle vier und kehrten unter Vortritt Treibels in den Saal zurück, wo wirklich Krola am Flügel saß und seine drei Hauptstücke, mit denen er rasch hintereinander aufzuräumen pflegte, vollkommen virtuos, aber mit einer gewissen absichtlichen Klapprigkeit zum besten gab. Es waren: „Der Erlkönig", „Herr Heinrich saß am Vogelherd" und „Die Glocken von Speyer". Diese letztere Nummer, mit dem geheimnisvoll einfallenden Glockenbimbam, machte jedesmal den größten Eindruck und bestimmte selbst Treibel zu momentan ruhigem Zuhören. Er sagte dann auch wohl mit einer gewissen höheren Miene: „Von Löwe, ex ungue Leonem; das heißt von Karl Löwe, Ludwig komponiert nicht.“

Viele von denen, die den Kaffee im Garten oder auf der Veranda genommen hatten, waren, gleich als Krola begann, ebenfalls in den Saal getreten, um zuzuhören, andere dagegen, die die drei Balladen schon von zwanzig Treibelschen Diners her kannten, hatten es doch vorgezogen, im Freien zu bleiben und ihre Gartenpromenade fortzusetzen, unter ihnen auch Mr. Nelson, der, als ein richtiger Vollblutengländer, musikalisch auf schwächsten Füßen stand und rundheraus erklärte, das liebste sei ihm ein Nigger mit einer Pauke zwischen den Beinen: „I can't see, what it means; music is nonsense.“ So ging er denn mit Corinna auf und ab, Leopold an der anderen Seite, während Marcell mit der jungen Frau Treibel in einiger Entfernung folgte, beide sich über Nelson und Leopold halb ärgernd, halb erheiternd, die, wie schon bei Tische, von Corinna nicht loskonnten.

Es war ein prächtiger Abend draußen, von der Schwüle, die drinnen herrschte, keine Spur, und schräg über den hohen Pappeln, die den Hintergarten von den Fabrikgebäuden abschnitten, stand die Mondsichel; der Kakadu saß ernst und verstimmt auf seiner Stange, weil es versäumt worden war, ihn zu rechter Zeit in seinen Käfig zurückzunehmen, und nur der Wasserstrahl stieg so lustig in die Höhe wie zuvor.

„Setzen wir uns“, sagte Corinna, „wir promenieren schon ich weiß nicht wie lange“, und dabei ließ sie sich ohne weiteres auf den Rand der Fontäne nieder. „Take a seat, Mr. Nelson. Sehen Sie nur den Kakadu, wie bös er aussieht. Er ist ärgerlich, daß sich keiner um ihn kümmert.“

„To be sure, und sieht aus wie Leutnant Sangevogel. Doesn't he?“

„Wir nennen ihn für gewöhnlich Vogelsang. Aber ich habe nichts dagegen, ihn umzutaufen. Helfen wird es freilich nicht viel.“

„No, no, there's no help for him: Vogelsang, ah, ein häßlicher Vogel, kein Singevogel, no finch, no trussel.“

„Nein, er ist bloß ein Kakadu, ganz wie Sie sagen."

Aber kaum, daß dies Wort gesprochen war, so folgte nicht nur ein lautes Kreischen von der Stange her, wie wenn der Kakadu gegen den Vergleich protestieren wolle, sondern auch Corinna schrie laut auf, freilich nur, um im selben Augenblicke wieder in ein helles Lachen auszubrechen, in das gleich danach auch Leopold und Mr. Nelson einstimmten. Ein plötzlich sich aufmachender Windstoß hatte nämlich dem Wasserstrahl eine Richtung genau nach der Stelle hin gegeben, wo sie saßen, und bei der Gelegenheit allesamt, den Vogel auf seiner Stange mit eingeschlossen, mit einer Flut von Spritzwasser überschüttet. Das gab nun ein Klopfen und Abschütteln, an dem auch der Kakadu teilnahm, freilich ohne seinerseits seine Laune dabei zu verbessern.

Drinnen hatte Krola mittlerweile sein Programm beendet und stand auf, um andern Kräften den Platz einzuräumen. Es sei nichts mißlicher als ein solches Kunstmonopol; außerdem dürfe man nicht vergessen, der Jugend gehöre die Welt. Dabei verbeugte er sich huldigend gegen einige junge Damen, in deren Familien er ebenso verkehrte wie bei den Treibels. Die Kommerzienrätin ihrerseits aber übertrug diese ganz allgemein gehaltene Huldigung gegen die Jugend in ein bestimmteres Deutsch und forderte die beiden Fräulein Felgentreus auf, doch einige der reizenden Sachen zu singen, die sie neulich, als Ministerialdirektor Stoeckenius in ihrem Hause gewesen, so schön vorgetragen hätten; Freund Krola werde gewiß die Güte haben, die Damen am Klavier zu begleiten. Krola, sehr erfreut, einer gesanglichen Mehrforderung, die sonst die Regel war, entgangen zu sein, drückte sofort seine Zustimmung aus und setzte sich an seinen eben erst aufgegebenen Platz, ohne ein Ja oder Nein der beiden Felgentreus abzuwarten. Aus seinem ganzen Wesen sprach eine Mischung von Wohlwollen und Ironie. Die Tage seiner eignen Berühmtheit lagen weit zurück; aber je weiter sie zurücklagen, desto höher waren seine Kunstansprüche geworden, so daß es ihm, bei dem totalen Unerfülltbleiben derselben, vollkommen gleichgültig erschien, *was* zum Vortrage kam und *wer* das Wagnis wagte. Von Genuß konnte keine Rede für ihn sein, nur von Amüsement, und weil er einen angeborenen Sinn für das Heitere hatte, durfte man sagen, sein Vergnügen stand jedesmal dann auf der Höhe, wenn seine Freundin Jenny Treibel, wie sie das liebte, durch Vortrag einiger Lieder den Schluß der musikalischen Soiree machte. Das war aber noch weit im Felde; vorläufig waren noch die beiden Felgentreus da, von denen denn auch die ältere Schwester, oder, wie es zu Krola jedesmaligem Gaudium hieß, „die weitaus talentvollere", mit „Bächlein, laß dein Rauschen sein" ohne weiteres einsetzte. Daran reihte sich: „Ich schnitt es gern in alle Rinden ein", was, als allgemeines Lieblingsstück, zu der Kommerzienrätin großem, wenn auch nicht geäußertem Verdruß, von einigen indiskreten Stimmen im Garten begleitet wurde. Dann folgte die Schlußnummer, ein Duett aus „Figaros Hochzeit". Alles war hingerissen, und Treibel sagte zu Vogelsang: er könne sich nicht erinnern, seit den Tagen der Milanollos, etwas so Liebliches von Schwestern gesehen und gehört zu haben, woran er die weitere, allerdings unüberlegte Frage knüpfte: ob Vogelsang seinerseits sich noch der Milanollos erinnern könne? „Nein", sagte dieser barsch und peremptorisch. – „Nun, dann bitt ich um Entschuldigung."

Eine Pause trat ein, und einige Wagen, darunter auch der Felgentreusche, waren schon angefahren, trotzdem zögerte man noch mit dem Aufbruch, weil das Fest immer noch seines Abschlusses entbehrte. Die Kommerzienrätin nämlich hatte noch nicht gesungen, ja war unerhörterweise noch nicht einmal zum Vortrag eines ihrer Lieder aufgefordert worden – ein Zustand der Dinge, der so rasch wie möglich geändert werden mußte. Dies erkannte niemand klarer als Adolar Krola, der, den Polizeiassessor beiseite nehmend, ihm eindringlichst vorstellte, daß durchaus etwas geschehen und das hinsichtlich Jennys Versäumte sofort nachgeholt werden müsse. „Wird Jenny *nicht* aufgefordert, so seh ich die Treibelschen Diners, oder wenigstens unsere Teilnahme daran, für alle Zukunft in Frage gestellt, was doch schließlich einen Verlust bedeuten würde . . ."

„Dem wir unter allen Umständen vorzubeugen haben, verlassen Sie sich auf mich." Und die beiden Felgentreus an der Hand nehmend, schritt Goldammer, rasch entschlossen, auf die Kommerzienrätin zu, um, wie er sich ausdrückte, als erwählter Sprecher des Hauses, um ein Lied zu bitten. Die Kommerzienrätin, der das Abgekartete der ganzen Sache nicht entgehen konnte, kam in ein Schwanken zwischen Ärger und Wunsch, aber die Beredsamkeit des Antragstellers siegte doch schließlich; Krola nahm wieder seinen Platz ein, und einige Augenblicke später erklang Jennys dünne, durchaus im Gegensatz zu ihrer sonstigen Fülle stehende Stimme durch den Saal hin, und man vernahm die in diesem Kreise wohlbekannten Liedesworte:

Glück, von deinen tausend Losen
Eines nur erwähl ich mir.
Was soll Gold? Ich liebe Rosen
Und der Blumen schlichte Zier.

Und ich höre Waldesrauschen,
Und ich seh ein flatternd Band –
Aug in Auge Blicke tauschen,
Und ein Kuß auf deine Hand.

Geben nehmen, nehmen geben,
Und dein Haar umspielt der Wind.
Ach, nur das, nur das ist Leben,
Wo sich Herz zum Herzen findt.

Es braucht nicht gesagt zu werden, daß ein rauschender Beifall folgte, woran sich, von des alten Felgentreu Seite, die Bemerkung schloß, die damaligen Lieder (er vermied eine bestimmte Zeitangabe) wären doch schöner gewesen, namentlich inniger, eine Bemerkung, die von dem direkt zur Meinungsäußerung aufgeforderten Krola schmunzelnd bestätigt wurde.

Mr. Nelson seinerseits hatte von der Veranda dem Vortrage zugehört und sagte jetzt zu Corinna: „Wonderfully good. O, these Germans, they know everything . . . even such an old lady."

Corinna legte ihm den Finger auf den Mund.

Kurze Zeit danach war alles fort, Haus und Park leer, und man hörte nur noch, wie drinnen im Speisesaal geschäftige Hände den Ausziehtisch zusammenschoben und wie draußen im Garten der Strahl des Springbrunnens plätschernd ins Bassin fiel.

Fünftes Kapitel

Unter den letzten, die, den Vorgarten passierend, das kommerzienrätliche Haus verließen, waren Marcell und Corinna. Diese plauderte nach wie vor in übermütiger Laune, was des Vetters mühsam zurückgehaltene Verstimmung nur noch steigerte. Zuletzt schwiegen beide.

So gingen sie schon fünf Minuten nebeneinander her, bis Corinna, die sehr gut wußte, was in Marcells Seele vorging, das Gespräch wieder aufnahm. „Nun, Freund, was gibt es?"

„Nichts."

„Nichts?"

„Oder, wozu soll ich es leugnen, ich bin verstimmt."

„Worüber?"

„Über dich. Über dich, weil du kein Herz hast."

„Ich? Erst recht hab ich ..."

„Weil du kein Herz hast, sag ich, keinen Sinn für Familie, nicht einmal für deinen Vater ..."

„Und nicht einmal für meinen Vetter Marcell ..."

„Nein, den laß aus dem Spiel, von dem ist nicht die Rede. Mir gegenüber kannst du tun, was du willst. Aber dein Vater. Da läßt du nun heute den alten Mann einsam und allein und kümmerst dich sozusagen um gar nichts. Ich glaube, du weißt nicht einmal, ob er zu Haus ist oder nicht."

„Freilich ist er zu Haus. Er hat ja heut seinen ‚Abend', und wenn auch nicht alle kommen, etliche vom hohen Olymp werden wohl da sein."

„Und du gehst aus und überlässest alles der alten guten Schmolke?"

„Weil ich es ihr überlassen kann. Du weißt das ja so gut wie ich; es geht alles wie am Schnürchen, und in diesem

Augenblick essen sie wahrscheinlich Oderkrebse und trinken Mosel. Nicht Treibelschen, aber doch Professor Schmidtschen, einen edlen Trarbacher, von dem Papa behauptet, er sei der einzige reine Wein in Berlin. Bist du nun zufrieden?"

„Nein."

„Dann fahre fort."

„Ach, Corinna, du nimmst alles so leicht und denkst, wenn du's leicht nimmst, so hast du's aus der Welt geschafft. Aber es glückt dir nicht. Die Dinge bleiben doch schließlich, was und wie sie sind. Ich habe dich nun bei Tisch beobachtet ..."

„Unmöglich, du hast ja der jungen Frau Treibel ganz intensiv den Hof gemacht, und ein paarmal wurde sie sogar rot ..."

„Ich habe dich beobachtet, sag ich, und mit einem wahren Schrecken das Übermaß von Koketterie gesehen, mit dem du nicht müde wirst, dem armen Jungen, dem Leopold, den Kopf zu verdrehen ..."

Sie hatten, als Marcell dies sagte, gerade die platzartige Verbreiterung erreicht, mit der die Köpnicker Straße, nach der Inselbrücke hin, abschließt; eine verkehrslose und beinahe menschenleere Straße. Corinna zog ihren Arm aus dem des Vetters und sagte, während sie nach der anderen Seite der Straße zeigte: „Sieh, Marcell, wenn da drüben nicht der einsame Schutzmann stände, so stellt ich mich jetzt mit verschränkten Armen vor dich hin und lachte dich fünf Minuten lang aus. Was soll das heißen, ich sei nicht müde geworden, dem armen Jungen, dem Leopold, den Kopf zu verdrehen? Wenn du nicht ganz in Huldigung gegen Helenen aufgegangen wärst, so hättest du sehen müssen, daß ich kaum zwei Worte mit ihm gesprochen. Ich habe mich nur mit Mr. Nelson unterhalten, und ein paarmal hab ich mich ganz ausführlich an dich gewandt."

„Ach, das sagst du so, Corinna, und weißt doch, wie falsch es ist. Sieh, du bist sehr gescheit und weißt es auch; aber du hast doch den Fehler, den viele gescheite Leute haben, daß sie die anderen für ungescheiter halten, als sie sind. Und so denkst du, du kannst mir ein X für ein U machen und alles so drehen und beweisen, wie du's drehen und beweisen willst. Aber man hat doch auch so seine Augen und Ohren und ist also, mit deinem Verlaub, hinreichend ausgerüstet, um zu hören und zu sehen."

„Und was ist es denn nun, was der Herr Doktor gehört und gesehen haben?"

„Der Herr Doktor haben gehört und gesehen, daß Fräulein Corinna mit ihrem Redekatarakt über den unglücklichen Mr. Nelson hergefallen ist . . ."

„Sehr schmeichelhaft . . ."

„Und daß sie – wenn ich das mit dem Redekatarakt aufgeben und ein anderes Bild dafür einstellen will –, daß sie, sag ich, zwei Stunden lang die Pfauenfeder ihrer Eitelkeit auf dem Kinn oder auf der Lippe balanciert und überhaupt in den feineren akrobatischen Künsten ein Äußerstes geleistet hat. Und das alles vor wem? Etwa vor Mr. Nelson? Mitnichten. Der gute Nelson, der war nur das Trapez, daran meine Cousine herumturnte; *der,* um dessentwillen das alles geschah, der zusehen und bewundern sollte, der hieß Leopold Treibel, und ich habe wohl bemerkt, wie mein Cousinchen auch ganz richtig gerechnet hatte; denn ich kann mich nicht entsinnen, einen Menschen gesehen zu haben, der, verzeih den Ausdruck, durch einen ganzen Abend hin so ‚total weg' gewesen wäre wie dieser Leopold."

„Meinst du?"

„Ja, das mein ich."

„Nun, darüber ließe sich reden . . . Aber sieh nur . . ."

Und dabei blieb sie stehen und wies auf das entzückende Bild, das sich – sie passierten eben die Fischerbrücke – drüben vor ihnen ausbreitete. Dünne Nebel lagen über den Strom hin, sogen aber den Lichterglanz nicht ganz auf, der von rechts und links her auf die breite Wasserfläche fiel, während die Mondsichel oben im Blauen stand, keine zwei Hand breit von dem etwas schwerfälligen Parochialkirchturm entfernt, dessen Schattenriß am anderen Ufer in aller Klarheit aufragt. „Sieh nur", wiederholte Corinna, „nie hab ich den Singuhrturm in solcher Schärfe gesehen. Aber ihn schön finden, wie seit kurzem Mode geworden, das kann ich doch nicht; er hat so etwas Halbes, Unfertiges, als ob ihm auf dem Wege nach oben die Kraft ausgegangen wäre. Da bin ich doch mehr für die zugespitzten, langweiligen Schindeltürme, die nichts wollen als hoch sein und in den Himmel zeigen."

Und in demselben Augenblicke, wo Corinna dies sagte, begannen die Glöckchen drüben ihr Spiel.

„Ach", sagte Marcell, „sprich doch nicht so von dem Turm und ob er schön ist oder nicht. Mir ist es gleich und dir auch; das mögen die Fachleute miteinander ausmachen. Und du sagst das alles nur, weil du von dem eigentlichen Gespräch los willst. Aber höre lieber zu, was die Glöckchen drüben spielen. Ich glaube, sie spielen: ‚Üb immer Treu und Redlichkeit.'"

„Kann sein, und ist nur schade, daß sie nicht auch die berühmte Stelle von dem Kanadier spielen können, der noch Europens übertünchte Höflichkeit nicht kannte. So was Gutes bleibt leider immer unkomponiert, oder vielleicht geht es auch nicht. Aber nun sage mir, Freund, was soll das alles heißen? Treu und Redlichkeit. Meinst du wirklich, daß mir die fehlen? Gegen wen versündige ich mich denn durch Untreue? Gegen dich? Hab ich Gelöbnisse gemacht? Hab ich dir etwas versprochen und das Versprechen nicht gehalten?"

Marcell schwieg.

„Du schweigst, weil du nichts zu sagen hast. Ich will dir aber noch allerlei mehr sagen, und dann magst du selber entscheiden, ob ich treu und redlich oder doch wenigstens aufrichtig bin, was so ziemlich dasselbe bedeutet."

„Corinna . . ."

„Nein, jetzt will ich sprechen, in aller Freundschaft, aber auch in allem Ernst. Treu und redlich. Nun, ich weiß wohl, daß du treu und redlich bist, was beiläufig nicht viel sagen will; ich für meine Person kann dir nur wiederholen, ich bin es auch."

„Und spielst doch beständig eine Komödie."

„Nein, das tu ich nicht. Und *wenn* ich es tue, so doch so, daß jeder es merken kann. Ich habe mir, nach reiflicher Überlegung, ein bestimmtes Ziel gesteckt, und wenn ich nicht mit dürren Worten sage: ‚dies *ist* mein Ziel', so unterbleibt das nur, weil es einem Mädchen nicht kleidet, mit solchen Plänen aus sich herauszutreten. Ich erfreue mich, dank meiner Erziehung, eines guten Teils von Freiheit, einige werden vielleicht sagen, von Emanzipation, aber trotzdem bin ich durchaus kein emanzipiertes Frauenzimmer. Im Gegenteil, ich habe gar keine Lust, das alte Herkommen umzustoßen, alte gute Sätze, zu denen auch der gehört: ein Mädchen wirbt nicht, um ein Mädchen *wird* geworben."

„Gut, gut; alles selbstverständlich . . ."

„. . . Aber freilich, das ist unser altes Evarecht, die großen Wasser spielen zu lassen und unsere Kräfte zu gebrauchen, bis *das* geschieht, um dessentwillen wir da sind, mit anderen Worten, bis man um uns wirbt. Alles gilt diesem Zweck. Du nennst das, je nachdem dir der Sinn steht, Raketensteigenlassen oder Komödie, mitunter auch Intrige, und immer Koketterie."

Marcell schüttelte den Kopf. „Ach, Corinna, du darfst mir darüber keine Vorlesung halten wollen und zu mir sprechen, als ob ich erst gestern auf die Welt gekommen wäre. Natürlich hab ich oft von Komödie gesprochen und noch öfter von Koketterie. Wovon spricht man nicht alles! Und wenn man dergleichen hinspricht, so widerspricht man sich auch wohl, und was man eben noch getadelt hat, das lobt man im nächsten Augenblick. Um's rundheraus zu sagen, spiele soviel Komödie, wie du willst, sei so kokett, wie du willst, ich werde doch nicht so dumm sein, die Weiberwelt und die Welt überhaupt ändern zu wollen, ich will sie wirklich nicht ändern, auch dann nicht, wenn ichs könnte! Nur um eines muß ich dich angehen, du mußt, wie du dich vorhin ausdrücktest, die großen Wasser an der rechten Stelle, das heißt also vor den rechten Leuten springen lassen, vor solchen, wo's paßt, wo's hingehört, wo sichs lohnt. Du gehst aber mit deinen Künsten nicht an die richtige Adresse, denn du kannst doch nicht ernsthaft daran denken, diesen Leopold Treibel heiraten zu wollen?"

„Warum nicht? Ist er zu jung für mich? Nein. Er stammt aus dem Januar und ich aus dem September; er hat also noch einen Vorsprung von acht Monaten."

„Corinna, du weißt ja recht gut, wie's liegt und daß er einfach für dich nicht paßt, weil er zu unbedeutend für dich ist. Du bist eine aparte Person, vielleicht ein bißchen zu sehr, und er ist kaum Durchschnitt. Ein sehr guter Mensch, das muß ich zugeben, hat ein gutes, weiches Herz, nichts von dem Kiesel, den die Geldleute sonst hier links haben, hat auch leidlich weltmännische Manieren und kann vielleicht einen Dürerschen Stich von einem Ruppiner Bilderbogen unterscheiden; aber du würdest dich doch totlangweilen an seiner Seite. Du, deines Vaters Tochter und eigentlich noch klüger als der Alte, du wirst doch nicht dein eigentliches Lebensglück wegwerfen wollen, bloß um in einer Villa zu wohnen und einen Landauer zu haben, der dann und wann ein paar alte Hofdamen abholt, oder um Adolar Krolas ramponierten Tenor alle vierzehn Tage den Erlkönig singen zu hören. Es ist nicht möglich, Corinna; du wirst dich doch, wegen solches Bettels von Mammon, nicht einem unbedeutenden Menschen an den Hals werfen wollen."

„Nein, Marcell, das letztere gewiß nicht; ich bin nicht für Zudringlichkeiten. Aber wenn Leopold morgen bei meinem Vater antritt – denn ich fürchte beinah, daß er noch zu denen gehört, die sich, statt der Hauptperson, erst der Nebenperson versichern –, wenn er also morgen antritt und um diese rechte Hand deiner Cousine Corinna anhält, so nimmt ihn Corinna und fühlt sich als Corinna au Capitole."

„Das ist nicht möglich; du täuschest dich, du spielst mit der Sache. Es ist eine Phantasterei, der du nach deiner Art nachhängst."

„Nein, Marcell, *du* täuschest dich, nicht ich; es ist mein vollkommener Ernst, so sehr, daß ich ein ganz klein wenig davor erschrecke."

„Das ist dein Gewissen."

„Vielleicht. Vielleicht auch nicht. Aber so viel will ich dir ohne weiteres zugeben, *das,* wozu der liebe Gott mich so recht eigentlich schuf, das hat nichts zu tun mit einem Treibelschen Fabrikgeschäft oder mit einem Holzhof und vielleicht am wenigsten mit einer Hamburger Schwägerin. Aber ein Hang nach Wohlleben, der jetzt alle Welt beherrscht, hat mich auch in der Gewalt, ganz so wie alle anderen, und so lächerlich und verächtlich es in deinem Oberlehrersohre klingen mag, ich halt es mehr mit Bonwitt und Littauer als mit einer kleinen Schneiderin, die schon um acht Uhr früh kommt und eine merkwürdige Hof- und Hinterstubenatmosphäre mit ins Haus bringt und zum zweiten Frühstück ein Brötchen mit Schlackwurst und vielleicht auch einen Gilka kriegt. Das alles widersteht mir im höchsten Maße; je weniger ich davon sehe, desto besser. Ich find es ungemein reizend, wenn so die kleinen Brillanten im Ohre blitzen, etwa wie bei meiner Schwiegermama in spe . . . ‚Sich einschränken', ach, ich kenne das Lied, das immer gesungen und immer gepredigt wird, aber wenn ich bei Papa die dicken Bücher abstäube, drin niemand hineinsieht, auch er selber nicht, und wenn dann die Schmolke sich abends auf mein Bett setzt und mir von ihrem verstorbenen Manne, dem Schutzmann, erzählt, und daß er, wenn er noch lebte, jetzt ein Revier hätte, denn Madai hätte große Stücke auf ihn gehalten, und wenn sie dann zuletzt sagt: ‚Aber Corinnchen, ich habe ja noch gar nicht mal gefragt, was wir morgen essen wollen? . . . Die Teltower sind jetzt so schlecht und eigentlich alle schon madig, und ich möchte dir vorschlagen, Wellfleisch und Wruken, das aß Schmolke auch immer so gern' – ja, Marcell, in solchem Augenblicke wird mir immer ganz sonderbar zumut, und Leopold Treibel erscheint mir dann mit einemmal als der Rettungsanker meines Lebens, oder wenn du willst, wie das aufzusetzende große Marssegel, das bestimmt ist, mich bei gutem Wind an ferne, glückliche Küsten zu führen."

„Oder, wenn es stürmt, dein Lebensglück zum Scheitern zu bringen."

„Warten wirs ab, Marcell."

Und bei diesen Worten bogen sie, von der Alten Leipziger Straße her, in Raules Hof ein, von dem aus ein kleiner Durchgang in die Adlerstraße führte.

Sechstes Kapitel

Um dieselbe Stunde, wo man sich bei Treibels vom Diner erhob, begann Professor Schmidts „Abend". Dieser „Abend", auch wohl Kränzchen genannt, versammelte, wenn man vollzählig war, um einen runden Tisch und eine mit einem roten Schleier versehene Moderateurlampe sieben Gymnasiallehrer, von denen die meisten den Professortitel führten. Außer unserem Freunde Schmidt waren es noch folgende: Friedrich Distelkamp, emeritierter Gymnasialdirektor, Senior des Kreises; nach ihm die Professoren Rindfleisch und Hannibal Kuh, zu welchen beiden sich noch Oberlehrer Immanuel Schultze gesellte, sämtlich vom Großen-Kurfürsten-Gymnasium. Den Schluß machte Doktor Charles Etienne, Freund und Studiengenosse Marcells, zur Zeit französischer Lehrer an einem vornehmen Mädchenpensionat, und endlich Zeichenlehrer Friedeberg, dem, vor ein paar Jahren erst – niemand wußte recht, warum und woher – der die Mehrheit des Kreises auszeichnende Professortitel angeflogen war, übrigens ohne sein Ansehen zu heben. Er wurde vielmehr, nach wie vor, für nicht ganz voll angesehen, und eine Zeitlang war aufs ernsthafteste die Rede davon gewesen, ihn, wie sein Hauptgegner Immanuel Schultze vorgeschlagen, aus ihrem Kreise „herauszugraulen", was unser Wilibald Schmidt indessen mit der Bemerkung bekämpft hatte, daß Friedeberg, trotz seiner wissenschaftlichen Nichtzugehörigkeit, eine nicht zu unterschätzende Bedeutung für ihren „Abend" habe. „Seht, lieben Freunde", so etwa waren seine Worte gewesen, „wenn wir unter uns sind, so folgen wir unseren Auseinandersetzungen eigentlich immer nur aus Rücksicht und Artigkeit und leben dabei mehr oder weniger der Überzeugung, alles, was seitens des anderen gesagt wurde, *viel* besser oder – wenn wir bescheiden sind – wenigstens ebensogut sagen zu können. Und das lähmt immer. Ich für mein Teil wenigstens bekenne offen, daß ich, wenn ich mit meinem Vortrage an der Reihe war, das Gefühl eines gewissen Unbehagens, ja zuzeiten einer geradezu hochgradigen Beklemmung nie ganz losgeworden bin. Und in einem so bedrängten Augenblicke seh ich dann unseren immer zu spät kommenden Friedeberg eintreten, verlegen lächelnd natürlich, und empfinde sofort, wie meiner Seele die Flügel wieder wachsen; ich spreche freier, intuitiver, klarer, denn ich habe wieder ein Publikum, wenn auch nur ein ganz kleines. *Ein* andächtiger Zuhörer, anscheinend so wenig, ist doch schon immer was und mitunter sogar sehr viel." Auf diese warme Verteidigung Wilibald Schmidts hin war Friedeberg dem Kreise verblieben. Schmidt durfte sich überhaupt als die Seele des Kränzchens betrachten, dessen Namensgebung: „Die sieben Waisen Griechenlands" ebenfalls auf ihn zurückzuführen war. Immanuel Schultze, meist in der Opposition und außerdem ein Gottfried-Keller-Schwärmer, hatte seinerseits „Das Fähnlein der sieben Aufrechten" vorgeschlagen, war aber damit nicht durchgedrungen, weil, wie Schmidt betonte, diese Bezeichnung einer Entlehnung gleichgekommen wäre. „Die sieben Waisen" klängen freilich ebenfalls entlehnt, aber das sei bloß Ohr- und Sinnestäuschung: das „a", worauf es recht eigentlich ankomme, verändere nicht nur mit einem Schlage die ganze Situation, sondern erziele sogar den denkbar höchsten Standpunkt, den der Selbstironie.

Wie sich von selbst versteht, zerfiel die Gesellschaft, wie jede Vereinigung der Art, in fast ebenso viele Parteien, wie sie Mitglieder zählte, und nur dem Umstande, daß die drei vom Großen-Kurfürsten-Gymnasium, außer der Zusammengehörigkeit, die diese gemeinschaftliche Stellung gab, auch noch verwandt und verschwägert waren (Kuh war Schwager, Immanuel Schultze Schwiegersohn von Rindfleisch), nur diesem Umstande war es zuzuschreiben, daß die vier anderen, und zwar aus einer Art Selbsterhaltungstrieb, ebenfalls eine Gruppe bildeten und bei Beschlußfassungen meist zusammengingen. Hinsichtlich Schmidts und Distelkamps konnte dies nicht weiter überraschen, da sie von alter Zeit her Freunde waren; zwischen Etienne und Friedeberg aber klaffte für gewöhnlich ein tiefer Abgrund, der sich ebensosehr in ihrer voneinander abweichenden Erscheinung wie in ihren verschiedenen Lebensgewohnheiten aussprach. Etienne, sehr elegant, versäumte nie, während der großen Ferien, mit Nachurlaub nach Paris zu gehen, während sich Friedeberg, angeblich um seiner Malstudien willen, auf die Woltersdorfer Schleuse (die landschaftlich unerreicht dastände) zurückzog. Natürlich war dies alles nur Vorgabe. Der wirkliche Grund war der, daß Friedeberg, bei ziemlich beschränkter Finanzlage, nach dem erreichbar Nächstliegenden griff und überhaupt Berlin nur verließ, um von seiner Frau – mit der er seit Jahren immer dicht vor der Scheidung stand – auf einige Wochen loszukommen. In einem sowohl die Handlungen wie die Worte seiner Mitglieder kritischer prüfenden Kreise hätte diese Finte notwendig verdrießen müssen; indessen Offenheit und Ehrlichkeit im Verkehr mit- und untereinander war keineswegs ein hervorstechender Zug der „sieben Waisen", eher das Gegenteil. So versicherte beispielsweise jeder, ohne den „Abend" eigentlich nicht leben zu können, was in Wahrheit nicht ausschloß, daß immer nur *die* kamen, die nichts Besseres vorhatten; Theater und Skat gingen weit vor und sorgten dafür, daß Unvollständigkeit der Versammlung die Regel war und nicht mehr auffiel.

Heute aber schien es sich schlimmer als gewöhnlich gestalten zu wollen. Die Schmidtsche Wanduhr, noch ein Erbstück vom Großvater her, schlug bereits halb, halb neun, und noch war niemand da außer Etienne, der, wie Marcell, zu den Intimen des Hauses zählend, kaum als Gast und Besuch gerechnet wurde.

„Was sagst du, Etienne", wandte sich jetzt Schmidt an diesen, „was sagst du zu dieser Saumseligkeit? Wo bleibt Distelkamp? Wenn auch auf *den* kein Verlaß mehr ist (‚die Douglas waren immer treu'), so geht der ‚Abend' aus den Fugen, und ich werde Pessimist und nehme für den Rest meiner Tage Schopenhauer und Eduard von Hartmann untern Arm."

Während er noch so sprach, ging draußen die Klingel, und einen Augenblick später trat Distelkamp ein.

„Entschuldige, Schmidt, ich habe mich verspätet. Die Details erspar ich dir und unserem Freunde Etienne. Auseinandersetzungen, weshalb man zu spät kommt, selbst wenn sie wahr, sind nicht viel besser als Krankengeschichten. Also lassen wirs. Inzwischen bin ich überrascht, trotz meiner Verspätung immer noch der eigentlich erste zu sein. Denn Etienne gehört ja so gut wie zur Familie. Die Großen Kurfürstlichen aber! Wo sind sie? Nach Kuh und unserem Freunde Immanuel frag ich nicht erst, die sind bloß ihres

Schwagers und Schwiegervaters Klientel. Rindfleisch selbst aber – wo steckt er?"

„Rindfleisch hat abgeschrieben; er sei heut in der ‚Griechischen'."

„Ach, das ist Torheit. Was will er in der ‚Griechischen'? Die sieben Waisen gehen vor. Er findet hier wirklich mehr."

„Ja, das sagst du so, Distelkamp. Aber es liegt doch wohl anders. Rindfleisch hat nämlich ein schlechtes Gewissen, ich könnte vielleicht sagen: mal wieder ein schlechtes Gewissen."

„Dann gehört er erst recht hierher; hier kann er beichten. Aber um was handelt es sich denn eigentlich? Was ist es?"

„Er hat da mal wieder einen Schwupper gemacht, irgendwas verwechselt, ich glaube Phrynichos den Tragiker mit Phrynichos dem Lustspieldichter. War es nicht so, Etienne? (Dieser nickte.) Und die Sekundaner haben nun mit lirum larum einen Vers auf ihn gemacht . . ."

„Und?"

„Und da gilt es denn, die Scharte, so gut es geht, wieder auszuwetzen, wozu die ‚Griechische' mit dem Lustre, das sie gibt, das immerhin beste Mittel ist."

Distelkamp, der sich mittlerweile seinen Meerschaum angezündet und in die Sofaecke gesetzt hatte, lächelte bei der ganzen Geschichte behaglich vor sich hin und sagte dann: „Alles Schnack. Glaubst du's? Ich nicht. Und wenn es zuträfe, so bedeutet es nicht viel, eigentlich gar nichts. Solche Schnitzer kommen immer vor, passieren jedem. Ich will dir mal was erzählen, Schmidt, was, als ich noch jung war und in Quarta brandenburgische Geschichte vortragen mußte – was damals, sag ich, einen großen Eindruck auf mich machte."

„Nun laß hören. Was wars?"

„Ja, was wars. Offen gestanden, meine Wissenschaft, zum wenigsten was unser gutes Kurbrandenburg anging, war nicht weit her, ist es auch jetzt noch nicht, und als ich so zu Hause saß und mich notdürftig vorbereitete, da las ich – denn wir waren gerade beim ersten König – allerhand Biographisches und darunter auch was vom alten General Barfus, der, wie die meisten damaligen, das Pulver nicht erfunden hatte, sonst aber ein kreuzbraver Mann war. Und dieser Barfus präsidierte, während der Belagerung von Bonn, einem Kriegsgericht, drin über einen jungen Offizier abgeurteilt werden sollte."

„So, so. Nun, was war es denn?"

„Der Abzuurteilende hatte sich, das mindeste zu sagen, etwas unheldisch benommen, und alle waren für Schuldig und Totschießen. Nur der alte Barfus wollte nichts davon wissen und sagte: ‚Drücken wir ein Auge zu, meine Herren. Ich habe dreißig Renkontres mitgemacht, und ich muß Ihnen sagen, ein Tag ist nicht wie der andere, und der Mensch ist ungleich und das Herz auch und der Mut erst recht. Ich habe mich manches Mal auch feige gefühlt. Solange es geht, muß man Milde walten lassen, denn jeder kann sie brauchen.'"

„Höre Distelkamp", sagte Schmidt, „das ist eine gute Geschichte, dafür danke ich dir, und so alt ich bin, *die* will ich mir doch hinter die Ohren schreiben. Denn weiß es Gott, ich habe mich auch schon blamiert, und wiewohl es die Jungens nicht bemerkt haben, wenigstens ist mir nichts aufgefallen, so hab ich es doch selber bemerkt und mich hinterher riesig geärgert und geschämt. Nicht wahr, Etienne, so was ist immer fatal; oder kommt es im Französischen nicht vor, wenigstens dann nicht, wenn man alle Juli nach Paris reist und einen neuen Band Maupassant mit heimbringt? Das ist ja wohl jetzt das Feinste? Verzeih die kleine Malice. Rindfleisch ist überdies ein kreuzbraver Kerl, nomen est omen, und eigentlich der beste, besser als Kuh und namentlich besser als unser Freund Immanuel Schultze. Der hats hinter den Ohren und ist ein Schlieker. Er grient immer und gibt sich das Ansehen, als ob er dem Bilde zu Sais irgendwie und -wo unter den Schleier geguckt hätte, wovon er weit ab ist. Denn er löst nicht mal das Rätsel von seiner eigenen Frau, an der manches verschleierter oder auch nicht verschleierter sein soll, als ihm, dem Ehesponsen, lieb sein kann."

„Schmidt, du hast heute mal wieder deinen medisanten Tag. Eben hab ich den armen Rindfleisch aus deinen Fängen gerettet, ja, du hast sogar Besserung versprochen, und schon stürzest du dich wieder auf den unglücklichen Schwiegersohn. Im übrigen, wenn ich an Immanuel etwas tadeln sollte, so läge es nach einer ganz anderen Seite hin."

„Und das wäre?"

„Daß er keine Autorität hat. Wenn er sie zu Hause nicht hat, nun, traurig genug. Indessen das geht uns nichts an. Aber daß er sie, nach allem, was ich höre, auch in der Klasse nicht hat, *das* ist schlimm. Sieh, Schmidt, das ist die Kränkung und der Schmerz meiner letzten Lebensjahre, daß ich den kategorischen Imperativ immer mehr hinschwinden sehe. Wenn ich da an den alten Weber denke! Von dem heißt es, wenn er in die Klasse trat, so hörte man den Sand durch das Stundenglas fallen, und kein Primaner wußte mehr, daß es überhaupt möglich sei, zu flüstern oder gar vorzusagen. Und außer seinem eigenen Sprechen, ich meine Webers, war nichts hörbar als das Knistern, wenn die Horaz-Seiten umgeblättert wurden. Ja, Schmidt, *das* waren Zeiten, da verlohnte sichs, ein Lehrer und ein Direktor zu sein. Jetzt treten die Jungen in der Konditorei an einen heran und sagen: „Wenn Sie gelesen haben, Herr Direktor, dann bitt ich . . ."

Schmidt lachte. „Ja, Distelkamp, so sind sie jetzt, das ist die neue Zeit, das ist wahr. Aber ich kann mich nicht darüber ägrieren. Wie waren denn, bei Lichte besehen, die großen Würdenträger mit ihrem Doppelkinn und ihren Pontacnasen? Schlemmer waren es, die den Burgunder viel besser kannten als den Homer. Da wird immer von alten, einfachen Zeiten geredet; dummes Zeug! Sie müssen ganz gehörig gepichelt haben, das sieht man noch an ihren Bildern in der Aula. Nu ja, Selbstbewußtsein und eine steifleinene Grandezza, das alles hatten sie, das soll ihnen zugestanden sein. Aber wie sah es sonst aus?"

„Besser als heute."

„Kann ich nicht finden, Distelkamp. Als ich noch unsere Schulbibliothek unter Aufsicht hatte, Gott sei Dank, daß ich nichts mehr damit zu tun habe, da hab ich öfter in die Schulprogramme hineingekuckt, und in die Dissertationen und „Aktusse", wie sie vordem im Schwang waren. Nun, ich weiß wohl, jede Zeit denkt, sie sei was Besonderes, und die, die kommen, mögen meinetwegen auch über uns lachen; aber sieh, Distelkamp, vom gegenwärtigen Standpunkt unseres Wissens, oder sag ich auch bloß unseres Geschmacks aus, darf doch am Ende gesagt werden, es war etwas Furchtbares mit dieser Perückengelehrsamkeit, und die stupende Wichtigkeit, mit der sie sich gab, kann uns nur noch erheitern. Ich weiß nicht, unter wem es war, ich glaube unter Rodigast, da kam es in Mode – vielleicht weil er persönlich einen Garten vorm Rosentaler hatte –, die Stoffe für die öffentlichen Reden und ähnliches aus der Gartenkunde zu nehmen, und sieh, da hab ich Dissertationen gelesen über das Hortikulturliche des Paradieses, über die Beschaffenheit des Gartens zu Gethsemane und über die mutmaßlichen Anlagen im Garten des Joseph von Arimathia. Garten und immer wieder Garten. Nun, was sagst du dazu?"

„Ja, Schmidt, mit dir ist schlecht fechten. Du hast immer das Auge für das Komische gehabt. Das greifst du nun heraus, spießest es auf deine Nadel und zeigst es der Welt. Aber was daneben lag und viel wichtiger war, das lässest du liegen. Du hast schon sehr richtig hervorgehoben, daß man über unsere Lächerlichkeiten auch lachen wird. Und wer bürgt uns dafür, daß wir nicht jeden Tag in Untersuchungen eintreten, die noch viel toller sind als die hortikulturlichen Untersuchungen über das Paradies. Lieber Schmidt, das Entscheidende bleibt doch immer der Charakter, nicht der eitle, wohl aber der gute, ehrliche Glaube an uns selbst. Bona fide müssen wir vorgehen. Aber mit unserer ewigen Kritik, eventuell auch Selbstkritik, geraten wir in eine mala fides hinein und mißtrauen uns selbst und dem, was wir zu sagen haben. Und ohne Glauben an uns und unsere Sache keine rechte Lust und Freudigkeit, und auch kein Segen, am wenigsten Autorität. Und das ist es, was ich beklage. Denn wie kein Heerwesen ohne Disziplin, so kein Schulwesen ohne Autorität. Es ist damit wie mit dem Glauben. Es ist nicht nötig, daß das Richtige geglaubt wird, aber daß überhaupt geglaubt wird, darauf kommt es an. In jedem Glauben stecken geheimnisvolle Kräfte und ebenso in der Autorität."

Schmidt lächelte. „Distelkamp, ich kann da nicht mit. Ich kanns in der Theorie gelten lassen, aber in der Praxis ist es bedeutungslos geworden. Gewiß kommt es auf das Ansehen vor den Schülern an. Wir gehen nur darin auseinander, aus welcher Wurzel das Ansehen kommen soll. Du willst alles auf den Charakter zurückführen und denkst, wenn du es auch nicht aussprichst: ‚Und wenn ihr euch nur selbst vertraut, vertrauen euch auch die anderen Seelen.' Aber, teurer Freund, das ist just das, was ich bestreite. Mit dem bloßen Glauben an sich oder gar, wenn du den Ausdruck gestattest, mit der geschwollenen Wichtigtuerei, mit der Pompositát ist es heutzutage nicht mehr getan. An die Stelle dieser veralteten Macht ist die reelle Macht des wirklichen Wissens und Könnens getreten, und du brauchst nur Umschau zu halten, so wirst du jeden Tag sehen, daß Professor Hammerstein, der bei Spichern mitgestürmt und eine gewisse Premierleutnantshaltung von daher beibehalten hat, daß Hammerstein, sag ich, seine Klasse *nicht* regiert, während unser Agathon Knurzel, der aussieht wie Mr. Punch, und einen Doppelbuckel, aber freilich auch einen Doppelgrips hat, die Klasse mit seinem kleinen Raubvogelgesicht in der Furcht des Herrn hält. Und nun besonders unsere Berliner Jungens, die gleich weghaben, wie schwer einer wiegt. Wenn einer von den Alten aus dem Grabe käme, mit Stolz und Hoheit angetan, und eine hortikulturelle Beschreibung des Paradieses forderte, wie würde der fahren mit all seiner Würde? Drei Tage später wär er im Kladderadatsch, und die Jungens selber hätten das Gedicht gemacht."

„Und doch bleibt es dabei, Schmidt, mit den Traditionen der alten Schule steht und fällt die höhere Wissenschaft."

„Ich glaub es nicht. Aber wenn es wäre, wenn die höhere Weltanschauung, das heißt das, was wir so nennen, wenn das alles fallen müßte, nun, so laß es fallen. Schon Attinghausen, der doch selber alt war, sagte: ‚Das Alte stürzt, es ändert sich die Zeit.' Und wir stehen sehr stark vor solchem Umwandlungsprozeß, oder richtiger, wir sind schon drin. Muß ich dich daran erinnern, es gab eine Zeit, wo das Kirchliche Sache der Kirchenleute war. Ist es noch so? Nein. Hat die Welt verloren? Nein. Es ist vorbei mit den alten Formen, und auch unsere Wissenschaftlichkeit wird davon keine Ausnahme machen. Sieh hier . . ." und er schleppte von einem kleinen Nebentisch ein großes Prachtwerk herbei . . . „sieh hier *das*. Heute mir zugeschickt, und ich werd es behalten, so teuer es ist. Heinrich Schliemanns Ausgrabungen zu Mykenä. Ja, Distelkamp, wie stehst du dazu?"

„Zweifelhaft genug."

„Kann ich mir denken. Weil du von den alten Anschauungen nicht los willst. Du kannst dir nicht vorstellen, daß jemand, der Tüten geklebt und Rosinen verkauft hat, den alten Priamus ausbuddelt, und kommt er nun gar ins Agamemnonsche hinein und sucht nach dem Schädelriß aegisthschen Angedenkens, so gerätst du in helle Empörung. Aber ich kann mir nicht helfen, du hast unrecht. Freilich, man muß was leisten; hic Rhodus, hic salta; aber wer springen kann, der springe, gleichviel ob ers aus der Georgia-Augusta oder aus der Klippschule hat. Im übrigen will ich abbrechen; am wenigsten hab ich Lust, dich mit Schliemann zu ärgern, der von Anfang an deine Renonce war. Die Bücher liegen hier bloß wegen Friedeberg, den ich der beigegebenen Zeichnungen halber fragen will. Ich begreife nicht, daß er nicht kommt oder richtiger nicht schon da ist. Denn daß er kommt, ist unzweifelhaft, er hätte sonst abgeschrieben, artiger Mann, der er ist."

„Ja, das ist er", sagte Etienne, „das hat er noch aus dem Semitismus mit rübergenommen."

„Sehr wahr", fuhr Schmidt fort, „aber wo ers her hat, ist am Ende gleichgültig. Ich bedauere mitunter, Urgermane, der ich bin, daß wir nicht auch irgendwelche Bezugsquellen für ein bißchen Schliff und Politesse haben; es braucht ja nicht gerade dieselbe zu sein. Diese schreckliche Verwandtschaft zwischen Teutoburger Wald und Grobheit ist doch mitunter störend. Friedeberg ist ein Mann, der, wie Max Piccolomini – sonst nicht gerade sein Vorbild, auch nicht mal in der Liebe –, der ‚Sitten Freundlichkeit' allerzeit kultiviert hat, und es bleibt eigentlich nur zu beklagen, daß seine Schüler nicht immer das richtige Verständnis dafür haben. Mit anderen Worten, sie spielen ihm auf der Nase..."

„Das uralte Schicksal der Schreib- und Zeichenlehrer . . ."

„Freilich. Und am Ende muß es auch so gehen und geht auch. Aber lassen wir die heikle Frage. Laß mich lieber auf

Mykenä zurückkommen und sage mir deine Meinung über die Goldmasken. Ich bin sicher, wir haben da ganz was Besonderes, so das recht Eigentlichste. Jeder Beliebige kann doch nicht bei seiner Bestattung eine Goldmaske getragen haben, doch immer nur die Fürsten, also mit höchster Wahrscheinlichkeit Orests und Iphigeniens unmittelbare Vorfahren. Und wenn ich mir dann vorstelle, daß diese Goldmasken genau nach dem Gesicht geformt wurden, gerade wie wir jetzt eine Gips- oder Wachsmaske formen, so hüpft mir das Herz bei der doch mindestens zulässigen Idee, daß *dies* hier" – und er wies auf eine aufgeschlagene Bildseite –, „daß dies hier das Gesicht des Atreus ist oder seines Vaters oder seines Onkels . . ."

„Sagen wir seines Onkels."

„Ja, du spottest wieder, Distelkamp, trotzdem du mir doch selber den Spott verboten hast. Und das alles bloß, weil du der ganzen Sache mißtraust und nicht vergessen kannst, daß er, ich meine natürlich Schliemann, in seinen Schuljahren über Strelitz und Fürstenberg nicht rausgekommen ist. Aber lies nur, was Virchow von ihm sagt. Und Virchow wirst du doch gelten lassen."

In diesem Augenblicke hörte man draußen die Klingel gehen. „Ah, lupus in fabula. Das ist er. Ich wußte, daß er uns nicht im Stiche lassen würde . . ."

Und kaum, daß Schmidt diese Worte gesprochen, trat Friedeberg auch schon herein, und ein reizender schwarzer Pudel, dessen rote Zunge, wahrscheinlich von angestrengtem Laufe, weit heraushing, sprang auf die beiden alten Herren zu und umschmeichelte abwechselnd Schmidt und Distelkamp. An Etienne, der ihm zu elegant war, wagte er sich nicht heran.

„Aber alle Wetter, Friedeberg, wo kommen Sie so spät her?"

„Freilich, freilich, und sehr zu meinem Bedauern. Aber der Fips hier treibt es zu arg oder geht in seiner Liebe zu mir zu weit, wenn ein Zuweitgehen in der Liebe überhaupt möglich ist. Ich bildete mir ein, ihn eingeschlossen zu haben, und mache mich zu rechter Zeit auf den Weg. Gut. Und nun denken Sie, was geschieht? Als ich hier ankomme, wer ist da, wer wartet auf mich? Natürlich Fips. Ich bring ihn wieder zurück bis in meine Wohnung und übergeb ihn dem Portier, meinem guten Freunde – man muß in Berlin eigentlich sagen, meinem Gönner. Aber, aber, was ist das Resultat all meiner Anstrengungen und guten Worte? Kaum bin ich wieder hier, so ist auch Fips wieder da. Was sollt ich am Ende machen? Ich hab ihn wohl oder übel mit hereingebracht und bitt um Entschuldigung für ihn und für mich."

„Hat nichts auf sich", sagte Schmidt, während er sich zugleich freundlich mit dem Hunde beschäftigte. „Reizendes Tier und so zutunlich und fidel. Sagen Sie, Friedeberg, wie schreibt er sich eigentlich? f oder ph? Phips mit ph ist englisch, also vornehmer. Im übrigen ist er, wie seine Rechtschreibung auch sein möge, für heute abend mit eingeladen und ein durchaus willkommener Gast, vorausgesetzt, daß er nichts dagegen hat, in der Küche sozusagen am Trompetertisch Platz zu nehmen. Für meine gute Schmolke bürge ich. Die hat eine Vorliebe für Pudel, und wenn sie nun gar von seiner Treue hört . . ."

„So wird sie", warf Distelkamp ein, „ihm einen Extrazipfel schwerlich versagen."

„Gewiß nicht. Und darin stimme ich meiner guten Schmolke von Herzen bei. Denn die Treue, von der heutzutage jeder red't, wird in Wahrheit immer rarer, und Fips predigt in seiner Stadtgegend, soviel ich weiß, umsonst."

Diese von Schmidt anscheinend leicht und wie im Scherze hingesprochenen Worte richteten sich doch ziemlich ernsthaft an den sonst gerade von ihm protegierten Friedeberg, dessen stadtkundig unglückliche Ehe, neben anderem, auch mit einem entschiedenen Mangel an Treue, besonders während seiner Mal- und Landschaftsstudien auf der Woltersdorfer Schleuse, zusammenhing. Friedeberg fühlte den Stich auch sehr wohl heraus und wollte sich durch eine Verbindlichkeit gegen Schmidt aus der Affäre ziehen, kam aber nicht dazu, weil in ebendiesem Augenblicke die Schmolke eintrat und unter einer Verbeugung gegen die anderen Herren ihrem Professor ins Ohr flüsterte, daß angerichtet sei.

„Nun, lieben Freunde, dann bitt ich . . ." Und Distelkamp an der Hand nehmend, schritt er, unter Passierung des

Entrees, auf das Gesellschaftszimmer zu, drin die Abendtafel gedeckt war. Ein eigentliches Eßzimmer hatte die Wohnung nicht. Friedeberg und Etienne folgten.

Siebentes Kapitel

Das Zimmer war dasselbe, in welchem Corinna, am Tage zuvor, den Besuch der Kommerzienrätin empfangen hatte. Der mit Lichtern und Weinflaschen gut besetzte Tisch stand, zu vieren gedeckt, in der Mitte; darüber hing eine Hängelampe. Schmidt setzte sich mit dem Rücken gegen den Fensterpfeiler, seinem Freunde Friedeberg gegenüber, der seinerseits von seinem Platz aus zugleich den Blick in den Spiegel hatte. Zwischen den blanken Messingleuchtern standen ein paar auf einem Basar gewonnene Porzellanvasen, aus deren halb gezahnter, halb wellenförmiger Öffnung – dentatus et undulatus, sagte Schmidt – kleine Marktsträuße von Goldlack und Vergißmeinnicht hervorwuchsen. Quer vor den Weingläsern lagen lange Kümmelbrote, denen der Gastgeber, wie allem Kümmligen, eine ganz besondere Fülle gesundheitlicher Gaben zuschrieb.

Das eigentliche Gericht fehlte noch, und Schmidt, nachdem er sich von dem statutarisch festgesetzten Trarbacher bereits zweimal eingeschenkt, auch beide Knusperspitzen von seinem Kümmelbrötchen abgebrochen hatte, war ersichtlich auf dem Punkte, starke Spuren von Mißstimmung und Ungeduld zu zeigen, als sich endlich die zum Entree führende Tür auftat, und die Schmolke, rot von Erregung und Herdfeuer, eintrat, eine mächtige Schüssel mit Oderkrebsen vor sich her tragend. „Gott sei Dank", sagte Schmidt, „ich dachte schon, alles wäre den Krebsgang gegangen", eine unvorsichtige Bemerkung, die die Kongestionen der Schmolke nur noch steigerte, das Maß ihrer guten Laune aber ebensosehr sinken ließ. Schmidt, seinen Fehler rasch erkennend, war kluger Feldherr genug, durch einige Verbindlichkeiten die Sache wieder auszugleichen. Freilich nur mit halbem Erfolg.

Als man wieder allein war, unterließ es Schmidt nicht,

sofort den verbindlichen Wirt zu machen. Natürlich auf seine Weise. „Sieh, Distelkamp, dieser hier ist für dich. Er hat eine große und eine kleine Schere, und das sind immer die besten. Es gibt Spiele der Natur, die mehr sind als bloßes Spiel und dem Weisen als Wegweiser dienen; dahin gehören beispielsweise die Pontacapfelsinen, und die Borsdorfer mit einer Pocke. Denn es steht fest, je pockenreicher, desto schöner ... Was wir hier vor uns haben, sind Oderbruchkrebse; wenn ich recht berichtet bin, aus der Küstriner Gegend. Es scheint, daß durch die Vermählung von Oder und Warthe besonders gute Resultate vermittelt werden. Übrigens, Friedeberg, sind Sie nicht eigentlich da zu Haus? Ein halber Neumärker oder Oderbrücher?“ Friedeberg bestätigte. „Wußt es; mein Gedächtnis täuscht mich selten. Und nun sagen Sie, Freund, ist dies nach Ihren persönlichen Erfahrungen mutmaßlich als streng lokale Produktion anzusehen, oder ist es mit den Oderbruchkrebsen wie mit den Werderschen Kirschen, deren Gewinnungsgebiet sich nächstens über die ganze Provinz Brandenburg erstrecken wird?“

„Ich glaube doch“, sagte Friedeberg, während er durch eine geschickte, durchaus den Virtuosen verratende Gabelwendung einen weiß und rosa schimmernden Krebsschwanz aus seiner Stachelschale hob, „ich glaube doch, daß hier ein Segeln unter zuständiger Flagge stattfindet und daß wir auf dieser Schüssel wirkliche Oderkrebse vor uns haben, echteste Ware, nicht bloß dem Namen nach, sondern auch de facto.“

„De facto“, wiederholte der in Friedebergs Latinität eingeweihte Schmidt unter behaglichem Schmunzeln.

Friedeberg aber fuhr fort: „Es werden nämlich, um Küstrin herum, immer noch Massen gewonnen, trotzdem es nicht mehr das ist, was es war. Ich habe selbst noch Wunderdinge davon gesehen, aber freilich nichts in Vergleich zu dem, was die Leute von alten Zeiten her erzählten. Damals, vor hundert Jahren, oder vielleicht auch noch länger, gab es so viele Krebse, daß sie durchs ganze Bruch hin, wenn sich im Mai das Überschwemmungswasser wieder verlief, von den Bäumen geschüttelt wurden, zu vielen Hunderttausenden.“

„Dabei kann einem ja ordentlich das Herz lachen“, sagte Etienne, der ein Feinschmecker war.

„Ja, hier an diesem Tisch; aber dort in der Gegend lachte man nicht darüber. Die Krebse waren wie eine Plage, natürlich ganz entwertet, und bei der dienenden Bevölkerung, die damit geatzt werden sollte, so verhaßt und dem Magen der Leute so widerwärtig, daß es verboten war, dem Gesinde *mehr* als dreimal wöchentlich Krebse vorzusetzen. Ein Schock Krebse kostete einen Pfennig.“

„Ein Glück, daß das die Schmolke nicht hört“, warf Schmidt ein, „sonst würd ihr ihre Laune zum zweiten Male verdorben. Als richtige Berlinerin ist sie nämlich für ewiges Sparen, und ich glaube nicht, daß sie die Tatsache ruhig verwinden würde, die Epoche von ‚ein Pfennig pro Schock‘ so total versäumt zu haben.“

„Darüber darfst du nicht spotten, Schmidt“, sagte Distelkamp. „Das ist eine Tugend, die der modernen Welt, neben vielem anderen, immer mehr verlorengeht.“

„Ja, da sollst du recht haben. Aber meine gute Schmolke hat doch auch in diesem Punkte les défauts de ses vertus. So heißt es ja wohl, Etienne?“

„Gewiß“, sagte dieser. „Von der George Sand. Und fast ließe sich sagen, ‚les défauts de ses vertus‘ und ‚comprendre c'est pardonner‘ – das sind so recht eigentlich die Sätze, wegen deren sie gelebt hat.“

„Und dann vielleicht auch von wegen dem Alfred de Musset“, ergänzte Schmidt, der nicht gern eine Gelegenheit vorübergehen ließ, sich, aller Klassizität unbeschadet, auch ein modern literarisches Ansehen zu geben.

„Ja, wenn man will, auch von wegen dem Alfred de Musset. Aber das sind Dinge, daran die Literaturgeschichte glücklicherweise vorübergeht.“

„Sage das nicht, Etienne, nicht glücklicherweise, sage leider. Die Geschichte geht fast immer an dem vorüber, was sie vor allem festhalten sollte. Daß der Alte Fritz am Ende seiner Tage dem damaligen Kammergerichtspräsidenten, Namen hab ich vergessen, den Krückstock an den Kopf warf und, was mir noch wichtiger ist, daß er durchaus bei seinen Hunden begraben sein wollte, weil er die Menschen, diese ‚mechante Rasse', so gründlich verachtete – sieh, Freund, das ist mir mindestens ebensoviel wert wie Hohenfriedberg oder Leuthen. Und die berühmte Torgauer Ansprache ‚Rackers, wollt ihr denn ewig leben' geht mir eigentlich noch über Torgau selbst."

Distelkamp lächelte. „Das sind so Schmidtiana. Du warst immer fürs Anekdotische, fürs Genrehafte. Mir gilt in der Geschichte nur das Große, nicht das Kleine, das Nebensächliche."

„Ja und nein, Distelkamp. Das Nebensächliche, soviel ist richtig, gilt nichts, wenn es bloß nebensächlich ist, wenn nichts drin steckt. Steckt aber was drin, dann ist es die Hauptsache, denn es gibt einem dann immer das eigentlich Menschliche."

„Poetisch magst du recht haben."

„Das Poetische – vorausgesetzt, daß man etwas anderes darunter versteht als meine Freundin Jenny Treibel –, das Poetische hat immer recht; es wächst weit über das Historische hinaus . . ."

Es war dies ein Schmidtsches Lieblingsthema, drin der alte Romantiker, der er eigentlich mehr als alles andere war, jedesmal so recht zur Geltung kam; aber heute sein Steckenpferd zu reiten verbot sich ihm doch, denn ehe er noch zu wuchtiger Auseinandersetzung ausholen konnte, hörte man Stimmen vom Entree her, und im nächsten Augenblicke traten Marcell und Corinna ein, Marcell befangen und fast verstimmt, Corinna nach wie vor in bester Laune. Sie ging zur Begrüßung auf Distelkamp zu, der ihr Pate war und ihr immer kleine Verbindlichkeiten sagte. Dann gab sie Friedeberg und Etienne die Hand und machte den Schluß bei ihrem Vater, dem sie, nachdem er sich auf ihre Ordre mit der breit vorgebundenen Serviette den Mund abgeputzt hatte, einen herzhaften Kuß gab.

„Nun, Kinder, was bringt ihr? Rückt hier ein. Platz die Hülle und Fülle. Rindfleisch hat abgeschrieben . . . Griechische Gesellschaft . . . und die beiden anderen fehlen als Anhängsel natürlich von selbst. Aber kein anzügliches Wort mehr, ich habe ja Besserung geschworen und wills halten. Also, Corinna, du drüben neben Distelkamp, Marcell hier zwischen Etienne und mir. Ein Besteck wird die Schmolke wohl gleich bringen ... So; so ists recht ... Und wie sich das gleich anders ausnimmt! Wenn so Lücken klaffen, denk ich immer, Banquo steigt auf. Nun, Gott sei Dank, Marcell, von Banquo hast du nicht viel, oder wenn doch vielleicht, so verstehst du's, deine Wunden zu verbergen. Und nun erzählt, Kinder. Was macht Treibel? Was macht meine Freundin Jenny? Hat sie gesungen? Ich wette, das ewige Lied, *mein* Lied, die berühmte Stelle: ‚Wo sich Herzen finden', und Adolar Krola hat begleitet. Wenn ich dabei nur mal in Krolas Seele lesen könnte. Vielleicht aber steht er doch milder und menschlicher dazu. Wer jeden Tag zu zwei Diners geladen ist und mindestens anderthalb mitmacht ... Aber bitte, Corinna, klingle."

„Nein, ich gehe lieber selbst, Papa. Die Schmolke läßt sich nicht gerne klingeln; sie hat so ihre Vorstellungen von dem, was sie sich und ihrem Verstorbenen schuldig ist. Und ob ich wiederkomme, die Herren wollen verzeihen, weiß ich auch nicht; ich glaube kaum. Wenn man solchen Treibelschen Tag hinter sich hat, ist es das schönste, darüber nachzudenken, wie das alles so kam und was einem alles gesagt wurde. Marcell kann ja statt meiner berichten. Und nur noch soviel, ein höchst interessanter Engländer war mein Tischnachbar, und wer es von Ihnen vielleicht nicht glauben will, daß er so sehr interessant gewesen, dem brauche ich bloß den Namen zu nennen, er hieß nämlich Nelson. Und nun Gott befohlen."

Und damit verabschiedete sich Corinna.

Das Besteck für Marcell kam, und als dieser, nur um des Onkels gute Laune nicht zu stören, um einen Kost- und Probekrebs gebeten hatte, sagte Schmidt: „Fange nur erst an. Artischocken und Krebse kann man immer essen, auch wenn man von einem Treibelschen Diner kommt. Ob sich vom Hummer dasselbe sagen läßt, mag dahingestellt bleiben. Mir persönlich ist allerdings auch der Hummer immer gut bekommen. Ein eigen Ding, daß man aus Fragen der Art nie herauswächst, sie wechseln bloß ab im Leben. Ist man jung, so heißt es ‚hübsch oder häßlich', ‚brünett oder blond', und liegt dergleichen hinter einem, so steht man vor der vielleicht wichtigeren Frage ‚Hummer oder Krebse'. Wir könnten übrigens darüber abstimmen. Andererseits, soviel muß ich zugeben, hat Abstimmung immer was Totes, Schablonenhaftes und paßt mir außerdem nicht recht; ich möchte nämlich Marcell gern ins Gespräch ziehen, der eigentlich dasitzt, als sei ihm die Gerste verhagelt. Also lieber Erörterung der Frage, Debatte. Sage, Marcell, was ziehst du vor?"

„Versteht sich, Hummer."

„Schnell fertig ist die Jugend mit dem Wort. Auf den ersten Anlauf, mit ganz wenig Ausnahmen, ist jeder für Hummer, schon weil er sich auf Kaiser Wilhelm berufen kann. Aber so schnell erledigt sich das nicht. Natürlich, wenn solch ein Hummer aufgeschnitten vor einem liegt, und der wundervolle rote Rogen, ein Bild des Segens und der Fruchtbarkeit, einem zu allem anderen auch noch die Gewißheit gibt, ‚es wird immer Hummer geben', auch nach Äonen noch, gerade so wie heute ..."

Distelkamp sah seinen Freund Schmidt von der Seite her an.

„... Also einem die Gewißheit gibt, auch nach Äonen noch werden Menschenkinder sich dieser Himmelsgabe freuen – ja, Freunde, wenn man sich mit diesem Gefühl des Unendlichen durchdringt, so kommt das darin liegende Humanitäre dem Hummer und unserer Stellung zu ihm unzweifelhaft zugute. Denn jede philanthropische Regung, weshalb man die Philanthropie schon aus Selbstsucht kultivieren sollte, bedeutet die Mehrung eines gesunden und zugleich verfeinerten Appetits. Alles Gute hat seinen Lohn in sich, soviel ist unbestreitbar."

„Aber ..."

„Aber es ist trotzdem dafür gesorgt, auch hier, daß die Bäume nicht in den Himmel wachsen, und neben dem Großen hat das Kleine nicht bloß seine Berechtigung, sondern auch seine Vorzüge. Gewiß, dem Krebse fehlt dies und das, er hat sozusagen nicht das ‚Maß', was, in einem Militärstaate wie Preußen, immerhin etwas bedeutet, aber demohnerachtet, auch *er* darf sagen: ich habe nicht umsonst gelebt. Und wenn er dann, er, der Krebs, in Petersilienbutter geschwenkt, im allerappetitlichsten Reize vor uns hintritt, so hat er Momente wirklicher Überlegenheit, vor allem auch darin, daß sein Bestes nicht eigentlich gegessen, sondern geschlürft, gesogen wird. Und daß gerade das, in der Welt des Genusses, seine besonderen Meriten hat, wer wollte das bestreiten? Es ist, sozusagen, das natürlich Gegebene. Wir haben da in erster Reihe den Säugling, für den saugen zugleich leben heißt. Aber auch in den höheren Semestern . . ."

„Laß es gut sein, Schmidt", unterbrach Distelkamp. „Mir ist nur immer merkwürdig, daß du neben Homer und sogar neben Schliemann mit solcher Vorliebe Kochbuchliches behandelst, reine Menufragen, als ob du zu den Bankiers und Geldfürsten gehörtest, von denen ich bis auf weiteres annehme, daß sie gut essen . . ."

„Mir ganz unzweifelhaft."

„Nun, sieh, Schmidt, diese Herren von der hohen Finanz, darauf möcht ich mich verwetten, sprechen nicht mit halb soviel Lust und Eifer von einer Schildkrötensuppe wie du."

„Das ist richtig, Distelkamp, und sehr natürlich. Sieh, ich habe die Frische, die machts; auf die Frische kommt es an, in allem. Die Frische gibt einem die Lust, den Eifer, das Interesse, und wo die Frische nicht ist, da ist gar nichts. Das ärmste Leben, das ein Menschenkind führen kann, ist das des petit crevé. Lauter Zappeleien; nichts dahinter. Hab ich recht, Etienne?"

Dieser, der in allem Parisischen regelmäßig als Autorität angerufen wurde, nickte zustimmend, und Distelkamp ließ die Streitfrage fallen oder war geschickt genug ihr eine neue Richtung zu geben, indem er aus dem allgemein Kulinarischen auf einzelne berühmte kulinarische Persönlichkeiten überlenkte, zunächst auf den Freiherrn von Rumohr, und im raschen Anschluß an diesen auf den ihm persönlich befreundet gewesenen Fürsten Pückler-Muskau. Besonders dieser letztere war Distelkamps Schwärmerei. Wenn man dermaleinst das Wesen des modernen Aristokratismus an einer historischen Figur werde nachweisen wollen, so werde man immer den Fürsten Pückler als Musterbeispiel nehmen müssen. Dabei sei er durchaus liebenswürdig gewesen, allerdings etwas launenhaft, eitel und übermütig, aber immer grundgut. Es sei schade, daß solche Figuren ausstürben. Und nach diesen einleitenden Sätzen begann er speziell von Muskau und Branitz zu erzählen, wo er vordem oft tagelang zu Besuch gewesen war und sich mit der märchenhaften, von „Semilassos Weltfahrten“ mit heimgebrachten Abessinierin über Nahes und Fernes unterhalten hatte.

Schmidt hörte nichts Lieberes als Erlebnisse der Art, und nun gar von Distelkamp, vor dessen Wissen und Charakter er überhaupt einen ungeheuchelten Respekt hatte.

Marcell teilte ganz und gar diese Vorliebe für den alten Direktor und verstand außerdem – obwohl geborener Berliner – gut und mit Interesse zuzuhören; trotzdem tat er heute Fragen über Fragen, die seine volle Zerstreutheit bewiesen. Er war eben mit anderem beschäftigt.

So kam elf heran, und mit dem Glockenschlage – ein Satz von Schmidt wurde mitten durchgeschnitten – erhob man sich und trat aus dem Eßzimmer in das Entree, darin seitens der Schmolke die Sommerüberzieher samt Hut und Stock schon in Bereitschaft gelegt waren. Jeder griff nach dem seinen, und nur Marcell nahm den Oheim einen Augenblick beiseite und sagte: „Onkel, ich spräche gerne noch ein Wort mit dir“, ein Ansinnen, zu dem dieser, jovial und herzlich wie immer, seine volle Zustimmung ausdrückte. Dann, unter Vorantritt der Schmolke, die mit der Linken den messingenen Leuchter über den Kopf hielt, stiegen Distelkamp, Friedeberg und Etienne zunächst treppab und traten gleich danach in die muffig schwüle Adlerstraße hinaus. Oben aber nahm Schmidt seines Neffen Arm und schritt mit ihm auf seine Studierstube zu.

„Nun, Marcell, was gibt es? Rauchen wirst du nicht, du siehst mir viel zu bewölkt aus; aber verzeih, *ich* muß mir erst eine Pfeife stopfen.“ Und dabei ließ er sich, den Tabakskasten vor sich herschiebend, in eine Sofaecke nieder. „So! Marcell . . . Und nun nimm einen Stuhl und setz dich und schieße los. Was gibt es?“

„Das alte Lied.“

„Corinna?“

„Ja.“

„Ja, Marcell, nimm mirs nicht übel, aber das ist ein schlechter Liebhaber, der immer väterlichen Vorspann braucht, um von der Stelle zu kommen. Du weißt, ich bin dafür. Ihr seid wie geschaffen für einander. Sie übersieht dich und uns alle; das Schmidtsche strebt in ihr nicht bloß der Vollendung zu, sondern, ich muß das sagen, trotzdem ich ihr Vater bin, kommt auch ganz nah ans Ziel. Nicht jede Familie kann das ertragen. Aber das Schmidtsche setzt sich aus solchen Ingredienzien zusammen, daß die Vollendung, von der ich spreche, nie bedrücklich wird. Und warum nicht? Weil die Selbstironie, in der wir, glaube ich, groß sind, immer wieder ein Fragezeichen hinter der Vollendung macht. Das ist recht eigentlich das, was ich das Schmidtsche nenne. Folgst du?"

„Gewiß, Onkel. Sprich nur weiter."

„Nun, sieh, Marcell, ihr paßt ganz vorzüglich zusammen. Sie hat die genialere Natur, hat so den letzten Knips von der Sache weg, aber das gibt keineswegs das Übergewicht im Leben. Fast im Gegenteil. Die Genialen bleiben immer halbe Kinder, in Eitelkeit befangen, und verlassen sich immer auf Intuition und bon sens und Sentiment und wie all die französischen Worte heißen mögen. Oder wir können auf gut deutsch sagen, sie verlassen sich auf ihre guten Einfälle. Damit ist es nun aber soso; manchmal wetterleuchtet es freilich eine halbe Stunde lang oder auch noch länger, gewiß, das kommt vor; aber mit einemmal ist das Elektrische wie verblitzt, und nun bleibt nicht bloß der Esprit aus wie Röhrwasser, sondern auch der gesunde Menschenverstand. Ja, der erst recht. Und so ist es auch mit Corinna. Sie bedarf einer verständigen Leitung, das heißt, sie bedarf eines Mannes von Bildung und Charakter. Das bist du, das hast du. Du hast also meinen Segen; alles andere mußt du dir selber besorgen."

„Ja, Onkel, das sagst du immer. Aber wie soll ich das anfangen? Eine lichterlohe Leidenschaft kann ich in ihr nicht entzünden. Vielleicht ist sie solcher Leidenschaft nicht einmal fähig; aber wenn auch, wie soll ein Vetter seine Cousine zur Leidenschaft anstacheln? Das kommt gar nicht vor. Die Leidenschaft ist etwas Plötzliches, und wenn man von seinem fünften Jahr an immer zusammen gespielt und sich, sagen wir, hinter den Sauerkrauttonnen eines Budikers oder in einem Torf- und Holzkeller unzählige Male stundenlang versteckt hat, immer gemeinschaftlich und immer glückselig, daß Richard oder Arthur, trotzdem sie dicht um einen herum waren, einen doch nicht finden konnten, ja, Onkel, da ist von Plötzlichkeit, dieser Vorbedingung der Leidenschaft, keine Rede mehr."

Schmidt lachte. „Das hast du gut gesagt, Marcell, eigentlich über deine Mittel. Aber es steigert nur meine Liebe zu dir. Das Schmidtsche steckt doch auch in dir und ist nur unter dem steifen Wedderkoppschen etwas vergraben. Und *das* kann ich dir sagen, wenn du diesen Ton Corinna gegenüber festhältst, dann bist du durch, dann hast du sie sicher."

„Ach, Onkel, glaube doch das nicht. Du verkennst Corinna. Nach der einen Seite hin kennst du sie ganz genau, aber nach der anderen Seite hin kennst du sie gar nicht. Alles, was klug und tüchtig und, vor allem, was espritvoll an ihr ist, das siehst du mit beiden Augen, aber was äußerlich und modern an ihr ist, das siehst du nicht. Ich kann nicht sagen, daß sie jene niedrigstehende Gefallsucht hat, die jeden erobern will, er sei, wer er sei; von dieser Koketterie hat sie nichts. Aber sie nimmt sich erbarmungslos *einen* aufs Korn, einen, an dessen Spezialeroberung ihr gelegen ist, und du glaubst gar nicht, mit welcher grausamen Konsequenz, mit welcher infernalen Virtuosität sie dies von ihr erwählte Opfer in ihre Fäden einzuspinnen weiß."

„Meinst du?"

„Ja, Onkel. Heute bei Treibels hatten wir wieder ein Musterbeispiel davon. Sie saß zwischen Leopold Treibel und einem Engländer, dessen Namen sie dir ja schon genannt hat, einem Mr. Nelson, der, wie die meisten Engländer aus guten Häusern, einen gewissen Naivitätscharme hatte, sonst aber herzlich wenig bedeutete. Nun hättest du Corinna sehen sollen. Sie beschäftigte sich anscheinend mit niemand anderem als diesem Sohn Albions, und es gelang ihr auch, ihn in Staunen zu setzen. Aber glaube nur ja nicht, daß ihr an dem flachsblonden Mr. Nelson im geringsten gelegen gewesen wäre; gelegen war ihr bloß an Leopold Treibel, an den sie kein einziges Wort, oder wenigstens nicht viele, direkt richtete und dem zu Ehren sie doch eine Art von französischem Proverbe aufführte, kleine Komödie, dramatische Szene. Und wie ich dir versichern kann, Onkel, mit vollständigstem Erfolg. Dieser unglückliche Leopold hängt schon lange an ihren Lippen und saugt das süße Gift ein, aber so wie heute habe ich ihn doch noch nicht gesehen. Er war von Kopf bis zu Fuß die helle Bewunderung, und jede Miene schien ausdrücken zu wollen: ‚Ach, wie langweilig ist Helene' (das ist, wie du dich vielleicht erinnerst, die Frau seines Bruders), ‚und wie wundervoll ist die Corinna.'"

„Nun gut, Marcell, aber das alles kann ich so schlimm nicht finden. Warum soll sie nicht ihren Nachbar zur Rechten unterhalten, um auf ihren Nachbar zur Linken einen Eindruck zu machen? Das kommt alle Tage vor, das sind so kleine Kapricen, an denen die Frauennatur reich ist."

„Du nennst es Kapricen, Onkel. Ja, wenn die Dinge so lägen! Es liegt aber anders. Alles ist Berechnung: sie will den Leopold heiraten."

„Unsinn, Leopold ist ein Junge."

„Nein, er ist fünfundzwanzig, geradeso alt wie Corinna selbst. Aber wenn er auch noch ein bloßer Junge wäre, Corinna hat sichs in den Kopf gesetzt und wird es durchführen."

„Nicht möglich."

„Doch, doch. Und nicht bloß möglich, sondern ganz gewiß. Sie hat es mir, als ich sie zur Rede stellte, selber gesagt. Sie will Leopold Treibels Frau werden, und wenn der Alte das Zeitliche segnet, was doch, wie sie mir versicherte, höchstens noch zehn Jahre dauern könne, und wenn er in seinem Zossener Wahlkreise gewählt würde, keine fünfe mehr, so will sie die Villa beziehen, und wenn ich sie recht taxiere, so wird sie zu dem grauen Kakadu noch einen Pfauhahn anschaffen."

„Ach, Marcell, das sind Visionen."

„Vielleicht von ihr, wer wills sagen? Aber sicherlich nicht von mir. Denn all das waren ihre eigensten Worte. Du hättest sie hören sollen, Onkel, mit welcher Suffisance sie von ‚kleinen Verhältnissen' sprach und wie sie das dürftige Kleinleben ausmalte, für das sie nun mal nicht geschaffen sei; sie sei nicht für Speck und Wruken und all dergleichen ... und du hättest nur hören sollen, *wie* sie das sagte, nicht bloß so drüber hin, nein, es klang geradezu was von Bitterkeit mit durch, und ich sah zu meinem Schmerz, wie veräußerlicht sie ist und wie die verdammte neue Zeit sie ganz in Banden hält."

„Hm", sagte Schmidt, „das gefällt mir nicht, namentlich das mit den Wruken. Das ist bloß ein dummes Vornehmtun und ist auch kulinarisch eine Torheit; denn alle Gerichte, die Friedrich Wilhelm I. liebte, so zum Beispiel Weißkohl mit Hammelfleisch oder Schlei mit Dill – ja, lieber Marcell, was will dagegen aufkommen? Und dagegen Front zu machen, ist einfach Unverstand. Aber glaube mir, Corinna macht auch nicht Front dagegen, dazu ist sie viel zu sehr ihres Vaters Tochter, und wenn sie sich darin gefallen hat, dir von Modernität zu sprechen und dir vielleicht eine Pariser Hutnadel oder eine Sommerjacke, dran alles schick und wieder schick ist, zu beschreiben und so zu tun, als ob es in der ganzen Welt nichts gäbe, was an Wert und Schönheit damit verglichen werden könnte, so ist das alles bloß Feuerwerk, Phantasietätigkeit, jeu d'esprit, und wenn es ihr morgen paßt, dir einen Pfarramtskandidaten in der Jasminlaube zu beschreiben, der selig in Lottchens Armen ruht, so leistet sie das mit demselben Aplomp und mit derselben Virtuosität. Das ist, was ich das Schmidtsche nenne. Nein, Marcell, darüber darfst du dir keine grauen Haare wachsen lassen; das ist alles nicht ernstlich gemeint ..."

„Es *ist* ernstlich gemeint ..."

„Und *wenn* es ernstlich gemeint ist – was ich vorläufig noch nicht glaube, denn Corinna ist eine sonderbare Person –, so nützt ihr dieser Ernst nichts, gar nichts, und es wird *doch* nichts draus. Darauf verlaß dich, Marcell. Denn zum Heiraten gehören zwei."

„Gewiß, Onkel. Aber Leopold will womöglich noch mehr als Corinna ..."

„Was gar keine Bedeutung hat. Denn laß dir sagen, und

damit sprech ich ein großes Wort gelassen aus: die Kommerzienrätin will *nicht*."

„Bist du dessen so sicher?"

„Ganz sicher."

„Und hast auch Zeichen dafür?"

„Zeichen und Beweise, Marcell. Und zwar Zeichen und Beweise, die du in deinem alten Onkel Wilibald Schmidt hier leibhaftig vor dir siehst ..."

„Das wäre?"

„Ja, Freund, leibhaftig vor dir siehst. Denn ich habe das Glück gehabt, an mir selbst, und zwar als Objekt und Opfer, das Wesen meiner Freundin Jenny studieren zu können. Jenny Bürstenbinder, das ist ihr Vatersname, wie du vielleicht schon weißt, ist der Typus einer Bourgeoise. Sie war talentiert dafür, von Kindesbeinen an, und in jenen Zeiten, wo sie noch drüben in ihres Vaters Laden, wenn der Alte gerade nicht hinsah, von den Traubenrosinen naschte, da war sie schon geradeso wie heut und deklamierte den ‚Taucher' und den ‚Gang nach dem Eisenhammer' und auch allerlei kleine Lieder, und wenn es recht was Rührendes war, so war ihr Auge schon damals immer in Tränen, und als ich eines Tages mein berühmtes Gedicht gedichtet hatte, du weißt schon, das Unglücksding, das sie seitdem immer singt und vielleicht auch heute wieder gesungen hat, da warf sie sich mir an die Brust und sagte: ‚Wilibald, einziger, das kommt von Gott.' Ich sagte halb verlegen etwas von meinem Gefühl und meiner Liebe, sie blieb aber dabei, es sei von Gott, und dabei schluchzte sie dermaßen, daß ich, so glücklich ich einerseits in meiner Eitelkeit war, doch auch wieder einen Schreck kriegte vor der Macht dieser Gefühle. Ja, Marcell, das war so unsere stille Verlobung, ganz still, aber doch immerhin eine Verlobung; wenigstens nahm ichs dafür und strengte mich riesig an, um so rasch wie möglich mit meinem Studium am Ende zu sein und mein Examen zu machen. Und ging auch alles vortrefflich. Als ich nun aber kam, um die Verlobung perfekt zu machen, da hielt sie mich hin, war abwechselnd vertraulich und dann wieder fremd, und während sie nach wie vor das Lied sang, *mein* Lied, liebäugelte sie mit jedem, der ins Haus kam, bis endlich Treibel erschien und dem Zauber ihrer kastanienbraunen Locken und mehr noch ihrer Sentimentalitäten erlag. Denn der Treibel von damals war noch nicht der Treibel von heut, und am andern Tag kriegte ich die Verlobungskarten. Alles in allem eine sonderbare Geschichte, daran, das glaub ich sagen zu dürfen, andere Freundschaften gescheitert wären; aber ich bin kein Übelnehmer und Spielverderber, und in dem Liede, drin sich, wie du weißt, ‚die Herzen finden' – beiläufig eine himmlische Trivialität und ganz wie geschaffen für Jenny Treibel –, in dem Liede lebt unsre Freundschaft fort bis diesen Tag, ganz so, als sei nichts vorgefallen. Und am Ende, warum auch nicht? Ich persönlich bin drüber weg, und Jenny Treibel hat ein Talent, alles zu vergessen, was sie vergessen will. Es ist eine gefährliche Person, und um so gefährlicher, als sie's selbst nicht recht weiß und sich aufrichtig einbildet, ein gefühlvolles Herz und vor allem ein Herz ‚für das Höhere' zu haben. Aber sie hat nur ein Herz für das Ponderable, für alles, was ins Gewicht fällt und Zins trägt, und für viel weniger als eine halbe Million gibt sie den Leopold nicht fort, die halbe Million mag herkommen, woher sie will. Und dieser arme Leopold selbst. Soviel weißt du doch, der ist nicht der Mensch des Aufbäumens oder der Eskapade nach Gretna Green. Ich sage dir, Marcell, unter Brückner tun es Treibels nicht, und Koegel ist ihnen noch lieber. Denn je mehr es nach Hof schmeckt, desto besser. Sie liberalisieren und sentimentalisieren beständig, aber das alles ist Farce; wenn es gilt, Farbe zu bekennen, dann heißt es: Gold ist Trumpf und weiter nichts."

„Ich glaube, daß du Leopold unterschätzest."

„Ich fürchte, daß ich ihn noch überschätze. Ich kenn ihn noch aus der Untersekunda her. Weiter kam er nicht; wozu auch? Guter Mensch, Mittelgut, und als Charakter noch unter Mittel."

„Wenn du mit Corinna sprechen könntest."

„Nicht nötig, Marcell. Durch Dreinreden stört man nur den natürlichen Gang der Dinge. Mag übrigens alles schwanken und unsicher sein, eines steht fest: der Charakter meiner Freundin Jenny. Da ruhen die Wurzeln deiner

Kraft. Und wenn Corinna sich in Tollheiten überschlägt, laß sie; den Ausgang der Sache kenn ich. Du sollst sie haben, und du wirst sie haben, und vielleicht eher, als du denkst."

Achtes Kapitel

Treibel war ein Frühauf, wenigstens für einen Kommerzienrat, und trat nie später als acht Uhr in sein Arbeitszimmer, immer gestiefelt und gespornt, immer in sauberster Toilette. Er sah dann die Privatbriefe durch, tat einen Blick in die Zeitungen und wartete, bis seine Frau kam, um mit dieser gemeinschaftlich das erste Frühstück zu nehmen. In der Regel erschien die Rätin sehr bald nach ihm, heute aber verspätete sie sich, und weil der eingegangenen Briefe nur ein paar waren, die Zeitungen aber, in denen schon der Sommer vorspukte, wenig Inhalt hatten, so geriet Treibel in einen leisen Zustand von Ungeduld und durchmaß, nachdem er sich rasch von seinem kleinen Ledersofa erhoben hatte, die beiden großen nebenan gelegenen Räume, darin sich die Gesellschaft vom Tage vorher abgespielt hatte. Das obere Schiebefenster des Garten- und Eßsaales war ganz heruntergelassen, so daß er, mit den Armen sich auflehnend, in bequemer Stellung in den unter ihm gelegenen Garten hinabsehen konnte. Die Szenerie war wie gestern, nur statt des Kakadu, der noch fehlte, sah man draußen die Honig, die, den Bologneser der Kommerzienrätin an einer Strippe führend, um das Bassin herumschritt. Dies geschah jeden Morgen und dauerte Mal für Mal, bis der Kakadu seinen Stangenplatz einnahm oder in seinem blanken Käfig ins Freie gestellt wurde, worauf sich dann die Honig mit dem Bologneser zurückzog, um einen Ausbruch von Feindseligkeiten zwischen den beiden gleichmäßig verwöhnten Lieblingen des Hauses zu vermeiden. Das alles indessen stand heute noch aus. Treibel, immer artig, erkundigte sich, von seiner Fensterstellung aus, erst nach dem Befinden des Fräuleins – was die Kommerzienrätin, wenn sie's hörte, jedesmal sehr überflüssig fand – und fragte dann, als er beruhigende Versicherungen darüber entgegengenommen hatte, wie sie Mr. Nelsons englische Aussprache gefunden habe, dabei von der mehr oder weniger überzeugten Ansicht ausgehend, daß es jeder von einem Berliner Schulrat examinierten Erzieherin ein kleines sein müsse, dergleichen festzustellen. Die Honig, die diesen Glauben nicht gern zerstören wollte, beschränkte sich darauf, die Korrektheit von Mr. Nelsons A anzuzweifeln und diesem seinem A eine nicht ganz statthafte Mittelstellung zwischen der englischen und schottischen Aussprache dieses Vokals zuzuerkennen, eine Bemerkung, die Treibel ganz ernsthaft hinnahm und weiter ausgesponnen haben würde, wenn er nicht im selben Moment ein leises Insschloßfallen einer der Vordertüren, also mutmaßlich das Eintreten der Kommerzienrätin, erlauscht hätte. Treibel hielt es auf diese Wahrnehmung hin für angezeigt, sich von der Honig zu verabschieden, und schritt wieder auf sein Arbeitszimmer zu, in das in der Tat die Rätin eben eingetreten war. Das auf einem Tablett wohl arrangierte Frühstück stand schon da.

„Guten Morgen, Jenny . . . Wie geruht?“

„Doch nur passabel. Dieser furchtbare Vogelsang hat wie ein Alp auf mir gelegen.“

„Ich würde gerade diese bildersprachliche Wendung doch zu vermeiden suchen. Aber wie du darüber denkst . . . Im übrigen, wollen wir das Frühstück nicht lieber draußen nehmen?“

Und der Diener, nachdem Jenny zugestimmt und ihrerseits auf den Knopf der Klingel gedrückt hatte, erschien wieder, um das Tablett auf einen der kleinen, in der Veranda stehenden Tische hinauszutragen. „Es ist gut, Friedrich“, sagte Treibel und schob jetzt höchst eigenhändig eine Fußbank heran, um es dadurch zunächst seiner Frau, zugleich aber auch sich selber nach Möglichkeit bequem zu machen. Denn Jenny bedurfte solcher Huldigungen, um bei guter Laune zu bleiben.

Diese Wirkung blieb denn auch heute nicht aus. Sie lächelte, rückte die Zuckerschale näher zu sich heran und sagte, während sie die gepflegte weiße Hand über den großen Blockstücken hielt: „Eins oder zwei?“

„Zwei, Jenny, wenn ich bitten darf. Ich sehe nicht ein,

warum ich, der ich zur Runkelrübe, Gott sei Dank, keine Beziehungen unterhalte, die billigen Zuckerzeiten nicht fröhlich mitmachen soll.“

Jenny war einverstanden, tat den Zucker ein und schob gleich danach die kleine, genau bis an den Goldstreifen gefüllte Tasse dem Gemahl mit dem Bemerken zu: „Du hast die Zeitungen schon durchgesehen? Wie steht es mit Gladstone?“

Treibel lachte mit ganz ungewöhnlicher Herzlichkeit. „Wenn es dir recht ist, Jenny, bleiben wir vorläufig noch diesseits des Kanals, sagen wir in Hamburg oder doch in der Welt des Hamburgischen, und transponieren uns die Frage nach Gladstones Befinden in eine Frage nach unserer Schwiegertochter Helene. Sie war offenbar verstimmt, und ich schwanke nur noch, was in ihren Augen die Schuld trug. War es, daß sie selber nicht gut genug placiert war, oder war es, daß wir Mr. Nelson, ihren uns gütigst überlassenen oder, um es berlinisch zu sagen, ihren uns aufgepuckelten Ehrengast, so ganz einfach zwischen die Honig und Corinna gesetzt hatten?“

„Du hast eben gelacht, Treibel, weil ich nach Gladstone fragte, was du nicht hättest tun sollen, denn wir Frauen dürfen so was fragen, wenn wir auch was ganz anderes meinen; aber ihr Männer dürft uns das nicht nachmachen wollen. Schon deshalb nicht, weil es euch nicht glückt oder doch jedenfalls noch weniger als uns. Denn soviel ist doch gewiß und kann dir nicht entgangen sein, ich habe niemals einen entzückteren Menschen gesehen als den guten Nelson; also wird Helene wohl nichts dagegen gehabt haben, daß wir ihren Protégé gerade so placierten, wie geschehen. Und wenn das auch eine ewige Eifersucht ist zwischen ihr und Corinna, die sich, ihrer Meinung nach, zuviel herausnimmt und ...“

„... Und unweiblich ist und unhamburgisch, was nach ihrer Meinung so ziemlich zusammenfällt ...“

„... So wird sie's ihr gestern“, fuhr Jenny, der Unterbrechung nicht achtend, fort, „wohl zum ersten Male verziehen haben, weil es ihr selber zugute kam oder ihrer Gastlichkeit, von der sie persönlich freilich so mangelhafte Proben gegeben hat. Nein, Treibel, nichts von Verstimmung über Mr. Nelsons Platz. Helene schmollt mit uns beiden, weil wir alle Anspielungen nicht verstehen wollen und ihre Schwester Hildegard noch immer nicht eingeladen haben. Übrigens ist Hildegard ein lächerlicher Name für eine Hamburgerin. Hildegard heißt man in einem Schlosse mit Ahnenbildern oder wo eine weiße Frau spukt. Helene schmollt mit uns, weil wir hinsichtlich Hildegards so sehr schwerhörig sind."

„Worin sie recht hat."

„Und ich finde, daß sie darin unrecht hat. Es ist eine Anmaßung, die an Insolenz grenzt. Was soll das heißen? Sind wir in einem fort dazu da, dem Holzhof und seinen Angehörigen Honneurs zu machen? Sind wir dazu da, Helenens und ihrer Eltern Pläne zu begünstigen? Wenn unsre Frau Schwiegertochter durchaus die gastliche Schwester spielen will, so kann sie Hildegard ja jeden Tag von Hamburg her verschreiben und das verwöhnte Püppchen entscheiden lassen, ob die Alster bei der Uhlenhorst oder die Spree bei Treptow schöner ist. Aber was geht *uns* das alles an? Otto hat seinen Holzhof so gut wie du deinen Fabrikhof, und seine Villa finden viele Leute hübscher als die unsre, was auch zutrifft. Unsre ist beinah altmodisch und jedenfalls viel zu klein, so daß ich oft nicht aus noch ein weiß. Es bleibt dabei, mir fehlen wenigstens zwei Zimmer. Ich mag davon nicht viel Worte machen, aber wie kommen wir dazu, Hildegard einzuladen, als ob uns daran läge, die Beziehungen der beiden Häuser aufs eifrigste zu pflegen, und wie wenn wir nichts sehnlicher wünschten, als noch mehr Hamburger Blut in die Familie zu bringen ..."

„Aber Jenny ..."

„Nichts von ‚aber', Treibel. Von solchen Sachen versteht ihr nichts, weil ihr kein Auge dafür habt. Ich sage dir, auf solche Pläne läuft es hinaus, und deshalb sollen wir die Einladenden sein. Wenn Helene Hildegarden einlädt, so bedeutet das so wenig, daß es nicht einmal die Trinkgelder wert ist, und die neuen Toiletten nun schon gewiß nicht. Was hat es für eine Bedeutung, wenn sich zwei Schwestern wiedersehen? Gar keine, sie passen nicht mal zusammen und schrauben sich beständig; aber wenn *wir* Hildegard einladen, so heißt das, die Treibels sind unendlich entzückt über ihre erste Hamburger Schwiegertochter und würden es für ein Glück und eine Ehre ansehen, wenn sich das Glück erneuern und verdoppeln und Fräulein Hildegard Munk Frau Leopold Treibel werden wollte. Ja, Freund, darauf läuft es hinaus. Es ist eine abgekartete Sache. Leopold soll Hildegard oder eigentlich Hildegard soll Leopold heiraten; denn Leopold ist bloß passiv und hat zu gehorchen. Das ist das, was die Munks wollen, was Helene will, und was unser armer Otto, der, Gott weiß es, nicht viel sagen darf, schließlich auch wird wollen müssen. Und weil wir zögern und mit der Einladung nicht recht heraus wollen, deshalb schmollt und grollt Helene mit uns und spielt die Zurückhaltende und Gekränkte und gibt die Rolle nicht einmal auf an einem Tage, wo ich ihr einen großen Gefallen getan und ihr den Mr. Nelson hierher eingeladen habe, bloß damit ihr die Plättbolzen nicht kalt werden.“

Treibel lehnte sich weiter zurück in den Stuhl und blies kunstvoll einen kleinen Ring in die Luft. „Ich glaube nicht, daß du recht hast. Aber wenn du recht hättest, was täte es? Otto lebt seit acht Jahren in einer glücklichen Ehe mit Helenen, was auch nur natürlich ist; ich kann mich nicht entsinnen, daß irgendwer aus meiner Bekanntschaft mit einer Hamburgerin in einer unglücklichen Ehe gelebt hätte. Sie sind alle so zweifelsohne, haben innerlich und äußerlich so was ungewöhnlich Gewaschenes und bezeugen in allem, was sie tun und nicht tun, die Richtigkeit der Lehre vom Einfluß der guten Kinderstube. Man hat sich ihrer nie zu schämen, und ihrem zwar bestrittenen, aber im stillen immer gehegten Herzenswunsche, ‚für eine Engländerin gehalten zu werden‘, diesem Ideale kommen sie meistens sehr nah. Indessen das mag auf sich beruhen. Soviel steht jedenfalls fest, und ich muß es wiederholen, Helene Munk hat unsern Otto glücklich gemacht, und es ist mir höchst wahrscheinlich, daß Hildegard Munk unsern Leopold auch glücklich machen würde, ja noch glücklicher. Und wär auch keine Hexerei, denn einen besseren Menschen als unsern Leopold gibt es eigentlich überhaupt nicht; er ist schon beinah eine Suse . . .“

„Beinah?" sagte Jenny. „Du kannst ihn dreist für voll nehmen. Ich weiß nicht, wo beide Jungen diese Milchsuppenschaft herhaben. Zwei geborene Berliner, und sind eigentlich, wie wenn sie von Herrnhut oder Gnadenfrei kämen. Sie haben doch beide was Schläfriges, und ich weiß wirklich nicht, Treibel, auf wen ich es schieben soll ..."

„Auf mich, Jenny, natürlich auf mich ..."

„Und wenn ich auch sehr wohl weiß", fuhr Jenny fort, „wie nutzlos es ist, sich über diese Dinge den Kopf zu zerbrechen, und leider auch weiß, daß sich solche Charaktere nicht ändern lassen, so weiß ich doch auch, daß man die Pflicht hat, da zu helfen, wo noch geholfen werden kann. Bei Otto haben wirs versäumt und haben zu seiner eignen Temperamentlosigkeit diese temperamentlose Helene hinzugetan, und was dabei herauskommt, das siehst du nun an Lizzi, die doch die größte Puppe ist, die man nur sehen kann. Ich glaube, Helene wird sie noch, auf Vorderzähne-Zeigen hin, englisch abrichten. Nun, meinetwegen. Aber ich bekenne dir, Treibel, daß ich an *einer* solchen Schwiegertochter und *einer* solchen Enkelin gerade genug habe, und daß ich den armen Jungen, den Leopold, etwas passender als in der Familie Munk unterbringen möchte."

„Du möchtest einen forschen Menschen aus ihm machen, einen Kavalier, einen sportsman ..."

„Nein, einen forschen Menschen nicht, aber einen Menschen überhaupt. Zum Menschen gehört Leidenschaft, und wenn er eine Leidenschaft fassen könnte, sieh, das wäre was, das würd ihn rausreißen, und sosehr ich allen Skandal hasse, ich könnte mich beinah freuen, wenns irgend so was gäbe, natürlich nichts Schlimmes, aber doch wenigstens was Apartes."

„Male den Teufel nicht an die Wand, Jenny. Daß er sich aufs Entführen einläßt, ist mir, ich weiß nicht, soll ich sagen leider oder glücklicherweise, nicht sehr wahrscheinlich; aber man hat Exempel von Beispielen, daß Personen, die zum Entführen durchaus nicht das Zeug hatten, gleichsam, wie zur Strafe dafür, entführt *wurden*. Es gibt ganz verflixte Weiber, und Leopold ist gerade schwach genug, um vielleicht einmal in den Sattel einer armen und etwas emanzipierten Edeldame, die natürlich auch Schmidt heißen kann, hineingehoben und über die Grenze geführt zu werden . . ."

„Ich glaube es nicht", sagte die Kommerzienrätin, „er ist leider auch dafür zu stumpf." Und sie war von der Ungefährlichkeit der Gesamtlage so fest überzeugt, daß sie nicht einmal der vielleicht bloß zufällig, aber vielleicht auch absichtlich gesprochene Name „Schmidt" stutzig gemacht hatte. „Schmidt", das war nur so herkömmlich hingeworfen, weiter nichts, und in einem halb übermütigen Jugendanfluge gefiel sich die Rätin sogar in stiller Ausmalung einer Eskapade: Leopold, mit aufgesetztem Schnurrbart, auf dem Wege nach Italien und mit ihm eine Freiin aus einer pommerschen oder schlesischen Verwogenheitsfamilie, die Reiherfeder am Hut und den schottisch karierten Mantel über den etwas fröstelnden Liebhaber ausgebreitet. All das stand vor ihr, und beinah traurig sagte sie zu sich selbst: „Der arme Junge. Ja, wenn er *dazu* das Zeug hätte!"

Es war um die neunte Stunde, daß die alten Treibels dies Gespräch führten, ohne jede Vorstellung davon, daß um ebendiese Zeit auch die auf ihrer Veranda das Frühstück nehmenden jungen Treibels der Gesellschaft vom Tage vorher gedachten. Helene sah sehr hübsch aus, wozu nicht nur die kleidsame Morgentoilette, sondern auch eine gewisse Belebtheit in ihren sonst matten und beinah vergißmeinnichtblauen Augen ein erhebliches beitrug. Es war ganz ersichtlich, daß sie bis diese Minute mit ganz besonderem Eifer auf den halb verlegen vor sich hinsehenden Otto eingepredigt haben mußte; ja, wenn nicht alles täuschte, wollte sie mit diesem Ansturm eben fortfahren, als das Erscheinen Lizzis und ihrer Erzieherin, Fräulein Wulsten, dies Vorhaben unterbrach.

Lizzi, trotz früher Stunde, war schon in vollem Staate. Das etwas gewellte Haar des Kindes hing bis auf die Hüften herab; im übrigen aber war alles weiß, das Kleid, die hohen Strümpfe, der Überfallkragen, und nur um die Taille herum, wenn sich von einer solchen sprechen ließ, zog sich eine breite rote Schärpe, die von Helenen selbstverständlich nie „rote Schärpe", sondern immer nur „pink-coloured scarf" genannt wurde. Die Kleine, wie sie sich da präsentierte, hätte sofort als symbolische Figur auf den Wäscheschrank ihrer Mutter gestellt werden können, so sehr war sie der Ausdruck von Weißzeug mit einem roten Bändchen drum. Lizzi galt im ganzen Kreise der Bekannten als Musterkind, was das Herz Helenens einerseits mit Dank gegen Gott, andrerseits aber auch mit Dank gegen Hamburg erfüllte, denn zu den Gaben der Natur, die der Himmel hier so sichtlich verliehen, war auch noch eine Mustererziehung hinzugekommen, wie sie eben nur die Hamburger Tradition geben konnte. Diese Mustererziehung hatte gleich mit dem ersten Lebenstage des Kindes begonnen. Helene, „weil es unschön sei" – was übrigens von seiten des damals noch um sieben Jahre jüngeren Krola bestritten wurde –, war nicht zum Selbstnähren zu bewegen gewesen, und da bei den nun folgenden Verhandlungen eine seitens des alten Kommerzienrats in Vorschlag gebrachte Spreewälderamme mir dem Bemerken, es gehe bekanntlich so viel davon auf das unschuldige Kind über, abgelehnt worden war, war man zu dem einzig verbleibenden Auskunftsmittel übergegangen. Eine verheiratete, von dem Geistlichen der Thomasgemeinde warm empfohlene Frau hatte das Aufpäppeln mit großer Gewissenhaftigkeit und mit der Uhr in der Hand übernommen, wobei Lizzi so gut gediehen war, daß sich eine Zeitlang sogar kleine Grübchen auf der Schulter gezeigt hatten. Alles normal und beinah über das Normale hinaus. Unser alter Kommerzienrat hatte denn auch der Sache nie so recht getraut, und erst um ein erhebliches später, als sich Lizzi mit einem Trennmesser in den Finger geschnitten hatte (das Kindermädchen war dafür entlassen worden), hatte Treibel beruhigt ausgerufen: „Gott sei Dank, soviel ich sehen kann, es ist wirkliches Blut."

Ordnungsmäßig hatte Lizzis Leben begonnen, und ordnungsmäßig war es fortgesetzt worden. Die Wäsche, die sie trug, führte durch den Monat hin die genau korrespondierende Tageszahl, so daß man ihr, wie der Großvater sagte, das jedesmalige Datum vom Strumpf lesen konnte. „Heut ist der Siebzehnte." Der Puppenkleiderschrank war an den

Riegeln numeriert, und als es geschah (und dieser schreckliche Tag lag noch nicht lange zurück), daß Lizzi, die sonst die Sorglichkeit selbst war, in ihrer, mit allerlei Kästen ausstaffierten Puppenküche Grieß in den Kasten getan hatte, der doch ganz deutlich die Aufschrift „Linsen“ trug, hatte Helene Veranlassung genommen, ihrem Liebling die Tragweite solchen Fehlgriffs auseinanderzusetzen. „Das ist nichts Gleichgültiges, liebe Lizzi. Wer Großes hüten will, muß auch das Kleine zu hüten verstehen. Bedenke, wenn du ein Brüderchen hättest, und das Brüderchen wäre vielleicht schwach, und du willst es mit Eau de Cologne bespritzen, und du bespritzest es mit Eau de Javelle, ja, meine liebe Lizzi, so kann dein Brüderchen blind werden, oder wenn es ins Blut geht, kann es sterben. Und doch wäre es noch eher zu entschuldigen, denn beides ist weiß und sieht aus wie Wasser; aber Grieß und Linsen, meine liebe Lizzi, das ist doch ein starkes Stück von Unaufmerksamkeit oder, was noch schlimmer wäre, von Gleichgültigkeit.“

So war Lizzi, die übrigens zu weiterer Genugtuung der Mutter einen Herzmund hatte. Freilich, die zwei blanken Vorderzähne waren immer noch nicht sichtbar genug, um Helenen eine recht volle Herzensfreude gewähren zu können, und so wandten sich ihre mütterlichen Sorgen auch in diesem Augenblicke wieder der ihr so wichtigen Zahnfrage zu, weil sie davon ausging, daß es hier dem von der Natur so glücklich gegebenen Material bis dahin nur an der rechten erziehlichen Aufmerksamkeit gefehlt habe. „Du kneifst wieder die Lippen so zusammen, Lizzi; das darf nicht sein. Es sieht besser aus, wenn der Mund sich halb öffnet, fast so wie zum Sprechen. Fräulein Wulsten, ich möchte Sie doch bitten, auf diese Kleinigkeit, die keine Kleinigkeit ist, mehr achten zu wollen ... Wie steht es denn mit dem Geburtstagsgedicht?“

„Lizzi gibt sich die größte Mühe.“

„Nun, dann will ich dir deinen Wunsch auch erfüllen, Lizzi. Lade dir die kleine Felgentreu zu heute nachmittag ein. Aber natürlich erst die Schularbeiten ... Und jetzt kannst du, wenn Fräulein Wulsten es erlaubt (diese verbeugte sich), im Garten spazierengehen, überall wo du willst, nur nicht nach dem Hof zu, wo die Bretter über der Kalkgrube liegen. Otto, du solltest das ändern; die Bretter sind ohnehin so morsch."

Lizzi war glücklich, eine Stunde frei zu haben, und nachdem sie der Mama die Hand geküßt und noch die Warnung, sich vor der Wassertonne zu hüten, mit auf den Weg gekriegt hatte, brachen das Fräulein und Lizzi auf, und das Elternpaar blickte dem Kinde nach, das sich noch ein paarmal umsah und dankbar der Mutter zunickte.

„Eigentlich", sagte diese, „hätte ich Lizzi gern hier behalten und eine Seite Englisch mit ihr gelesen; die Wulsten versteht es nicht und hat eine erbärmliche Aussprache, so low, so vulgar. Aber ich bin gezwungen, es bis morgen zu lassen, denn wir müssen das Gespräch durchaus zu Ende bringen. Ich sage nicht gern etwas gegen deine Eltern, denn ich weiß, daß es sich nicht schickt, und weiß auch, daß es dich bei deinem eigentümlich starren Charakter (Otto lächelte) nur noch in dieser deiner Starrheit bestärken wird; aber man darf die Schicklichkeitsfragen, ebenso wie die Klugheitsfragen, nicht über alles stellen. Und das täte ich, wenn ich länger schwiege. Die Haltung deiner Eltern ist in dieser Frage geradezu kränkend für mich und fast mehr noch für meine Familie. Denn sei mir nicht böse, Otto, aber wer sind am Ende die Treibels? Es ist mißlich, solche Dinge zu berühren, und ich würde mich hüten es zu tun, wenn du mich nicht geradezu zwängest, zwischen unsren Familien abzuwägen."

Otto schwieg und ließ den Teelöffel auf seinem Zeigefinger balancieren, Helene aber fuhr fort: „Die Munks sind ursprünglich dänisch, und ein Zweig, wie du recht gut weißt, ist unter König Christian gegraft worden. Als Hamburgerin und Tochter einer Freien Stadt will ich nicht viel davon machen, aber es ist doch immerhin was. Und nun gar von meiner Mutter Seite! Die Thompsons sind eine Syndikatsfamilie. Du tust, als ob das nichts sei. Gut, es mag auf sich beruhen, und nur soviel möcht ich dir noch sagen dürfen, unsre Schiffe gingen schon nach Messina, als deine Mutter noch in dem Apfelsinenladen spielte, draus dein Vater sie hervorgeholt hat. Material- und Kolonialwaren. Ihr nennt das hier auch Kaufmann . . . ich sage nicht du . . . aber Kaufmann und Kaufmann ist ein Unterschied."

Otto ließ alles über sich ergehen und sah den Garten hinunter, wo Lizzi Fangball spielte.

„Hast du noch überhaupt vor, Otto, auf das, was ich sagte, mir zu antworten?"

„Am liebsten nein, liebe Helene. Wozu auch? Du kannst doch nicht von mir verlangen, daß ich in dieser Sache deiner Meinung bin, und wenn ich es *nicht* bin und das ausspreche, so reize ich dich nur noch mehr. Ich finde, daß du doch mehr forderst, als du fordern solltest. Meine Mutter ist von großer Aufmerksamkeit gegen dich und hat dir noch gestern einen Beweis davon gegeben; denn ich bezweifle sehr, daß ihr das *unsrem* Gast zu Ehren gegebene Diner besonders zupaß kam. Du weißt außerdem, daß sie sparsam ist, wenn es nicht ihre Person gilt."

„Sparsam", lachte Helene.

„Nenn es Geiz; mir gleich. Sie läßt es aber trotzdem nie an Aufmerksamkeiten fehlen, und wenn die Geburtstage da sind, so sind auch ihre Geschenke da. Das stimmt dich aber alles nicht um, im Gegenteil, du wächst in deiner beständigen Auflehnung gegen die Mama, und das alles nur, weil sie dir durch ihre Haltung zu verstehen gibt, daß das, was Papa die ‚Hamburgerei' nennt, nicht das höchste in der Welt ist und daß der liebe Gott seine Welt nicht um der Munks willen geschaffen hat . . ."

„Sprichst du das deiner Mutter nach, oder tust du von deinem Eignen noch was hinzu? Fast klingt es so; deine Stimme zittert ja beinah."

„Helene, wenn du willst, daß wir die Sache ruhig durchsprechen und alles in Billigkeit und mit Rücksicht für hüben und drüben abwägen, so darfst du nicht beständig Öl ins Feuer gießen. Du bist so gereizt gegen die Mama, weil sie deine Anspielungen nicht verstehen will und keine Miene macht, Hildegard einzuladen. Darin hast du aber unrecht. Soll das Ganze bloß etwas Geschwisterliches sein, so muß die Schwester die Schwester einladen; das ist dann eine Sache, mit der meine Mama herzlich wenig zu tun hat . . ."

„Sehr schmeichelhaft für Hildegard und auch für mich..."

„... Soll aber ein andrer Plan damit verfolgt werden, und du hast mir zugestanden, daß dies der Fall ist, so muß das, so wünschenswert solche zweite Familienverbindung ganz unzweifelhaft auch für die Treibels sein würde, so muß das unter Verhältnissen geschehen, die den Charakter des Natürlichen und Ungezwungenen haben. Lädst *du* Hildegard ein und führt das, sagen wir einen Monat später oder zwei, zur Verlobung mit Leopold, so haben wir genau das, was ich den natürlichen und ungezwungenen Weg nenne; schreibt aber meine *Mama* den Einladungsbrief an Hildegard und spricht sie darin aus, wie glücklich sie sein würde, die Schwester ihrer lieben Helene recht, recht lange bei sich zu sehen und sich des Glücks der Geschwister mitfreuen zu können, so drückt sich darin ziemlich unverblümt eine Huldigung und ein aufrichtiges Sichbemühen um deine Schwester Hildegard aus, und das will die Firma Treibel vermeiden."

„Und das billigst du?"

„Ja."

„Nun, das ist wenigstens deutlich. Aber weil es deutlich ist, darum ist es noch nicht richtig. Alles, wenn ich dich recht verstehe, dreht sich also um die Frage, wer den ersten Schritt zu tun habe."

Otto nickte.

„Nun, wenn dem so ist, warum wollen die Treibels sich sträuben, diesen ersten Schritt zu tun? Warum, frage ich. Solange die Welt steht, ist der Bräutigam oder der Liebhaber der, der wirbt ..."

„Gewiß, liebe Helene. Aber bis zum Werben sind wir noch nicht. Vorläufig handelt es sich noch um Einleitungen, um ein Brückenbauen, und dies Brückenbauen ist an denen, die das größere Interesse daran haben."

„Ah", lachte Helene. „Wir, die Munks ... und das größere Interesse! Otto, das hättest du nicht sagen sollen, nicht weil es mich und meine Familie herabsetzt, sondern weil es die ganze Treibelei und dich an der Spitze mit einem Ridikül ausstattet, das dem Respekt, den die Männer doch beständig beanspruchen, nicht allzu vorteilhaft ist. Ja, Freund, du forderst mich heraus, und so will ich dir denn offen sagen, auf eurer Seite liegt Interesse, Gewinn, Ehre. Und daß ihr das empfindet, das müßt ihr eben bezeugen, dem müßt ihr einen nicht mißzuverstehenden Ausdruck geben. Das ist der erste Schritt, von dem ich gesprochen. Und da ich mal bei Bekenntnissen bin, so laß mich dir sagen, Otto, daß diese Dinge, neben ihrer ernsten und geschäftlichen Seite, doch auch noch eine persönliche Seite haben, und daß es dir, so nehm ich vorläufig an, nicht in den Sinn kommen kann, unsre Geschwister in ihrer äußeren Erscheinung miteinander vergleichen zu wollen. Hildegard ist eine Schönheit und gleicht ganz ihrer Großmutter Elisabeth Thompson (nach der wir ja auch unsere Lizzi getauft haben) und hat den Schick einer Lady; du hast mir das selber früher zugestanden. Und nun sieh deinen Bruder Leopold! Er ist ein guter Mensch, der sich ein Reitpferd angeschafft hat, weil ers durchaus zwingen will, und schnallt sich jeden Morgen die Steigbügel so hoch wie ein Engländer. Aber es nutzt ihm nichts. Er ist und bleibt doch unter Durchschnitt, jedenfalls weitab vom Kavalier, und wenn Hildegard ihn nähme (ich fürchte, sie nimmt ihn nicht), so wäre das wohl der einzige Weg, noch etwas wie einen perfekten Gentleman aus ihm zu machen. Und das kannst du deiner Mama sagen."

„Ich würde vorziehen, *du* tätest es."

„Wenn man aus einem guten Hause stammt, vermeidet man Aussprachen und Szenen . . ."

„Und macht sie dafür dem Manne."

„Das ist etwas anderes."

„Ja", lachte Otto. Aber in seinem Lachen war etwas Melancholisches.

Leopold Treibel, der im Geschäft seines älteren Bruders tätig war, während er im elterlichen Hause wohnte, hatte sein Jahr bei den Gardedragonern abdienen wollen, war aber, wegen zu flacher Brust, nicht angenommen worden, was die ganze Familie schwer gekränkt hatte. Treibel selbst kam schließlich drüber weg, weniger die Kommerzienrätin, am wenigsten Leopold selbst, der – wie Helene bei jeder Gelegenheit und auch an diesem Morgen wieder zu betonen liebte – zur Auswetzung der Scharte wenigstens Reitstunde genommen hatte. Jeden Tag war er zwei Stunden im Sattel und machte dabei, weil er sich wirklich Mühe gab, eine ganz leidliche Figur.

Auch heute wieder, an demselben Morgen, an dem die alten und jungen Treibels ihren Streit über dasselbe gefährliche Thema führten, hatte Leopold, ohne die geringste Ahnung davon, sowohl Veranlassung wie Mittelpunkt derartiger heikler Gespräche zu sein, seinen wie gewöhnlich auf Treptow zu gerichteten Morgenausflug angetreten und ritt von der elterlichen Wohnung aus die zu so früher Stunde noch wenig belebte Köpnicker Straße hinunter, erst an seines Bruders Villa, dann an der alten Pionierkaserne vorüber. Die Kasernenuhr schlug eben sieben, als er das Schlesische Tor passierte. Wenn ihn dies Imsattelsein ohnehin schon an jedem Morgen erfreute, so besonders heut, wo die Vorgänge des voraufgegangenen Abends, am meisten aber die zwischen Mr. Nelson und Corinna geführten Gespräche, noch stark in ihm nachwirkten, so stark, daß er mit dem ihm sonst wenig verwandten Ritter Karl von Eichenhorst wohl den gemeinschaftlichen Wunsch des „Sich-Ruhe-Reitens" in seinem Busen hegen durfte. Was ihm equestrisch dabei zur Verfügung stand, war freilich nichts weniger als ein Dänenroß voll Kraft und Feuer, sondern nur ein schon lange Zeit in der Manege gehender Graditzer, dem etwas Extravagantes nicht mehr zugemutet werden konnte. Leopold ritt denn auch Schritt, sosehr er sich wünschte, davonstürmen zu können. Erst ganz allmählich fiel er in einen leichten Trab und blieb darin, bis er den Schafgraben und gleich danach den in geringer Entfernung gelegenen „Schlesischen Busch" erreicht hatte, drin am Abend vorher, wie ihm Johann noch im Momente des Abreitens erzählt hatte, wieder zwei Frauenzimmer und ein Uhrmacher beraubt worden waren. „Daß dieser Unfug auch gar kein Ende nehmen will! Schwäche, Polizeiversäumnis." Indessen bei hellem Tageslichte bedeutete das alles nicht allzuviel, weshalb Leopold in der angenehmen Lage war, sich der ringsumher schlagenden Amseln und Finken unbehindert freuen zu können. Und kaum minder genoß er, als er aus dem „Schlesischen Busch" wieder heraus war, der freien Straße, zu deren

Rechten sich Saat- und Kornfelder dehnten, während zur Linken die Spree mit ihren nebenherlaufenden Parkanlagen den Weg begrenzte. Das alles war so schön, so morgenfrisch, daß er das Pferd wieder in Schritt fallen ließ. Aber freilich, so langsam er ritt, bald war er trotzdem an der Stelle, wo, vom andern Ufer her, das kleine Fährboot herüberkam, und als er anhielt, um dem Schauspiele besser zusehen zu können, trabten von der Stadt her auch schon einige Reiter auf der Chaussee heran, und ein Pferdebahnwagen glitt vorüber, drin, soviel er sehen konnte, keine Morgengäste für Treptow saßen. Das war so recht, was ihm paßte, denn sein Frühstück im Freien, was ihn dort regelmäßig erquickte, war nur noch die halbe Freude, wenn ein halb Dutzend echte Berliner um ihn herumsaßen und ihren mitgebrachten Affenpinscher über die Stühle springen oder vom Steg aus apportieren ließen. Das alles, wenn dieser leere Wagen nicht schon einen vollbesetzten Vorläufer gehabt hatte, war für heute nicht zu befürchten.

Gegen halb acht war er draußen, und einen halbwachsenen Jungen mit nur einem Arm und dem entsprechenden losen Ärmel (den er beständig in der Luft schwenkte) heranwinkend, stieg er jetzt ab und sagte, während er dem Einarmigen die Zügel gab: „Führ es unter die Linde, Fritz. Die Morgensonne sticht hier so.“ Der Junge tat auch, wie ihm geheißen, und Leopold seinerseits ging nun an einem von Liguster überwachsenen Staketenzaun auf den Eingang des Treptower Etablissements zu. Gott sei Dank, hier war alles wie gewünscht, sämtliche Tische leer, die Stühle umgekippt und auch von Kellnern niemand da als sein Freund Mützell, ein auf sich haltender Mann von Mitte der Vierzig, der schon in den Vormittagsstunden einen beinahe fleckenlosen Frack trug und die Trinkgelderfrage mit einer erstaunlichen, übrigens von Leopold (der immer sehr splendid war) nie herausgeforderten Gentilezza behandelte. „Sehen Sie, Herr Treibel“, so waren, als das Gespräch einmal in dieser Richtung lief, seine Worte gewesen, „die meisten wollen nicht recht und streiten einem auch noch was ab, besonders die Damens, aber viele sind auch wieder gut und manche sogar sehr gut und wissen, daß man von einer Zigarre nicht leben kann und die Frau zu Hause mit ihren drei Kindern erst recht nicht. Und sehen Sie, Herr Treibel, die geben, und besonders die kleinen Leute. Da war erst gestern wieder einer hier, der schob mir aus Versehen ein Fünfzigpfennigstück zu, weil ers für einen Zehner hielt, und als ichs ihm sagte, nahm ers nicht wieder und sagte bloß: ‚Das hat so sein sollen, Freund und Kupferstecher; mitunter fällt Ostern und Pfingsten auf einen Dag.'"

Das war vor Wochen gewesen, daß Mützell so zu Leopold Treibel gesprochen hatte. Beide standen überhaupt auf einem Plauderfuß; was aber für Leopold noch angenehmer als diese Plauderei war, war, daß er über Dinge, die sich von selbst verstanden, gar nicht erst zu sprechen brauchte. Mützell, wenn er den jungen Treibel in das Lokal eintreten und über den frischgeharkten Kies hin auf seinen Platz in unmittelbarer Nähe des Wassers zuschreiten sah, salutierte bloß von fern und zog sich dann ohne weiteres in die Küche zurück, von der aus er nach drei Minuten mit einem Tablett, auf dem eine Tasse Kaffee mit ein paar englischen Biskuits und ein großes Glas Milch stand, wieder unter den Frontbäumen erschien. Das große Glas Milch war Hauptsache, denn Sanitätsrat Lohmeyer hatte noch nach der letzten Auskultation zur Kommerzienrätin gesagt: „Meine gnädigste Frau, noch hat es nichts zu bedeuten, aber man muß vorbeugen, dazu sind wir da; im übrigen ist unser Wissen Stückwerk. Also wenn ich bitten darf, so wenig Kaffee wie möglich und jeden Morgen ein Liter Milch."

Auch heute hatte bei Leopolds Erscheinen die sich täglich wiederholende Begegnungsszene gespielt; Mützell war auf die Küche zu verschwunden und tauchte jetzt in Front des Hauses wieder auf, das Tablett auf den fünf Fingerspitzen seiner linken Hand mit beinahe zirkushafter Virtuosität balancierend.

„Guten Morgen, Herr Treibel. Schöner Morgen heute morgen."

„Ja, lieber Mützell. Sehr schön. Aber ein bißchen frisch. Besonders hier am Wasser. Mich schuddert ordentlich, und ich bin schon auf und ab gegangen. Lassen Sie sehen, Mützell, ob der Kaffee warm ist."

Und ehe der so freundlich Angesprochene das Tablett auf den Tisch setzen konnte, hatte Leopold die kleine Tasse schon herabgenommen und sie mit einem Zuge geleert.

„Ah, brillant. Das tut einem alten Menschen wohl. Und nun will ich die Milch trinken, Mützell; aber mit Andacht. Und wenn ich damit fertig bin – die Milch ist immer ein bißchen labbrig, was aber kein Tadel sein soll, gute Milch muß eigentlich immer ein bißchen labbrig sein –, wenn ich damit fertig bin, bitt ich noch um eine . . ."

„Kaffee?"

„Freilich, Mützell."

„Ja, Herr Treibel . . ."

„Nun, was ist? Sie machen ja ein ganz verlegenes Gesicht, Mützell, als ob ich was ganz Besonderes gesagt hätte."

„Ja, Herr Treibel . . ."

„Nun, zum Donnerwetter, was ist denn los?"

„Ja, Herr Treibel, als die Frau Mama vorgestern hier waren und der Herr Kommerzienrat auch und auch das Gesellschaftsfräulein, und Sie, Herr Leopold, eben nach dem Sperl und dem Karussell gegangen waren, da hat mir die Frau Mama gesagt: ‚Hören Sie, Mützell, ich weiß, er kommt beinahe jeden Morgen, und ich mache Sie verantwortlich... *eine* Tasse; nie mehr . . . Sanitätsrat Lohmeyer, der ja auch mal Ihre Frau behandelt hat, hat es mir im Vertrauen, aber doch mit allem Ernste gesagt: *zwei* sind Gift . . ."

„So . . . und hat meine Mama vielleicht noch mehr gesagt?"

„Die Frau Kommerzienrätin sagten auch noch: ‚Ihr Schade soll es nicht sein, Mützell . . . Ich kann nicht sagen, daß mein Sohn ein passionierter Mensch ist, er ist ein guter Mensch, ein lieber Mensch . . .' Sie verzeihen, Herr Treibel, daß ich Ihnen das alles, was Ihre Frau Mama gesagt hat, hier so ganz simplement wiederhole . . . ‚aber er hat die Kaffeepassion. Und das ist immer das schlimme, daß die Menschen grade die Passion haben, die sie nicht haben sollen. Also, Mützel, eine Tasse mag gehen, aber nicht zwei.'"

Leopold hatte mit sehr geteilten Empfindungen zugehört und nicht gewußt, ob er lachen oder verdrießlich werden solle. „Nun, Mützell, dann also lassen wirs; keine zweite."

Und damit nahm er seinen Platz wieder ein, während sich Mützell in seine Wartestellung an der Hausecke zurückzog.

„Da hab ich nun mein Leben auf einen Schlag", sagte Leopold, als er wieder allein war. „Ich habe mal von einem gehört, der bei Josty, weil er so gewettet hatte, zwölf Tassen Kaffee hintereinander trank und dann tot umfiel. Aber was beweist das? Wenn ich zwölf Käsestullen esse, fall ich auch tot um; alles Verzwölffachte tötet einen Menschen. Aber welcher vernünftige Mensch verzwölffacht auch sein Speis und Trank. Von jedem vernünftigen Menschen muß man annehmen, daß er Unsinnigkeiten unterlassen und seine Gesundheit befragen und seinen Körper nicht zerstören wird. Wenigstens für mich kann ich einstehen. Und die gute Mama sollte wissen, daß ich dieser Kontrolle nicht bedarf, und sollte mir diesen meinen Freund Mützell nicht so naiv zum Hüter bestellen. Aber sie muß immer die Fäden in der Hand haben, sie muß alles bestimmen, alles anordnen, und wenn ich eine baumwollene Jacke will, so muß es eine wollene sein."

Er machte sich nun an die Milch und mußte lächeln, als er die lange Stange mit dem schon niedergesunkenen Milchschaum in die Hand nahm. „Mein eigentliches Getränk. ‚Milch der frommen Denkungsart' würde Papa sagen. Ach, es ist zum Ärgern, alles zum Ärgern. Bevormundung, wohin ich sehe, schlimmer, als ob ich gestern meinen Einsegnungstag gehabt hätte. Helene weiß alles besser, Otto weiß alles besser, und nun gar erst die Mama. Sie möchte mir am liebsten vorschreiben, ob ich einen blauen oder grünen Schlips und einen graden oder schrägen Scheitel tragen soll. Aber ich will mich nicht ärgern. Die Holländer haben ein Sprichwort: ‚Ärgere dich nicht, wundere dich bloß.' Und auch *das* werd ich mir schließlich noch abgewöhnen."

Er sprach noch so weiter in sich hinein, abwechselnd die Menschen und die Verhältnisse verklagend, bis er mit einemmal all seinen Unmut gegen sich selber richtete: „Torheit. Die Menschen, die Verhältnisse, das alles ist es nicht; nein, nein. Andere haben auch eine auf ihr Hausregiment eifersüchtige Mama und tun doch, was sie wollen; es liegt an mir. ‚Pluck, dear Leopold, that's it', das hat mir der gute

Nelson noch gestern abend zum Abschied gesagt, und er hat ganz recht. Da liegt es; nirgend anders. Mir fehlt es an Energie und Mut, und das Aufbäumen hab ich nun schon gewiß nicht gelernt."

Er blickte, während er so sprach, vor sich hin, knipste mit seiner Reitgerte kleine Kiesstücke fort und malte Buchstaben in den frischgestreuten Sand. Und als er nach einer Weile wieder aufblickte, sah er zahlreiche Boote, die vom Stralauer Ufer herüberkamen, und dazwischen einen mit großem Segel flußabwärts fahrenden Spreekahn. Wie sehnsüchtig richtete sich sein Blick darauf.

„Ach, ich muß aus diesem elenden Zustande heraus, und wenn es wahr ist, daß einem die Liebe Mut und Entschlossenheit gibt, so muß noch alles gut werden. Und nicht bloß gut, es muß mir auch leicht werden und mich geradezu zwingen und drängen, den Kampf aufzunehmen und ihnen allen zu zeigen, und der Mama voran, daß sie mich denn doch verkannt und unterschätzt haben. Und wenn ich in Unentschlossenheit zurückfalle, was Gott verhüte, so wird *sie* mir die nötige Kraft geben. Denn sie hat all das, was mir fehlt, und weiß alles und kann alles. Aber bin ich ihrer sicher? Da steh ich wieder vor der Hauptfrage. Mitunter ist es mir freilich, als kümmere sie sich um mich und als spräche sie eigentlich nur zu mir, wenn sie zu anderen spricht. So war es noch gestern abend wieder, und ich sah auch, wie Marcell sich verfärbte, weil er eifersüchtig war. Etwas anderes konnte es nicht sein. Und das alles . . ."

Er unterbrach sich, weil eben jetzt die sich um ihn her sammelnden Sperlinge mit jedem Augenblicke zudringlicher wurden. Einige kamen bis auf den Tisch und mahnten ihn durch Picken und dreistes Ansehen, daß er ihnen noch immer ihr Frühstück schulde. Lächelnd zerbrach er ein Biskuit und warf ihnen die Stücke hin, mit denen zunächst die Sieger und, alsbald auch ihnen folgend, die anderen in die Lindenbäume zurückflogen. Aber kaum, daß die Störenfriede fort waren, so waren für ihn auch die alten Betrachtungen wieder da. „Ja, das mit Marcell, das darf ich mir zum Guten deuten und manches andere noch. Aber es kann auch alles bloß Spiel und Laune gewesen sein. Corinna nimmt nichts ernsthaft und will eigentlich immer nur glänzen und die Bewunderung oder das Verwundertsein ihrer Zuhörer auf sich ziehen. Und wenn ich mir diesen ihren Charakter überlege, so muß ich an die Möglichkeit denken, daß ich schließlich auch noch heimgeschickt und ausgelacht werde. Das ist hart. Und doch muß ich es wagen . . . Wenn ich nur wen hätte, dem ich mich anvertrauen könnte, der mir riete. Leider hab ich niemanden, keinen Freund; dafür hat Mama auch gesorgt, und so muß ich mir, ohne Rat und Beistand, allerpersönlichst ein doppeltes ‚Ja' holen. Erst bei Corinna. Und wenn ich dies erste ‚Ja' habe, so hab ich noch lange nicht das zweite. Das seh ich nur zu klar. Aber das zweite kann ich mir wenigstens erkämpfen und will es auch . . . Es gibt ihrer genug, für die das alles eine Kleinigkeit wäre, für mich aber ist es schwer; ich weiß, ich bin kein Held, und das Heldische läßt sich nicht lernen. ‚Jeder nach seinen Kräften', sagte Direktor Hilgenhahn immer. Ach, ich finde doch beinahe, daß mir mehr auferlegt wird, als meine Schultern tragen können."

Ein mit Personen besetzter Dampfer kam in diesem Augenblicke den Fluß herauf und fuhr, ohne an dem Wassersteg anzulegen, auf den „Neuen Krug" und „Sadowa" zu; Musik war an Bord, und dazwischen wurden allerlei Lieder gesungen. Als das Schiff erst den Steg und bald auch die „Liebesinsel" passiert hatte, fuhr auch Leopold aus seinen Träumereien auf und sah, nach der Uhr blickend, daß es höchste Zeit sei, wenn er noch pünktlich auf dem Kontor eintreffen und sich eine Reprimande oder, was schlimmer, eine spöttische Bemerkung von seiten seines Bruders Otto ersparen wollte. So schritt er denn unter freundlichem Gruß an dem immer noch an seiner Ecke stehenden Mützell vorüber und auf die Stelle zu, wo der Einarmige sein Pferd hielt.

„Da, Fritz!"

Und nun hob er sich in den Sattel, machte den Rückweg in einem guten Trab und bog, als er das Tor und gleich danach die Pionierkaserne wieder passiert hatte, nach rechts hin in einen neben dem Otto Treibelschen Holzhofe sich hinziehenden, schmalen Gang ein, über dessen Heckenzaun fort man auf den Vorgarten und die zwischen den

Bäumen gelegene Villa sah. Bruder und Schwägerin saßen noch beim Frühstück. Leopold grüßte hinüber: „Guten Morgen, Otto; guten Morgen, Helene!“ Beide erwiderten den Gruß, lächelten aber, weil sie diese tägliche Reiterei ziemlich lächerlich fanden. Und gerade Leopold! Was er sich eigentlich dabei denken mochte!

Leopold selbst war inzwischen abgestiegen und gab das Pferd einem an der Hintertreppe der Villa schon wartenden Diener, der es, die Köpnicker Straße hinauf, nach dem elterlichen Fabrikhof und dem dazu gehörigen Stallgebäude führte – stable-yard, sagte Helene.

Neuntes Kapitel

Eine Woche war vergangen, und über dem Schmidtschen Hause lag eine starke Verstimmung: Corinna grollte mit Marcell, weil er mit ihr grollte (so wenigstens mußte sie sein Ausbleiben deuten), und die gute Schmolke wiederum grollte mit Corinna wegen ihres Grollens auf Marcell. „Das tut nicht gut, Corinna, so sein Glück von sich zu stoßen. Glaube mir, das Glück wird ärgerlich, wenn man es wegjagt, und kommt dann nicht wieder. Marcell ist, was man einen Schatz nennt oder auch ein Juwel, Marcell ist ganz so wie Schmolke war.“ So hieß es jeden Abend. Nur Schmidt selbst merkte nichts von der über seinem Hause lagernden Wolke, studierte sich vielmehr immer tiefer in die Goldmasken hinein und entschied sich, in einem mit Distelkamp immer heftiger geführten Streite, auf das bestimmteste hinsichtlich der einen für Aegisth. Aegisth sei doch immerhin sieben Jahre lang Klytämnestras Gemahl gewesen, außerdem naher Anverwandter des Hauses, und wenn er, Schmidt, auch seinerseits zugeben müsse, daß der Mord Agamemnons einigermaßen gegen seine Aegisth-Hypothese spreche, so sei doch andererseits nicht zu vergessen, daß die ganze Mordaffäre mehr oder weniger etwas Internes, sozusagen eine reine Familienangelegenheit gewesen sei, wodurch die nach außen hin auf Volk und Staat berechnete Beisetzungs- und Zeremonialfrage nicht eigentlich berührt werden könne. Distelkamp schwieg und zog sich unter Lächeln aus der Debatte zurück.

Auch bei den alten und jungen Treibels herrschte eine gewisse schlechte Laune vor: Helene war unzufrieden mit Otto, Otto mit Helenen, und die Mama wiederum mit beiden. Am unzufriedensten, wenn auch nur mit sich selber, war Leopold, und nur der alte Treibel merkte von der ihn umgebenden Verstimmung herzlich wenig oder wollte nichts davon merken, erfreute sich vielmehr einer ungewöhnlich guten Laune. Daß dem so war, hatte, wie bei Wilibald Schmidt, darin seinen Grund, daß er all die Zeit über sein Steckenpferd tummeln und sich einiger schon erzielter Triumphe rühmen durfte. Vogelsang war nämlich, unmittelbar nach dem zu seinen und Mr. Nelsons Ehren stattgehabten Diner, in den für Treibel zu erobernden Wahlkreis abgegangen, und zwar um hier in einer Art Vorkampagne die Herzen und Nieren der Teupitz-Zossener und ihre mutmaßliche Haltung in der entscheidenden Stunde zu prüfen. Es muß gesagt werden, daß er, bei Durchführung dieser seiner Aufgabe, nicht bloß eine bemerkenswerte Tätigkeit entfaltet, sondern auch beinahe täglich etliche Telegramme geschickt hatte, darin er über die Resultate seines Wahlfeldzuges, je nach der Bedeutung der Aktion, länger oder kürzer berichtete. Daß diese Telegramme mit denen des ehemaligen Bernauer Kriegskorrespondenten eine verzweifelte Ähnlichkeit hatten, war Treibel nicht entgangen, aber von diesem, weil er schließlich nur auf das achtete, was ihm persönlich gefiel, ohne sonderliche Beanstandung hingenommen worden. In einem dieser Telegramme hieß es: „Alles geht gut. Bitte, Geldanweisung nach Teupitz hin. Ihr V.“ Und dann: „Die Dörfer am Schermützelsee sind unser. Gott sei Dank. Überall dieselbe Gesinnung wie am Teupitzsee. Anweisung noch nicht eingetroffen. Bitte dringend. Ihr V.“ ... „Morgen nach Storkow! Dort muß es sich entscheiden. Anweisung inzwischen empfangen. Aber deckt nur gerade das schon Verausgabte. Montecuculis Wort über Kriegführung gilt auch für Wahlfeldzüge. Bitte weiteres nach Groß-Rietz hin. Ihr V.“ Treibel, in geschmeichelter Eitelkeit, betrachtete hiernach den Wahlkreis als für ihn gesichert, und in den Becher seiner Freude fiel eigentlich nur ein Wermutstropfen: er wußte, wie kritisch ablehnend Jenny zu dieser Sache stand, und sah sich dadurch gezwungen, sein Glück allein zu genießen. Friedrich, überhaupt sein Vertrauter, war ihm auch jetzt wieder „unter Larven die einzig fühlende Brust", ein Zitat, das er nicht müde wurde sich zu wiederholen. Aber eine gewisse Leere blieb doch. Auffallend war ihm außerdem, daß die Berliner Zeitungen gar nichts brachten, und zwar war ihm dies um so auffallender, als von scharfer Gegnerschaft, allen Vogelsangschen Berichten nach, eigentlich keine Rede sein konnte. Die Konservativen und Nationalliberalen, und vielleicht auch ein paar Parlamentarier von Fach, mochten gegen ihn sein, aber was bedeutete das? Nach einer ohngefähren Schätzung, die Vogelsang angestellt und in einem eingeschriebenen Briefe nach Villa Treibel hin adressiert hatte, besaß der ganze Kreis nur sieben Nationalliberale: drei Oberlehrer, einen Kreisrichter, einen rationalistischen Superintendenten und zwei studierte Bauergutsbesitzer, während die Zahl der Orthodox-Konservativen noch hinter diesem bescheidenen Häuflein zurückblieb.

„Ernst zu nehmende Gegnerschaft, vacat." So schloß Vogelsangs Brief, und „vacat" war unterstrichen.

Das klang hoffnungsreich genug, ließ aber inmitten aufrichtiger Freude doch einen Rest von Unruhe fortbestehen, und als eine runde Woche seit Vogelsangs Abreise vergangen war, brach denn auch wirklich der große Tag an, der die Berechtigung der instinktiv immer wieder sich einstellenden Ängstlichkeit und Sorge dartun sollte. Nicht unmittelbar, nicht gleich im ersten Moment, aber die Frist war nur eine nach Minuten ganz kurz bemessene.

Treibel saß in seinem Zimmer und frühstückte. Jenny hatte sich mit Kopfweh und einem schweren Traum entschuldigen lassen. „Sollte sie wieder von Vogelsang geträumt haben?" Er ahnte nicht, daß dieser Spott sich in derselben Stunde noch an ihm rächen würde. Friedrich brachte die Postsachen, unter denen diesmal wenig Karten und Briefe, dafür aber desto mehr Zeitungen unter Kreuzband waren, einige, soviel sich äußerlich erkennen ließ, mit merkwürdigen Emblemen und Stadtwappen ausgerüstet.

All dies (zunächst nur Vermutung) sollte sich, bei schärferem Zusehen, rasch bestätigen, und als Treibel die Kreuzbänder entfernt und das weiche Löschpapier über den Tisch hin ausgebreitet hatte, las er mit einer gewissen heiteren Andacht: „Der Wächter an der wendischen Spree“, „Wehrlos, ehrlos“, „Alltied vorupp“ und „Der Storkower Bote“ – zwei davon waren cis-, zwei transspreeanischen Ursprunges. Treibel, sonst ein Feind alles überstürzten Lesens, weil er von jedem blinden Eifer nur Unheil erwartete, machte sich diesmal mit bemerkenswerter Raschheit über die Blätter und überflog die blau angestrichenen Stellen. Leutnant Vogelsang (so hieß es in jedem in wörtlicher Wiederholung), ein Mann, der schon anno 48 gegen die Revolution gestanden und der Hydra das Haupt zertreten, hätte sich an drei hintereinander folgenden Tagen dem Kreise vorgestellt, nicht um seiner selbst, sondern um seines politischen Freundes, des Kommerzienrates Treibel willen, der später den Kreis besuchen und bei der Gelegenheit die von Leutnant Vogelsang ausgesprochenen Grundsätze wiederholen werde, was, soviel lasse sich schon heute sagen, als die wärmste Empfehlung des eigentlichen Kandidaten anzusehen sei. Denn das Vogelsangsche Programm laufe darauf hinaus, daß zuviel und namentlich unter zu starker Wahrnehmung persönlicher Interessen regiert werde, daß also demgemäß alle kostspieligen „Zwischenstufen“ fallen müßten (was wiederum gleichbedeutend sei mit Herabsetzung der Steuern), und daß von den gegenwärtigen, zum Teil unverständlichen Kompliziertheiten nichts übrigbleiben dürfe als ein freier Fürst und ein freies Volk. Damit seien freilich *zwei* Dreh- oder Mittelpunkte gegeben, aber nicht zum Schaden der Sache. Denn wer die Tiefe des Lebens ergründet oder ihr auch nur nachgespürt habe, der wisse, daß die Sache mit dem einfachen Mittelpunkt – er vermeide mit Vorbedacht das Wort Zentrum – falsch sei, und daß sich das Leben nicht im Kreise, wohl aber in der Ellipse bewege. Weshalb zwei Drehpunkte das natürlich Gegebene seien.

„Nicht übel“, sagte Treibel, als er gelesen, „nicht übel. Es hat so was Logisches; ein bißchen verrückt, aber doch logisch. Das einzige, was mich stutzig macht, ist, daß es alles klingt, als ob es Vogelsang selber geschrieben hätte. Die zertretene Hydra, die herabgesetzten Steuern, das gräßliche Wortspiel mit dem Zentrum und zuletzt der Unsinn mit dem Kreis und der Ellipse, das alles ist Vogelsang. Und der Einsender an die vier Spreeblätter ist natürlich wiederum Vogelsang. Ich kenne meine Pappenheimer.“ Und dabei schob Treibel den „Wächter an der wendischen Spree“ samt dem ganzen Rest vom Tisch auf das Sofa hinunter und nahm eine halbe „Nationalzeitung“ zur Hand, die gleichfalls mit den anderen Blättern unter Kreuzband eingegangen war, aber der Handschrift und ganzen Adresse nach von jemand anderem als Vogelsang aufgegeben sein mußte. Früher war der Kommerzienrat Abonnent und eifriger Leser der „Nationalzeitung“ gewesen, und es kamen ihm auch jetzt noch tagtäglich Viertelstunden, in denen er den Wechsel in seiner Lektüre bedauerte.

„Nun laß sehn“, sagte er schließlich und ging, das Blatt aufschlagend, mit lesegewandtem Auge die drei Spalten hinunter, und richtig, da war es: „Parlamentarische Nachrichten. Aus dem Kreise Teupitz-Zossen.“ Als er den Kopftitel gelesen, unterbrach er sich. „Ich weiß nicht, es klingt so sonderbar. Und doch auch wieder, wie soll es am Ende anders klingen? Es ist der natürlichste Anfang von der Welt; also nur vorwärts.“

Und so las er denn weiter: „Seit drei Tagen haben in unserem stillen und durch politische Kämpfe sonst wenig gestörten Kreise die Wahlvorbereitungen begonnen, und zwar seitens einer Partei, die sich augenscheinlich vorgesetzt hat, das, was ihr an historischer Kenntnis und politischer Erfahrung, ja, man darf füglich sagen, an gesundem Menschenverstande fehlt, durch ‚Fixigkeit‘ zu ersetzen. Ebendiese Partei, die sonst nichts weiß und kennt, kennt augenscheinlich das Märchen vom ‚Swinegel und siner Fru‘ und scheint gewillt, an dem Tage, wo der Wettbewerb mit den wirklichen Parteien zu beginnen hat, eine jede derselben mit dem aus jenem Märchen wohlbekannten Swinegelzurufe: ‚Ick bin all hier' empfangen zu wollen. Nur so vermögen wir uns dies überfrühe Zurstellesein zu erklären. Alle Plätze scheinen, wie bei Theaterpremieren, von Leutnant Vogelsang und den Seinen im voraus belegt werden zu sollen. Aber man wird sich täuschen. Es fehlt dieser Partei nicht an Stirn, wohl aber an dem, was noch mit dazu gehört; der Kasten ist da, nicht der Inhalt . . ."

„Alle Wetter", sagte Treibel, „der setzt scharf ein . . . Was davon auf mein Teil kommt, ist mir nicht eben angenehm, aber dem Vogelsang gönn ich es. Etwas ist in seinem Programm, das blendet, und damit hat er mich eingefangen. Indessen, je mehr ich mirs ansehe, desto fraglicher erscheint es mir. Unter diesen Knickstiebeln, die sich einbilden, schon vor vierzig Jahren die Hydra zertreten zu haben, sind immer etliche Zirkelquadratur- und Perpetuum-mobile-Sucher, immer solche, die das Unmögliche, das Sich-in-sich-Widersprechende zustande bringen wollen. Vogelsang gehört dazu. Vielleicht ist es auch bloß Geschäft; wenn ich mir zusammenrechne, was ich in diesen acht Tagen . . . Aber ich bin erst bis an den ersten Absatz der Korrespondenz gekommen; die zweite Hälfte wird ihm wohl noch schärfer zu Leibe gehen oder vielleicht auch mir." Und Treibel las weiter:

„Es ist kaum möglich, den Herrn, der uns gestern und vorgestern – seiner in unserem Kreise voraufgegangenen Taten zu geschweigen – zunächst in Markgraf-Pieske, dann aber in Storkow und Groß-Rietz beglückt hat, ernsthaft zu nehmen, und zwar um so weniger, je ernsthafter das Gesicht ist, das er macht. Er gehört in die Klasse der Malvoglios, der feierlichen Narren, deren Zahl leider größer ist, als man gewöhnlich annimmt. Wenn sein Galimathias noch keinen Namen hat, so könnte man ihn das Lied vom dreigestrichenen C nennen, denn Cabinet, Churbrandenburg und Cantonale-Freiheit, das sind die drei großen C, womit dieser Kurpfuscher die Welt oder doch wenigstens den Preußischen Staat retten will. Eine gewisse Methode läßt sich darin nicht verkennen, indessen, Methode hat auch der Wahnsinn. Leutnant Vogelsangs Sang hat uns aufs äußerste mißfallen. Alles in seinem Programm ist gemeingefährlich. Aber was wir am meisten beklagen, ist das, daß er nicht für sich und in seinem Namen sprach, sondern im Namen eines unserer geachtetsten Berliner Industriellen, des Kommerzienrats Treibel (Berlinerblaufabrik, Köpnicker Straße), von dem wir uns eines Besseren versehen hätten. Ein neuer Beweis dafür, daß man ein guter Mensch und doch ein schlechter Musikant sein kann, und desgleichen ein Beweis, wohin der politische Dilettantismus führt."

Treibel klappte das Blatt wieder zusammen, schlug mit der Hand darauf und sagte: „Nun, soviel ist gewiß, in Teupitz-Zossen ist das nicht geschrieben. Das ist Tells Geschoß. Das kommt aus nächster Nähe. Das ist von dem nationalliberalen Oberlehrer, der uns neulich bei Buggenhagen nicht bloß Opposition machte, sondern uns zu verhöhnen suchte. Drang aber nicht durch. Alles in allem, ich mag ihm nicht unrecht geben, und jedenfalls gefällt er mir besser als Vogelsang. Außerdem sind sie jetzt bei der ‚Nationalzeitung' halbe Hofpartei, gehen mit den Freikonservativen zusammen. Es war eine Dummheit von mir, mindestens eine Übereilung, daß ich abschwenkte. Wenn ich gewartet hätte, könnt ich jetzt, in viel besserer Gesellschaft, auf seiten der Regierung stehen. Statt dessen bin ich auf den dummen Kerl und Prinzipienreiter eingeschworen. Ich werde mich aber aus der ganzen Geschichte herausziehen, und zwar für immer; der Gebrannte scheut das Feuer . . . Eigentlich könnt ich mich noch beglückwünschen, so mit tausend Mark oder doch nicht viel mehr, davongekommen zu sein, wenn nur nicht mein Name genannt wäre. Mein Name. Das ist fatal . . ." Und dabei schlug er das Blatt wieder auf. „Ich will die Stelle noch einmal lesen; ‚eines unserer geachtetsten Berliner Industriellen, des Kommerzienrats Treibel' – ja, das laß ich mir gefallen, das klingt gut. Und nun lächerliche Figur von Vogelsangs Gnaden."

Und unter diesen Worten stand er auf, um sich draußen im Garten zu ergehen und in der frischen Luft seinen Ärger nach Möglichkeit loszuwerden.

Es schien aber nicht recht glücken zu sollen, denn im selben Augenblick, wo er, um den Giebel des Hauses herum, in den Hintergarten einbog, sah er die Honig, die, wie jeden Morgen, so auch heute wieder das Bologneserhündchen um das Bassin führte. Treibel prallte zurück, denn nach einer Unterhaltung mit dem aufgesteiften Fräulein stand ihm durchaus nicht der Sinn. Er war aber schon gesehen und begrüßt worden, und da große Höflichkeit und mehr noch große Herzensgüte zu seinen Tugenden zählte, so gab er sich einen Ruck und ging guten Muts auf die Honig zu, zu deren Kenntnissen und Urteilen er übrigens ein aufrichtiges Vertrauen hegte.

„Sehr erfreut, mein liebes Fräulein, Sie mal allein und zu so guter Stunde zu treffen ... Ich habe seit lange so dies und das auf dem Herzen, mit dem ich gern herunter möchte ...“

Die Honig errötete, weil sie trotz des guten Rufes, dessen sich Treibel erfreute, doch von einem ängstlich süßen Gefühl überrieselt wurde, dessen äußerste Nichtberechtigung ihr freilich im nächsten Momente schon in beinahe grausamer Weise klarwerden sollte.

„... Mich beschäftigt nämlich meiner lieben kleinen Enkelin Erziehung, an der ich denn doch das Hamburgische sich in einem Grade vollstrecken sehe – ich wähle diesen Schafottausdruck absichtlich –, der mich von meinem einfacheren Berliner Standpunkt aus mit einiger Sorge erfüllt.“

Das Bologneserhündchen, das Czicka hieß, zog in diesem Augenblick an der Schnur und schien einem Perlhuhn nachlaufen zu wollen, das sich, vom Hof her, in den Garten verirrt hatte; die Honig verstand aber keinen Spaß und gab dem Hündchen einen Klaps. Czicka seinerseits tat einen Blaff und warf den Kopf hin und her, so daß die seinem Röckchen (eigentlich bloß eine Leibbinde) dicht aufgenähten Glöckchen in ein Klingen kamen. Dann aber beruhigte sich das Tierchen wieder, und die Promenade um das Bassin herum begann aufs neue.

„Sehen Sie, Fräulein Honig, so wird auch das Lizzichen erzogen. Immer an einer Strippe, die die Mutter in Händen hält, und wenn mal ein Perlhuhn kommt und das Lizzichen fort will, dann gibt es auch einen Klaps, aber einen ganz, ganz kleinen, und der Unterschied ist bloß, daß Lizzi keinen Blaff tut und nicht den Kopf wirft und natürlich auch kein Schellengeläut hat, das ins Klingen kommen kann.“

„Lizzichen ist ein Engel“, sagte die Honig, die während einer sechzehnjährigen Erzieherinnenlaufbahn Vorsicht im Ausdruck gelernt hatte.

„Glauben Sie das wirklich?“

„Ich glaub es wirklich, Herr Kommerzienrat, vorausgesetzt, daß wir uns über ‚Engel‘ einigen.“

„Sehr gut, Fräulein Honig, das kommt mir zupaß. Ich wollte nur über Lizzi mit Ihnen sprechen und höre nun auch noch was über Engel. Im ganzen genommen ist die Gelegenheit, sich über Engel ein festes Urteil zu bilden, nicht groß. Nun sagen Sie, was verstehen Sie unter Engel? Aber kommen Sie mir nicht mit Flügel.“

Die Honig lächelte. „Nein, Herr Kommerzienrat, nichts von Flügel, aber ich möchte doch sagen dürfen, ‚Unberührtheit vom Irdischen‘, das ist ein Engel.“

„Das läßt sich hören. Unberührtheit vom Irdischen – nicht übel. Ja, noch mehr, ich will es ohne weiteres gelten lassen und will es schön finden, und wenn Otto und meine Schwiegertochter Helene sich klar und zielbewußt vorsetzen würden, eine richtige kleine Genoveva auszubilden oder eine kleine keusche Susanne, Pardon, ich kann im Augenblicke kein besseres Beispiel finden, oder wenn alles ganz ernsthaft darauf hinausliefe, sagen wir für irgendeinen Thüringer Landgrafen oder meinetwegen auch für ein geringeres Geschöpf Gottes einen Abklatsch der heiligen Elisabeth herzustellen, so hätte ich nichts dagegen. Ich halte die Lösung solcher Aufgabe für sehr schwierig, aber nicht für unmöglich, und wie so schön gesagt worden ist und immer noch gesagt wird, solche Dinge auch bloß gewollt zu haben, ist schon etwas Großes.“

Die Honig nickte, weil sie der eigenen, nach dieser Seite hin liegenden Anstrengungen gedenken mochte.

„Sie stimmen mir zu“, fuhr Treibel fort. „Nun, das freut mich. Und ich denke, wir sollen auch in dem zweiten einig bleiben. Sehen Sie, liebes Fräulein, ich begreife vollkommen, trotzdem es meinem persönlichen Geschmack widerspricht, daß eine Mutter ihr Kind auf einen richtigen Engel hin erzieht; man kann nie ganz genau wissen, wie diese Dinge liegen, und wenn es zum Letzten kommt, so ganz zweifelsohne vor seinem Richter zu stehen, wer sollte sich das nicht wünschen? Ich möchte beinah sagen, ich wünsch es mir selber. Aber, mein liebes Fräulein, Engel und Engel ist ein Unterschied, und wenn der Engel weiter nichts ist als ein Waschengel und die Fleckenlosigkeit der Seele nach dem Seifenkonsum berechnet und die ganze Reinheit des werdenden Menschen auf die Weißheit seiner Strümpfe gestellt wird, so erfüllt mich dies mit einem leisen Grauen. Und wenn es nun gar das eigene Enkelkind ist, dessen flachsene Haare, Sie werden es auch bemerkt haben, vor lauter Pflege schon halb ins Kakerlakige fallen, so wird einem alten Großvater himmelangst dabei. Könnten Sie sich nicht hinter die Wulsten stecken? Die Wulsten ist eine verständige Person und bäumt, glaub ich, innerlich gegen diese Hamburgereien auf. Ich würde mich freuen, wenn Sie Gelegenheit nähmen ...“

In diesem Augenblicke wurde Czicka wieder unruhig und blaffte lauter als zuvor. Treibel, der sich in Auseinandersetzungen der Art nicht gern unterbrochen sah, wollte verdrießlich werden, aber ehe er noch recht dazu kommen konnte, wurden drei junge Damen von der Villa her sichtbar, zwei von ihnen ganz gleichartig in bastfarbene Sommerstoffe gekleidet. Es waren die beiden Felgentreus, denen Helene folgte.

„Gott sei Dank, Helene“, sagte Treibel, der sich – vielleicht weil er ein schlechtes Gewissen hatte – zunächst an die Schwiegertochter wandte, „Gott sei Dank, daß ich dich einmal wiedersehe. Du warst eben der Gegenstand unseres Gesprächs, oder mehr noch dein liebes Lizzichen, und Fräulein Honig stellte fest, daß Lizzichen ein Engel sei. Du kannst dir denken, daß ich nicht widersprochen habe. Wer ist nicht gern der Großvater eines Engels? Aber, meine Damen, was verschafft mir so früh diese Ehre? Oder gilt es meiner Frau? Sie hat ihre Migräne. Soll ich sie rufen lassen ...?“

„O nein, Papa“, sagte Helene mit einer Freundlichkeit, die nicht immer ihre Sache war. „Wir kommen zu dir. Felgentreus haben nämlich vor, heute nachmittag eine Partie nach Halensee zu machen, aber nur wenn alle Treibels, von

Otto und mir ganz abgesehen, daran teilnehmen.“ Die Felgentreuschen Schwestern bestätigten dies alles durch Schwenken ihrer Sonnenschirme, während Helene fortfuhr: „Und nicht später als drei. Wir müssen also versuchen, unserem Lunch einen kleinen Dinner-Charakter zu geben, oder aber unser Dinner bis auf acht Uhr abends hinausschieben. Elfriede und Blanca wollen noch in die Adlerstraße, um auch Schmidts aufzufordern, zum mindesten Corinna; der Professor kommt dann vielleicht nach. Krola hat schon zugesagt und will ein Quartett mitbringen, darunter zwei Referendare von der Potsdamer Regierung ...“

„Und Reserveoffiziere“, ergänzte Blanca, die jüngere Felgentreu ...

„Reserveoffiziere“, wiederholte Treibel ernsthaft. „Ja, meine Damen, *das* gibt den Ausschlag. Ich glaube nicht, daß ein hierlandes lebender Familienvater, auch wenn ihm ein grausames Schicksal eigene Töchter versagte, den Mut haben wird, eine Landpartie mit zwei Reserveleutnants auszuschlagen. Also bestens akzeptiert. Und drei Uhr. Meine Frau wird zwar verstimmt sein, daß, über ihr Haupt hinweg, endgültige Beschlüsse gefaßt worden sind, und ich fürchte beinah ein momentanes Wachsen des tic douloureux. Trotzdem bin ich ihrer sicher. Landpartie mit Quartett und von solcher gesellschaftlichen Zusammensetzung – die Freude darüber bleibt prädominierendes Gefühl. Dem ist keine Migräne gewachsen. Darf ich Ihnen übrigens meine Melonenbeete zeigen? Oder nehmen wir lieber einen leichten Imbiß, ganz leicht, ohne jede ernste Gefährdung des Lunch?“

Alle drei dankten, die Felgentreus, weil sie sich direkt zu Corinna begeben wollten, Helene, weil sie Lizzis halber wieder nach Hause müsse. Die Wulsten sei nicht achtsam genug und lasse Dinge durchgehen, von denen sie nur sagen könne, daß sie „shocking“ seien. Zum Glück sei Lizzichen ein so gutes Kind, sonst würde sie sich ernstlicher Sorge darüber hingeben müssen.

„Lizzichen ist ein Engel, die ganze Mutter“, sagte Treibel und wechselte, während er das sagte, Blicke mit der Honig, welche die ganze Zeit über in einer gewissen reservierten Haltung seitab gestanden hatte.

Zehntes Kapitel

Auch Schmidts hatten zugesagt, Corinna mit besonderer Freudigkeit, weil sie sich seit dem Dinertage bei Treibels in ihrer häuslichen Einsamkeit herzlich gelangweilt hatte; die großen Sätze des Alten kannte sie längst auswendig, und von den Erzählungen der guten Schmolke galt dasselbe. So klang denn „ein Nachmittag in Halensee" fast so poetisch wie „vier Wochen auf Capri", und Corinna beschloß daraufhin, ihr Bestes zu tun, um sich bei dieser Gelegenheit auch äußerlich neben den Felgentreus behaupten zu können. Denn in ihrer Seele dämmerte eine unklare Vorstellung davon, daß diese Landpartie nicht gewöhnlich verlaufen, sondern etwas Großes bringen werde. Marcell war zur Teilnahme nicht aufgefordert worden, womit seine Cousine, nach der eine ganze Woche lang von ihm beobachteten Haltung, durchaus einverstanden war. Alles versprach einen frohen Tag, besonders auch mit Rücksicht auf die Zusammensetzung der Gesellschaft. Unter dem, was man im voraus vereinbart hatte, war, nach Verwerfung eines von Treibel in Vorschlag gebrachten Kremsers, der immer das Eigentliche sei, *das* die Hauptsache gewesen, daß man auf gemeinschaftliche Fahrt verzichten, dafür aber männiglich sich verpflichten wolle, Punkt vier Uhr und jedenfalls nicht mit Überschreitung des akademischen Viertels in Halensee zu sein.

Und wirklich um vier Uhr war alles versammelt oder doch fast alles. Alte und junge Treibels, desgleichen die Felgentreus, hatten sich in eigenen Equipagen eingefunden, während Krola, von seinem Quartett begleitet, aus nicht aufgeklärten Gründen die neue Dampfbahn, Corinna aber mutterwindallein – der Alte wollte nachkommen – die Stadtbahn benutzt hatte. Von den Treibels fehlte nur Leopold, der sich, weil er durchaus an Mr. Nelson zu schreiben habe, wegen einer halben Stunde Verspätung im voraus entschuldigen ließ. Corinna war momentan verstimmt darüber, bis ihr der Gedanke kam, es sei wohl eigentlich besser so; kurze Begegnungen seien inhaltreicher als lange.

„Nun, lieben Freunde", nahm Treibel das Wort, „alles nach der Ordnung. Erste Frage, wo bringen wir uns unter?

Wir haben verschiedenes zur Wahl. Bleiben wir hier Parterre, zwischen diesen formidablen Tischreihen, oder rücken wir auf die benachbarte Veranda hinauf, die Sie, wenn Sie Gewicht darauf legen, auch als Altan oder als Söller bezeichnen können? Oder bevorzugen Sie vielleicht die Verschwiegenheit der inneren Gemächer, irgendeiner Kemenate von Halensee? Oder endlich, viertens und letztens, sind Sie für Turmbesteigung und treibt es Sie, diese Wunderwelt, in der keines Menschen Auge bisher einen frischen Grashalm entdecken konnte, treibt es Sie, sag ich, dieses von Spargelbeeten und Eisenbahndämmen durchsetzte Wüstenpanorama zu Ihren Füßen ausgebreitet zu sehen?"

„Ich denke", sagte Frau Felgentreu, die, trotzdem sie kaum ausgangs Vierzig war, schon das Embonpoint und das Asthma einer Sechzigerin hatte, „ich denke, lieber Treibel, wir bleiben, wo wir sind. Ich bin nicht für Steigen, und dann mein ich auch immer, man muß mit dem zufrieden sein, was man gerade hat."

„Eine merkwürdig bescheidene Frau", sagte Corinna zu Krola, der seinerseits mit einfacher Zahlennennung antwortete, leise hinzusetzend, „aber Taler."

„Gut denn", fuhr Treibel fort, „wir bleiben also in der Tiefe. Wozu dem Höheren zustreben? Man muß zufrieden sein mit dem durch Schicksalsbeschluß Gegebenen, wie meine Freundin Felgentreu soeben versichert hat. Mit anderen Worten: ‚Genieße fröhlich, was du hast.' Aber, liebe Festgenossen, was tun wir, um unsere Fröhlichkeit zu beleben, oder, richtiger und artiger, um ihr Dauer zu geben? Denn von Belebung unserer Fröhlichkeit sprechen, hieße das augenblickliche Vorhandensein derselben in Zweifel ziehen – eine Blasphemie, deren ich mich nicht schuldig machen werde. Landpartien sind immer fröhlich. Nicht wahr, Krola?"

Krola bestätigte mit einem verschmitzten Lächeln, das für den Eingeweihten eine stille Sehnsucht nach Siechen oder dem schweren Wagner ausdrücken sollte.

Treibel verstand es auch so. „Landpartien also sind immer fröhlich, und dann haben wir das Quartett in Bereitschaft und haben Professor Schmidt in Sicht, und Leopold auch. Ich finde, daß dies allein schon ein Programm ausdrückt." Und nach diesen Einleitungsworten einen in der Nähe stehenden mittelalterlichen Kellner heranwinkend, fuhr er in einer anscheinend an diesen, in Wahrheit aber an seine Freunde gerichteten Rede fort: „Ich denke, Kellner, wir rücken zunächst einige Tische zusammen, hier zwischen Brunnen und Fliederboskett; da haben wir frische Luft und etwas Schatten. Und dann, Freund, sobald die Lokalfrage geregelt und das Aktionsfeld abgesteckt ist, dann etwelche Portionen Kaffee, sagen wir vorläufig fünf, Zucker doppelt, und etwas Kuchiges, gleichviel was, mit Ausnahme von altdeutschem Napfkuchen, der mir immer eine Mahnung ist, es mit dem neuen Deutschland ernst und ehrlich zu versuchen. Die Bierfrage können wir später regeln, wenn unser Zuzug eingetroffen ist."

Dieser Zuzug war nun in der Tat näher, als die ganze Gesellschaft zu hoffen gewagt hatte. Schmidt, in einer ihn begleitenden Wolke herankommend, war müllergrau von Chausseestaub und mußte es sich gefallen lassen, von den jungen, dabei nicht wenig kokettierenden Damen abgeklopft zu werden, und kaum daß er in Stand gesetzt und in den Kreis der übrigen eingereiht war, so ward auch schon Leopold in einer langsam herantrottenden Droschke sichtbar, und beide Felgentreus (Corinna hielt sich zurück) liefen auch ihm bis auf die Chaussee hinaus entgegen und schwenkten dieselben kleinen Batisttücher zu seiner Begrüßung, mit denen sie eben den alten Schmidt restituiert und wieder leidlich gesellschaftsfähig gemacht hatten.

Auch Treibel hatte sich erhoben und sah der Anfahrt seines Jüngsten zu. „Sonderbar", sagte er zu Schmidt und Felgentreu, zwischen denen er saß, „sonderbar; es heißt immer, der Apfel fällt nicht weit vom Stamm. Aber mitunter tut ers doch. Alle Naturgesetze schwanken heutzutage. Die Wissenschaft setzt ihnen zu arg zu. Sehen Sie, Schmidt, wenn *ich* Leopold Treibel wäre (mit *meinem* Vater war das etwas anderes, der war noch aus der alten Zeit), so hätte mich doch kein Deubel davon abgehalten, hier heute hoch zu Roß vorzureiten, und hätte mich graziös – denn, Schmidt, wir haben doch auch unsere Zeit gehabt –, hätte mich graziös, sag ich, aus dem Sattel geschwungen und mir mit der Badine die Stiefel und die Unaussprechlichen abgeklopft und wäre hier, schlecht gerechnet, wie ein junger Gott erschienen, mit einer roten Nelke im Knopfloch, ganz wie Ehrenlegion oder ein ähnlicher Unsinn. Und nun sehen Sie sich den Jungen an. Kommt er nicht an, als ob er hingerichtet werden sollte? Denn das ist ja gar keine Droschke, das ist ein Karren, eine Schleife. Weiß der Himmel, wo's nicht drin steckt, da kommt es auch nicht."

Unter diesen Worten war Leopold herangekommen, untergefaßt von den beiden Felgentreus, die sich vorgesetzt zu haben schienen, à tout prix für das „Landpartieliche" zu sorgen. Corinna, wie sich denken läßt, gefiel sich in Mißbilligung dieser Vertraulichkeit und sagte vor sich hin: „Dumme Dinger!" Dann aber erhob auch sie sich, um Leopold gemeinschaftlich mit den andern zu begrüßen.

Die Droschke draußen hielt noch immer, was dem alten Treibel schließlich auffiel. „Sage, Leopold, warum hält er noch? Rechnet er auf Rückfahrt?"

„Ich glaube, Papa, daß er futtern will."

„Wohl und weise. Freilich mit seinem Häckselsack wird er nicht weit kommen. Hier müssen energischere Belebungsmittel angewandt werden, sonst passiert was. Bitte, Kellner, geben Sie dem Schimmel ein Seidel. Aber Löwenbräu. Dessen ist er am bedürftigsten."

„Ich wette", sagte Krola, „der Kranke wird von Ihrer Arznei nichts wissen wollen."

„Ich verbürge mich für das Gegenteil. In dem Schimmel steckt was; bloß heruntergekommen."

Und während das Gespräch noch andauerte, folgte man dem Vorgange draußen und sah, wie das arme verschmachtete Tier mit Gier das Seidel austrank und in ein schwaches Freudengewieher ausbrach.

„Da haben wirs", triumphierte Treibel. „Ich bin ein Menschenkenner; *der* hat bessere Tage gesehen, und mit diesem Seidel zogen alte Zeiten in ihm herauf. Und Erinnerungen sind immer das Beste. Nicht wahr, Jenny?"

Die Kommerzienrätin antwortete mit einem langgedehnten „Ja, Treibel", und deutete durch den Ton an, daß er besser täte, sie mit solchen Betrachtungen zu verschonen.

Eine Stunde verging unter allerhand Plaudereien, und wer gerade schwieg, der versäumte nicht, das Bild auf sich wirken zu lassen, das sich um ihn her ausbreitete. Da stieg zunächst eine Terrasse nach dem See hinunter, von dessen anderm Ufer her man den schwachen Knall einiger Teschings hörte, mit denen in einer dort etablierten Schießbude nach der Scheibe geschossen wurde, während man aus verhältnismäßiger Nähe das Kugelrollen einer am diesseitigen Ufer sich hinziehenden Doppelkegelbahn und dazwischen die Rufe des Kegeljungen vernahm. Den See selbst aber sah man nicht recht, was die Felgentreuschen Mädchen zuletzt ungeduldig machte. „Wir müssen doch den See sehen. Wir können doch nicht in Halensee gewesen sein, ohne den Halensee gesehen zu haben!" Und dabei schoben sie zwei Stühle mit den Lehnen zusammen und kletterten hinauf, um so den Wasserspiegel vielleicht entdecken zu können. „Ach, da ist er. Etwas klein."

„Das ‚Auge der Landschaft' muß klein sein", sagte Treibel. „Ein Ozean ist kein Auge mehr."

„Und wo nur die Schwäne sind?" fragte die ältere Felgentreu neugierig. „Ich sehe doch zwei Schwanenhäuser."

„Ja, liebe Elfriede", sagte Treibel. „Sie verlangen zuviel. Das ist immer so; wo Schwäne sind, sind keine Schwanenhäuser, und wo Schwanenhäuser sind, sind keine Schwäne. Der eine hat den Beutel, der andre hat das Geld. Diese Wahrnehmung, meine junge Freundin, werden Sie noch verschiedentlich im Leben machen. Lassen Sie mich annehmen, nicht zu sehr zu Ihrem Schaden."

Elfriede sah ihn groß an. Worauf bezog sich das und auf wen? Auf Leopold? Oder auf den früheren Hauslehrer, mit dem sie sich noch schrieb, aber doch nur so, daß es nicht völlig einschlief. Oder auf den Pionierleutnant? Es konnte sich auf alle drei beziehen. Leopold hatte das Geld . . . Hm.

„Im übrigen", fuhr Treibel an die Gesamtheit gewendet fort, „ich habe mal wo gelesen, daß es immer das geratenste sei, das Schönste nicht auszukosten, sondern mitten im

Genusse dem Genuß Valet zu sagen. Und dieser Gedanke kommt mir auch jetzt wieder. Es ist kein Zweifel, daß dieser Fleck Erde mit zu dem Schönsten zählt, was die norddeutsche Tiefebene besitzt, durchaus angetan, durch Sang und Bild verherrlicht zu werden, wenn es nicht schon geschehen ist, denn wir haben jetzt eine märkische Schule, vor der nichts sicher ist, Beleuchtungskünstler ersten Ranges, wobei Wort oder Farbe keinen Unterschied macht. Aber eben *weil* es so schön ist, gedenken wir jenes vorzitierten Satzes, der von einem letzten Auskosten nichts wissen will, mit andern Worten beschäftigen wir uns mit dem Gedanken an Aufbruch. Ich sage wohlüberlegt ‚Aufbruch', nicht Rückfahrt, nicht vorzeitige Rückkehr in die alten Geleise, das sei ferne von mir; dieser Tag hat sein letztes Wort noch nicht gesprochen. Nur ein Scheiden speziell aus diesem Idyll, eh es uns ganz umstrickt! Ich proponiere Waldpromenade bis Paulsborn oder, wenn dies zu kühn erscheinen sollte, bis Hundekehle. Die Prosa des Namens wird ausgeglichen durch die Poesie der größeren Nähe. Vielleicht, daß ich mir den besonderen Dank meiner Freundin Felgentreu durch diese Modifikation verdiene."

Frau Felgentreu, der nichts ärgerlicher war als Anspielungen auf ihre Wohlbeleibtheit und Kurzatmigkeit, begnügte sich, ihrem Freunde Treibel den Rücken zu kehren.

„Dank vom Hause Österreich. Aber es ist immer so, der Gerechte muß viel leiden. Ich werde mich auf einem verschwiegenen Waldwege bemühen, Ihrem schönen Unmut die Spitze abzubrechen. Darf ich um Ihren Arm bitten, liebe Freundin?"

Und alles erhob sich, um in Gruppen zu zweien und dreien die Terrasse hinabzusteigen und zu beiden Seiten des Sees auf den schon im halben Dämmer liegenden Grunewald zuzuschreiten.

Die Hauptkolonne hielt sich links. Sie bestand, unter Vorantritt des Felgentreuschen Ehepaares (Treibel hatte sich von seiner Freundin wieder frei gemacht), aus dem Krolaschen Quartett, in das sich Elfriede und Blanca Felgentreu derart eingereiht hatten, daß sie zwischen den beiden

Referendaren und zwei jungen Kaufleuten gingen. Einer der jungen Kaufleute war ein berühmter Jodler und trug auch den entsprechenden Hut. Dann kamen Otto und Helene, während Treibel und Krola abschlossen.

„Es geht doch nichts über eine richtige Ehe", sagte Krola zu Treibel und wies auf das junge Paar vor ihnen. „Sie müssen sich doch aufrichtig freuen, Kommerzienrat, wenn Sie ihren Ältesten so glücklich und so zärtlich neben dieser hübschen und immer blink und blanken Frau einherschreiten sehen. Schon oben saßen sie dicht beisammen, und nun gehen sie Arm in Arm. Ich glaube beinah, sie drücken sich leise."

„Mir ein sichrer Beweis, daß sie sich vormittags gezankt haben. Otto, der arme Kerl, muß nun Reugeld zahlen."

„Ach, Treibel, Sie sind ewig ein Spötter. Ihnen kann es keiner recht machen und am wenigsten die Kinder. Glücklicherweise sagen Sie das so hin, ohne recht dran zu glauben. Mit einer Dame, die so gut erzogen wurde, kann man sich überhaupt nicht zanken."

In diesem Augenblicke hörte man den Jodler einige Juchzer ausstoßen, so tirolerhaft echt, daß sich das Echo der Pichelsberge nicht veranlaßt sah, darauf zu antworten.

Krola lachte. „Das ist der junge Metzner. Er hat eine merkwürdig gute Stimme, wenigstens für einen Dilettanten, und hält eigentlich das Quartett zusammen. Aber sowie er eine Prise frische Luft wittert, ist es mit ihm vorbei. Dann faßt ihn das Schicksal mit rasender Gewalt, und er muß jodeln . . . Aber wir wollen von den Kindern nicht abkommen. Sie werden mir doch nicht weismachen wollen" – Krola war neugierig und hörte gern Intimitäten – „Sie werden mir doch nicht weismachen wollen, daß die beiden da vor uns in einer unglücklichen Ehe leben. Und was das Zanken angeht, so kann ich nur wiederholen, Hamburgerinnen stehen auf einer Bildungsstufe, die den Zank ausschließt."

Treibel wiegte den Kopf. „Ja, sehen Sie, Krola, Sie sind nun ein so gescheiter Kerl und kennen die Weiber, ja, wie soll ich sagen, Sie kennen sie, wie sie nur ein Tenor kennen kann. Denn ein Tenor geht noch weit übern Leutnant. Und doch offenbaren Sie hier in dem speziell Ehelichen, was noch wieder ein Gebiet für sich ist, ein furchtbares Manquement. Und warum? Weil Sie's in Ihrer eigenen Ehe, gleichviel nun, ob durch Ihr oder Ihrer Frau Verdienst, ausnahmsweise gut getroffen haben. Natürlich, wie Ihr Fall beweist, kommt auch *das* vor. Aber die Folge davon ist einfach die, daß Sie – auch das Beste hat seine Kehrseite –, daß Sie, sag ich, kein richtiger Ehemann sind, daß Sie keine volle Kenntnis von der Sache haben; Sie kennen den Ausnahmefall, aber nicht die Regel. Über Ehe kann nur sprechen, wer sie durchgefochten hat, nur der Veteran, der auf Wundenmale zeigt ... Wie heißt es doch? ‚Nach Frankreich zogen zwei Grenadier, die ließen die Köpfe hangen' ... Da haben Sie's."

„Ach, das sind Redensarten, Treibel ..."

„... Und die schlimmsten Ehen sind die, lieber Krola, wo furchtbar ‚gebildet' gestritten wird, wo, wenn Sie mir den Ausdruck gestatten wollen, eine Kriegsführung mit Sammethandschuhen stattfindet, oder richtiger noch, wo man sich, wie beim römischen Karneval, Konfetti ins Gesicht wirft. Es sieht hübsch aus, aber verwundet doch. Und in dieser Kunst anscheinend gefälligen Konfettiwerfens ist meine Schwiegertochter eine Meisterin. Ich wette, daß mein armer Otto schon oft bei sich gedacht hat, wenn sie dich doch kratzte, wenn sie doch mal außer sich wäre, wenn sie doch mal sagte: Scheusal oder Lügner oder elender Verführer ..."

„Aber Treibel, das kann sie doch nicht sagen. Das wäre ja Unsinn. Otto ist ja doch kein Verführer, also auch kein Scheusal ..."

„Ach, Krola, darauf kommt es ja gar nicht an. Worauf es ankommt, ist, sie muß sich dergleichen wenigstens denken können, sie muß eine eifersüchtige Regung haben, und in solchem Momente muß es afrikanisch aus ihr losbrechen. Aber alles, was Helene hat, hat höchstens die Temperatur der Uhlenhorst. Sie hat nichts als einen unerschütterlichen Glauben an Tugend und Windsor-soap."

„Nun meinetwegen. Aber wenn es so ist, wo kommt dann der Zank her?"

„Der kommt doch. Er tritt nur anders auf, anders, aber nicht besser. Kein Donnerwetter, nur kleine Worte mit dem Giftgehalt eines halben Mückenstichs, oder aber Schweigen, Stummheit, Muffeln, das innere Düppel der Ehe, während nach außen hin das Gesicht keine Falte schlägt. Das sind so die Formen. Und ich fürchte, die ganze Zärtlichkeit, die wir da vor uns wandeln sehen und die sich augenscheinlich sehr einseitig gibt, ist nichts als ein Bußetun – Otto Treibel im Schloßhof zu Canossa und mit Schnee unter den Füßen. Sehen Sie nun den armen Kerl; er biegt den Kopf in einem fort nach rechts, und Helene rührt sich nicht und kommt aus der graden Hamburger Linie nicht heraus . . . Aber jetzt müssen wir schweigen. Ihr Quartett hebt eben an. Was ist es denn?“

„Es ist das bekannte: ‚Ich weiß nicht, was soll es bedeuten?‘“

„Ah, das ist recht. Eine jederzeit wohl aufzuwerfende Frage, besonders auf Landpartien.“

Rechts um den See hin gingen nur zwei Paare, vorauf der alte Schmidt und seine Jugendfreundin Jenny und in einiger Entfernung hinter ihnen Leopold und Corinna.

Schmidt hatte seiner Dame den Arm gereicht und zugleich gebeten, ihr die Mantille tragen zu dürfen, denn es war etwas schwül unter den Bäumen. Jenny hatte das Anerbieten auch dankbar angenommen; als sie aber wahrnahm, daß der gute Professor den Spitzenbesatz immer nachschleppen und sich abwechselnd in Wacholder und Heidekraut verfangen ließ, bat sie sich die Mantille wieder aus. „Sie sind noch gerade so wie vor vierzig Jahren, lieber Schmidt. Galant, aber mit keinem rechten Erfolge.“

„Ja, gnädigste Frau, diese Schuld kann ich nicht von mir abwälzen, und sie war zugleich mein Schicksal. Wenn ich mit meinen Huldigungen erfolgreicher gewesen wäre, denken Sie, wie ganz anders sich mein Leben und auch das Ihrige gestaltet hätte . . .“

Jenny seufzte leise.

„Ja, gnädigste Frau, dann hätten Sie das Märchen Ihres Lebens nie begonnen. Denn alles große Glück ist ein Märchen.“

„Alles große Glück ist ein Märchen“, wiederholte Jenny langsam und gefühlvoll. „Wie wahr, wie schön! Und sehen Sie, Wilibald, daß das beneidete Leben, das ich jetzt führe, meinem Ohr und meinem Herzen solche Worte versagt, daß lange Zeiten vergehen, ehe Aussprüche von solcher poetischen Tiefe zu mir sprechen, das ist für eine Natur, wie sie mir nun mal geworden, ein ewig zehrender Schmerz. Und Sie sprechen dabei von Glück, Wilibald, sogar von großem Glück! Glauben Sie mir, mir, die ich dies alles durchlebt habe, diese so vielbegehrten Dinge sind wertlos für den, der sie hat. Oft, wenn ich nicht schlafen kann und mein Leben überdenke, wird es mir klar, daß das Glück, das anscheinend so viel für mich tat, mich nicht *die* Wege geführt hat, die für mich paßten, und daß ich in einfacheren Verhältnissen und als Gattin eines in der Welt der Ideen und vor allem auch des Idealen stehenden Mannes wahrscheinlich glücklicher geworden wäre. Sie wissen, wie gut Treibel ist und daß ich ein dankbares Gefühl für seine Güte habe. Trotzdem muß ich es leider aussprechen, es fehlt mir, meinem Manne gegenüber, jene hohe Freude der Unterordnung, die doch unser schönstes Glück ausmacht und so recht gleichbedeutend ist mit echter Liebe. Niemandem darf ich dergleichen sagen; aber vor Ihnen, Wilibald, mein Herz auszuschütten, ist, glaub ich, mein schön menschliches Recht und vielleicht sogar meine Pflicht . . .“

Schmidt nickte zustimmend und sprach dann ein einfaches: „Ach, Jenny . . .“ mit einem Tone, drin er den ganzen Schmerz eines verfehlten Lebens zum Ausdruck zu bringen trachtete. Was ihm auch gelang. Er lauschte selber dem Klang und beglückwünschte sich im stillen, daß er sein Spiel so gut gespielt habe. Jenny, trotz aller Klugheit, war doch eitel genug, an das „Ach“ ihres ehemaligen Anbeters zu glauben.

So gingen sie, schweigend und anscheinend ihren Gefühlen hingegeben, nebeneinander her, bis Schmidt die Notwendigkeit fühlte, mit irgendeiner Frage das Schweigen zu brechen. Er entschied sich dabei für das alte Rettungsmittel und lenkte das Gespräch auf die Kinder. „Ja, Jenny“, hob er mit immer noch verschleierter Stimme an, „was versäumt ist, ist versäumt. Und wer fühlte das tiefer als ich selbst. Aber eine Frau wie Sie, die das Leben begreift, findet auch im Leben selbst ihren Trost, vor allem in der Freude täglicher Pflichterfüllung. Da sind in erster Reihe die Kinder, ja, schon ein Enkelkind ist da, wie Milch und Blut, das liebe Lizzichen, und das sind dann, mein ich, die Hilfen, daran Frauenherzen sich aufrichten müssen. Und wenn ich auch Ihnen gegenüber, teure Freundin, von einem eigentlichen Eheglücke nicht sprechen will, denn wir sind wohl einig in dem, was Treibel ist und nicht ist, so darf ich doch sagen, Sie sind eine glückliche Mutter. Zwei Söhne sind Ihnen herangewachsen, gesund oder doch was man so gesund zu nennen pflegt, von guter Bildung und guten Sitten. Und bedenken Sie, was allein dies letzte heutzutage bedeuten will. Otto hat sich nach Neigung verheiratet und sein Herz einer schönen und reichen Dame geschenkt, die, soviel ich weiß, der Gegenstand allgemeiner Verehrung ist, und wenn ich recht berichtet bin, so bereitet sich im Hause Treibel ein zweites Verlöbnis vor, und Helenens Schwester steht auf dem Punkte, Leopolds Braut zu werden . . .“

„Wer sagt das?“ fuhr jetzt Jenny heraus, plötzlich aus dem sentimental Schwärmerischen in den Ton ausgesprochenster Wirklichkeit verfallend. „Wer sagt das?“

Schmidt geriet, diesem erregten Tone gegenüber, in eine kleine Verlegenheit. Er hatte sich das so gedacht oder vielleicht auch mal etwas Ähnliches gehört und stand nun ziemlich ratlos vor der Frage „Wer sagt das?“. Zum Glück war es damit nicht sonderlich ernsthaft gemeint, so wenig, daß Jenny, ohne eine Antwort abgewartet zu haben, mit großer Lebhaftigkeit fortfuhr: „Sie können gar nicht ahnen, Freund, wie mich das alles reizt. Das ist so die seitens des Holzhofs beliebte Art, mir die Dinge über den Kopf wegzunehmen. Sie, lieber Schmidt, sprechen nach, was Sie hören, aber die, die solche Dinge wie von ungefähr unter die Leute bringen, mit denen hab ich ernstlich ein Hühnchen zu pflücken. Es ist eine Insolenz. Und Helene mag sich vorsehen.“

„Aber Jenny, liebe Freundin, Sie dürfen sich nicht so erregen. Ich habe das so hingesagt, weil ich es als selbstverständlich annahm."

„Als selbstverständlich", wiederholte Jenny spöttisch, die, während sie das sagte, die Mantille wieder abriß und dem Professor über den Arm warf. „Als selbstverständlich. So weit also hat es der Holzhof schon gebracht, daß die nächsten Freunde solche Verlobung als eine Selbstverständlichkeit ansehen. Es ist aber keine Selbstverständlichkeit, ganz im Gegenteil, und wenn ich mir vergegenwärtige, daß Ottos alles besser wissende Frau neben ihrer Schwester Hildegard ein bloßer Schatten sein soll – und ich glaub es gern, denn sie war schon als Backfisch von einer geradezu ridikülen Überheblichkeit –, so muß ich sagen, ich habe an einer Hamburger Schwiegertochter aus dem Hause Munk gerade genug."

„Aber, teuerste Freundin, ich begreife Sie nicht. Sie setzen mich in das aufrichtigste Erstaunen. Es ist doch kein Zweifel, daß Helene eine schöne Frau ist und von einer, wenn ich mich so ausdrücken darf, ganz aparten Appetitlichkeit . . ."

Jenny lachte.

„. . . Zum Anbeißen, wenn Sie mir das Wort gestatten", fuhr Schmidt fort, „und von jenem eigentümlichen Scharm, den schon von alters her alles besitzt, was mit dem flüssigen Element in eine konstante Berührung kommt. Vor allem aber ist mir kein Zweifel darüber, daß Otto seine Frau liebt, um nicht zu sagen in sie verliebt ist. Und *Sie,* Freundin, Ottos leibliche Mutter, fechten gegen dies Glück an und sind empört, dies Glück in Ihrem Hause vielleicht doppelt zu sehen. Alle Männer sind abhängig von weiblicher Schönheit; ich war es auch, und ich möchte beinah sagen dürfen, ich bin es noch, und wenn nun diese Hildegard, wie mir durchaus wahrscheinlich – denn die Nestküken sehen immer am besten aus –, wenn diese Hildegard noch über Helenen hinauswächst, so weiß ich nicht, was Sie gegen sie haben können. Leopold ist ein guter Junge, von vielleicht nicht allzu feurigem Temperament; aber ich denke mir, daß er doch nichts dagegen haben kann, eine sehr hübsche Frau zu heiraten. Sehr hübsch und reich dazu."

„Leopold ist ein Kind und darf sich überhaupt nicht nach

eigenem Willen verheiraten, am wenigsten aber nach dem Willen seiner Schwägerin Helene. Das fehlte noch, das hieße denn doch abdanken und mich ins Altenteil setzen. Und wenn es sich noch um eine junge Dame handelte, der gegenüber einen allenfalls die Lust anwandeln könnte, sich unterzuordnen, also eine Freiin oder eine wirkliche, ich meine eine richtige Geheimratstochter oder die Tochter eines Oberhofpredigers . . . Aber ein unbedeutendes Ding, das nichts kennt, als mit Ponys nach Blankenese fahren, und sich einbildet, mit einem Goldfaden in der Plattstichnadel eine Wirtschaft führen oder wohl gar Kinder erziehen zu können, und ganz ernsthaft glaubt, daß wir hierzulande nicht einmal eine Seezunge von einem Steinbutt unterscheiden können, und immer von Lobster spricht, wo wir Hummer sagen, und Curry-Powder und Soja wie höhere Geheimnisse behandelt – ein solcher eingebildeter Quack, lieber Wilibald, das ist nichts für meinen Leopold. Leopold, trotz allem, was ihm fehlt, soll höher hinaus. Er ist nur einfach, aber er ist gut, was doch auch einen Anspruch gibt. Und deshalb soll er eine kluge Frau haben, eine wirklich kluge; Wissen und Klugheit und überhaupt das Höhere – darauf kommt es an. Alles andere wiegt keinen Pfifferling. Es ist ein Elend mit den Äußerlichkeiten. Glück, Glück! Ach Wilibald, daß ich es in solcher Stunde gerade vor Ihnen bekennen muß, das Glück, es ruht *hier* allein."

Und dabei legte sie die Hand aufs Herz.

Leopold und Corinna waren in einer Entfernung von etwa fünfzig Schritt gefolgt und hatten ihr Gespräch in herkömmlicher Art geführt, das heißt Corinna hatte gesprochen. Leopold war aber fest entschlossen, auch zu Worte zu kommen, wohl oder übel. Der quälende Druck der letzten Tage machte, daß er vor dem, was er vorhatte, nicht mehr so geängstigt stand wie früher; – er mußte sich eben Ruhe schaffen. Ein paarmal schon war er nahe daran gewesen, eine wenigstens auf sein Ziel überleitende Frage zu tun; wenn er dann aber der Gestalt seiner stattlich vor ihm dahinschreitenden Mutter ansichtig wurde, gab ers wieder auf, so daß er schließlich den Vorschlag machte, eine gerade vor ihnen liegende Waldlichtung in schräger Linie zu passieren, damit sie, statt immer zu folgen, auch mal an die Tete kämen. Er wußte zwar, daß er infolge dieses Manövers den Blick der Mama vom Rücken oder von der Seite her haben würde, aber etwas auf den Vogel Strauß hin angelegt, fand er doch eine Beruhigung in dem Gefühl, die seinen Mut beständig lähmende Mama nicht immer gerade vor Augen haben zu müssen. Er konnte sich über diesen eigentümlichen Nervenzustand keine rechte Rechenschaft geben und entschied sich einfach für das, was ihm von zwei Übeln als das kleinere erschien.

Die Benutzung der Schräglinie war geglückt, sie waren jetzt um ebensoviel voraus, als sie vorher zurück gewesen waren, und ein Gleichgültigkeitsgespräch fallen lassend, das sich, ziemlich gezwungen, um die Spargelbeete von Halensee samt ihrer Kultur und ihrer sanitären Bedeutung gedreht hatte, nahm Leopold einen plötzlichen Anlauf und sagte: „Wissen Sie, Corinna, daß ich Grüße für Sie habe?“

„Von wem?“

„Raten Sie.“

„Nun, sagen wir von Mr. Nelson.“

„Aber das geht doch nicht mit rechten Dingen zu, das ist ja wie Hellseherei; nun können Sie auch noch Briefe lesen, von denen Sie nicht einmal wissen, daß sie geschrieben wurden.“

„Ja, Leopold, dabei könnt ich Sie nun belassen und mich vor Ihnen als Seherin etablieren. Aber ich werde mich hüten. Denn vor allem, was so mystisch und hypnotisch und geisterseherig ist, haben gesunde Menschen bloß ein Grauen. Und ein Grauen einzuflößen ist nicht das, was ich liebe. Mir ist es lieber, daß mir die Herzen guter Menschen zufallen.“

„Ach, Corinna, das brauchen Sie sich doch nicht erst zu wünschen. Ich kann mir keinen Menschen denken, dessen Herz Ihnen nicht zufiele. Sie sollten nur lesen, was Mr. Nelson über Sie geschrieben hat; mit amusing fängt er an, und dann kommt charming und high-spirited, und mit fascinating schließt er ab. Und dann erst kommen die Grüße, die sich, nach allem, was voraufgegangen, beinahe nüchtern und alltäglich ausnehmen. Aber wie wußten Sie, daß die Grüße von Mr. Nelson kämen?"

„Ein leichteres Rätsel ist mir nicht bald vorgekommen. Ihr Papa teilte mit, Sie kämen erst später, weil Sie nach Liverpool zu schreiben hätten. Nun, Liverpool heißt Mr. Nelson. Und hat man erst Mr. Nelson, so gibt sich das andere von selbst. Ich glaube, daß es mit aller Hellseherei ganz ähnlich liegt. Und sehen Sie, Leopold, mit derselben Leichtigkeit, mit der ich Mr. Nelsons Brief gelesen habe, mit derselben Sicherheit lese ich zum Beispiel Ihre Zukunft."

Ein tiefes Aufatmen Leopolds war die Antwort, und sein Herz hätte jubeln mögen, in einem Gefühl von Glück und Erlösung. Denn wenn Corinna richtig las, und sie mußte richtig lesen, so war er allem Anfragen und allen damit verknüpften Ängsten überhoben, und *sie* sprach dann aus, was er zu sagen noch immer nicht den Mut finden konnte. Wie beseligt nahm er ihre Hand und sagte: „Das können Sie nicht."

„Ist es so schwer?"

„Nein, es ist eigentlich leicht. Aber leicht oder schwer, Corinna, lassen Sie michs hören. Und ich will auch ehrlich sagen, ob Sie's getroffen haben oder nicht. Nur keine ferne Zukunft, bloß die nächste, allernächste."

„Nun denn", hob Corinna schelmisch und hier und da mit besonderer Betonung an, „was ich sehe, ist das: zunächst ein schöner Septembertag, und vor einem schönen Hause halten viele schöne Kutschen, und die vorderste, mit einem Perückenkutscher auf dem Bock und zwei Bedienten hinten, das ist eine Brautkutsche. Der Straßendamm aber steht voller Menschen, die die Braut sehen wollen, und nun kommt die Braut, und neben ihr schreitet ihr Bräutigam, und dieser Bräutigam ist mein Freund Leopold Treibel. Und nun fährt die Brautkutsche, während die anderen Wagen folgen, an einem breiten, breiten Wasser hin . . ."

„Aber Corinna, Sie werden doch unsere Spree zwischen Schleuse und Jungfernbrücke nicht ein breites Wasser nennen wollen . . ."

„. . . An einem breiten Wasser hin und hält endlich vor einer gotischen Kirche."

„Zwölf Apostel . . .“

„Und der Bräutigam steigt aus und bietet der Braut seinen Arm, und so schreitet das junge Paar der Kirche zu, drin schon die Orgel spielt und die Lichter brennen.“

„Und nun . . .“

„Und nun stehen sie vor dem Altar, und nach dem Ringewechsel wird der Segen gesprochen und ein Lied gesungen oder doch der letzte Vers. Und nun geht es wieder zurück, an demselben breiten Wasser entlang, aber nicht dem Stadthause zu, von dem sie ausgefahren waren, sondern immer weiter ins Freie, bis sie vor einer Cottagevilla halten . . .“

„Ja, Corinna, so soll es sein . . .“

„Bis sie vor einer Cottagevilla halten und vor einem Triumphbogen, an dessen oberster Wölbung ein Riesenkranz hängt, und in dem Kranze leuchten die beiden Anfangsbuchstaben: L und H.“

„L und H?“

„Ja, Leopold, L und H. Und wie könnte es auch anders sein. Denn die Brautkutsche kam ja von der Uhlenhorst her und fuhr die Alster entlang und nachher die Elbe hinunter, und nun halten sie vor der Munkschen Villa draußen in Blankenese und L heißt Leopold und H heißt Hildegard.“

Einen Augenblick überkam es Leopold wie wirkliche Verstimmung. Aber, sich rasch besinnend, gab er der vorgeblichen Seherin einen kleinen Liebesklaps und sagte: „Sie sind immer dieselbe, Corinna. Und wenn der gute Nelson, der der beste Mensch und mein einziger Vertrauter ist, wenn er dies alles gehört hätte, so würd er begeistert sein und von ‚capital fun‘ sprechen, weil Sie mir so gnädig die Schwester meiner Schwägerin zuwenden wollen.“

„Ich bin eben eine Prophetin“, sagte Corinna.

„Prophetin“, wiederholte Leopold. „Aber diesmal eine falsche. Hildegard ist ein schönes Mädchen, und Hunderte würden sich glücklich schätzen. Aber Sie wissen, wie meine Mama zu dieser Frage steht; sie leidet unter dem beständigen Sichbesserdünken der dortigen Anverwandten und hat es wohl hundertmal geschworen, daß ihr *eine* Hamburger Schwiegertochter, *eine* Repräsentantin aus dem großen Hause Thompson-Munk gerade genug sei. Sie hat ganz ehrlich einen halben Haß gegen die Munks, und wenn ich mit Hildegard so vor sie hinträte, so weiß ich nicht, was geschähe; sie würde nein sagen, und wir hätten eine furchtbare Szene."

„Wer weiß", sagte Corinna, die jetzt das entscheidende Wort ganz nahe wußte.

„. . . Sie würde nein sagen und immer wieder nein, das ist so sicher wie Amen in der Kirche", fuhr Leopold mit gehobener Stimme fort. „Aber dieser Fall kann sich gar nicht ereignen. Ich werde nicht mit Hildegard vor sie hintreten und werde statt dessen näher und besser wählen . . . Ich weiß, und Sie wissen es auch, das Bild, das Sie da gemalt haben, es war nur Scherz und Übermut, und vor allem wissen Sie, wenn mir Armen überhaupt noch eine Triumphpforte gebaut werden soll, daß der Kranz, der dann zu Häupten hängt, einen ganz anderen Buchstaben als das Hildegard-H in hundert und tausend Blumen tragen müßte. Brauch ich zu sagen, welchen? Ach, Corinna, ich kann ohne Sie nicht leben, und diese Stunde muß über mich entscheiden. Und nun sagen Sie ja oder nein." Und unter diesen Worten nahm er ihre Hand und bedeckte sie mit Küssen. Denn sie gingen im Schutz einer Haselnußhecke.

Corinna – nach Confessions, wie diese, die Verlobung mit gutem Recht als fait accompli betrachtend – nahm klugerweise von jeder weiteren Auseinandersetzung Abstand und sagte nur kurzerhand: „Aber eines, Leopold, dürfen wir uns nicht verhehlen, uns stehen noch schwere Kämpfe bevor. Deine Mama hat an einer Munk genug, das leuchtet mir ein; aber ob ihr eine Schmidt recht ist, ist noch sehr die Frage. Sie hat zwar mitunter Andeutungen gemacht, als ob ich ein Ideal in ihren Augen wäre, vielleicht weil ich das habe, was dir fehlt und vielleicht auch was Hildegard fehlt. Ich sage ‚vielleicht' und kann dies einschränkende Wort nicht genug betonen. Denn die Liebe, das seh ich klar, ist demütig, und ich fühle, wie meine Fehler von mir abfallen. Es soll dies ja ein Kennzeichen sein. Ja, Leopold, ein Leben voll Glück und Liebe liegt vor uns, aber es hat deinen Mut und deine Festigkeit zur Voraussetzung, und hier unter diesem Waldesdom, drin es geheimnisvoll rauscht und dämmert, hier, Leopold, mußt du mir schwören, ausharren zu wollen in deiner Liebe."

Leopold beteuerte, daß er nicht bloß wolle, daß er es auch werde. Denn wenn die Liebe demütig und bescheiden mache, was gewiß richtig sei, so mache sie sicherlich auch stark. Wenn Corinna sich geändert habe, *er* fühle sich auch ein anderer. „Und", so schloß er, „das eine darf ich sagen, ich habe nie große Worte gemacht, und Prahlereien werden mir auch meine Feinde nicht nachsagen; aber glaube mir, mir schlägt das Herz so hoch, so glücklich, daß ich mir Schwierigkeiten und Kämpfe beinah herbeiwünsche. Mich drängt es, dir zu zeigen, daß ich deiner wert bin ..."

In diesem Augenblick wurde die Mondsichel zwischen den Baumkronen sichtbar, und von Schloß Grunewald her, vor dem das Quartett eben angekommen war, klang es über den See herüber:

Wenn nach *dir* ich oft vergebens
In die Nacht gesehn,
Scheint der dunkle Strom des Lebens
Trauernd stillzustehn ...

Und nun schwieg es, oder der Abendwind, der sich aufmachte, trug die Töne nach der anderen Seite hin.

Eine Viertelstunde später hielt alles vor Paulsborn, und nachdem man sich daselbst wieder begrüßt und bei herumgereichtem Crème de Cacao (Treibel selbst machte die Honneurs) eine kurze Rast genommen hatte, brach man – die Wagen waren von Halensee her gefolgt – nach einigen Minuten endgültig auf, um die Rückfahrt anzutreten. Die Felgentreus nahmen bewegten Abschied von dem Quartett, jetzt lebhaft beklagend, den von Treibel vorgeschlagenen Kremser abgelehnt zu haben.

Auch Leopold und Corinna trennten sich, aber doch nicht eher, als bis sie sich im Schatten des hochstehenden Schilfes noch einmal fest und verschwiegen die Hände gedrückt hatten.

Elftes Kapitel

Leopold, als man zur Abfahrt sich anschickte, mußte sich mit einem Platz vorn auf dem Bock des elterlichen Landauers begnügen, was ihm, alles in allem, immer noch lieber war als innerhalb des Wagens selbst en vue seiner Mutter zu sitzen, die doch vielleicht, sei's im Wald, sei's bei der kurzen Rast in Paulsborn, etwas bemerkt haben mochte; Schmidt benutzte wieder den Vorortszug, während Corinna bei den Felgentreus mit einstieg. Man placierte sie, so gut es ging, zwischen das den Fond des Wagens redlich ausfüllende Ehepaar, und weil sie nach all dem Voraufgegangenen eine geringere Neigung zum Plaudern als sonst wohl hatte, so kam es ihr außerordentlich zupaß, sowohl Elfriede wie Blanca doppelt redelustig und noch ganz voll und beglückt von dem Quartett zu finden. Der Jodler, eine sehr gute Partie, schien über die freilich nur in Zivil erschienenen Sommerleutnants einen entschiedenen Sieg davongetragen zu haben.

Im übrigen ließen es sich die Felgentreus nicht nehmen, in der Adlerstraße vorzufahren und ihren Gast daselbst abzuladen. Corinna bedankte sich herzlich und stieg, noch einmal grüßend, erst die drei Steinstufen und gleich danach vom Flur aus die alte Holztreppe hinauf.

Sie hatte den Drücker zum Entree nicht mitgenommen und so blieb ihr nichts anderes übrig, als zu klingeln, was sie nicht gerne tat. Alsbald erschien denn auch die Schmolke, die die Abwesenheit der „Herrschaft", wie sie mitunter mit Betonung sagte, dazu benutzt hatte, sich ein bißchen sonntäglich herauszuputzen. Das Auffallendste war wieder die Haube, deren Rüschen eben aus dem Tolleisen zu kommen schienen.

„Aber liebe Schmolke", sagte Corinna, während sie die Tür wieder ins Schloß zog, „was ist denn los? Ist Geburtstag? Aber nein, den kenn ich ja. Oder seiner?"

„Nein", sagte die Schmolke, „seiner is auch nich. Und da werd ich auch nicht solchen Schlips umbinden und solch Band."

„Aber wenn kein Geburtstag ist, was ist dann?"

„Nichts, Corinna. Muß denn immer was sein, wenn man

sich mal ordentlich macht? Sieh, du hast gut reden; du sitzt jeden Tag, den Gott werden läßt, eine halbe Stunde vorm Spiegel, und mitunter auch noch länger, und brennst dir dein Wuschelhaar . . ."

„Aber, liebe Schmolke . . ."

„Ja, Corinna, du denkst, ich seh es nicht. Aber ich sehe alles und seh noch viel mehr . . . Und ich kann dir auch sagen, Schmolke sagte mal, er fänd es eigentlich hübsch, solch Wuschelhaar . . ."

„Aber war denn Schmolke so?"

„Nein, Corinna, Schmolke war *nich* so. Schmolke war ein sehr anständiger Mann, und wenn man so was Sonderbares und eigentlich Unrechtes sagen darf, er war beinah zu anständig. Aber nun gib erst deinen Hut und deine Mantille. Gott, Kind, wie sieht denn das alles aus? Is denn solch furchtbarer Staub? Un noch ein Glück, daß es nich gedrippelt hat, denn is der Samt hin. Un so viel hat ein Professor auch nich, un wenn er auch nich geradezu klagt, Seide spinnen kann er nich."

„Nein, nein", lachte Corinna.

„Nu höre, Corinna, da lachst du nu wieder. Das ist aber gar nicht zum Lachen. Der Alte quält sich genug, und wenn er so die Bündel ins Haus kriegt und die Strippe mitunter nich ausreicht, so viele sind es, denn tut es mir mitunter ordentlich weh hier. Denn Papa is ein sehr guter Mann, und seine sechzig drücken ihn nu doch auch schon ein bißchen. Er will es freilich nich wahrhaben und tut immer noch so, wie wenn er zwanzig wäre. Ja, hat sich was. Un neulich ist er von der Pferdebahn runtergesprungen, un ich muß auch gerade dazukommen; na, ich dachte doch gleich, der Schlag soll mich rühren . . . Aber nu sage, Corinna, was soll ich dir bringen? Oder hast du schon gegessen und bist froh, wenn du nichts siehst . . ."

„Nein, ich habe nichts gegessen. Oder doch so gut wie nichts; die Zwiebacke, die man kriegt, sind immer so alt. Und dann in Paulsborn einen kleinen süßen Likör. Das kann man doch nicht rechnen. Aber ich habe auch keinen rechten Appetit, und der Kopf ist mir so benommen; ich werde am Ende krank . . ."

„Ach, dummes Zeug, Corinna. Das ist auch eine von deinen Nücken; wenn du mal Ohrensausen hast oder ein bißchen heiße Stirn, dann redest du immer gleich von Nervenfieber. Un das is eigentlich gottlos, denn man muß den Teufel nicht an die Wand malen. Es wird wohl ein bißchen feucht gewesen sein, ein bißchen neblig und Abenddunst."

„Ja, neblig war es gerade, wie wir neben dem Schilf standen, und der See war eigentlich gar nicht mehr zu sehen. Davon wird es wohl sein. Aber der Kopf ist mir wirklich benommen, und ich möchte zu Bett gehen und mich einmummeln. Und dann mag' ich auch nicht mehr sprechen, wenn Papa nach Hause kommt. Und wer weiß wann, und ob es nicht viel zu spät wird."

„Warum ist er denn nich gleich mitgekommen?"

„Er wollte nicht und hat ja auch seinen ‚Abend' heut. Ich glaube bei Kuhs. Und da sitzen sie meist lange, weil sich die Kälber mit einmischen. Aber mit Ihnen, liebe, gute Schmolke, möchte ich wohl noch eine halbe Stunde plaudern. Sie haben ja immer so was Herzliches ..."

„Ach, rede doch nich, Corinna. Wovon soll ich denn was Herzliches haben? Oder eigentlich, wovon soll ich denn was Herzliches nich haben. Du warst ja noch so, als ich ins Haus kam."

„Nun, also was Herzliches oder auch nicht was Herzliches", sagte Corinna, „gefallen wird es mir schon. Und wenn ich liege, liebe Schmolke, dann bringen Sie mir meinen Tee ans Bett, die kleine Meißner Kanne, und die andere kleine Kanne, die nehmen Sie sich, und bloß ein paar Teebrötchen, recht dünn geschnitten und nicht zuviel Butter. Denn ich muß mich mit meinem Magen in acht nehmen, sonst wird es gastrisch und man liegt sechs Wochen."

„Is schon gut", lachte die Schmolke und ging in die Küche, um den Kessel noch wieder in die Glut zu setzen. Denn heißes Wasser war immer da, und es bullerte nur noch nicht.

Eine Viertelstunde später trat die Schmolke wieder ein und fand ihren Liebling schon im Bette. Corinna saß mehr auf als sie lag und empfing die Schmolke mit der trostreichen

Versicherung, es sei ihr schon viel besser; was man so immer zum Lobe der Bettwärme sage, das sei doch wahr, und sie glaube jetzt beinahe, daß sie noch mal durchkommen und alles glücklich überstehen werde.

„Glaub ich auch", sagte die Schmolke, während sie das Tablett auf den kleinen, am Kopfende stehenden Tisch setzte. „Nun, Corinna, von welchem soll ich dir einschenken? Der hier, mit der abgebrochenen Tülle, hat länger gezogen, und ich weiß, du hast ihn gern stark und bitterlich, so daß er schon ein bißchen nach Tinte schmeckt . . ."

„Versteht sich, ich will von dem starken. Und dann ordentlich Zucker; aber ganz wenig Milch, Milch macht immer gastrisch."

„Gott, Corinna, laß doch das Gastrische. Du liegst da wie ein Borsdorfer Apfel und redst immer, als ob dir der Tod schon um die Nase säße. Nein, Corinnchen, so schnell geht es nich. Un nu nimm dir ein Teebrötchen. Ich habe sie so dünn geschnitten, wie's nur gehen wollte . . ."

„Das ist recht. Aber da haben Sie ja eine Schinkenstulle mit reingebracht."

„Für mich, Corinnchen. Ich will doch auch was essen."

„Ach, liebe Schmolke, da möcht ich mich aber doch zu Gaste laden. Die Teebrötchen sehen ja nach gar nichts aus, und die Schinkenstulle lacht einen ordentlich an. Und alles schon so appetitlich durchgeschnitten. Nun merk ich erst, daß ich eigentlich hungrig bin. Geben Sie mir ein Schnittchen ab, wenn es Ihnen nicht sauer wird."

„Wie du nur redest, Corinna. Wie kann es mir denn sauer werden. Ich führe ja bloß die Wirtschaft und bin bloß eine Dienerin."

„Ein Glück, daß Papa das nicht hört. Sie wissen doch, das kann er nicht leiden, daß Sie so von Dienerin reden, und er nennt es eine falsche Bescheidenheit . . ."

„Ja, ja, so sagt er. Aber Schmolke, der auch ein ganz kluger Mann war, wenn er auch nicht studiert hatte, der sagte immer, ‚Höre, Rosalie, Bescheidenheit ist gut, und eine falsche Bescheidenheit (denn die Bescheidenheit ist eigentlich immer falsch) ist immer noch besser als gar keine.'"

„Hm", sagte Corinna, die sich etwas getroffen fühlte, „das läßt sich hören. Überhaupt, liebe Schmolke, Ihr Schmolke muß eigentlich ein ausgezeichneter Mann gewesen sein. Und Sie sagten ja auch vorhin schon, er habe so etwas Anständiges gehabt und beinah zu anständig. Sehen Sie, so was höre ich gern, und ich möchte mir wohl etwas dabei denken können. Worin war er denn nun eigentlich so sehr anständig ... Und dann, er war ja doch bei der Polizei. Nun, offen gestanden, ich bin zwar froh, daß wir eine Polizei haben, und freue mich immer über jeden Schutzmann, an den ich herantreten und den ich nach dem Weg fragen und um Auskunft bitten kann, und das muß wahr sein, alle sind artig und manierlich, wenigstens hab ich es immer so gefunden. Aber das von der Anständigkeit und von *zu* anständig ..."

„Ja, liebe Corinna, das is schon richtig. Aber da sind ja Unterschiedlichkeiten, und was sie Abteilungen nennen. Und Schmolke war bei solcher Abteilung."

„Natürlich. – Er kann doch nicht überall gewesen sein."

„Nein, nicht überall. Und er war gerade bei der allerschwersten, die für den Anstand und die gute Sitte zu sorgen hat."

„Und so was gibt es?"

„Ja, Corinna, so was gibt es und muß es auch geben. Und wenn nu – was ja doch vorkommt, und auch bei Frauen und Mädchen vorkommt, wie du ja wohl gesehen und gehört haben wirst, denn Berliner Kinder sehen und hören alles –, wenn nu solch armes und unglückliches Geschöpf (denn manche sind wirklich bloß arm und unglücklich) etwas gegen den Anstand und die gute Sitte tut, dann wird sie vernommen und bestraft. Und da, wo die Vernehmung is, da gerade saß Schmolke ..."

„Merkwürdig. Aber davon haben Sie mir ja noch nie was erzählt. Und Schmolke, sagen Sie, war mit dabei? Wirklich, sehr sonderbar. Und Sie meinen, daß er gerade deshalb so sehr anständig und so solide war?"

„Ja, Corinna, das mein ich."

„Nun, wenn Sie's sagen, liebe Schmolke, so will ich es glauben. Aber ist es nicht eigentlich zum Verwundern?

Denn Ihr Schmolke war ja damals noch jung oder so ein Mann in seinen besten Jahren. Und viele von unserem Geschlecht, und gerade solche, sind ja doch oft bildhübsch. Und da sitzt nun einer, wie Schmolke da gesessen, und muß immer streng und ehrbar aussehen, bloß weil er da zufällig sitzt. Ich kann mir nicht helfen, ich finde das schwer. Denn das ist ja geradeso wie der Versucher in der Wüste: ‚Dies alles schenke ich dir.‘"

Die Schmolke seufzte. „Ja, Corinna, daß ich es dir offen gestehe, ich habe auch manchmal geweint, und mein furchtbares Reißen, hier gerad im Nacken, das is noch von der Zeit her. Und zwischen das zweite und dritte Jahr, daß wir verheiratet waren, da hab ich beinah elf Pfund abgenommen, und wenn wir damals schon die vielen Wiegewaagen gehabt hätten, da wär es wohl eigentlich noch mehr gewesen, denn als ich zu's Wiegen kam, da setzte ich schon wieder an."

„Arme Frau", sagte Corinna. „Ja, das müssen schwere Tage gewesen sein. Aber wie kamen Sie denn darüber hin? Und wenn Sie wieder ansetzten, so muß doch so was von Trost und Beruhigung gewesen sein."

„War auch, Corinnchen. Und weil du ja nu alles weißt, will ich dir auch erzählen, wie's kam un wie ich meine Ruhe wiederkriegte. Denn ich kann dir sagen, es war schlimm, und ich habe mitunter viele Wochen lang kein Auge zugetan. Na, zuletzt schläft man doch ein bißchen; die Natur will es und is auch zuletzt noch stärker als die Eifersucht. Aber Eifersucht ist sehr stark, viel stärker als Liebe. Mit Liebe is es nich so schlimm. Aber was ich sagen wollte, wie ich nu so ganz runter war und man bloß noch so hing und bloß noch so viel Kraft hatte, daß ich ihm doch sein Hammelfleisch un seine Bohnen vorsetzen konnte, das heißt, geschnitzelte mocht er nich un sagte immer, sie schmeckten nach Messer, da sah er doch wohl, daß er mal mit mir reden müsse. Denn ich red'te nich, dazu war ich viel zu stolz. Also er wollte reden mit mir, und als es nu soweit war und er die Gelegenheit auch ganz gut abgepaßt hatte, nahm er einen kleinen vierbeinigen Schemel, der sonst immer in der Küche stand, un is mir, als ob es gestern gewesen wäre, un rückte den Schemel zu mir ran und sagte: ‚Rosalie, nu sage mal, was hast du denn eigentlich?‘ “

Um Corinnas Mund verlor sich jeder Ausdruck von Spott; sie schob das Tablett etwas beiseite, stützte sich, während sie sich aufrichtete, mit dem rechten Arm auf den Tisch und sagte: „Nun weiter, liebe Schmolke.“

„‚Also, was hast du eigentlich?‘ sagte er zu mir. Na, da stürzten mir denn die Tränen man so pimperlings raus, und ich sagte: ‚Schmolke, Schmolke‘, und dabei sah ich ihn an, als ob ich ihn ergründen wollte. Un ich kann wohl sagen, es war ein scharfer Blick, aber doch immer noch freundlich. Denn ich liebte ihn. Und da sah ich, daß er ganz ruhig blieb und sich gar nicht verfärbte. Un dann nahm er meine Hand, streichelte sie ganz zärtlich und sagte: ‚Rosalie, das is alles Unsinn, davon verstehst du nichts, weil du nicht in der »Sitte« bist. Denn ich sage dir, wer da so tagaus, tagein in der »Sitte« sitzen muß, dem vergeht es, dem stehen die Haare zu Berge über all das Elend und all den Jammer, und wenn dann welche kommen, die nebenher auch noch ganz verhungert sind, was auch vorkommt, und wo wir ganz genau wissen, da sitzen nu die Eltern zu Hause un grämen sich Tag und Nacht über die Schande, weil sie das arme Wurm, das mitunter sehr merkwürdig dazu gekommen ist, immer noch liebhaben und helfen und retten möchten, wenn zu helfen und zu retten noch menschenmöglich wäre – ich sage dir, Rosalie, wenn man das jeden Tag sehen muß, un man hat ein Herz im Leibe un hat bei's erste Garderegiment gedient un is für Proppertät und Strammheit und Gesundheit, na, ich sage dir, denn is es mit Verführung un all so was vorbei, un man möchte rausgehn und weinen, un ein paarmal hab ichs auch, alter Kerl, der ich bin, und von Karessieren und »Fräuleinchen« steht nichts mehr drin, un man geht nach Hause und is froh, wenn man sein Hammelfleisch kriegt un eine ordentliche Frau hat, die Rosalie heißt. Bist du nu zufrieden, Rosalie?‘ Und dabei gab er mir einen Kuß . . .“

Die Schmolke, der bei der Erzählung wieder ganz weh ums Herz geworden war, ging an Corinnas Schrank, um sich ein Taschentuch zu holen. Und als sie sich nun wieder zurechtgemacht hatte, so daß ihr die Worte nicht mehr in der Kehle blieben, nahm sie Corinnas Hand und sagte: „Sieh, so war Schmolke. Was sagst du dazu?"

„Ein sehr anständiger Mann."

„Na ob."

In diesem Augenblicke hörte man die Klingel. „Der Papa", sagte Corinna, und die Schmolke stand auf, um dem Herrn Professor zu öffnen. Sie war auch bald wieder zurück und erzählte, daß sich der Papa nur gewundert habe, Corinnchen nicht mehr zu finden; was denn passiert sei? Wegen ein bißchen Kopfweh gehe man doch nicht gleich zu Bett. Und dann habe er sich seine Pfeife angesteckt und die Zeitung in die Hand genommen und habe dabei gesagt: „Gott sei Dank, liebe Schmolke, daß ich wieder da bin; alle Gesellschaften sind Unsinn; diesen Satz vermache ich Ihnen auf Lebenszeit." Er habe aber ganz fidel dabei ausgesehen, und sie sei überzeugt, daß er sich eigentlich sehr gut amüsiert habe. Denn er habe den Fehler, den so viele hätten, und die Schmidts voran: sie red'ten über alles und wüßten alles besser. „Ja, Corinnchen, in diesem Belange bist du auch ganz Schmidtsch."

Corinna gab der guten Alten die Hand und sagte: „Sie werden wohl recht haben, liebe Schmolke, und es ist ganz gut, daß Sie mirs sagen. Wenn Sie nicht gewesen wären, wer hätte mir denn überhaupt was gesagt? Keiner. Ich bin ja wie wild aufgewachsen, und ist eigentlich zu verwundern, daß ich nicht noch schlimmer geworden bin als ich bin. Papa ist ein guter Professor, aber kein guter Erzieher, und dann war er immer zu sehr von mir eingenommen und sagte: ‚Das Schmidtsche hilft sich selbst' oder ‚es wird schon zum Durchbruch kommen.'"

„Ja, so was sagt er immer. Aber mitunter ist eine Maulschelle besser."

„Um Gottes willen, liebe Schmolke, sagen Sie doch so was nicht. Das ängstigt mich."

„Ach, du bist närrisch, Corinna. Was soll dich denn ängstigen. Du bist ja nun eine große, forsche Person und hast die Kinderschuhe längst ausgetreten und könntest schon sechs Jahre verheiratet sein."

„Ja“, sagte Corinna, „das könnt ich, wenn mich wer gewollt hätte. Aber dummerweise hat mich noch keiner gewollt. Und da habe ich denn für mich selber sorgen müssen . . .“

Die Schmolke glaubte nicht recht gehört zu haben und sagte „Du hast für dich selber sorgen müssen? Was meinst du damit, was soll das heißen?“

„Es soll heißen, liebe Schmolke, daß ich mich heut abend verlobt habe.“

„Himmlischer Vater, is es möglich. Aber sei nich böse, daß ich mich so verfiere . . . Denn es is ja doch eigentlich was Gutes. Na, mit wem denn?“

„Rate.“

„Mit Marcell.“

„Nein, mit Marcell nicht.“

„Mit Marcell nich? Ja, Corinna, dann weiß ich es nich und will es auch nich wissen. Bloß wissen muß ich es am Ende doch. Wer is es denn?“

„Leopold Treibel.“

„Herr, du meine Güte . . .“

„Findest du's so schlimm? Hast du was dagegen?“

„I bewahre, wie werd ich denn. Und würde sich auch gar nich for mir passen. Un denn die Treibels, die sind alle gut un sehr proppre Leute, der alte Kommerzienrat voran, der immer so spaßig is und immer sagt: ‚Je später der Abend, je schöner die Leute‘ un ‚noch fuffzig Jahre so wie heut‘ und so was. Und der älteste Sohn is auch sehr gut und Leopold auch. Ein bißchen spitzer, das is wahr, aber heiraten is ja nich bei Renz in'n Zirkus. Und Schmolke sagte oft: ‚Höre Rosalie, das laß gut sein, so was täuscht, da kann man sich irren; die Dünnen und die so schwach aussehn, die sind oft gar nich so schwach.‘ Ja, Corinna, die Treibels sind gut, un bloß die Mama, die Kommerzienrätin, ja höre, da kann ich mir nich helfen, die Rätin, die hat so was, was mir nich recht paßt, un ziert sich immer un tut so, un wenn was Weinerliches erzählt wird von einem Pudel, der ein Kind aus dem Kanal gezogen, oder wenn der Professor was vorpredigt un mit seiner Baßstimme so vor sich hinbrummelt: ‚wie der Unsterbliche sagt‘ . . . un dann kommt immer ein Name, den kein Christenmensch kennt un die Kommerzienrätin woll auch nich – dann hat sie gleich immer ihre Träne un sind immer wie Stehtränen, die gar nich runter wolln."

„Daß sie so weinen kann, ist aber doch eigentlich was Gutes, liebe Schmolke."

„Ja, bei manchem is es was Gutes und zeigt ein weiches Herz. Un ich will auch weiter nichts sagen un lieber an meine eigne Brust schlagen, un muß auch, denn mir sitzen sie auch man lose ... Gott, wenn ich daran denke, wie Schmolke noch lebte, na, da war vieles anders, un Billetter für den dritten Rang hatte Schmolke jeden Tag un mitunter auch für den zweiten. Un da machte ich mich denn fein, Corinna, denn ich war damals noch keine dreißig un noch ganz gut im Stande. Gott, Kind, wenn ich daran denke! Da war damals eine, die hieß die Erharten, die nachher einen Grafen geheiratet. Ach, Corinnchen, da hab ich auch manche schöne Träne vergossen. Ich sage schöne Träne, denn es erleichtert einen. Un in Maria Stuart war es am meisten. Da war denn doch eine Schnauberei, daß man gar nichts mehr verstehn konnte, das heißt aber bloß ganz zuletzt, wie sie von all ihre Dienerinnen und von ihrer alten Amme Abschied nimmt, alle ganz schwarz, un sie selber immer mit's Kreuz ganz wie'ne Katholsche. Aber die Erharten war keine. Un wenn ich mir das alles wieder so denke, un wie ich da aus der Träne gar nich raus gekommen bin, da kann ich auch gegen die Kommerzienrätin eigentlich nichts sagen."

Corinna seufzte, halb im Scherz und halb im Ernst.

„Warum seufzt du, Corinna?"

„Ja, warum seufze ich, liebe Schmolke? Ich seufze, weil ich glaube, daß Sie recht haben und daß sich gegen die Rätin eigentlich nichts sagen läßt, bloß weil sie so leicht weint oder immer einen Flimmer im Auge hat. Gott, den hat mancher. Aber die Rätin ist freilich eine ganz eigene Frau, und ich trau ihr nicht, und der arme Leopold hat eigentlich eine große Furcht vor ihr und weiß auch noch nicht, wie er da heraus will. Es wird eben noch allerlei harte Kämpfe geben. Aber ich laß es darauf ankommen und halt ihn fest, und wenn meine Schwiegermutter gegen mich ist, so schad't es am Ende nicht allzuviel. Die Schwiegermütter sind eigentlich immer dagegen, und jede denkt, ihr Püppchen ist zu schade. Na, wir werden ja sehn; ich habe sein Wort, und das andere muß sich finden."

„Das ist recht, Corinna, halt ihn fest. Eigentlich hab ich ja einen Schreck gekriegt, und glaube mir, Marcell wäre besser gewesen, denn ihr paßt zusammen. Aber das sag ich so bloß zu dir. Un da du nu mal den Treibelschen hast, na, so hast du'n, un da hilft kein Präzelbacken, un er muß stillhalten und die Alte auch. Ja, die Alte erst recht. Der gönn ichs."

Corinna nickte.

„Un nu schlafe, Kind. Ausschlafen is immer gut, denn man kann nie wissen, wie's kommt, un wie man den andern Tag seine Kräfte braucht."

Zwölftes Kapitel

Ziemlich um dieselbe Zeit, wo der Felgentreusche Wagen in der Adlerstraße hielt, um Corinna daselbst abzusetzen, hielt auch der Treibelsche Wagen vor der kommerzienrätlichen Wohnung, und die Rätin samt ihrem Sohne Leopold stiegen aus, während der alte Treibel auf seinem Platze blieb und das junge Paar – das wieder die Pferde geschont hatte – die Köpnicker Straße hinunter bis an den Holzhof begleitete. Von dort aus, nach einem herzhaften Schmatz (denn er spielte gern den zärtlichen Schwiegervater), ließ er sich zu Buggenhagens fahren, wo Parteiversammlung war. Er wollte doch mal wieder sehen, wie's stünde, und, wenn nötig, auch zeigen, daß ihn die Korrespondenz in der „Nationalzeitung" nicht niedergeschmettert habe.

Die Kommerzienrätin, die für gewöhnlich die politischen Gänge Treibels belächelte, wenn nicht beargwöhnte – was auch vorkam –, heute segnete sie Buggenhagen und war froh, ein paar Stunden allein sein zu können. Der Gang mit Wilibald hatte so vieles wieder in ihr angeregt. Die Gewißheit, sich verstanden zu sehen – es war doch eigentlich das Höhere. „Viele beneiden mich, aber was hab ich am Ende?

Stuck und Goldleisten und die Honig mit ihrem sauersüßen Gesicht. Treibel ist gut, besonders auch gegen mich; aber die Prosa lastet bleischwer auf ihm, und wenn *er* es nicht empfindet, *ich* empfinde es ... Und dabei Kommerzienrätin und immer wieder Kommerzienrätin. Es geht nun schon in das zehnte Jahr, und er rückt nicht höher hinauf, trotz aller Anstrengungen. Und wenn es so bleibt, und es wird so bleiben, so weiß ich wirklich nicht, ob nicht das andere, das auf Kunst und Wissenschaft deutet, doch einen feineren Klang hat. Ja, den hat es ... Und mit den ewigen guten Verhältnissen! Ich kann doch auch nur eine Tasse Kaffee trinken, und wenn ich mich zu Bett lege, so kommt es darauf an, daß ich schlafe. Birkenmaser oder Nußbaum macht keinen Unterschied, aber Schlaf oder Nichtschlaf, das macht einen, und mitunter flieht mich der Schlaf, der des Lebens Bestes ist, weil er uns das Leben vergessen läßt ... Und auch die Kinder wären anders. Wenn ich die Corinna ansehe, das sprüht alles von Lust und Leben, und wenn sie bloß *so* macht, so steckt sie meine beiden Jungen in die Tasche. Mit Otto ist nicht viel, und mit Leopold ist gar nichts."

Jenny, während sie sich in süße Selbsttäuschungen wie diese versenkte, trat ans Fenster und sah abwechselnd auf den Vorgarten und die Straße. Drüben, im Hause gegenüber, hoch oben in der offenen Mansarde, stand, wie ein Schattenriß in hellem Licht, eine Plätterin, die mit sicherer Hand über das Plättbrett hinfuhr – ja, es war ihr, als höre sie das Mädchen singen. Der Kommerzienrätin Auge mochte von dem anmutigen Bilde nicht lassen, und etwas wie wirklicher Neid überkam sie.

Sie sah erst fort, als sie bemerkte, daß hinter ihr die Tür ging. Es war Friedrich, der den Tee brachte. „Setzen Sie hin, Friedrich, und sagen Sie Fräulein Honig, es wäre nicht nötig."

„Sehr wohl, Frau Kommerzienrätin. Aber hier ist ein Brief."

„Ein Brief?" fuhr die Rätin heraus. „Von wem?"

„Vom jungen Herrn."

„Von Leopold?"

„Ja, Frau Kommerzienrätin . . Und es wäre Antwort . . ."

„Brief . . . Antwort . . . Er ist nicht recht gescheit", und die Kommerzienrätin riß das Kuvert auf und überflog den Inhalt. „Liebe Mama! Wenn es Dir irgend paßt, ich möchte heute noch eine kurze Unterredung mit Dir haben. Laß mich durch Friedrich wissen, ja oder nein. Dein Leopold."

Jenny war derart betroffen, daß ihre sentimentalen Anwandlungen auf der Stelle hinschwanden. Soviel stand fest, daß das alles nur etwas sehr Fatales bedeuten konnte. Sie raffte sich aber zusammen und sagte: „Sagen Sie Leopold, daß ich ihn erwarte."

Das Zimmer Leopolds lag über dem ihrigen; sie hörte deutlich, daß er rasch hin und her ging und ein paar Schubkästen, mit einer ihm sonst nicht eigenen Lautheit, zuschob. Und gleich danach, wenn nicht alles täuschte, vernahm sie seinen Schritt auf der Treppe.

Sie hatte recht gehört, und nun trat er ein und wollte (sie stand noch in der Nähe des Fensters) durch die ganze Länge des Zimmers auf sie zuschreiten, um ihr die Hand zu küssen; der Blick aber, mit dem sie ihm begegnete, hatte etwas so Abwehrendes, daß er stehenblieb und sich verbeugte.

„Was bedeutet das, Leopold? Es ist jetzt zehn, also nachtschlafende Zeit, und da schreibst du mir ein Billett und willst mich sprechen. Es ist mir neu, daß du was auf der Seele hast, was keinen Aufschub bis morgen früh duldet. Was hast du vor? Was willst du?"

„Mich verheiraten, Mutter. Ich habe mich verlobt."

Die Kommerzienrätin fuhr zurück, und ein Glück war es, daß das Fenster, an dem sie stand, ihr eine Lehne gab. Auf viel Gutes hatte sie nicht gerechnet, aber eine Verlobung über ihren Kopf weg, das war doch mehr, als sie gefürchtet. War es eine der Felgentreus? Sie hielt beide für dumme Dinger und die ganze Felgentreuerei für erheblich unterm Stand; er, der Alte, war Lageraufseher in einem großen Ledergeschäft gewesen und hatte schließlich die hübsche Wirtschaftsmamsell des Prinzipals, eines mit seiner weiblichen Umgebung oft wechselnden Witwers, geheiratet. So hatte die Sache begonnen und ließ in ihren Augen viel zu wünschen übrig. Aber verglichen mit den Munks, war es noch lange das Schlimmste nicht, und so sagte sie denn: „Elfriede oder Blanca?“

„Keine von beiden.“

„Also . . .“

„Corinna.“

Das war zuviel. Jenny kam in ein halb ohnmächtiges Schwanken, und sie wäre, angesichts ihres Sohnes, zu Boden gefallen, wenn sie der schnell Herzuspringende nicht aufgefangen hätte. Sie war nicht leicht zu halten und noch weniger leicht zu tragen; aber der arme Leopold, den die ganze Situation über sich selbst hinaushob, bewährte sich auch physisch und trug die Mama bis ans Sofa. Danach wollte er auf den Knopf der elektrischen Klingel drücken; Jenny war aber, wie die meisten ohnmächtigen Frauen, doch nicht ohnmächtig genug, um nicht genau zu wissen, was um sie her vorging, und so faßte sie denn seine Hand, zum Zeichen, daß das Klingeln zu unterbleiben habe.

Sie erholte sich auch rasch wieder, griff nach dem vor ihr stehenden Flakon mit Kölnischem Wasser und sagte, nachdem sie sich die Stirn damit betupft hatte: „Also mit Corinna.“

„Ja, Mutter.“

„Und alles nicht bloß zum Spaß. Sondern um euch wirklich zu heiraten.“

„Ja, Mutter.“

„Und hier in Berlin und in der Luisenstädtschen Kirche, darin dein guter, braver Vater und ich getraut wurden?“

„Ja, Mutter.“

„‚Ja, Mutter‘, und immer wieder, ‚ja, Mutter.‘ Es klingt, als ob du nach Kommando sprächest und als ob dir Corinna gesagt hätte, sage nur immer: ‚Ja, Mutter.‘ Nun, Leopold, wenn es so ist, so können wir beide unsere Rollen rasch auswendig lernen. Du sagst in einem fort: ‚Ja, Mutter‘, und ich sage in einem fort: ‚Nein, Leopold.‘ Und dann wollen wir sehen, was länger vorhält, dein Ja oder mein Nein.“

„Ich finde, daß du dir es etwas leicht machst, Mama.“

„Nicht, daß ich wüßte. Wenn es aber so sein sollte, so bin ich bloß deine gelehrige Schülerin. Jedenfalls ist es ein

Operieren ohne Umschweife, wenn ein Sohn vor seine Mutter hintritt und ihr kurzweg erklärt: ‚Ich habe mich verlobt.' So geht das nicht in unsern Häusern. Das mag beim Theater so sein oder vielleicht auch bei Kunst und Wissenschaft, worin die kluge Corinna ja großgezogen ist, und einige sagen sogar, daß sie dem Alten die Hefte korrigiert. Aber wie dem auch sein möge, bei Kunst und Wissenschaft mag das gehen, meinetwegen, und wenn sie den alten Professor, ihren Vater (übrigens ein Ehrenmann), auch ihrerseits mit einem: ‚Ich habe mich verlobt' überrascht haben sollte, nun, so mag *der* sich freuen; er hat auch Grund dazu, denn die Treibels wachsen nicht auf den Bäumen und können nicht von jedem, der vorbeigeht, heruntergeschüttelt werden. Aber ich, ich freue mich *nicht* und verbiete dir diese Verlobung. Du hast wieder gezeigt, wie ganz unreif du bist, ja, daß ich es ausspreche, Leopold, wie knabenhaft."

„Liebe Mama, wenn du mich etwas mehr schonen könntest . . ."

„Schonen? Hast du mich geschont, als du dich auf diesen Unsinn einließest? Du hast dich verlobt, sagst du. Wem willst du das weismachen? *Sie* hat sich verlobt, und *du* bist bloß verlobt worden. Sie spielt mit dir, und anstatt dir das zu verbitten, küssest du ihr die Hand und lässest dich einfangen wie die Gimpel. Nun, ich hab es nicht hindern können, aber das Weitere, das kann ich hindern und werde es hindern. Verlobt euch, soviel ihr wollt, aber wenn ich bitten darf, im Verschwiegenen und Verborgenen; an ein Heraustreten damit ist nicht zu denken. Anzeigen erfolgen nicht, und wenn du deinerseits Anzeigen machen willst, so magst du die Gratulation in einem Hotel garni in Empfang nehmen. In meinem Hause nicht. In meinem Hause existiert keine Verlobung und keine Corinna. Damit ist es vorbei. Das alte Lied vom Undank erfahr ich nun an mir selbst und muß erkennen, daß man unklug daran tut, Personen zu verwöhnen und gesellschaftlich zu sich heraufzuziehen. Und mit dir steht es nicht besser. Auch du hättest mir diesen Gram ersparen können und diesen Skandal. Daß du verführt bist, entschuldigt dich nur halb. Und nun kennst du meinen Willen, und ich darf wohl sagen, auch deines Vaters

Willen, denn soviel Torheiten er begeht, in *den* Fragen, wo die Ehre seines Hauses auf dem Spiele steht, ist Verlaß auf ihn. Und nun geh, Leopold, und schlafe, wenn du schlafen kannst. Ein gut Gewissen ist ein gutes Ruhekissen . . ."

Leopold biß sich auf die Lippen und lächelte verbittert vor sich hin.

„. . . Und bei dem, was du vielleicht vorhast – denn du lächelst und stehst so trotzig da, wie ich dich noch gar nicht gesehen habe, was auch bloß der fremde Geist und Einfluß ist –, bei dem, was du vielleicht vorhast, Leopold, vergiß nicht, daß der Segen der Eltern den Kindern Häuser baut. Wenn ich dir raten kann, sei klug und bringe dich nicht um einer gefährlichen Person und einer flüchtigen Laune willen um die Fundamente, die das Leben tragen und ohne die es kein rechtes Glück gibt."

Leopold, der sich, zu seinem eigenen Erstaunen, all die Zeit über durchaus nicht niedergeschmettert gefühlt hatte, schien einen Augenblick antworten zu wollen; ein Blick auf die Mutter aber, deren Erregung, während sie sprach, nur immer noch gewachsen war, ließ ihn erkennen, daß jedes Wort die Schwierigkeit der Lage bloß steigern würde; so verbeugte er sich denn ruhig und verließ das Zimmer.

Er war kaum hinaus, als sich die Kommerzienrätin von ihrem Sofaplatz erhob und über den Teppich hin auf und ab zu gehen begann. Jedesmal, wenn sie wieder in die Nähe des Fensters kam, blieb sie stehen und sah nach der Mansarde und der immer noch im vollen Lichte dastehenden Plätterin hinüber, bis ihr Blick sich wieder senkte und dem bunten Treiben der vor ihr liegenden Straße zuwandte. Hier, in ihrem Vorgarten, den linken Arm von innen her auf die Gitterstäbe gestützt, stand ihr Hausmädchen, eine hübsche Blondine, die mit Rücksicht auf Leopolds „mores" beinahe nicht engagiert worden wäre, und sprach lebhaft und unter Lachen mit einem draußen auf dem Trottoir stehenden „Cousin", zog sich aber zurück, als der eben von Buggenhagen kommende Kommerzienrat in einer Droschke vorfuhr und auf seine Villa zuschritt. Treibel, einen Blick auf die Fensterreihe werfend, sah sofort, daß nur noch in seiner Frau Zimmer Licht war, was ihn mit bestimmte, gleich bei ihr einzutreten, um noch über den Abend und seine mannigfachen Erlebnisse berichten zu können. Die flaue Stimmung, der er anfänglich infolge der Nationalzeitungskorrespondenz bei Buggenhagens begegnet war, war unter dem Einfluß seiner Liebenswürdigkeit rasch gewichen, und das um so mehr, als er den auch hier wenig gelittenen Vogelsang schmunzelnd preisgegeben hatte.

Von diesem Siege zu erzählen trieb es ihn, trotzdem er wußte, wie Jenny zu diesen Dingen stand; als er aber eintrat und die Aufregung gewahr wurde, darin sich seine Frau ganz ersichtlich befand, erstarb ihm das joviale „Guten Abend, Jenny" auf der Zunge, und ihr die Hand reichend, sagte er nur: „Was ist vorgefallen, Jenny? Du siehst ja aus wie das Leiden ... nein, keine Blasphemie ... Du siehst ja aus, als wäre dir die Gerste verhagelt."

„Ich glaube, Treibel", sagte sie, während sie ihr Auf und Ab im Zimmer fortsetzte, „du könntest dich mit deinen Vergleichen etwas höher hinaufschrauben; ‚verhagelte Gerste' hat einen überaus ländlichen, um nicht zu sagen bäuerlichen Beigeschmack. Ich sehe, das Teupitz-Zossensche trägt bereits seine Früchte ..."

„Liebe Jenny, die Schuld liegt, glaube ich, weniger an mir als an dem Sprach- und Bilderschatze deutscher Nation. Alle Wendungen, die wir als Ausdruck für Verstimmungen und Betrübnisse haben, haben einen ausgesprochenen Unterschichtscharakter, und ich finde da zunächst nur noch den Lohgerber, dem die Felle weggeschwommen."

Er stockte, denn es traf ihn ein so böser Blick, daß er es doch für angezeigt hielt, auf das Suchen nach weiteren Vergleichen zu verzichten. Auch nahm Jenny selbst das Wort und sagte: „Deine Rücksichten gegen mich halten sich immer auf derselben Höhe. Du siehst, daß ich eine Alteration gehabt habe, und die Form, in die du deine Teilnahme kleidest, ist *die* geschmackloser Vergleiche. Was meiner Erregung zugrunde liegt, scheint deine Neugier nicht sonderlich zu wecken."

„Doch, doch, Jenny ... Du darfst das nicht übelnehmen;

du kennst mich und weißt, wie das alles gemeint ist. Alteration! Das ist ein Wort, das ich nicht gern höre. Gewiß wieder was mit Anna, Kündigung oder Liebesgeschichte. Wenn ich nicht irre, stand sie . . .“

„Nein, Treibel, das ist es nicht. Anna mag tun, was sie will, und meinetwegen ihr Leben als Spreewälderin beschließen. Ihr Vater, der alte Schulmeister, kann dann an seinem Enkel erziehen, was er an seiner Tochter versäumt hat. Wenn mich Liebesgeschichten alterieren sollen, müssen sie von anderer Seite kommen . . .“

„Also doch Liebesgeschichten. Nun sage wer?“

„Leopold.“

„Alle Wetter . . .“ Und man konnte nicht heraushören, ob Treibel bei dieser Namensnennung mehr in Schreck oder Freude geraten war. „Leopold? Ist das möglich?“

„Es ist mehr als möglich, es ist gewiß; denn vor einer Viertelstunde war er selber hier, um mich diese Liebesgeschichte wissen zu lassen . . .“

„Merkwürdiger Junge . . .“

„Er hat sich mit Corinna verlobt.“

Es war ganz unverkennbar, daß die Kommerzienrätin eine große Wirkung von dieser Mitteilung erwartete, welche Wirkung aber durchaus ausblieb. Treibels erstes Gefühl war das einer heiter angeflogenen Enttäuschung. Er hatte was von kleiner Soubrette, vielleicht auch von „Jungfrau aus dem Volk“ erwartet und stand nun vor einer Ankündigung, die, nach seinen unbefangeneren Anschauungen, alles andere als Schreck und Entsetzen hervorrufen konnte. „Corinna“, sagte er. „Und schlankweg verlobt und ohne Mama zu fragen. Teufelsjunge. Man unterschätzt doch immer die Menschen und am meisten seine eigenen Kinder.“

„Treibel, was soll das? Dies ist keine Stunde, wo sichs für dich schickt, in einer noch nach Buggenhagen schmeckenden Stimmung ernste Frage zu behandeln. Du kommst nach Haus und findest mich in einer großen Erregung, und im Augenblicke, wo ich dir den Grund dieser Erregung mitteile, findest du’s angemessen, allerlei sonderbare Scherze zu machen. Du mußt doch fühlen, daß das einer Lächerlichmachung meiner Person und meiner Gefühle ziemlich gleichkommt, und wenn ich deine ganze Haltung recht verstehe, so bist du weitab davon, in dieser sogenannten Verlobung einen Skandal zu sehen. Und darüber möchte ich Gewißheit haben, eh wir weiter sprechen. Ist es ein Skandal oder nicht?"

„Nein."

„Und du wirst Leopold nicht darüber zur Rede stellen?"

„Nein."

„Und bist nicht empört über diese Person?"

„Nicht im geringsten."

„Über diese Person, die deiner und meiner Freundlichkeit sich absolut unwert macht, und nun ihre Bettlade – denn um viel was anderes wird es sich nicht handeln – in das Treibelsche Haus tragen will."

Treibel lachte. „Sieh, Jenny, diese Redewendung ist dir gelungen, und wenn ich mir mit meiner Phantasie, die mein Unglück ist, die hübsche Corinna vorstelle, wie sie, sozusagen zwischen die Längsbretter eingeschirrt, ihre Bettlade hierher ins Treibelsche Haus trägt, so könnte ich eine Viertelstunde lang lachen. Aber ich will doch lieber nicht lachen und dir, da du so sehr fürs Ernste bist, nun auch ein ernsthaftes Wort sagen. Alles, was du da so hinschmetterst, ist erstens unsinnig und zweitens empörend. Und was es außerdem noch alles ist, blind, vergeßlich, überheblich, davon will ich gar nicht reden . . ."

Jenny war ganz blaß geworden und zitterte, weil sie wohl wußte, worauf das „blind und vergeßlich" abzielte. Treibel aber, der ein guter und auch ganz kluger Kerl war und sich aufrichtig gegen all den Hochmut aufrichtete, fuhr jetzt fort: „Du sprichst da von Undank und Skandal und Blamage, und fehlt eigentlich bloß noch das Wort ‚Unehre', dann hast du den Gipfel der Herrlichkeit erklommen. Undank. Willst du der klugen, immer heitren, immer unterhaltlichen Person, die wenigstens sieben Felgentreus in die Tasche steckt – nächststehender Anverwandten ganz zu geschweigen –, willst du der die Datteln und Apfelsinen nachrechnen, die sie von unserer Majolikaschüssel, mit einer Venus und einem Cupido darauf, beiläufig eine lächerliche Pinselei, mit ihrer zierlichen Hand heruntergenommen hat?

Und waren wir nicht bei dem guten alten Professor unsererseits auch zu Gast, bei Wilibald, der doch sonst dein Herzblatt ist, und haben wir uns seinen Brauneberger, der ebenso gut war wie meiner oder doch nicht viel schlechter, nicht schmecken lassen? Und warst du nicht ganz ausgelassen und hast du nicht an dem Klimperkasten, der da in der Putzstube steht, deine alten Lieder runtergesungen? Nein, Jenny, komme mir nicht mit solchen Geschichten. Da kann ich auch mal ärgerlich werden . . ."

Jenny nahm seine Hand und wollte ihn hindern weiterzusprechen.

„Nein, Jenny, noch nicht, noch bin ich nicht fertig. Ich bin nun mal im Zuge. Skandal sagst du und Blamage. Nun, ich sage dir, nimm dich in acht, daß aus der bloß eingebildeten Blamage nicht eine wirkliche wird und daß – ich sage das, weil du solche Bilder liebst – der Pfeil nicht auf den Schützen zurückfliegt. Du bist auf dem besten Wege, mich und dich in eine unsterbliche Lächerlichkeit hineinzubugsieren. Wer sind wir denn? Wir sind weder die Montmorencys noch die Lusignans – von denen, nebenher bemerkt, die schöne Melusine herstammen soll, was dich vielleicht interessiert –, wir sind auch nicht die Bismarcks oder die Arnims oder sonst was Märkisches von Adel, wir sind die Treibels, Blutlaugensalz und Eisenvitriol, und du bist eine geborene Bürstenbinder aus der Adlerstraße. Bürstenbinder ist ganz gut, aber der erste Bürstenbinder kann unmöglich höher gestanden haben als der erste Schmidt. Und so bitt ich dich denn, Jenny, keine Übertreibungen. Und wenn es sein kann, laß den ganzen Kriegsplan fallen und nimm Corinna mit soviel Fassung hin, wie du Helene hingenommen hast. Es ist ja nicht nötig, daß sich Schwiegermutter und Schwiegertochter furchtbar lieben, sie heiraten sich ja nicht; es kommt auf *die* an, die den Mut haben, sich dieser ernsten und schwierigen Aufgabe allerpersönlichst unterziehen zu wollen . . ."

Jenny war während dieser zweiten Hälfte von Treibels Philippika merkwürdig ruhig geworden, was in einer guten Kenntnis des Charakters ihres Mannes seinen Grund hatte. Sie wußte, daß er in einem überhohen Grade das Bedürfnis und die Gewohnheit des Sichaussprechens hatte und daß sich mit ihm erst wieder reden ließ, wenn gewisse Gefühle von seiner Seele heruntergeredet waren. Es war ihr schließlich ganz recht, daß dieser Akt innerlicher Selbstbefreiung so rasch und so gründlich begonnen hatte; was jetzt gesagt worden war, brauchte morgen nicht mehr gesagt zu werden, war abgetan und gestattete den Ausblick auf friedlichere Verhandlungen. Treibel war sehr der Mann der Betrachtung aller Dinge von zwei Seiten her, und so war Jenny denn völlig überzeugt davon, daß er über Nacht dahin gelangen würde, die ganze Leopoldsche Verlobung auch mal von der Kehrseite her anzusehen. Sie nahm deshalb seine Hand und sagte: „Treibel, laß uns das Gespräch morgen früh fortsetzen. Ich glaube, daß du, bei ruhigerem Blute, die Berechtigung meiner Anschauungen nicht verkennen wirst. Jedenfalls rechne nicht darauf, mich anderen Sinnes zu machen. Ich wollte dir, als dem Manne, der zu handeln hat, selbstverständlich auch in dieser Angelegenheit nicht vorgreifen; lehnst du jedoch jedes Handeln ab, so handle *ich*. Selbst auf die Gefahr deiner Nichtzustimmung."

„Tu, was du willst."

Und damit warf Treibel die Tür ins Schloß und ging in sein Zimmer hinüber. Als er sich in den Fauteuil warf, brummte er vor sich hin: „Wenn sie am Ende doch recht hätte!"

Und konnte es anders sein? Der gute Treibel, er war doch auch seinerseits das Produkt dreier im Fabrikbetrieb immer reicher gewordenen Generationen, und aller guten Geistes- und Herzensanlagen unerachtet und trotz seines politischen Gastspiels auf der Bühne Teupitz-Zossen – der Bourgeois steckte ihm wie seiner sentimentalen Frau tief im Geblüt.

Dreizehntes Kapitel

Am andern Morgen war die Kommerzienrätin früher auf als gewöhnlich und ließ von ihrem Zimmer aus zu Treibel hinübersagen, daß sie das Frühstück allein nehmen wolle.

Treibel schob es auf die Verstimmung vom Abend vorher, ging aber darin fehl, da Jenny ganz aufrichtig vorhatte, die durch Verbleib auf ihrem Zimmer freigewordene halbe Stunde zu einem Briefe an Hildegard zu benutzen. Es galt eben Wichtigeres heute, als den Kaffee mußevoll und friedlich oder vielleicht auch unter fortgesetzter Kriegsführung einzunehmen, und wirklich, kaum daß sie die kleine Tasse geleert und auf das Tablett zurückgeschoben hatte, so vertauschte sie auch schon den Sofaplatz mit ihrem Platz am Schreibtisch und ließ die Feder mit rasender Schnelligkeit über verschiedene kleine Bogen hingleiten, von denen jeder nur die Größe einer Handfläche, Gott sei Dank aber die herkömmlichen vier Seiten hatte. Briefe, wenn ihr die Stimmung nicht fehlte, gingen ihr immer leicht von der Hand, aber nie so wie heute, und ehe noch die kleine Konsoluhr die neunte Stunde schlug, schob sie schon die Bogen zusammen, klopfte sie auf der Tischplatte wie ein Spiel Karten zurecht und überlas noch einmal mit halblauter Stimme das Geschriebene.

„Liebe Hildegard! Seit Wochen tragen wir uns damit, unsren seit lange gehegten Wunsch erfüllt und Dich mal wieder unter unsrem Dache zu sehen. Bis in den Mai hinein hatten wir schlechtes Wetter, und von einem Lenz, der mir die schönste Jahreszeit bedeutet, konnte kaum die Rede sein. Aber seit beinah vierzehn Tagen ist es anders, in unsrem Garten schlagen die Nachtigallen, was Du, wie ich mich sehr wohl erinnere, so sehr liebst, und so bitten wir Dich herzlich, Dein schönes Hamburg auf ein paar Wochen verlassen und uns Deine Gegenwart schenken zu wollen. Treibel vereinigt seine Wünsche mit den meinigen, und Leopold schließt sich an. Von Deiner Schwester Helene bei dieser Gelegenheit und in diesem Sinne zu sprechen ist überflüssig, denn ihre herzlichen Gefühle für Dich kennst Du so gut, wie wir sie kennen, Gefühle, die, wenn ich recht beobachtet habe, gerade neuerdings wieder in einem beständigen Wachsen begriffen sind. Es liegt so, daß ich, soweit das in einem Briefe möglich, ausführlicher darüber zu Dir sprechen möchte. Mitunter, wenn ich sie so blaß sehe, so gut ihr gerade diese

Blässe kleidet, tut mir doch das innerste Herz weh, und ich habe nicht den Mut, nach der Ursache zu fragen. Otto ist es *nicht*, dessen bin ich sicher, denn er ist nicht nur gut, sondern auch rücksichtsvoll, und ich empfinde dann allen Möglichkeiten gegenüber ganz deutlich, daß es nichts anderes sein kann als Heimweh. Ach, mir nur zu begreiflich, und ich möchte dann immer sagen, ‚reise, Helene, reise heute, reise morgen, und sei versichert, daß ich mich, wie des Wirtschaftlichen überhaupt, so auch namentlich der Weißzeugplätterei nach besten Kräften annehmen werde, gerade so, ja mehr noch, als wenn es für Treibel wäre, der in diesen Stücken auch so diffizil ist, diffiziler als viele andere Berliner'. Aber ich sage das alles nicht, weil ich ja weiß, daß Helene lieber auf jedes andere Glück verzichtet, als auf das Glück, das in dem Bewußtsein erfüllter Pflicht liegt. Vor allem dem Kinde gegenüber. Lizzi mit auf die Reise zu nehmen, wo dann doch die Schulstunden unterbrochen werden müßten, ist fast ebenso undenkbar, wie Lizzi zurückzulassen. Das süße Kind! Wie wirst Du Dich freuen, sie wiederzusehen, immer vorausgesetzt, daß ich mit meiner Bitte keine Fehlbitte tue. Denn Photographien geben doch nur ein sehr ungenügendes Bild, namentlich bei Kindern, deren ganzer Zauber in einer durchsichtigen Hautfarbe liegt; der Teint nüanciert nicht nur den Ausdruck, er ist der Ausdruck selbst. Denn wie Krola, dessen Du Dich vielleicht noch erinnerst, erst neulich wieder behauptete, der Zusammenhang zwischen Teint und Seele sei geradezu merkwürdig. Was wir Dir bieten können, meine süße Hildegard? Wenig; eigentlich nichts. Die Beschränktheit unsrer Räume kennst Du; Treibel hat außerdem eine neue Passion ausgebildet und will sich wählen lassen, und zwar in einem Landkreise, dessen sonderbaren, etwas wendisch klingenden Namen ich Deiner Geographiekenntnis nicht zumute, trotzdem ich wohl weiß, daß auch Eure Schulen – wie mir Felgentreu (freilich keine Autorität auf diesem Gebiete) erst ganz vor kurzem wieder versicherte – den unsrigen überlegen sind. Wir haben zur Zeit eigentlich nichts als die Jubiläumsausstellung, in der die Firma Dreher aus Wien die Bewirtung übernommen hat und hart angegriffen wird. Aber was griffe der Berliner nicht an – daß die Seidel zu klein sind, kann einer Dame wenig bedeuten –, und ich wüßte wirklich kaum etwas, was vor der Eingebildetheit unserer Bevölkerung sicher wäre. Nicht einmal Euer Hamburg, an das ich nicht denken kann, ohne daß mir das Herz lacht. Ach, Eure herrliche Buten-Alster! Und wenn dann abends die Lichter und die Sterne darin flimmern – ein Anblick, der den, der sich seiner freuen darf, jedesmal dem Irdischen wie entrückt. Aber vergiß es, liebe Hildegard, sonst haben wir wenig Aussicht, Dich hier zu sehen, was doch ein aufrichtiges Bedauern bei allen Treibels hervorrufen würde, am meisten bei Deiner Dich innig liebenden Freundin und Tante Jenny Treibel

Nachschrift. Leopold reitet jetzt viel, jeden Morgen nach Treptow und auch nach dem Eierhäuschen. Er klagt, daß er keine Begleitung dabei habe. Hast Du noch Deine alte Passion? Ich sehe Dich noch so hinfliegen, Du Wildfang. Wenn ich ein Mann wäre, *Dich* einzufangen würde mir das Leben bedeuten. Übrigens bin ich sicher, daß andere ebenso denken, und wir würden längst den Beweis davon in Händen haben, wenn Du weniger wählerisch wärst. Sei es nicht fürder und vergiß die Ansprüche, die Du machen darfst. Deine J. T.“

Jenny faltete jetzt die kleinen Bogen und tat sie in ein Kuvert, das, vielleicht um auch schon äußerlich ihren Friedenswunsch anzudeuten, eine weiße Taube mit einem Ölzweig zeigte.

Dies war um so angebrachter, als Hildegard mit Helenen in lebhafter Korrespondenz stand und recht gut wußte, wie, bisher wenigstens, die wahren Gefühle der Treibels und besonders die der Frau Jenny gewesen waren.

Die Rätin hatte sich eben erhoben, um nach der am Abend vorher etwas angezweifelten Anna zu klingeln, als sie, wie von ungefähr ihren Blick auf den Vorgarten richtend, ihrer Schwiegertochter ansichtig wurde, die rasch vom Gitter her auf das Haus zuschritt. Draußen hielt eine Droschke zweiter Klasse, geschlossen und das Fenster in die Höhe gezogen, trotzdem es sehr warm war.

Einen Augenblick danach trat Helene bei der Schwiegermutter ein und umarmte sie stürmisch. Dann warf sie den Sommermantel und Gartenhut beiseite und sagte, während sie ihre Umarmung wiederholte: „Ist es denn wahr? Ist es möglich?“

Jenny nickte stumm und sah nun erst, daß Helene noch im Morgenkleide und ihr Scheitel noch eingeflochten war. Sie hatte sich also, wie sie da ging und stand, im selben Moment, wo die große Nachricht auf dem Holzhofe bekannt geworden war, sofort auf den Weg gemacht, und zwar in der ersten besten Droschke. Das war etwas, und angesichts dieser Tatsache fühlte Jenny das Eis hinschmelzen, das acht Jahre lang ihr Schwiegermutterherz umgürtet hatte. Zugleich traten ihr Tränen in die Augen. „Helene“, sagte sie, „was zwischen uns gestanden hat, ist fort. Du bist ein gutes Kind, du fühlst mit uns. Ich war mitunter gegen dies und das, untersuchen wir nicht, ob mit Recht oder Unrecht; aber in *solchen* Stücken ist Verlaß auf euch, und ihr wißt Sinn von Unsinn zu unterscheiden. Von deinem Schwiegervater kann ich dies leider nicht sagen. Indessen ich denke, das ist nur Übergang, und es wird sich geben. Unter allen Umständen laß uns zusammenhalten. Mit Leopold persönlich, das hat nichts zu bedeuten. Aber diese gefährliche Person, die vor nichts erschrickt und dabei ein Selbstbewußtsein hat, daß man drei Prinzessinnen damit ausstaffieren könnte, gegen *die* müssen wir uns rüsten. Glaube nicht, daß sie's uns leicht machen wird. Sie hat ganz den Professorentochterdünkel und ist imstande, sich einzubilden, daß sie dem Hause Treibel noch eine Ehre antut.“

„Eine schreckliche Person“, sagte Helene. „Wenn ich an den Tag denke mit dear Mr. Nelson. Wir hatten eine Todesangst, daß Nelson seine Reise verschieben und um sie anhalten würde. Was daraus geworden wäre, weiß ich nicht; bei den Beziehungen Ottos zu der Liverpooler Firma vielleicht verhängnisvoll für uns.“

„Nun, Gott sei Dank, daß es vorübergegangen. Vielleicht immer noch besser so, so können wirs en famille austragen. Und den alten Professor fürcht ich nicht, den habe ich von alter Zeit her am Bändel. Er muß mit in unser Lager hinüber. Und nun muß ich fort, Kind, um Toilette zu machen ... Aber noch ein Hauptpunkt. Eben habe ich an deine Schwester Hildegard geschrieben und sie herzlich gebeten, uns mit nächstem ihren Besuch zu schenken. Bitte, Helene, füge ein paar Worte an deine Mama hinzu und tue beides in das Kuvert und adressiere."

Damit ging die Rätin, und Helene setzte sich an den Schreibtisch. Sie war so bei der Sache, daß nicht einmal ein triumphierendes Gefühl darüber, mit ihren Wünschen für Hildegard nun endlich am Ziele zu sein, in ihr aufdämmerte; nein, sie hatte angesichts der gemeinsamen Gefahr nur Teilnahme für ihre Schwiegermutter, als der „Trägerin des Hauses", und nur Haß für Corinna. Was sie zu schreiben hatte, war rasch geschrieben. Und nun adressierte sie mit schöner englischer Handschrift in normalen Schwung- und Rundlinien: „Frau Konsul Thora Munk, geb. Thompson. Hamburg. Uhlenhorst."

Als die Aufschrift getrocknet und der ziemlich ansehnliche Brief mit zwei Marken frankiert war, brach Helene auf, klopfte nur noch leise an Frau Jennys Toilettenzimmer und rief hinein: „Ich gehe jetzt, liebe Mama. Den Brief nehme ich mit." Und gleich danach passierte sie wieder den Vorgarten, weckte den Droschkenkutscher und stieg ein.

Zwischen neun und zehn waren zwei Rohrpostbriefe bei Schmidts eingetroffen, ein Fall, der in dieser seiner Gedoppeltheit noch nicht dagewesen war. Der eine dieser Briefe richtete sich an den Professor und hatte folgenden kurzen Inhalt: „Lieber Freund! Darf ich darauf rechnen, Sie heute zwischen zwölf und eins in Ihrer Wohnung zu treffen? Keine Antwort, gute Antwort. Ihre ganz ergebene Jenny Treibel." – Der andere, nicht viel längere Brief war an Corinna adressiert und lautete: „Liebe Corinna! Gestern abend noch hatte ich ein Gespräch mit der Mama. Daß ich auf Widerstand stieß, brauche ich Dir nicht erst zu sagen, und es ist mir gewisser denn je, daß wir schweren Kämpfen entgegengehen. Aber nichts soll uns trennen. In meiner Seele lebt eine hohe Freudigkeit und gibt mir Mut zu allem. Das ist das Geheimnis und zugleich die Macht der Liebe. Diese Macht soll mich auch weiter führen und festigen. Trotz aller

Sorge Dein überglücklicher Leopold." – Corinna legte den Brief aus der Hand. „Armer Junge! Was er da schreibt, ist ehrlich gemeint, selbst das mit dem Mut. Aber ein Hasenohr guckt doch durch. Nun, wir müssen sehen. Halte, was du hast. *Ich* gebe nicht nach."

Corinna verbrachte den Vormittag unter fortgesetzten Selbstgesprächen. Mitunter kam die Schmolke, sagte aber nichts und beschränkte sich auf kleine wirtschaftliche Fragen. Der Professor seinerseits hatte zwei Stunden zu geben, eine griechische: Pindar, und eine deutsche: romantische Schule (Novalis), und war bald nach zwölf wieder zurück. Er schritt in seinem Zimmer auf und ab, abwechselnd mit einem ihm in seiner Schlußwendung absolut unverständlich gebliebenen Novalis-Gedicht und dann wieder mit dem so feierlich angekündigten Besuche seiner Freundin Jenny beschäftigt. Es war kurz vor eins, als ein Wagengerumpel auf dem schlechten Steinpflaster unten ihn annehmen ließ, sie werde es sein. Und sie war es, diesmal allein, ohne Fräulein Honig und ohne den Bologneser. Sie öffnete selbst den Schlag und stieg dann langsam und bedächtig, als ob sie sich ihre Rolle noch einmal überhöre, die Steinstufen der Außentreppe hinauf. Eine Minute später hörte Schmidt die Klingel gehen, und gleich danach meldete die Schmolke: „Frau Kommerzienrat Treibel."

Schmidt ging ihr entgegen, etwas weniger unbefangen als sonst, küßte ihr die Hand und und bat sie, auf seinem Sofa, dessen tiefste Kesselstelle durch ein großes Lederkissen einigermaßen applaniert war, Platz zu nehmen. Er selber nahm einen Stuhl, setzte sich ihr gegenüber und sagte: „Was verschafft mir die Ehre, liebe Freundin? Ich nehme an, daß etwas Besonderes vorgefallen ist."

„Das ist es, lieber Freund. Und Ihre Worte lassen mir keinen Zweifel darüber, daß Fräulein Corinna noch nicht für gut befunden hat, Sie mit dem Vorgefallenen bekannt zu machen. Fräulein Corinna hat sich nämlich gestern abend mit meinem Sohne Leopold verlobt."

„Ah", sagte Schmidt in einem Tone, der ebensogut Freude wie Schreck ausdrücken konnte.

„Fräulein Corinna hat sich gestern auf unsrer Grunewaldpartie, die vielleicht besser unterblieben wäre, mit meinem Sohne Leopold verlobt, nicht umgekehrt. Leopold tut keinen Schritt ohne mein Wissen und Willen, am wenigsten einen so wichtigen Schritt wie eine Verlobung, und so muß ich denn zu meinem lebhaften Bedauern von etwas Abgekartetem oder einer gestellten Falle, ja, Verzeihung, lieber Freund, von einem wohlüberlegten Überfall sprechen."

Dies starke Wort gab dem alten Schmidt nicht nur seine Seelenruhe, sondern auch seine gewöhnliche Heiterkeit wieder. Er sah, daß er sich in seiner alten Freundin nicht getäuscht hatte, daß sie, völlig unverändert, die, trotz Lyrik und Hochgefühle, ganz ausschließlich auf Äußerlichkeiten gestellte Jenny Bürstenbinder von ehedem war, und daß seinerseits, unter selbstverständlicher Wahrung artigster Formen und anscheinend vollen Entgegenkommens, ein Ton superioren Übermutes angeschlagen und in die sich nun höchstwahrscheinlich entspinnende Debatte hineingetragen werden müsse. Das war er sich, das war er Corinna schuldig.

„Ein Überfall, meine gnädigste Frau. Sie haben vielleicht nicht ganz unrecht, es so zu nennen. Und daß es gerade auf diesem Terrain sein mußte. Sonderbar genug, daß Dinge der Art ganz bestimmten Lokalitäten unveräußerlich anzuhaften scheinen. Alle Bemühungen, durch Schwanenhäuser und Kegelbahnen im stillen zu reformieren, der Sache friedlich beizukommen, erweisen sich als nutzlos, und der frühere Charakter dieser Gegenden, insonderheit unseres alten übelbeleumdeten Grunewalds, bricht immer wieder durch. Immer wieder aus dem Stegreif. Erlauben Sie mir, gnädigste Frau, daß ich den derzeitigen Junker generis feminini herbeirufe, damit er seiner Schuld geständig werde."

Jenny biß sich auf die Lippen und bedauerte das unvorsichtige Wort, das sie nun dem Spotte preisgab. Es war aber zu spät zur Umkehr, und so sagte sie nur: „Ja, lieber Professor, es wird das beste sein, Corinna selbst zu hören. Und ich denke, sie wird sich mit einem gewissen Stolz dazu bekennen, dem armen Jungen das Spiel über dem Kopf weggenommen zu haben."

„Wohl möglich", sagte Schmidt und stand auf und rief in das Entree: „Corinna."

Kaum, daß er seinen Platz wieder eingenommen hatte, so stand die von ihm Gerufene auch schon in der Tür, verbeugte sich artig gegen die Kommerzienrätin und sagte: „Du hast gerufen, Papa?"

„Ja, Corinna, das hab ich. Eh wir aber weitergehen, nimm einen Stuhl und setze dich in einiger Entfernung von uns. Denn ich möchte es auch äußerlich markieren, daß du vorläufig eine Angeklagte bist. Rücke in die Fensternische, da sehen wir dich am besten. Und nun sage mir, hat es seine Richtigkeit damit, daß du gestern abend im Grunewald, in dem ganzen Junkerübermut einer geborenen Schmidt, einen friedlich und unbewaffnet seines Weges ziehenden Bürgerssohn, namens Leopold Treibel, seiner besten Barschaft beraubt hast?"

Corinna lächelte. Dann trat sie vom Fenster her an den Tisch heran und sagte:

„Nein, Papa, das ist grundfalsch. Es hat alles den landesüblichen Verlauf genommen, und wir sind so regelrecht verlobt, wie man nur verlobt sein kann."

„Ich bezweifle das nicht, Fräulein Corinna", sagte Jenny. „Leopold selbst betrachtet sich als Ihren Verlobten. Ich sage nur das eine, daß Sie das Überlegenheitsgefühl, das Ihnen Ihre Jahre . . ."

„*Nicht* meine Jahre, ich bin jünger . . ."

„. . . das Ihnen Ihre Klugheit und Ihr Charakter gegeben, daß Sie diese Überlegenheit dazu benutzt haben, den armen Jungen willenlos zu machen und ihn für sich zu gewinnen."

„Nein, meine gnädigste Frau, das ist ebenfalls nicht ganz richtig, wenigstens zunächst nicht. Daß es schließlich doch vielleicht richtig sein wird, darauf müssen Sie mir erlauben, weiterhin zurückzukommen."

„Gut, Corinna, gut", sagte der Alte. „Fahre nur fort. Also zunächst . . ."

„Also zunächst unrichtig, meine gnädigste Frau. Denn wie kam es? Ich sprach mit Leopold von seiner nächsten Zukunft und beschrieb ihm einen Hochzeitszug, absichtlich in unbestimmten Umrissen und ohne Namen zu nennen. Und als ich zuletzt Namen nennen mußte, da war es Blankenese, wo die Gäste zum Hochzeitsmahle sich sammelten, und war es die schöne Hildegard Munk, die, wie eine Königin gekleidet, als Braut neben ihrem Bräutigam saß. Und dieser Bräutigam war Ihr Leopold, meine gnädigste Frau. Selbiger Leopold aber wollte von dem allen nichts wissen und ergriff meine Hand und machte mir einen Antrag in aller Form. Und nachdem ich ihn an seine Mutter erinnert und mit dieser Erinnerung kein Glück gehabt hatte, da haben wir uns verlobt ..."

„Ich glaube das, Fräulein Corinna", sagte die Rätin. „Ich glaube das ganz aufrichtig. Aber schließlich ist das alles doch nur eine Komödie. Sie wußten ganz gut, daß er Ihnen vor Hildegard den Vorzug gab, und Sie wußten nur zu gut, daß Sie, je mehr Sie das arme Kind, die Hildegard, in den Vordergrund stellten, desto gewisser – um nicht zu sagen desto leidenschaftlicher, denn er ist nicht eigentlich der Mann der Leidenschaften –, desto gewisser, sag ich, würd er sich auf Ihre Seite stellen und sich zu Ihnen bekennen."

„Ja, gnädigste Frau, das wußt ich oder wußt es doch beinah. Es war noch kein Wort in diesem Sinne zwischen uns gesprochen worden, aber ich glaubte trotzdem, und seit längerer Zeit schon, daß er glücklich sein würde, mich seine Braut zu nennen."

„Und durch die klug und berechnend ausgesuchte Geschichte mit dem Hamburger Hochzeitszuge haben Sie eine Erklärung herbeizuführen gewußt ..."

„Ja, meine gnädigste Frau, das hab ich, und ich meine, das alles war mein gutes Recht. Und wenn Sie nun dagegen, und wie mirs scheint, ganz ernsthaft Ihren Protest erheben wollen, erschrecken Sie da nicht vor Ihrer eigenen Forderung, vor der Zumutung, ich hätte mich jedes Einflusses auf Ihren Sohn enthalten sollen? Ich bin keine Schönheit, habe nur eben das Durchschnittsmaß. Aber nehmen Sie, so schwer es Ihnen werden mag, für einen Augenblick einmal an, ich wäre wirklich so was wie eine Schönheit, eine Beauté, der Ihr Herr Sohn nicht hätte widerstehen können, würden Sie von mir verlangt haben, mir das Gesicht mit Ätzlauge zu zerstören, bloß damit Ihr Sohn, mein Verlobter, nicht in eine durch mich gestellte Schönheitsfalle fiele?"

„Corinna", lächelte der Alte, „nicht zu scharf. Die Rätin ist unter unserm Dache."

„Sie würden das *nicht* von mir verlangt haben, so wenigstens nehme ich vorläufig an, vielleicht in Überschätzung Ihrer freundlichen Gefühle für mich, und doch verlangen Sie von mir, daß ich mich dessen begebe, was die Natur *mir* gegeben hat. Ich habe meinen guten Verstand und bin offen und frei und übe damit eine gewisse Wirkung auf die Männer aus, mitunter auch gerade auf solche, denen das fehlt, was ich habe – soll ich mich dessen entkleiden? Soll ich mein Pfund vergraben? Soll ich das bißchen Licht, das *mir* geworden, unter den Scheffel stellen? Verlangen Sie, daß ich bei Begegnungen mit Ihrem Sohne wie eine Nonne dasitze, bloß damit das Haus Treibel vor einer Verlobung mit mir bewahrt bleibe? Erlauben Sie mir, gnädigste Frau, und Sie müssen meine Worte meinem erregten Gefühle, das Sie herausgefordert, zugute halten, erlauben Sie mir, Ihnen zu sagen, daß ich das nicht bloß hochmütig und höchst verwerflich, daß ich es vor allem auch ridikül finde. Denn wer sind die Treibels? Berlinerblaufabrikanten mit einem Ratstitel, und ich, ich bin eine Schmidt."

„Eine Schmidt", wiederholte der alte Wilibald freudig, gleich danach hinzufügend: „Und nun sagen Sie, liebe Freundin, wollen wir nicht lieber abbrechen und alles den Kindern und einer gewissen ruhigen historischen Entwicklung überlassen?"

„Nein, mein lieber Freund, das wollen wir *nicht*. Wir wollen nichts der historischen Entwicklung und noch weniger der Entscheidung der Kinder überlassen, was gleichbedeutend wäre mit Entscheidung durch Fräulein Corinna. Dies zu hindern, deshalb bin ich eben hier. Ich hoffte bei den Erinnerungen, die zwischen uns leben, Ihrer Zustimmung und Unterstützung sicher zu sein, sehe mich aber getäuscht und werde meinen Einfluß, der hier gescheitert, auf meinen Sohn Leopold beschränken müssen."

„Ich fürchte", sagte Corinna, „daß er auch da versagt . . ."

„Was lediglich davon abhängen wird, ob er Sie sieht oder nicht."

„Er wird mich sehen!“

„Vielleicht. Vielleicht auch nicht.“

Und darauf erhob sich die Kommerzienrätin und ging, ohne dem Professor die Hand gereicht zu haben, auf die Tür zu. Hier wandte sie sich noch einmal und sagte zu Corinna: „Corinna, lassen Sie uns vernünftig reden. Ich will alles vergessen. Lassen Sie den Jungen wieder los. Er paßt nicht einmal für Sie. Und was das Haus Treibel angeht, so haben Sie's in einer Weise charakterisiert, daß es Ihnen kein Opfer kosten kann, darauf zu verzichten . . .“

„Aber meine Gefühle, gnädigste Frau . . .“

„Bah“, lachte Jenny, „daß Sie so sprechen können, zeigt mir deutlich, daß Sie keine haben und daß alles bloßer Übermut oder vielleicht auch Eigensinn ist. Daß Sie sich dieses Eigensinns begeben mögen, wünsche ich Ihnen und uns. Denn es kann zu nichts führen. Eine Mutter hat auch Einfluß auf einen schwachen Menschen, und ob Leopold Lust hat, seine Flitterwochen in einem Ahlbecker Fischerhause zu verbringen, ist mir doch zweifelhaft. Und daß das Haus Treibel Ihnen keine Villa in Capri bewilligen wird, dessen dürfen Sie gewiß sein.“

Und dabei verneigte sie sich und trat in das Entree hinaus. Corinna blieb zurück, Schmidt aber gab seiner Freundin das Geleit bis an die Treppe.

„Adieu“, sagte hier die Rätin. „Ich bedaure, lieber Freund, daß dies zwischen uns treten und die herzlichen Beziehungen so vieler, vieler Jahre stören mußte. Meine Schuld ist es nicht. Sie haben Corinna verwöhnt, und das Töchterchen schlägt nun einen spöttischen und überheblichen Ton an und ignoriert, wenn nichts andres, so doch die Jahre, die mich von ihr trennen. Impietät ist der Charakter unserer Zeit.“

Schmidt, ein Schelm, gefiel sich darin, bei dem Wort „Impietät“ ein betrübtes Gesicht aufzusetzen. „Ach, liebe Freundin“, sagte er, „Sie mögen wohl recht haben, aber nun ist es zu spät. Ich bedaure, daß es unserm Hause vorbehalten war, Ihnen einen Kummer wie diesen, um nicht zu sagen eine Kränkung anzutun. Freilich, wie Sie schon sehr richtig bemerkt haben, die Zeit . . . alles will über sich hinaus und strebt höheren Staffeln zu, die die Vorsehung sichtbarlich nicht wollte."

Jenny nickte. „Gott beßre es."

„Lassen Sie uns das hoffen."

Und damit trennten sie sich.

In das Zimmer zurückgekehrt, umarmte Schmidt seine Tochter, gab ihr einen Kuß auf die Stirn und sagte: „Corinna, wenn ich nicht Professor wäre, so würd ich am Ende Sozialdemokrat."

Im selben Augenblick erschien auch die Schmolke. Sie hatte nur das letzte Wort gehört, und erratend, um was es sich handle, sagte sie: „Ja, das hat Schmolke auch immer gesagt."

Vierzehntes Kapitel

Der nächste Tag war ein Sonntag, und die Stimmung, in der sich das Treibelsche Haus befand, konnte nur noch dazu beitragen, dem Tage zu seiner herkömmlichen Ödheit ein beträchtliches zuzulegen. Jeder mied den andern. Die Kommerzienrätin beschäftigte sich damit, Briefe, Karten und Photographien zu ordnen, Leopold saß auf seinem Zimmer und las Goethe (was, ist nicht nötig zu verraten), und Treibel selbst ging im Garten um das Bassin herum und unterhielt sich, wie meist in solchen Fällen, mit der Honig. Er ging dabei so weit, sie ganz ernsthaft nach Krieg und Frieden zu fragen, allerdings mit der Vorsicht, sich eine Art Präliminarantwort gleich selbst zu geben. In erster Reihe stehe fest, daß es niemand wisse, „selbst der leitende Staatsmann nicht" (er hatte sich diese Phrase bei seinen öffentlichen Reden angewöhnt), aber eben weil es niemand wisse, sei man auf Sentiments angewiesen, und darin sei niemand größer und zuverlässiger als die Frauen. Es sei nicht zu leugnen, das weibliche Geschlecht habe was Pythisches, ganz abgesehen von jenem Orakelhaften niederer Observanz, das noch so nebenherlaufe. Die Honig, als sie schließlich zu Worte kam, faßte ihre politische Diagnose dahin zusammen: sie sähe nach Westen hin einen klaren

Himmel, während es im Osten finster braue, ganz entschieden, und zwar oben sowohl wie unten. „Oben wie unten", wiederholte Treibel. „O, wie wahr. Und das Oben bestimmt das Unten und das Unten das Oben. Ja, Fräulein Honig, damit haben wirs getroffen." Und Czicka, das Hündchen, das natürlich auch nicht fehlte, blaffte dazu. So ging das Gespräch zu gegenseitiger Zufriedenheit. Treibel aber schien doch abgeneigt, aus diesem Weisheitsquell andauernd zu schöpfen, und zog sich nach einiger Zeit auf sein Zimmer und seine Zigarre zurück, ganz Halensee verwünschend, das mit seiner Kaffeeklappe diese häusliche Mißstimmung und diese Sonntagsextralangeweile heraufbeschworen habe. Gegen Mittag traf ein an ihn adressiertes Telegramm ein: „Dank für Brief. Ich komme morgen mit dem Nachmittagszug. Eure Hildegard. " Er schickte das Telegramm, aus dem er überhaupt erst von der erfolgten Einladung erfuhr, an seine Frau hinüber und war, trotzdem er das selbständige Vorgehen derselben etwas sonderbar fand, doch auch wieder aufrichtig froh, nunmehr einen Gegenstand zu haben, mit dem er sich in seiner Phantasie beschäftigen konnte. Hildegard war sehr hübsch, und die Vorstellung, innerhalb der nächsten Wochen ein anderes Gesicht als das der Honig auf seinen Gartenspaziergängen um sich zu haben, tat ihm wohl. Er hatte nun auch einen Gesprächsstoff, und während ohne diese Depesche die Mittagsunterhaltung wahrscheinlich sehr kümmerlich verlaufen oder vielleicht ganz ausgefallen wäre, war es jetzt wenigstens möglich, ein paar Fragen zu stellen. Er stellte diese Fragen auch wirklich, und alles machte sich ganz leidlich; nur Leopold sprach kein Wort und war froh, als er sich vom Tisch erheben und zu seiner Lektüre zurückkehren konnte.

Leopolds ganze Haltung gab überhaupt zu verstehen, daß er über sich bestimmen zu lassen fürder nicht mehr willens sei; trotzdem war ihm klar, daß er sich den Repräsentationspflichten des Hauses nicht entziehen und also nicht unterlassen dürfe, Hildegard am anderen Nachmittag auf dem Bahnhofe zu empfangen. Er war pünktlich da, begrüßte die schöne Schwägerin und absolvierte die landesübliche Fragenreihe nach dem Befinden und den Sommerplänen der

Familie, während einer der von ihm engagierten Gepäckträger erst die Droschke, dann das Gepäck besorgte. Dasselbe bestand nur aus einem einzigen Koffer mit Messingbeschlag: dieser aber war von solcher Größe, daß er, als er hinaufgewuchtet war, der dahinrollenden Droschke den Charakter eines Baus von zwei Etagen gab.

Unterwegs wurde das Gespräch von seiten Leopolds wieder aufgenommen, erreichte seinen Zweck aber nur unvollkommen, weil seine stark hervortretende Befangenheit seiner Schwägerin nur Grund zur Heiterkeit gab. Und nun hielten sie vor der Villa. Die ganze Treibelei stand am Gitter, und als die herzlichsten Begrüßungen ausgetauscht und die nötigsten Toiletten-Arrangements in fliegender Eile, das heißt ziemlich mußevoll, gemacht worden waren, erschien Hildegard auf der Veranda, wo man inzwischen den Kaffee serviert hatte. Sie fand alles „himmlisch", was auf Empfang strenger Instruktionen von seiten der Frau Konsul Thora Munk hindeutete, die sehr wahrscheinlich Unterdrückung alles Hamburgischen und Achtung vor Berliner Empfindlichkeiten als erste Regel empfohlen hatte. Keine Parallelen wurden gezogen und beispielsweise gleich das Kaffeeservice rundweg bewundert. „Eure Berliner Muster schlagen jetzt alles aus dem Felde, selbst Sèvres. Wie reizend diese Grecborte." Leopold stand in einer Entfernung und hörte zu, bis Hildegard plötzlich abbrach und allem, was sie gesagt, nur noch hinzusetzte: „Scheltet mich übrigens nicht, daß ich in einem fort von Dingen spreche, für die sich ja morgen auch noch die Zeit finden würde: Grecborte und Sèvres und Meißen und Zwiebelmuster. Aber Leopold ist schuld; er hat unsere Konversation in der Droschke so streng wissenschaftlich geführt, daß ich beinahe in Verlegenheit kam; ich wollte gern von Lizzi hören, und denkt euch, er sprach nur von Anschluß und Radialsystem, und ich genierte mich zu fragen, was es sei."

Der alte Treibel lachte; die Kommerzienrätin aber verzog keine Miene, während über Leopolds blasses Gesicht eine leichte Röte flog.

So verging der erste Tag, und Hildegards Unbefangenheit, die man sich zu stören wohl hütete, schien auch noch weiter leidliche Tage bringen zu sollen, alles um so mehr, als es die Kommerzienrätin an Aufmerksamkeiten jeder Art nicht fehlen ließ. Ja, sie verstieg sich zu höchst wertvollen Geschenken, was sonst ihre Sache nicht war. Ungeachtet all dieser Anstrengungen aber und trotzdem dieselben, wenn man nicht tiefer nachforschte, von wenigstens halben Erfolgen begleitet waren, wollte sich ein recht eigentliches Behagen nicht einstellen, selbst bei Treibel nicht, auf dessen rasch wiederkehrende gute Laune bei seinem glücklichen Naturell mit einer Art Sicherheit gerechnet war. Ja, diese gute Laune, sie blieb aus mancherlei Gründen aus, unter denen gerade jetzt auch *der* war, daß die Zossen-Teupitzer Wahlkampagne mit einer totalen Niederlage Vogelsangs geendigt hatte. Dabei mehrten sich die persönlichen Angriffe gegen Treibel. Anfangs hatte man diesen, wegen seiner großen Beliebtheit, rücksichtsvoll außer Spiel gelassen, bis die Taktlosigkeiten seines Agenten ein weiteres Schonen unmöglich machten. „Es ist zweifellos ein Unglück", so hieß es in den Organen der Gegenpartei, „so beschränkt zu sein wie Leutnant Vogelsang; aber eine solche Beschränktheit in seinen Dienst zu nehmen, ist eine Mißachtung gegen den gesunden Menschenverstand unseres Kreises. Die Kandidatur Treibel scheitert einfach an diesem Affront."

Es sah nicht allzu heiter aus bei den alten Treibels, was Hildegard allmählich so sehr zu fühlen begann, daß sie halbe Tage bei den Geschwistern zubrachte. Der Holzhof war überhaupt hübscher als die Fabrik und Lizzi geradezu reizend mit ihren langen weißen Strümpfen. Einmal waren sie auch rot. Wenn sie so herankam und die Tante Hildegard mit einem Knicks begrüßte, flüsterte diese der Schwester zu: „Quite english, Helen", und man lächelte sich dann glücklich an. Ja, es waren Lichtblicke. Wenn Lizzi dann aber wieder fort war, war auch zwischen den Schwestern von unbefangener Unterhaltung keine Rede mehr, weil das Gespräch die zwei wichtigsten Punkte nicht berühren durfte: die Verlobung Leopolds und den Wunsch, aus dieser Verlobung mit guter Manier herauszukommen.

Ja, es sah nicht heiter aus bei den Treibels, aber bei den Schmidts auch nicht. Der alte Professor war eigentlich weder in Sorge noch in Verstimmung, lebte vielmehr umgekehrt der Überzeugung, daß sich nun alles bald zum Besseren wenden werde; diesen Prozeß aber sich still vollziehen zu lassen, schien ihm ganz unerläßlich, und so verurteilte er sich, was ihm nicht leicht wurde, zu unbedingtem Schweigen. Die Schmolke war natürlich ganz entgegengesetzter Ansicht und hielt, wie die meisten alten Berlinerinnen, außerordentlich viel von „Sichaussprechen", je mehr und je öfter, desto besser. Ihre nach dieser Seite hin abzielenden Versuche verliefen aber resultatlos, und Corinna war nicht zum Sprechen zu bewegen, wenn die Schmolke begann: „Ja, Corinna, was soll denn nun eigentlich werden? Was denkst du dir denn eigentlich?"

Auf all das gab es keine rechte Antwort, vielmehr stand Corinna wie am Roulette und wartete mit verschränkten Armen, wohin die Kugel fallen würde. Sie war nicht unglücklich, aber äußerst unruhig und unmutig, vor allem, wenn sie der heftigen Streitszene gedachte, bei der sie doch vielleicht zuviel gesagt hatte. Sie fühlte ganz deutlich, daß alles anders gekommen wäre, wenn die Rätin etwas weniger Herbheit, sie selber aber etwas mehr Entgegenkommen gezeigt hätte. Ja, da hätte sich dann ohne sonderliche Mühe Frieden schließen und das Bekenntnis einer gewissen Schuld, weil alles bloß Berechnung gewesen, allenfalls ablegen lassen. Aber freilich im selben Augenblicke, wo sie, neben dem Bedauern über die hochmütige Haltung der Rätin, vor allem und in erster Reihe sich selber der Schuld zieh, in ebendiesem Augenblicke mußte sie sich doch auch wieder sagen, daß ein Wegfall alles dessen, was ihr vor ihrem eigenen Gewissen in dieser Angelegenheit als fragwürdig erschien, in den Augen der Rätin nichts gebessert haben würde. Diese schreckliche Frau, trotzdem sie beständig so tat und sprach, war ja weitab davon, ihr wegen ihres Spiels mit Gefühlen einen ernsthaften Vorwurf zu machen. Das war ja Nebensache, da lag es nicht. Und wenn sie diesen lieben und guten Menschen, wie's ja doch möglich war, aufrichtig und von Herzen geliebt hätte, so wäre das

Verbrechen genau dasselbe gewesen. „Diese Rätin, mit ihrem überheblichen Nein, hat mich nicht da getroffen, wo sie mich treffen konnte, sie weist diese Verlobung nicht zurück, weil mirs an Herz und Liebe gebricht, nein, sie weist sie nur zurück, weil ich arm oder wenigstens nicht dazu angetan bin, das Treibelsche Vermögen zu verdoppeln, um nichts, nichts weiter; und wenn sie vor anderen versichert oder vielleicht auch sich selber einredet, ich sei ihr zu selbstbewußt und zu professorlich, so sagt sie das nur, weils ihr gerade paßt. Unter andern Verhältnissen würde meine Professorlichkeit mir nicht nur nicht schaden, sondern ihr umgekehrt die Höhe der Bewunderung bedeuten."

So gingen Corinnas Reden und Gedanken, und um sich ihnen nach Möglichkeit zu entziehen, tat sie, was sie seit lange nicht mehr getan, und machte Besuche bei den alten und jungen Professorenfrauen. Am besten gefiel ihr wieder die gute, ganz von Wirtschaftlichkeit in Anspruch genommene Frau Rindfleisch, die jeden Tag, ihrer vielen Pensionäre halber, in die große Markthalle ging und immer die besten Quellen und billigsten Preise wußte, Preise, die dann später der Schmolke mitgeteilt, in erster Reihe den Ärger derselben, zuletzt aber ihre Bewunderung vor einer höheren wirtschaftlichen Potenz weckten. Auch bei Frau Immanuel Schultze sprach Corinna vor und fand dieselbe, vielleicht weil Friedebergs nahe bevorstehende Ehescheidung ein sehr dankbares Thema bildete, auffallend nett und gesprächig; Immanuel selbst aber war wieder so großsprecherisch und zynisch, daß sie doch fühlte, den Besuch nicht wiederholen zu können. Und weil die Woche so viele Tage hatte, so mußte sie sich zuletzt zu Museum und Nationalgalerie bequemen. Aber sie hatte keine rechte Stimmung dafür. Im Corneliussaal interessierte sie, vor dem einen großen Wandbilde, nur die ganz kleine Predelle, wo Mann und Frau den Kopf aus der Bettdecke strecken, und im Ägyptischen Museum fand sie eine merkwürdige Ähnlichkeit zwischen Ramses und Vogelsang.

Wenn sie dann nach Hause kam, fragte sie jedesmal, ob wer dagewesen sei, was heißen sollte: „War Leopold da?", worauf die Schmolke regelmäßig antwortete: „Nein, Corinna, keine Menschenseele.“ Wirklich, Leopold hatte nicht den Mut zu kommen und beschränkte sich darauf, jeden Abend einen kleinen Brief zu schreiben, der dann am andern Morgen auf ihrem Frühstückstische lag. Schmidt sah lächelnd drüber hin, und Corinna stand dann wie von ungefähr auf, um das Briefchen in ihrem Zimmer zu lesen.

Liebe Corinna. Der heutige Tag verlief wie alle. Die Mama scheint in ihrer Gegnerschaft verharren zu wollen. Nun, wir wollen sehen, wer siegt. Hildegard ist viel bei Helene, weil niemand hier ist, der sich recht um sie kümmert. Sie kann mir leid tun, ein so junges und hübsches Mädchen. Alles das Resultat solcher Anzettelungen. Meine Seele verlangt, Dich zu sehen, und in der nächsten Woche werden Entschlüsse von mir gefaßt werden, die volle Klarheit schaffen. Mama wird sich wundern. Nur soviel, ich erschrecke vor nichts, auch vor dem Äußersten nicht. Das mit dem vierten Gebot ist recht gut, aber es hat seine Grenzen. Wir haben auch Pflichten gegen uns selbst und gegen die, die wir über alles lieben, die Leben und Tod in unseren Augen bedeuten. Ich schwanke noch, wohin, denke aber England; da haben wir Liverpool und Mr. Nelson, und in zwei Stunden sind wir an der schottischen Grenze. Schließlich ist es gleich, wer uns äußerlich vereinigt, sind wir es doch längst in uns. Wie mir das Herz dabei schlägt. Ewig der Deine. Leopold.

Corinna zerriß den Brief in kleine Streifen und warf sie draußen ins Kochloch. „Es ist am besten so; dann vergeß ich wieder, was er heute geschrieben, und kann morgen nicht mehr vergleichen. Denn mir ist, als schreibe er jeden Tag dasselbe. Sonderbare Verlobung. Aber soll ich ihm einen Vorwurf machen, daß er kein Held ist? Und mit meiner Einbildung, ihn zum Helden umschaffen zu können, ist es auch vorbei. Die Niederlagen und Demütigungen werden nun wohl ihren Anfang nehmen. Verdient? Ich fürchte.“

Anderthalb Wochen waren um, und noch hatte sich im

Schmidtschen Hause nichts verändert; der Alte schwieg nach wie vor, Marcell kam nicht und Leopold noch weniger, und nur seine Morgenbriefe stellten sich mit großer Pünktlichkeit ein; Corinna las sie schon längst nicht mehr, überflog sie nur und schob sie dann lächelnd in ihre Morgenrocktasche, wo sie zersessen und zerknittert wurden. Sie hatte zum Troste nichts als die Schmolke, deren gesunde Gegenwart ihr wirklich wohltat, wenn sie's auch immer noch vermied, mit ihr zu sprechen.

Aber auch das hatte seine Zeit.

Der Professor war eben nach Hause gekommen, schon um elf, denn es war Mittwoch, wo die Klasse, für ihn wenigstens, um eine Stunde früher schloß. Corinna sowohl wie die Schmolke hatten ihn kommen und die Drückertür geräuschvoll ins Schloß fallen hören, nahmen aber beide keine Veranlassung, sich weiter um ihn zu kümmern, sondern blieben in der Küche, drin der helle Julisonnenschein lag und alle Fensterflügel geöffnet waren. An einem der Fenster stand auch der Küchentisch. Draußen, an zwei Haken, hing ein kastenartiges Blumenbrett, eine jener merkwürdigen Schöpfungen der Holzschneidekunst, wie sie Berlin eigentümlich sind: kleine Löcher zu Sternblumen zusammengestellt; Anstrich dunkelgrün. In diesem Kasten standen mehrere Geranium- und Goldlacktöpfe, zwischen denen hindurch die Sperlinge huschten und sich in großstädtischer Dreistigkeit auf den am Fenster stehenden Küchentisch setzten. Hier pickten sie vergnügt an allem herum, und niemand dachte daran, sie zu stören. Corinna, den Mörser zwischen den Knien, war mit Zimtstoßen beschäftigt, während die Schmolke grüne Kochbirnen der Länge nach durchschnitt und beide gleiche Hälften in eine große braune Schüssel, eine sogenannte Reibesatte, fallen ließ. Freilich, zwei ganz gleiche Hälften waren es nicht, konnten es nicht sein, weil natürlich nur eine Hälfte den Stengel hatte, welcher Stengel denn auch Veranlassung zu Beginn einer Unterhaltung wurde, wonach sich die Schmolke schon seit lange sehnte.

„Sieh, Corinna", sagte die Schmolke, „dieser hier, dieser lange, das ist so recht ein Stengel nach dem Herzen deines

Vaters ..." – Corinna nickte. – "... Den kann er anfassen wie 'ne Makkaroni un hochhalten und alles von unter her aufessen ... Es ist doch ein merkwürdiger Mann ..."

„Ja, das ist er!"

„Ein merkwürdiger Mann und voller Schrullen, und man muß ihn erst ausstudieren. Aber das Merkwürdigste, das ist doch das mit den langen Stengeln un daß wir sie, wenn es Semmelpudding un Birnen gibt, nicht schälen dürfen, un daß der ganze Kriepsch mit Kerne und alles drin bleiben muß. Er is doch ein Professor un ein sehr kluger Mann, aber das muß ich dir sagen, Corinna, wenn ich meinem guten Schmolke, der doch nur ein einfacher Mann war, mit so lange Stengel un ungeschält un den ganzen Kriepsch drin gekommen wär, ja, da hätt es was gegeben. Denn so gut er war, wenn er dachte, ‚sie denkt woll, das is gut genug', dann wurd er falsch un machte sein Dienstgesicht un sah aus, als ob er mich arretieren wollte ..."

„Ja, liebe Schmolke", sagte Corinna, „das ist eben einfach die alte Geschichte vom Geschmack und daß sich über Geschmäcker nicht streiten läßt. Und dann ist es auch wohl die Gewohnheit und vielleicht auch von Gesundheits wegen."

„Von Gesundheits wegen", lachte die Schmolke. „Na, höre, Kind, wenn einem so die Hacheln in die Kehle kommen un man sich verschluckert un man mitunter zu 'nem ganz fremden Menschen sagen muß: ‚Bitte, kloppen Sie mir mal en bißchen, aber hier ordentlich ins Kreuz' – nein, Corinna, da bin ich doch mehr für eine ausgekernte Malvasier, die runtergeht wie Butter. Gesundheit ...! Stengel un Schale, was da von Gesundheit is, das weiß ich nich ..."

„Doch, liebe Schmolke. Manche können Obst nicht vertragen und fühlen sich geniert, namentlich wenn sie, wie Papa, hinterher auch noch die Sauce löffeln. Und da gibt es nur ein Mittel dagegen: alles muß dranbleiben, der Stengel und die grüne Schale. Die beiden, die haben das Adstringens ..."

„Was?"

„Das Adstringens, das heißt das, was zusammenzieht, erst bloß die Lippen und den Mund, aber dieser Prozeß des Zusammenziehens setzt sich dann durch den ganzen inneren Menschen hin fort, und das ist dann das, was alles wieder in Ordnung bringt und vor Schaden bewahrt."

Ein Sperling hatte zugehört, und wie durchdrungen von der Richtigkeit von Corinnas Auseinandersetzungen, nahm er einen Stengel, der zufällig abgebrochen war, in den Schnabel und flog damit auf das andere Dach hinüber. Die beiden Frauen aber verfielen in Schweigen und nahmen erst nach einer Viertelstunde das Gespräch wieder auf.

Das Gesamtbild war nicht mehr ganz dasselbe, denn Corinna hatte mittlerweile den Tisch abgeräumt und einen blauen Zuckerbogen darüber ausgebreitet, auf welchem zahlreiche alte Semmeln lagen und daneben ein großes Reibeisen. Dies letztere nahm sie jetzt in die Hand, stemmte sich mit der linken Schulter dagegen und begann nun ihre Reibetätigkeit mit solcher Vehemenz, daß die geriebene Semmel über den ganzen blauen Bogen hinstäubte. Dann und wann unterbrach sie sich und schüttete die Bröckchen nach der Mitte hin zu einem Berg zusammen, aber gleich danach begann sie von neuem, und es hörte sich wirklich an, als ob sie bei dieser Arbeit allerlei mörderische Gedanken habe.

Die Schmolke sah ihr von der Seite her zu. Dann sagte sie: „Corinna, wen zerreibst du denn eigentlich?"

„Die ganze Welt."

„Das is viel . . . un dich mit?"

„Mich zuerst."

„Das is recht. Denn wenn du nur erst recht zerrieben un recht mürbe bist, dann wirst du wohl wieder zu Verstande kommen."

„Nie."

„Man muß nie ‚nie' sagen, Corinna. Das war ein Hauptsatz von Schmolke. Un das muß wahr sein, ich habe noch jedesmal gefunden, wenn einer ‚nie' sagte, dann is es immer dicht vorm Umkippen. Un ich wollte, daß es mit dir auch so wäre."

Corinna seufzte.

„Sieh, Corinna, du weißt, daß ich immer dagegen war. Denn es is ja doch ganz klar, daß du deinen Vetter Marcell heiraten mußt."

„Liebe Schmolke, nur kein Wort von dem."

„Ja, das kennt man, das is das Unrechtsgefühl. Aber ich will nichts weiter sagen un will nur sagen, was ich schon gesagt habe, daß ich immer dagegen war, ich meine gegen Leopold, un daß ich einen Schreck kriegte, als du mirs sagtest. Aber als du mir dann sagtest, daß die Kommerzienrätin sich ärgern würde, da gönnt ichs ihr un dachte: ‚Warum nich? Warum soll es nich gehn? Un wenn der Leopold auch bloß ein Wickelkind is, Corinnchen wird ihn schon aufpäppeln und ihn zu Kräften bringen.' Ja, Corinna, so dacht ich un hab es dir auch gesagt. Aber es war ein schlechter Gedanke, denn man soll seinen Mitmenschen nich ärgern, wenn man ihn nich leiden kann, un was mir zuerst kam, der Schreck über deine Verlobung, das war doch das Richtige. Du mußt einen klugen Mann haben, einen, der eigentlich klüger ist als du – du bist übrigens gar nich mal so klug – un der was Männliches hat, so wie Schmolke, un vor dem du Respekt hast. Un vor Leopold kannst du keinen Respekt haben. Liebst du'n denn noch immer?"

„Ach, ich denke ja gar nicht dran, liebe Schmolke."

„Na, Corinna, denn is es Zeit, un denn mußt du nu Schicht damit machen. Du kannst doch nich die ganze Welt auf den Kopp stellen un dein un andrer Leute Glück, worunter auch dein Vater un deine alte Schmolke is, verschütten un verderben wollen, bloß um der alten Kommerzienrätin mit ihrem Puffscheitel und ihren Brillantbommeln einen Tort anzutun. Es is eine geldstolze Frau, die den Apfelsinenladen vergessen hat un immer bloß ötepotöte tut un den alten Professor anschmachtet un ihn auch ‚Wilibald' nennt, als ob sie noch auf'n Hausboden Versteck miteinander spielten un hinterm Torf stünden, denn damals hatte man noch Torf auf'm Boden, un wenn man runter kam, sah man immer aus wie'n Schornsteinfeger – ja, sieh, Corinna, das hat alles seine Richtigkeit, un ich hätt ihr so was gegönnt, un Ärger genug wird sie woll auch gehabt haben. Aber wie der alte Pastor Thomas zu Schmolke un mir in unsrer Traurede gesagt hat: ‚Liebet euch untereinander, denn der Mensch soll sein Leben nich auf den Haß, sondern auf die Liebe stellen' (dessen Schmolke un ich auch immer eingedenk gewesen sind) – so, meine liebe Corinna, sag ich es auch zu dir, man soll sein Leben nich auf den Haß stellen. Hast du denn wirklich einen solchen Haß auf die Rätin, das heißt einen richtigen!"

„Ach, ich denke ja gar nicht daran, liebe Schmolke."

„Ja, Corinna, da kann ich dir bloß noch mal sagen, dann is es wirklich die höchste Zeit, daß was geschieht. Denn wenn du *ihn* nicht liebst und *ihr* nich paßt, denn weiß ich nich, was die ganze Geschichte überhaupt noch soll."

„Ich auch nicht."

Und damit umarmte Corinna die gute Schmolke, und diese sah denn auch gleich an einem Flimmer in Corinnas Augen, daß nun alles vorüber und daß der Sturm gebrochen sei.

„Na, Corinna, denn wollen wirs schon kriegen, un es kann noch alles gut werden. Aber nu gib die Form her, daß wir ihn eintun, denn eine Stunde muß er doch wenigstens kochen. Un vor Tisch sag ich deinem Vater kein Wort, weil er sonst vor Freude nich essen kann . . ."

„Ach, der äße doch."

„Aber nach Tisch sag ichs ihm, wenn er auch um seinen Schlaf kommt. Und geträumt hab ichs auch schon un habe dir nur nichts davon sagen wollen. Aber nun kann ich es ja. Sieben Kutschen, und die beiden Kälber von Professor Kuh waren Brautjungfern. Natürlich, Brautjungfern möchten sie immer alle sein, denn auf die kuckt alles, beinah mehr noch als auf die Braut, weil die ja schon weg ist; un meistens kommen sie auch bald ran. Un bloß den Pastor konnt ich nich recht erkennen. Thomas war es nich. Aber vielleicht war es Souchon, bloß daß er ein bißchen zu dicklich war."

Fünfzehntes Kapitel

Der Pudding erschien Punkt zwei, und Schmidt hatte sich denselben munden lassen. In seiner behaglichen Stimmung entging es ihm durchaus, daß Corinna für alles, was er sagte, nur ein stummes Lächeln hatte; denn er war ein liebenswürdiger Egoist, wie die meisten seines Zeichens, und kümmerte sich nicht sonderlich um die Stimmung seiner Umgebung, solange nichts passierte, was dazu angetan war, *ihm* die Laune direkt zu stören.

„Und nun laß abdecken, Corinna; ich will, eh ich mich ein bißchen ausstrecke, noch einen Brief an Marcell schreiben oder doch wenigstens ein paar Zeilen. Er hat nämlich die Stelle. Distelkamp, der immer noch alte Beziehungen unterhält, hat michs heute vormittag wissen lassen." Und während der Alte das sagte, sah er zu Corinna hinüber, weil er wahrnehmen wollte, wie diese wichtige Nachricht auf seiner Tochter Gemüt wirke. Er sah aber nichts, vielleicht weil nichts zu sehen war, vielleicht auch, weil er kein scharfer Beobachter war, selbst dann nicht, wenn ers ausnahmsweise mal sein wollte.

Corinna, während der Alte sich erhob, stand ebenfalls auf und ging hinaus, um draußen die nötigen Ordres zum Abräumen an die Schmolke zu geben. Als diese bald danach eintrat, setzte sie mit jenem absichtlichen und ganz unnötigen Lärmen, durch das alte Dienerinnen ihre dominierende Hausstellung auszudrücken lieben, die herumstehenden Teller und Bestecke zusammen, derart, daß die Messer- und Gabelspitzen nach allen Seiten hin herausstarrten, und drückte diesen Stachelturm im selben Augenblicke, wo sie sich zum Hinausgehen anschickte, fest an sich.

„Pieken Sie sich nicht, liebe Schmolke", sagte Schmidt, der sich gern einmal eine kleine Vertraulichkeit erlaubte.

„Nein, Herr Professor, von Pieken is keine Rede nich mehr, schon lange nich. Un mit der Verlobung is es auch vorbei."

„Vorbei. Wirklich? Hat sie was gesagt?"

„Ja, wie sie die Semmeln zu den Pudding rieb, is es mit eins rausgekommen. Es stieß ihr schon lange das Herz ab, und sie wollte bloß nichts sagen. Aber nu is es ihr zu langweilig geworden, das mit Leopoldten. Immer bloß kleine Billetter mit'n Vergißmeinnicht draußen un'n Veilchen drin; da sieht sie nu doch wohl, daß er keine rechte Courage hat un daß seine Furcht vor der Mama noch größer is als seine Liebe zu ihr."

„Nun, das freut mich. Und ich hab es auch nicht anders

erwartet. Und Sie wohl auch nicht, liebe Schmolke. Der Marcell ist doch ein andres Kraut. Und was heißt gute Partie? Marcell ist Archäologe."

„Versteht sich", sagte die Schmolke, die sich dem Professor gegenüber grundsätzlich nie zur Unvertrautheit mit Fremdwörtern bekannte.

„Marcell, sag ich, ist Archäologe. Vorläufig rückt er an Hedrichs Stelle. Gut angeschrieben ist er schon lange, seit Jahr und Tag. Und dann geht er mit Urlaub und Stipendium nach Mykenä . . ."

Die Schmolke drückte auch jetzt wieder ihr volles Verständnis und zugleich ihre Zustimmung aus.

„Und vielleicht", fuhr Schmidt fort, „auch nach Tiryns oder wo Schliemann gerade steckt. Und wenn er von da zurück ist und mir einen Zeus für diese meine Stube mitgebracht hat . . ." und er wies dabei unwillkürlich nach dem Ofen oben, als dem einzigen für Zeus noch leeren Fleck . . . „wenn er von da zurück ist, sag ich, so ist ihm eine Professur gewiß. Die Alten können nicht ewig leben. Und sehen Sie, liebe Schmolke, das ist das, was ich eine gute Partie nenne."

„Versteht sich, Herr Professor. Wovor sind denn auch die Examens un all das? Un Schmolke, wenn er auch kein Studierter war, sagte auch immer . . ."

„Und nun will ich an Marcell schreiben und mich dann ein Viertelstündchen hinlegen. Und um halb vier den Kaffee. Aber nicht später."

Um halb vier kam der Kaffee. Der Brief an Marcell, ein Rohrpostbrief, zu dem sich Schmidt nach einigem Zögern entschlossen hatte, war seit wenigstens einer halben Stunde fort, und wenn alles gut ging und Marcell zu Hause war, so las er vielleicht in diesem Augenblicke schon die drei lapidaren Zeilen, aus denen er seinen Sieg entnehmen konnte. Gymnasialoberlehrer! Bis heute war er nur deutscher Literaturlehrer an einer höheren Mädchenschule gewesen und hatte manchmal grimmig in sich hineingelacht, wenn er über den Codex argenteus, bei welchem Worte die jungen Dinger immer kicherten, oder über den Heliand und Beowulf hatte sprechen müssen. Auch hinsichtlich Corinnas waren ein paar dunkle Wendungen in den Brief eingeflochten worden, und alles in allem ließ sich annehmen, daß Marcell binnen kürzester Frist erscheinen würde, seinen Dank auszusprechen.

Und wirklich, fünf Uhr war noch nicht heran, als die Klingel ging und Marcell eintrat. Er dankte dem Onkel herzlich für seine Protektion, und als dieser das alles mit der Bemerkung ablehnte, daß, wenn von solchen Dingen überhaupt die Rede sein könne, jeder Dankesanspruch auf Distelkamp falle, sagte Marcell: „Nun, dann also Distelkamp. Aber daß du mirs gleich geschrieben, dafür werd ich mich doch auch bei dir bedanken dürfen. Und noch dazu mit Rohrpost!“

„Ja, Marcell, das mit Rohrpost, das hat vielleicht Anspruch; denn eh wir Alten uns zu was Neuem bequemen, das dreißig Pfennig kostet, da kann mitunter viel Wasser die Spree runterfließen. Aber was sagst du zu Corinna?“

„Lieber Onkel, du hast da so eine dunkle Wendung gebraucht . . ., ich habe sie nicht recht verstanden. Du schriebst: ‚Kenneth von Leoparden sei auf dem Rückzug.‘ Ist Leopold gemeint? Und muß es Corinna jetzt als Strafe hinnehmen, daß sich Leopold, den sie so sicher zu haben glaubte, von ihr abwendet?“

„Es wäre so schlimm nicht, wenn es so läge. Denn in diesem Falle wäre die Demütigung, von der man doch wohl sprechen muß, noch um einen Grad größer. Und sosehr ich Corinna liebe, so muß ich doch zugeben, daß ihr ein Denkzettel wohl not täte.“

Marcell wollte zum Guten reden . . .

„Nein, verteidige sie nicht, sie hätte so was verdient. Aber die Götter haben es doch milder mit ihr vor und diktieren ihr statt der ganzen Niederlage, die sich in Leopolds selbstgewolltem Rückzuge aussprechen würde, nur die halbe Niederlage zu, nur die, daß die Mutter nicht will und daß meine gute Jenny, trotz Lyrik und obligater Träne, sich ihrem Jungen gegenüber doch mächtiger erweist als Corinna.“

„Vielleicht nur, weil Corinna sich noch rechtzeitig besann und nicht alle Minen springen lassen wollte.“

„Vielleicht ist es so. Aber wie es auch liegen mag, Marcell, wir müssen uns nun darüber schlüssig machen, wie du zu dieser ganzen Tragikomödie dich stellen willst, so oder so. Ist dir Corinna, die du vorhin so großmütig verteidigen wolltest, verleidet oder nicht? Findest du, daß sie wirklich eine gefährliche Person ist, voll Oberflächlichkeit und Eitelkeit, oder meinst du, daß alles nicht so schlimm und ernsthaft war, eigentlich nur bloße Marotte, die verziehen werden kann? Darauf kommt es an."

„Ja, lieber Onkel, ich weiß wohl, wie ich dazu stehe. Aber ich bekenne dir offen, ich hörte gern erst deine Meinung. Du hast es immer gut mit mir gemeint und wirst Corinna nicht mehr loben, als sie verdient. Auch schon aus Selbstsucht nicht, weil du sie gern im Hause behieltest. Und ein bißchen Egoist bist du ja wohl. Verzeih, ich meine nur so dann und wann und in einzelnen Stücken . . ."

„Sage dreist, in allen. Ich weiß das auch und getröste mich damit, daß es in der Welt öfters vorkommt. Aber das sind Abschweifungen. Von Corinna soll ich sprechen und will auch. Ja, Marcell, was ist da zu sagen? Ich glaube, sie war ganz ernsthaft dabei, hat dirs ja auch damals ganz frank und frei erklärt, und du hast es auch geglaubt, mehr noch als ich. Das war die Sachlage, so stand es vor ein paar Wochen. Aber jetzt, darauf möcht ich mich verwetten, jetzt ist sie gänzlich umgewandelt, und wenn die Treibels ihren Leopold zwischen lauter Juwelen und Goldbarren setzen wollten, ich glaube, sie nähm ihn nicht mehr. Sie hat eigentlich ein gesundes und ehrliches und aufrichtiges Herz, auch einen feinen Ehrenpunkt, und nach einer kurzen Abirrung ist ihr mit einem Male klargeworden, was es eigentlich heißt, wenn man mit zwei Familienporträts und einer väterlichen Bibliothek in eine reiche Familie hineinheiraten will. Sie hat den Fehler gemacht, sich einzubilden, ‚das ginge so', weil man ihrer Eitelkeit beständig Zuckerbrot gab und so tat, als bewerbe man sich um sie. Aber bewerben und bewerben ist ein Unterschied. Gesellschaftlich, das geht eine Weile; nur nicht fürs Leben. In eine Herzogsfamilie kann man allenfalls hineinkommen, in eine Bourgeoisfamilie nicht. Und wenn er, der Bourgeois, es auch wirklich übers

Herz brächte – seine Bourgeoise gewiß nicht, am wenigsten, wenn sie Jenny Treibel, née Bürstenbinder heißt. Rund heraus, Corinnas Stolz ist endlich wachgerufen, laß mich hinzusetzen: Gott sei Dank, und gleichviel nun, ob sie's noch hätte durchsetzen können oder nicht, sie mag es und will es nicht mehr, sie hat es satt. Was vordem halb Berechnung, halb Übermut war, das sieht sie jetzt in einem andern Licht und ist ihr Gesinnungssache geworden. Da hast du meine Weisheit. Und nun laß mich noch einmal fragen, wie gedenkst du dich zu stellen? Hast du Lust und Kraft, ihr die Torheit zu verzeihen?"

„Ja, lieber Onkel, das hab ich. Natürlich, soviel ist richtig, es wäre mir ein gut Teil lieber, die Geschichte hätte *nicht* gespielt; aber da sie nun einmal gespielt hat, nehm ich mir das Gute heraus. Corinna hat nun wohl für immer mit der Modernität und dem krankhaften Gewichtlegen aufs Äußerliche gebrochen und hat statt dessen die von ihr verspotteten Lebensformen wieder anerkennen gelernt, in denen sie großgeworden ist."

Der Alte nickte.

„Mancher", fuhr Marcell fort, „würde sich anders dazu stellen, das ist mir völlig klar; die Menschen sind eben verschieden, das sieht man alle Tage. Da hab ich beispielsweise ganz vor kurzem erst eine kleine reizende Geschichte von Heyse gelesen, in der ein junger Gelehrter, ja, wenn mir recht ist, sogar ein archäologisch Angekränkelter, also eine Art Spezialkollege von mir, eine junge Baronesse liebt und auch herzlich und aufrichtig wiedergeliebt wird; er weiß es nur noch nicht recht, ist ihrer noch nicht ganz sicher. Und in diesem Unsicherheitszustande hört er in der zufälligen Verborgenheit einer Taxushecke, wie die mit einer Freundin im Park lustwandelnde Baronesse eben dieser ihrer Freundin allerhand Confessions macht, von ihrem Glück und ihrer Liebe plaudert und sichs nur leider nicht versagt, ein paar scherzhaft übermütige Bemerkungen über ihre Liebe mit einzuflechten. Und dieses hören und sein Ränzel schnüren und sofort das Weite suchen, ist für den Liebhaber und Archäologen eins. Mir ganz unverständlich. Ich, lieber Onkel, hätt es anders gemacht, *ich* hätte nur die Liebe herausgehört und nicht den Scherz und nicht den Spott und wäre, statt abzureisen, meiner geliebten Baronesse wahnsinnig glücklich zu Füßen gestürzt, von nichts sprechend als von meinem unendlichen Glück. Da hast du meine Situation, lieber Onkel. Natürlich kann mans auch anders machen: ich bin für mein Teil indessen herzlich froh, daß ich nicht zu den Feierlichen gehöre. Respekt vor dem Ehrenpunkt, gewiß; aber zuviel davon ist vielleicht überall vom Übel, und in der Liebe nun schon ganz gewiß."

„Bravo, Marcell. Hab es übrigens nicht anders erwartet und seh auch darin wieder, daß du meiner leiblichen Schwester Sohn bist. Sieh, das ist das Schmidtsche in dir, daß du so sprechen kannst; keine Kleinlichkeit, keine Eitelkeit, immer aufs Rechte und immer aufs Ganze. Komm her, Junge, gib mir einen Kuß. Einer ist eigentlich zu wenig, denn wenn ich bedenke, daß du mein Neffe und Kollege, und nun bald auch mein Schwiegersohn bist, denn Corinna wird doch wohl nicht nein sagen, dann sind auch zwei Backenküsse kaum noch genug. Und *die* Genugtuung sollst du haben, Marcell, Corinna muß an dich schreiben und sozusagen beichten und Vergebung der Sünden bei dir anrufen."

„Um Gottes willen, Onkel, mache nur nicht so was. Zunächst wird sie's nicht tun, und wenn sie's tun wollte, so würd ich doch das nicht mit ansehn können. Die Juden, so hat mir Friedeberg erst ganz vor kurzem erzählt, haben ein Gesetz oder einen Spruch, wonach es als ganz besonders strafwürdig gilt, einen Mitmenschen zu beschämen, und ich finde, das ist ein kolossal feines Gesetz und beinah schon christlich. Und wenn man niemanden beschämen soll, nicht einmal seine Feinde, ja, lieber Onkel, wie käm ich dann dazu, meine liebe Cousine Corinna beschämen zu wollen, die vielleicht schon nicht weiß, wo sie vor Verlegenheit hinsehen soll. Denn wenn die Nichtverlegenen mal verlegen werden, dann werden sie's auch ordentlich, und ist einer in solch peinlicher Lage wie Corinna, da hat man die Pflicht, ihm goldne Brücken zu bauen. *Ich* werde schreiben, lieber Onkel."

„Bist ein guter Kerl, Marcell; komm her, noch einen. Aber sei nicht *zu* gut, das können die Weiber nicht vertragen, nicht einmal die Schmolke."

Sechzehntes Kapitel

Und Marcell schrieb wirklich, und am andern Morgen lagen zwei an Corinna adressierte Briefe auf dem Frühstückstisch, einer in kleinem Format mit einem Landschaftsbildchen in der linken Ecke, Teich und Trauerweide, worin Leopold, zum ach, wievielten Male, von seinem „unerschütterlichen Entschlusse" sprach, der andere, ohne malerische Zutat, von Marcell. Dieser lautete:

Liebe Corinna! Der Papa hat gestern mit mir gesprochen und mich zu meiner innigsten Freude wissen lassen, daß, verzeih, es sind seine eignen Worte, ‚Vernunft wieder an zu sprechen fange'. ‚Und', so setzte er hinzu, ‚die rechte Vernunft käme aus dem Herzen.' Darf ich es glauben? Ist ein Wandel eingetreten, die Bekehrung, auf die ich gehofft? Der Papa wenigstens hat mich dessen versichert. Er war auch der Meinung, daß Du bereit sein würdest, dies gegen mich auszusprechen, aber ich habe feierlichst dagegen protestiert, denn mir liegt gar nicht daran, Unrechts- oder Schuldgeständnisse zu hören; – das, was ich jetzt weiß, wenn auch noch nicht aus Deinem Munde, genügt mir völlig, macht mich unendlich glücklich und löscht alle Bitterkeit aus meiner Seele. Manch einer würde mir in diesem Gefühl nicht folgen können, aber ich habe da, wo mein Herz spricht, nicht das Bedürfnis, zu einem Engel zu sprechen, im Gegenteil, mich bedrücken Vollkommenheiten, vielleicht weil ich nicht an sie glaube; Mängel, die ich menschlich begreife, sind mir sympathisch, auch dann noch, wenn ich unter ihnen leide. Was Du mir damals sagtest, als ich Dich an dem Mr.-Nelson-Abend von Treibels nach Hause begleitete, das weiß ich freilich noch alles, aber es lebt nur in meinem Ohr, nicht in meinem Herzen. In meinem Herzen steht nur das eine, das immer darin stand, von Anfang an, von Jugend auf.

Ich hoffe Dich heute noch zu sehen. Wie immer

Dein Marcell.

Corinna reichte den Brief ihrem Vater. Der las nun auch

und blies dabei doppelte Dampfwolken; als er aber fertig war, stand er auf und gab seinem Liebling einen Kuß auf die Stirn: „Du bist ein Glückskind. Sieh, das ist das, was man das Höhere nennt, das wirklich Ideale, nicht das von meiner Freundin Jenny. Glaube mir, das Klassische, was sie jetzt verspotten, das ist das, was die Seele frei macht, das Kleinliche nicht kennt und das Christliche vorahnt und vergeben und vergessen lehrt, weil wir alle des Ruhmes mangeln. Ja, Corinna, das Klassische, das hat Sprüche wie Bibelsprüche. Mitunter beinah noch etwas drüber. Da haben wir zum Beispiel den Spruch: ‚Werde, der du bist', ein Wort, das nur ein Grieche sprechen konnte. Freilich, dieser Werdeprozeß, der hier gefordert wird, muß sich verlohnen, aber wenn mich meine väterliche Befangenheit nicht täuscht, bei dir verlohnt es sich. Diese Treibelei war ein Irrtum, ein ‚Schritt vom Wege', wie jetzt, wie du wissen wirst, auch ein Lustspiel heißt, noch dazu von einem Kammergerichtsrat. Das Kammergericht, Gott sei Dank, war immer literarisch. Das Literarische macht frei ... Jetzt hast du das Richtige wiedergefunden und dich selbst dazu ... ‚Werde, der du bist', sagt der große Pindar, und deshalb muß auch Marcell, um der zu werden, der er ist, in die Welt hinaus, an die großen Stätten, und besonders an die ganz alten. Die ganz alten, das ist immer wie das Heilige Grab; dahin gehen die Kreuzzüge der Wissenschaft, und seid ihr erst von Mykenä wieder zurück – ich sage ‚ihr', denn du wirst ihn begleiten, die Schliemann ist auch immer dabei –, so müßte keine Gerechtigkeit sein, wenn ihr nicht übers Jahr Privatdozent wärt oder Extraordinarius."

Corinna dankte ihm, daß er sie gleich mit ernenne, vorläufig indes sei sie mehr für Haus- und Kinderstube. Dann verabschiedete sie sich und ging in die Küche, setzte sich auf einen Schemel und ließ die Schmolke den Brief lesen. „Nun, was sagen Sie, liebe Schmolke?"

„Ja, Corinna, was soll ich sagen? Ich sage bloß, was Schmolke immer sagte: Manchen gibt es der liebe Gott im Schlaf. Du hast ganz unverantwortlich un beinahe schauderöse gehandelt un kriegst ihn nu doch. Du bist ein Glückskind."

„Das hat mir Papa auch gesagt."

„Na, denn muß es wahr sein, Corinna. Denn was ein Professor sagt, is immer wahr. Aber nu keine Flausen mehr und keine Witzchen, davon haben wir nu genug gehabt mit dem armen Leopold, der mir doch eigentlich leid tun kann, denn er hat sich ja nicht selber gemacht, un der Mensch is am Ende, wie er is. Nein, Corinna, nu wollen wir ernsthaft werden. Und wenn meinst du denn, daß es losgeht oder in die Zeitung kommt? Morgen?"

„Nein, liebe Schmolke, so schnell geht es nicht. Ich muß ihn doch erst sehn, und ihm einen Kuß geben . . ."

„Versteht sich, versteht sich. Eher geht es nich . . ."

„Und dann muß ich doch auch dem armen Leopold erst abschreiben. Er hat mir ja erst heute wieder versichert, daß er für mich leben und sterben will . . ."

„Ach Jott, der arme Mensch."

„Am Ende ist er auch ganz froh . . ."

„Möglich is es."

Noch am selben Abend, wie sein Brief es angezeigt, kam Marcell und begrüßte zunächst den in seine Zeitungslektüre vertieften Onkel, der ihm denn auch – vielleicht weil er die Verlobungsfrage für erledigt hielt – etwas zerstreut und, das Zeitungsblatt in der Hand, mit den Worten entgegentrat: „Und nun sage, Marcell, was sagst du dazu? Summus Episcopus . . . Der Kaiser, unser alter Wilhelm, entkleidet sich davon, und will es nicht mehr, und Kögel wird es. Oder vielleicht Stöcker . . ."

„Ach, lieber Onkel, erstlich glaub ich es nicht. Und dann, ich werde ja doch schwerlich im Dom getraut werden . . ."

„Hast recht. Ich habe den Fehler aller Nichtpolitiker, über einer Sensationsnachricht, die natürlich hinterher immer falsch ist, alles Wichtigere zu vergessen. Corinna sitzt drüben in ihrem Zimmer und wartet auf dich, und ich denke mir, es wird wohl das beste sein, ihr macht es untereinander ab; ich bin auch mit der Zeitung noch nicht ganz fertig, und ein dritter geniert bloß, auch wenn es der Vater ist."

Corinna, als Marcel eintrat, kam ihm herzlich und freundlich entgegen, etwas verlegen, aber doch zugleich sichtlich gewillt, die Sache nach ihrer Art zu behandeln, also so wenig tragisch wie möglich. Von drüben her fiel der Abendschein ins Fenster, und als sie sich gesetzt hatten, nahm sie seine Hand und sagte: „Du bist so gut, und ich hoffe, daß ich dessen immer eingedenk sein werde. Was ich wollte, war nur Torheit."

„Wolltest du's denn wirklich?"

Sie nickte.

„Und liebtest ihn ganz ernsthaft?"

„Nein. Aber ich wollte ihn ganz ernsthaft heiraten. Und mehr noch, Marcell, ich glaube auch nicht, daß ich sehr unglücklich geworden wäre, das liegt nicht in mir, freilich auch wohl nicht sehr glücklich. Aber wer ist glücklich? Kennst du wen? Ich nicht. Ich hätte Malstunden genommen und vielleicht auch Reitunterricht, und hätte mich an der Riviera mit ein paar englischen Familien angefreundet, natürlich solche mit einer Pleasure-Yacht, und wäre mit ihnen nach Korsika oder nach Sizilien gefahren, immer der Blutrache nach. Denn ein Bedürfnis nach Aufregung würd ich doch wohl zeitlebens gehabt haben; Leopold ist etwas schläfrig. Ja, so hätt ich gelebt."

„Du bleibst immer dieselbe und malst dich schlimmer als du bist."

„Kaum; aber freilich auch nicht besser. Und deshalb glaubst du mir wohl auch, wenn ich dir jetzt versichre, daß ich froh bin, aus dem allen heraus zu sein. Ich habe von früh an den Sinn für Äußerlichkeiten gehabt und hab ihn vielleicht noch, aber seine Befriedigung kann doch zu teuer erkauft werden, das hab ich jetzt einsehen gelernt."

Marcell wollte noch einmal unterbrechen, aber sie litt es nicht.

„Nein, Marcell, ich muß noch ein paar Worte sagen. Sieh, das mit dem Leopold, das wäre vielleicht gegangen, warum am Ende nicht? Einen schwachen, guten, unbedeutenden Menschen zur Seite zu haben, kann sogar angenehm sein, kann einen Vorzug bedeuten. Aber diese Mama, diese furchtbare Frau! Gewiß, Besitz und Geld haben einen Zauber; wär es nicht so, so wäre mir meine Verirrung erspart geblieben; aber wenn Geld alles ist und Herz und Sinn verengt und zum Überfluß Hand in Hand geht mit Sentimentalität und Tränen – dann empört sichs hier, und *das* hinzunehmen, wäre mir hart angekommen, wenn ichs auch vielleicht ertragen hätte. Denn ich gehe davon aus, der Mensch in einem guten Bett und in guter Pflege kann eigentlich viel ertragen."

Den zweiten Tag danach stand es in den Zeitungen, und zugleich mit den öffentlichen Anzeigen trafen Karten ein. Auch bei Kommerzienrats. Treibel, der, nach vorgängigem Einblick in das Kuvert, ein starkes Gefühl von der Wichtigkeit dieser Nachricht und ihrem Einfluß auf die Wiederherstellung häuslichen Friedens und passabler Laune hatte, säumte nicht, in das Damenzimmer hinüberzugehen, wo Jenny mit Hildegard frühstückte. Schon beim Eintreten hielt er den Brief in die Höhe und sagte: „Was kriege ich, wenn ich euch den Inhalt dieses Briefes mitteile?"

„Fordere", sagte Jenny, in der vielleicht eine Hoffnung dämmerte.

„Einen Kuß."

„Keine Albernheiten, Treibel."

„Nun, wenn es von dir nicht sein kann, dann wenigstens von Hildegard."

„Zugestanden", sagte diese. „Aber nun lies."

Und Treibel las: „‚Die am heutigen Tag stattgehabte Verlobung meiner Tochter ...' ja, meine Damen, *welcher* Tochter? Es gibt viele Töchter. Noch einmal also, ratet. Ich verdoppele den von mir gestellten Preis ... also, ‚meiner Tochter Corinna mit dem Dr. Marcell Wedderkopp, Oberlehrer und Leutnant der Reserve im brandenburgischen Füsilierregiment Nr. 35, habe ich die Ehre, hiermit ganz ergebenst anzuzeigen. Dr. Wilibald Schmidt, Professor und Oberlehrer am Gymnasium zum Heiligen Geist.'"

Jenny, durch Hildegards Gegenwart behindert, begnügte sich, ihrem Gatten einen triumphierenden Blick zuzuwerfen. Hildegard selbst aber, die sofort wieder auf Suche nach einem Formfehler war, sagte nur: „Ist das alles? Soviel ich weiß, pflegt es Sache der Verlobten zu sein, auch ihrerseits noch ein Wort zu sagen. Aber die Schmidt-Wedderkopps haben am Ende darauf verzichtet."

„Doch nicht, teure Hildegard. Auf dem zweiten Blatt, das ich unterschlagen habe, haben auch die Brautleute gesprochen. Ich überlasse dir das Schriftstück als Andenken an deinen Berliner Aufenthalt und als Beweis für den allmählichen Fortschritt hiesiger Kulturformen. Natürlich stehen wir noch eine gute Strecke zurück, aber es macht sich allmählich. Und nun bitt ich um meinen Kuß."

Hildegard gab ihm zwei und so stürmisch, daß ihre Bedeutung klar war. Dieser Tag bedeutete *zwei* Verlobungen.

Der letzte Sonnabend im Juli war als Marcells und Corinnas Hochzeitstag angesetzt worden; „nur keine langen Verlobungen", betonte Wilibald Schmidt, und die Brautleute hatten begreiflicherweise gegen ein beschleunigtes Verfahren nichts einzuwenden. Einzig und allein die Schmolke, die's mit der Verlobung so eilig gehabt hatte, wollte von solcher Beschleunigung nicht viel wissen und meinte, bis dahin sei ja bloß noch drei Wochen, also nur gerade noch Zeit genug, „um dreimal von der Kanzel zu fallen", und das ginge nicht, das sei zu kurz, darüber redeten die Leute; schließlich aber gab sie sich zufrieden oder tröstete sich wenigstens mit dem Satze: geredet wird doch.

Am siebenundzwanzigsten war kleiner Polterabend in der Schmidtschen Wohnung, den Tag darauf Hochzeit im „Englischen Hause". Prediger Thomas traute. Drei Uhr fuhren die Wagen vor der Nikolaikirche vor, sechs Brautjungfern, unter denen die beiden Kuhschen Kälber und die zwei Felgentreus waren. Letztere, wie schon hier verraten werden mag, verlobten sich in einer Tanzpause mit den zwei Referendaren vom Quartett, denselben jungen Herren, die die Halenseepartie mitgemacht hatten. Der natürlich auch geladene Jodler wurde von den Kuhs heftig in Angriff genommen, widerstand aber, weil er, als Eckhaussohn, an solche Sturmangriffe gewöhnt war. Die Kuhschen Töchter selbst fanden sich ziemlich leicht in diesen Echec – „er war der erste nicht, er wird der letzte nicht sein", sagte

Schmidt –, und nur die Mutter zeigte bis zuletzt starke Verstimmung.

Sonst war es eine durchaus heitere Hochzeit, was zum Teil damit zusammenhing, daß man von Anfang an alles auf die leichte Schulter genommen hatte. Man wollte vergeben und vergessen, hüben und drüben, und so kam es denn auch, daß, um die Hauptsache vorwegzunehmen, alle Treibels nicht nur geladen, sondern mit alleiniger Ausnahme von Leopold, der an demselben Nachmittage nach dem Eierhäuschen ritt, auch vollständig erschienen waren. Allerdings hatte die Kommerzienrätin anfänglich stark geschwankt, ja sogar von Taktlosigkeit und Affront gesprochen, aber ihr zweiter Gedanke war doch der gewesen, den ganzen Vorfall als eine Kinderei zu nehmen und dadurch das schon hier und da laut gewordene Gerede der Menschen auf die leichteste Weise totzumachen. Bei diesem zweiten Gedanken blieb es denn auch; die Rätin, freundlich lächelnd wie immer, trat in pontificalibus auf und bildete ganz unbestritten das Glanz- und Repräsentationsstück der Hochzeitstafel. Selbst die Honig und die Wulsten waren auf Corinnas dringenden Wunsch eingeladen worden; erstere kam auch; die Wulsten dagegen entschuldigte sich brieflich, weil sie Lizzi, das süße Kind, doch nicht allein lassen könne. Dicht unter der Stelle „das süße Kind“ war ein Fleck, und Marcell sagte zu Corinna: „Eine Träne, und ich glaube, eine echte.“ Von den Professoren waren, außer den schon genannten Kuhs, nur Distelkamp und Rindfleisch zugegen, da sich die mit jüngerem Nachwuchs Gesegneten sämtlich in Kösen, Ahlbeck und Stolpemünde befanden. Trotz dieser Personaleinbuße war an Toasten kein Mangel; der Distelkampsche war der beste, der Felgentreusche der logisch ungeheuerlichste, weshalb ihm ein hervorragender, vom Ausbringer allerdings unbeabsichtigter Lacherfolg zuteil wurde.

Mit dem Herumreichen des Konfekts war begonnen, und Schmidt ging eben von Platz zu Platz, um den älteren und auch einigen jüngeren Damen allerlei Liebenswürdiges zu sagen, als der schon vielfach erschienene Telegraphenbote noch einmal in den Saal und gleich danach an den alten

Schmidt herantrat. Dieser, von dem Verlangen erfüllt, den Überbringer so vieler Herzenswünsche schließlich wie den Goetheschen Sänger königlich zu belohnen, füllte ein neben ihm stehendes Becherglas mit Champagner und kredenzte es dem Boten, der es, unter vorgängiger Verbeugung gegen das Brautpaar, mit einem gewissen Avec leerte. Großer Beifall. Dann öffnete Schmidt das Telegramm, überflog es und sagte: „Vom stammverwandten Volk der Briten."

„Lesen, lesen."

„... To Dr. Marcell Wedderkopp."

„Lauter."

„Englands expects that every man will do his duty ... Unterzeichnet John Nelson."

Im Kreise der sachlich und sprachlich Eingeweihten brach ein Jubel aus, und Treibel sagte zu Schmidt: „Ich denke mir, Marcell ist Bürge dafür."

Corinna selbst war ungemein erfreut und erheitert über das Telegramm, aber es gebrach ihr bereits an Zeit, ihrer glücklichen Stimmung Ausdruck zu geben, denn es war acht Uhr, und um neuneinhalb ging der Zug, der sie zunächst bis München und von da nach Verona oder, wie Schmidt mit Vorliebe sich ausdrückte, „bis an das Grab der Julia" führen sollte. Schmidt nannte das übrigens alles nur Kleinkram und „Vorgeschmack", sprach überhaupt ziemlich hochmütig und orakelte, zum Ärger Kuhs, von Messenien und dem Taygetos, darin sich gewiß noch ein paar Grabkammern finden würden, wenn nicht von Aristomenes selbst, so doch von seinem Vater. Und als er endlich schwieg und Distelkamp ein vergnügtes Lächeln über seinen mal wieder sein Steckenpferd tummelnden Freund Schmidt zeigte, nahm man wahr, daß Marcell und Corinna den Saal inzwischen verlassen hatten.

Die Gäste blieben noch. Aber gegen zehn Uhr hatten sich die Reihen doch stark gelichtet; Jenny, die Honig, Helene waren aufgebrochen, und mit Helene natürlich auch Otto, trotzdem er noch gern eine Stunde zugegeben hätte. Nur der alte Kommerzienrat hatte sich emanzipiert und saß neben seinem Bruder Schmidt, eine Anekdote nach der andern aus dem „Schatzkästlein deutscher Nation" hervorholend, lauter blutrote Karfunkelsteine, von deren „reinem Glanze" zu sprechen Vermessenheit gewesen wäre. Treibel, trotzdem Goldammer fehlte, sah sich dabei von verschiedenen Seiten her unterstützt, am ausgiebigsten von Adolar Krola, dem denn auch Fachmänner wahrscheinlich den Preis zuerkannt haben würden.

Längst brannten die Lichter, Zigarrenwölkchen kräuselten sich in großen und kleinen Ringen, und junge Paare zogen sich mehr und mehr in ein paar Saalecken zurück, in denen ziemlich unmotiviert vier, fünf Lorbeerbäume zusammenstanden und eine gegen Profanblicke schützende Hecke bildeten. Hier wurden auch die Kuhschen gesehen, die noch einmal, vielleicht auf Rat der Mutter, einen energischen Vorstoß auf den Jodler unternahmen, aber auch diesmal umsonst. Zu gleicher Zeit klimperte man bereits auf dem Flügel, und es war sichtlich der Zeitpunkt nahe, wo die Jugend ihr gutes Recht beim Tanze behaupten würde.

Diesen gefahrdrohenden Moment ergriff der schon vielfach mit „du" und „Bruder" operierende Schmidt mit einer gewissen Feldherrngeschicklichkeit und sagte, während er Krola eine neue Zigarrenkiste zuschob: „Hören Sie, Sänger und Bruder, carpe diem. Wir Lateiner legen den Akzent auf die letzte Silbe. Nutze den Tag. Über ein kleincs, und irgendein Klavierpauker wird die Gesamtsituation beherrschen und uns unsere Überflüssigkeit fühlen lassen. Also noch einmal, was du tun willst, tue bald. Der Augenblick ist da; Krola, du mußt mir einen Gefallen tun und Jennys Lied singen. Du hast es hundertmal begleitet und wirst es wohl auch singen können. Ich glaube, Wagnersche Schwierigkeiten sind nicht drin. Und unser Treibel wird es nicht übelnehmen, daß wir das Herzenslied seiner Eheliebsten in gewissem Sinne profanieren. Denn jedes Schaustellen eines Heiligsten ist das, was ich Profanierung nenne. Hab ich recht, Treibel, oder täusch ich mich in dir? Ich *kann* mich in dir nicht täuschen. In einem Manne wie du kann man sich nicht täuschen, du hast ein klares und offnes Gesicht. Und nun komm, Krola. ‚Mehr Licht' – das war damals ein großes Wort unseres Olympiers; aber wir bedürfen seiner nicht mehr, wenigstens hier nicht, hier sind Lichter die Hülle und Fülle. Komm. Ich möchte diesen Tag als ein Ehrenmann beschließen und in Freundschaft mit aller Welt und nicht zum wenigsten mit dir, mit Adolar Krola.“

Dieser, der an hundert Tafeln wetterfest geworden und im Vergleich zu Schmidt noch ganz leidlich im Stande war, schritt, ohne langes Sträuben, auf den Flügel zu, während ihm Schmidt und Treibel Arm in Arm folgten, und ehe der Rest der Gesellschaft noch eine Ahnung haben konnte, daß der Vortrag eines Liedes geplant war, legte Krola die Zigarre beiseite und hob an:

Glück, von allen deinen Losen
Eines nur erwähl ich mir.
Was soll Gold? Ich liebe Rosen
Und der Blumen schlichte Zier.

Und ich höre Waldesrauschen,
Und ich seh ein flatternd Band –
Aug in Auge Blicke tauschen,
Und ein Kuß auf deine Hand.

Geben nehmen, nehmen geben,
Und dein Haar umspielt der Wind.
Ach, nur das, nur das ist Leben,
Wo sich Herz zum Herzen find't.

Alles war heller Jubel, denn Krolas Stimme war immer noch voll Kraft und Klang, wenigstens verglichen mit dem, was man sonst in diesem Kreise hörte. Schmidt weinte vor sich hin. Aber mit einem Male war er wieder da. „Bruder“, sagte er, „das hat mir wohlgetan. Bravissimo. Treibel, unsere Jenny hat doch recht. Es ist was damit, es ist was drin; ich weiß nicht genau was, aber das ist es eben – es ist ein wirkliches Lied. Alle echte Lyrik hat was Geheimnisvolles. Ich hätte doch am Ende dabei bleiben sollen . . .“

Treibel und Krola sahen sich an und nickten dann zustimmend.

„ . . . Und die arme Corinna! Jetzt ist sie bei Trebbin, erste Etappe zu Julias Grab . . . Julia Capulet, wie das klingt. Es soll übrigens eine ägyptische Sargkiste sein, was eigentlich noch interessanter ist . . . Und dann alles in allem, ich weiß nicht, ob es recht ist, die Nacht so durchzufahren; früher war das nicht Brauch, früher war man natürlicher, ich möchte sagen, sittlicher. Schade, daß meine Freundin Jenny fort ist, die sollte darüber entscheiden. Für mich persönlich steht es fest, Natur ist Sittlichkeit und überhaupt die Hauptsache. Geld ist Unsinn, Wissenschaft ist Unsinn, alles ist Unsinn. Professor auch. Wer es bestreitet, ist ein pecus. Nicht wahr, Kuh . . . Kommen Sie, meine Herren, komm, Krola . . . Wir wollen nach Hause gehen.“

Nachwort

Theodor Storm wurde 1817, Theodor Fontane 1819 geboren; der Jüngere überlebte den Älteren um zehn Jahre. Beide waren Lyriker und Erzähler; bei beiden liegt, trotz einiger meisterhafter Altersgedichte, die produktive lyrische Zeit im jugendlichen Alter, während sie erst spät, ungefähr gleichzeitig um die Mitte der siebziger Jahre, zu ihren erzählerischen Reifeleistungen gelangten. Es sind die gleichen Jahre, in denen der Erzähler C. F. Meyer („Jürg Jenatsch“ 1876) vernehmbar wurde und Raabes bedeutender Altersstil einsetzte. Allerdings war Storm schon ein gerühmter Erzähler, als Fontane, beschränkt auf die literarische Spezialität seiner Balladen, sich noch als Journalist abmühte. Beide waren in der bürgerlichen Gesellschaft verwurzelt – trotz der Reserven, die jeder von ihnen, je nach eigener Art, gegen sie bewahrte; beide waren betont individuelle, ihre Unabhängigkeit akzentuierende Charaktere, die einen persönlichen Freiheitsraum verteidigten. Storm war in seinem Wesen primär Künstler und allerdings deshalb auch um so ängstlicher bemüht, sich als patrizisch gesitteter Bürger mit allen Ehren darzustellen. Die Bürgerordnung war für ihn, wie für Adalbert Stifter, ein Schutz gegen die inneren Verführungen des Künstlertums. Fontane war dieses Schutzes weit weniger bedürftig, da ihn solche Anfechtungen nicht ernstlich bedrohten. Er hatte die überlegene gesellschaftliche Begabung und Neigung; er paßte sich nach außen gelassen an, um innerlich eine um so kritischer distanzierte Freiheit zu bewahren. Beide lebten mit intensiver Teilnahme an den Bewußtseinsbewegungen ihrer Zeit; Fontane ging jedoch weiter in seiner wachen, sehr hellsichtig zupackenden Gesellschaftskritik, wenn er dem Sozialismus seine zukünftigen Rechte zuerkannte; Storm pointierte die Abneigung des freien Bürgers gegen Adel, Staatsmacht und Kirche und zeigte sich mehr an den Naturwissenschaften interessiert, ohne seine dichterische Sensibilität für das Phantastische, den Traumbereich, das spukhaft und düster Transrationale preiszugeben. Fontane lag diese Imagination des Märchenhaften fern; in seiner Kunst wirkte eine starke Portion Rationalismus – als Energie des Beobachtens und geistreich-ironische Spielfreude – mit. Beide beeinflußte der Gedankenkreis des politischen, gesellschaftlichen und naturwissenschaftlichen Positivismus, und sie empfanden den Stil des ‚Realismus' als die ihnen gemäße Ausdrucksform.

Beträchtlicher als solche Gemeinsamkeiten aus Generation und Zeit sind die Differenzen durch Abstammung, Umwelt, Lebenslauf, Charakter und dichterische Begabung. Fontane war ein Preuße, ein Märker, ein Berliner mit französischer Herkunft: seine Heimat waren der Staat, die Gesellschaft, die Geschichte. Storm war ein leidenschaftlicher Schleswig-Holsteiner und Husumer, seine Heimat war die nordfriesische Meeresküste, die Kleinstadt, das Bauernland. Der Großstädter Fontane, dem sein Journalistenleben in England, seine Reisen nach Frankreich, Italien Weltoffenheit und Weltkenntnis mitgeteilt hatten und der sich in Kreisen des Adels und der Großbürger zurechtfand, ebenso in der Sprache der „kleinen Leute", spottete über Storms „das richtige Maß überschreitende, lokalpatriotische Husumerei", über seine „Provinzialsimpelei", auch wenn sie sich „mitunter bis zum Großartigen" steigern konnte. Der schwerblütige, bei aller Eigenwilligkeit um patrizische Reputation besorgte Storm hingegen fand Fontane „frivol", zu geistreich-ironisch und freisinnig gegenüber ererbten Konventionen. Storm wurde von Fontane vor allem als Lyriker, als Liebeslyriker, bewundert: „Alles hat was zu Herzen Gehendes, überall das Gegenteil von Phrase, jede Zeile voll Kraft und Nerv." Storm besaß, was ihm an lyrischer Gefühls- und Sprachkraft abging. „Als Lyriker ist er, das Mindeste zu sagen, unter den drei, vier Besten, die nach Goethe kommen."

Der junge Fontane kam Storm, als dieser 1852 in Berlin, ein Flüchtling vor den dänischen Okkupanten seiner Heimat, eine neue Existenz suchte, mit echter Freundschaft entgegen: dem Dichter wie dem Patrioten. „Denn alle anständigen Menschen in Preußen hatten damals jedem Schleswig-Holsteiner gegenüber ein gewisses Schuld- und Schamgefühl.“ Bei aller Unterschiedlichkeit des „Pflanzenartigen in meiner Natur“, wie Storm es nannte, des Ironisch-Rationalen in Fontanes Artung ergab sich ein menschliches und literarisches Bündnis im geselligen, wenn auch nicht reibungslosen Miteinander bis zu Fontanes Übersiedlung nach London im Herbst 1855. Allerdings verhielt sich der herbere Storm spröder gegenüber der literarischen Leistung des preußischen Freundes. Beide blieben im Austausch bis ins hohe Alter; auch als sich ihre wesenhaften Unterschiedlichkeiten, ihre völlig andersartigen Prägungen als Schriftsteller immer stärker abzeichneten, ihre erzählerischen Wege in Thematik und Stil weit auseinandergingen. „Wir waren *zu* verschieden. *Er* war für den Husumer Deich, *ich* war für die Londonbrücke; sein Ideal war die schleswigsche Heide mit den roten Erikabüscheln, mein Ideal war die Heide von Culloden mit den Gräbern der Camerons und Mac Intosh. Er steckte mir zu tief in Literatur, Kunst und Gesang.“ Dies Primat des Poetischen war für Fontane eine abgestandene Hinterlassenschaft der Romantik. „Es soll sich die Dichtung nach dem Leben richten, an das Leben sich anschließen; aber umgekehrt eine der Zeit nach weit zurückliegende Dichtung als Norm für modernes Leben zu nehmen, erscheint mir durchaus falsch.“ Der Lyriker Storm blieb für Fontane unangreifbar; dem Erzähler stellte er mit gefestigtem Selbstbewußtsein seine eigene Kunst der Prosa gegenüber: „Wer ist denn da, der dergleichen schreiben kann? Keller, Storm, Raabe, drei große Talente, – aber sie können *das* gerade nicht“ (1883). Es gibt aus seinem Alter jedoch auch ein anderes Briefwort, das erweist, welchen Rang Storm für ihn bei aller Abweichung in Weltauffassung und künstlerischem Stil bewahrte. „Seit Keller und Storm tot sind, welche Dürftigkeit!“

So erscheint berechtigt, Storm und Fontane in diesem

Bande zusammenzubringen. Daß der Jüngere dem Älteren folgt, hat nicht nur chronologische Gründe; es soll verdeutlichen, daß Fontane das größere künstlerische Gewicht zufällt. Mag eine heute landläufige Kritik gegenüber Storm – an seiner Verhaftung im Bürgerlichen, an seiner Einengung im Provinziell-Landschaftlichen, an seiner Neigung zum postromantisch Sentimentalen, an seiner Eingrenzung der Erzählthemen auf das Subjektivistisch-Innerliche, auf Familien- und Individualgeschichten – auch überspitzt sein und anderes, Wesentliches in seiner dichterischen Welterfahrung übersehen: Fontane erscheint berechtigt als der bedeutendere Erzähler. Dies gilt für seine Schärfe und Weitsicht in der Analyse zeitgenössischer Psychologie und Gesellschaftszustände, für die größere Dimension seiner Erzählinhalte wie für das Geistreiche und Durchdringende seiner ironischen Perspektiven, für seine Kunst der Menschendarstellung und seine hohe Kunst des Stils. Storm verpersönlichte, was er erzählte, zu dem Subjektiven seiner von Gefühl und Stimmung durchtränkten Weltschau; bei ihm hat sich die Subjektivierung des realistischen Erzählens zugespitzt. Fontane wurde der Erzähler der objektiven zeitgenössischen Welt, und es gelang ihm, sie produktiv und kritisch mit den Perspektiven seiner eigenen überlegenen, wachen und verstehenden Menschlichkeit, mit seinem „Fontane-Stil" zu durchdringen. Es ist ihm geglückt, im Stil des ‚Realismus', den er zu einem durchaus persönlichen Stil umschuf, den Zeitroman, den Gesellschaftsroman, der bisher in Deutschland fast immer im unteren Range der Belletristik geblieben war, zum erzählerischen Kunstwerk umzuschaffen, das sich, wenn auch begrenzter in Thematik und Weltausschnitt, den großen europäischen Gesellschaftsromanen des 19. Jahrhunderts zugesellen kann, ja, ihnen vielleicht – ausgenommen Stendhal und Flaubert – in der Sublimierung des Stilbewußtseins, in Takt und Sensibilität der sprachkünstlerischen Durchbildung überlegen ist. Thomas Mann schrieb 1910: „Wenn unsere erzählende Literatur etwas mehr von diesem Geschmack eines ganz, ganz alten Herren beeinflußt worden wäre, so hätten wir heute im deutschen Roman mehr Kunst und weniger Philisterei."

Wir machen uns einer chronologischen Umstellung schuldig, wenn wir STORMS „Regentrude" der Novelle „Auf dem Staatshof" vorangehen lassen. Dazu berechtigt das innere historische Verhältnis. Das Märchen weist zurück zu dem Typus des romantischen Kunstmärchens und zu Eduard Mörikes „Stuttgarter Hutzelmännlein" (vgl. Band 6 unserer Auswahl), das rund zehn Jahre früher erschienen ist. Storm begriff, was damals außerhalb des schwäbischen Freundes- und Heimatkreises noch keine Selbstverständlichkeit war, die Größe des Lyrikers und Erzählers Mörike. Er verdankte ihm bedeutende Anregungen. Er war beglückt, als Fontane ihn in einer frühen Würdigung zwischen Mörike und Heine placierte. Die Novelle „Auf dem Staatshof" weist hingegen voraus; zu der Thematik und der lockeren Erzählführung, zu den nur leise andeutenden Stimmungen und Tönungen des impressionistischen Erzählens um die Jahrhundertwende. Thomas Mann hat auf diese Nähe zum Geist einer Generation gewiesen, die sich aus dem Bürgerlichen löste. „Ich betone die sensitive Vergeistigung, den Extremismus seiner Gemütshaftigkeit so sehr und spreche sogar von leichter Krankhaftigkeit, um nichts auf ihn kommen zu lassen, was auf Bürgernormalität oder -sentimentalität, auf seelisches Philistertum hinausliefe, weil nämlich Fontane von ‚Provinzialsimpelei' gesprochen hat. Es ist nichts Rechtes damit, es stimmt nicht. Das Element des Abenteuerlichen, Exzentrischen, Unregelmäßigen, Norm- und Glückswidrigen, das zur künstlerischen Konstitution gehört, ist bei ihm vielleicht fühlbarer als bei dem liebenswürdig korrekten Fontane. Korrekt gerade ist eigentlich nichts bei Storm – als so begehrenswert ihm selbst das Bild des gemütvoll Korrekten möge vorgeschwebt haben und so versucht und bemüht er gewesen sein mag, sein Leben und Wesen nach diesem Wunschbilde zu stilisieren." Noch deutlicher als bei Mörike wird in der „Regentrude" (im Januar 1864 verfaßt), welche Wandlungen sich gegenüber dem romantischen Kunstmärchen im Gehalt und in der Stilgebung vollzogen haben. Das romantische Märchen eröffnete imaginativ ein Reich zauberisch-magischer und unheimlicher Mächte im Naturhaushalt des Lebens und im Seelenhaushalt des Menschen. Storm schließt sich fiktiv an heimatlich-volkstümliche Überlieferungen an, er erzählt zwar, nach eigenem Wort, ohne „Rücksicht auf eine bestimmte Alters- oder Bildungsstufe, sondern ganz unbekümmert aus dem Kern der Sache", aber doch insbesondere für junge Menschen, um sie noch einmal, aus schon anderer Bewußtseinssituation, zum Ausflug ihrer Phantasie, zum „Ritt ins alte romantische Land" zu locken. Er greift geläufige Märchenmotive – den Feuerkobold, die listige Eroberung des halbvergessenen Zauberspruchs, den Heiltrank – auf, bringt sie aber in einen von ihm selbst erfundenen Zusammenhang. Die Gestalt der Regentrude ist die Schöpfung seiner mythenbildenden Phantasie. Ihm eigen ist, wie er das Zauberische, Geisterhafte zu sinnlich-anschaulichen Konturen bringt, ihm etwas vertraut Menschliches einlegt; wie er es in eine natürliche Landschaft, die mit allem beobachteten Detail ausgestattet wird, einbettet und wie er das Märchenhafte tief in der gewohnten, alltäglichen Wirklichkeit beheimatet, mit ihr als Rahmen umschließt, und das Vertrauen hervorhebt, das die mythische Figur mit den Menschen gesellig verbindet. Wo E. T. A. Hoffmann (vgl. Band 5) Kontraste imaginierte, bildet Storm ein versöhnlich-gütiges Miteinander von Geister- und Menschenwesen. Das Dämonische tritt zurück hinter dem Idyllischen, hinter den Stimmungen der natürlichen Natur, wie denn Storm selbst sich rühmte, er habe dies Märchen mit „Naturgefühl bis zur sinnlichen Empfindung" durchtränkt.

Er verfaßte die „Regentrude" zusammen mit zwei anderen Märchen („Bulemanns Haus" und „Der Spiegel des Cyprianus") in den Jahren 1863 bis 1865 aus einem „fast dämonischen Drang zur Märchendichtung" heraus, als Gegengewicht gegen die politischen Aufregungen, die den schleswig-holsteinischen Patrioten ergreifen mußten, als es um die Entscheidung über das Schicksal seiner Heimat zwischen Dänemark und dem Deutschen Bund ging. Er schrieb das Märchen als „Emigrant" in Heiligenstadt; mit einer fast aufreibenden Sehnsucht nach Heimkehr. „Es ist, als müsse ich zur Erholung der unerbittlichen Wirklichkeit in's äußerste Reich der Phantasie flüchten." Dies erscheint biedermeierlich; das Ausweichen vor der Wirklichkeit in den Trost der Poesie, einer selbstgeschaffenen heilen Welt, erinnert an Adalbert Stifter. Biedermeierlich ist die Mischung von Wunderbarem und Realistischem, von Spukhaftem und Idyllischem, von boshaft Koboldartigem und gesund Moralischem, von Schauer und Humor. Aber man sollte sich nicht verleiten lassen, nur das „Realistische" und „Psychologische" hervorzuheben, das die „Regentrude" gegenüber dem romantischen Märchen als eine späte Form, der zweiten Jahrhunderthälfte zugehörig, erweist. Dies Märchen wird zum Einstieg in die tieferen Schaffensgründe Storms, die ihn aus einer verengten Bürgerlichkeit herauslösten, welche sich manchmal wie Klammer und Druck in sein Erzählen einlegte. Im Märchen gewann seine fabulierende Phantasie, sein Gefühl für das Geheimnisvoll-Unterirdische und Geisterhafte, für eine „andere" irrationale und damit poetische Wirklichkeit innerhalb dieser empirisch-rationalen Realität den produktiven, freien Spielraum. Das Märchen gab ihm seine besondere Möglichkeit, die „Reichsunmittelbarkeit der Poesie", um Gottfried Kellers (in Band 8 zitiertes) Wort zu wiederholen, gegenüber einer das Poetische mehr und mehr in das subjektivistisch Stimmungshafte einschnürenden Wirklichkeit zu retten. Storm teilte in diesem Märchen der Natur, welche der zeitgenössische Positivismus rationalisierte, eine innere Dimension zum Mythischen mit, auch wenn dies durch das Menschlich-Vertraute erhellt und entdämonisiert wird. Dies entsprach seiner Vorstellung des Märchens; es führt zum guten Ende und entmächtigt das Böse; es stellt die Natur als eine heilsame Ordnung dar, die nur verstört wird, wenn der selbstgerecht gewordene Mensch sich der Ehrfurcht vor den helfenden Mächten entfremdet. Wenn die Menschen der Geister vergessen, versinken diese, wie die Regentrude, in eine todesähnliche Ohnmacht und gerät die Natur in Verstörung. So ist es der Mensch, der schließlich am Heil und Unheil seiner Welt schuldig wird; wir erinnern an Jeremias Gotthelfs „Die schwarze Spinne" (Bd. 8 unserer Auswahl). Storm verfügte nicht über des großen Schweizer

Erzählers Visionsfülle und Sprachgewalt. Bei ihm ist alles in den schlichteren, intimeren Rahmen eingezogen, einfach, mit gleichmäßig gedämpftem Ton erzählt. Er meistert die leisen Übergänge, die von der simplen Dorfgeschichte in das fremde Reich der Kobolde und Naturdämonen hinüberführen, von ihm zurück in die idyllische, gütige Wirklichkeit mit ihrem herzhaft naiven Lebensvertrauen. So können sich selbst naturmagischer Zauber und christlicher Glockenklang vereinigen. Naturmythos, Märchenmoral und Realismus des dörflichen Lebens, das Ethos gesunder Menschlichkeit und die Wärme sinnlich jungen Lebens mit seiner unbekümmerten Heiterkeit gelangen zu glücklicher Übereinstimmung. Der Verdichtung im Bildhaften entspricht die zielstrebige Geschlossenheit der Erzählführung. So ist, in kleiner Form, im Stilraum des ‚Realismus' Storm in der „Regentrude" nochmals, zu später Stunde, das Kunstmärchen geglückt.

In der Geschichte von Storms Erzählkunst, die mit lyrisch aufgelösten, ins Episodische vereinzelten Erzählungen („Immensee" 1849, lange seine meist gelesene und gerühmte ‚Novelle') und mit musikalisch durchtönten Stimmungsbildern einsetzte, bedeutet „Auf dem Staatshof" (1856/58 entstanden) den Beginn einer neuen Entwicklungsphase. Man konnte die Erzählung „ein Wunder" gegenüber der bisherigen Prosa Storms nennen. Zugleich bezeichnet die Novelle aber eine Spätstufe in der wandlungs- und formenreichen Geschichte der deutschen Novelle im bürgerlichen Realismus. Das Gewicht liegt nicht in der Spannung, in den Umschlägen einer dicht geschlossenen Fabel; es fehlt eine dramatische Konfliktgestaltung, es fehlt die Fülle epischer Weltvergegenwärtigung, die Spiegelung großer geschichtlicher oder humaner Weltverhältnisse in der Symbolgültigkeit des ungewöhnlichen Vorfalls oder Geschicks. Was hier als Fabel erzählt wird, ist dürftig und konventionell; die Kunst liegt in der Ausgestaltung, in den Stimmungen, Beleuchtungen und Tönungen, im Suggestiven der Bilder und Szenen, in der Atmosphäre. Es liegt in der Verinnigung des Erzählens, in seinen Nuancierungen, die auch Alltäglichem den eigenen

Reiz, das Schwebend-Irrationale geben. Der Vorwurf der Auflösung der Konturen ins allzu Stimmungsselige und Sentimentale, bei vielen Novellen Storms nicht abweisbar, läßt sich hier angesichts der künstlerischen Sparsamkeit, mit der Storm mehr andeutet als ausführt, schwerlich erheben. Ein einfaches Geschick wird erzählt – aber es entsteht aus vielschichtigen Bedingungen und wird bis zum Ende hin nicht rational-psychologisch aufgelöst, sondern in seiner einsamen Verschlossenheit gelassen, die ihm das Irrationale, das ‚Poetische' mitteilt. Je tiefer der ‚realistische' Blick in das Lebensgewebe wurde, um so vielstimmiger wurde das Erzählen, um so mehr entzog es sich einer eindeutigen Entschlüsselung. Wir wiesen auf diesen erzählgeschichtlichen Vorgang bereits bei Gottfried Keller und Conrad Ferdinand Meyer; er kehrt in anderer, eigener Form bei Storm wieder. Der Erzähler steht vor einem Rätselhaften, und er läßt es im Rätselhaften. „Ich kann nur einzelnes sagen: nur was geschehen, nicht wie es geschehen ist; ich weiß nicht, wie es zu Ende ging und ob es eine Tat war oder nur ein Ereignis, wodurch das Ende herbeigeführt wurde. Aber wie es mir die Erinnerung tropfenweise hergibt, so will ich es erzählen."

Storms bevorzugte Technik der Erinnerungserzählung gibt die Möglichkeit, ein Stück gelebter, vollzogener Wirklichkeit in das nachfühlende innere Erfahren aufzunehmen, derart zu verinnigen. Die Dinge sind fern gerückt, sie haben ihre harte Wirklichkeit verloren, die Erinnerung wählt unter ihnen aus, sie stimmt sie ins Poetische. Die Erinnerung darf sich auf Fragmente berufen und kann dennoch aus ihnen im Rückblick ein Ganzes bilden. So werden in „Auf dem Staatshof" der individuelle Charakter und die gesellschaftliche Situation, die landschaftliche und die soziale Umwelt, das Zufällige und das Schicksalhafte, das Einmalige und das Zwangsläufige innigst verwoben. Das Geschick dieses jungen Mädchens, dem der Erzähler hilflos zuschauen muß, so seine beklemmend zunehmende Einsamkeit akzentuierend, ist unlöslich eingewoben in das Spezifische von Raum und Umwelt; der landschaftliche Raum – bis hin zur Begleitstimme des Meeres, des Brandens der Wellen über der wüsten geheimnisvollen Tiefe –, die einzelnen Szenen und Dinge aus der Geschichte und in der Gegenwart erhalten einen hintergründig mitsprechenden Symbolsinn. Immer lebt bei Storm die Vergangenheit im Gegenwärtigen mit – Zeichen der Verwobenheit im Zusammenhang der Zeit. Bürgerlich-vernünftige Geborgenheit und das herrisch-junge, mitleidlose Leben (in Claus Peters gegen Ende der Erzählung) bilden den Gegensatz zu der bis zur Lebensschwäche verfeinerten Sensitivität des Adlig-Schönen, der verarmten und vereinsamten Erbin von zerbröckelndem Glanz, von mahnender Schuld des alten Herrengeschlechts. Es ist die Tragik der Spätgeborenen, daß der Adel der Seele zur Schwermut des Untergangs wird und eine sublimierte ästhetisch-ethische Geistigkeit zum Lebensverlust verlockt und verurteilt. Storm hat derart ein Thema vorgeformt, das am Ende des Jahrhunderts in der europäischen Literatur zu breiter Geltung kam. Er hat ein Gleichgewicht zwischen dem Stimmungston der Erinnerungserzählung und dem Zwanghaften des aus sich unaufhaltsam ablaufenden Geschicks geschaffen. Er hat die „Heldin“ nicht idealisiert, nicht sentimentalisiert. Die Perspektive des Erzählers, der bei aller Liebe und Sorge im Abstand des Beobachters bleibt, deutet auch auf ihren kindlichen Hochmut, auf die Willensschwäche, die Liebesverirrung der Erwachsenen. Storms Sympathie zog ihn zu dem Veredelt-Zarten, zu der Leidenden, hinter deren Hilflosigkeit verglühend die erotische Lebensleidenschaft, wie sie ihrer Jugend und Schönheit naturhaft zugehört, durchschimmert. Aber er hat sich mit ihr nicht erzählerisch identifiziert. Sein Erzähler gehört der Sphäre einer gleichgewichtigen Bürgerlichkeit an, die zu dem Verschlossenen dieses Geschicks nicht durchdringen, es nicht aus seinem Bann erlösen kann. Immer wieder gestaltet Storm in seinen Menschen die Einsamkeit des in sich gefangenen Geschicks, die selbst eine erbarmende und werbende Liebe nicht überbrücken kann. Der Riß zwischen Innerlichkeit und Welt ist unversöhnbar geworden; der Mensch wird auf sich allein zurückgewiesen, sei es, daß er den Tod sucht, sei es, daß er sich in der Resignation befriedet. Und die Schutzmauern, welche die bürgerliche Lebensvernunft zu bauen versucht, erweisen sich als unfähig, die Determination durch das eingeborene Schicksal aufzuhalten, jenen dämonischen Vollzug des vernichtenden Lebens, der in dem Symbolverweis auf das Meer wiederkehrt. Die Mischung von Noblesse und Dekadenz, von Erlesenem und Hilflosem, von Schönheit und Verfall, von Tageswelt und Beklemmend-Irrationalem, die sich in dem aristokratischen Staatshof, in seinem Garten, in dessen Rokokopavillon und in dem Mädchen selbst abbildet, umschließt eine Verfeinerung, die zugleich dem gewöhnlichen Leben überlegen und unterlegen macht. Diese Verfeinerung läßt keine Brücke zur Wirklichkeit, zu einer rettenden Gemeinsamkeit finden. Wir deuteten auf die Vielstimmigkeit dieser Erzählung. Es geht in dem Zerfall des alten Geschlechts nicht nur um einen soziologischen Vorgang, also die Ablösung des Adels durch den Arbeits- und Wirtschaftsgeist eines neuen, parvenühaften Bürgertums. Es geht auch nicht nur um die fast ins pathologisch Verstörte getönte Psychologie des Zerbrechens eines Menschen an seiner Lebensenttäuschung und Lebensschwäche. In und hinter beidem vollzieht sich die Übermacht eines Schicksalhaften, das sich der deutenden Auflösung entzieht. „Ich kann nur einzelnes sagen: nur was geschehen, nicht wie es geschehen ist . . .“ In solchen Worten äußert sich die Resignation vor einer letzten Sinngebung des Lebensgeschicks. Es ist die Form, in der, fern dem Lebensaspekt der klassischen Tragödie, in der Erzähldichtung des 19. Jahrhunderts das ‚Tragische‘ erfahren wurde. Insofern kann man „Auf dem Staatshof“ als die erste der „tragischen Schicksalsnovellen“ Storms bezeichnen.

Die Technik der Erinnerungserzählung verhalf dazu, eine konzentrierende, Symbol- und Entscheidungspunkte darstellende Auswahl der Szenen und eine langsame Entfaltung des sich über Jahre hin erstreckenden Geschehens zum kompositorischen Gleichgewicht zu bringen. Storm erzählt aus der realistischen Präsenz vergegenwärtigter Szenen, aber er läßt ihnen aus der Erinnerungsperspektive offene Ränder, so daß das Vergegenwärtigte sich immer wieder ins dämmerhaft Schwebende, Ungewisse verliert. Er komponiert mit deutlicher Gliederung aus Wechsel und Wiederkehr der Räume, aber er komponiert mittels dieser Erzählmethode auch die Zeit in das erzählte Geschehen hinein, Raum und Zeit gewinnen eine Macht über den Menschen. Er ist in sie hineingebannt. Die kausal faßbare Wirklichkeit und das innere, letzthin unfaßbare Geschehen gehen ineinander über. Leitmotive und Bildsymbole, zu symbolischen Situationen und Szenen ausgebaut, schaffen die Suggestion eines aus verborgener Determination ablaufenden Geschicks. Sie lösen das Erzählte mit deutlicher Stilisierung von einer nur ‚realistischen' Abbildungstechnik ab, sie öffnen es zum Unausdeutbaren hin. In der Mischung von Fragmentarischem einerseits, von innerer Weite andererseits gelangte Storm zu einer Form, die das Einzeln-Intime mit einer Stimmung füllt, die auf das Geheimnisvoll-Vieldeutige des Lebens überhaupt verweist. Der Erzähler beglaubigt das Geschehen als etwas, was wirklich vor sich ging; er entrückt es, da er vergeblich bemüht ist, verstehend in es voll einzudringen. Derart gestaltet Storm in ihm die Erfahrung des Lebens aus dem Gefühl des ins Unbekannte gestellten Menschen. Er vermag die Grenzen der Erkenntnis gegenüber dessen Geheimnis nicht zu durchbrechen.

Die Novelle „Aquis submersus", in den Jahren 1875 und 1876 niedergeschrieben, bedeutet eine neue Wende, einen neuen Höhepunkt in Storms erzählerischem Schaffen. Er selbst, gewohnt, sich mit strenger Kritik zu überwachen, empfand die Novelle als geglückt. Er schrieb seinem Verleger: „Ich habe die Überzeugung, daß ich Ihnen damit das Beste gebe, was an Prosadichtung bisher aus meiner Feder aufs Papier gelangte." Sein junger Freund, der Literarhistoriker Erich Schmidt, applaudierte: „Sie sind einer der wenigen lebenden deutschen Schriftsteller, die überhaupt noch Stil haben, eine mit dem Wesen des Dichters und dem Gehalt der Dichtung völlig in Eins klingende Schreibweise." Die Novelle entfaltete sich aus einer Erinnerung, die, wie oft bei Storm, sich mit einem Bildeindruck verband. „Vor ein paar Jahren sah ich . . . in dem zwei Meilen von hier (Husum) liegenden nordfriesischen Dorfe

Drelsdorf in der alten Kirche die schlecht gemalten Bilder einer alten dortigen Predigerfamilie. Der eine Knabe war noch einmal als Leiche gemalt, ob mit einer und welcher Blume, entsinne ich mich nicht. Unter diesem Totenbilde standen . . . die merkwürdigen, harten Worte: ‚Incuria servi aquis submersus' . . . Das Bild ist mir immer von neuem nachgegangen. Da, vorigen Herbst . . . stieg die Geschichte in ihren wesentlichen Teilen vor mir auf; dann habe ich sie langsam, nur die besten Morgenstunden daranwendend, während fünf Monaten fertiggeschrieben. Alles außer dem Obigen, an Vorgängen und Menschen, ist absolut erfunden, d. h. außer einigem . . . kulturhistorischem Drumherum." Daß Storm aus der Verschuldung des Bedienten eine Schuld des Vaters machte, hatte persönliche Gründe, die aus Familiensorgen erwuchsen, die oft in seinem Erzählwerk einen verhüllten Ausdruck gefunden haben. Dazu kam das aus zeitgenössischen Gedankenkreisen nahe Thema der biologisch-charakterlichen Erbschuld, die sich wie eine schicksalhafte Determination über den Menschen legt und in ihm als geheimer Fluch nachwirkt. Es verband sich damit die sozialkritische Perspektive des Bürgers gegenüber einem verrohten Junkertum unter dem Einfluß des Liberalismus. Wenn Storm sich jetzt aus der näheren Gegenwart, die bisher in seinem Erzählen, gebrochen und entfernt durch die Erinnerungsperspektive, vorherrschte, der Geschichtsnovelle zuwandte, folgte er nicht lediglich einer im 19. Jahrhundert beliebten Stoffwahl. Die Geschichtsnovelle gab ihm die Möglichkeit, sein Gestaltungsproblem, das im Verschmelzen von realistisch aufgefaßtem Weltstoff und innerer Stimmung lag, auf neue Weise zu lösen. Dies Gestaltungsproblem wurde in seinen späteren Novellen, die mit „Aquis submersus" einsetzen, noch dringlicher als in der früheren gedichthaften Novellenform. Denn die Härte der objektiven Wirklichkeit und das Gefühls- und Glücksbedürfnis des einzelnen Menschen gerieten in einen unerbittlichen Widerspruch. Er gab den Novellen Storms jetzt einen dramatischen Akzent, ohne den lyrischen Grundton aufzuheben. Denn Storm gestaltete mehr den erleidenden als den handelnden

Menschen. Das für sein Erzählen typische Elegisch-Poetische konnte in der Ferne des Geschichtlichen, das sich der Sage annähert, freieren Ausdrucksraum gewinnen als angesichts von Stoffen, die der Gegenwart entnommen waren. Dem entspricht, wie er die Geschichtswelt auffaßte: die Begrenzung zu einer Familiengeschichte auf kulturhistorischem Hintergrunde, die Einbettung in die heimatliche Landschaft, ihre Konzentration zum Schauplatz individueller Konflikte, zum Schicksalsfeld weniger Menschen. Storm entwickelte eine große Sensibilität für die geschichtliche Atmosphäre, wenn er sie an einem ihm vertrauten Ort beheimaten konnte, sie sich in ihm räumlich verfestigte. Zugleich bot die Geschichte das Bild stärkerer Leidenschaften, härterer Gegensätze – sie wurde das Feld ‚tragischen' Erlebens und Untergehens.

Ähnlich wie C. F. Meyer, wenn auch unter anderen Gestaltungsvoraussetzungen, trieb ihn das Ungenügen an der Gegenwart, in die Geschichte zurückzublicken (vgl. Bd. 8 dieser Auswahl). Ähnlich wie C. F. Meyer hat Storm die Novelle als Form dem Drama nahegerückt; das Tragische wird erfahren als ein zuletzt trotz aller Gegenwehr ohnmächtiges Erleiden des Menschen. Er hat es etwas mühsam formuliert: „Der vergebliche Kampf gegen das, was durch die Schuld oder auch nur die Begrenzung, die Unzulänglichkeit des Ganzen, der Menschheit, von der der (wie man sich ausdrückt) Held ein Teil ist, der sich nicht abzulösen vermag, und sein oder seines eigentlichen Lebens herbeigeführter Untergang scheint mir das Allertragischste." Und er nannte als Beispiel „Aquis submersus", wo er „an keine Schuld des Paares gedacht habe". Alles Handeln bringt zur um so tieferen Verstrickung in das Leiden; der Mensch, der sein innerstes Recht sucht und seinem Partner dazu verhelfen will, treibt sich und den anderen in eine Schuld, die doch wiederum keine Schuld, nur Zufall und Verhängnis ist – eine innere Konsequenz jenseits von Begründungen und Ableitungen. Deutlich ist auch die Nähe seiner Novellenform zur Ballade – bis hinein in die Methode des fragmentarischen Erzählens, das einen langgestreckten zeitlichen Ablauf zu seinen Entscheidungsszenen konzentriert. Storm bildete eine ihm eigene Form der Novelle; auch in „Aquis submersus" zeigt sich die Verwobenheit vieler Fäden, um ein aus den Umständen von Zeit und Raum, von Artung der Menschen, von Zufall und Notwendigkeit zusammengesetztes Verhängnis entstehen zu lassen. Das Reflektive, das dem Erzähler von „Auf dem Staatshof" noch eigen war, ist in der Autobiographie des Malers Johannes zurückgedrängt; es bleibt nur ein grüblerisches Fragen, das das auferlegte Geschick nicht durchdringt und die Verzweiflung und Selbstanklage in einer müden Resignation verdämmern läßt. Wiederum ist die Fabel ohne Eigenart: daß sich in einer brutalen Adelsgesellschaft, die von dumpfer Bürgerfrömmigkeit und Gleichgültigkeit (wie in der Sensation der Hexenverbrennung) umgeben ist, also in dem allgemeinen Gesellschaftszustand, das Böse und Träge verkörpert, hingegen in dem hilflosen jungen Mädchen und dem armen Künstler mit dem liebesbereiten Herzen das Recht zu ihrem reinen Glück aufblüht, entsprach einer literarischen Konvention. Aber Storm gab diesem Konflikt die eigene Wendung; die Liebenden erliegen nicht der Willkür jener, welche die Macht haben, sondern sie werden in tragischer Paradoxie selbst in ein Schuldbewußtsein getrieben, das sie in sich verstört und wehrlos macht, gleichgültig, wieweit es objektiv berechtigt ist. Sie werden zu Opfern in ihrem eigenen Gewissen und gerade das Kind, das beide verbindet, zerstört jede Möglichkeit ihrer Gemeinsamkeit. Immer wieder gestaltete Storm die Vereinsamung des Menschen – auch in dem, was sein innigstes Bündnis werden könnte, in der Leidenschaft und Hingebungssehnsucht der Liebe. In sie bricht das Beängstigend-Düstere der Wirklichkeit ein, das dem Glauben an eine immanente Harmonie und Versöhnung des Daseins in dieser Welt keinen Raum mehr läßt. Es liegt eine tiefe Aussage darin, daß der Maler Johannes, nachdem sein Lebensglück im Scheitern der Liebeserfüllung und in der Selbstanklage seiner ‚Schuld' zerbrochen ist, auch seine künstlerische Fähigkeit verliert. „Dessen Herr Johannes sich einstens im Vollgefühle seiner Kraft vermessen, daß er's wohl auch einmal in seiner Kunst den Größeren gleichzutun verhoffe, das sollten Worte bleiben, in die leere Luft gesprochen.“ Knapp und hart sind diese Worte formuliert. Der Künstler vermag nur aus einer inneren Harmonie von Ich und Welt sein Werk zu gestalten. Hier bleibt angesichts des zerstörten Lebens nur die Erwartung eines Friedens nach dem Tode. Gewiß entsprach dies der Lebensstimmung des 17. Jahrhunderts; aber durch sie blickt Storms eigene Gestimmtheit durch. Er wählte – nicht ohne einen historisierenden Manierismus, der die künstlerische Legitimation dieses Sprachkostüms zweifelhaft macht – in Annäherungen und Tönungen für die Aufzeichnungen des Malers Johannes die Sprache des 17. Jahrhunderts. Die Archaisierung der Sprache war ihm ein Mittel, auf poetisch-lyrische Weise Stimmung und Atmosphäre, eine Suggestion erlebter Realität zu schaffen. Aber wer genauer hinhört, vernimmt Storms eigene Stimmtönung. Wie in „Auf dem Staatshof“ wird der vordergründige, soziologische und psychologische Kausalzusammenhang bezogen auf das Hintergründige eines unableitbar Verhängnishaften. Es deutet sich an in der Symbolbedeutung des Ahnenfluches, in Träumen, Ahnungen, Vordeutungen. Sie geben der Erzählung das innere, verklammernde Zusammenhangsgewebe. Was sich in verschollener Geschichte, in der Innerlichkeit von zwei jungen, längst vergessenen Menschen vollzieht – es deutet auf schicksalhafte Mächte des Lebens oberhalb des einzelnen Geschicks. „Kein Mensch begegnete mir, keines Vogels Ruf vernahm ich; aber aus dem dumpfen Brausen des Meeres tönete es mir immerfort, gleich einem finsteren Wiegenliede: Aquis submersus – aquis submersus.“ Das Meer begegnet als das epische Symbol des fließenden Wechsels im Gleichen, einer anonymen Schicksalsmacht im Werden und Vergehen. Es ist Storm gelungen, der historischen Novelle die eigene erzählerische Stilisierungsform zu geben. Sie liegt in der nach innen führenden und deutenden Situations- und Bildsymbolik und darin, wie durch Vordeutungen und Leitmotive der Ablauf kreisförmig geschlossen wird. Sie liegt weiterhin in dem sorgsam bedachten Wechsel von Bericht und Szene, von mehr lyrisch-stimmungshaftem und stark dramatisiertem Geschehen. Typisch ist für ihn das Ineinander von Verrätseln, Verdecken und Enthüllen und die Einstimmung auf die Schwermut des Vergehens und Entgleitens. Mit solchen Mitteln löste er die historische Novelle aus dem zeitüblichen Illustrations- und Genrestil und gab er ihr eine künstlerische Durchprägung.

„Der Schimmelreiter" ist sein letztes Werk geworden; er entstand langsam, in den Jahren 1885 bis 1888, als Storm, ohne es zu wissen, schon die tödliche Erkrankung in sich trug. Im Dezember 1885: „Dann habe ich große Lust, eine Deichnovelle zu schreiben, ‚Der Schimmelreiter', wenn ich es nur noch werde bewältigen können." Im August 1886: „... ein böser Block, da es gilt, eine Deichgespenstsage auf die vier Beine einer Novelle zu stellen, ohne den Charakter des Unheimlichen zu verwischen." Und endlich, als die Arbeit beendet war, im Mai 1888: „Meine Greisenmüdigkeit erschrickt davor, und – die Sache ist sehr heikel." Trotz dieser Selbstkritik wurde rasch erkannt, daß der Erzähler über das bisher Geleistete hinausgelangt war, wenn auch eine Kritik an der Vermehrfachung des Rahmens sich einstellen mochte. Sie ist bestimmt, Tiefe in der Suggestion des Unheimlichen durch Reduplikationen der Wirkung zu vermitteln, zugleich aber das Dämonische in kritischer Brechung, in der Distanz der Sage, aufnehmen zu lassen. Karl Hoppe hat Storms Anregungsquelle in den „Lesefrüchten vom Felde der neuesten Literatur des In- und Auslandes", Jahrgang 1838, Band 2, die J. J. C. Pappe in Hamburg herausgab, aufgefunden. Sie scheint Storm früh bekannt geworden zu sein, so daß er die Sage lange in sich meditiert haben mag. Sie ist ursprünglich an der Ostsee, in Ostpreußen, angesiedelt. In „Aquis submersus" überwog ein lyrischer Grundton – hier dominiert ein dramatisch-balladesker Stil, eine herbere Bindung an Tatsächliches. Das Subjektive in Gefühl und Reflektion wird ausgespart; das Lebensbild wird gestrafft und mit starken Erregungsakzenten versehen. Heldenballade und Tragödie, Wirklichkeitsereignis und mythisierende Sage kommen zur Deckung und teilen der Novelle die innere Vielstimmigkeit mit.

So genau die psychologische Besonderheit des Hauke

Haien in der äußeren und inneren Entwicklung seines stürmischen Lebenslaufes herausgearbeitet wird, so lebendig die landschaftliche und soziale Umwelt hemmend und treibend einwirkt – seine Gestalt ist nicht auf das Soziale und Psychologische begrenzt. Man hat in ihm einen kritischen Bezug Storms auf die Gründerjahre, auf die Hypertrophie eines Arbeits- und Erfolgsindividualismus gesehen und derart die Novelle als ein aktuelles Zeitdokument verstehen wollen. Doch wird damit vereinfacht, was Storm im Vielstimmigen läßt. Storm wollte das Numinose der Sage, das Mythisch-Elementare bewahren und doch seine Erzählung dem aufgeklärten Menschen der Spätneuzeit zugänglich machen. Gottfried Keller fand keinen Zugang zu dem „Mystischen" dieser Novelle und meinte, es trübe das Bild der bewußt und verantwortlich handelnden Personen. Dies Urteil entsprach nicht Storms Weltsicht. Thomas Mann hat in einem 1930 veröffentlichten Essay davon gesprochen, Storm habe einen sehr starken Zug nordgermanischen Heidentums gehabt, er habe im „Schimmelreiter", den er „einen seither nicht wieder erreichten Gipfel" der Novelle nannte, „zum Schlusse etwas erreicht an Urgewalt der Verbindung von Menschentragik und wildem Naturgeheimnis, etwas Dunkles und Schwere an Meeresgröße und Meeresmystik" wie niemand sonst. Hauke Haien ist ein sozialer Emporkömmling und ein seelischer Aristokrat, er ist ein geradezu vermessener Individualist des Willens und der Tat, er ist die Verkörperung dieser wild-gefährlichen Landschaft, dieses im Kampf mit den Elementen hart und nüchtern gewordenen Volkes. Seine Gestalt weitet sich ins Mythische, je mehr sich sein Leben der Verwobenheit von Schuld, Schicksal und Tod entgegenbewegt, je mehr es sich im Verhängnishaften verstrickt. Dies letzthin Unfaßbare erscheint dort, wo sich in der Katastrophe dieses Lebens der Zufall, die Folgen seiner Taten und das Schicksal mit schwebenden Konturen vermischen. Ein Geschick, psychologisch und sozial begründet, durch die Volksnatur und die Umwelt geprägt, geht über in die Traumwirklichkeit des Dämonisch-Gespenstischen, das sich in der Erinnerung, in Gerücht und Sage spiegelt. Der Erzähler Storm hat es verstanden, durch die gestufte Rahmenhandlung und durch beständige leise Übergänge im Halbdunkeln zu lassen, was dem Begreifen angenähert und wieder entzogen wird. Er hat derart die Gestaltungsgrenzen, die dem ‚realistischen' Erzählen drohten, erweitert und der Novellenform eine ungewöhnliche, fast schon romanhafte Erstreckung mitgeteilt. Aber Storm bleibt im Stil der Novelle, wenn er mit Symbol- und Leitmotiven arbeitet, die verbindenden Erzählglieder ausspart und eine zu große Verdeutlichung des kausalen Zusammenhanges vermeidet. Der realistischen Novelle entspricht die szenische Komposition, die Vergegenwärtigung im Bildhaften und im Dialog, das beschleunigte Erzähltempo mit seinem final gezielten Vorwärtsdrängen. Zur Novelle gehört die Paradoxie des tragischen Ablaufes in seinen raschen Umschlägen, in seiner inneren Widerspruchsstruktur. In ihr gehen Schuld und Geschick ineinander über; sie können nicht voneinander geschieden werden. Hauke Haiens tatkräftiger, alles erstarrte und wertlose Herkommen vernichtender Kampf um die Sicherung von Land und Leben aller löst gerade den zerstörerischen Einbruch der Elemente aus. Der klare Rechner ist zugleich ein besessener Träumer, der das Maß des Möglichen nicht beachtet. Der Abkömmling kleiner Bauern wird zum Herrn der Deichgemeinschaft, aber er wird von denen abhängig, die er als dumpfe Masse bekämpft und verachtet. Und sein Tatverlangen ist die andere Seite einer Schwäche, die ihn in seiner eigenen Familie ins Unglück treibt. Er strebt nach Dauer, aber in seinem Hause und seinem Kinde ist der Verfall vorgekündigt. Er reißt Frau und Kind mit in den Untergang. Er will die Ordnung, aber er löst das Chaotische aus. Und gerade den freien Geist umspinnt der Aberglaube, in dem sich Wahrheit und Wahn mischen. Er dient der Gemeinschaft, aber er gebraucht Gewalt gegen sie. Er lebt in der Pflicht zum Ganzen, aber er will zugleich sich selbst und gerät in eine furchtbare Vereinsamung – unter seinen Mitmenschen, vor dem Übermächtigen. „Du weißt ja auch, der Allmächtige gibt den Menschen keine Antwort – vielleicht, weil wir sie nicht begreifen würden." Der Widerspruch ist nach seinem

Leben nicht beendet. Er träumte von der Dauer seines Namens und ist jetzt als warnendes und schreckendes Gespenst an seinen Deich gebannt, ruhelos an sein Schicksal gefesselt, zugleich als Held, Retter und Dämon von dem Volke erinnert. Noch der letzte Satz nimmt diesen immanenten Widerspruch des Daseins zwischen goldenstem Sonnenlichte und der weiten Verwüstung auf, wenn auch ins Stimmungshaft-Tröstliche getönt. Daß Storms letztes Erzählwerk diese Einsicht in die Ausgesetztheit des Menschen an den unbegreiflichen Widerspruch gestaltete, deutet auf den tragischen Grundaspekt, der sein erzählerisches Schaffen durchzieht, zugleich auf die objektive, wahrhaftige Herbheit seines Weltblicks, die in der Entwicklung seines Erzählens mehr und mehr zugenommen hat. Die reine Weltharmonie war nur noch im Märchen wie „Regentrude" möglich; in „Auf dem Staatshof" sprach aus der lyrischen Schwermut auch eine empfindsame Faszination durch das verfeinert Elegische. Im „Schimmelreiter" bleibt der Mensch – großgeartet, übermäßig in seinem Ehrgeiz zu Werk und Ehre, ein Held im bürgerlichen Arbeits- und Willensethos, in der Moralität seines sozialen Dienstes für das Ganze – gleichwohl im Widerspruch mit sich selbst. Er bleibt einsam, ohne Schutz und Trost, und er wird zum Opfer seiner selbst. Denn das Vernichtende, eine Macht aus dem Unfaßbaren, ist unaufhaltsam und trifft zuerst den ungewöhnlichen Menschen.

Der junge FONTANE zielte auf die lyrische Dichtung, auf das Epos und Drama; die Prosa, die er als Journalist – nachdem er sich im Herbst 1849 von den Fesseln des Apothekerberufes befreit hatte – um der äußeren Existenz willen schreiben mußte, bedeutete ihm zunächst keine literarische Aufgabe. Aber der Journalismus wurde seine Schule für die Beobachtung von vielen Lebenskreisen, eine Einübung zu einer nach allen Seiten offenen Weltkenntnis und zur Kunst der Prosa. Während der Arbeit an den „Wanderungen durch die Mark Brandenburg" (seit 1859), die ihn in einer Storm verwandten Weise auf den Spuren von Geschichte und heimatlicher Landschaft zeigen, verfeinerte sich, zusammen mit der Intensität der Beobachtung des Intim-Besonderen, des Individuellsten, seine stilistische Sensibilität für die anschaulich treffende Sprache, für das Atmosphärische und Charakteristische. Er wählte die oft als unscheinbar übersehenen Ereignisse, Menschen und Dinge und entdeckte deren Bedeutsamkeit als Glied und Spiegel einer sozialen Gruppe, eines größeren geschichtlichen Zusammenhanges. Sein erster umfangreicher Roman „Vor dem Sturm" (1878) knüpfte in seinem Thema, in der Art, wie er menschliche Charaktere und die geschichtliche wie landschaftliche Umwelt als Einheit sah, in der Darstellung von Gesellschaft und Kultur des täglichen Lebens noch an die „Wanderungen" an. Fontane rückte den historischen Roman der eigenen Gegenwart nahe; er sprach durch das Bild der nationalpreußischen Bewegung unter Napoleons Herrschaft zu der eigenen Zeit. Er suchte einen Ausgleich zwischen staatlich-monarchischer Ordnung und freiem Tatwillen im Sinne des nachrevolutionären Liberalismus. Der Erzähler fand gegenüber dem jungdeutschen Geschichts- und Zeitroman zu seiner eigenen Gestaltungsweise, wenn er das geschichtliche Leben nicht mehr als einen allgemeinen Ideenablauf in typisierten Figuren darstellte, sondern es vom Einzelmenschlichen her, im räumlich Zuständlichen, im Einfach-Täglichen schilderte. Dies bedeutete einen Gewinn an Fülle und Unmittelbarkeit der künstlerischen Anschauung, aber erschwerte auch die umfassende epische Formbildung. Das Großgefüge des Romans zerfiel in die lockere Reihung von Einzelporträts, Einzelszenen. Indem Fontane allein von seiner Begabung und Gestaltungsneigung sich führen ließ, stieß er auf einen Widerstand der überlieferten epischen Form. „Ich habe mir nie die Frage vorgelegt: soll dies ein Roman werden? Und wenn es ein Roman werden soll, welche Regeln und Gesetze sind innezuhalten? Ich habe mir vielmehr vorgenommen, die Arbeit ganz nach mir selbst, nach meiner Neigung und Individualität zu machen." So meisterlich „Vor dem Sturm" in der Mannigfaltigkeit seiner erzählten Bilder, Porträts und Vorgänge ausfiel, die

Form wurde auf diese Weise nicht befriedigend bewältigt. Fontane sah sich genötigt, mit erneuten Experimenten seine spezifische Begabung und die Formmöglichkeiten seines Erzählens zu erproben. Eine fertige Form konnte er der Tradition nicht entleihen. Der Entwurf eines zeitkritischen Gesellschaftsromans „Allerlei Glück“, dem er durch Jahre breite Vorstudien widmete, blieb liegen; er wich in kleinere Erzählformen novellistischer Art („Grete Minde“ 1880, „Ellernklipp“ 1881) aus.

Erst mit „Schach von Wuthenow“, in langsamer Arbeit zwischen 1879 und 1882 entstanden, gelangte er nach geduldig suchendem Anlauf zu seiner Weise des historischen und gesellschaftlichen Erzählens. Im August 1882 schrieb er in einem Briefe: „Ich sehe klar ein, daß ich eigentlich erst beim 70. Kriegsbuche (gemeint ist ‚Der Krieg gegen Frankreich 1870/71‘, ersch. 1873) und dann beim Schreiben meines Romans ein Schriftsteller geworden bin, d. h. ein Mann, der sein Metier als eine Kunst betreibt, als eine Kunst, deren Anforderungen er kennt.“ Das hieß für ihn, im Gegensatz zu der lange herrschenden Auffassung des Romans, entschieden eine Kunst der Form, eine Kunst der Prosa. Das Stoffliche als spannende Fabel trat zurück; ebenso verzichtete er auf die Breite epischer Handlungsabläufe. Um so mehr sammelte sich sein Erzählinteresse auf das psychologische Porträt einer Zeit in den von ihr bewegten Menschen, auf eine gesellschaftlich-historische Situation, aus der er psychologisch-analytisch ein Geschehen entwickelte, das sich auf wenige Menschen beschränkte, in deren ausgeprägter, einmaliger Individualität dennoch Typisches, Repräsentatives sichtbar wurde. „Wer auf plots und große Geschehnisse wartet, ist verloren . . . ich kann, um dem großen Haufen zu genügen, nicht Räubergeschichten und Aventüren-Blech schreiben.“ Fontane stellte in „Schach von Wuthenow“ das Liebesgeschick zweier Menschen in ein vielfiguriges Bild der preußischen Zustände des Jahres 1806. Er schrieb jedoch keine erotisch getönte Liebesgeschichte. Vielmehr hat er mit großem Takt ausgespart, was zu nahe und tief in die Sphäre eines erotisch empfindsamen Geschehens führen könnte. Das

Geschick der Victoire von Carayon und des Rittmeisters von Schach, seine Figur vor allem, wird symptomatisch für größere gesellschaftlich-geistige Zusammenhänge, für eine allgemeine Staats- und Bewußtseinskrise. Fontane wählte, mit quellenkundiger Genauigkeit im historischen Detail, eine Geschichtszeit, die ihm ermöglichte, zu der eigenen Gegenwart zu sprechen. Er suchte im Geschichtlichen nicht das stimmungsvoll Poetische einer sagenhaft entrückten Ferne wie Storm, sondern gerade das Nahe, Aktuelle, ein Medium seines hellsichtigen kritischen Zeitbewußtseins. Gerade weil er sich im Preußentum beheimatet wußte, entwickelte er den scharfen Blick für seine Schwächen und Bedenklichkeiten. In dem Geschick des aristokratischen Offiziers, der sich seinem Eheversprechen durch den Freitod entzieht, unfähig, sich zu Konsequenzen zu entscheiden, eine in sich zwiegespaltene Natur, sollte sich die Dekadenz des allzu selbstsicheren Preußentums, seine Erstarrung im Traditionellen und Formalen und seine Auflösung im nur Subjektivistischen darstellen. Die Krise des Staates, der zwischen illusionärer Selbstsicherheit und ängstlichem Nachgeben gegenüber dem französischen Kaiser hin und her schwankt, greift auf den Menschen, auf sein Handeln im eigenen privaten Bereich über und wird dadurch um so mehr zum Bewußtsein gebracht. Eine mechanistische Veräußerlichung des Begriffs der Ehre einerseits, bei Schach pointiert in der Abhängigkeit vom Urteil der Gesellschaft und dem Mangel an Freiheit sich selbst gegenüber, geht mit der Unfähigkeit andererseits zusammen, „im Momente des Gehorsams den Gehorsam" durch eine innere, der Werte bewußte Unterordnung zur eigenen Tat zu machen. Die Erstarrung im Scheinhaften, in der entleerten Repräsentation und die subjektivistische, libertinistische Auflösung werden als die beiden einander zugehörigen Formen der Dekadenz deutlich.

Mit dieser Zeitthematik, die auf das Typische zielt und Schach zu einer Zeitfigur macht, geht jedoch die individualpsychologische Perspektive zusammen, die über das Historische hinausweist und zu der spezifischen Thematik von Fontanes Erzählen hinführt. Der Rittmeister Schach ist in sich selbst in Zweifel geraten. Er kann sich nicht den Pflichten unterwerfen, die er in einem unbedachten Augenblick erotisch und gesellschaftlich einging, er kann sich nicht den Gesetzen einfügen, welche Gesellschaft, Stand und Ehre von ihm fordern. Aber er kann sich auf der anderen Seite auch nicht von ihrem Anspruch befreien; er hat nicht die Kraft zu einer unabhängigen Existenz: ebenso aus seinem Ehrgefühl, seiner „ritterlichen“ Anständigkeit wie aus einer Schwäche heraus, die ihn von seiner Umwelt abhängig macht. Der Mensch ist in sich selbst in einen Widerspruch geraten; er wird nicht nur durch äußere Verhältnisse und Einflüsse in ihn hineingetrieben. Aus diesem Widerspruch gibt es nur die Flucht in den Tod. Fontane beleuchtet Situation und Charakter Schachs aus vielen Perspektiven, in mannigfaltigen Brechungen seines Bildes; aber so eindringlich diese psychologischen Erhellungen sind, sie lassen das Letzte, Eigentliche im Dunkel. Der Mensch hat sich verrätselt, er läßt sich nicht völlig ausdeuten. Die ähnliche Erfahrung begegnete uns schon bei C. F. Meyer, bei Theodor Storm, nur wurde dort dem Verhängnishaften, dem Schicksal zugeschrieben, was Fontane jetzt in der Psychologie des Menschen begründet findet. Je genauer er beobachtet und analysiert wird, um so mehr entzieht er sich einem eindeutigen Begreifen und Verstehen. Je sorgfältiger der psychologische Blick wird, um so tiefer dringt er in das Vielschichtige des Psychischen ein, ohne es völlig erschöpfen zu können. Was auch immer den Rittmeister Schach in seinen Tod hineingezwungen hat – sein falscher Ehrbegriff, seine Abhängigkeit von der Gesellschaft, seine Liebe zu der Mutter von Victoire von Carayon, die Sensibilität seines Ästhetentums, die Schwäche seiner Eitelkeit, die das Lächerliche fürchtet, sein Ehrgeiz, seine Unfähigkeit zu einem starken Gefühl oder zur Ehe, die ihn „selbstisch“ macht, seine innere Unsicherheit, ja Lebensangst, die sich hinter Korrektem verbirgt – alles dies taucht in der Erzählung als eine Teilbegründung auf, kreuzt und überschichtet sich gegenseitig, bleibt aber unentschieden. Das Krisenhafte, Ungelöste der äußeren politisch-gesellschaftlichen Zustände, die Unsicherheit des allgemeinen Bewußtseins – beides führt zu der gleichen Gebrochenheit im Innern des einzelnen Menschen. Derart gelang Fontane die dichterische Ineinsbildung von historischer Problematik und individuellem Charakterproblem. „Ein Rest von Dunklem und Unaufgeklärtem bleibt, und in die letzten und geheimsten Triebfedern andrer oder auch nur unserer eignen Handlungsweise hineinzublicken ist uns versagt.“ Die Behauptung, Fontane habe vor dem psychologischen Problem, das sich in der von ihm geschaffenen Gestalt des Rittmeisters aufdrängte, versagt, war irrig. Denn gerade in dieser Vieldeutigkeit, in der krisenhaften Ungewißheit der gesellschaftlichen Lage und der psychologischen Grundtriebe, in solcher Gestaltung des Staatlichen und des Innerseelischen aus dem Problematisch-Relativen heraus liegt die von ihm eröffnete Einsicht in das historische und in das menschliche Leben. Dies war seine spezifische Form des ‚Realismus‘, d. h. der erzählerischen Aufdeckung der Wahrheit. Eine Harmonisierung zum Eindeutigen wäre ein Verstoß dagegen gewesen. Damit war eine Rundung des Erzählschlusses im konventionellen Sinne nicht mehr möglich. Es liegt vielleicht eine Konzession Fontanes darin, daß er sie dennoch versucht hat: in der etwas sentimentalen Verschleierungsform des Erzählungsendes, das dem Tod des Rittmeisters einen Hauch von Verklärung gibt und Victoire in der Gnade der römischen Kirche Ara Coeli den Frieden finden läßt.

In „Schach von Wuthenow“ hat Fontane die ihm gemäße Form der kürzeren Erzählung gefunden, die sich weder dem Novellentypus einordnen läßt noch auch zur Breite des Romangefüges kommt. Sein scharfer Blick für das Einzelne, für das Anekdotische legte eine szenisch gelockerte Erzählform nahe. Fontane erreichte die Illusion vollständig geschilderter Wirklichkeit durch die Kunst seiner Auswahl des Charakteristischen, durch die dichte Zusammenhangsverwobenheit, die verklammernde Wiederkehr typischer Motive, Wendungen und Bilder, die oft einen erzählimmanenten Symbolsinn erhalten und den Leser unauffällig führen. Fontane zog eine Konsequenz des realistischen Stils, wenn er in Szene und Dialog unmittelbar vergegenwärtigte, den Erzähler selbst hingegen – im Unterschiede zu Storms Stimmungssubjektivismus und Reflektionshaltung – zurückhielt. Der Dialog wurde sein bevorzugtes Mittel, psychologisch-mimisch darzustellen, im Pro und Contra möglichst viele Perspektiven auf die Zeitgeschichte wie auf den erzählten Fall zu Gehör zu bringen. Der Dialog wurde sein auffälligstes Kompositionsmittel, zum Medium ironischer Brechungen und Relativierungen, zum Spielfeld seines pointierten, epigrammatischen Geistes, der auf scheinbar leichte, beiläufige Weise kostbare Epigramme der Lebensskepsis und Lebensweisheit prägte. Fontane hat fast allen seinen erzählten Figuren seine eigene Meisterschaft des geistreichen, urban-geselligen Gesprächs, der ironisch souveränen „Causerie" eingelegt und sie damit auf einen spezifischen Fontane-Ton gestellt, ohne das Individuelle und Objektivierte ihrer Charaktere und ihrer sozialen Stellung zu durchbrechen. Der Dialog vermittelte die realistische Suggestion von gegenwärtig angeschautem und mitgehörtem Leben. Zugleich entsprach das Reflektierte, dessen pointierte Geistigkeit, die sich in formulierten Bewußtseinsformen äußert, Fontanes eigenem Rationalismus. Deshalb mußte neben den Dialog in „Schach von Wuthenow" das etwas ungeschickte Darstellungsmittel des Briefes treten, der eine andere Form des Dialoges ist. Je freier und selbständiger Fontane in seiner Kunst des Erzählens wurde, um so mehr bewirkte bei ihm der Dialog den epischen Zusammenhang. Der Dialog bildete den breiteren geschichtlichen Raum ab, er wirkte als Spannungsträger und Bewegungselement, er übernahm die indirekte Charakteristik der erzählten Figuren. Mehr und mehr trat der Bericht zurück, bestimmen Szene und Gespräch mit ihrer Lebensfülle, ihren Halbtönen, ihrem Für und Wider den Vorgang. Es gelang ihm derart, die Unmittelbarkeit der geschilderten Wirklichkeit ‚realistisch' mit allen ihren Beiläufigkeiten, ihren Nuancen und Überraschungen einzufangen. Der Anschein abgebildeter Wirklichkeit verdeckt nicht den hohen Grad an Stilisierung, an kunstbewußter Gestaltung, der Fontanes Erzählen für den Leser eine unerschöpfliche Faszination ergibt. Denn die

Natürlichkeit dieses gelockert plaudernden Erzählens erweist sich als das Resultat eines sorgfältig arbeitenden und sich überwachenden Kunstverstandes, der jede Nuance des Stils bedachte und auf ihre Wirkungen prüfte. Es heißt in einem Brief Fontanes: „Es gibt heutzutage keine bloßen ‚Talente' mehr. Wer heutzutage eine Kunst wirklich betreibt und in ihr was leisten will, muß natürlich vor allem auch Talent, gleich hinterher aber Bildung, Einsicht, Geschmack und eisernen Fleiß haben. Zum künstlerischen Fleiß aber gehört etwas anderes als Massenproduktion. Storm, der zu einem kleinen lyrischen Gedicht mehr Zeit brauchte als Brachvogel zu einem dreibändigen Roman, ist zwar mehr spazierengegangen als der letztere, hat aber als Künstler doch einen hundertfach überlegenen Fleiß gezeigt. Der gewöhnliche Mensch schreibt massenhaft hin, was ihm gerade in den Sinn kommt. Der Künstler, der echte Dichter, sucht oft vierzehn Tage lang nach einem Wort."

In einer kritischen Auseinandersetzung mit Gustav Freytags damals hochgerühmten „Ahnen" schrieb Fontane: „Was soll der *moderne* Roman? Welche *Stoffe* hat er zu wählen? Ist sein Stoffgebiet unbegrenzt? Und wenn *nicht*, innerhalb welcher räumlich und zeitlich gezogenen Grenzen hat er am ehesten Aussicht, sich zu bewähren und die Herzen seiner Leser zu befriedigen? Für uns persönlich ist diese Frage entschieden. Der Roman soll ein Bild der Zeit sein, der wir selber angehören, mindestens die Widerspiegelung eines Lebens, an dessen Grenze wir selbst noch standen oder von dem uns unsere Eltern noch erzählten." Dies konnte schon für „Schach von Wuthenow" gelten. Aber Fontane ging weiter. „Noch einmal also: der moderne Roman soll ein Zeitbild sein, ein Bild *seiner* Zeit. Alles Epochemachende, namentlich alles Dauernde, was die Erzählungsliteratur der letzten 150 Jahre hervorgebracht hat, entspricht im wesentlichen dieser Forderung ... Jean Paul, Goethe ... haben aus *ihrer* Welt und *ihrer* Zeit heraus geschrieben." Der Zeitroman war ihm nicht eine Sonderform der kritischen Zeitanalyse, gekennzeichnet durch das Engagement seiner Modernität, er bedeutete vielmehr die eigentliche Erfüllung einer epochemachenden, dauernden Kunst des Romans. Dies war in so programmatischer Formulierung innerhalb der deutschen Romangeschichte ungewohnt; es war der Ausdruck einer entschiedenen Negation des romantischen Erbes, der Schlegelschen Theorie des Romans als Universalpoesie, als „Poesie der Poesie" (vgl. Nachwort zu Bd. 3 dieser Auswahl) und eine distinkte Entscheidung zum Realismus: „ein Bild der Zeit, der wir selber angehören".

Dies verwirklichte Fontane in der durch „L'Adultera" (1882), „Graf Petöfy" (1884) und „Cécile" (1887) eingeleiteten Reihe seiner Gesellschaftsromane, in denen es sich vornehmlich um Probleme der Ehe auf dem Hintergrunde der zeitgenössischen Gesellschaftssituation handelt. „Irrungen Wirrungen", niedergeschrieben in den Jahren 1883 bis 1887, wurde das Meisterwerk. Es war ein kühnes Werk, auf dessen erste Veröffentlichung in der „Vossischen Zeitung" viele Leser, die sich in ihren moralischen Konventionen angegriffen fühlten, empört reagierten. Fontane erzählt die Geschichte der auf Erfüllung verzichtenden Liebe eines gesellschaftlich ungleichen Paares, der Kleinbürgertochter Lene Nimptsch und des feudalen Offiziers Botho von Rienäcker auf dem Hintergrunde der allgemeinen Gesellschaftssituation, die Mauern errichtet, wo sich im Menschlich-Natürlichen eine echte, innige Bindung einstellt. Er fügt dies Geschick in die Lebensbreite des Berlin um 1880 ein; mit unübertrefflicher Vergegenwärtigung der räumlichen Atmosphäre, des durchlebten, mitspielenden Details, der aus eigener, runder und voller Lebensfrische mitwirkenden Nebenfiguren. Zu diesem Porträtrealismus des ‚Milieus', der es unmittelbar zum Sprechen bringt, gehört das scheinbar Saloppe, plaudernd Ungezwungene der mit vielen ironisch-heiteren Pointen arbeitenden Sprache. Es ist die Sprache eines sorgsamen Stilisten, der, ohne jeglichen Anschein der Mühe, das richtige Wort, die richtige Tönung zu treffen weiß und, obwohl er nur die Sache zu vergegenwärtigen scheint, in Auswahl und Akzentuierung dem Erzählten eine sorgfältig durchdachte Form einlegt.

Fontane schrieb den Roman der Gesellschaft, als sie, erstarrt und entleert, zum Abbau reif geworden war. Sie war keine sittliche Ordnung mehr, nur noch eine überlieferte, konventionelle Gegebenheit, die sich selbst erhalten wollte. Dennoch betrachtete er sie als Unvermeidliches. Denn so wenig sie dem Einzelnen noch eine Glückserfüllung bieten konnte, so wenig erschien eine subjektive Emanzipation von ihr möglich. Wer sich aus der Ordnung der Gesellschaft herausbegab, mußte Konsequenzen auf sich nehmen, die ihn vernichten konnten, ihm jedenfalls den sozialen Halt nahmen. Das Allgemeine der gesellschaftlichen Welt mit ihren starren Gesetzen und Interessen – das Herzensbedürfnis des Einzelnen, der dem Naturtrieb und Naturrecht seines Gefühls folgen will: beides läßt sich nicht zur Übereinstimmung bringen. Die Gesellschaft gewährt ihm die Erfüllung seines inneren Anspruchs und Rechtes nicht, aber das Herz kann, allein auf sich gestellt und aus dem Consensus der bestehenden Wirklichkeit ausgeschieden, ebensowenig „für das Fehlende aufkommen". So ergibt sich eine Widerspruchssituation, die tragische Züge annimmt, soweit man dies Wort der Situation eines erleidenden und resignierenden Menschen zuerkennen will. Denn Fontane schildert nicht „Kämpfe", sondern das schmerzliche Sich-Zurechtfinden und das Sich-Einfügen in eine unveränderliche Situation, die dem Menschen, sei es aus dem Zwang der Gegebenheit, sei es aus seiner eigenen Schwäche, keine Chance des erfolgreichen Widerstandes läßt. Es ist bezeichnend, daß er dies Anerkennen und Nachgeben, diese Resignation vor allem dem Manne, Botho von Rienäcker, einlegt, der durch Herkunft und Stand, durch die Formen seines Bewußtseins am meisten an die Gesellschaft gebunden ist, während er in Lene, dem Mädchen aus dem einfachen Volke, die Naturkraft der Liebe und des Willens, eine Überlegenheit aus dem Herzen und der Vernunft darstellt. Diese Überlegenheit liegt darin, wie sie sich, ehrlich und mit ganzer Seele, zugleich illusionslos zur Illegitimität ihrer Neigung, zu der kurzen Dauer ihres Glücks bekennt und tapfer den Zwang zum Verzicht auf sich nimmt, obwohl sie tiefer als Botho liebt und leidet. Ihr Geschick erhält tragische Züge – Botho hingegen lebt sich mit elegischer Resignation in eine behagliche und dennoch leere, nach außen elegant geordnete, im Innern Lücken lassende Ehe ein. Lene besitzt die volle Stärke des Herzens in der Liebe und im Verzicht – Botho von Rienäcker zeigt mehr die „Gebrechlichkeit und wetterwendische Schwäche" des Gefühls; befangener in Tradition und Gesellschaftsgeist, passiver in seiner Unterwerfung unter die Ansprüche seiner Familie und Klasse. Denn er ist unfähig, außerhalb von deren sichernden Bindungen zu leben. Das Bedürfnis nach einem Maßhalten im nun einmal Gegebenen, das Fontane vielen seiner Gestalten einlegte und das sie auf eine Glückserfüllung verzichten ließ, entsprach dem bürgerlichen Denken der Zeit. Aber dies Sich-Einpassen treibt den Einzelnen in eine halbe, gespaltene, damit in sich selbst unwahre Existenz. So verbirgt sich hinter der nach außen glänzenden Glücksmaske von Bothos standesgemäßer Ehe Sterilität und Melancholie, die wehmütige Reue des versäumten Glücks. Das ist die Wirklichkeit, der Botho sich einfügt und die vielleicht auch auf Lene in ihrer Vernunftehe mit einem geachteten, aber ungeliebten Mann wartet. Der Kontrast zwischen ihrem Ehepartner und der Ehepartnerin Bothos verdeutlicht, wie Fontane in sorgsamster Komposition die erzählten Figuren einander zu- und gegenordnete und in diese Parallel- und Widerspruchssymmetrie zugleich die Wertakzente einfügte. Er vermeidet jede Pathetisierung und Sentimentalisierung dieses Geschicks.

Der Rückblick auf Storms „Aquis submersus" läßt seinen völlig andersartigen, ‚realistischen' Tatsachensinn deutlich bemerken. Seine Menschen zerbrechen nicht – sie leben mit gefaßter Vernunft weiter. „Wenn man schön geträumt hat, so muß man Gott dafür danken und darf nicht klagen, daß der Traum aufhört und die Wirklichkeit wieder anfängt." Fontanes Abneigung gegen jede Art von feierlich-melodramatischer Überhöhung, gegenüber allen direkten Gefühlsbeschwörungen gab ihm die Möglichkeit, den Ernst dieses Geschehens mit Lichtern des Humors, mit vielen ironischen Wendungen und Nuancen zu durchspielen, die distanzieren, ohne doch die Gefühlsteilnahme zu verstören. Er fand das Grundprinzip seines erzählerischen Realismus in der Offenheit zu allen Mischungen und Tönungen des Lebens und in der künstlerischen Fähigkeit, sie im Gleichgewicht zu halten. Ein elegischer ‚Pessimismus' bildet den Grundton des hier erzählten Lebensvorgangs. Fontane schrieb 1882 seiner Frau: „Sieht man von ganz wenigen Ausnahmefällen ab, so läuft überhaupt unser ganzer Verkehr im Leben entweder auf ein reines, schändliches Komödienspiel, oder da, wo im ganzen genommen Ehrlichkeit herrscht, auf Kompromisse, Waffenstillstände, stillschweigende gegenseitige Abmachungen hinaus." Aber er schildert hier nicht nur reproduktiv einen Lebensvorgang, er formte aus ihm das Kunstwerk eines Romans, das mehr ist als eine noch so getreue Abbildung. „Darauf kommt es an, daß wir in den Stunden, die wir einem Buche widmen, das Gefühl haben, unser wirkliches Leben fortzusetzen und daß zwischen dem erlebten und dem erdichteten Leben kein Unterschied ist, als der jener Intensität, Klarheit, Übersichtlichkeit und Abrundung und infolge davon jene Gefühlsintensität, die die verklärende Aufgabe der Kunst ist." Diese Gefühlsintensität läßt in dem Geschick Lenes und Bothos das Junge und Schöne einer wahrhaftigen Liebe noch im Geschick ihrer Trennung erfahren. Darin liegt das „Verklärende", das für Fontane zum Wesen des Kunstwerkes gehörte; es liegt zugleich in dem Humor, der das Heitere, das Komische, das in dem wirklichen Leben nie fehlt und sich gerade im Anekdotischen, im Besonderen und Kleinen einstellt, wahrnimmt und ins Spiel bringt – in einem Humor, der eine lächelnde Überlegenheit vermittelt und dem Gefühl nicht widerspricht, sondern es in sich aufnimmt.

Alle Seiten des Lebens gleichgewichtig zur Sprache zu bringen – dies war die Intention und Leistung des Erzählers Fontane, der nichts verleugnete, aber auch nichts vereinseitigte. Dies verstand er als die Verwandlung von Wirklichkeit zum Kunstwerk. Hier zog er die Grenze gegenüber dem europäischen Naturalismus, wie er ihm in dem russischen Erzähler Iwan Turgenjew und in Émile Zola begegnete. „Der Realismus wird ganz falsch aufgefaßt, wenn man von ihm annimmt, er sei mit der Häßlichkeit ein für allemal vermählt. Er wird erst ganz echt sein, wenn er sich umgekehrt mit der Schönheit vermählt und das nebenherlaufende Häßliche, das nun mal zum Leben gehört, verklärt hat. Wie und wodurch? Das ist seine Sache zu finden. Der beste Weg ist der des Humors." Und in einem anderen Briefe nach der Lektüre von Zola: „So *ist* das Leben nicht, und wenn es so wäre, so müßte der verklärende Schönheitsschleier dafür geschaffen werden. Aber dies ‚erst schaffen' ist gar nicht nötig; die Schönheit ist *da,* man muß nur ein Auge dafür haben, oder es wenigstens nicht absichtlich verschließen. Der *echte* Realismus wird auch immer schönheitsvoll sein; denn das Schöne, Gott sei Dank, gehört dem Leben gerade so gut an wie das Häßliche. Vielleicht ist es noch nicht einmal erwiesen, daß das Häßliche präponderiert." Der Humor durchdringt ebenso die objektive Wirklichkeit wie das Gefühl mit einem Humanen, das zugleich Teilnahme und Verstehen, Miterleben und Distanz, Ergriffenheit und eine Überlegenheit umschließt und im individuellen Fall etwas Typisches, Gesetzliches erkennt. Selbst die Resignation wurde derart für Fontane eine Überwindung. „Ist nicht auch die Resignation ein Sieg?" So, wie der Humor ein Sieg über das Häßliche des Lebens ist. Es ist der Sieg des gestaltenden Erzählers.

In dem Geschick von zwei jungen Menschen hat Fontane die generelle Situation des zeitgenössischen Gesellschaftssystems geschildert. Das Einzelgeschick und der gesellschaftliche Hintergrund – beides ist engst aufeinander bezogen. „Wer ihm gehorcht, kann zugrunde gehen, aber er geht besser zugrunde als der, der ihm widerspricht." Das Besondere erhält seine innere Dimension durch den typisierenden Verweisungscharakter, der in die Vielgestaltigkeit des Individuellen, Einmaligen, Anekdotischen eingelegt ist. Solche Gestaltung des Gesellschaftsproblems als ein innerseelisches Problem, als Problem der Liebe verdeutlicht, wie Fontane das Außen und Innen dichterisch als einen einzigen Zusammenhang gestaltete; verdeutlicht zugleich, wie zwieschichtig im Verweben von Kritik, Opposition und Anerkennung sein Verhältnis zu dem Gesellschaftsproblem war. In der Zwangslage zwischen zwei Negationen wird – aus bürgerlicher Lebensanschauung – der resignierende Kompromiß im vorgegebenen Ordnungszusammenhang gewählt, obwohl dieser Kompromiß die doppelte Negation eines Sinngehalts der Gesellschaft und einer Glückserfüllung des Ich einschließt. „In allen Dingen entscheidet das Maß ... Also aufs Maß kommt es an, nicht bloß bei dem, der etwas tut, auch bei dem, der das Ganze beobachtet und beurteilt." Dies Maß war für Fontane eine Bedingung des im Vielstimmigen gleichgewichtigen Kunstwerkes des Romans. So fügen sich in „Irrungen Wirrungen" das Humoristische und das Ernsthafte, das Stimmungsvolle und das Reflektiert-Kritische, das Heitere und das Schwermütige zur Einheit zusammen. Das eine blickt stets durch das andere hindurch. Obwohl das genrehafte Detail noch kräftigere Konturen als in seinen bisherigen Erzählungen empfangen hat, wird es von dem inneren Geschehen und dessen Stimmungen beseelt und vergeistigt. Fontane baut auch die Umwelt – dies Milieu von Innenräumen, Klub, Garten, Haus, Straße und Stadt – vom inneren Vorgang her auf. Das Genrehafte und das Sinnbildliche sind engst verwoben. Es gibt hier kein Detail, das nicht auf das Gesamtthema bezogen ist und es nicht – in noch so unauffälliger Weise – spiegelt. Gipfelungen solcher atmosphärischen und sinndeutenden Stilkunst sind der Spaziergang des Paares unter dem Gesang des Volksliedes, das gegen Ende des Romans wie eine Leitmelodie wiederkehrt, der Ausflug nach „Hankels Ablage" und die Fahrt Bothos zum Friedhof, zum Grabe der alten Nimptsch. Der Fontane-Ton ist in „Irrungen Wirrungen" voll ausgebildet – in der Klarheit der sprachlichen Führung, in der Mehrschichtigkeit der Perspektiven und Stimmungen, im Gefühlsrhythmus – aber er entfremdet nirgends die dargestellte Realität ihrer eigenen Wirklichkeit, ob es sich um das Milieu aristokratischer Offizierklubs oder des kleinbürgerlichen Gärtnerhäuschens handle. Wie Fontane sich in stilisierender Komposition der Auswahl und Verdichtung, der Kontrastfiguren, die sich gegenseitig beleuchten, bediente, ferner der Leitmotive und der perspektivischen Überkreuzungen, wie er den kunstvollen Dialog pointierte, der so zwanglos alltäglich oder nur die „Bummel- oder Geistreichigkeitssprache des Berliner Salons“ zu sein scheint – dies kann hier nicht einläßlich verfolgt werden und bleibt der Aufmerksamkeit des Lesers überlassen. Der Erzähler Fontane hat in „Irrungen Wirrungen“ erreicht, was er als Stilisierung und verklärende Leistung der Kunst, des erdichteten Lebens gegenüber dem gelebten Leben bezeichnet hat: Klarheit, Übersichtlichkeit, Abrundung und Gefühlsintensität. „Es ist das Schwierigste was es gibt und vielleicht auch das Höchste, das Alltagsdasein in eine Beleuchtung zu rücken, daß das, was eben noch Gleichgültigkeit und Prosa war, uns plötzlich mit dem bestrickenden Zauber der Poesie berührt.“ Er nahm in den realistischen, zeitgenössischen und gesellschaftskritischen Roman die Stimmung des Poetischen herein, die er in dem europäischen Realismus und Naturalismus vermißte und die ihm erst den Roman als dichterisches Kunstwerk zu legitimieren schien.

In dem Erzähler Fontane war die Absicht künstlerischer Gestaltung mindestens ebenso stark, wenn nicht stärker, als der Wille zur sozialen Kritik. Der Stilist behauptete die andere Seinsstufe der Kunst gegenüber dem Leben, das er wohl „richtig“ treffen, aber dem er sich nicht unterwerfen wollte. „Die Kunst hat strengere Gesetze als das Leben.“ Der Roman „Frau Jenny Treibel“ ist ein gesellschaftssatirischer Roman, gerichtet gegen den neuen Typus der parvenühaften Bourgeoisie, ein sehr scharfsichtiger Spiegel der Gesellschaftssituation Berlins in den Gründerjahren. „Zweck der Geschichte: das Hohle, Phrasenhafte, Lügnerische, Hochmütige, Hartherzige des Bourgeois-Standpunktes zu zeigen, der von Schiller spricht und Gerson meint. Ich schließe mit dieser Geschichte den Zyklus meiner Berliner Romane ab.“ Aber im Grunde gehören auch „Effi Briest“ (1895), „Die Poggenpuhls“ (1896) und „Der Stechlin“ (1898) zu diesem Zyklus: drei meisterliche Werke, auf deren Abdruck wir sehr ungern verzichten müssen. Und später, in einem anderen Briefe: „Ich hasse das Bourgeoishafte mit einer Leidenschaft, als ob ich ein eingeschworener Sozialdemokrat wäre.“ Aber zugleich fällt ein für Fontanes Selbstkritik typischer Satz: „Das Bourgeoisgefühl ist das zur Zeit maßgebende, und ich selber, der ich es gräßlich finde, bin bis zu einem Grade von ihm beherrscht. Die Strömung reißt einen mit fort.“ Fontane hielt dennoch eine polemische Tendenz zurück; er erzählte mit einer heiteren Ironie, welche das Relative des Allzu-Menschlichen, das überall herrscht, aufzeigt und einen Gefühlsgrund bewahrt, der versöhnend die karikierenden Überspitzungen vermeidet. Seine Ironie wurde ein Kunstmittel der kritischen Beleuchtung, das ihm die erzählerische Spielfreiheit sicherte. Wieder sind es die kleinen, intimen und anekdotischen Züge, an denen sich diese Ironie entwickelt. Fontane analysierte nicht bis zu schonungsloser Entlarvung; seine Skepsis ließ die Möglichkeit zu einer amüsierten Sympathie offen. Er wußte zu genau um das Menschlich-Gebrechliche in sich selbst, um bei allem hellsichtigen Durchschauen die nachsichtige, also „humane“ Geduld gegenüber den Kompromissen zu verlieren, die nun einmal die zeitgenössische bürgerliche Wirklichkeit ausmachten. Er wollte kein Richter mit dem Pathos einer Vollkommenheit sein, die doch nur eine Illusion oder eine Negation des wirklichen Lebens sein konnte. Professor Schmidt, durch den Fontane oft selbst spricht, drückt es aus: die Selbstironie, „in der wir, glaube ich, groß sind“, macht „immer wieder ein Fragezeichen hinter der Vollendung“. Und die Selbstironie ist eigentlich der höchste Standpunkt im Leben. Fontane war kein Utopist der gesellschaftlichen Menschheitserlösung und machte den Nonkonformismus um jeden Preis nicht zur Pflicht und Tugend des Schriftstellers. „Es ist hart, daß die Welt das ‚Halbheit‘ und ‚Unentschiedenheit‘ nennt, sie sollte es ‚Weisheit‘ und ‚Gerechtigkeit“ nennen, aber die große Tat ist immer nur ein Kind der unbedingten Eingebung und wer zwischen Haß und Liebe, Glauben und Zweifel, Kunst und Handwerk, Poesie und Philistertum abwägt und hin und herschwankt, der kann nicht sterben wie Hus, nicht malen wie Raphael, nicht dichten wie Schiller; den ganzen Kranz erobert sich nur das Ganze." Darin liegt eine Fontane kennzeichnende Selbstbescheidung, doch ebenso der kluge Sinn für das Maß, für das Relative des Wirklichen. „So lange es geht, muß man Milde walten lassen, denn jeder kann sie brauchen." Das Ethos des Schriftstellers Fontane lag darin, nichts zu überdecken, aber auch mit einem Humor, der das Lächerliche eben nur als Lächerliches nimmt, das Fragwürdige zu entschärfen.

So kann er auch das post-idealistische Bildungs- und Bürgerethos des alten Professor Schmidt mit ironischen Lichtern darstellen; als ein schon etwas altmodisches Residuum mit einem humoristischen Fatalismus des Verzichtes, der sich selbst und die Dinge um ihn herum, solange es nicht an den Kern des Lebens geht, nicht allzu schwer nimmt. Überall stimmen Anspruch und Wirklichkeit, Rollenspiel und Leben nicht mehr überein. Er schrieb schon anläßlich von „Irrungen Wirrungen" seinem Sohne Theo: „Wir stecken ja bis über die Ohren in allerhand konventioneller Lüge und sollten uns schämen über die Heuchelei, die wir treiben, über das falsche Spiel, das wir spielen." Die objektive und subjektive Unwahrhaftigkeit der Frau Jenny Treibel, die immer von ihren schönen und hochpoetischen Gefühlen spricht und doch sehr rücksichtslos auf Geld und gesellschaftliche Erfolge hinzielt, wiederholt sich mit vielerlei Variationen bei allen anderen in diesem vielfigurigen Roman. Selbst Corinna gerät in diesen Widerspruch zwischen Lüge, Kompromiß und innerer Ehrlichkeit. Sie ist nahe daran, ihre eigene Natur zu verraten und dem Geld- und Aufstiegsehrgeiz, der die Zeitströmung beherrscht, zu verfallen. „Aber ein Hang zum Wohlleben, der jetzt alle Welt beherrscht, hat mich auch in der Gewalt, ganz so wie alle andern." Doch sie findet zu ihrer inneren Richtigkeit zurück; Leopold Treibel hingegen, ihr willensunfähiger Bräutigam, nicht dazu angelegt, eine Unabhängigkeit von dem zähen Willen der Mutter zu erringen, versagt kümmerlich. Wo derart alles in die Relativität zwischen Wahrhaftigkeit und Scheinexistenz gerät, fehlt die Widerlage, von der aus gerichtet und verurteilt werden könnte. Es ist bezeichnend, daß Marcell, der bürgerliche junge Gelehrte, der „immer aufs Rechte, immer aufs Ganze“ und so „das wirklich Ideale“ lebt, skizzenhaft und etwas farblos im Hindergrunde bleibt. Hingegen hat Fontane der Jenny Treibel, diesem „Musterstück von einer Bourgeoise“, einer ihm höchst unangenehmen Erscheinung in der sozialen Realität seiner Zeit, die Meisterschaft seiner Kunst des erzählerischen Porträtierens zugewandt. Sie hat dem Erzähler ersichtlich Vergnügen bereitet und konnte schon deshalb nicht einem radikalen Gericht verfallen. Bis in alle anekdotischen Details durchspielt der Widerspruch zwischen Schein und Sein, zwischen Maske und Wahrheit diesen Roman, den man fast ein erzähltes Lustspiel nennen könnte. Es gehört zu diesem Lustspielhaften, daß verschärfte Konflikte vermieden werden, welche die ironische Nachsichtigkeit und den lächelnden Humor der Erzählstimmung durchbrechen würden. Dennoch wird als Gegenlage etwas „Ideales“ eingestaltet: als Möglichkeit, im Persönlichen trotz aller Mängel und Schwächen ein Ganzes sein zu können. Es meint eine Aufrichtigkeit des Herzens und der Vernunft sich selbst und den Mitmenschen gegenüber. Es ist bemerkenswert, daß Fontane dies Corinna eingelegt hat; einer jungen Frau, die das Natürliche in sich zu retten vermag: wie Lene in „Irrungen Wirrungen“. Dies „Ideale“ wird aber in dem Roman nur indirekt dargestellt, nicht gelehrt; es kann nicht formuliert, es kann nur im stillen behauptet und gelebt werden. Wo das „Ideale“ hingegen sich in der Sprache der Zeit darstellt, ist es zu Sentimentalität, Phrase und Lüge geworden. Es wird gerade dort als Wert bewußt, wo es verfehlt und verfälscht wird.

Den ‚großen‘ gesellschaftskritischen Zeitroman hat Fontane so wenig wie Gottfried Keller und Wilhelm Raabe geschrieben. Er bedurfte, um der Kunst seines „Plauderns“, seiner Pointen und Nuancierungen willen, des begrenzten Rahmens, eines Ausschnittes aus naher alltäglicher Wirklichkeit, des zuständlichen Milieubildes, einer Familiengeschichte. „Das Nebensächliche, so viel ist richtig, gilt nichts, wenn es bloß nebensächlich ist, wenn nichts drin steckt. Steckt aber 'was drin, dann ist es die Hauptsache, denn es gibt einem dann immer das eigentlich Menschliche." Und Professor Schmidt fährt fort, als ihm sein Partner entgegnet, er möge poetisch recht haben: „Das Poetische ... hat immer recht; es wächst weit über das Historische hinaus . . ." Fontane hat das Poetische im Historischen und Zeitkritischen bewahrt. Dies Milieu, diese Familie haben eine typische Repräsentanz; das eigentlich und spezifisch Lebendige und Wirkliche ließ sich nur in ihrer Eingrenzung erfassen. Dazu verhilft in noch größerem Maße als bisher der Dialog. Er entwickelt sich zwanglos aus der dargestellten Szene, aus dem Gesprächsaugenblick heraus. Er verbindet mit der Suggestion des mimisch Realistischen Fontanes große Kunst der psychologischen Erhellung – sowohl in dem, was gesagt wird, wie in dem, was nicht gesagt oder nur angedeutet wird. Der Dialog wird zum Spiegel der Zeit im Pro und Contra und die Form, in der Fontanes eigene Freude an geistreich pointierter Rede ihren Spielraum findet. Im Dialog verhüllen und verraten sich die erzählten Figuren; sie verstecken und sie bekennen sich in ihm. Er ist nicht nur das vorherrschende Mittel der Romangestaltung, sondern er gibt zugleich dem Erzähler die Möglichkeit der Objektivation der Figuren – und darüber hinaus einer Distanzierung von ihnen, die sich auf den Leser überträgt. Er sollte dem erzählten Zeitbild so zuschauen, wie es Fontane für sich selbst in Anspruch nahm: „Ich betrachte das Leben, und ganz besonders das Gesellschaftliche darin, wie ein Theaterstück und folge jeder Szene mit einem künstlerischen Interesse wie von meinem Parkettplatz No. 23 aus . . . Von Spott und Überhebung ist keine Rede, nur Betrachtung, Prüfung, Abwägung." In diesem künstlerischen Objektivismus lag eine völlig andere Erzählhaltung, als sie bei Theodor Storm begegnete. Bei Storm vollzog sich aus dem Stilverständnis des Realismus eine Subjektivierung des Erzählens; Fontane wählte, aus seiner anderen Artung heraus, eine Objektivierung des Erzählens, die in ihrer kritischen Vergegenwärtigung von zeitgenössischer Wirklichkeit und in ihrem genau durchdachten und beherrschten Kunstcharakter ihm die schriftstellerische Überlegenheit über Storm und eine größere geschichtliche und künstlerische Dimension des Erzählens sichert. Fontane hat den Zeit- und Gesellschaftsroman im Stilraum des Realismus zum Kunstwerk gemacht.

Fritz Martini